A GRANDE HISTÓRIA DA EVOLUÇÃO

RICHARD DAWKINS

A grande história da evolução

Na trilha dos nossos ancestrais

Com a colaboração de Yan Wong

Tradução
Laura Teixeira Motta

13ª reimpressão

COMPANHIA DAS LETRAS

Publicado originalmente por Weidenfeld & Nicolson Ltd, Londres, em 2004.

Grafia atualizada segundo o Acordo Ortográfico da Língua Portuguesa de 1990, que entrou em vigor no Brasil em 2009.

Título original
The Ancestor's Tale — A Pilgrimage to the Dawn of Life

Capa
Fabio Uehara

Preparação
Rodrigo Villela

Índice remissivo
Luciano Marchiori

Revisão
Huendel Viana
Valquíria Della Pozza

Dados Internacionais de Catalogação na Publicação (CIP)
Câmara Brasileira do Livro, SP, Brasil

Dawkins, Richard
A grande história da evolução : na trilha dos nossos ancestrais / Richard Dawkins ; com a colaboração de Yan Wong ; tradução Laura Teixeira Motta. — São Paulo : Companhia das Letras, 2009.

Título original : The Ancestor's Tale : a Pilgrimage to the Dawn of Life.
Bibliografia.
ISBN 978-85-359-1441-2

1. Evolução (Biologia) – Filosofia 2. Evolução (Biologia) – História I. Wong, Yan. II. Título.

09-02931 CDD-576.8

Índice para catálogo sistemático:
1. Evolução : Biologia : História 576.8

EDITORA SCHWARCZ S.A.
Rua Bandeira Paulista, 702, cj. 32
04532-002 — São Paulo — SP
Telefone: (11) 3707-3500
www.companhiadasletras.com.br
www.blogdacompanhia.com.br
facebook.com/companhiadasletras
instagram.com/companhiadasletras
twitter.com/cialetras

John Maynard Smith
(1920-2004)

Ele viu um rascunho e fez a gentileza de aceitar a dedicatória, que agora, infelizmente, tem de ser

In memoriam

"Não ligue para as conferências e seminários, deixe para lá as excursões guiadas aos pontos turísticos, esqueça os recursos visuais sofisticados, os radiomicrofones. A única coisa que realmente importa em uma conferência é que John Maynard Smith esteja presente e que haja um bar espaçoso e acolhedor. Se ele não puder comparecer nas datas que você tem em mente, trate de remarcar a conferência [...]. Ele vai cativar e divertir os jovens pesquisadores, ouvir as histórias deles, inspirá-los, reacender entusiasmos que talvez estejam arrefecendo, e os mandará animados e revigorados de volta a seus laboratórios ou lamacentos campos de pesquisa, ansiosos para experimentar as novas ideias que ele generosamente compartilhou."

Não são apenas as conferências que nunca mais serão as mesmas.

Agradecimentos

Anthony Cheetham, o fundador da Orion Books, persuadiu-me a escrever este livro. O fato de ele ter mudado para outra editora antes de o livro ser publicado reflete minha despropositada demora para concluí-lo. Michael Dover tolerou a delonga com bom humor e paciência e sempre me encorajou, com uma compreensão ágil e inteligente do que eu estava tentando fazer. A melhor das suas muitas boas decisões foi encomendar a preparação do livro a Latha Menon. Como em *O capelão do diabo*, o apoio de Latha foi inestimável. Sua percepção simultânea do quadro geral e dos detalhes, seu conhecimento enciclopédico, seu amor pela ciência e seu empenho desinteressado em promovê-la beneficiaram a mim, e a este livro, de incontáveis maneiras. Outras pessoas da editora ajudaram-me muito, mas Jennie Condell e o designer Ken Wilson foram além de suas obrigações.

Meu assistente de pesquisa, Yan Wong, participou intimamente de todas as etapas de planejamento, pesquisa e redação do livro. Seu engenho e sua minuciosa familiaridade com a biologia moderna só têm equivalente no seu jeito com os computadores. Se nisto eu, muito grato, assumi o papel de aprendiz, pode-se dizer que ele foi meu aprendiz antes, pois fui seu tutor em New College. Como depois ele fez o doutorado sob a orientação de Alan Grafen, que fora meu aluno de pós-graduação, suponho que posso considerar Yan meu "neto acadêmico", além de meu aluno. Aprendiz ou mestre, a contribuição de Yan foi tão grande que, em certos contos, fiz questão de acrescentar seu nome como coautor. Depois de Yan ter partido para uma travessia pela Patagônia, de bicicleta, o livro, em suas etapas finais, valeu-se imensamente dos extraordinários conhecimentos zoológicos de Sam Turvey e de sua conscienciosa diligência em empregá-los.

Recebi prestimosos conselhos, além de auxílio em vários assuntos, de Michael Yudkin, Mark Griffith, Steve Simpson, Angela Douglas, George McGavin, Jack Pettigrew, Geroge Barlow, Colin Blakemore, John Mollon, Henry Bennet-Clark, Robin Elisabeth Cornwell, Lindell Bromham, Mark Sutton, Bethia Thomas, Eliza Howlett, Tom Kemp, Malgosia Nowak-Kemp, Richard Fortey, Derek Siveter, Alex Freeman, Nick Warren, A. V. Grimstone, Alan Cooper e especialmente Christine DeBlase-Ballstadt. Aos demais, deixo meus agradecimentos nas notas no fim do livro.

Sou profundamente grato a Mark Ridley e Peter Holland, que, a pedido da editora, fizeram uma leitura crítica do original e me deram as recomendações certas. A afirmação de praxe quanto à responsabilidade sobre as deficiências remanescentes é, em meu caso, mais do que o geralmente necessário.

Como sempre, agradeço a Charles Simonyi por sua generosidade imaginativa. E a minha mulher, Lalla Ward, mais uma vez, meu esteio e minha força.

Richard Dawkins

Sumário

A ARROGÂNCIA DA INTERPRETAÇÃO *A POSTERIORI* 17
PRÓLOGO GERAL 30
COMEÇA A PEREGRINAÇÃO 45
O conto do agricultor 46
O conto do Cro-Magnon 55
ENCONTRO 0
Toda a espécie humana 58
O conto do tasmaniano 62
O conto de Eva 70
Homo Sapiens Arcaico 87
O conto do Neandertal 90
Ergastos 92
O conto do Ergasto 98
Habilinos 102
O conto do Homem Habilidoso 104
Homens-Macacos 115
O conto de Little Foot 119
Epílogo do conto de Little Foot 125
ENCONTRO 1
Chimpanzés 131
O conto do bonobo 136

ENCONTRO 2
Gorilas ... 138
O conto do gorila ... 141
ENCONTRO 3
Orangotangos ... 145
O conto do orangotango ... 148
ENCONTRO 4
Gibões ... 153
O conto do gibão ... 158
ENCONTRO 5
Macacos do Velho Mundo ... 174
ENCONTRO 6
Macacos do Novo Mundo ... 179
O conto do bugio ... 184
ENCONTRO 7
Társios ... 197
ENCONTRO 8
Lêmures, gálagos e seus parentes ... 201
O conto do aiai ... 205
A grande catástrofe do Cretáceo ... 210
ENCONTRO 9
Colugos e tupaias ... 216
O conto do colugo ... 219
ENCONTRO 10
Roedores e coelhos ... 222
O conto do camundongo ... 226
O conto do castor ... 230
ENCONTRO 11
Laurasiatérios ... 236
O conto do hipopótamo ... 240
Epílogo do conto do hipopótamo ... 247
O conto da foca ... 248
ENCONTRO 12
Xenartros ... 258
O conto do tatu ... 258

ENCONTRO 13
Afrotérios 263
ENCONTRO 14
Marsupiais 271
O conto da toupeira marsupial 276
ENCONTRO 15
Monotremados 280
O conto do ornitorrinco 284
O que a toupeira-de-nariz-estrelado disse para o ornitorrinco 293
Répteis mamaliformes 297
ENCONTRO 16
Sauropsídeos 304
Prólogo do conto do tentilhão das Galápagos 307
O conto do tentilhão das Galápagos 311
O conto do pavão 314
O conto do dodô 326
O conto do pássaro-elefante 332
Epílogo do conto do pássaro-elefante 342
ENCONTRO 17
Anfíbios 349
O conto da salamandra 356
O conto da rã de boca estreita 368
O conto do axolotle 371
ENCONTRO 18
Peixes pulmonados 378
O conto do peixe pulmonado 380
ENCONTRO 19
Celacantos 384
ENCONTRO 20
Peixes de nadadeiras raiadas 387
O conto do dragão-marinho 389
O conto do lúcio 392
O conto do saltador-do-lodo 394
O conto do ciclídeo 396
O conto do peixe cego das cavernas 405
O conto do linguado 409

ENCONTRO 21
Tubarões e parentela 410
ENCONTRO 22
Lampreias e peixes-bruxas 415
O conto da lampreia 420
ENCONTRO 23
Anfioxos 424
O conto do anfioxo 426
ENCONTRO 24
Ascídias 429
ENCONTRO 25
Ambulacrarianos 434
ENCONTRO 26
Protostômios 439
O conto do nereis 449
O conto da artêmia 454
O conto da saúva 459
O conto do gafanhoto 462
O conto da mosca-das-frutas 480
O conto do rotífero 492
O conto da craca 503
O conto do verme aveludado 507
Epílogo do conto do verme aveludado 520
ENCONTRO 27
Vermes chatos acelomorfos 530
ENCONTRO 28
Cnidários 535
O conto da água-viva 540
O conto do polipífero 542
ENCONTRO 29
Ctenóforos 550
ENCONTRO 30
Placozoários 553
ENCONTRO 31
Esponjas 557
O conto da esponja 560

ENCONTRO 32
Coanoflagelados 563
O conto do coanoflagelado 565
ENCONTRO 33
DRIPs 568
ENCONTRO 34
Fungos 572
ENCONTRO 35
Amebozoários 578
ENCONTRO 36
Plantas 582
O conto da couve-flor 586
O conto da sequoia 591
ENCONTRO 37
Incerto 602
O conto do *Mixotricha* 608
O grande encontro histórico 616
ENCONTRO 38
Arqueias 621
ENCONTRO 39
Eubactérias 624
O conto do *Rhizobium* 626
O conto da Taq 635
Cantuária 642
O Regresso do Albergueiro 668

Leituras adicionais 705
Notas sobre as filogêneses e reconstituições 707
Bibliografia 713
Créditos das ilustrações 729
Índice remissivo 733

A GRANDE HISTÓRIA DA EVOLUÇÃO

A arrogância da interpretação *a posteriori*

A história não se repete, mas rima.
Mark Twain

A história repete-se; essa é uma das coisas erradas da história.
Clarence Darrow

A história tem sido definida como uma coisa depois da outra. Essa ideia pode ser considerada um alerta contra duas tentações, mas eu, devidamente alertado, flertarei cautelosamente com ambas. Primeiro, o historiador é tentado a vasculhar o passado à procura de padrões que se repetem; ou, pelo menos, como diria Mark Twain, ele tende a buscar razão e rima em tudo. Esse apetite por padrões afronta quem acha que a história não vai a lugar nenhum e não segue regras — "a história costuma ser um negócio aleatório, confuso", como também disse o próprio Mark Twain. A segunda tentação do historiador é a soberba do presente: achar que o passado teve por objetivo o tempo atual, como se os personagens do enredo da história não tivessem nada melhor a fazer da vida do que prenunciar-nos.

Sob nomes que agora não vêm ao caso para nós, essas são questões atualíssimas na história humana, e surgem mais fortes e polêmicas na escala temporal mais longa da evolução. A história evolutiva pode ser representada como uma espécie depois da outra. Mas muitos biólogos hão de concordar comigo que se trata de uma ideia tacanha. Quem olha a evolução dessa perspectiva deixa passar a maior parte do que é importante. A evolução rima, padrões se repetem. E não simplesmente por acaso. Isso ocorre por razões bem compreendidas, sobretudo razões darwinianas, pois a biologia, ao contrário da história humana ou mesmo da física, já tem a sua grande teoria unificada, aceita por todos os profissionais bem informados do ramo, embora em várias versões e interpretações. Ao escrever sobre a história evolutiva, não me esquivo a buscar padrões e princípios, mas procuro fazê-lo com cautela.

E quanto à segunda tentação, a presunção da interpretação *a posteriori*, a ideia de que o passado atua para produzir nosso presente específico? O falecido Stephen Jay Gould salientou, com acerto, que um ícone dominante da evolução na mitologia popular, uma caricatura quase tão ubíqua quanto a de lemingues atirando-se do penhasco (aliás, outro mito falso), é a de uma fila de ancestrais simiescos a andar desajeitadamente, ascendendo na esteira da majestosa figura que os encabeça num andar ereto e vigoroso: o *Homo sapiens sapiens* — o homem como a última palavra da evolução (e nesse contexto é sempre um homem, e não uma mulher), o homem como o alvo de todo o empreendimento, o homem como um magneto, atraindo a evolução do passado em direção à proeminência.

Existe uma versão de um físico, menos gritantemente vangloriosa, que devo mencionar de passagem. Refiro-me à noção "antrópica" de que as próprias leis da física, ou as constantes fundamentais do universo, são um arranjo prévio meticulosamente sintonizado, calculado com o objetivo de, por fim, trazer a humanidade à existência. Tal ideia não se baseia necessariamente em presunção. Não tem de significar que o universo foi deliberadamente feito para que viéssemos a existir. Só precisa significar que estamos aqui e não poderíamos estar caso o universo não tivesse a capacidade de nos produzir. Como os físicos ressaltaram, não é por acidente que vemos estrelas no céu, pois as estrelas são parte necessária de qualquer universo capaz de nos gerar. Isso não significa que as estrelas existem com o objetivo de nos engendrar. Porém, sem estrelas não existiriam átomos mais pesados do que o lítio na tabela periódica — e uma química só com três elementos é pobre demais para sustentar a vida. Ver, por exemplo, é o tipo de atividade que só pode ocorrer no tipo de universo no qual vemos estrelas.

Mas há algo mais a ser dito. Admitindo-se o fato trivial de que nossa presença requer leis e constantes da física capazes de nos produzir, a existência dessas poderosas regras fundamentais ainda assim pode parecer uma atormentadora improbabilidade. Dependendo de suas suposições, os físicos podem achar que o conjunto dos universos possíveis é muito maior do que o subconjunto cujas leis e constantes permitiram à física amadurecer e chegar, por via das estrelas, à química, e por via dos planetas, à biologia. Para alguns, isso significa que as leis e constantes têm de ter sido deliberadamente premeditadas desde o princípio (embora eu não entenda como alguém pode considerar isso uma explicação para alguma coisa, pois num piscar de olhos a questão regride ao problema maior de explicar a existência do igualmente bem sintonizado e improvável Premeditador).

Outros físicos não estão tão certos de que, antes de tudo, as leis e constantes foram livres para variar. Quando eu era pequeno, não era óbvio para mim por que cinco vezes oito tinha de ter o mesmo resultado de oito vezes cinco. Eu aceitava isso como um daqueles fatos afirmados pelos adultos. Só mais tarde compreendi, talvez ao visualizar retângulos, porque esses pares de multiplicações não são livres para cada um variar independentemente do outro. Compreendemos que a circunferência e o diâmetro de um círculo não são independentes, pois do contrário poderíamos nos sentir tentados a postular uma profusão de possíveis universos, cada qual com um diferente valor de π. Talvez, argumentam alguns físicos, entre eles o prêmio Nobel Steve Weinberg, as constantes fundamentais do universo, que hoje tratamos como independentes umas das outras, venham a ser, em alguma grande plenitude unificada do tempo, compreendidas como dotadas de menos graus de liberdade do que atualmente imaginamos. Talvez só exista um modo de um universo existir. Isso solaparia a aparência de coincidência antrópica.

Outros físicos, como Sir Martin Rees, o atual astrônomo real da Grã-Bretanha, aceitam que existe efetivamente uma coincidência clamando por explicação, e a explicam postulando a existência paralela de muitos universos reais, mutuamente sem comunicação, cada qual com seu próprio conjunto de leis e constantes.* Obviamente, nós, que aqui nos encontramos refletindo sobre tais questões, estamos em um dos universos, por mais raros que sejam, cujas leis e constantes são capazes de permitir nossa evolução.

O físico teórico Lee Smolin acrescentou uma engenhosa interpretação darwiniana que reduz a aparente improbabilidade estatística de nossa existência. No modelo de Smolin, universos originam universos "filhos", os quais variam em suas leis e constantes. Os universos-filhos nascem em buracos negros produzidos pelo universo pai, e desse herdam suas leis e constantes, porém, com alguma possibilidade de pequenas mudanças aleatórias — "mutações". Os universos-filhos que têm o necessário para reproduzir-se (durar o suficiente para gerar buracos negros, por exemplo) são, obviamente, os que transmitem suas leis e constantes à prole. As estrelas são precursoras de buracos negros que, no modelo de Smolin, representam os eventos de nascimento. Assim, os universos que possuem o que é preciso para engendrar estrelas são favorecidos nesse darwinismo cósmico. As propriedades de um universo fornecedor dessa dádiva ao futuro são as mesmas que incidentalmente levam à produção de grandes átomos, entre eles os vitais átomos de carbono. Não só vivemos em um universo capaz de produzir vida. Sucessivas gerações de universos evoluem progressivamente e se tornam cada vez mais o tipo de universo capaz de produzir vida como subproduto.

A lógica da teoria de Smolin não poderia deixar de ser atraente para um darwiniano, ou mesmo para qualquer pessoa dotada de imaginação, mas, quanto à física, não tenho competência para julgar. Não consegui encontrar nenhum físico que considerasse a teoria decididamente errada — o que podem dizer de mais negativo é o fato de ela ser supérflua. Alguns, como vimos, sonham com uma teoria definitiva sob cuja luz se constatará que, afinal de contas, a suposta sintonia fina do universo é apenas ilusão. Nada do que sabemos refuta a teoria de Smolin, o qual reivindica para ela o mérito — tido pelos cientistas em mais

* Essa ideia dos "muitos universos" não deve ser confundida (embora com frequência o seja) com a dos "muitos mundos" na interpretação da teoria quântica dada por Hugh Everett, brilhantemente defendida por David Deutsch em *A essência da realidade*. A semelhança entre as duas é superficial e sem sentido. Ambas poderiam ser verdadeiras, ou nenhuma delas, ou apenas uma ou a outra. Foram propostas como resposta para problemas totalmente diferentes. Na teoria de Everett, os universos não diferem em suas constantes fundamentais. Mas na teoria que consideramos aqui, a ideia essencial é: diferentes universos têm constantes fundamentais diferentes.

alta conta do que muitos leigos supõem — de poder ser testada. Seu livro intitula-se *A vida do cosmos*, e eu o recomendo.

Mas essa foi uma digressão sobre uma versão de físicos da arrogância da interpetação *a posteriori*. A versão dos biólogos ficou mais fácil de desconsiderar depois de Darwin, embora antes dele fosse mais difícil, e é a que nos interessa aqui. A evolução biológica não tem uma linha de descendência privilegiada, nem um fim projetado. A evolução alcançou muitos milhões de fins provisórios (o número de espécies sobreviventes no momento da observação), e não há nenhuma razão além da vaidade — vaidade humana, diga-se de passagem, já que somos nós que estamos falando — para designar qualquer um mais privilegiado ou mais culminante do que outro.

Isso não significa, como continuarei a argumentar, que haja uma total escassez de razões ou rimas na história evolutiva. Acredito que existem padrões recorrentes. Também acredito, mesmo sendo isso hoje mais polêmico do que no passado, que há sentidos nos quais a evolução pode ser considerada direcional, progressiva e até mesmo previsível. Mas progresso não é, absolutamente, a mesma coisa que progresso em direção à humanidade, e temos de viver com um fraco e nada lisonjeiro senso do previsível. O historiador precisa precaver-se contra costurar uma narrativa cuja impressão, por mínima que seja, tenha como alvo o clímax humano.

Um livro que possuo (em muitos aspectos um bom livro, por isso não revelarei o título para não o deslustrar) nos dá um exemplo. Ele compara o *Homo habilis* (uma espécie humana, provavelmente nossa ancestral) com os australopitecos, seus predecessores.* Afirma esse livro que o *Homo habilis* era "consideravelmente mais evoluído que o australopiteco". Como assim, mais evoluído? O que isso pode significar, a não ser o fato de a evolução caminhar em alguma direção pré-especificada? O livro não deixa dúvidas quanto à suposta direção. "Os primeiros sinais de um queixo são visíveis." "Primeiros sinais" encorajam-nos a

* As leis da nomenclatura zoológica seguem uma rigorosa precedência, e receio não haver esperança de mudar o nome *Australopithecus* para outro menos confuso para a maioria contemporânea, desprovida de educação clássica. Esse nome não tem relação alguma com a Austrália. Nunca se encontrou um membro desse gênero fora da África. *Australo* significa, simplesmente, do sul. A Austrália é o grande continente meridional; a aurora austral é o equivalente, no sul, da aurora boreal (boreal significa do norte), e o primeiro *Australopithecus*, conhecido como a criança de Taung, foi descoberto no *sul* da África.

esperar segundos e terceiros, rumo a um queixo humano "completo". "Os dentes começam a assemelhar-se aos nossos [...]." Como se tais dentes fossem do jeito que eram não por condizerem com a dieta do *Homo habilis*, mas por estarem a caminho de se transformar nos nossos dentes. A passagem termina com um comentário revelador sobre uma espécie humana posterior, extinta, o *Homo erectus*: "Embora sua face ainda seja diferente da nossa, eles têm uma expressão muito mais humana nos olhos. São como esculturas em andamento, obras 'inacabadas'".

Em andamento? Inacabadas? Só com a insensatez de uma interpretação *a posteriori*. Ainda se pode relevar um pouco o livro porque provavelmente é verdade que, se ficássemos frente a frente com um *Homo eretus*, ele decerto nos lembraria uma escultura inacabada, em andamento. Mas só porque estamos olhando com uma visão humana *a posteriori*. Um ser vivo está sempre às voltas com a sobrevivência em seu próprio meio. Ele nunca é inacabado — ou, em outro sentido, ele é sempre inacabado. Assim como nós, provavelmente, também somos.

A presunção da interpretação *a posteriori* tenta-nos em outras etapas da nossa história. Do nosso ponto de vista humano, a emergência de nossos remotos ancestrais peixes da água para a terra foi um passo decisivo, um rito de passagem evolutivo. O passo foi dado no período devoniano, por peixes de nadadeiras lobadas, um pouco parecidos com os peixes pulmonados atuais. Olhamos para os fósseis desse período com um perdoável anseio por contemplar nossos antepassados, e somos seduzidos por um conhecimento que veio depois, compelidos a ver esses peixes devonianos como "a meio caminho" de se tornar animais terrestres, com tudo o que lhes diz respeito veementemente transicional, vinculado a um esforço épico para invadir a terra firme e iniciar a próxima grande fase da evolução. Não foi assim que as coisas aconteceram na época. Aqueles peixes devonianos tinham de ganhar a vida. Não estavam na missão de evoluir, nem em uma cruzada para o futuro distante. Um livro sobre a evolução dos vertebrados, excelente em tudo o mais, afirma que peixes "aventuraram-se da água para terra firme no fim do período devoniano e, por assim dizer, saltaram o abismo de uma classe de vertebrados a outra, tornando-se os primeiros anfíbios [...]".

O tal "abismo" vem da interpretação *a posteriori*. Não havia nada parecido com um abismo naquela época, e as "classes" reconhecidas hoje não eram, então, mais separadas do que duas espécies. Como veremos novamente, saltar abismos não é o que a evolução faz.

Não é mais lógico (nem menos) direcionar nossa narrativa histórica para o *Homo sapiens* em vez de para qualquer outra espécie moderna — *Octopus vulgaris*, por exemplo, ou *Panthera leo* ou *Sequoia sempervirens*. Um andorinhão com veia de historiador, justificadamente orgulhoso do voo como a óbvia realização suprema da vida, considerará os andorinhões — essas espetaculares máquinas de voar com suas asas arqueadas, que se mantêm no ar por um ano ininterrupto e até copulam em pleno voo — como o ápice do progresso evolutivo. Elaborando aqui uma fantasia de Steven Pinker, se os elefantes pudessem escrever a história, talvez retratassem a anta, o musaranho-elefante, o elefante-marinho e o macaco-narigudo como ensaios, principiantes ao longo da estrada principal da evolução da tromba, dando os primeiros passos sem que nenhum deles — sabe-se lá por quê — alcançasse verdadeiramente o sucesso: tão perto, e no entanto tão longe. Os elefantes astrônomos talvez especulassem se, em algum outro mundo, existiriam formas alienígenas de vida que teriam atravessado o rubicão nasal e dado o salto final para a plena proboscitude.

Não somos andorinhões nem elefantes, somos gente. Quando, em imaginação, perambulamos por alguma época remota, é humanamente natural que reservemos uma curiosidade e um carinho especial por qualquer espécie, banal em tudo o mais, que naquele cenário antigo tenha sido nossa ancestral (e é fascinantemente estranha a ideia de que sempre existiu uma tal espécie). É difícil negar nossa humana tentação de ver essa espécie particular como a que está trilhando a "estrada principal" da evolução, enquanto as outras caminham pelas margens como seu elenco coadjuvante. Sem sucumbir a esse erro, há um modo de alguém se permitir um legítimo humanocentrismo sem sair da adequação histórica: fazer história retrocedendo. É assim que procede este livro.

A cronologia retrocessiva em busca de ancestrais pode, sim, visar sensatamente um único alvo distante. Esse alvo é o mais antigo ancestral de todos os seres vivos, e é impossível não convergir para ele, independentemente de onde comecemos — elefante ou águia, andorinhão ou salmonela, sequoia ou mulher. A cronologia retrocessiva e a cronologia progressiva servem, cada qual, a seus propósitos. Quando retrocedemos, não importa de onde partimos, terminamos celebrando a unidade da vida. Quando avançamos, exaltamos a diversidade. Isso funciona tanto em pequenas como em grandes escalas temporais. A cronologia progressiva dos mamíferos, com sua alentada, mas ainda limitada escala temporal, é uma história de diversificação em ramos que revela a riqueza desse grupo de animais peludos de sangue quente. A cronologia retrocessiva, ao se escolher qualquer mamífero moderno como ponto de partida, sempre convergirá para o mesmo, o único arquimamífero: amigo das sombras, insetívoro, noturno e contemporâneo dos dinossauros. Essa é uma convergência localizada. Outra, mais localizada, nos leva ao mais recente ancestral de todos os roedores, que viveu por volta da época em que os dinossauros se extinguiram. Ainda mais localizada é a convergência retrocessiva de todos os primatas antropoides (inclusive os humanos) para o ancestral comum de todos eles, que viveu há aproximadamente 18 milhões de anos. Em uma escala maior, encontraremos uma convergência comparável se retrocedermos a partir de qualquer vertebrado e uma convergência ainda maior se retrocedermos partindo de qualquer animal em direção ao ancestral de todos os animais. A maior de todas as convergências leva-nos de qualquer criatura moderna — animal, vegetal, fungo ou bactéria — até o progenitor universal de todos os organismos sobreviventes, o qual provavelmente foi semelhante a algum tipo de bactéria.

Usei o termo "convergência" no parágrafo acima, mas na verdade quero reservar essa palavra para um sentido completamente diferente na cronologia progressiva. Para meu presente objetivo, a substituirei por "confluência" ou, por razões que serão compreendidas em outro momento, "encontro". Eu poderia ter usado "coalescência", mas, como veremos, os geneticistas já adotaram esse termo em um sentido mais preciso, semelhante àquele em que uso "confluência", porém concentrando-se não em espécies, e sim em genes. Em uma cronologia retrocessiva, os ancestrais de qualquer conjunto de espécies têm, por fim, de se encontrar em um momento geológico específico. Esse ponto de encontro é o último ancestral que eles possuem em comum, o qual chamarei de "concestral":* o roedor focal, o mamífero focal ou o vertebrado focal, digamos assim. O mais antigo concestral é o primeiro ancestral de todos os seres vivos sobreviventes.

Podemos ter toda certeza de que realmente há um único concestral de todas as formas de vida sobreviventes neste planeta. A prova é que todas as que já foram examinadas compartilham (exatamente na maioria dos casos, quase exatamente no restante) o mesmo código genético. E o código genético é detalhado demais, em aspectos arbitrários de sua complexidade, para ter sido inventado duas vezes. Embora não tenham sido examinadas todas as espécies, já contamos

* Agradeço a Nick Warren por sugerir esse termo.

com bastante abrangência para ter certeza — infelizmente — de que nenhuma surpresa nos aguarda. Se hoje descobríssemos uma forma de vida suficientemente discrepante para possuir um código genético totalmente diverso, essa seria a descoberta biológica mais emocionante de toda a minha vida adulta, quer a criatura vivesse neste planeta, quer em outro. No pé em que estão as coisas, parece que podemos situar as origens de todas as formas de vida conhecidas em um único ancestral que viveu há mais de 3 bilhões de anos. Se houve outras origens da vida, independentes, elas não deixaram descendentes que tenhamos descoberto. E caso agora surgisse alguma nova, seria devorada num átimo, provavelmente por bactérias.

A grande confluência de todas as formas de vida sobreviventes não é o mesmo que a própria origem da vida. A razão disso é que todas as espécies sobreviventes compartilham presumivelmente um concestral que viveu depois de a vida ter se originado: qualquer outra coisa teria sido uma coincidência improvável, pois sugeriria que a forma de vida original *imediatamente* se ramificou e que mais de um de seus ramos sobrevive até hoje. A ortodoxia atual, em seus livros didáticos, situa os mais antigos fósseis de bactéria em cerca de 3,5 bilhões de anos atrás; portanto, a origem da vida tem de ser no mínimo mais antiga do que isso. Se aceitarmos uma recente contestação* desses fósseis aparentemente antigos, nossa datação da origem da vida poderá ser um pouco mais recente. A grande confluência — o último ancestral comum de todas as criaturas sobreviventes — poderia ser anterior aos fósseis mais antigos (ela não se fossilizou) ou poderia ter vivido 1 bilhão de anos mais tarde (com exceção de uma, todas as outras linhagens extinguiram-se).

Uma vez que todas as cronologias retrocessivas, independentemente de onde começam, culminam na grande confluência, podemos nos entregar à nossa fixação humana e nos concentrar na linha única dos nossos ancestrais. Em vez

* Os muito citados dados de J. W. Schopf sobre as bactérias de 3,5 bilhões de anos foram duramente criticados por meu colega Martin Brasier, de Oxford. Brasier pode ter razão quanto aos dados de Schopf, mas novos dados, publicados quando este livro estava na etapa das provas, talvez venham a reafirmar a data de 3,5 bilhões de anos como a dos fósseis mais antigos. O cientista norueguês Harald Furnes e seus colaboradores encontraram minúsculos orifícios em vidro vulcânico daquela época na África do Sul, e supõem que tenham sido feitos por microrganismos. Essas "tocas" contêm carbono, que os descobridores afirmam ter origem biológica. Dos microrganismos propriamente ditos não resta nenhum vestígio.

de tratar a evolução como direcionada para nós, *escolhemos* o moderno *Homo sapiens* como nosso ponto de partida arbitrário, mas perdoavelmente preferido, para uma cronologia reversa. Escolhemos essa rota, dentre todas as possíveis rotas para o passado, porque temos curiosidade por ancestrais remotos. Ao mesmo tempo, embora não seja preciso acompanhá-los em detalhe, não nos esqueceremos de que existem outros historiadores, animais e plantas de outras espécies, que estão, independentemente, retrocedendo a partir de seus pontos de partida separados, em peregrinações separadas para visitar seus próprios ancestrais, entre os quais se incluem, por fim, aqueles que têm em comum conosco. Se reconstituirmos os passos dos nossos ancestrais, encontraremos inevitavelmente esses outros peregrinos e uniremos nossas forças às deles em uma ordem definida, a ordem na qual suas linhagens se encontram com a nossa, a ordem de um parentesco cada vez mais inclusivo.

Peregrinações? Unir forças com peregrinos? Sim, por que não? Peregrinação é um modo apropriado de pensar sobre nossa jornada ao passado. Apresentarei este livro na forma de uma épica peregrinação do presente ao passado. Todos os caminhos levam à origem da vida. Mas, porque somos humanos, a trilha que seguiremos será a dos nossos ancestrais. Será uma peregrinação humana para descobrir ancestrais humanos. Pelo caminho, saudaremos outros peregrinos que se juntarão a nós em uma ordem rigorosa, à medida que chegarmos aos ancestrais que temos em comum com eles.

Os primeiros companheiros de peregrinação que saudaremos, cerca de 5 milhões de anos atrás, no coração da África, onde aconteceu o memorável aperto de mão entre Stanley e Livingstone, são os chimpanzés. Os peregrinos chimpanzés e bonobos já terão unido suas forças "antes" de nós os saudarmos. E aqui temos um embaraçozinho linguístico que devo enfrentar de saída, antes que ele vire um estorvo maior. Usei "antes" entre aspas porque o termo poderia causar confusão. Eu quis dizer antes no sentido de para trás: "antes, ao longo da peregrinação ao passado". Mas isso, obviamente, significa *depois* no sentido cronológico, exatamente o oposto! Aposto que nenhum leitor se confundiu nesse caso específico, mas haverá outras ocasiões em que a paciência do leitor talvez seja posta à prova. Enquanto eu escrevia este livro, fiz um experimento de cunhar uma nova preposição, criada para as necessidades singulares de um historiador que anda de marcha a ré. Mas foi um fiasco. Por isso, resolvi adotar a convenção do "antes" entre aspas. O leitor, quando encontrar o "antes", deve lembrar-se de que ele realmente significa depois! Ao deparar com um antes, saberá que de fato significa antes. E o mesmo, *mutatis mutandis*, vale para "depois" e depois.

Os próximos peregrinos que encontraremos na nossa jornada retrocessiva são os gorilas, depois os orangotangos (muito mais afastados no passado, e provavelmente não mais na África). Em seguida saudaremos os gibões, depois os macacos do Velho Mundo, depois vários outros grupos de mamíferos... e assim por diante até que, por fim, todos os peregrinos da vida estejam marchando juntos em uma única jornada retrocessiva em busca da origem da própria vida. Conforme regredirmos no tempo, chegará um momento em que não fará mais sentido nomear o continente em que um encontro ocorre: o mapa do mundo era demasiado diferente em razão do notável fenômeno da tectônica de placas. E ainda mais no passado, todos os encontros ocorrem no mar.

Um fato muito surpreendente é que nós, peregrinos humanos, passamos por apenas quarenta pontos de encontro ao todo antes de chegarmos à origem da própria vida. A cada um dos quarenta passos encontraremos um ancestral específico compartilhado, o Concestral, que terá o mesmo número identificador no encontro. Por exemplo: o Concestral 2, ao qual chegaremos no Encontro 2, é o mais recente ancestral comum dos gorilas, de um lado, e dos {humanos + {chimpanzés + bonobos}} do outro. O Concestral 3 é o mais recente ancestral comum dos orangotangos e dos {{humanos + {chimpanzés + bonobos}} + gorilas}. O Concestral 39 é o mais antigo ancestral de todas as formas de vida sobreviventes. O Concestral 0 é um caso especial: o mais recente ancestral de todos os humanos sobreviventes.

Seremos, pois, peregrinos, partilhando uma confraternidade cada vez mais inclusiva com outros bandos de peregrinos, cujos números também se avolumaram ao longo do caminho que seguiram até se encontrarem conosco. Depois de cada encontro, prosseguimos juntos na estrada principal que nos leva ao passado, em direção ao nosso objetivo arqueano comum, nossa "Cantuária". Há outras alusões literárias, é claro, e quase adotei Bunyan como meu modelo e *Regresso do peregrino* como meu título. Mas foi aos *Contos de Cantuária*, de Chaucer, que eu e meu assistente de pesquisa, Yan Wong, recorremos vezes sem conta em nossas conversas, e cada vez mais pareceu natural pensar em Chaucer ao longo de todo o livro.

Em contraste com os peregrinos de Chaucer (ou com a maioria deles), os meus não partem juntos, embora todos comecem ao mesmo tempo, no presente. Esses outros peregrinos dirigem-se à sua imemorial Cantuária começando de diferentes pontos de partida e se juntando à nossa peregrinação humana em vários encontros ao longo da estrada. Nesse aspecto, os meus peregrinos diferenciam-se dos que se reuniram no albergue londrino de Tabardo. Os meus se parecem mais com o sinistro cônego e o compreensivelmente desleal bailio, que se juntaram aos peregrinos de Chaucer em Boughton-under-Blee a cinco milhas de Cantuária. Seguindo o exemplo de Chaucer, os meus peregrinos, que são todas as diferentes espécies de seres vivos, terão a oportunidade de narrar contos enquanto se dirigem para sua Cantuária, que é a origem da vida. São essas narrativas a substância principal do livro.

Mortos não contam histórias, e criaturas extintas, como os trilobitos, não são consideradas peregrinos capazes de contá-las, mas abrirei exceções para duas classes especiais. Animais como o dodô, que sobreviveu até tempos históricos e cujo DNA ainda está disponível, são tratados como membros honorários da fauna moderna que parte na peregrinação ao mesmo tempo que nós; eles se juntam a nós em algum encontro específico. Como somos os responsáveis por sua extinção tão recente, isso é o mínimo que podemos fazer. Os outros peregrinos honorários, exceções à regra de que mortos não contam histórias, são homens (ou mulheres). Já que nós, peregrinos humanos, estamos diretamente procurando nossos próprios ancestrais, fósseis que plausivelmente poderiam ser tidos como candidatos a *ser* nossos ancestrais são considerados membros de nossa peregrinação humana, e ouviremos histórias de alguns desses "peregrinos oficiosos", por exemplo o Habilidoso, o *Homo habilis*.

Decidi que seria piegas fazer meus animais e plantas narrarem seus contos na primeira pessoa do singular, e não farei isso. Com exceção de um ou outro aparte e de comentários preambulares, os peregrinos de Chaucer também não o fazem. Muitos dos contos de Chaucer têm seu próprio prólogo, e alguns também têm um epílogo, todos escritos na própria voz de Chaucer como narrador da peregrinação. Ocasionalmente, seguirei seu exemplo. Como em Chaucer, um epílogo pode servir de ponte entre um conto e o conto seguinte.

Antes de começar seus contos, Chaucer faz um longo prólogo geral no qual apresenta a lista dos personagens: as profissões e, em alguns casos, os nomes dos peregrinos que estão prestes a partir do albergue. Farei diferente: apresentarei os peregrinos conforme eles forem se juntando a nós. O jovial albergueiro de Chaucer se oferece para guiar os peregrinos e, a fim de passar o tempo durante a jornada, incentiva-os a contar suas histórias. Em meu papel de albergueiro, usarei o "prólogo geral" para fazer alguns comentários preparatórios sobre métodos e problemas na reconstrução da história evolutiva que precisam ser enfrentados e resolvidos, independentemente de contarmos a história para trás ou para a frente.

Partiremos, então, em nossa história reversa. Vamos nos concentrar em nossos próprios ancestrais, em geral notando outras criaturas somente quando elas se juntarem a nós, mas de quando em quando ergueremos os olhos da nossa estrada e nos lembraremos de que há outros peregrinos seguindo rotas mais ou menos independentes rumo ao nosso destino final. Os marcos numerados dos encontros, e mais alguns pontos de referência intermediários necessários para consolidar a cronologia, fornecerão o andaime à nossa narrativa. Cada um indicará um novo capítulo, onde pararemos para fazer um apanhado da nossa peregrinação e talvez para ouvir um ou outro conto. Em raras ocasiões, algo importante acontece no mundo à nossa volta, e então nossos peregrinos poderão fazer uma breve pausa para refletir sobre o acontecido. Mas, de modo geral, assinalaremos nosso progresso em direção à aurora da vida segundo a medida desses quarenta marcos naturais, os pontos de encontro que enriquecem nossa peregrinação.

Prólogo geral

Como conheceremos o passado? E como o dataremos? Que auxílios visuais nos ajudarão a sondar os teatros da vida em tempos remotos para reconstruir as cenas e os atores, com suas saídas e entradas? A história humana convencional conta com três métodos principais, cujos equivalentes encontraremos na escala temporal maior da evolução. Primeiro temos a arqueologia, o estudo dos ossos, pontas de flecha, fragmentos de cerâmica, monturos de conchas, estatuetas e outras relíquias que resistiram ao tempo e perduram até hoje como testemunhos concretos do passado. Na história evolutiva, as relíquias concretas mais óbvias são ossos e dentes e os *fósseis* em que eles acabam se transformando. Em segundo lugar temos as *relíquias renovadas*, registros que, apesar de não serem eles próprios antigos, contêm ou incorporam uma cópia ou representação do que existiu em um passado longínquo. Essas relíquias, na história humana, são relatos escritos ou orais que foram transmitidos, repetidos, reimpressos ou de alguma outra forma reproduzidos do passado para o presente. Na evolução, proporei o DNA como a principal relíquia renovada, equivalente a um registro escrito e recopiado. Em terceiro temos a *triangulação*. Esse nome provém de um método para calcular distâncias pela mensuração de ângulos. Determine uma posição de referência em relação ao seu alvo. Em seguida, ande lateralmente por uma distância medida e marque outra posição de referência. Com base na intercepção dos dois ângulos, calcule a distância do alvo. Alguns telêmetros de câmera usam esse princípio, e os topógrafos, tradicionalmente, fazem o mesmo. Podemos dizer que os evolucionistas "triangulam" um ancestral comparando dois (ou mais) de seus descendentes sobreviventes. Usarei os três tipos de indicadores nessa ordem, começando pelas relíquias concretas, em particular os fósseis.

FÓSSEIS

Corpos ou ossos podem sobreviver para nossa atenção, depois de, por algum motivo, terem sobrevivido à de hienas, besouros necrófagos e bactérias. O "Homem do Gelo" do Tirol italiano ficou preservado em sua geleira por 5 mil anos. Insetos permaneceram embalsamados em âmbar (resina de árvore petrificada) por 100 milhões de anos. Não havendo o benefício do gelo ou do âmbar, as partes duras como dentes, ossos e conchas são as que têm maior chance de ser preservadas. Os dentes são os mais duráveis porque, para fazer seu trabalho durante a vida do seu dono, precisam ser mais duros do que qualquer coisa que ele provavelmente coma. Ossos e conchas têm de ser duros por razões diferentes, e também podem durar por muito tempo. Às vezes, essas partes duras e, em circunstâncias excepcionalmente propícias, também partes moles, petrificam-se e se transformam em fósseis que duram centenas de milhões de anos.

Apesar do fascínio que exercem os fósseis, é surpreendente que, mesmo sem eles, ainda assim saberíamos muito sobre nosso passado evolutivo. Mesmo que alguém fizesse desaparecer todos os fósseis, o estudo comparativo dos organismos modernos, de como se distribuem entre as espécies seus padrões de semelhanças, especialmente de suas sequências genéticas, e de como as espécies se distribuem entre os continentes e ilhas, demonstraria, sem nenhuma sombra de dúvida sensata, que a nossa história é evolutiva e que todos os seres vivos são primos. Os fósseis são um bônus. Um bônus muito bem-vindo, sem dúvida, mas não essencial. Vale a pena lembrarmo-nos disso quando os criacionistas bradam (como costumam tediosamente fazer) contra as "lacunas" no registro fóssil. Esse registro poderia ser uma colossal lacuna, e mesmo assim as evidências da evolução continuariam esmagadoras. Ao mesmo tempo, se possuíssemos *apenas* os fósseis e nenhuma outra prova, o fato da evolução também seria inquestionavelmente corroborado. Acontece que somos abençoados com as duas coisas.

A palavra fóssil é convencionalmente usada para referir-se a qualquer relíquia com mais de 10 mil anos. Não se trata de uma convenção útil, pois não há nada de especial em um número redondo como 10 mil. Se tivéssemos menos ou mais de dez dedos, reconheceríamos como redondos um conjunto diferente de números.* Quando falamos a respeito de um fóssil, queremos dizer normalmente que o material original foi substituído ou infiltrado por um mineral de composição química diferente e, portanto, poderíamos dizer, ganhou uma moratória da morte. Uma impressão da forma original pode ser preservada em pedra por muito tempo, talvez de mistura com parte do material original. Várias são as formas em que isso pode ocorrer. Deixarei os detalhes — um estudo que tecnicamente chamamos de tafonomia — para "O conto do Ergasto".

Quando se começou a descobrir e mapear fósseis, ignorava-se que idade teriam. O máximo que se podia esperar era ordená-los por antiguidade. Essa classificação por idade depende da suposição conhecida como lei da superposição. Por razões óbvias, estratos mais novos jazem acima de estratos mais antigos, a não ser em circunstâncias excepcionais. Essas exceções, embora às vezes causem uma perplexidade temporária, em geral são bem óbvias. Um bloco de rocha antiga contendo fósseis pode ser atirado para cima de um estrato mais novo por uma geleira, por exemplo. Ou uma série de estratos pode ser totalmente revirada, ficando sua ordem vertical exatamente invertida. Podemos lidar com essas anomalias comparando rochas equivalentes em outras partes do mundo. Isso feito, os paleontólogos podem montar a verdadeira sequência de todo o registro fóssil em um quebra-cabeça de sequências sobrepostas encontradas em diferentes partes do mundo. Essa lógica é complicada na prática, mas não no princípio, pelo fato (ver "O conto do pássaro-elefante") de que o próprio mapa do mundo muda com o passar das eras.

Por que o quebra-cabeça é necessário? Por que não podemos simplesmente escavar até onde quisermos e supor que estamos escavando diretamente em direção ao passado? Ora, porque embora o próprio tempo possa passar de modo uniforme, isso não significa que em qualquer parte do mundo exista uma única sequência de sedimentos depositados continuamente com uniformidade do prin-

* Se tivéssemos oito dedos (ou dezesseis), pensaríamos naturalmente em aritmética octal (ou hexadecimal), a lógica binária seria mais fácil de entender e os computadores talvez houvessem sido inventados muito mais cedo.

cípio ao fim ao longo do tempo geológico. Os sítios fossilíferos depositam-se de forma irregular, e quando as condições são adequadas.

Em um dado local e em um dado momento, é muito provável que nenhuma rocha sedimentar e nenhum fóssil estejam se depositando. Mas é muito provável que, em *alguma* parte do mundo, fósseis estejam se depositando em um dado momento. Os paleontólogos andam pelo mundo de sítio em sítio, onde diferentes estratos por acaso se encontram acessíveis próximos à superfície, e tentam montar algo que se aproxime de um registro contínuo. É claro que não é cada paleontólogo que sai percorrendo o mundo de sítio em sítio. Os paleontólogos andam de museu em museu examinando espécimes em gavetas, ou leem revistas e mais revistas especializadas nas bibliotecas universitárias, à procura de descrições escritas de fósseis cujo sítio de descoberta tenha sido cuidadosamente rotulado. E então usam essas descrições para ligar os fragmentos do quebra-cabeça provenientes de diferentes partes do mundo.

A tarefa é facilitada pelo fato de que estratos específicos, formados por rochas com propriedades reconhecivelmente características e que costumam abrigar os mesmos tipos de fósseis, repetem-se em diferentes regiões. A rocha devoniana, assim chamada porque de início era conhecida como o "Antigo Arenito Vermelho" do belo condado de Devon, aflora em várias outras partes das Ilhas Britânicas, na Alemanha, Groenlândia, América do Norte e em outros lugares. As rochas devonianas são reconhecíveis como devonianas onde quer que possam ser encontradas, em parte devido à qualidade da rocha, mas também em razão das evidências internas dos fósseis nela contidos. Parece um argumento circular, mas na verdade não é, assim como também não é quando um estudioso, com base em evidências internas, reconhece um "Manuscrito do Mar Morto" como sendo um fragmento do "Primeiro Livro de Samuel". As rochas devonianas são assim classificadas graças à presença de certos fósseis característicos.

O mesmo vale para as rochas de outros períodos geológicos até a época dos primeiros fósseis de corpo duro. Do remoto Cambriano ao presente Holoceno, os períodos geológicos esquematizados na Ilustração 1 são separados principalmente com base nas mudanças do registro fóssil. Em consequência, em vários casos o fim de um período e o começo de outro é delimitado por extinções que visivelmente interrompem a continuidade dos fósseis. Como ressaltou Stephen Jay Gould, nenhum paleontólogo tem dificuldade para identificar se um fragmento de rocha jaz antes ou depois da grande extinção em massa do fim do Permiano. Quase não há coincidência nos tipos de animais. De fato, os fósseis (especialmente os microfósseis) são tão úteis para classificar e datar as rochas que as indústrias do petróleo e da mineração estão entre os que mais recorrem a eles.

Assim, essa "datação relativa" tem sido possível há muito tempo montando-se verticalmente o quebra-cabeça de rochas. Os períodos geológicos foram nomeados com o objetivo de fazer a datação relativa, antes que a datação absoluta se tornasse possível. E eles ainda são úteis. Mas é mais difícil fazer a datação relativa de rochas em que os fósseis são escassos — e entre essas estão todas as rochas mais antigas que o Cambriano: os primeiros oito nonos da história da Terra (ver Ilustração 1).

A datação relativa teve de esperar pelos avanços recentes da física, especialmente a física da radioatividade. Isso requer uma explicação, cujos detalhes ficarão para "O conto da sequoia". Por ora, basta saber que contamos com um conjunto de métodos confiáveis para determinar a data absoluta dos fósseis e das rochas que os contêm ou os envolvem. Além disso, diferentes métodos desse conjunto fornecem sensibilidade através de todo o espectro de idades: centenas de anos (anéis de árvores), milhares (carbono 14), milhões, centenas de milhões (urânio-tório-chumbo) e até bilhões de anos (potássio-argônio).

RELÍQUIAS RENOVADAS

Os fósseis, assim como os espécimes arqueológicos, são relíquias mais ou menos diretas do passado. Trataremos agora da nossa segunda categoria de provas históricas, as relíquias *renovadas*, copiadas sucessivamente ao longo das gerações. Para os historiadores da vida humana, isso pode significar relatos de testemunhas oculares, transmitidos por tradição oral ou em documentos escritos. Não podemos perguntar a nenhuma testemunha viva como era a vida na Inglaterra no século XIV, mas a conhecemos graças a documentos escritos, entre eles os de Chaucer. Eles contêm informações que foram copiadas, impressas, guardadas em bibliotecas, reimpressas e distribuídas para que as lêssemos hoje. Quando uma história é impressa ou, em nossos dias, inserida em algum meio eletrônico, cópias dessa história têm boas chances de perpetuar-se até um futuro distante.

Registros escritos são muitíssimo mais confiáveis do que tradições orais. Poderíamos pensar que cada geração de filhos, conhecendo seus pais tão bem como a maioria dos filhos conhece, ouviria as detalhadas reminiscências de seus genitores e as transmitiria à geração seguinte. Dali a cinco gerações, poderíamos pensar, uma volumosa tradição oral deveria ter sobrevivido. Eu me lembro claramente dos meus quatro avós, mas dos meus oito bisavós só conheço um punhado de relatos fragmentados. Um bisavô costumava cantar um versinho sem pé nem cabeça (que eu também sei cantar), mas só quando amarrava os cordões das botas. Outro gostava de se empanturrar de creme e virava o tabuleiro de xadrez quando estava perdendo a partida. Um terceiro era médico na zona rural. E não sei praticamente mais nada. Como oito vidas inteiras acabaram tão reduzidas? Se a cadeia de informantes que nos liga retrospectivamente às testemunhas oculares parece tão curta e a conversação humana tão rica, como todos aqueles milhares de detalhes pessoais que compuseram a vida de oito indivíduos humanos puderam ser esquecidos com tamanha rapidez?

Infelizmente, a tradição oral esvai-se quase de imediato, a menos que seja consagrada em recitações bárdicas como as que Homero por fim registrou por escrito. Mesmo assim, a história está longe de ser exata. Ela degenera em absurdos e falsidades depois de pouquíssimas gerações. Fatos históricos sobre heróis, vilões, animais e vulcões reais bem depressa se degradam (ou florescem, alguns podem achar) em mitos sobre semideuses, demônios, centauros e dragões cuspidores de fogo.* Mas as tradições orais e suas imperfeições não são problema para nós, pois não têm mesmo equivalentes na história evolutiva.

A escrita é um avanço colossal. O papel, o papiro e até as lâminas de pedra podem desgastar-se ou deteriorar-se, mas os registros escritos têm o potencial de ser copiados com precisão por um número indefinido de gerações, ainda que na prática a exatidão não seja total. Devo explicar o sentido especial em que uso o termo "exatidão" e, inclusive, o sentido especial em que uso o termo "gerações". Se você me der uma mensagem manuscrita e eu a copiar e passar para uma terceira pessoa (a terceira "geração" copiada), não será uma réplica exata, pois a minha caligrafia é diferente da sua. Mas se você escrever com esmero e eu fizer

* John Reader, em seu livro *Man on Earth*, ressalta que os incas, que não possuíam um sistema de escrita (a menos que, como se sugeriu recentemente, seus cordões com nós fossem usados como linguagem, além de para efetuar contagens), fizeram, talvez, um esforço compensatório para aumentar a exatidão de sua tradição oral. Os historiadores oficiais eram "obrigados a memorizar vastas quantidades de informação e repeti-las em proveito dos administradores quando solicitados. Não admira que a ocupação de historiador passasse de pai para filho".

corresponder cada um dos seus traços exatamente a um traço do nosso alfabeto comum, sua mensagem tem uma boa chance de ser copiada por mim com total exatidão. Em teoria, essa exatidão poderia ser preservada por um número indefinido de "gerações" de escribas. Uma vez que existe um alfabeto descontínuo aceito pelo escritor e pelo leitor, copiar permite que uma mensagem sobreviva à destruição do original. Essa propriedade da escrita pode ser chamada de "autonormalizadora". Ela funciona porque as letras de um verdadeiro alfabeto são descontínuas. Esse argumento, que faz lembrar a distinção entre códigos analógicos e digitais, requer mais explicação.

O inglês tem uma consoante com um som intermediário entre o "c" e o "g" oclusivo (é o "c" oclusivo do francês em *comme*). Mas ninguém pensaria em tentar representar esse som escrevendo um caractere que parecesse um intermediário entre o "c" e o "g". Todos compreendem que um caractere escrito em inglês tem de ser um, e apenas um, membro do alfabeto inglês de 26 letras. Compreendemos que os franceses usam essas mesmas 26 letras para sons que não são exatamente os do inglês e que podem ser intermediários entre os do inglês. Cada língua, ou na verdade, cada sotaque ou dialeto regional, usa separadamente o alfabeto para autonormalizar diferentes sons.

A autonormalização luta contra a degradação das mensagens pelo "telefone sem fio"* das sucessivas gerações. Essa mesma proteção não existe para um desenho, copiado e recopiado ao longo de uma série de artistas imitadores, a menos que o estilo de desenho incorpore convenções rituais em uma versão própria de "autonormalização". O registro de um evento visto em primeira mão por uma testemunha, se for escrito em vez de desenhado, tem ainda uma boa chance de ser reproduzido com exatidão em livros de história séculos depois. Temos o que provavelmente é um relato exato da destruição de Pompeia no ano 79 d.C. porque uma testemunha, Plínio, o Moço, escreveu o que viu em duas epístolas ao historiador Tácito; alguns dos escritos de Tácito sobreviveram por meio de sucessivas cópias e finalmente foram impressos e podem ser lidos hoje. Mesmo antes de Guttenberg, quando os documentos eram duplicados por escri-

* Na brincadeira do telefone sem fio, várias crianças ficam em fila. A primeira criança cochicha uma história no ouvido da segunda, esta cochicha o que ouviu para a criança seguinte, e assim sucessivamente até a última criança, cuja versão finalmente revelada da história acaba sendo uma versão cômica e deturpada da história original.

bas, a escrita representou um grande avanço na exatidão, em comparação com a memória e a tradição oral.

A ideia de que copiar repetidamente retém a exatidão total é apenas teórica. Na prática, os escribas são falíveis e não são imunes a desvirtuar sua cópia para fazê-la dizer coisas que eles (sem dúvida sinceramente) pensam que o documento original deveria ter dito. O mais célebre exemplo disso, meticulosamente documentado por teólogos alemães do século XIX, é a adulteração da história do Novo Testamento para adequá-la a profecias do Antigo Testamento. Os escribas envolvidos provavelmente não tinham a intenção de ser embusteiros. Assim como os autores dos Evangelhos, que viveram muito depois da morte de Cristo, eles sinceramente acreditavam que Jesus fora a encarnação das professias messiânicas do Antigo Testamento. Portanto, ele "sem dúvida" nascera em Belém e descendia de Davi. Se os documentos, inexplicavelmente, não afirmavam tais coisas, era o consciencioso dever do escriba retificar a falha. Suponho que um escriba suficientemente devoto não teria considerado isso uma falsificação, do mesmo modo que não julgamos estar falsificando nada quando corrigimos automaticamente um erro de grafia ou um tropeço gramatical.

Afora essa desvirtuação ativa, todo processo de copiar repetidamente está sujeito a erros diretos como omitir uma linha ou uma palavra numa lista. Mas, de qualquer modo, a escrita não pode nos levar pelo passado além da época em que foi inventada: apenas cerca de 5 mil anos atrás. Símbolos de identificação, marcas de contagem e imagens vão um pouco além disso, talvez algumas dezenas de milhares de anos. No entanto, todos esses períodos são uma ninharia em comparação com o tempo evolutivo.

Felizmente, quando se trata de evolução, contamos com outro tipo de informação duplicada que remonta a um número quase inimaginavelmente grande de gerações copiadas e que, com alguma licença poética, podemos considerar equivalente a um texto escrito: um registro histórico que se renova com espantosa precisão por centenas de milhões de gerações justamente porque, assim como o nosso sistema de escrita, possui um alfabeto autonormalizador. As informações do DNA em todos os seres vivos foram transmitidas por ancestrais remotos com prodigiosa fidelidade. Os átomos individuais do DNA revezam-se continuamente, mas as informações que eles codificam no padrão de sua disposição são copiadas por milhões, às vezes centenas de milhões de anos. Podemos ler esse registro diretamente, usando as artes da moderna biologia molecular para soletrar as sequências de letras no DNA ou, um pouco mais indiretamente, as sequências de aminoácidos de proteína nas quais elas são traduzidas. Ou ainda, de um modo muito mais indireto, como se víssemos obscuramente em um espelho, podemos ler o registro estudando os produtos embriológicos do DNA: as formas dos corpos, seus órgãos e processos químicos. Não precisamos de fósseis para sondar o passado. Como o DNA muda com extrema lentidão através das gerações, a história está urdida no tecido dos animais e vegetais modernos e inscrita em seus caracteres codificados.

As mensagens do DNA são escritas em um verdadeiro alfabeto. Assim como os sistemas de escrita romano, grego e cirílico, o alfabeto do DNA é um repertório estritamente limitado de símbolos sem nenhum sentido manifesto. Símbolos arbitrários são escolhidos e combinados para compor mensagens com sentido, de complexidade e tamanho ilimitados. Enquanto o alfabeto inglês possui 26 letras e o grego 24, o alfabeto do DNA tem quatro letras. Muito convenientemente, o DNA soletra palavras de três letras de um dicionário limitado a 64 palavras, cada uma denominada "códon". Alguns dos códons no dicionário são sinônimos de outros, e com isso podemos dizer que o código genético é tecnicamente "degenerado".*

O dicionário mapeia 64 palavras codificadas em 21 significados — os vinte aminoácidos biológicos, mais um sinal de pontuação versátil. As línguas humanas são numerosas e mutáveis, e seus dicionários contêm dezenas de milhares de palavras distintas, mas o dicionário de 64 palavras do DNA é universal e não muda (exceto por ínfimas variações, em raríssimos casos). Os vinte aminoácidos são encadeados tipicamente em sequências de algumas centenas, e cada sequência é uma molécula de proteína específica. Embora o número de letras limite-se a quatro e o de códons a 64, não existe um limite teórico para o número de proteínas que podem ser soletradas por diferentes sequências de códons. É incontável. Uma "sentença" de códons que especifica uma molécula de proteína é uma uni-

* O termo "redundante" às vezes é usado, erroneamente, em lugar de "degenerado", mas significa outra coisa. O código genético, na verdade, também é redundante, pois qualquer um dos filamentos da dupla-hélice poderia ser decodificado e gerar as mesmas informações. Apenas um deles é efetivamente decodificado, mas o outro é usado para corrigir erros. Os engenheiros também usam a redundância — repetição — para corrigir erros. A degeneração do código genético é algo diferente, e é dela que estamos falando aqui. Um código degenerado contém sinônimos e poderia, portanto, comportar um conjunto maior de significados do que realmente comporta.

dade identificável frequentemente chamada de gene. Os genes não são separados dos seus vizinhos (sejam eles outros genes ou repetições sem sentido) por nenhum delimitador, a não ser o que pode ser lido em sua sequência. Nesse aspecto, eles lembram TELEGRAMAS SEM SINAIS DE PONTUAÇÃO VÍRGULA E É NECESSÁRIO SOLETRÁ-LOS COMO PALAVRAS VÍRGULA EMBORA ATÉ OS TELEGRAMAS TENHAM A VANTAGEM DOS ESPAÇOS ENTRE PALAVRAS VÍRGULA COISA QUE O DNA NÃO POSSUI PONTO

O DNA difere da linguagem escrita pelo fato de que ilhas de sentido são separadas por um mar sem sentido, nunca transcrito. Genes "inteiros" são montados, durante a transcrição, a partir de "éxons" dotados de sentido; estes ficam separados por "íntrons" sem sentido, cujos textos são simplesmente desconsiderados pela aparelhagem leitora. E até mesmo muitos trechos de DNA com sentido nunca são lidos — presumivelmente são cópias desbancadas de genes outrora úteis que ficam por ali, como os rascunhos de um capítulo em um disco rígido lotado. De fato, a imagem do genoma como um velho disco rígido muito necessitado de uma faxina nos será útil de quando em quando ao longo deste livro.

Cabe repetir que as próprias moléculas de DNA de animais mortos há muito tempo não são preservadas. As *informações* contidas no DNA podem ser preservadas para sempre, mas tão somente por meio da recópia frequente. O enredo do filme *Parque dos dinossauros*, embora não seja tolo, entra em choque com os fatos práticos. É possível conceber que, por um breve período após ser embalsamado em âmbar, um inseto hematófago poderia ter contido as instruções necessárias para reconstruir um dinossauro. Mas infelizmente, depois que um organismo morre, o DNA do seu corpo, assim como o sangue que o animal sugou, não sobrevive intacto por mais do que alguns anos — e apenas dias, no caso de alguns tecidos moles. A fossilização também não preserva o DNA.

Nem mesmo o congelamento profundo preserva por muito tempo o DNA. Enquanto escrevo este livro, cientistas estão escavando um mamute congelado no *permafrost* da Sibéria na esperança de extrair DNA suficiente para gerar um novo mamute, clonado no útero de uma elefanta moderna. Receio que seja uma esperança vã, embora o mamute esteja morto há apenas alguns milhares de anos. Entre os corpos mais antigos dos quais se extraiu DNA capaz de ser lido está o de um homem de Neandertal. Imagine o rebuliço se alguém conseguisse cloná-lo! Mas, infelizmente, apenas fragmentos desconectados de seu DNA de 30 mil anos podem ser recuperados. Para vegetais no *permafrost*, o recorde é de aproximadamente 400 mil anos.

O que devemos ter em mente a respeito do DNA é: enquanto a cadeia da vida que se reproduz não for rompida, suas *informações* codificadas são copiadas para uma nova molécula antes de a molécula velha ser destruída. Dessa forma, as informações do DNA vivem muito mais do que suas moléculas. Elas são renováveis — copiadas — e, como as cópias são perfeitas na maioria das suas letras em qualquer dada ocasião, as informações têm potencialmente condições de sobreviver por um tempo indefinidamente longo. Grandes quantidades de informações de DNA dos nossos ancestrais sobrevivem totalmente inalteradas, algumas por centenas de milhões de anos, preservadas em sucessivas gerações de corpos vivos.

Compreendido desse modo, o registro do DNA é uma dádiva quase inacreditavelmente rica para os historiadores. Que historiador poderia ter ousado esperar por um mundo no qual cada indivíduo de cada espécie traz, em seu corpo, um texto longo e detalhado — um documento escrito passado de geração a geração através das eras? Além de tudo, ele tem mudanças aleatórias pequenas, que ocorrem com suficiente raridade para não atrapalhar o registro, mas com frequência suficiente para permitir classificações distintas. E é ainda melhor do que isso. O texto não é apenas arbitrário. Em meu livro *Desvendando o arco-íris* argumentei, em linhas darwinianas, que devemos considerar o DNA de um animal como um "Livro Genético dos Mortos": um registro descritivo de mundos ancestrais. Uma das consequências da evolução darwiniana é que tudo o que diz respeito a um animal ou planta, incluindo a forma de seu corpo, seu comportamento herdado e a química das suas células, é uma mensagem codificada que nos fala sobre os mundos nos quais os ancestrais dessa criatura sobreviveram: o alimento que buscavam, os predadores dos quais fugiam, os climas que suportavam, os parceiros que logravam. A mensagem está fundamentalmente inscrita no DNA transmitido pela sucessão de peneiras da seleção natural. Quando aprendermos a lê-lo corretamente, o DNA de um golfinho talvez um dia venha a confirmar o que já sabemos por pistas reveladoras na anatomia e fisiologia desse animal: seus ancestrais já viveram em terra firme. Há 300 milhões de anos, os ancestrais de todos os vertebrados terrestres, entre eles os ancestrais terrestres dos golfinhos, deixaram o mar onde haviam vivido desde a origem da vida. Sem dúvida nosso DNA registra esse fato, só que ainda não sabemos lê-lo. Tudo em um animal moderno, especialmente seu DNA, mas também seus membros, coração, cérebro e ciclo reprodutivo, pode ser considerado um arquivo, uma crônica do seu passado, embora essa crônica seja um palimpsesto muitas vezes reescrito.

A crônica do DNA pode ser uma dádiva para o historiador, mas ela é difícil de ler, pois requer vasto conhecimento para ser interpretada. Seus poderes multiplicam-se quando combinados ao nosso terceiro método de reconstrução histórica, a triangulação. É dela que trataremos a seguir, e novamente começamos com um caso análogo da história humana, especificamente a história das línguas.

TRIANGULAÇÃO

Muitos linguistas querem reconstituir a história das línguas. Quando sobrevivem registros escritos, isso é fácil. O linguista histórico pode usar o segundo dos nossos dois métodos de reconstrução para chegar à origem de relíquias renovadas — nesse caso, palavras. Graças à tradição literária contínua, através de Shakespeare, Chaucer e *Beowulf*, sabemos que o inglês moderno, com a intermediação do inglês médio, remonta ao anglo-saxão. Mas a fala, obviamente, é muito mais antiga do que a invenção da escrita, e além disso muitas línguas não têm forma escrita. Para reconstituir a história inicial das línguas mortas, os linguistas recorrem a uma versão do que chamo de triangulação. Eles comparam línguas modernas e as agrupam hierarquicamente em famílias dentro de famílias. As línguas românicas, germânicas, eslavas, celtas, bem como outras famílias de línguas europeias, são por sua vez agrupadas com algumas famílias de línguas indianas na família indo-europeia. Os linguistas supõem que o "proto-indo-europeu" foi realmente uma língua, falada por uma tribo específica por volta de 6 mil anos atrás. Eles até aspiram reconstituir muitos dos detalhes dessa língua extrapolando para o passado as características comuns às suas descendentes. Outras famílias de línguas de outras partes do mundo, equivalentes em classificação ao tronco indo-europeu, tiveram sua história reconstituída dessa mesma maneira: a altaica, a dravidiana e a urálico-yukaghir, por exemplo. Alguns linguistas otimistas (e polêmicos) acham que conseguirão ir até um passado ainda mais remoto, unindo essas principais famílias em uma abrangente "família de famílias". Desse modo, eles se convenceram de que poderão reconstituir elementos de uma hipotética "ur-língua" que denominam "nostrática", a qual, pensam eles, teria sido falada entre 12 mil e 15 mil anos atrás.

Muitos linguistas, embora satisfeitos com as noções sobre o proto-indo-europeu e outras línguas ancestrais de classificação equivalente, duvidam que seja possível reconstituir uma língua tão antiga como o nostrático. O ceticismo desses profissionais reforça minha incredulidade de amador. Mas não há dúvida nenhuma de que métodos de triangulação equivalentes — diversas técnicas para comparar organismos modernos — funcionam para a história evolutiva e podem ser usados para penetrarmos por centenas de milhões de anos atrás. Mesmo se não tivéssemos fósseis, uma refinada comparação de animais modernos possibilitaria uma reconstituição razoável e plausível de seus ancestrais. Assim como um linguista penetra no passado até o proto-indo-europeu, efetuando a triangulação com línguas modernas e línguas mortas já reconstituídas, podemos fazer o mesmo com organismos modernos, comparando suas características externas ou suas sequências de proteínas ou de DNA. À medida que as bibliotecas do mundo forem acumulando listagens longas e exatas do DNA de um número crescente de espécies modernas, a confiabilidade das nossas triangulações aumentará, em particular porque os textos de DNA apresentam uma imensa série de sobreposições.

Explicarei o que quero dizer com "série de sobreposições". Mesmo quando extraídas de parentes extremamente distantes, por exemplo, humanos e bactérias, ainda assim grandes seções de DNA de ambos são inequivocamente semelhantes entre si. Parentes muito próximos, como os seres humanos e os chimpanzés, possuem muito DNA em comum. Se escolhermos nossas moléculas com critério, encontraremos um espectro completo de proporções uniformemente crescentes de DNA comum às duas espécies por todo o caminho. Podemos escolher moléculas que, entre si, abranjam toda a gama de comparação, de primos remotos como os humanos e as bactérias até primos próximos como duas espécies de rã. Já as semelhanças entre línguas são mais difíceis de discernir, com exceção dos pares de línguas próximas como o alemão e o holandês. A cadeia de raciocínio que conduz alguns linguistas esperançosos ao nostrático é tênue o bastante para que seus elos sejam vistos com ceticismo por outros linguistas. O equivalente para o DNA da triangulação que conduz ao nostrático seria a triangulação entre, digamos, os humanos e as bactérias? Mas homens e bactérias possuem alguns genes que quase não mudaram nada desde o ancestral comum — seu equivalente do nostrático. E o próprio código genético é praticamente idêntico em todas as espécies e há de ter sido o mesmo nos ancestrais comuns. Poderíamos dizer que a semelhança entre o alemão e o holandês é comparável à existente entre qualquer par de mamíferos. O DNA dos humanos é tão semelhante ao dos chimpanzés que podemos fazer uma analogia com o inglês falado com sotaques ligeiramente diferentes. A semelhança entre o inglês e o japonês, ou entre o espanhol e o basco, é tão pequena que nenhum par de organismos vivos pode ser escolhido para uma analogia — nem mesmo os humanos e as bactérias. Homens e bactérias possuem sequências de DNA tão semelhantes que parágrafos inteiros são idênticos, palavra por palavra.

Venho falando em usar sequências de DNA para a triangulação. Essa, em princípio, também é viável com caracteres morfológicos macroscópicos, mas, na ausência de informações moleculares, os ancestrais distantes são praticamente tão difíceis de definir quanto o nostrático. Com os caracteres morfológicos, assim como com o DNA, supomos que características compartilhadas por muitos descendentes de um ancestral foram provavelmente herdadas desse ancestral (ou pelo menos a probabilidade de o terem sido é maior que a de não o terem). Todos os vertebrados têm coluna vertebral, e supomos que a herdaram (rigorosamente falando, herdaram os genes responsáveis pelo crescimento dela) de um ancestral remoto que também tinha coluna vertebral e que viveu, como sugerem os fósseis, há mais de meio bilhão de anos. É essa espécie de triangulação morfológica que usamos neste livro para nos ajudar a imaginar as formas corporais dos concestrais. Eu preferiria basear-me mais na triangulação diretamente do DNA, mas nossa capacidade de predizer como uma mudança em um gene mudará a morfologia em um organismo é inadequada para essa tarefa.

A triangulação é ainda mais eficaz quando incluímos muitas espécies. Mas, para isso, precisamos de métodos complexos que dependem de termos uma árvore genealógica construída com exatidão. Esses métodos serão explicados em "O conto do gibão". A triangulação também se presta a uma técnica para calcular a data de qualquer ponto de ramificação evolutiva que desejarmos. Trata-se do "relógio molecular". Em poucas palavras, o método consiste em contar as discrepâncias em sequências moleculares entre espécies sobreviventes. Primos próximos com ancestrais comuns recentes têm menos discrepâncias do que primos distantes, e a idade do ancestral comum é — ou pelo menos se espera que seja — proporcional ao número de discrepâncias moleculares entre seus dois descendentes. Em seguida, calibramos a escala temporal arbitrária do relógio molecular, traduzindo-a em anos reais. Para isso, usamos fósseis de data conhecida em alguns pontos cruciais de ramificação para os quais haja fósseis disponíveis. Na prática não é tão simples, e as complicações, dificuldades e controvérsias associadas ocuparão o epílogo de "O conto do verme aveludado".

O "Prólogo geral" de Chaucer apresenta um a um todos os personagens da peregrinação. Meu elenco é grande demais para isso. De qualquer modo, a própria narrativa é uma longa sequência de apresentações — nos quarenta pontos de encontro. Mas uma apresentação preliminar é necessária, de um modo que não foi para Chaucer, cuja lista de personagens era um conjunto de indivíduos. A minha é um conjunto de grupos. O modo como os animais e as plantas estão agrupados precisa ser explicado. No Encontro 10, juntam-se à nossa peregrinação cerca de 2 mil espécies de roedores, mais 87 espécies de coelhos, lebres e lebres-assobiadoras (pikas), coletivamente chamados *Glires*. As espécies são agrupadas de modos hierarquicamente inclusivos, e cada agrupamento tem seu próprio nome (a família dos roedores semelhantes ao camundongo é chamada *Muridae*, e a dos roedores parecidos com o esquilo, *Sciuridae*). E cada categoria de agrupamento tem um nome. *Muridae* é uma família, assim como *Sciuridae*. *Rodentia* é o nome da ordem à qual ambas pertencem. *Glires* é a superordem que une roedores a coelhos e seus parentes. Existe uma hierarquia desses nomes de categorias, e a família e a ordem encontram-se mais ou menos no meio dela. As espécies ficam próximas da base da hierarquia. Vamos subindo nesta, passando por gênero, família, ordem, classe e filo, com prefixos como sub- e super- dando margem a interpolações.

As espécies têm um status particular, como veremos no decorrer de vários contos. Cada espécie tem um nome científico binomial único, composto pelo nome do seu gênero com inicial maiúscula e do nome da espécie todo em minúsculas, ambos grafados em itálico. O leopardo, o leão e o tigre são todos membros do gênero *Panthera*: *Panthera pardus*, *Panthera leo* e *Panthera tigris*, respectivamente, na família dos felinos — *Felidae* —, que por sua vez é membro da ordem *Carnivora*, da classe *Mammalia*, do subfilo *Vertebrata* e do filo *Chordata*. Não me estenderei aqui sobre os princípios da taxonomia, mas, quando necessário, os mencionarei ao longo do livro.

Começa a peregrinação

Chegou a hora de partirmos em nossa peregrinação ao passado. Podemos concebê-la como uma jornada numa máquina do tempo em busca de nossos ancestrais. Ou, mais precisamente, por razões que serão explicadas em "O conto do Neandertal", como uma jornada em busca dos nossos genes ancestrais. Por algumas dezenas de milhares dos anos iniciais da nossa expedição retrocessiva, nossos genes ancestrais residem em indivíduos que parecem iguais a nós. É claro que isso não é exatamente verdade, pois a aparência de cada pessoa não é idêntica à das outras. Reformularei, portanto, minha ideia. Pelas primeiras dezenas de milhares de anos da nossa peregrinação, as pessoas que encontraremos quando sairmos da nossa máquina do tempo não serão mais diferentes de nós do que nós, hoje, diferimos uns dos outros. Tenhamos em mente que "nós, hoje" inclui alemães e zulus, pigmeus e chineses, berberes e melanésios. Nossos ancestrais genéticos de 50 mil anos atrás seriam postos no mesmo envelope de variabilidade que vemos pelo mundo atualmente.

Mas, se não será a evolução biológica, quais mudanças veremos conforme recuamos por dezenas de milênios, em comparação com um recuo de centenas ou milhares de milênios? Existe um processo semelhante à evolução, ordens de magnitude mais rápidas do que a evolução biológica, o qual, nas primeiras etapas da nossa viagem na máquina do tempo, dominará o panorama visto pela escotilha. Esse processo é chamado, variadamente, de evolução cultural, evolução exossomática ou evolução tecnológica. Notamo-lo na "evolução" do automóvel, da gravata e da língua inglesa, por exemplo. Não devemos superestimar sua semelhança com a evolução biológica e, de qualquer modo, não precisamos nos demorar em seu exame. Temos uma estrada de 4 bilhões de anos a percorrer, e em breve precisaremos pôr a máquina do tempo em uma marcha demasiado acelerada para nos permitir mais que um rápido vislumbre de eventos na escala da história humana.

Antes, porém, enquanto nossa máquina do tempo ainda está em marcha lenta, viajando na escala de tempo dos humanos e não na da história evolutiva, teremos um par de contos sobre dois grandes avanços culturais. "O conto do agricultor" é a história da Revolução Agrícola, talvez a inovação humana que teve as principais repercussões para os demais organismos do planeta. E "o conto do Cro-Magnon" fala sobre o "Grande Salto para a Frente", o florescimento da mente humana, que, em um sentido especial, forneceu um novo meio para o próprio processo evolutivo.

O CONTO DO AGRICULTOR

A revolução agrícola começou no final da última Glaciação, há cerca de 10 mil anos, no chamado Crescente Fértil entre os rios Tigre e Eufrates. Esse é o berço da civilização humana cujas relíquias insubstituíveis guardadas no Museu de Bagdá foram vandalizadas em 2003, durante o caos ocasionado pela invasão americana do Iraque. É provável que a agricultura também tenha surgido independentemente na China e nas margens do Nilo, e sem dúvida independentemente no Novo Mundo. Uma tese interessante é a do aparecimento também independente de uma civilização agrícola no isolado interior montanhoso da Nova Guiné. A Revolução Agrícola assinala o início da nova idade da pedra, o Neolítico.

A transição do nomadismo da vida de caçadores-coletores para um estilo de vida agrícola sedentário pode representar a primeira vez que as pessoas tiveram um conceito de lar. Em outras partes do mundo viveram contemporâneos (não reconstituídos) dos primeiros agricultores, mas eram caçadores-coletores que se deslocavam mais ou menos continuamente. Na verdade, o estilo de vida dos caçadores-coletores (no qual se incluem os pescadores) não se extinguiu até hoje. Ainda o encontramos em alguns bolsões do planeta, entre os aborígines australianos, as tribos san e suas parentes no sul da África (chamadas "boxímanes"), várias tribos de nativos americanos (chamados de "índios" após um erro de navegação) e entre os inuítes do Ártico (que preferem não ser chamados de esquimós). Os caçadores-coletores não cultivam plantas nem criam gado. Na prática, encontramos todas as condições intermediárias entre caçadores-coletores puros e agricultores ou pastores puros. Mas, antes de aproximadamente 10 mil anos atrás, todas as populações humanas eram caçadoras-coletoras. Em breve, provavelmente, nenhuma o será. As que não se extinguirem serão "civilizadas" — ou corrompidas, dependendo do ponto de vista.

Colin Tudge, em seu livro *Neanderthals, bandits and farmers: how agriculture really began*, concorda com Jared Diamond (autor de *The third chimpanzee*) em que a passagem da caça e coleta para a agricultura não foi, de modo nenhum, o avanço que nós, em nossa complacente análise retrospectiva, poderíamos pensar. Para esses dois autores, a Revolução Agrícola não aumentou a felicidade humana. A agricultura sustentou populações maiores do que o estilo de vida dos caçadores-coletores que ela desbancou, porém não em graus obviamente maiores de saúde ou felicidade. Na verdade, populações maiores costumam alimentar doenças mais danosas, por razões evolutivas bem fundamentadas (um parasita fará menos questão de preservar a vida de seu atual hospedeiro se puder encontrar facilmente novas vítimas para infectar).

Entretanto, nossa situação como caçadores-coletores também não pode ter sido utópica. Ultimamente virou moda achar que as sociedades de caçadores-coletores e as de agricultores primitivos* vivem mais "em equilíbrio" com a natureza do que nós. Isso é provavelmente um engano. Esses povos podem muito bem ter possuído maior conhecimento sobre a natureza simplesmente porque viviam e sobreviviam nela. Porém, assim como nós, parecem ter usado seus conhecimentos para explorar, às vezes em excesso, seu ambiente no maior grau que suas habilidades lhes permitiam. Jared Diamond salienta casos de exploração excessiva por agricultores primitivos que acarretaram um colapso ecológico e a extinção dessas sociedades. Longe de estarem em equilíbrio com a natureza,

* Em todo o livro, uso o termo "primitivo" no sentido técnico, significando "mais semelhante ao estado ancestral". Não há nenhuma intenção de indicar inferioridade.

os caçadores-coletores pré-agrícolas foram provavelmente responsáveis por extinções de muitos animais grandes em várias partes do globo. Os registros arqueológicos mostram que, pouco antes da Revolução Agrícola, a colonização de áreas remotas por povos caçadores-coletores foi, em vários casos, suspeitosamente seguida pela aniquilação de muitas aves e mamíferos de grande porte (e presumivelmente apetitosos).

Tendemos a considerar "urbano" a antítese de "rural", mas, na perspectiva mais longa que este livro precisa adotar, os habitantes das cidades deverão ser agrupados com os agricultores na comparação com os caçadores-coletores. Quase todos os alimentos consumidos em uma cidade provêm de terras cultivadas e com proprietários — no passado, de campos ao redor da cidade, e hoje de qualquer parte do mundo, transportados e vendidos por intermediários. A Revolução Agrícola não tardou a levar à especialização. Oleiros, tecelões e ferreiros trocavam suas habilidades por alimentos cultivados por outros. Antes da Revolução Agrícola não se cultivavam alimentos em terras de propriedade privada; capturavam-se animais ou coletavam-se frutos em terras sem dono usadas por todos. O pastoreio em terras comuns pode ter sido um estágio intermediário.

Presume-se que a Revolução Agrícola, independentemente de ter sido uma mudança para melhor ou para pior, não foi um evento súbito. A lavoura não foi uma inspiração repentina de algum gênio, o equivalente neolítico de Turnip Townshend.*

Para começar, os caçadores de animais selvagens em uma área aberta e sem dono talvez guardassem os territórios de caça contra os caçadores rivais, ou quem sabe guardassem os próprios rebanhos que seguiam. Dessa prática, um progresso natural seria pastorear esses rebanhos, depois alimentá-los e por fim prendê-los e abrigá-los. Ouso dizer que nenhuma dessas mudanças teria parecido revolucionária quando ocorreu.

Nesse meio-tempo, os próprios animais estavam evoluindo — tornando-se "domesticados" por formas rudimentares de seleção artificial. As consequências darwinianas sobre os animais teriam sido graduais. Sem nenhuma intenção deliberada de gerir a reprodução dos animais com "objetivo" de torná-los domesticados, nossos ancestrais inadvertidamente mudaram as pressões da seleção

* Charles Townshend (1674-1738), II Visconde de Townshend, estadista inglês famoso por propor o uso de nabos [*turnips*, em inglês] na rotação de culturas. (N. T.)

sobre os animais. No reservatório gênico [*gene pool*] dos rebanhos, não haveria mais uma vantagem para a velocidade na fuga ou outras habilidades de sobrevivência na natureza. Sucessivas gerações de animais domésticos tornaram-se mais mansas, menos capazes de sobreviver por conta própria, mais propensas a engordar e prosperar nas condições facilitadas da vida de animais de criação. Existem sedutores paralelos na domesticação de pulgões e fungos pelas formigas e cupins sociais: seu "gado" e sua "lavoura". Trataremos desse aspecto em "O conto da saúva", quando as formigas peregrinas se juntarem a nós no Encontro 26.

Ao contrário dos agricultores e pecuaristas do nosso tempo, nossos antepassados da Revolução Agrícola não teriam praticado conscientemente a seleção artificial com vistas a cacterísticas desejáveis. Duvido que eles se dessem conta de que, para aumentar a produção de leite, é preciso cruzar vacas boas produtoras com touros nascidos de outras vacas boas produtoras e descartar a cria dos animais que não produzem bem. Podemos ter uma ideia das consequências genéticas acidentais da domesticação examinando alguns interessantes trabalhos russos sobre raposas-prateadas.

D. K. Belyaev e seus colegas capturaram raposas-prateadas, *Vulpes vulpes*, e passaram a cruzá-las sistematicamente, com o objetivo de obter animais mais mansos. O êxito foi impressionante. Cruzando entre si os indivíduos mais mansos de cada geração, Belyaev obteve, em vinte anos, raposas que se comportavam como cães da raça border collie, procuravam a companhia humana e abanavam a cauda para quem se aproximava. Isso não é muito surpreendente, embora a rapidez com que ocorreu possa ser. Menos esperados foram os subprodutos da seleção voltada para a docilidade. Essas raposas geneticamente amansadas não só se comportavam como os collies, mas também se pareciam com eles. Ganharam pelagem preta e branca, com manchas brancas na face e no focinho. No lugar das características orelhas empinadas das raposas selvagens, ganharam "simpáticas" orelhas caídas. Seu equilíbrio hormonal reprodutivo mudou, e elas adquiriram o hábito de reproduzir-se o ano todo em vez de em uma temporada específica. Constatou-se que apresentavam níveis mais elevados de serotonina neuralmente ativa, o que provavelmente tinha relação com sua menor agressividade. Bastaram vinte anos para transformar raposas em "cães" pela seleção artificial.

Escrevi "cães" entre aspas porque nossos cães domésticos não descendem de raposas, mas de lobos. Aliás, hoje sabemos ser equivocada a célebre conjectura de Konrad Lorenz de que algumas raças caninas derivam dos lobos (as favoritas dele, como o chow-chow), mas o resto descende de chacais. Lorenz corroborou sua teoria com relatos perspicazes sobre temperamento e comportamento. Só que a taxonomia molecular leva a melhor sobre a perspicácia humana: dados moleculares mostram que todas as raças modernas de cães descendem do lobo europeu, *Canis lupus*. Os parentes mais próximos dos cães (e lobos) são os coiotes e os "chacais" etíopes (*Canis simensis*, que agora são mais apropriadamente chamados de lobos etíopes). Os verdadeiros chacais (o dourado, o listrado e o de dorso preto) têm um parentesco mais distante, embora ainda sejam classificados no gênero *Canis*.

Sem dúvida, a história original da evolução dos cães a partir dos lobos foi semelhante à nova história simulada por Belyaev com as raposas, com a diferença de que Belayev estava deliberadamente fazendo cruzamentos visando à docilidade dos animais. Nossos ancestrais fizeram isso inadvertidamente, e é provável que o processo tenha ocorrido várias vezes, de modo independente, em diferentes partes do mundo. Talvez no início os lobos tenham adquirido o hábito de alimentar-se de restos encontrados nas proximidades dos acampamentos humanos. Os homens podem ter achado que aqueles animais eram um jeito conveniente para livrarem-se do lixo, e quem sabe também os valorizassem como guardas e até os usassem para dormir mais aquecidos. Se esse cenário amigável parece surpreendente, devemos refletir que a lenda medieval dos lobos como símbolos míticos de terror saído da floresta nasceu da ignorância. Nossos ancestrais selvagens, que viveram em regiões mais abertas, devem ter sido mais bem informados. Pensando bem, é evidente que foram mais bem informados, pois acabaram por domesticar o lobo e, com isso, criaram o leal e confiável cão.

Do ponto de vista dos lobos, os acampamentos humanos forneciam ricas sobras para um animal carniceiro, e os indivíduos com maior probabilidade de beneficiar-se eram aqueles cujos níveis de serotonina e outras características cerebrais ("propensão à docilidade") por acaso os deixavam mais à vontade com os humanos. Vários autores já teorizaram, com razoável plausibilidade, sobre a adoção de filhotes órfãos como mascotes de crianças. Experimentos demonstraram que cães domésticos são melhores do que os lobos para "ler" as expressões da face humana. Presume-se que isso seja uma consequência inadvertida de nossa evolução mutualística ao longo de muitas gerações. Nós, em contrapartida, lemos a face do cão, e as expressões faciais caninas, em comparação com as dos lobos, ganharam mais semelhança com as humanas devido à seleção impremeditada feita pelos homens. É presumivelmente por isso que o lobo nos parece sinistro, e o cão, simpático, arrependido, meigo etc.

Um paralelo distante é o caso dos "caranguejos samurais" japoneses. Esses caranguejos selvagens têm no dorso um padrão que lembra o rosto de um guerreiro samurai. A teoria darwiniana para explicar o fato é que os pescadores supersticiosos jogavam de volta no mar cada caranguejo que tivesse alguma ligeira semelhança com um guerreiro samurai. Ao longo das gerações, à medida que aumentou a probabilidade de os genes associados à semelhança com a face humana sobreviverem no corpo dos "seus" caranguejos, a frequência desses genes aumentou na população até tornar-se o padrão atual. Seja ou não verdadeira essa história dos caranguejos selvagens, sem dúvida algo parecido ocorreu na evolução de animais realmente domesticados.

Voltemos ao experimento russo com as raposas, que demonstra a rapidez com que a domesticação pode ocorrer e a probabilidade de que uma série de efeitos incidentais surja na esteira da seleção visando à docilidade. É inteiramente provável que bois, porcos, cavalos, ovelhas, cabras, galinhas, gansos, patos e camelos tenham seguido um curso igualmente rápido e rico em efeitos secundários inesperados. Também parece plausível que nós mesmos tenhamos evoluído por uma estrada paralela de domesticação após a Revolução Agrícola, rumo à nossa própria versão de docilidade e características associadas surgidas como subproduto.

Em alguns casos, a história da nossa domesticação está claramente escrita em nossos genes. O exemplo clássico, meticulosamente documentado por William Durham em seu livro *Coevolution*, é a tolerância à lactose. Leite é alimento para bebês, não "destinado" a adultos; por isso, originalmente, não fazia bem a eles. A lactose, o açúcar do leite, para ser digerida requer uma enzima específica, a lactase. (Aliás, vale a pena gravar essa convenção terminológica. Frequentemente o nome de uma enzima será construído adicionando-se "ase" à primeira parte do nome da substância sobre a qual ela atua.) Os mamíferos jovens desativam o gene que produz a lactase após a idade normal de aleitamento. Não que o gene inexista neles, obviamente. Os genes que são necessários apenas na infância não são removidos do genoma, nem mesmo nas borboletas, que têm de carregar um grande número de genes necessários apenas para produzir lagartas. Mas a produção de lactase é desativada nas crianças humanas aproximadamente aos quatro anos de idade, sob a influência de outros genes de controle. O leite fresco causa mal-estar aos adultos, com sintomas que vão de flatulência e cólicas intestinais a diarreia e vômito.

A todos os adultos? Não, é claro que não. Há exceções. Eu sou uma, e provavelmente você também. Minha generalização diz respeito à espécie humana como um todo e, por implicação, ao *Homo sapiens* selvagem do qual todos nós descendemos. É como se eu dissesse: "os lobos são carnívoros grandes e ferozes que caçam em matilhas e uivam para a lua", sabendo muito bem que os pequineses e os yorkshire terriers não se encaixam nessa descrição. A diferença é que temos uma palavra distinta, cão, para designar o lobo doméstico, mas não uma para o humano doméstico. Os genes dos animais domésticos mudaram em consequência de gerações de contato com a humanidade, seguindo inadvertidamente o mesmo tipo de curso que os genes da raposa prateada. Os genes de (alguns) humanos mudaram em consequência de gerações em contato com animais domésticos. A tolerância à lactose parece ter evoluído em uma minoria de tribos, entre elas os tutsis, de Ruanda (e em menor grau nos seus tradicionais inimigos, os hutus), os pastores fulanis, da África ocidental (embora, curiosamente, não no ramo sedentário dos fulanis), nos sindhis, do norte da Índia, nos tuaregues, da África ocidental, nos bejas, do noroeste africano, e em algumas tribos europeias das quais eu e muitos dos leitores descendemos. Significativamente, o que essas tribos têm em comum é uma história de pastoralismo.

Por outro lado, entre os povos que conservaram a intolerância normal dos humanos à lactose na vida adulta estão os chineses, japoneses, inuítes, a maioria dos nativos americanos, os javaneses, fijianos, aborígines australianos, iranianos, libaneses, turcos, tâmeis, cingaleses, tunisianos e muitas tribos africanas, entre elas os sans, tswanas, zulus, xhosas e swazis, da África meridional, os dinkas e nuers, da África setentrional, e os iorubás e igbos, da África ocidental. Em geral, esses povos com intolerância à lactose não têm uma história de pastoralismo. Mas há exceções instrutivas. Na dieta tradicional dos masais da África oriental entram poucos outros alimentos além de leite e sangue, e por isso poderíamos supor que eles teriam uma tolerância excepcionalmente alta à lactose. Contudo, isso não ocorre, provavelmente porque consomem o leite coalhado. Como no queijo, boa parte da lactose é removida por bactérias. Esse é um modo de livrar-se de seus efeitos prejudiciais — eliminar a própria substância. O outro modo é mudar nossos genes. Isso ocorreu nas outras tribos pastoris mencionadas acima.

É claro que ninguém muda deliberadamente seus genes. A ciência só agora está começando a descobrir como fazer isso. Como de costume, a seleção natural fez o trabalho por nós, milênios atrás. Não sei exatamente por qual caminho a seleção natural produziu a tolerância à lactose em adultos. Talvez em tempos desesperadores os adultos tenham recorrido ao alimento de bebês e os indivíduos que tinham mais tolerância a ele sobreviveram melhor. Talvez algumas culturas tenham postergado o desaleitamento, e a seleção para a sobrevivência de crianças nessas condições tenha gradualmente levado à tolerância por adultos. Sejam quais forem os detalhes, a mudança, embora genética, foi impelida pela cultura. A evolução da docilidade e a crescente produção de leite em vacas, ovelhas e cabras foram paralelas à evolução da tolerância à lactose nas tribos que pastoreavam esses animais. Ambas foram verdadeiras tendências evolutivas no aspecto de serem mudanças nas frequências de genes nas populações. Mas ambas foram impulsionadas por mudanças culturais não genéticas.

A tolerância à lactose será apenas a ponta do *iceberg*? Nossos genomas serão permeados com evidências de domesticação, afetando não só nossa bioquímica, mas também nossa mente? Como as raposas domesticadas de Belyaev, e como os lobos domesticados que chamamos de cães, será que nos tornamos mais mansos, mais simpáticos, como os equivalentes humanos das orelhas caídas, do rosto meigo e da cauda que abana? Deixo a reflexão para o leitor e trato de seguir em frente.

Enquanto a caça gradativamente levou ao pastoreio, a coleta, presume-se, conduziu ao cultivo de plantas. Mais uma vez, em grande medida isso provavelmente não foi premeditado. Sem dúvida, houve momentos de descoberta criativa, como quando as pessoas pela primeira vez notaram que, se pusessem sementes no solo, elas geravam plantas semelhantes àquelas das quais provinham. Ou como quando alguém pela primeira vez observou que é bom regar as plantas, adubá-las com esterco e extrair as ervas daninhas. É provável que tenha sido mais difícil perceber que seria uma boa ideia guardar as melhores sementes para o plantio em vez de seguir o caminho mais óbvio de comer as melhores e plantar o refugo (meu pai, quando jovem recém-formado na faculdade, ensinou agricultura a camponeses da África central na década de 1940, e me contou que essa era para eles uma das lições mais difíceis de entender). Mas, em grande medida, a transição de coletor para cultivador passou despercebida pelos envolvidos, e o mesmo se pode dizer da transição de caçador para pastor.

Muitos dos nossos gêneros de primeira necessidade, como o trigo, a aveia, a cevada, o centeio e o milho, são membros da família das gramíneas que foram muito modificados desde o surgimento da agricultura pela seleção humana impremeditada e, mais tarde, deliberada. É possível também que nos tenhamos tornado geneticamente modificados ao longo dos milênios, adquirindo maior tolerância aos cereais, de um modo análogo ao da evolução da nossa tolerância ao leite. Cereais amiláceos como o trigo e a aveia não podem ter sido componentes importantes de nossa dieta antes da Revolução Agrícola. Ao contrário das sementes de laranja e morango, as sementes dos cereais não "querem" ser comidas. Passar pelo trato digestivo de um animal não faz parte de sua estratégia de dispersão, como ocorre para as sementes de ameixa e tomate. Já nos homens, o trato digestivo não é capaz de, sem ajuda, absorver muitos nutrientes das sementes da família das gramíneas, com suas parcas reservas de amido e suas cascas duras e nada convidativas. Moê-las e cozinhá-las ajuda um pouco, mas também parece concebível que, paralelamente à evolução da tolerância ao leite, possamos ter adquirido pela evolução uma crescente tolerância fisiológica ao trigo, em comparação com nossos ancestrais selvagens. A intolerância ao trigo é um conhecido problema para um substancial número de pessoas desafortunadas que descobrem, por dolorosa experiência, que sua vida será muito melhor se o evitarem. Uma comparação da incidência da intolerância ao trigo em caçadores-coletores como os sans e outros povos cujos ancestrais agricultores há muito tempo comem trigo poderia ser reveladora. Desconheço se já se fez algum estudo comparativo sobre a tolerância ao trigo semelhante ao feito para a lactose em diferentes tribos. Um estudo comparativo sistemático da intolerância ao álcool também seria interessante. Sabe-se que certos alelos genéticos tornam nosso fígado menos capaz de decompor o álcool do que poderíamos desejar.

De qualquer modo, a coevolução de animais e das plantas de que eles se alimentam não foi nenhuma novidade. Os que pastavam já vinham exercendo uma espécie de seleção darwiniana benigna sobre a vegetação rasteira, guiando sua evolução na direção da cooperação mutualista, por milhões de anos antes de começarmos a domesticar o trigo, a cevada, a aveia, o centeio e o milho. As gramíneas prosperam na presença dos animais que as comem, e isso provavelmente vem ocorrendo por boa parte dos 20 milhões de anos desde que o pólen dessas plantas anunciou-as pela primeira vez no registro fóssil. É claro que não estou dizendo que cada planta, individualmente, beneficia-se por ser comida; afirmo apenas que as gramíneas suportam melhor ser comidas do que as plantas rivais. O inimigo do meu inimigo é meu amigo, e as gramíneas, mesmo quando comidas, prosperam quando os herbívoros comem (juntamente com elas próprias) outras plantas que competiriam por solo, Sol e água. No decorrer de milhões de anos, as gramíneas tornaram-se cada vez mais aptas a prosperar na presença de bovinos selvagens, antílopes, cavalos e outros animais que comiam outras plantas (e, por fim, na presença dos nossos cortadores de grama). E os herbívoros tornaram-se mais bem equipados para beneficiar-se da dieta de ervas, por exemplo, com dentes especializados e tratos digestivos complexos que incluem tanques para fermentação abastecidos com culturas de microrganismos.

Isso não é o que comumente entendemos por domesticação, mas, na prática, não está longe de sê-lo. Quando, a partir de aproximadamente 10 mil anos atrás, gramíneas silvestres do gênero *Triticum* foram domesticadas por nossos ancestrais e se tornaram o que hoje chamamos de trigo, isso foi, de certo modo, uma continuação daquilo que muitos tipos de herbívoro vinham fazendo com os ancestrais do *Triticum* por 20 milhões de anos. Nossos ancestrais aceleraram o processo, especialmente quando mais tarde passamos da domesticação inadvertida, acidental, para os cruzamentos seletivos deliberados e planejados (e, bem mais recente, para a hibridação científica e as mutações geneticamente engendradas).

Aqui se encerra o que quero dizer sobre as origens da agricultura. Agora, quando nossa máquina do tempo deixa o marco dos 10 mil anos e parte para o Encontro 0, faremos uma breve pausa, mais uma vez, por volta de 40 mil anos atrás. Aqui a sociedade humana, composta inteiramente de caçadores-coletores, passou pelo que pode ter sido uma revolução maior que a da agricultura, o "Grande Salto para a Frente na Cultura". O conto do "Grande Salto para a Frente" será contado pelo Homem de Cro-Magnon, batizado com o nome da caverna na Dordonha, onde pela primeira vez foram descobertos fósseis dessa raça de *Homo sapiens*.

O CONTO DO CRO-MAGNON

A arqueologia sugere que algo muito especial começou a acontecer com nossa espécie há cerca de 40 mil anos. Anatomicamente, nossos ancestrais que viveram antes desse divisor de águas eram iguais aos que viveram depois. Os humanos anteriores àquela data crucial não seriam mais diferentes de nós do que da maioria de seus contemporâneos em outras partes do mundo, ou, na verdade, não difeririam mais do que nós próprios diferimos dos nossos contemporâneos. Isto é, se olhássemos sua anatomia. Examinando-se a cultura, a diferença é colossal. É claro que hoje também existem diferenças colossais entre as culturas dos diversos povos do planeta, e provavelmente também existissem naquela época. Mas isso não se aplica se voltarmos no tempo muito mais do que 40 mil anos. Algo aconteceu então — para muitos arqueólogos, foi tão súbito que merece ser chamado de "evento". Gosto do nome que Jared Diamond escolheu para descrever o ocorrido: o Grande Salto para a Frente.

Antes do Grande Salto para a Frente, os artefatos produzidos pelo homem quase não haviam mudado por 1 milhão de anos. Os que chegaram até nós são, na maioria, ferramentas e armas de pedra de feitio bem tosco. Sem dúvida, a madeira (ou, na Ásia, o bambu) era um material usado com mais frequência, mas as relíquias de madeira não sobrevivem facilmente. Pelo que sabemos, não havia pinturas, esculturas, estatuetas, bens levados para a sepultura ou ornamentações. Depois do Salto, todas essas coisas aparecem subitamente no registro arqueológico, junto com instrumentos musicais como flautas de osso, e não demorou muito para o povo de Cro-Magnon criar obras impressionantes como os murais da Caverna de Lascaux (ver Ilustração 2). Um observador desinteressado que, de outro planeta, examinasse o longo panorama poderia ver nossa cultura moderna, com seus computadores, aviões supersônicos e exploração espacial, como um subproduto do Grande Salto para a Frente. Na longuíssima escala de tempo geológica, todas as nossas realizações modernas — a Capela Sistina, a Relatividade Especial, as *Variações Goldberg*, a Conjectura de Goldbach — poderiam ser vistas como quase contemporâneas da Vênus de Willendorf e das Cavernas de Lascaux, todas elas parte da mesma revolução cultural, do florescente surto cultural que se seguiu à longa estagnação do Paleolítico Inferior. Para falar a verdade, não sei se a visão uniformitarista do nosso observador extraplanetário resistiria a uma análise muito rigorosa, mas pelo menos poderia ser brevemente defendida.

David Lewis-Williams, em seu livro *The mind in the cave*, examina toda a questão da arte rupestre no Paleolítico Superior e o que ela pode nos dizer sobre o florescimento da consciência no *Homo sapiens*.

Algumas autoridades, de tão impressionadas com o Grande Salto para a Frente, supõem que ele coincidiu com a origem da linguagem. O que mais, eles se perguntam, poderia explicar uma mudança tão súbita? Não é tão tolo como parece supor que a linguagem tenha surgido repentinamente. Ninguém acha que a escrita remonta a mais de alguns milhares de anos, e todos concordam em que a anatomia do cérebro não mudou para coincidir com algo tão recente quanto a invenção da escrita. Em teoria, a fala poderia ser outro exemplo da mesma coisa. Entretanto, meu palpite, corroborado pela autoridade de linguistas como Steven Pinker, é que a linguagem é mais antiga do que o Salto. Voltaremos a esse argumento quando retrocedermos mais 1 milhão de anos e nossa peregrinação chegar ao *Homo ergaster* (*erectus*).

Se não coincidiu com a linguagem, talvez o Grande Salto para a Frente tenha coincidido com a súbita descoberta do que poderíamos chamar de uma nova técnica de software: talvez um novo truque de gramática, como a oração condicional, que, de um só golpe, teria permitido a imaginação ganhar asas com o "e se...?". Ou talvez, de início, antes do Salto, a linguagem pudesse ser usada apenas para falar sobre coisas que estivessem presentes na cena naquele momento. Talvez algum gênio esquecido tenha percebido a possibilidade de usar palavras referencialmente, como símbolos de coisas que não estivessem presentes. É a diferença entre "a lagoa que nós dois podemos ver" e "quem sabe existe uma lagoa do outro lado do morro". Ou talvez a arte representacional, praticamente desconhecida no registro arqueológico anterior ao Salto, tenha sido a ponte para a linguagem referencial. Talvez as pessoas tenham aprendido a desenhar um bisão antes de aprender a falar sobre um bisão que não fosse imediatamente visível.

Por mais que me agradasse demorar-me nos inebriantes tempos do Grande Salto para a Frente, temos uma longa peregrinação a cumprir, e devemos seguir ligeiros rumo ao passado. Aproximamo-nos do ponto onde podemos começar a procurar pelo Concestral 0, o mais recente ancestral de todos os humanos sobreviventes.

Encontro 0

Toda a espécie humana

O projeto genoma humano foi concluído, sob aplausos da humanidade justificadamente orgulhosa. Seria perdoável se nos perguntássemos *de quem* é o genoma que foi sequenciado. Algum ilustre dignitário foi escolhido para essa honra, ou teria sido um joão-ninguém pego ao acaso na rua, ou mesmo um clone anônimo de células provenientes de uma cultura de tecido em um laboratório? Isso faz diferença, porque variamos. Tenho olhos castanhos, e o leitor pode ter olhos azuis. Não consigo enrolar a língua formando um tubo, mas há 50% de probabilidade de que você seja capaz de fazê-lo. Qual versão do gene para enrolar a língua entrou no genoma humano publicado? Que cor de olhos foi usada como padrão?

Levanto a questão apenas para traçar um paralelo. Este livro procura a origem dos "nossos" ancestrais retrocedendo no tempo, mas *de quem* são os ancestrais de que estamos falando: seus ou meus, de um pigmeu bambuti ou de um habitante das ilhas australianas Torres Strait? Logo abordarei essa questão. Mas, primeiro, tendo feito a pergunta análoga sobre o Projeto Genoma Humano, não posso deixá-la em suspenso. De quem é o genoma escolhido para análise? No caso do Projeto Genoma Humano "oficial", a resposta é que, para a baixa porcentagem de letras do DNA que variam, o genoma-padrão é o "voto" majoritário entre duas centenas de pessoas escolhidas de modo a permitir uma boa representativi-

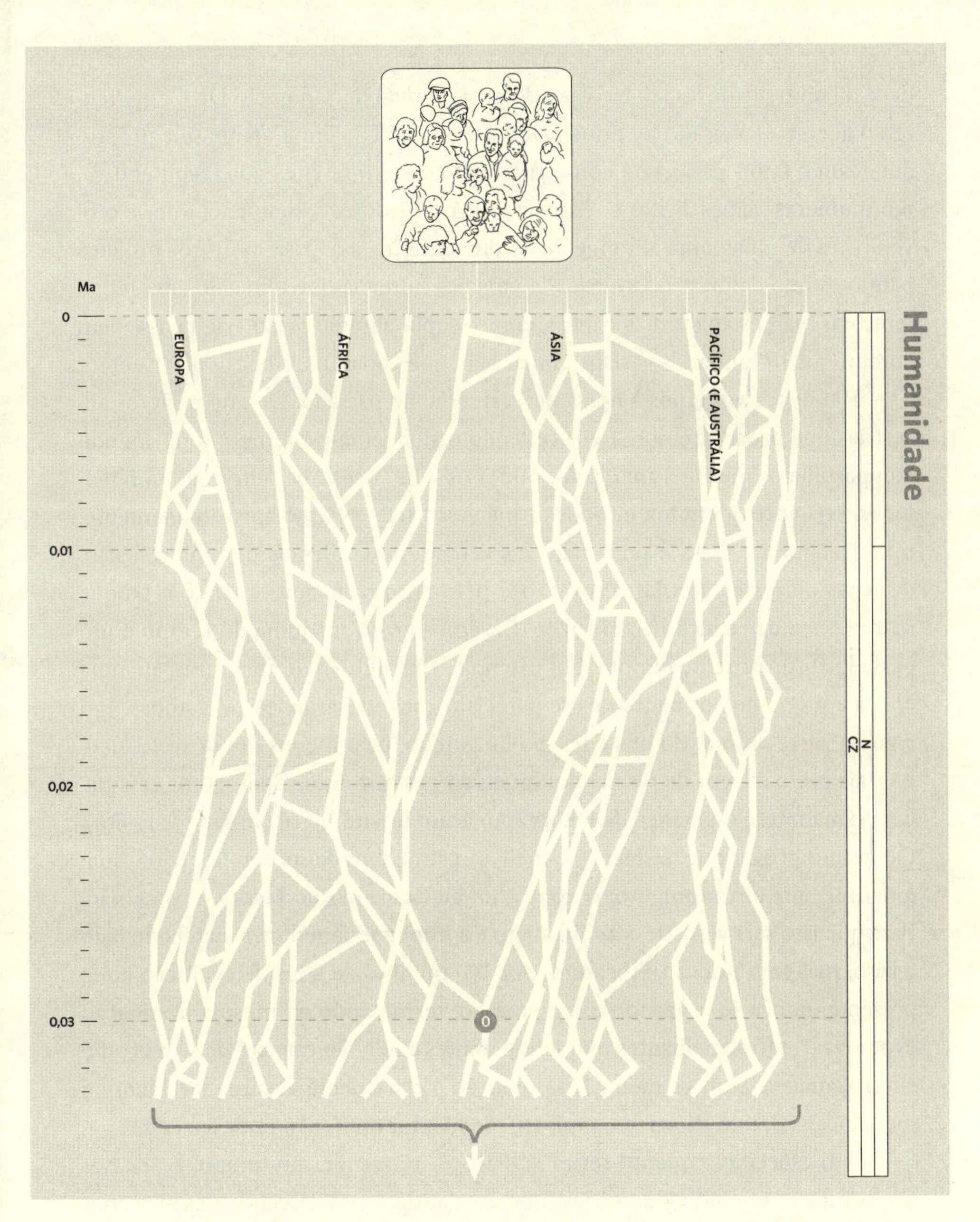

HUMANIDADE. Uma impressão estilizada da árvore genealógica humana. Não pretende ser uma descrição exata — a árvore real seria inimaginavelmente densa. Descer pela página significa voltar no tempo, com a escala do tempo geológico (ver Ilustração 1) dada pela barra à direita. As linhas brancas ilustram os padrões de intercruzamentos, com numerosos deles ocorrendo no âmbito dos continentes e alguns em migrações ocasionais. O círculo numerado marca o Concestral 0, o mais recente ancestral comum de todos os humanos vivos. Confirme isso subindo pelos ramos que partem do Concestral 0: podemos chegar a qualquer dos pontos terminais dos humanos atuais.

dade da diversidade racial. No caso do projeto rival iniciado pelo Dr. Craig Venter, o genoma analisado foi principalmente... o do Dr. Craig Venter. Ele próprio anunciou o fato,* para certa consternação do comitê de ética que recomendara, por inúmeras razões dignas e sensíveis, que os doadores fossem anônimos e provenientes de uma gama abrangente de diferentes raças. Existem outros projetos para o estudo da própria diversidade genética humana que têm sido alvo recorrente das mais estapafúrdias críticas, como se, por alguma razão, não ficasse bem admitir que os humanos variam. Ainda bem que variamos, embora não muito.

Mas agora voltemos à nossa peregrinação ao passado. De quem são os ancestrais que procuraremos? Retrocedendo o suficiente no tempo, todo mundo compartilha os mesmos ancestrais. Todos os seus ancestrais, leitor, são também meus, seja você quem for, e todos os meus são seus. Não só aproximadamente, mas exatamente. Essa é uma daquelas verdades que, depois de uma reflexão, dispensa outras evidências. Provamo-la pelo puro raciocínio, usando o truque matemático da redução ao absurdo. Levemos nossa máquina do tempo a um passado absurdamente remoto, por exemplo, 100 milhões de anos atrás, até uma época em que nossos ancestrais se pareciam com musaranhos ou gambás. Em alguma parte do mundo nesse tempo longínquo, pelo menos um dos meus ancestrais pessoais tem de ter vivido, ou eu não estaria aqui. Chamemos esse pequeno mamífero específico de Henry (por acaso um nome de família para mim). Queremos provar que, se Henry é meu ancestral, tem de ser seu também. Imaginemos, por um momento, o contrário: eu descendo de Henry, e você não. Para que isso seja verdade, sua linhagem e a minha teriam de ter marchado lado a lado, mas sem nunca se tocarem, por 100 milhões de anos de evolução até o presente, nunca se cruzando e, no entanto, terminando na mesma destinação evolutiva — tão semelhantes que seus parentes ainda são capazes de se reproduzir cruzando-se com os meus. Essa redução é claramente absurda. Se Henry é meu ancestral, tem de ser seu também. Se não for meu, não pode ser seu.

Sem especificar quanto seria "suficiente" retroceder no tempo, acabamos de provar que um indivíduo suficientemente antigo com descendentes humanos tem de ser um ancestral de toda a raça humana. A ancestralidade remota de um grupo específico de descendentes como a espécie humana não admite outras

* Quando a equipe do Dr. Venter se pôs a trabalhar na identificação do genoma canino, ninguém se surpreendeu ao saber que o indivíduo eleito fora Shadow, o poodle do chefe da equipe.

possibilidades. Além disso, é perfeitamente possível que Henry seja meu ancestral (e necessariamente também seu, já que você é humano o bastante para estar lendo meu livro) enquanto o irmão de Henry, Eric, é o ancestral, digamos, de todos os porcos-da-terra hoje vivos. Isso não é apenas possível. Notável é o fato de que *tem* de ter existido um momento na história em que houve dois animais da mesma espécie, um dos quais se tornou o ancestral de todos os humanos e de nenhum porco-da-terra, enquanto o outro tornou-se o ancestral de todos os porcos-da-terra e de nenhum humano. Eles podem muito bem ter se encontrado, e até sido irmãos. O leitor pode riscar porco-da-terra e substituir por qualquer outra espécie moderna que desejar, e a afirmação continuará sendo correta. Reflita bem, e verá que isso decorre do fato de que todas as espécies são primas umas das outras. Tenha em mente, ao ponderar, que o "ancestral de todos os porcos-da-terra" também será ancestral de numerosas outras coisas além dos porcos-da-terra (nesse caso, todo o grande grupo chamado *Afrotheria*, que veremos no Encontro 13, e que inclui os elefantes, dugongos, híraces e tenreques de Madagascar).

Meu raciocínio foi construído como uma redução ao absurdo. Supõe que "Henry" viveu em um passado remoto o suficiente para que seja óbvio ele ter sido antepassado de todos os humanos vivos ou de nenhum. Mas quanto é um passado suficientemente remoto? Essa já é uma questão mais difícil. Cem milhões de anos é mais do que suficiente para garantir a conclusão que buscamos. Se retrocedermos apenas uma centena de anos, nenhum indivíduo pode dizer que toda a raça humana descende diretamente dele. Entre os dois óbvios casos de cem anos e 100 milhões, o que podemos afirmar a respeito dos nada óbvios intermediários, como 10 mil, 100 mil ou 1 milhão de anos? Eu não tinha conhecimentos para fazer os cálculos precisos quando expliquei essa redução em *O rio que saía do Eden*, mas felizmente um estatístico da Universidade Yale, Joseph T. Chang, abriu caminho para eles. As conclusões de Chang e suas implicações formam "O conto do tasmaniano", particularmente importante para este encontro porque o Concestral 0 é o mais recente ancestral comum de todos os humanos vivos. É de versões mais elaboradas de cálculos como os de Chang que precisamos para datar o Encontro 0.

O Encontro 0 é a data em que, na nossa peregrinação retrocessiva, encontramos *pela primeira vez* um ancestral humano comum. Mas, segundo nossa redução ao absurdo, existe um ponto mais distante no passado em que *todo* indivíduo que encontramos na nossa máquina do tempo ou é um ancestral comum ou não é ancestral. E embora nenhum ancestral possa ser destacado para nossa atenção nesse marco mais distante, vale a pena dar-lhe um aceno de passagem, pois ele assinala o ponto onde podemos parar de nos preocupar em saber se os ancestrais que procuramos são seus ou meus: desse marco em diante, todos os meus leitores marcham, ombro a ombro, numa falange de peregrinos rumo ao passado.

O CONTO DO TASMANIANO

Em coautoria com Yang Wong

Procurar os ancestrais é um passatempo absorvente. Como ocorre com a própria história, existem dois métodos. Podemos retroceder, fazendo a lista com nossos pais, quatro avós, oito bisavós etc. Ou podemos escolher um ancestral distante e avançar no tempo, listando seus filhos, netos, bisnetos, até chegarmos a nós mesmos. Os genealogistas amadores fazem as duas coisas, indo e voltando entre as gerações até preencherem a árvore na medida permitida pelos registros paroquiais e Bíblias da família. Este conto, assim como o livro todo, usa o método retrocessivo.

Escolha duas pessoas, retroceda e, mais cedo ou mais tarde, você chegará a um ancestral comum mais recente (ACMR). Você e eu, o encanador e a rainha da Inglaterra, qualquer conjunto de pessoas há de convergir para um único concestral (ou um casal). Mas, a menos que escolhamos parentes próximos, encontrar o concestral requer uma vasta árvore genealógica, e a maior parte dela será desconhecida. Isso se aplica *a fortiori* ao concestral de todos os humanos vivos atualmente. Datar o Concestral 0, o mais recente ancestral comum de todos os humanos vivos, não é tarefa que possa ser realizada por um genealogista profissional. É um trabalho de estimativa: trabalho para matemáticos.

Um matemático tenta entender o mundo real criando uma versão simplificada desse mundo, um "modelo" — que facilita o raciocínio e ao mesmo tempo não perde todo o poder de esclarecer a realidade. Às vezes um modelo nos dá uma base, e os afastamentos desta nos esclarecem sobre o mundo real.

Para montar um modelo matemático com o objetivo de datar os ancestrais comuns de todos os humanos sobreviventes, uma boa suposição simplificadora — uma espécie de mundo de brinquedo — é uma população reprodutiva de tamanho fixo e constante, vivendo em uma ilha sem imigração nem emigração. Suponhamos que seja uma população idealizada de aborígines tasmanianos, em tempos mais felizes, antes de serem exterminados como pragas agrícolas pelos colonizadores no século XIX. A última tasmaniana puro-sangue, Truganinni, morreu em 1876, logo depois de seu amigo "King Billy", cujo escroto foi transformado em bolsa para tabaco (nazistas fizeram abajures com peles humanas). Os aborígines tasmanianos ficaram isolados há cerca de 13 mil anos, quando o nível do mar se elevou e as águas cobriram as pontes de terra que os ligavam à Austrália. A partir de então, eles não viram nenhum forasteiro até o holocausto do século XIX, quando viram forasteiros demais. Para os propósitos do nosso modelo, consideraremos a Tasmânia um local totalmente isolado do resto do mundo por 13 mil anos até 1800. Nosso "presente" nocional, para os propósitos do modelo, será definido em 1800 d.C.

O próximo passo é elaborar o modelo do padrão de cruzamentos. No mundo real, as pessoas se apaixonam ou se unem em casamentos arranjados. Mas aqui estamos criando um modelo, impiedosamente substituindo detalhes humanos pela manejável matemática. Há mais de um modelo imaginável. O modelo da difusão aleatória supõe que homens e mulheres se comportam como partículas que se difundem para fora a partir de seu local de nascimento, com maior probabilidade de toparem com vizinhos próximos do que com vizinhos distantes. Um modelo ainda mais simples e menos realista é o do cruzamento aleatório. Nele, desconsideramos a distância e supomos apenas que, apenas dentro da ilha, o cruzamento entre qualquer homem e qualquer mulher é igualmente provável.

É claro que nenhum dos dois modelos é sequer remotamente plausível. A difusão aleatória supõe que as pessoas andam em qualquer direção a partir do ponto inicial. Na realidade, existem trilhas ou estradas que lhes guiam os passos: estreitos condutos gênicos através das florestas e campinas da ilha. O modelo do cruzamento aleatório é ainda menos realista. Não importa. Criamos modelos para ver o que acontece em condições idealmente simplificadas. Pode ser surpreendente. Depois temos de analisar se o mundo real é mais ou menos surpreendente e em quais sentidos.

Joseph Chang, seguindo uma longa tradição de geneticistas matemáticos, optou pelo cruzamento aleatório. Seu modelo desconsiderou o tamanho da população, supondo-o constante. Chang não lidou especificamente com a Tasmânia, mas suporemos, outra vez como uma grande simplificação calculada, que nossa população de brinquedos permaneceu constante em 5 mil pessoas, que é uma das estimativas para a população aborígine da Tasmânia em 1800, antes de começarem os massacres. Devo repetir: tais simplificações são essenciais na criação de modelos matemáticos — não uma deficiência do método, mas, para certas finalidades, uma vantagem. Chang obviamente não acreditava que as pessoas se acasalavam ao acaso, assim como Euclides não acreditava que as linhas não tinham largura. Seguimos suposições abstratas para ver aonde elas conduzem e então decidimos se as diferenças detalhadas do mundo real são importantes.

Quantas gerações teríamos de voltar para ter uma razoável certeza de encontrar um indivíduo ancestral de todos os que vivem no presente? A resposta calculada do modelo abstrato é o logaritmo (base 2) do tamanho da população. O logaritmo de base 2 de um número é o número de vezes que precisamos multiplicar 2 por ele mesmo para obter esse número. Para obter 5 mil, precisamos multiplicar 2 por ele mesmo cerca de 12,3 vezes. Assim, para nosso exemplo tasmaniano, a teoria nos manda retroceder 12,3 gerações para encontrar o concestral. Supondo quatro gerações por século, isso dá menos de quatro séculos. E será ainda menos se as pessoas se reproduzirem antes dos 25 anos de idade.

Chamarei de "Chang Um" a data do ancestral comum mais recente de uma população específica. Continuando a retroceder a partir de Chang Um, não demoraremos a chegar ao ponto — que chamarei de "Chang Dois" — no qual *todo indivíduo* ou é ancestral comum ou não tem descendentes sobreviventes. Somente durante o breve interregno entre Chang Um e Chang Dois existe uma categoria intermediária de pessoas que têm alguns descendentes sobreviventes, mas não são ancestrais comuns de todo mundo. Uma dedução surpreendente, cuja base racional não explicarei detalhadamente, é que em Chang Dois numerosas pessoas são ancestrais universais: cerca de 80% dos indivíduos em qualquer geração teoricamente serão ancestrais de todos os que viverem num futuro distante.

Quanto ao cálculo do tempo: a matemática nos leva ao resultado de que Chang Dois é aproximadamente 1,77 vez mais antigo do que Chang Um. Multiplicando 1,77 por 12,3, temos pouco menos de 22 gerações, entre cinco e seis séculos. Portanto, à medida que retrocedemos em nossa máquina do tempo na Tasmânia, mais ou menos na época de Geoffrey Chaucer na Inglaterra, entramos no território do "tudo ou nada". Dali para trás, até a época em que a Tasmânia estava ligada à Austrália e nossas suposições não podem ser aplicadas, qualquer indivíduo encontrado pela nossa máquina do tempo terá toda a população como descendente ou não terá descendente nenhum.

Não sei quanto a você, leitor, mas eu acho essas datas calculadas espantosamente recentes. E mais: as conclusões não mudam muito quando supomos uma população maior. Se tomarmos uma população-modelo do tamanho da atual população britânica, 60 milhões, ainda assim só precisamos retroceder 23 gerações para chegar a Chang Um e ao nosso mais jovem ancestral universal. Se o modelo fosse aplicado à Grã-Bretanha, Chang Dois, quando todo mundo ou é ancestral de toda população britânica moderna ou não é ancestral de ninguém nessa população, estaria apenas a 40 gerações no passado, ou seja, aproximadamente no ano 1000 d.C. Se as suposições do modelo fossem verdadeiras (evidentemente não são), o rei Alfredo, o Grande, ou é o ancestral de todos os britânicos atuais ou de nenhum.*

Devo repetir os alertas com que comecei. Há todo tipo de diferença entre populações "modelos" e "reais", na Grã-Bretanha, na Tasmânia e em qualquer outra parte. A população britânica cresceu acentuadamente no tempo histórico até atingir seu tamanho atual, e isso muda por completo os cálculos. Em qualquer população real, as pessoas não se acasalam aleatoriamente. Dão preferência à sua tribo, grupo linguístico ou região, e obviamente cada um tem suas preferências individuais. A história britânica acrescenta uma complicação: embora geograficamente a Grã-Bretanha seja uma ilha, sua população está longe de ser isolada. Ondas de imigrantes afluíram da Europa ao longo dos séculos: romanos, saxões, dinamarqueses e normandos, por exemplo.

Se a Tasmânia e a Grã-Bretanha são ilhas, o mundo é uma "ilha" maior, pois não tem imigração nem emigração (exceto abduções por extraterrestres em discos voadores). No entanto, ele é imperfeitamente subdividido em continentes e ilhas menores, não só com mares, mas também com rios, cordilheiras e desertos que, em vários graus, impedem o deslocamento das pessoas. Afastamentos com-

* Com característica presciência, o grande estatístico e geneticista evolutivo Sir Ronald Fisher (1890-1962) escreveu o seguinte comentário em uma carta de 15 de janeiro de 1929 ao major Leonard Darwin (1850-1943, o segundo filho mais novo de Charles): "O rei Salomão viveu há cem gerações, e sua linhagem pode estar extinta; caso contrário, aposto que ele está na genealogia de cada um de nós, e em proporções quase iguais, por mais que sua sabedoria possa estar tão desigualmente distribuída". Em BENNETT, J. H. (ed.). *Natural selection, heredity and eugenics*. Oxford: Clarendon Press, 1983, p. 95.

plicados do critério do cruzamento aleatório confundem nossos cálculos, não só ligeiramente, mas em alto grau. A atual população do planeta é de 6 bilhões, mas seria absurdo procurar o logaritmo de 6 bilhões e engolir a resultante data medieval como o Encontro 0! A verdadeira data é mais antiga, no mínimo porque bolsões de humanos ficaram separados por muito mais tempo do que as ordens de magnitude que ora calculamos. Se uma ilha ficou isolada por 13 mil anos, como a Tasmânia, é impossível que a raça humana como um todo tenha um ancestral universal com menos de 13 mil anos. Até mesmo o isolamento parcial de subpopulações faz um estrago em nossos cálculos tão arrumadinhos, tanto quanto qualquer tipo de cruzamento não-aleatório.

A data em que a mais isolada população de uma ilha do mundo tornou-se isolada estabelece um limite inferior para a data do Encontro 0. Mas, para que levemos a sério esse limite inferior, o isolamento tem de ser absoluto. Isso decorre daquela probabilidade calculada de 80% que vimos anteriormente. Um único imigrante na Tasmânia, uma vez que tenha sido aceito na sociedade o suficiente para reproduzir-se normalmente, tem 80% de chance de acabar se tornando um ancestral comum de todos os tasmanianos. Portanto, até mesmo números muito pequenos de migração bastam para enxertar a árvore genealógica de uma população isolada na população do continente. A datação do Encontro 0 provavelmente depende da data em que o mais isolado bolsão de humanos se tornou completamente isolado de seu vizinho, mais a data em que esse vizinho depois se tornou isolado de outro vizinho, e assim por diante. Talvez seja preciso pular algumas vezes de ilha em ilha antes de podermos juntar todas as árvores genealógicas, mas a partir de então será um número insignificante de séculos até que encontremos o Concestral 0. Isso situaria o Encontro 0 em algumas dezenas de milhares de anos atrás, concebivelmente em algum momento entre 50 mil e 100 mil anos, não mais.

Quanto ao lugar onde ocorreu o Encontro 0, ele é quase tão surpreendente quanto a data. O leitor poderia pensar na África, como foi minha reação inicial. A África tem as mais acentuadas divisões genéticas da humanidade, e por isso parece lógico procurar ali um ancestral comum de todos os humanos vivos. Já se disse, com razão, que, se a África subsaariana fosse eliminada, perderíamos a grande maioria da diversidade genética humana, ao passo que se qualquer outra parte com exceção da África fosse eliminada, não mudaria muita coisa. Apesar disso, o Concestral 0 pode muito bem ter vivido fora da África. O Concestral 0 é o mais recente ancestral comum que une a população mais isolada geograficamente — a Tasmânia da nossa argumentação, por exemplo — ao resto do mundo. Se supusermos que em todo o restante do mundo, inclusive na África, as populações permitiram-se ao menos algum intercruzamento durante um longo período no qual a Tasmânia ficou isolada, a lógica dos cálculos de Chang poderia nos levar a suspeitar que o Concestral 0 viveu fora da África, próximo ao momento da partida dos migrantes cujos descendentes tornaram-se imigrantes tasmanianos. Contudo, grupos africanos ainda conservam a maior parte da diversidade genética humana. Esse aparente paradoxo será resolvido no próximo conto, quando tratarmos de árvores genealógicas de genes e não de pessoas.

Nossa surpreendente conclusão é que o Concestral 0 provavelmente viveu há dezenas de milhares de anos, e muito possivelmente nem mesmo na África.* Outras espécies também podem, de modo geral, ter ancestrais comuns bem recentes. Mas essa não é a única parte de "O conto do tasmaniano" que nos força a examinar ideias biológicas de um novo ângulo. Para os especialistas darwinianos, parece paradoxal que 80% de uma população se tornará ancestrais universais. Explicarei. Estamos acostumados a pensar que os organismos individuais se empenham em maximizar uma quantidade chamada "aptidão". Debate-se sobre o que, exatamente, é essa aptidão. Uma aproximação mais votada é o "número total de filhos". Outra é o "número total de netos", mas não há uma razão óbvia para se parar nos netos, e muitas autoridades preferem dizer algo como "número total de descendentes vivos em alguma data no futuro distante". Mas parece que temos um problema se, em nossa população teoricamente idealizada, na ausência de seleção natural, 80% da população pode esperar ter a máxima "aptidão" possível: isto é, eles podem esperar ter toda a população como seus descendentes! Isso é importante para os darwinianos, pois eles supõem que "aptidão" é o que todos os animais lutam constantemente para maximizar.

Há tempos procuro demonstrar que a única razão por que um organismo comporta-se como uma entidade quase intencional — uma entidade capaz de maximizar alguma coisa — é que ele é construído por genes que sobreviveram

* Logo depois da primeira impressão deste livro na Inglaterra, foi publicado na revista *Nature* (nº 431, p. 562) um artigo de Rohde, Olsen e Chang aventando que o Encontro 0 ocorreu apenas há 3500 anos, uma data ainda mais recente do que eu ousava supor. Esses autores também chegam à conclusão de que o Concestral 0 provavelmente foi asiático.

através das gerações passadas. Existe a tentação de personificar e imputar intenção: transformar "sobrevivência de genes no passado" em algo como "intenção de reproduzir-se no futuro". Ou "intenção individual de ter muitos descendentes no futuro". Essa personificação também pode ser aplicada ao genes: somos tentados a achar que os genes influenciam um corpo individual a comportar-se de modo a aumentar o número de cópias futuras desses genes.

Os cientistas que usam essa linguagem, para falar do indivíduo ou do gene, sabem muito bem que se trata de um recurso retórico. Genes são apenas moléculas de DNA. Alguém teria de ser doido varrido para pensar que genes "egoístas" *realmente* têm intenções deliberadas de sobreviver! Sempre podemos retraduzir para uma linguagem respeitável: o mundo torna-se cheio dos genes que sobreviveram no passado. Como o mundo tem certa estabilidade e não muda caprichosamente, os genes que sobreviveram no passado tendem a possuir boas condições para sobreviver no futuro. Isso significa ter boas condições de programar corpos para sobreviver e produzir filhos, netos e descendentes mais distantes. Assim, retornamos à nossa definição de aptidão baseada em indivíduos e no futuro. Mas agora reconhecemos que os indivíduos são importantes apenas como veículos de sobrevivência de genes. Indivíduos com netos e descendentes distantes são apenas um meio para o fim da sobrevivência de genes. E isso nos leva outra vez ao nosso paradoxo: 80% dos indivíduos que se reproduzem parece ser gente demais — saturada de aptidão máxima!

Para resolver o paradoxo, voltamos ao alicerce teórico: os genes. Neutralizamos um paradoxo levantando outro, quase como se dois erros fizessem um acerto. Reflitamos: um organismo individual pode ser um ancestral universal de toda a população em algum momento distante no futuro, e mesmo assim nenhum de seus genes sobreviver nesse futuro. Como pode ser?

Toda vez que um indivíduo tem um filho, *exatamente* metade de seus genes passa para esse filho. Toda vez que ele tem um neto, um quarto de seus genes *em média* passa para esse neto. Ao contrário da primeira geração de descendentes, na qual a contribuição percentual é exata, o número para cada neto é estatístico. Poderia ser mais de um quarto, ou poderia ser menos. Metade dos seus genes, leitor, vem do seu pai, e metade da sua mãe. Quando você tem um filho, passa para ele metade dos seus genes. Mas qual metade dos seus genes você dá ao seu filho? Em média eles serão extraídos igualmente daqueles que você originalmente recebeu do avô dessa criança e daqueles que você originalmente recebeu da avó. Porém, por acaso, *poderia acontecer* de você passar todos os genes da sua mãe para o seu filho e nenhum dos genes do seu pai. Nesse caso, seu pai não teria dado genes ao neto dele. É claro que esse cenário é muito improvável, mas, à medida que vamos lidando com descendentes mais distantes, torna-se mais possível a inexistência da contribuição de genes. Em média, podemos esperar que ⅛ dos seus genes acabe sendo passado para cada bisneto, 1/16 para cada tetraneto. Mas poderia ser mais, como também poderia ser menos. E assim por diante, até se tornar significativa a probabilidade de exatamente zero de contribuição para um determinado descendente.

Em nossa população tasmaniana hipotética, a data de Chang Dois é 22 gerações atrás. Assim, quando dizemos que 80% da população pode esperar ser ancestral de todos os indivíduos sobreviventes, estamos falando de seus descendentes da 22ª geração. A fração do genoma de um ancestral que, em média, podemos esperar encontrar em um indivíduo específico pertencente à 22ª geração dos descendentes desse indivíduo é quatro milionésimos. Como o genoma humano possui apenas dezenas de milhares de genes, parece que esses quatro milionésimos vão estar tremendamente dispersos! É claro que não seria bem assim, pois a população da nossa Tasmânia hipotética é de apenas 5 mil pessoas. Qualquer indivíduo pode ser descendente de um ancestral específico por muitos caminhos diferentes. Mas, ainda assim, poderia facilmente acontecer, por acaso, de alguns ancestrais universais acabarem por não contribuir com nenhum de seus genes para a posteridade distante.

Talvez eu seja parcial, mas vejo isso como mais uma razão para retornar ao gene como o foco da seleção natural: raciocinar retrospectivamente sobre os genes que sobreviveram até o presente, em vez de raciocinar para a frente sobre indivíduos, ou mesmo sobre genes, tentando sobreviver no futuro. O estilo de raciocínio "intencional para a frente" pode ser útil se for usado com cuidado e se não for mal compreendido, mas não é realmente necessário. A linguagem do "gene em retrospectiva" é tão vívida quanto a anterior quando nos acostumamos a ela, é mais próxima da verdade e tem menor probabilidade de produzir a resposta errada.

Em "O conto do tasmaniano" falamos sobre ancestrais genealógicos: indivíduos históricos que são ancestrais de indivíduos modernos no sentido genealógico convencional: "ancestrais de pessoas". Mas o que podemos fazer para as pessoas, podemos fazer para os genes, que têm genes-pais, genes-avós, genes-

-netos. Também têm linhagens, árvores genealógicas, ancestrais comuns mais recentes (ACMR). Também têm seu Encontro 0, e aqui realmente podemos afirmar que, para a maioria dos genes, seu Encontro 0 foi na África. Essa aparente contradição requer explicação, e para isso teremos "O conto de Eva".

Antes de prosseguir, devo esclarecer uma possível confusão quanto ao significado da palavra "gene". Esse termo pode significar várias coisas para diferentes pessoas, mas tratemos da confusão específica que espreita aqui. Alguns biólogos, em especial os geneticistas moleculares, reservam a palavra "gene" estritamente para uma localização em um cromossomo ("lócus"), e usam a palavra "alelo" para cada uma das versões alternativas do gene que podem situar-se nesse lócus. Em um exemplo muitíssimo simplificado, o gene para a cor dos olhos vem em diferentes versões ou alelos, entre elas um alelo azul e um alelo castanho. Outros biólogos, especialmente os do tipo ao qual pertenço, que às vezes são chamados de sociobiólogos, ecologistas comportamentais ou etologistas, tendem a usar a palavra "gene" com o mesmo significado de alelo. Quando queremos uma palavra para o escaninho no cromossomo que pode ser ocupado por qualquer um de um conjunto de alelos, tendemos a dizer "lócus". Pessoas como eu costumam dizer: "Imagine um gene para olhos azuis e um gene rival para olhos castanhos". Nem todos os geneticistas moleculares gostam disso, mas é um hábito arraigado no meu tipo de biólogo, e ocasionalmente o seguirei.

O CONTO DE EVA

Em coautoria com Yan Wong

Existe uma diferença reveladora entre "árvores de genes" e "árvores de pessoas". Uma pessoa descende de dois genitores, mas um gene tem apenas um genitor. Cada um dos seus genes, leitor, tem de ter vindo ou de sua mãe ou de seu pai, de um e apenas um dos seus quatro avós, de um e apenas um dos seus oito bisavós, e assim por diante. Mas quando uma pessoa traça sua árvore genealógica do modo convencional, ou seja, com base em pessoas, ela descende igualmente do pai e da mãe, dos quatro avós, oito bisavós etc. Isso significa que a "genealogia de pessoas" é muito mais misturada que a "genealogia de genes". Em certo sentido, um gene segue um único caminho escolhido no labirinto de rotas entrecruzadas mapeado pela árvore genealógica (de pessoas). Os sobrenomes comportam-se como genes, não como pessoas. Nosso sobrenome escolhe uma linha muito fina através de toda a nossa árvore genealógica. Ele destaca nossa descendência por varonia, ou seja, pela linha masculina. O DNA, com duas notáveis exceções que veremos adiante, não é tão sexista como os sobrenomes: os genes definem sua linhagem através de machos e fêmeas com igual probabilidade.

Algumas das linhagens mais bem documentadas são de famílias reais europeias. Na árvore genealógica da casa real de Saxe-Coburgo mostrada a seguir, observe os príncipes Alexis, Waldemar, Heinrich e Rupert. É fácil determinar a "árvore de genes" de um dos seus genes porque, infelizmente para eles, mas felizmente para nós, o gene em questão era defeituoso. Ele deu aos quatro príncipes, e a muitos outros membros dessa desafortunada família, uma doença do sangue facilmente reconhecível, a hemofilia: o sangue deles não coagulava ade-

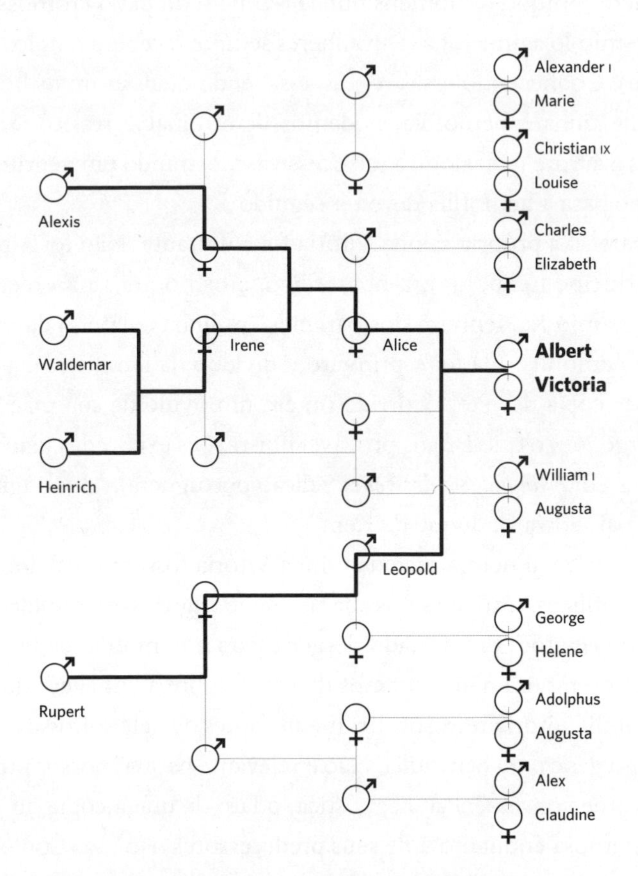

ÁRVORE GENEALÓGICA DA DESAFORTUNADA DINASTIA DE SAXE-COBURGO.

quadamente. A hemofilia é herdada de um modo especial: ela é legada pelo cromossomo X. O homem tem apenas um cromossomo X, que herda de sua mãe. A mulher tem dois cromossomos X, um legado pela mãe, o outro pelo pai. As mulheres só terão a doença se herdarem a versão defeituosa do gene tanto da mãe como do pai (ou seja, a hemofilia é "recessiva"). Os homens terão a doença se o seu único, "desprotegido", cromossomo X contiver o gene defeituoso. Portanto, pouquíssimas mulheres sofrem de hemofilia, mas muitas mulheres são "portadoras". Elas possuem uma cópia do gene defeituoso e há 50% de probabilidade de passarem esse gene para cada filho. Mulheres portadoras, quando engravidam, sempre torcem para terem uma filha, e, mesmo que isso aconteça, elas ainda correm um risco substancial de terem netos hemofílicos. Se um homem hemofílico viver o suficiente para ter filhos, ele não pode transmitir esse gene para um filho homem (porque os homens nunca recebem do pai o cromossomo X), mas pode transmiti-lo a uma filha (as mulheres sempre recebem o único cromossomo X do pai). Conhecendo essas regras, e sabendo quais eram os homens da família real que tinham hemofilia, podemos determinar a trajetória do gene defeituoso. Eis a árvore genealógica retrocessiva, mostrando em negrito o caminho que o gene para a hemofilia deve ter seguido.

Ao que parece, a própria rainha Vitória foi a mutante. Não foi Albert, pois seu filho, o príncipe Leopold, era hemofílico, e os homens não recebem do pai seu cromossomo X. Nenhum dos parentes em linha colateral da rainha Vitória sofria de hemofilia. Ela foi o primeiro indivíduo da família real a portar o gene. O erro de cópia deve ter ocorrido ou em um óvulo de sua mãe, Victoria de Saxe-Coburgo, ou, o que é mais provável por razões explicadas pelo meu colega Steve Jones em *A linguagem dos genes* (edição portuguesa), "nos augustos testículos de seu pai, Edward, duque de Kent".

Embora nem o pai nem a mãe da rainha Vitória fossem portadores da hemofilia ou hemofílicos, um deles possuía um gene (rigorosamente falando, um alelo) que foi o "genitor" pré-mutado do gene para a hemofilia da família real. Podemos refletir (embora não possamos detectar) sobre a linhagem do gene da hemofilia da rainha Vitória retrospectivamente, antes que ele sofresse a mutação e se tornasse um gene para hemofilia. Não é relevante para os nossos propósitos, exceto para fins de conveniência diagnóstica, o fato de que a cópia do gene em Vitória era defeituosa enquanto a de seus predecessores não era. Conforme traçamos retrospectivamente a árvore genealógica desse gene, ignoramos seus efeitos, a não ser quando se tornam visíveis. A linhagem do gene é, sem dúvida, anterior à rainha Vitória, mas a trilha visível some quando ele ainda não era um gene para hemofilia. A lição é que cada gene tem um gene-pai mesmo se, devido a uma mutação, ele não for idêntico a esse gene-pai. Analogamente, ele tem apenas um gene-avô, um só gene-bisavô, e assim por diante. Pode parecer um jeito estranho de pensar, mas lembre-se de que estamos numa peregrinação em busca de ancestrais. Esse exercício tem por objetivo mostrar como seria uma peregrinação em busca de ancestrais da perspectiva não de um indivíduo, mas de um gene.

Em "O conto do tasmaniano" encontramos a sigla ACMR (Ancestral Comum Mais Recente) como uma alternativa a "concestral". Quero reservar "concestral" para o mais recente ancestral comum de toda uma genealogia (de pessoas ou organismos). Assim, quando falarmos de genes, usarei "ACMR". Dois ou mais alelos em diferentes indivíduos (ou até, como veremos, no mesmo indivíduo) certamente possuem um ACMR. Esse é o gene ancestral do qual cada um dos alelos é uma cópia (que possivelmente sofreu mutação). O ACMR dos genes da hemofilia dos príncipes Waldemar e Heinrich da Prússia encontrava-se em um dos dois cromossomos X de sua mãe, Irene von Hesse und bei Rhein. Quando ela ainda era um feto, duas cópias do gene da hemofilia que ela possuía desprenderam-se e passaram sucessivamente a dois de seus óvulos, os progenitores de seus desafortunados filhos. Esses genes, por sua vez, compartilham um ACMR com o gene da hemofilia do tsarévitche Alexei da Rússia (1904-18), na forma de um gene possuído por sua avó, a princesa Alice de Hesse. Finalmente, o ACMR do gene da hemofilia em todos os quatro príncipes por nós examinados é o mesmo que nos chamou a atenção em primeiro lugar, o gene mutante da rainha Vitória.

Os geneticistas usam um termo para esse tipo de busca retrocessiva por um gene: coalescente. Olhando para o passado, podemos afirmar que duas linhagens de genes coalescem em uma no ponto onde, novamente olhando para o futuro, um genitor produz duas cópias do gene para dois filhos sucessivos. O ponto de coalescência é o ACMR. Qualquer árvore de genes tem muitos pontos de coalescência. Os genes da hemofilia de Waldemar e Heinrich coalescem no gene ACMR encontrado em sua mãe, Irene. Este, por sua vez, coalesce com a linhagem que leva ao tsarévitche Alexei. E, como vimos, a primeira de todas as coalescências dos genes da hemofilia na família real ocorre na rainha Vitória. O genoma da rainha contém o gene da hemofilia que é o ACMR para toda a dinastia.

Em meu exemplo, a coalescência dos genes da hemofilia de todos os quatro príncipes ocorre no próprio indivíduo (Vitória), que por acaso também é o ancestral *genealógico* (pessoa) comum mais recente dos quatro — o concestral deles. Mas isso é apenas uma coincidência. Se escolhêssemos outro gene (por exemplo, para a cor dos olhos), o caminho que ele seguiu através da árvore genealógica seria bem diferente, e os genes coalesceriam em um ancestral mais distante do que Vitória. Se escolhêssemos um gene para olhos castanhos no príncipe Rupert e um para olhos azuis no príncipe Heinrich, a coalescência deveria ser no mínimo tão distante quanto a separação de um gene ancestral para a cor dos olhos em duas formas, castanho e azul, um evento sepultado na pré-história. Cada pedaço de DNA tem uma genealogia que pode ser rastreada de um modo que é separado mas paralelo ao tipo de genealogia no qual acompanhamos os sobrenomes nos registros de nascimento, casamento e óbito.

Podemos fazer isso até mesmo para dois genes idênticos na mesma pessoa. O príncipe Charles tem olhos azuis, o que significa, já que o azul é recessivo, que ele possui dois alelos de olhos azuis. Esses dois alelos têm de coalescer em algum ponto do passado, mas não sabemos determinar onde ou quando. Poderia ser séculos ou milênios atrás, mas no caso especial do príncipe Charles é possível que os dois alelos de olhos azuis coalesçam em um indivíduo tão recente quanto a rainha Vitória. Isso porque, na verdade, o príncipe Charles descende de Vitória duas vezes: uma por intermédio do rei Eduardo VII, a outra da princesa Alice de Hesse. Sob essa hipótese, um único gene para olhos azuis de Vitória fez duas cópias de si mesmo em diferentes momentos. Essas duas cópias do mesmo gene chegaram, respectivamente, à atual rainha (bisneta de Eduardo VII) e seu marido, príncipe Philip (bisneto da princesa Alice). Portanto, duas cópias de um gene de Vitória poderiam ter se encontrado novamente, em dois diferentes cromossomos, no príncipe Charles. De fato, isso quase certamente ocorreu para alguns de seus genes, fossem ou não os de olhos azuis. E independentemente de se os seus dois genes para olhos azuis coalescerem na rainha Vitória ou em alguém de um passado mais distante, eles têm de possuir um ACMR em algum ponto específico no passado. Não importa se estamos falando sobre dois genes em uma pessoa (Charles) ou em duas pessoas (Rupert e Heinrich) — a lógica é a mesma. Dois alelos quaisquer, em pessoas diferentes ou na mesma pessoa, prestam-se à questão: quando, e em quem, esses genes coalescem se olharmos para o passado? E, por extensão, podemos fazer a mesma pergunta para três genes quaisquer, ou para qualquer número de genes na população, na mesma localização genética (lócus).

Olhando para um passado muito mais remoto ainda, podemos fazer a mesma pergunta para pares de genes em diferentes lócus, pois genes originam genes em diferentes lócus pelo processo da "duplicação gênica". Tornaremos a encontrar esse fenômeno em "O conto do bugio" e em "O conto da lampreia".

Pessoas que são parentes próximas compartilham um grande número de *árvores de genes*. Compartilhamos a maioria das nossas árvores gênicas com os nossos familiares próximos. Mas algumas árvores de genes nos dão um "voto minoritário", situando-nos mais perto de parentes mais afastados. Podemos imaginar a proximidade de parentesco entre *pessoas* como uma espécie de voto majoritário entre genes. Alguns dos genes de um indivíduo votam, digamos, na rainha como sua prima próxima. Outros argumentam que o indivíduo é mais proximamente aparentado com pessoas aparentemente muito mais distantes (como veremos, até com membros de outra espécie). Quando interrogado, cada trecho de DNA tem uma visão diferente do que diz a história, pois cada um abriu um caminho diferente através das gerações. Só podemos ter esperança de alcançar uma visão abrangente questionando um grande número de genes. Mas, nesse ponto, temos de desconfiar de genes situados próximos uns dos outros em um cromossomo. Para saber o porquê, precisamos ter uma ideia do fenômeno da recombinação, que ocorre toda vez que um espermatozoide ou um óvulo é produzido.

Na recombinação, seções correspondentes de DNA são trocadas aleatoriamente entre cromossomos. Em média, encontramos apenas uma ou duas trocas por cromossomo humano — menos na produção de espermatozoides, mais na de óvulos, não se sabe o porquê. Mas, ao longo de numerosas gerações, muitas partes diferentes do cromossomo acabarão sendo trocadas. Por isso, de modo geral, quanto mais próximos dois pedaços de DNA estiverem em um cromossomo, menor será a chance de ocorrer uma troca de lugar entre eles, e maior a probabilidade de serem herdados juntos.

Assim, quando computamos os "votos" dos genes, precisamos lembrar que quanto mais próximos dois genes estiverem um do outro em um cromossomo, maior a probabilidade de vivenciarem a mesma história. E isso motiva genes que são colegas chegados a apoiar os votos uns dos outros. No extremo, existem seções de DNA tão estreitamente vinculadas que todo o bloco viajou pela história como uma unidade. Esses blocos companheiros de viagem são conhecidos como "haplótipos", um termo que tornaremos a encontrar. Em meio a essas panelinhas do parlamento genético, duas destacam-se, não porque sua visão da história seja mais válida, mas porque têm sido amplamente utilizadas para decidir debates biológicos. Ambas têm visões sexistas, pois uma delas foi transmitida inteiramente através de corpos femininos, e a outra nunca esteve fora de corpos masculinos. Essas são duas importantes exceções ao imparcial processo de legado gênico que já mencionei.

Como nos sobrenomes, o cromossomo Y (sua porção não recombinante) sempre se transmite apenas pela linhagem masculina. Junto com alguns outros genes, o cromossomo Y contém o material genético que efetivamente muda o padrão de desenvolvimento do embrião, de feminino para masculino. Já o DNA mitocondrial é transmitido exclusivamente pela linhagem feminina (embora nesse caso ele não seja responsável por fazer o embrião desenvolver-se como um indivíduo do sexo feminino: os homens têm mitocôndrias, só que não as transmitem). Como veremos em "o grande encontro histórico", as mitocôndrias são corpúsculos no interior das células, relíquias de bactérias outrora livres que, provavelmente há cerca de 2 bilhões de anos, fixaram residência exclusivamente dentro de células onde, desde então, vêm se reproduzindo por divisão simples, assexuada. Elas perderam muitas de suas qualidades bacterianas e a maior parte do seu DNA, mas conservam o suficiente para serem úteis aos geneticistas. As mitocôndrias constituem uma linha independente de reprodução genética em nosso corpo, desvinculada da linha nuclear principal que vemos como nossos "próprios" genes.

Devido à sua taxa de mutação, os cromossomos Y são de imensa utilidade para o estudo de populações recentes. Um estudo muito benfeito extraiu amostras de DNA do cromossomo Y em linha direta por toda a Grã-Bretanha moderna. Os resultados mostraram que cromossomos Y de anglo-saxônicos seguiram em direção oeste da Europa para a Inglaterra, parando abruptamente na fronteira galesa. Não é difícil imaginar as razões por que esse DNA transmitido pelos homens não é representativo do resto do genoma. Para dar um exemplo mais óbvio: os navios vikings levaram cargas de cromossomos Y (e outros genes) e as dispersaram entre populações muito espalhadas. A atual distribuição de genes de cromossomo Y de vikings presumivelmente mostra que eles são um pouquinho mais "viajados" do que outros genes vikings, os quais estatisticamente tiveram maior probabilidade de preferir seu pedaço de terra à fazedora de viúvas:

O que é uma mulher, se a abandonas,
E ao calor da lareira, e ao pedaço de terra,
*Para ires com a velha fazedora de viúvas?**
Rudyard Kipling, "Harp song of the Dane women"

O DNA mitocondrial também pode ser revelador, particularmente para padrões muito antigos. Se compararmos o DNA mitocondrial do leitor com o meu, poderemos determinar há quanto tempo eles compartilharam uma mitocôndria ancestral. Como todos nós herdamos nossas mitocôndrias de nossa mãe, e, portanto, das avós maternas, bisavós maternas etc., as comparações mitocondriais podem nos dizer quando viveu nossa ancestral mais recente pela linha feminina. O mesmo pode ser feito com os cromossomos Y para determinar quando viveu nosso ancestral mais recente pela linha masculina, mas, por razões técnicas, isso não é fácil. A beleza do DNA do cromossomo Y e do DNA mitocondrial está em que nenhum deles é contaminado por mistura sexual. Isso facilita buscar a origem dessas classes específicas de ancestral.

O ACMR mitocondrial de toda a humanidade, que aponta a "pessoa" ancestral comum na linhagem exclusivamente feminina, às vezes é chamado de Eva Mitocondrial — a Eva deste nosso conto. É óbvio, pois, que o equivalente na linhagem exclusivamente masculina também pode ser chamado de Adão do cromossomo Y. Todos os humanos do sexo masculino têm o cromossomo Y de Adão (os criacionistas façam o favor de não deturpar deliberadamente o que estou dizendo aqui quando me citarem). Se os sobrenomes sempre tivessem sido rigorosamente herdados pelas atuais regras ocidentais, todos nós também teríamos o sobrenome de Adão, e não faria sentido possuir um sobrenome.

Eva é célebre por tentar-nos ao erro, portanto convém ter cautela. Erros são muito instrutivos. Primeiro, é importante entender que Eva e Adão são apenas dois de uma multidão de ACMRs que poderíamos alcançar se buscássemos nossa descendência por diferentes linhas. Eles são o caso especial de ancestral comum que alcançaríamos se viajássemos pela árvore genealógica respectivamente de

* *What is a woman that you forsake her, / And the hearth-fire and the home-acre, / To go with the old grey Widow-maker?*

mãe para mãe ou de pai para pai. Mas há muitíssimos outros modos de viajar pela árvore genealógica: mãe → pai → pai → mãe; mãe → mãe → pai → pai etc. Cada um desses possíveis caminhos levará a um diferente ACMR.

Em segundo lugar, Adão e Eva não foram um casal. Seria uma colossal coincidência se eles houvessem alguma vez se encontrado, e eles podem muito bem ter vivido em tempos separados por milhares de anos. Um subsídio para o nosso argumento: há razões independentes para crer que Eva precedeu Adão. Os homens variam mais no êxito reprodutivo do que as mulheres, pois se, entre elas, algumas têm cinco vezes mais filhos do que outras, entre eles os mais bem--sucedidos em reproduzir-se podem ter centenas de vezes mais filhos do que os malsucedidos. Um homem com um harém numeroso tem facilidade para tornar-se um ancestral universal. Já uma mulher, como sua probabilidade de ter uma família numerosa é menor, precisa de um número maior de gerações para realizar o mesmo feito. De fato, o melhor "relógio molecular" atual estima que as respectivas datas tenham sido 140 mil anos para Eva e apenas 60 mil anos para Adão.

Em terceiro lugar, Adão e Eva são títulos honoríficos transferíveis, e não nomes de indivíduos específicos. Se amanhã morresse o último membro de alguma tribo remota, o bastão de Adão, ou de Eva, poderia abruptamente ser jogado vários milhares de anos para a frente. O mesmo vale para todos os outros ACMRs definidos por diferentes árvores de genes. Para compreendermos por que isso ocorre, suponhamos que Eva tivesse duas filhas, uma das quais por fim originasse os aborígines tasmanianos e a outra, o resto da humanidade. E suponhamos, muito plausivelmente, que o ACMR pela linha feminina unindo o "resto da humanidade" vivesse 10 mil anos depois, com todas as outras linhas colaterais descendentes de Eva tendo se extinguido, com exceção dos tasmanianos. Ao morrer Truganinni, o último indivíduo tasmaniano, o título de Eva teria instantaneamente saltado 10 mil anos à frente.

Por fim, não houve nada que distinguisse Adão ou Eva em suas épocas. Apesar dos seus lendários homônimos, a Eva Mitocondrial e o Adão do Cromossomo Y não foram particularmente solitários. Ambos devem ter tido bastante companhia, e cada qual pode muito bem ter tido muitos parceiros sexuais, com os quais também podem ter descendentes sobreviventes. A única coisa que os destaca é que Adão acabou sendo dotado de um número imenso de descendentes pela linha masculina, e o mesmo ocorreu com Eva pela linha feminina. Outros entre seus contemporâneos podem ter deixado tantos descendentes quanto eles, se contarmos conjuntamente as linhas masculina e feminina.

Enquanto eu estava escrevendo esta parte, alguém me enviou uma cópia de um documentário da BBC para a televisão intitulado *Motherland*, aclamado como "um filme incrivelmente tocante" e "um trabalho belíssimo, inesquecível". Os heróis do filme são três "negros"* cujas famílias haviam emigrado da Jamaica para a Grã-Bretanha. O DNA dessas pessoas foi comparado com bancos de dados mundiais para descobrir de qual parte da África seus ancestrais haviam sido trazidos como escravos. Os produtores do documentário encenam, então, lacrimosas "reuniões" entre nossos heróis e suas famílias africanas perdidas por tanto tempo. Usam o DNA do cromossomo Y e o DNA mitocondrial porque, pelas razões que já mencionamos, eles são mais fáceis de rastrear no passado do que os genes em geral. Mas, infelizmente, os produtores não foram realmente claros a respeito das limitações que esse procedimento impõe. Em especial, sem dúvida por sólidas razões televisivas, quase chegaram a lograr esses indivíduos, juntamente com seus "parentes" africanos de longa data perdidos, de modo a torná-los muito mais emotivos por causa da reunião do que eles teriam direito a ficar.

Explico-me. Quando Mark, que depois recebeu o nome tribal Kaigama, visita a tribo Kanuri, na Nigéria, acredita que está "retornando" à terra de "seu povo". Beaula é acolhida como uma filha perdida há muito tempo, por oito mulheres da tribo Bubi, em uma ilha próxima à costa da Nova Guiné, cujas mitocôndrias correspondiam às de Beaula. Ela declara:

> Foi como sangue tocando sangue [...]. Foi um sentimento de família [...]. Desatei a chorar; as lágrimas transbordaram, o coração disparou. Eu só pensava: "estou indo para a minha terra natal".

Bobagem sentimental. Não deveriam tê-la enganado para que acreditasse nisso. Simplesmente os indivíduos que ela, ou Mark, visitou — pelo menos até onde os dados permitem supor — eram pessoas que tinham mitocôndrias em comum com ela. Na verdade, Mark já fora informado de que seu cromossomo Y provinha da Europa (coisa que o transtornou, e ele depois ficou visivelmente aliviado quando descobriu respeitáveis raízes africanas para suas mitocôndrias!).

* Para a explicação sobre as aspas do termo "negro", ver "O conto do gafanhoto".

Beaula, obviamente, não tinha cromossomo Y, e ao que parece, os estudiosos não se deram o trabalho de examinar o cromossomo Y do seu pai, ainda que isso fosse bem interessante, considerando-se que a pele dela era consideravelmente clara.

Mas não foi explicado nem a Beaula, nem a Mark, nem aos telespectadores, que os genes fora de suas mitocôndrias quase certamente provinham de uma imensa variedade de "terras natais", nada próximas das identificadas para os propósitos do documentário. Se houvessem sido investigadas as origens dos outros genes de Beaula e Mark, os dois poderiam ter tido "reuniões" igualmente emocionadas em centenas de locais diferentes, por toda a África, Europa e muito provavelmente também na Ásia. Só que isso teria estragado todo o impacto dramático.

Como venho reiterando, basear-se em um único gene pode levar a equívocos. Mas os dados combinados de muitos genes nos fornecem uma ferramenta poderosa para reconstituir a história. As árvores de genes de uma população, juntamente com os pontos de coalescência que a definem, refletem os eventos do passado. Não só podemos identificar esses pontos de coalescência, mas também podemos fazer suposições quanto às suas datas graças ao relógio molecular. E nisso reside a chave, pois os padrões de ramificação através do tempo contam uma história. O acasalamento aleatório, suposição que fizemos em "O conto do tasmaniano", gera um padrão de coalescência muito diferente dos resultantes de vários tipos de acasalamento não aleatório — cada um dos quais, por sua vez, imprime sua própria forma na árvore de coalescências. As flutuações no tamanho da população também deixam sua assinatura característica. Assim, podemos retroceder a partir dos padrões atuais de distribuição gênica e fazer inferências sobre tamanhos de população e épocas de migrações. Por exemplo: quando uma população é pequena, os eventos de coalescência ocorrem mais frequentemente. Uma população crescente é indicada por árvores com longos ramos finais, de modo que os pontos de coalescência estarão concentrados próximo à base da árvore, num passado em que a população era pequena. Com a ajuda do relógio molecular, podemos usar esse feito para descobrir quando a população se expandiu e quando se contraiu em "gargalos". (No entanto, infelizmente, ao eliminar linhagens genéticas, vários gargalos tendem a apagar os vestígios do que aconteceu antes deles.)

Árvores de genes coalescentes ajudaram a decidir um prolongado debate sobre as origens humanas. A teoria conhecida como *Out of Africa* ["Saída da África"] supõe que todas as pessoas sobreviventes fora da África descendem de um único êxodo ocorrido por volta de 100 mil anos atrás. No outro extremo, temos os teóricos das "origens separadas", ou "multirregionalistas", em cuja opinião as raças ainda vivas na Ásia, Austrália e Europa, por exemplo, dividiram-se em um passado muito remoto e descendem separadamente de populações regionais da espécie anterior, o *Homo erectus*. Os nomes de ambas as teorias são enganosos. *Out of Africa* é uma expressão infeliz porque todos concordam que nossos ancestrais provêm da África se voltarmos no tempo o suficiente.* "Origens separadas" também não é um nome ideal porque, mais uma vez, se voltarmos no tempo o suficiente, a separação desaparecerá por qualquer teoria. A discordância diz respeito à data em que saímos da África. Talvez seja melhor designar essas duas teorias como "jovem saída da África" (JSA) e "velha saída da África" (VSA). Isso traz a vantagem adicional de enfatizar o *continuum* entre as duas.

Se todos os não africanos atuais se originam de uma única emigração recente do continente africano, esperaríamos que as atuais distribuições de genes demonstrassem um "gargalo" recente com uma população pequena e centrada na África. Pontos de coalescência estariam concentrados por volta da época do êxodo. Por outro lado, se formos separadamente descendentes do *H. erectus* regional, os genes deveriam mostrar em cada região indícios de linhagens genéticas separadas em um passado remoto. Na época do êxodo suposto pelos defensores da hipótese JSA, veríamos, em vez disso, uma escassez de pontos de coalescência. Qual delas vale?

Se esperarmos uma única resposta para essa questão, cairemos na mesma armadilha do documentário *Motherland*. Genes diferentes contam histórias diferentes. É perfeitamente possível que alguns de nossos genes tenham saído recentemente da África, enquanto outros nos foram legados por populações separadas de *H. erectus*. Ou, em outras palavras, podemos ser ao mesmo tempo descendentes de um êxodo africano recente e de um *H. erectus* regional, pois em qualquer dado momento no passado temos um número imenso de ancestrais genealógicos. Alguns podem ter deixado a África recentemente. Outros podem ter residi-

* A expressão *Out of Africa* é ambígua porque a preposição *out of* pode ser usada tanto na acepção de "originado de" como na de "fora de". (N. T.)

do em Java, digamos, por milhares de anos. E poderíamos ter herdado genes africanos de uns e genes javaneses de outros. Um único bloco de DNA, como o proveniente de uma mitocôndria ou de um cromossomo Y, fornece uma visão muito pobre do passado — tão pobre quanto uma única sentença de todo um livro de história. Entretanto, muitos defendem a hipótese JSA com base na localização da Eva Mitocondrial. O que descobriríamos se interrogássemos os outros membros do parlamento gênico?

Foi exatamente isso que fez o biólogo evolutivo Alan Templeton, que depois propôs sua teoria simpaticamente intitulada *Out of Africa Again and Again* [literalmente: Saída da África, de novo e de novo]. Templeton usou um tipo de teoria da coalescência semelhante ao da nossa argumentação sobre a hemofilia, mas fez isso para muitos genes distintos em vez de apenas para um. Isso lhe permitiu reconstituir a história e a geografia de genes do mundo todo e por centenas de milhares de anos. Hoje prefiro a teoria *Out of Africa Again and Again*, de Templeton, pois me parece que ele usou todas as informações disponíveis de modo a maximizar-lhes o poder de gerar inferências, e também porque ele se desdobrou, em cada etapa de seu trabalho, para não ir além do que as provas lhe permitiam.

Eis o que Templeton fez. Ele examinou a literatura genética usando critérios rigorosos para extrair a nata: estava interessado apenas em estudos abrangentes sobre a genética humana, nos quais as amostras houvessem sido captadas em diferentes partes do mundo, entre elas Europa, Ásia e África. Os genes examinados pertenciam a "haplótipos" longevos. Um haplótipo, como já vimos, é um bloco do genoma que não se deixa fragmentar pela recombinação sexual (como ocorre com o DNA do cromossomo Y e o DNA mitocondrial), ou (como se dá com certas partes menores do genoma) que pode ser reconhecido intacto através de gerações que abrangem a escala de tempo em estudo. Um haplótipo é um bloco reconhecível e longevo do genoma. Não erraríamos demais se pensássemos nele como um "gene" grande.

Templeton concentrou-se em treze haplótipos. Calculou a "árvore gênica" de cada um deles e datou os vários pontos de coalescência usando o relógio molecular que é basicamente calibrado com fósseis. A partir dessas datas e da distribuição geográfica das amostras, ele pôde fazer inferências sobre a história genética de nossa espécie ao longo dos últimos 2 milhões de anos. Resumiu suas conclusões em um útil diagrama, reproduzido na página ao lado.

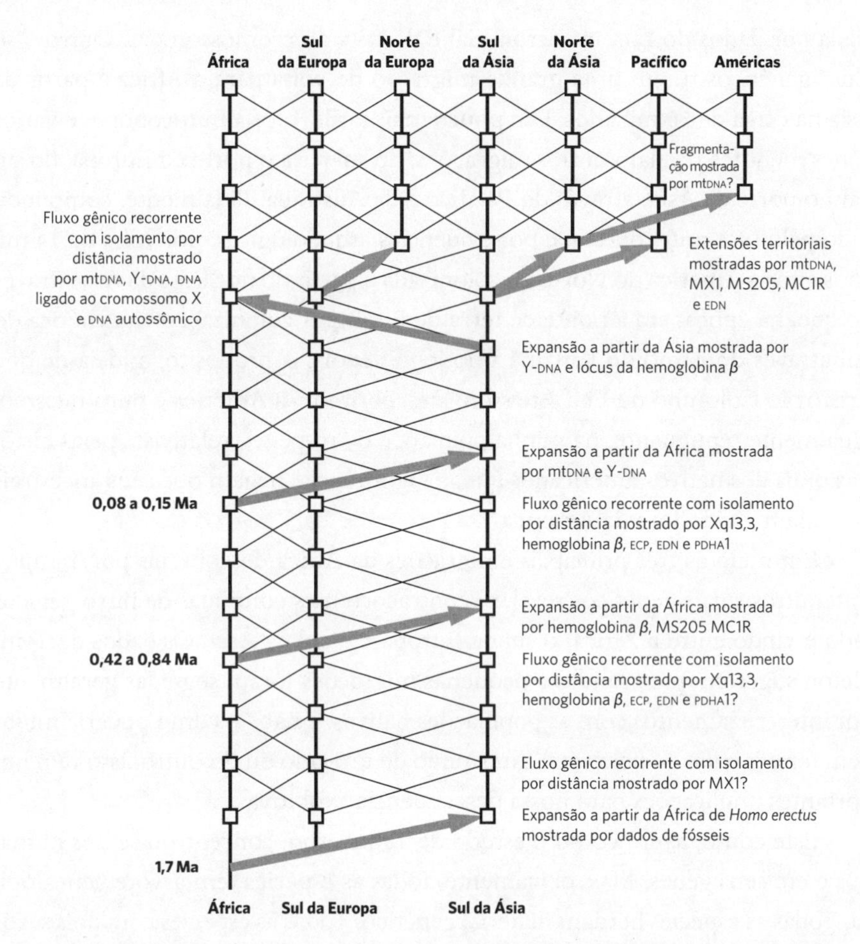

TRÊS SAÍDAS DA ÁFRICA. Resumo de Templeton para as principais migrações humanas, baseado no estudo de treze haplótipos. As linhas verticais representam a descendência genética; as linhas diagonais indicam o fluxo de genes. As principais migrações humanas indicadas por dados genéticos são mostradas pelas setas grandes. Adaptado de TEMPLETON (ver página 725).

A principal conclusão de Templeton é que não houve duas, e sim três principais emigrações da África. Além da VSA, o êxodo do *Homo erectus* ocorrido por volta de 1,7 milhão de anos atrás (que todos aceitam e para o qual a maior parte das provas provém de fósseis) e da migração recente defendida pela teoria JSA, houve outra grande jornada da África para a Ásia entre 840 mil e 420 mil anos atrás. Essa emigração do meio — que tal chamá-la de MSA? — é corroborada por "sinais" remanescentes em três dos treze haplótipos. A emigração JSA é evidenciada por dados do DNA mitocrondrial e do DNA do cromossomo Y. Outros "sinais" genéticos traem uma grande migração de volta para a África a partir da Ásia há cerca de 50 mil anos. Um pouco mais tarde, o DNA mitocondrial e vários genes menores revelam outras migrações: do sul para o norte da Europa, do sul para o norte da Ásia, através do Pacífico e da Austrália. Finalmente, como indicado pelo DNA mitocondrial e por evidências arqueológicas, por volta de 14 mil anos atrás a América do Norte foi colonizada a partir do nordeste da Ásia através do que, na época, era a ponte de terra de Bering. A colonização da América do Sul através do istmo do Panamá veio logo depois. A propósito, a ideia de que Cristóvão Colombo ou Leif Ericsson "descobriram" a América é puro racismo. Igualmente repugnante, na minha opinião, é o "respeito" relativista pelas histórias orais dos nativos americanos que, na ignorância, negam que seus ancestrais já tenham vivido fora da América.

Em meio às três principais emigrações da África descobertas por Templeton, outros sinais genéticos revelam contracorrentes contínuas de fluxo gênicos indo e vindo entre a África, o sul da Europa e o sul da Ásia. Os dados de Templeton sugerem que grandes e pequenas migrações foram seguidas geralmente por intercruzamentos com as populações nativas, e não — como poderia muito bem ter ocorrido — pelo total extermínio de um lado ou do outro. Isso tem importantes implicações para nossa descendência evolutiva.

Este conto, assim como o estudo de Templeton, concentrou-se nos humanos e em seus genes. Mas, obviamente, todas as espécies têm árvore genealógica. Todas as espécies herdam material genético. Todas as espécies com dois sexos têm um Adão e uma Eva. Genes e árvores de genes são uma característica onipresente da vida na Terra. As técnicas que aplicamos à história humana recente também podem ser aplicadas aos demais seres vivos. O DNA de guepardos revela um gargalo populacional há 12 mil anos que é importante para os conservacionistas que trabalham com felinos. O DNA do milho traz impressa a inconfundível assinatura de seus 9 mil anos de domesticação mexicana. Os padrões de coalescência de cepas de HIV podem ser usados pelos epidemiologistas e médicos para compreender e conter o vírus. Genes e árvores de genes revelam a história da flora e da fauna europeias: as vastas migrações impelidas pelas épocas glaciais, ao se intensificarem, levaram espécies de zonas temperadas a refugiar-se no sul da Europa e, ao declinarem, deixaram espécies do Ártico isoladas em cordilheiras. Todos esses eventos, e outros ainda, podem ser reconstituídos através da distribuição do DNA pelo planeta — um livro de referências históricas que apenas começamos a aprender a ler.

Vimos que diferentes genes têm histórias diferentes para contar, as quais podem ser reunidas para revelar algo da nossa história, tanto a moderna como a antiga. Mas quão antiga? É incrível, mas os genes mais antigos do nosso ACMR podem datar de uma época em que nem sequer éramos humanos. Isso se aplica especialmente aos casos em que a seleção natural favorece a variedade na população no interesse da própria variedade. Vejamos como isso funciona.

Suponhamos que existam dois tipos sanguíneos chamados A e B, que conferem imunidade a diferentes doenças. Cada tipo sanguíneo é suscetível à doença contra a qual o outro tipo é imune. As doenças se alastram quando o tipo sanguíneo que elas podem atacar é abundante, e assim uma epidemia pode prosseguir. Portanto, se acontecer de, por exemplo, o tipo B ser comum na população, a doença que o afeta poderá regalar-se com uma epidemia. Consequentemente, as pessoas do tipo B morrerão até deixarem de ser comuns na população, e a proporção das pessoas do tipo A aumentará — e vice-versa. Sempre que temos dois tipos, dos quais o raro é favorecido por ser raro, temos uma receita para o polimorfismo: a manutenção positiva da variedade em benefício da própria variedade. O sistema do grupo sanguíneo ABO é um famoso polimorfismo que provavelmente tem se mantido por esse tipo de razão.

Alguns polimorfismos podem ser bem estáveis — tão estáveis que abrangem a mudança de uma espécie ancestral para uma espécie descendente. Por exemplo, nosso polimorfismo ABO está presente nos chimpanzés. É possível que nós e os chimpanzés tenhamos "inventado" independentemente o polimorfismo, e pela mesma razão. Mas é mais plausível que ambos o tenhamos herdado do nosso ancestral comum e, independentemente, tenhamos mantido esse polimorfismo durante os 6 milhões de anos da nossa descendência separada, porque as doenças correspondentes têm se propagado sem parar por todo esse tempo. Chamamos esse polimorfismo de transespecífico, e ele pode aplicar-se a primos muito mais distantes do que nós e os chimpanzés.

Uma conclusão surpreendente é que, para genes específicos, você é mais proximamente aparentado com alguns chimpanzés do que com alguns humanos. E eu sou parente mais próximo de alguns chimpanzés do que de você (ou dos "seus" chimpanzés). Os humanos como uma espécie, bem como os humanos como indivíduos, são recipientes temporários, com uma mistura de genes de diferentes fontes. Os indivíduos são pontos de encontro temporários nas rotas entrecruzadas que os genes percorrem ao longo da história. Esse é um modo de expressar a mensagem principal de meu primeiro livro, *O gene egoísta*, com base na árvore genealógica. Como afirmei ali, "depois de servirmos ao nosso propósito, somos descartados. Mas os genes são cidadãos do tempo geológico: os genes são eternos". No encerramento de uma conferência nos Estados Unidos, recitei essa mesma mensagem em verso:

Disse um gene egoísta de passagem,
"Tantos corpos já vi que perdi a contagem
Te julgas tão inteligente
Mas és apenas minha aparelhagem
Para viver eternamente".

E, para a réplica imediata do corpo ao gene, parodiei "Harp song of the Dane women", que citei há pouco:

Que é um corpo, se o habitas primeiro,
E o desenvolves, mas o deixas,
Para ires com o cego relojoeiro?

Estimamos a data provável do Encontro 0 em dezenas de milhares de anos atrás, e, no máximo, em centenas de milhares. Avançamos pouco em nossa peregrinação ao passado. A próxima etapa, quando nos juntaremos aos chimpanzés peregrinos no Encontro 1, fica a milhões de anos atrás, e a partir de então a maioria dos encontros seguintes se dará a centenas de milhões. Para termos uma chance de completar nossa peregrinação, precisamos nos apressar, começar a nos mover no "tempo profundo". Temos de acelerar, passando pelas cerca de trinta glaciações que pontuaram os últimos 3 milhões de anos, por eventos drásticos como o ocorrido entre 4,5 e 6 milhões de anos atrás, quando o Mediterrâneo secou e tornou a encher. Para amenizar essa aceleração inicial, tomarei a incomum liberdade de parar em alguns marcos intermediários no percurso e permitir que alguns fósseis mortos nos contem histórias. Os peregrinos fossilizados "oficiosos" que encontraremos, e os contos que eles narrarão, ajudarão a satisfazer nosso interesse natural por nossos ancestrais diretos.

Homo sapiens arcaico

Nosso primeiro marco ao voltarmos no tempo rumo ao Encontro 1 está nos idos da penúltima glaciação, há cerca de 160 mil anos. Escolhi essa rápida escala para examinarmos os achados fósseis de Herto, uma localidade etíope na depressão de Afar.* Os humanos de Herto são fascinantes porque, nas palavras de seus descobridores, Tim White e colegas, eles pertenceram a uma "população que está no limiar da modernidade anatômica, mas ainda não é inteiramente moderna". Para o eminente paleoantropólogo Christopher Stringer, o material de Herto é "o mais antigo registro inquestionável daquilo que atualmente definimos como *Homo sapiens*". Antes deles, esse registro era dado por fósseis mais novos, datados de aproximadamente 100 mil anos atrás, encontrados no Oriente Médio. Independentemente das sutis distinções entre "moderno" e "quase moderno", está claro que o povo de Herto se situa no vértice entre os humanos modernos e os predecessores que conhecemos pelo abrangente termo "*Homo sapiens* arcaico". Para algumas autoridades, essa designação aplica-se até cerca de 900 mil anos atrás, quando passa gradualmente a uma espécie anterior, o *Homo erectus*. Como veremos, outros preferem dar vários nomes em latim para as for-

* A mesma "Afar" que emprestou o nome a Lucy, espécime muito mais antiga de *Australopithecus afarensis*.

mas arcaicas intermediárias. Contornarei essas disputas recorrendo a termos da nossa língua corrente, no estilo do meu colega Jonathan Kingdon: "Modernos", "Arcaicos", "Eretos" e outros que mencionarei à medida que os encontrarmos. Não tenhamos esperança de traçar uma linha nítida entre os primeiros Arcaicos e os Eretos dos quais eles evoluíram, ou entre os Arcaicos e os primeiros Modernos que evoluíram deles. A propósito: que o leitor não se confunda com o fato de que os Eretos eram ainda mais arcaicos (com minúscula) do que os Arcaicos (com maiúscula), e de que todos os três tipos eram eretos com "e" minúsculo!

Formas arcaicas persistiram ao lado de formas modernas até pelo menos 100 mil anos atrás (e mais tempo ainda se incluirmos os Homens de Neandertal, dos quais trataremos em breve). Fósseis arcaicos são encontrados no mundo todo, datados de vários momentos ao longo de algumas poucas centenas de milhares de anos atrás: entre eles temos o "homem de Heidelberg", da Alemanha, o "homem Rodesiano", da Zâmbia (que era conhecida como Rodésia Setentrional), e o chinês "homem de Dali". Os Arcaicos, como nós, tinham cérebro grande, com 1200 a 1300 cc em média. Ainda que seu cérebro não chegasse exatamente ao volume do nosso, que é em média de 1400 cc, podemos situá-lo facilmente na mesma faixa do nosso. O corpo dos Arcaicos era mais robusto do que o nosso, o crânio, mais espesso, e eles tinham o sobrecenho mais protuberante do que o nosso e o queixo menos pronunciado. Pareciam-se mais do que nós com os Eretos, e com o que sabemos hoje podemos corretamente vê-los como intermediários. Alguns taxonomistas reconhecem os Eretos como uma subespécie de *Homo sapiens* chamada *Homo sapiens heidelbergensis* (e nos chamam de *Homo sapiens sapiens*). Outros não reconhecem os Arcaicos como *Homo sapiens*, mas os denominam *Homo heidelbergensis*. Outros ainda dividem os Arcaicos em mais de uma espécie, por exemplo, *Homo heidelbergensis*, *Homo rhodesiensis* e *Homo antecessor*. Pensando bem, deveríamos nos preocupar, isto sim, se *não* houvesse discordância quanto às divisões. Na concepção evolutiva da vida, temos de esperar uma série contínua de intermediários.

O *Homo sapiens sapiens* moderno não é o único descendente dos Arcaicos. Outra espécie de humanos avançados, a dos chamados Homens de Neandertal, foi nossa contemporânea durante boa parte da nossa pré-história. Os Homens de Neandertal assemelhavam-se mais do que nós aos Arcaicos em alguns aspectos, e parecem ter emergido de uma raiz Arcaica entre 100 mil e 200 mil anos atrás — mas não na África, e sim na Europa e no Oriente Médio. Fósseis dessas regiões mostram uma transição gradual de Arcaicos para Neandertais, com os primeiros fósseis de inconfundíveis Homens de Neandertal sendo encontrados pouco antes do início da última glaciação, há aproximadamente 130 mil anos. Os Neandertalenses perduraram na Europa durante a maior parte desse período frio e desapareceram há cerca de 28 mil anos. Em outras palavras, durante toda a sua existência os Neandertalenses foram contemporâneos dos europeus Modernos emigrados da África. Alguns acreditam que os Modernos foram responsáveis pela extinção dos Neandertalenses, que teriam sido mortos diretamente por aqueles ou aniquilados pela competição.

A anatomia do Homem de Neandertal difere da nossa o suficiente para que alguns prefiram dar-lhes um nome de espécie separado, *Homo neanderthalensis*.* Os Neandertalenses conservaram algumas características dos Arcaicos, como o sobrecenho protuberante, que os Modernos não têm (razão pela qual algumas autoridades os classificam como simplesmente outra espécie de Arcaico). Entre as adaptações a seu ambiente frio figuraram o físico atarracado, os membros curtos e o nariz enorme. E eles sem dúvida se agasalhavam, presumivelmente com peles de animais. Tinham o cérebro tão grande quanto o nosso, ou até maior. Dão o que falar alguns mínimos indícios de que eles sepultavam seus mortos. Ninguém sabe se eles podiam falar, e nessa importante questão as opiniões diferem. A arqueologia sugere que ideias tecnológicas podem ter circulado entre Neandertais e Modernos, mas isso pode ter ocorrido por imitação e não através da linguagem.

As regras da peregrinação estipularam que apenas animais modernos que partem do presente teriam direito a um conto. Abriremos uma exceção para o dodô e o pássaro-elefante porque viveram em tempos históricos recentes. E os fósseis de *Homo erectus* e *Homo habilis* qualificam-se como "peregrinos oficiosos" porque se poderia argumentar plausivelmente que eles foram nossos ancestrais diretos. E os Homens de Neandertal, eles também podem ser aceitos nessa classificação? Descendemos deles? Pois é exatamente dessa questão que trata o conto que os Neandertalenses querem narrar. Pense em "o conto do Neandertal" como uma súplica para lhes permitirmos essa narração.

* Uma nota para os preciosistas: *Thal* ou, em alemão moderno, *Tal* significa vale. Foi no vale de Neander que se descobriu o primeiro fóssil desse tipo. Quando houve a reforma ortográfica do alemão em fins do século XIX, o nome do vale mudou de *Thal* para *Tal*, mas o nome em latim, *Homo neanderthalensi*, ficou encalhado nas leis da terminologia zoológica.

O CONTO DO NEANDERTAL

Em coautoria com Yan Wong

Descendemos de Neandertais? Se a resposta for positiva, eles teriam de ter cruzado com *Homo sapiens sapiens*. Mas isso ocorreu? As duas espécies coexistiram na Europa por longo tempo, e sem dúvida houve contato entre elas. Mas foram além de mero contato? Os europeus modernos herdaram algum gene dos Neandertalenses? Essa é uma questão que gera debates acalorados, e recentemente reacendeu-se graças a uma notável extração de DNA do osso de um Homem de Neandertal. Até agora, extraímos apenas o DNA mitocondrial herdado em linha materna, mas isso já é suficiente para um primeiro veredicto. As mitocôndrias do Homem de Neandertal são muito distintas das encontradas em todos os humanos sobreviventes, e isso indica que os Neandertalenses não são mais próximos dos europeus do que de qualquer outro povo moderno. Em outras palavras, a ancestral comum pela linha feminina dos Neandertalenses e de todos os humanos sobreviventes é bem mais antiga do que a Eva Mitocondrial: cerca de 500 mil anos, em contraste com 140 mil desta última. Esse dado genético sugere que o intercruzamento bem-sucedido de Homens de Neandertal e Modernos foi raro. Por isso muitos dizem que eles morreram sem deixar descendentes.

Mas não nos esqueçamos do argumento dos "80%" que tanto nos surpreendeu em "O conto do tasmaniano". Um único imigrante que conseguisse penetrar na população reprodutiva tasmaniana teria 80% de chance de juntar-se aos ancestrais universais: o conjunto de indivíduos que poderiam considerar-se ancestrais de todos os tasmanianos sobreviventes no futuro distante. Analogamente, se um único Neandertalense do sexo masculino, digamos, teve descendentes cruzando com mulheres de uma população *sapiens*, isso deu a ele uma razoável chance de ser um ancestral comum de todos os europeus hoje vivos. Isso pode ser verdade mesmo se os europeus não tiverem nenhum gene de Neandertalense. Uma ideia impressionante.

Portanto, embora poucos, ou talvez nenhum, dos nossos genes provenham do Homem de Neandertal, é possível que algumas pessoas tenham muitos ancestrais Neandertalenses. Essa foi a distinção, examinada no conto de Eva, entre árvores de genes e árvores de pessoas. A evolução é governada pelo fluxo de genes, e a moral de "O conto do Neandertal", se lhe permitimos contá-lo, é que não podemos, não devemos olhar a evolução da perspectiva da linhagem de indivíduos. É claro que os indivíduos são importantes em muitíssimos outros aspectos, mas, se estamos falando em linhagens, é a dos genes que conta. As palavras "descendência evolutiva" referem-se a genes ancestrais, e não a ancestrais genealógicos.

As mudanças em fósseis também são um reflexo das linhagens de genes, e não de linhagens genealógicas (ou o são, nesse último caso, apenas incidentalmente). Fósseis indicam que a anatomia dos Modernos se transmitiu ao resto do mundo através de mais recentes Saídas da África. Mas o trabalho de Alan Templeton (descrito em "O conto de Eva") sugere que nós também "descendemos" em parte de Arcaicos não africanos, possivelmente até mesmo de *Homo erectus* não africanos. A descrição é ao mesmo tempo simples e mais eloquente se, em vez de falarmos de pessoas, falarmos de genes. Os genes determinantes da nossa anatomia de Modernos foram levados da África pelos migrantes da JSA, que deixaram fósseis em sua esteira. Ao mesmo tempo, segundo os dados de Templeton, outros genes que hoje possuímos estavam circulando pelo mundo por rotas diferentes, mas deixaram poucas provas anatômicas para comprovar isso. A maioria dos nossos genes percorreu provavelmente a rota da Jovem Saída da África, enquanto apenas um punhado nos chegou por outras rotas. Haveria modo mais eloquente de expressar isso?

E então, os Neandertais ganharam o direito de ter o seu conto? Talvez, se não sobre genes, um conto sobre genealogia.

Ergastos

Retrocedemos mais no tempo e novamente aterrissamos à procura de ancestrais, desta vez 1 milhão de anos atrás. Os únicos candidatos prováveis dessa época são do tipo geralmente chamado de *Homo erectus*, embora haja quem designe os africanos desse tipo como *Homo ergaster*, o que eu também farei. Procurei uma forma de anglicizar esse nome e decidi chamá-los de *Ergasts** em vez de *Erects* [Eretos], em parte por acreditar que a maioria dos nossos genes remonta à forma africana, mas também porque, como já mencionei, o *Homo ergaster* não era mais ereto do que o seu predecessor (*Homo habilis*) ou do que seus sucessores (nós). Independentemente do nome que se prefira, o tipo Ergasto persistiu de aproximadamente 1,8 milhão até cerca de 250 mil anos atrás. Ele é amplamente aceito como o predecessor imediato, e em parte contemporâneo, dos Arcaicos, que por sua vez são os predecessores dos Modernos (nós).

Os Ergastos eram visivelmente diferentes do *Homo sapiens* moderno e, ao contrário dos *sapiens* Arcaicos, diferiam de nós em alguns aspectos para os quais não há sequer uma coincidência parcial. Achados fósseis mostram que os Ergastos viveram no Oriente Médio e no Extremo Oriente, incluindo Java, e indicam uma antiga saída da África. O leitor talvez tenha ouvido falar deles com seus no-

* Nessa mesma linha, o nome será aportuguesado na tradução para Ergastos. (N. T.)

mes anteriores: Homem de Java e Homem de Pequim. Em latim, antes de serem admitidos no rebanho *Homo*, tinham os nomes genéricos de *Pithecanthropus* e *Sinanthropus*. Eram bípedes como nós, mas tinham cérebro menor (900 cc nos espécimes mais antigos a 1100 cc nos mais recentes) em um crânio mais baixo, menos abaulado e mais "puxado para trás" do que o nosso, além de queixo recuado. Seu sobrecenho protuberante formava uma saliência horizontal acima dos olhos, cravados num rosto largo com um estreitamento do crânio atrás dos olhos.

Como os pelos não se fossilizam, não há em nossa história um lugar natural para discutirmos sobre o óbvio fato de que, em algum ponto da nossa evolução, perdemos a maior parte dos pelos do corpo, com a luxuriante exceção do topo da cabeça. É muito provável que os Ergastos fossem mais peludos do que nós, mas não podemos excluir a possibilidade de já terem perdido os pelos do corpo cerca de 1 milhão de anos atrás. Podem ter sido tão glabros quanto nós. Da mesma forma, ninguém deve reclamar de uma imaginativa reconstrução peluda como um chimpanzé, ou de qualquer nível intermediário entre peludo e sem pelos. Os humanos modernos, ou ao menos os homens, variam muito nesse quesito. A quantidade de pelos é uma das características que podem aumentar e diminuir várias vezes no decorrer da evolução. Pelos vestigiais, com suas estruturas celulares de apoio associadas, espreitam até na pele aparentemente mais lisa, prontos a evoluir rapidamente para um completo revestimento de pelos grossos (ou tornar a minguar) se a seleção natural em qualquer momento os convocar da aposentadoria. Veja os mamutes e rinocerontes lanosos que evoluíram rapidamente em resposta às glaciações recentes na Eurásia. Voltaremos à perda evolutiva dos pelos nos humanos, curiosamente, em "O conto do pavão".

Indícios sutis do uso repetido de lareiras levam a crer que pelo menos alguns grupos de Ergastos descobriram o uso do fogo — que hoje vemos como um evento decisivo na nossa história. Esses indícios são menos conclusivos do que poderíamos esperar. O enegrecimento pela fuligem e pelo carvão não sobrevive por períodos imensos, mas as fogueiras deixam outros vestígios mais duradouros. Pesquisadores modernos construíram sistematicamente vários tipos de fogueira e as examinaram depois para descobrir seus tipos de vestígios. Constataram que fogueiras de acampamento preparadas deliberadamente magnetizam o solo de um modo que as distingue da queima de arbustos e de tocos de árvore queimados — ignoro o porquê. Mas esses sinais indicam que Ergastos, tanto na

África como na Ásia, tinham fogueiras de acampamento há quase 1,5 milhão de anos. Isso não significa necessariamente que eles sabiam fazer fogo. Talvez tenham começado com a captura e conservação do fogo que encontravam na natureza, alimentando-o e mantendo-o vivo como hoje se faz com o mascote virtual Tamagochi. Talvez, antes de começarem a cozinhar alimentos, usassem o fogo para afugentar animais perigosos e para obter luz, calor e um foco social.

Os Ergastos também talhavam e usavam utensílios de pedra e, presumivelmente, também de madeira e ossos. Ninguém sabe se eram capazes de falar, e é difícil encontrar indícios para resolver essa questão. O leitor pode achar que dizer "é difícil encontrar indícios" é ser comedido demais, porém chegamos agora a um ponto da nossa jornada ao passado no qual os fósseis começam a ser reveladores. Assim como as fogueiras de acampamento deixam vestígios no solo, também as necessidades da fala requerem ligeiras mudanças no esqueleto: nada tão drástico como a caixa óssea oca na garganta com a qual os bugios das florestas sul-americanas amplificam sua voz estentórea, mas sinais reveladores como os que poderíamos esperar detectar em alguns fósseis. Infelizmente, os sinais que nos apareceram não são reveladores o bastante para decidir a questão, que permanece controvertida.

Há duas partes no cérebro humano moderno que parecem relacionar-se à fala. Quando, em nossa história, essas partes — a área de Broca e a área de Wernicke — aumentaram de tamanho? O que temos de mais próximo a cérebros fósseis são endomoldes cranianos, que descreveremos em "O conto do Ergasto". Infelizmente, as linhas que dividem as diferentes regiões do cérebro não se fossilizam claramente, mas alguns especialistas julgam poder afirmar que as áreas da fala no cérebro já estavam aumentadas antes de 2 milhões de anos atrás. Os que desejam acreditar que os Ergastos possuíam a capacidade de falar são encorajados por esse indício.

Desencorajam-se, porém, quando examinam o resto do esqueleto. O mais completo *Homo ergaster* que conhecemos é o Menino de Turkana, que morreu nas proximidades do lago Turkana, no Quênia, há cerca de 1,5 milhão de anos. Suas costelas e o tamanho diminuto das aberturas nas vértebras por onde passam os nervos indicam que ele não tinha o controle fino sobre a respiração que parece estar associado à fala. Outros cientistas, estudando a base do crânio, concluíram que até os Neandertalenses, apenas 60 mil anos atrás, também não falavam. Chegaram a essa conclusão porque o formato da garganta do Homem de

Neandertal não permitia todo o conjunto de vogais que hoje empregamos. Porém, como salientou o linguista e psicólogo evolutivo Steven Pinker, "imi língui quim im piquíni nímiri di vigíis iíndi issim pidi sir bistinti ixprissivi". Se o hebraico escrito pode ser inteligível sem vogais, não vejo por que o neandertalês ou o ergastês falado também não poderiam sê-lo. O veterano antropólogo sul-africano Phillip Tobias desconfia que a linguagem talvez tenha sido anterior até mesmo ao *Homo ergaster*, e é possível que ele esteja certo. Como vimos, poucos são os que vão ao extremo oposto e datam a origem da linguagem na época do Grande Salto para a Frente, ocorrido apenas há algumas dezenas de milhares de anos.

Essa talvez seja uma das discordâncias que nunca poderão ser resolvidas. Todas as considerações sobre a origem da linguagem começam citando a Sociedade Linguística de Paris, que, em 1866, vetou o debate dessa questão por considerá-la irrespondível e infrutífera. Ela pode ser difícil de responder, mas em princípio não é irrespondível como certas questões filosóficas. Em se tratando da engenhosidade científica, sou um otimista. Assim como a deriva continental hoje está definitivamente determinada, com numerosas linhas de provas convincentes, e assim como a datiloscopia do DNA pode determinar a fonte exata de uma mancha de sangue com uma confiança que os peritos forenses de outrora só podiam ter em sonhos, eu espero, com reservas, que um dia cientistas venham a descobrir algum método criativo para determinar quando nossos ancestrais começaram a falar.

Nem mesmo eu, contudo, tenho esperança de que algum dia possamos saber o que eles diziam uns aos outros, ou em que língua falavam. Teriam começado com puras palavras e nenhuma gramática, o equivalente a um bebê que balbucia nomes? Ou será que a gramática começou logo e — o que não é impossível e nem mesmo tolo — subitamente? Talvez a capacidade para a gramática já estivesse arraigada no cérebro, sendo usada para algo como o planejamento mental. Ou será possível, inclusive, que a gramática, ao menos a aplicada à comunicação, tenha sido uma invenção súbita de um gênio? Disso eu duvido, mas nesse campo não podemos excluir coisa alguma com certeza.

Um pequeno passo foi dado para descobrir a data em que emergiu a linguagem: surgiram alguns indícios genéticos promissores. Uma família de codinome KE sofre de um estranho defeito hereditário. De aproximadamente trinta membros dessa família distribuídos por três gerações, cerca de metade é normal, mas a outra metade apresenta um curioso distúrbio linguístico, que parece afetar tanto a fala como a compreensão. O distúrbio, chamado dispraxia verbal, manifesta-se de início como uma incapacidade de articular claramente as palavras na infância. Outras autoridades supõem que essa deficiência deriva de uma "cegueira para características", ou seja, dificuldade para entender certas características gramaticais como gênero, tempo verbal e número. Uma coisa está clara: essa anomalia é genética. Quem não a tem não vai adquiri-la, e está associada a uma mutação em um importante gene chamado FOXP2, que o resto dos seres humanos possui na forma que não sofreu mutação. Como a maioria dos nossos genes, uma versão do FOXP2 está presente em camundongos e outras espécies, e ela provavelmente tem vários efeitos sobre o cérebro e outras partes.* O indício representado pela família KE leva a crer que, nos humanos, o FOXP2 é importante para o desenvolvimento de alguma parte do cérebro que participa da linguagem.

Por isso, naturalmente queremos comparar o FOXP2 humano com o mesmo gene em animais sem linguagem. Podemos comparar genes examinando as próprias sequências de DNA ou as sequências de aminoácidos nas proteínas que eles codificam. Em certos casos, isso faz diferença, e esse é um deles. O FOXP2 codifica uma cadeia de proteína com 715 aminoácidos. As versões desse gene no camundongo e no chimpanzé diferem em apenas um aminoácido. A versão humana difere das desses dois animais em dois aminoácidos adicionais. O leitor percebe o que isso pode significar? Embora humanos e chimpanzés tenham em comum a grande maioria de sua evolução e de seus genes, o gene FOXP2 é um lugar onde os humanos parecem ter evoluído rapidamente no curto período desde que nos separamos desses nossos primos. E um dos aspectos mais importantes em que diferimos dos chimpanzés é a linguagem, que possuímos e eles não. Um gene que mudou em algum momento ao longo da linha que conduz até nós, mas depois de nos separarmos dos chimpanzés, é exatamente o tipo de gene que devemos procurar se estamos tentando entender a evolução da linguagem. E foi justamente esse gene que sofreu mutação na desafortunada família KE (e também, de um modo diferente, em um indivíduo não aparentado com essa família que tem o mesmo tipo de defeito de linguagem). Talvez tenham sido mudanças no FOXP2 que capacitaram os humanos, em contraste com os chimpanzés, a possuir linguagem. Teriam os Ergastos sido dotados do mesmo gene FOXP2 com mutação?

* Muitos genes têm mais de um efeito, fenômeno conhecido como pleotropia.

Não seria esplêndido se pudéssemos usar essa hipótese genética para datar a origem da linguagem em nossos ancestrais? Embora não seja possível fazer isso com certeza, podemos realizar algo bem sugestivo nessa mesma linha. O procedimento óbvio seria fazer a triangulação retrocessiva de variantes entre humanos modernos e tentar calcular a antiguidade do gene FOXP2. Porém, com a exceção de raros infelizes, como os membros da família KE, não há variação entre humanos em nenhum dos aminoácidos de FOXP2. Portanto, não há variação suficiente para fazermos a triangulação. Mas por sorte, há outras partes do gene que nunca são traduzidas para proteínas e, assim, ficam livres para sofrer mutação sem serem "notadas" pela seleção natural: são letras codificadoras "silenciosas" naquelas partes do gene que nunca são transcritas, os chamados íntrons (em contraste com os "éxons", que são "expressos" e, portanto, "vistos" pela seleção natural). As letras silenciosas, ao contrário das expressas, variam muito entre os indivíduos humanos e entre humanos e chimpanzés. Podemos ter alguma noção da evolução do gene observando os padrões de variação nas áreas silenciosas. Embora as letras silenciosas não estejam, elas próprias, sujeitas à seleção natural, podem ser levadas de roldão pela seleção de éxons vizinhos. Melhor ainda: o padrão de variação nos íntrons silenciosos, analisado matematicamente, nos dá uma boa indicação de *quando* a seleção natural os levou de roldão. E a resposta para o FOXP2 é que isso ocorreu há menos de 200 mil anos. Uma mudança para a versão humana do FOXP2 ocasionada pela seleção natural parece coincidir aproximadamente com a mudança do *Homo sapiens arcaico* para o *Homo sapiens* anatomicamente moderno. Poderia ter sido esse o momento em que nasceu a linguagem? A margem de erro nesse tipo de cálculo é grande, mas esse engenhoso indício genético é um voto contra a teoria de que o *Homo ergaster* podia falar. Para mim, o mais importante é que o inesperado método novo deixa-me mais otimista sobre a possibilidade de que um dia a ciência venha a descobrir uma maneira de deixar sem palavras os pessimistas da Sociedade Linguística de Paris.

O *Homo ergaster* é o primeiro ancestral fóssil encontrado em nossa peregrinação que inequivocamente pertence a uma espécie diferente da nossa. Estamos prestes a entrar em uma parte da peregrinação na qual fósseis fornecem as provas mais importantes, e eles continuarão a ter destaque — embora nunca suplantem as provas moleculares — até chegarmos a um passado extremamente remoto, quando começam a rarear os fósseis relevantes. Eis um bom momento para tratarmos dos fósseis e de sua formação com mais detalhes. Com a palavra, o Ergasto.

Richard Leakey descreve de modo comovente a descoberta, feita por seu colega Kimoya Kimeu em 22 de agosto de 1984, do Menino de Turkana (*Homo ergaster*), de 1,5 milhão de anos atrás: o mais antigo achado de um esqueleto quase completo de hominídeo já encontrado. Também tocante é a descrição que Donald Johanson faz do fóssil de australopiteco mais antigo e, como seria de esperar, menos completo, familarmente conhecido como Lucy. A descoberta de "Little Foot", que ainda não foi totalmente descrito, é igualmente notável (ver página 119). Sejam quais forem as singularíssimas condições que abençoaram Lucy, "Little Foot" e o Menino de Turkana com sua versão da imortalidade, não as desejaríamos para nós quando chegasse a nossa hora? Que barreiras temos de vencer para realizar essa ambição? Como é que se forma um fóssil? Esse é o tema de "O conto do Ergasto". Para começar, precisamos fazer uma pequena digressão sobre geologia.

As rochas são feitas de cristais, mas em geral eles são pequenos demais para serem vistos a olho nu. Um cristal é uma única molécula gigante, cujos átomos dispõem-se em um reticulado ordenado com um padrão regular de espaçamento repetido bilhões de vezes até chegar à borda do cristal. Os cristais crescem quando átomos saem do estado líquido e se acumulam sobre a borda em expansão de um cristal já existente. Em geral, esse líquido é a água. Em outras ocasiões, não é um solvente, mas o próprio mineral derretido. A forma do cristal, assim como os ângulos em que suas facetas planas se encontram, é uma reprodução direta, em grande escala, do reticulado atômico. A forma do reticulado às vezes se projeta em tamanho bem grande, como no diamante ou na ametista, cujas facetas revelam a olho nu a geometria tridimensional dos arranjos atômicos autoformados. Mas, em geral, as unidades cristalinas de que são feitas as rochas são pequenas demais para o olho detectá-las, sendo essa uma razão por que a maioria das rochas não é transparente. Entre os cristais de rocha importantes e comuns temos o quartzo (dióxido de silício), o feldspato (também principalmente dióxido de silício, só que parte dos átomos de silício são substituídos por átomos de alumínio) e a calcita (carbonato de cálcio). O granito é uma mistura densa de quartzo, feldspato e mica, cristalizados de magma derretido. O calcário é principalmente calcita, o arenito é sobretudo quartzo, em ambos os casos pulverizados em partículas minúsculas e depois compactados de sedimentos de areia ou lama.

As rochas *ígneas* começaram como lava resfriada (a qual, por sua vez, é rocha derretida). Muitas delas, como o granito, são cristalinas. Às vezes sua forma pode ser visivelmente vítrea como a de um líquido solidificado e, com muito boa sorte, de vez em quando a lava derretida pode depositar-se em um molde natural, como a pegada de um dinossauro ou um crânio oco. Mas a principal utilidade da rocha ígnea para os historiadores da vida é a datação. Como veremos em "O conto da sequoia", os melhores métodos de datação só podem ser aplicados a rochas ígneas. Normalmente, não podemos datar com precisão os próprios fósseis, mas podemos procurar rochas ígneas nas proximidades. E então ou supomos que os fósseis são contemporâneos dessas rochas ou procuramos duas amostras ígneas datáveis que tenham nosso fóssil ensanduichado entre elas e estabelecemos os limites superior e inferior para a data do fóssil. Datar pelo método do sanduíche encerra o ligeiro risco de que um corpo tenha sido carregado por águas de uma enchente, por hienas ou pelo equivalente delas no reino dos dinossauros, e deixado em um sítio anacrônico. Com sorte, isso, em geral, será óbvio; do contrário, teremos de nos basear na consistência com um padrão estatístico geral.

As rochas *sedimentares*, como o arenito e o calcário, são formadas por minúsculos fragmentos, pulverizados pelo vento ou pela água, de rochas anteriores ou de outros minerais duros, como conchas. São carregadas em suspensão, em forma de areia, lodo ou poeira, e depositadas em outro lugar, onde se assentam e se compactam ao longo do tempo, formando novas camadas de rocha. A maioria dos fósseis é encontrada em jazidas sedimentares.

A reciclagem contínua do material é da natureza da rocha sedimentar. Montanhas antigas, como as Highlands escocesas, têm sido lentamente erodidas pelo vento e pela água, liberando material que se deposita em novos sedimentos e pode, por fim, erguer-se novamente em alguma outra parte, em novas montanhas como os Alpes, por exemplo. E o ciclo recomeça. Em um mundo de reciclagens desse tipo, precisamos refrear nossas importunas exigências de que o registro fóssil preencha todas as lacunas na evolução. Não é só por azar que muitas vezes nos faltam fósseis; é uma consequência inerente do modo como as rochas sedimentares se formam. Seria realmente preocupante se não houvesse lacunas no registro fóssil. Rochas antigas, com seus fósseis, são ativamente destruídas pelo mesmo processo que produz novas rochas.

Muitos fósseis formam-se quando água impregnada de minerais penetra nos tecidos de uma criatura enterrada. Durante a vida, os ossos são porosos e esponjosos, por boas razões de engenharia e economia. Quando a água passa pelos interstícios de um osso morto, minerais depositam-se lentamente com o passar do tempo. Eu disse "lentamente" quase como um ritual, mas nem sempre isso ocorre devagar. Pense em como uma caldeira logo fica recoberta por uma crosta. Certa vez encontrei numa praia da Austrália uma tampa de garrafa incrustada numa pedra. Mas geralmente o processo é lento. Seja qual for a velocidade, a pedra de um fóssil acaba assumindo a forma do osso original, e essa forma nos é revelada milhões de anos depois, mesmo se — o que nem sempre ocorre — todo átomo do osso original tiver desaparecido. A floresta petrificada do Deserto Pintado, no Arizona, consiste em árvores cujos tecidos foram lentamente substituídos por sílica e outros minerais lixiviados de água do solo. Mortas há 200 milhões de anos, essas árvores hoje são totalmente pétreas, mas muitos de seus detalhes celulares microscópicos ainda podem ser vistos claramente na forma petrificada.

Já mencionei que às vezes o organismo original, ou parte dele, forma um molde ou impressão natural e é subsequentemente removido ou dissolvido. Recordo com carinho dois dias felizes que passei no Texas em 1987 vagando pelo rio Paluxy. Lá examinei, e cheguei a pôr o pé nas pegadas de dinossauro preservadas em seu liso leito de calcário. Uma lenda estapafúrdia surgiu na região: algumas daquelas pegadas seriam de humanos gigantescos, contemporâneas das irrefutáveis pegadas de dinossauro. Resultou disso que Glen Rose, a cidade vizinha, se tornou a sede de uma próspera indústria familiar que canhestramente falsifica gigantescas pegadas humanas em blocos de cimento (e vende para crédulos criacionistas, muito cientes de que, "ora, naquele tempo havia gigantes na terra" — Gênesis 6:4). A história das pegadas verdadeiras foi meticulosamente reconstituída e é fascinante. As que provêm obviamente de dinossauros têm três dedos. As que têm uma tênue semelhança com um pé humano não têm dedos, e foram feitas por dinossauros andando com a parte posterior do pé, e não correndo com o peso sobre os dedos. Além disso, o lodo viscoso tendia provavelmente a refluir nos flancos das pegadas, obscurecendo os dedos laterais dos dinossauros.

Mais tocantes para nós são as companheiras pegadas de três hominídeos reais em Laetoli, Tanzânia. Provavelmente foram *Australopithecus afarensis* que caminharam, juntos, há 3,6 milhões de anos, sobre o que era, então, lava vulcânica recente (ver Ilustração 3). Como não ficar imaginando qual seria a relação entre esses três indivíduos, se teriam andado de mãos dadas ou até mesmo conversado, e que missão esquecida eles teriam compartilhado em um amanhecer do Plioceno?

Às vezes, como já mencionei quando discorri sobre a lava, o molde pode encher-se com um material diferente, que subsequentemente endurece na forma do animal ou órgão original. Escrevo essas palavras numa mesa de jardim cujo tampo é uma lâmina quadrada, de 2 m de lado e 15 cm de espessura, de calcário sedimentar de Purbeck, do período Jurássico, talvez de 150 milhões de anos atrás.* Juntamente com uma porção de conchas de molusco fósseis, ela contém uma pegada de dinossauro (assim garante o eminente e excêntrico escultor que a encontrou para mim) na parte inferior do tampo. Mas é uma pegada em relevo, que se salienta da superfície. A pegada original (se é que ela é genuína, pois para mim não parece ter nada de especial) deve ter servido de molde, no qual os sedimentos depois se depositaram. E o molde depois desapareceu. Boa parte do que sabemos sobre cérebros do passado remoto devemos a esse tipo de molde: "endomoldes" do interior de crânios, muitos deles impressos com detalhes surpreendentemente completos da superfície do próprio cérebro.

Com menos frequência do que conchas, ossos ou dentes, partes moles de animais às vezes se fossilizam. Os sítios mais famosos são Burgess Shale, nas Rochosas Canadenses, e Chengjiang, no sul da China, este, do qual trataremos em "O conto do verme aveludado", um pouco mais antigo do que aquele. Nesses dois sítios, fósseis de vermes e outras criaturas moles invertebradas e desdentadas (e também fósseis mais encontradiços de criaturas de corpo duro) registram de modo fascinante o Período Cambriano, de mais de meio bilhão de anos atrás. Somos extraordinariamente afortunados por ter Chengjiang (ver Ilustração 4) e Burgess Shale. De fato, como já ressaltei, temos imensa sorte por existirem fósseis, estejam onde estiverem. Há uma estimativa de que nunca poderemos conhecer como fósseis 90% de todas as espécies. Se esse é o número para espécies inteiras, imagine só como é ínfimo o número de indivíduos que podem ter alguma esperança de realizar a ambição com a qual este conto começou, a de virar fóssil. Uma estimativa diz que, para vertebrados, a probabilidade é de um em 1 milhão. Parece-me alta, e a probabilidade real há de ser muitíssimo menor para os animais desprovidos de partes duras.

* Um jornalista entrevistou-me por mais de uma hora nesse megalito de duas toneladas e depois o descreveu em seu jornal como "uma mesa branca de ferro batido": meu exemplo favorito da falibilidade do testemunho ocular.

Habilinos

Voltando outro milhão de anos atrás, a partir do *Homo ergaster*, há 2 milhões de anos já não há mais dúvida alguma quanto ao continente em que estão nossas raízes genéticas. Todos concordam, inclusive os "multirregionalistas", que a África é o lugar. Os mais eloquentes ossos fossilizados dessa época são normalmente classificados como *Homo habilis*. Algumas autoridades reconhecem um segundo tipo contemporâneo, muito semelhante, que chamam de *Homo rudolfensis*. Outras igualam-no ao *Kenyapithecus*, descrito pela equipe de Leakey em 2001. Outras ainda, mais cautelosas, abstêm-se de dar a esses fósseis uma designação de espécie e se referem a eles apenas como "os primeiros *Homo*". Eu, como sempre, não tomarei partido nessa questão de nomes. O que importa são as próprias criaturas de carne e osso, e usarei o termo "Habilinos" para designá-las. Os fósseis de Habilinos, por serem mais antigos, são compreensivelmente menos abundantes que os de Ergastos. O crânio mais bem preservado recebeu o número de referência KNM-ER 1470, e é mais conhecido como "Fourteen-Seventy" [Catorze-Setenta]. Viveu há cerca de 1,9 milhão de anos.

Os Habilinos diferiam tanto dos Ergastos quanto estes, aproximadamente, diferiam de nós. E, como seria de esperar, houve intermediários difíceis de classificar. Os crânios de Habilinos são menos robustos que os de Ergastos e não têm o sobrecenho protuberante. Nesse aspecto, os Habilinos pareciam-se mais conosco. Isso não deve causar nenhuma surpresa. A robustez e o sobrecenho saliente são singularidades que, possivelmente como os cabelos, os hominídeos parecem ter capacidade de adquirir e tornar a perder num piscar de olhos evolutivo.

Os Habilinos marcam em nossa história o lugar em que o cérebro, a mais impressionante singularidade humana, começa a expandir-se. Ou, para ser mais preciso, começa a expandir-se além do tamanho normal do já avantajado cérebro de outros grandes primatas. Essa distinção, aliás, é o fundamento lógico de situar os Habilinos no gênero *Homo*. Para muitos paleontólogos, o cérebro grande é a característica distintiva do nosso gênero. Os Habilinos, com seu cérebro beirando a barreira dos 750 cc, atravessaram o rubicão e são humanos.

Como os leitores talvez em breve se cansem de ouvir, não sou um defensor de rubicões, barreiras e lacunas. Particularmente, não há razão para esperarmos que os primeiros Habilinos sejam separados de seu predecessor por uma lacuna maior que a que os separa de seu sucessor. Isso poderia parecer tentador, pois o predecessor tem um nome genérico diferente (*Australopithecus*), enquanto o sucessor (*Homo ergaster*) é "meramente" outro *Homo*. É verdade que, quando consideramos espécies vivas, esperamos que membros de gêneros diferentes sejam menos parecidos do que membros de diferentes espécies pertencentes a um mesmo gênero. Mas isso não pode ser aplicado aos fósseis se temos uma linhagem histórica contínua na evolução. Na fronteira entre qualquer espécie fóssil e sua predecessora imediata, tem de haver indivíduos acerca dos quais seria absurdo debater, pois a *reductio* de tal argumento teria de ser que pais de uma espécie geraram um filho pertencente a outra. É ainda mais absurdo sugerir que um bebê do gênero *Homo* nasceu de pais de um gênero completamente diferente, o *Australopithecus*. Essas são regiões evolutivas em que nossas convenções de designação zoológica nunca foram criadas para ir.*

Deixar os nomes de lado libera-nos para uma discussão mais construtiva: *por que* o cérebro subitamente começou a aumentar de tamanho? Como medir

* O rubicão de 750 cc para a definição do *Homo* foi originalmente escolhido por Sir Arthur Keith. Como Richard Leakey nos diz em *A origem da espécie humana*, quando Louis Leakey pela primeira vez descreveu o *Homo habilis*, seu espécime tinha capacidade cerebral de 650 cc, e Leakey efetivamente deslocou o rubicão para incluí-lo. Espécimes posteriores de *Homo habilis* validaram retrospectivamente sua iniciativa, pois tinham capacidades cerebrais mais próximas de 800 cc. Tudo isso só vem reforçar meu argumento antirrubicão.

o aumento do cérebro hominídeo e traçar um gráfico do tamanho médio do cérebro ao longo do tempo geológico? Não há problema quanto às unidades em que medimos o tempo: milhões de anos. Já para o tamanho do cérebro a coisa é mais difícil. Crânios fósseis e endomoldes permitem-nos estimar o tamanho do cérebro em centímetros cúbicos, e é razoavelmente fácil converter isso em gramas. Mas o tamanho absoluto do cérebro não é necessariamente a medida que desejamos. Um elefante tem cérebro maior que o de uma pessoa, mas não é só a vaidade que nos leva a pensar que somos mais "cerebrudos" do que os elefantes. O cérebro do tiranossauro não era muito menor do que o nosso, mas todos os dinossauros são considerados criaturas de cérebro pequeno e obtusas. O que nos faz mais inteligentes é termos o cérebro maior *em proporção ao nosso tamanho* do que os dinossauros. Mas o que, mais precisamente, significa "em proporção ao nosso tamanho"?

Existem métodos matemáticos para proporcionalizar dimensões absolutas e expressar o tamanho do cérebro de um animal como uma função do tamanho que ele "deveria" ter em relação ao seu corpo. Esse é um tema que merece um conto só para si, e será relatado pelo *Homo habilis*, o Homem Habilidoso, de seu incômodo ponto de observação com uma perna em cada lado do "rubicão" cerebral.

O CONTO DO HOMEM HABILIDOSO

Queremos saber se o cérebro de determinada criatura, o *Homo habilis*, por exemplo, é maior ou menor do que "deveria" ser, considerando o tamanho do animal. Aceitamos (meio a contragosto no meu caso, mas vou deixar passar) que animais grandes têm de ter cérebro grande, e animais pequenos, cérebros pequenos. Levando isso em conta, ainda assim queremos saber se algumas espécies são mais "cerebrudas" do que outras. Como, então, levar em conta o tamanho do corpo? Precisamos de uma base razoável para calcular o tamanho esperado do cérebro de um animal a partir do tamanho de seu corpo, para que possamos decidir se o cérebro real de um animal específico é maior ou menor do que o esperado.

Em nossa peregrinação ao passado aconteceu-nos topar com esse problema ao falarmos sobre o cérebro, mas questões semelhantes podem surgir em relação a qualquer parte do corpo. Será que alguns animais têm coração, rins ou escápulas maiores (ou menores) do que "deveriam" ter para seu tamanho? Em caso afirmativo, isso poderia indicar que seu modo de vida faz exigências especiais sobre o coração (ou rins, ou escápulas). Como saber que tamanho "deveria" ter qualquer pedaço de um animal, conhecendo-se o tamanho total do seu corpo? Note que "deveria ter" não significa "precisa ter por razões funcionais". Significa "o esperado, diante do que animais comparáveis possuem". Como este é o conto do Homem Habilidoso, e como a característica mais surpreendente do Homem Habilidoso é o cérebro, prosseguiremos usando o cérebro em nossa exposição. As lições que aprenderemos serão mais abrangentes.

Começamos representando em um gráfico do tipo *scatter plot* os valores da massa cerebral relacionados aos da massa corporal para numerosas espécies. Cada símbolo no gráfico abaixo (do meu colega, o eminente antropólogo Robert Martin) representa uma espécie de mamífero vivo — 309 delas, variando das menores às maiores. Se o leitor estiver interessado, saiba que o *Homo sapiens* é o ponto indicado por uma seta, e o ponto logo ao lado dele é um golfinho. A

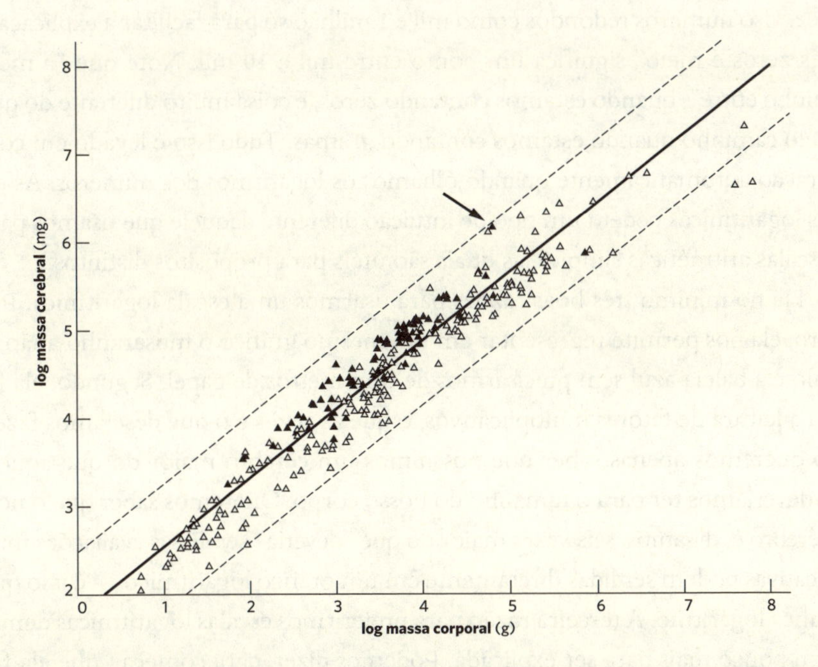

PLOTAGEM LOGARÍTMICA DE MASSA CEREBRAL CONTRA MASSA CORPORAL PARA DIFERENTES ESPÉCIES DE MAMÍFEROS PLACENTÁRIOS, COM PRIMATAS REPRESENTADOS PELOS TRIÂNGULOS CHEIOS. Adaptado de MARTIN (ver página 721).

linha em negrito traçada no meio dos pontos é a linha reta que, por cálculo estatístico, fornece o melhor ajuste para todos os pontos.*

Uma pequena complicação, que fará sentido em um momento, está em que as coisas funcionarão melhor se as escalas de ambos os eixos forem logarítmicas. Por isso, o gráfico foi feito desse modo. Plotamos o logaritmo da massa cerebral de um animal em relação ao logaritmo de sua massa corporal. Eixos logarítmicos significam que pontos iguais ao longo da base do gráfico (ou pontos iguais subindo pelo eixo vertical) representam *multiplicações* por algum número fixo — digamos, dez —, e não adições de um número, como em um gráfico comum. Dez é conveniente porque podemos pensar em um logaritmo como uma contagem do número de zeros. Se você tem de multiplicar a massa de um camundongo por 1 milhão para obter a de um elefante, isso significa que você precisa acrescentar seis zeros à massa do camundongo: precisa acrescentar seis ao logaritmo de um para obter o logaritmo do outro. A meio caminho entre eles na escala logarítmica — três zeros — está um animal que pesa mil vezes mais do que um camundongo ou tem um milésimo do peso do elefante: uma pessoa, talvez. Uso números redondos como mil e 1 milhão só para facilitar a explicação. "Três zeros e meio" significa um ponto entre mil e 10 mil. Note que "a meio caminho entre", quando estamos contando zeros, é coisa muito diferente do que a meio caminho quando estamos contando gramas. Tudo isso é levado em consideração automaticamente quando olhamos os logaritmos dos números. As escalas logarítmicas pedem um tipo de intuição diferente daquele que usamos para as escalas aritméticas simples, as quais são úteis para propósitos distintos.

Há no mínimo três boas razões para usarmos uma escala logarítmica. Primeiro, ela nos permite representar em um mesmo gráfico o musaranho-anão, o cavalo e a baleia-azul sem precisarmos de cem metros de papel. Segundo, ela facilita a leitura de fatores multiplicativos, o que às vezes é o que desejamos fazer. Não queremos apenas saber que possuímos um cérebro maior do que aquele que deveríamos ter para o tamanho do nosso corpo. Queremos saber que o nosso cérebro é, digamos, seis vezes maior do que "deveria" ser. Essas avaliações multiplicativas podem ser lidas diretamente em um gráfico logarítmico — é isso que significa logaritmo. A terceira razão para preferirmos escalas logarítmicas demora um pouco mais para ser explicada. Podemos dizer, para começar, que ela faz

* É a linha que minimiza a soma dos quadrados das distâncias dela até os pontos.

os nossos pontos do gráfico *scatter plot* incidirem no gráfico em linha reta em vez de em curva. Mas há muito mais do que isso. Tentarei explicar aos leitores que, como eu, padecem de "disnumeria".

Suponhamos que temos um objeto como uma esfera ou um cubo, ou mesmo um cérebro, e o inflamos uniformemente de modo a deixá-lo com a mesma forma, mas dez vezes maior. No caso da esfera, isso significa decuplicar seu diâmetro. No caso do cubo, ou do cérebro, significa decuplicar a largura (assim como a altura e a profundidade). Em todos esses casos de aumento proporcional, o que ocorre com o volume? Ele não será decuplicado — ficará mil vezes maior! Podemos provar isso em relação aos cubos imaginando que estamos empilhando cubos de açúcar. O mesmo se aplica quando inflamos uniformemente qualquer forma que desejarmos. Multiplicando o comprimento por dez, desde que a forma não mude, multiplicamos automaticamente o volume por mil. No caso especial de inflar até decuplicar o tamanho, teremos o equivalente a acrescentar três zeros. Dito de maneira mais geral: o volume é proporcional à terceira potência do comprimento, e o logaritmo é multiplicado por três.

Podemos fazer o mesmo tipo de cálculo para a área. Mas a área aumenta em proporção à segunda potência do comprimento, e não à terceira. Não é à toa que elevar à segunda potência é chamado de elevar ao quadrado, e elevar à terceira, de elevar ao cubo. O volume de um torrão de açúcar determina quanto de açúcar existe ali e quanto ele custa. Mas a velocidade com que ele se dissolve será determinada pela área da superfície (um cálculo que não é simples, pois, à medida que o açúcar se dissolve, a área da superfície remanescente diminuirá mais devagar do que o volume do açúcar restante). Quando inflamos uniformemente um objeto duplicando seu comprimento (largura etc.), multiplicamos a área da superfície por $2 \times 2 = 4$. Se multiplicarmos seu comprimento por dez, multiplicaremos a área da superfície por $10 \times 10 = 100$, ou seja, acrescentaremos dois zeros ao número. O logaritmo da área aumenta segundo o dobro do logaritmo do comprimento, enquanto o logaritmo do volume aumenta segundo o triplo do logaritmo do comprimento. Um torrão de açúcar de 2 cm conterá oito vezes mais açúcar do que um torrão de 1 cm, mas liberará açúcar no chá apenas quatro vezes mais rápido (pelo menos de início), porque a superfície do cubo é que fica exposta ao chá.

Agora imagine que fazemos um gráfico do tipo *scatter plot* para torrões de açúcar de tamanhos muito variados, com a massa do torrão (proporcional ao volume) ao longo do eixo horizontal e a taxa (inicial) de dissolução ao longo do eixo vertical (supondo-se que ela seja proporcional à área). Em um gráfico não logarítmico, os pontos incidirão ao longo de uma linha *curva*, o que será muito difícil de interpretar e pouco útil. Mas, se plotarmos o logaritmo da massa contra o logaritmo da taxa inicial de dissolução, veremos algo muito mais informativo. Para cada triplicação do logaritmo da massa, veremos uma duplicação do logaritmo da superfície. Na escala log-log, os pontos não incidirão ao longo de uma curva, mas de uma linha reta. E mais: a *inclinação* dessa linha reta significará algo muito preciso. Será uma inclinação de dois terços: para cada dois passos marcados no eixo da área, a linha dá três passos ao longo do eixo do volume. Para cada duplicação do logaritmo da área, triplica-se o logaritmo do volume. Dois terços não é a única inclinação informativa da linha que podemos ver em uma plotagem do tipo log-log. Plotagens desse tipo são informativas porque a inclinação da linha nos dá uma ideia intuitiva do que está ocorrendo em relação a aspectos como o volume e a área. E volumes e áreas, bem como as complicadas relações entre eles, são extremamente importantes para compreendermos os organismos vivos e suas partes.

Matemática não é o meu forte — para dizer o mínimo — mas até eu consigo perceber como isso é fascinante. E fica melhor, pois o mesmo princípio funciona para todas as formas: não apenas as jeitosas, como cubos e esferas, mas também formas complexas como animais e pedaços de animais como os rins ou o cérebro. É preciso apenas que a mudança de tamanho ocorra por simples inflação ou deflação, sem mudança de forma. Isso nos dá uma espécie de expectativa nula contra a qual podemos comparar medidas reais. Se uma espécie de animal tem dez vezes o comprimento de outra, sua massa será mil vezes maior, *mas apenas se as formas forem iguais*. Na verdade, é muito provável que a forma tenha evoluído de modo a ser sistematicamente diferente conforme se vai dos animais pequenos para os grandes, e agora podemos ver por quê.

Os animais grandes precisam ter forma diferente da dos animais pequenos, no mínimo por causa das regras de escala para a área e o volume que vimos acima. Se transformássemos um musaranho em um elefante simplesmente inflando seu corpo e mantendo a mesma forma, ele não sobreviveria. Isso porque, agora que ele ficou cerca de 1 milhão de vezes mais pesado, surgiria todo um novo conjunto de problemas. Alguns dos problemas que um animal enfrenta dependem do volume (massa). Outros, da área. Outros ainda dependem de alguma complexa função desses dois fatores, ou de alguma outra consideração totalmente diferente. Assim como a taxa de dissolução do torrão de açúcar, a taxa de perda de calor de um animal, ou de perda de água através da pele, será proporcional à área que ele apresenta ao meio externo. Mas sua taxa de geração de calor está provavelmente mais relacionada ao número de células no corpo, o que é função do volume.

Um musaranho cujo tamanho fosse aumentado proporcionalmente até o tamanho de um elefante teria pernas magricelas que se quebrariam com o esforço, e seus músculos esguios seriam fracos demais para funcionar. A força de um músculo é proporcional não ao seu volume, mas à sua área transversal. Isso porque o movimento muscular é o movimento somado de milhões de fibras moleculares que deslizam paralelamente umas às outras. O número de fibras que podem ser acondicionadas em um músculo depende da área de sua seção transversal (segunda potência do tamanho linear). Mas a tarefa que o músculo tem de executar — sustentar um elefante, por exemplo — é proporcional à massa do elefante (terceira potência do tamanho linear). Por isso, para sustentar sua massa, o elefante *precisa* proporcionalmente de mais fibras musculares do que o musaranho. Portanto, a área transversal dos músculos do elefante tem de ser maior do que esperaríamos de um simples aumento em escala, e o mesmo vale para o volume dos músculos desse animal. Por diferentes razões específicas, a conclusão é semelhante no caso dos ossos. Por isso é que animais grandes como os elefantes possuem pernas robustas e troncudas.

Suponhamos que um animal do tamanho de um elefante seja cem vezes mais comprido do que um animal do tamanho de um musaranho. Sem mudança de forma, a área de sua pele externa seria 10 mil vezes maior que a do musaranho, e seu volume e massa, 1 milhão de vezes maior. Se as células sensíveis do tato estiverem igualmente espaçadas pela pele, o elefante precisará de 10 mil vezes mais dessas células, e a parte do cérebro que as serve terá, talvez, que ser aumentada proporcionalmente. O número total de células no corpo do elefante será 1 milhão de vezes maior que no musaranho, e todas elas terão de ser servidas por vasos sanguíneos capilares. O que isso faz com o número de quilômetros de vasos sanguíneos que esperamos em um animal grande, em comparação com um pequeno? Trata-se de um cálculo complicado, ao qual voltaremos em um conto posterior. Por ora, basta entendermos que, quando calculamos esse número, não podemos desconsiderar essas regras de proporção para os volumes e as áreas. E o gráfico logarítmico é um bom método de obtermos pistas intuitivas para essas coisas. A principal conclusão é que, conforme os animais ficam maiores ou menores na evolução, esperamos que sua forma mude em direções previsíveis.

Até agora pensamos sobre o tamanho do cérebro. Não podemos simplesmente comparar nosso cérebro aos do *Homo habilis*, do *Australopithecus* ou de qualquer outra espécie sem levar em consideração o tamanho do corpo. Precisamos de algum índice de tamanho do cérebro que o leve em conta. Não podemos dividir o tamanho do cérebro pelo do corpo, ainda que isso seja melhor do que apenas comparar os tamanhos absolutos. O melhor é usar o gráfico logaritmo do qual estávamos falando: plotar o logaritmo da massa cerebral em relação ao logaritmo da massa corporal para numerosas espécies de tamanhos diferentes. Os pontos incidirão provavelmente em torno de uma linha reta, como de fato vemos no gráfico da página 105. Se a inclinação da linha for ¹⁄₁ (tamanho do cérebro exatamente proporcional ao tamanho do corpo), isso indicará que cada célula cerebral é capaz de servir a algum número fixo de células do corpo. Uma inclinação de ⅔ indicaria que os cérebros são como os ossos e os músculos: um dado volume corporal (ou número de células corporais) requer uma dada área superficial do cérebro. Alguma outra inclinação necessitaria ainda de outra interpretação diferente. Então, qual é a inclinação real da linha?

Não é ¹⁄₁, nem ⅔, mas algo intermediário. Para ser exato, é notavelmente próximo de ¾. Por que ¾? Bem, isso requer seu próprio conto, que ficará a cargo, como o leitor sem dúvida adivinhou, da couve-flor (ora, um cérebro se parece um pouco com uma couve-flor!). Sem invadir o assunto de "O conto da couve-flor", direi apenas que a inclinação de ¾ não é exclusividade dos cérebros; ela aparece por toda parte em seres vivos de todos os tipos, inclusive em plantas como a couve-flor. Aplicada ao tamanho do cérebro, e com o fundamento intuitivo que terá de esperar pelo conto da couve-flor, essa linha observada, com sua inclinação de ¾, é o significado que atribuiremos à palavra "esperar" como ela foi usada nos parágrafos iniciais deste conto.

Embora os pontos se aglomerem em torno da reta "esperada" de inclinação ¾, nem todos os pontos incidem exatamente sobre a linha. Uma espécie "cerebruda" é aquela cujo ponto no gráfico incide acima da linha. Seu cérebro é maior do que o "esperado" para o tamanho do seu corpo. Uma espécie cujo cérebro é menor do que o "esperado" fica representada abaixo da linha. A distância acima ou abaixo da linha é nossa medida do *quanto* nossa variável é maior ou menor do que o "esperado". Um ponto que incide exatamente na linha representa uma espécie cujo tamanho é exatamente o esperado para o tamanho do seu corpo.

Esperado em que hipótese? Na hipótese de que ele é típico do conjunto de espécies cujos dados contribuíram para o cálculo da linha. Assim, se a linha foi calculada a partir de uma série representativa de vertebrados terrestres, tão variados como a lagartixa e o elefante, o fato de que todos os mamíferos incidem acima da linha (e todos os répteis abaixo) significa que os mamíferos possuem cérebro maior do que se "esperaria" de um vertebrado típico. Se calcularmos uma linha separada com base em um conjunto representativo de mamíferos, ela será paralela à linha dos vertebrados, ainda com inclinação ¾, mas sua altura absoluta será maior. Uma linha separada calculada a partir de uma série representativa de primatas (macacos e grandes primatas) será ainda mais alta, mas ainda paralela e com inclinação ¾. E o *Homo sapiens* estará mais no alto que qualquer um deles.

O cérebro humano é grande "demais" até para os padrões dos primatas, e o cérebro médio dos primatas é grande demais para os padrões dos mamíferos em geral. A propósito, o cérebro médio dos mamíferos é grande demais para os padrões dos vertebrados. Outro modo de dizer tudo isso é que a dispersão dos pontos no gráfico dos vertebrados é maior do que a dos pontos no gráfico dos mamíferos, que por sua vez é maior do que a dos primatas que esse gráfico inclui. A dispersão dos pontos que representam os xenartros no gráfico (os xenartros são uma ordem de mamíferos sul-americanos que inclui a preguiça, o tamanduá e o tatu) situa-se abaixo da média dos mamíferos, entre os quais os xenartros se classificam.

Harry Jerison, o pai dos estudos sobre o tamanho dos cérebros fósseis, propôs um índice, o Quociente de Encefalização, ou QE, como medida do quanto o cérebro de determinada espécie é maior ou menor do que "deveria" ser para o tamanho do animal, considerando que essa espécie é membro de um grupo mais abrangente, como o dos vertebrados ou mamíferos. Note que o QE requer que especifiquemos o grupo maior que está sendo usado como base de comparação. O QE de uma espécie é sua distância acima, ou abaixo, da linha média para o grupo maior especificado. Jerison achava que a inclinação da linha era de ⅔, mas estudos modernos concordam que a inclinação é de ¾. Por isso, as estimativas de QE feitas por Jerison precisam ser retificadas, como ressaltou Robert Martin. Quando isso é feito, podemos ver que o cérebro do humano moderno é aproximadamente seis vezes maior do que deveria ser para um mamífero de tamanho equivalente ao seu (o QE seria maior se fosse calculado não com base no padrão dos mamíferos como um todo, mas dos vertebrados em geral. E seria menor se calculado com base no padrão dos primatas como um todo).* O cérebro de um chimpanzé moderno é cerca de duas vezes maior do que deveria ser o de um mamífero típico, e o mesmo se pode dizer quanto aos cérebros dos australopitecos. O *Homo habilis* e o *Homo erectus*, as espécies que provavelmente são intermediárias na evolução entre os australopitecos e nós, também são intermediários no tamanho do cérebro. Ambos têm QE de aproximadamente 4, ou seja, seus cérebros eram cerca de quatro vezes maiores do que deveriam ser para um mamífero de tamanho equivalente.

O gráfico da página ao lado mostra uma estimativa do QE, o "índice de encefalidade", para vários primatas e homens-macaco fósseis, como uma função da época em que viveram. Com algumas ressalvas, poderíamos interpretá-lo como um gráfico tosco de "encefalização" decrescente conforme retrocedemos no tempo evolutivo. No topo do gráfico está o *Homo sapiens* moderno com QE 6, ou seja, nosso cérebro é seis vezes mais pesado do que "deveria ser" para um mamífero típico do nosso tamanho. Na parte inferior do gráfico estão fósseis que talvez possam representar algo como o Concestral 5, o ancestral que temos em comum com os macacos do Velho Mundo. Seu QE estimado era aproximadamente 1, pois possuíam um cérebro "aproximadamente certo" para o de um mamífero moderno típico do mesmo tamanho. Em pontos intermediários no gráfico estão várias espécies de *Australopithecus* e *Homo* que poderiam ser próximos da nossa linhagem ancestral na época em que viveram. A linha traçada é, novamente, a linha reta que melhor se ajusta aos pontos no gráfico.

Aconselhei algumas ressalvas, mas acho melhor aumentar para muitas ressalvas. O "índice de encefalidade", QE, é calculado a partir de duas quantidades

* Boa parte disso também se aplica ao QI, quociente de inteligência. O QI *não* é uma medida absoluta da inteligência. O QI de uma pessoa reflete o grau em que essa pessoa é mais (ou menos) inteligente do que a média de uma população específica, e essa média é padronizada em cem. Meu QI medido com o padrão da população da Universidade Oxford seria mais baixo do que se fosse medido segundo o padrão de toda a população da Inglaterra. Daí vem a piada sobre os políticos que lamentam o fato de metade da população ter QI inferior a cem.

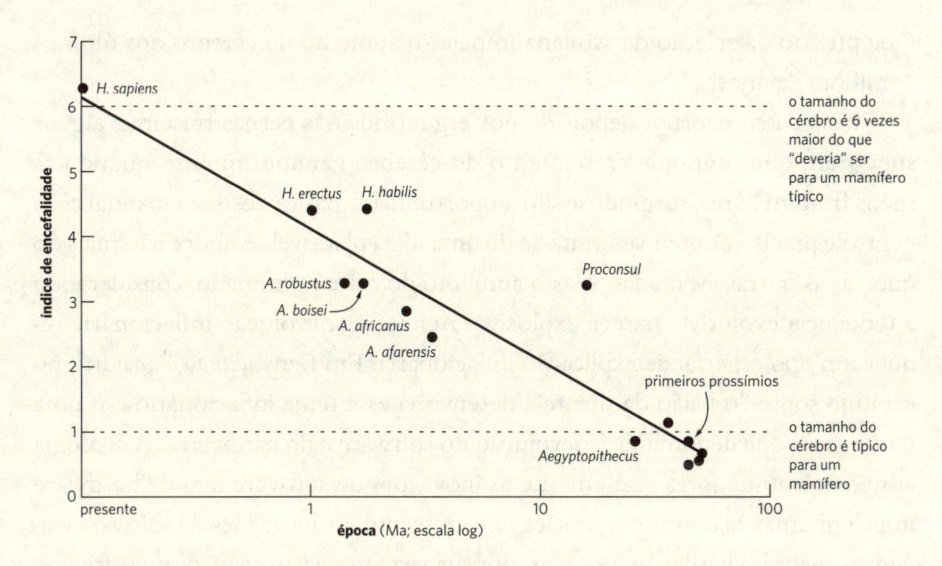

REPRESENTAÇÃO GRÁFICA EM ESCALA LOGARÍTMICA DO QE, ÍNDICE DE ENCEFALIDADE, PARA FÓSSEIS DE VÁRIAS ESPÉCIES EM RELAÇÃO AO TEMPO EM MILHÕES DE ANOS. Os resultados foram ajustados para uma inclinação de ¾ na linha de referência (ver texto).

medidas, a massa cerebral e a massa corporal. No caso dos fósseis, ambas têm de ser estimadas com base nos fragmentos que chegaram até nós, e a margem de erro é enorme, especialmente na estimativa da massa corporal. O ponto no gráfico que representa o *Homo habilis* mostra-o como mais "cerebrudo" que o *Homo erectus*. Não acredito nisso. O tamanho absoluto do cérebro do *H. erectus* é inegavelmente maior. A inflação do QE do *H. habilis* resulta da estimativa muito mais baixa para sua massa corporal. Mas, para termos uma ideia da margem de erro, basta refletir sobre a enorme variação da massa corporal nos humanos modernos. O QE como uma medida é extremamente sensível ao erro na mensuração da massa corporal, a qual, lembremos, é elevada a uma potência na fórmula do QE. Portanto, a dispersão dos pontos em torno da linha reflete, em grande medida, estimativas erráticas da massa corporal. Porém, a tendência ao longo do tempo, como está representada pela linha, é provavelmente real. Os métodos explicados neste conto, em especial as estimativas do QE no gráfico acima, corroboram nossa impressão subjetiva de que uma das coisas mais importantes dos últimos 3 milhões de anos de nossa evolução foi o grande crescimento do nosso já avantajado cérebro de primata. A próxima questão óbvia é: por quê?

Que pressão da seleção darwiniana impeliu o aumento do cérebro nos últimos 3 milhões de anos?

Como isso ocorreu depois de nos erguermos nas pernas traseiras, alguns sugeriram que o grande crescimento do cérebro ganhou impulso quando as mãos ficaram livres, surgindo assim a oportunidade para a destreza manual com controle preciso. A meu ver, trata-se de uma ideia plausível, embora não mais do que várias outras aventadas. Mas o aumento do cérebro humano, considerando a tendência evolutiva, parece explosivo. Acho que a evolução inflacionária requer um tipo especial de explicação inflacionária. Em *Desvendando o arco-íris*, no capítulo sobre "o balão da mente", desenvolvi esse tema inflacionário em uma teoria geral que denominei "coevolução do software e do hardware". A analogia com os computadores está em que as inovações de software e as de hardware impelem umas às outras em uma espiral crescente. As inovações de software exigem avanços no hardware, os quais, por sua vez, provocam avanços no software. Desse modo, a inflação acelera-se. No cérebro, meus candidatos para o *tipo* de coisa que eu tinha em mente quando falei em inovação de software foram a linguagem, o rastreamento de animais, o lançamento de objetos e os memes. Uma teoria da inflação do cérebro à qual não fiz justiça em meu livro anterior foi a da seleção sexual, e é só por essa razão que darei a ela especial destaque mais adiante neste livro.

Poderia o cérebro humano aumentado, ou melhor, seus produtos, como a pintura do corpo, a poesia épica e as danças rituais, ter evoluído como uma espécie de cauda de pavão mental? Faz tempo que tenho uma queda por essa ideia, mas ninguém a havia desenvolvido como uma teoria apropriada até que Geoffrey Miller, jovem psicólogo evolutivo norte-americano que trabalha na Inglaterra, escreveu *The mating mind*. Examinaremos sua ideia em "O conto do pavão", depois que as aves peregrinas se juntarem a nós no Encontro 16.

Homens-macacos

Os textos sobre fósseis de humanos escritos para o público leigo proclamam a alegada ambição de descobrir o "primeiro" ancestral humano. Isso é bobagem. Podemos fazer uma pergunta específica, como por exemplo, "qual foi o primeiro ancestral humano a andar habitualmente sobre duas pernas?", ou "qual a primeira criatura que foi nosso ancestral, mas não ancestral dos chimpanzés?". Ou ainda: "qual foi o primeiro ancestral humano a possuir cérebro com volume superior a 600 cc?". Essas questões ao menos significam alguma coisa em princípio, embora sejam difícies de responder na prática e padeçam, algumas delas, do vício de criar lacunas artificiais em um *continuum* inconsútil. Mas "qual foi o primeiro ancestral humano?" não significa coisa alguma.

Mais insidiosamente, a competição para encontrar ancestrais humanos significa que novas descobertas de fósseis são apregoadas como pertencentes à "principal" linhagem humana sempre que houver uma remota possibilidade de isso ser verdade. Porém, à medida que a terra nos entrega cada vez mais fósseis, está ficando mais claro que, durante boa parte da história dos hominídeos, a África abrigou simultaneamente várias espécies dessa família. Isso só pode significar que muitas espécies fósseis hoje consideradas ancestrais do homem foram, na verdade, nossas primas.

Em várias épocas desde seu surgimento na África, o *Homo* compartilhou o continente com hominídeos mais robustos, talvez várias espécies deles. Como de hábito, existe um acirrado debate quanto às afinidades e ao número exato dessas espécies. Entre os nomes atribuídos a diversas dessas criaturas (vistas por nós no gráfico no final de "O conto do Homem Habilidoso"), temos: *Australopithecus* (ou *Paranthropus*) *robustus*, *Australopithecus* (ou *Parathropus* ou *Zijanthropus*) *boisei* e *Australopithecus* (ou *Paranthropus*) *aethiopicus*. Eles parecem ter evoluído de grandes primatas mais "gráceis" (grácil, nesse caso, significa o oposto de robusto). Os grandes primatas gráceis também são classificados no gênero *Australopithecus*, e nós, quase com certeza, também emergimos das fileiras dos australopitecos gráceis. Com efeito, muitas vezes é difícil distinguir os *Homo* mais antigos dos australopitecos gráceis — daí minha diatribe contra as convenções nomenclaturais que os situam em gêneros distintos.

Os ancestrais imediatos do *Homo* seriam classificados como algum tipo de australopiteco grácil. Analisemos alguns dos fósseis gráceis. A Sra. Ples tem sido um dos meus prediletos desde que o Museu Transvaal de Pretória presenteou-me com um belo molde de seu crânio no 15º aniversário de sua descoberta nas proximidades do museu, no sítio de Sterkfontein, onde fiz a "Conferência em memória a Robert Broom" celebrando a descoberta desse fóssil. A Sra. Ples viveu há cerca de 2,5 milhões de anos. Seu apelido vem do gênero *Plesianthropus*, no qual ela foi classificada antes de decidirem incorporá-la ao *Australopithecus*, e também se deve ao fato de pensarem (talvez equivocadamente, como hoje se suspeita) que se tratava de uma fêmea. É bem comum hominídeos fósseis adquirirem apelidos dessa maneira. O Sr. Ples, naturalmente, é um fóssil descoberto tempos depois em Sterkfontein, pertencente à mesma espécie da Sra. Ples, *Australopithecus africanus*. Entre outros fósseis com apelidos, temos o Dear Boy, um australopiteco robusto também conhecido como Zinj porque originalmente o chamaram de *Zinjanthropus boisei*, Little Foot (ver página 119) e a famosa Lucy, de quem trataremos agora.

Encontramos Lucy quando o hodômetro da nossa máquina do tempo marca 3,2 milhões de anos. Também um australopiteco grácil, ela é mencionada com frequência porque sua espécie, *Australopithecus afarensis*, é forte concorrente a ancestral humana. Os descobridores de Lucy, Donald Johanson e colegas, também encontraram nessa mesma área fósseis de treze indivíduos semelhantes, e eles ficaram conhecidos como "Primeira Família". Desde então foram encontradas outras "Lucys" com idades entre 3 e 4 milhões de anos em outras partes da África oriental. As pegadas de 3,6 milhões de anos achadas por Mark Leakey em Laetoli (página 100) são atribuídas a *A. afarensis*. Independentemente de qual seja o nome latino, é evidente que alguém estava andando sobre duas pernas naquela época. Lucy não é muito diferente da Sra. Ples, e alguns consideram as Lucys uma versão anterior dela. Seja como for, elas são mais parecidas entre si do que com os australopitecos robustos, considerando qualquer uma delas. Afirma-se que as Lucys mais antigas do leste africano têm cérebro ligeiramente menor do que o das Sras. Ples sul-africanas mais recentes, mas isso não quer dizer grande coisa. Seus cérebros não diferiam mais uns dos outros do que os cérebros de alguns humanos modernos diferem dos de outros humanos modernos.

Como agora já se espera, os indivíduos mais recentes da espécie *afarensis*, como Lucy, são ligeiramente diferentes das formas *afarensis* mais antigas, de 3,9 milhões de anos atrás. As diferenças acumulam-se no decorrer do tempo e, quando emergimos da nossa máquina do tempo 4 milhões de anos atrás, encontramos mais criaturas que poderiam muito bem ser ancestrais de Lucy e seus parentes, mas que diferem o bastante, pois se parecerem mais com os chimpanzés, para merecer outro nome de espécie. Descobertos por Meave Leakey e sua equipe, esses *Australopithecus anamensis* consistem em mais de oitenta fósseis de dois sítios próximos ao lago Turkana. Não foi encontrado nenhum crânio intacto, mas há um esplêndido maxilar inferior, que poderia muito bem pertencer a algum ancestral nosso.

Mas a mais empolgante descoberta desse período, e uma boa razão para fazermos uma pausa aqui, é um fóssil que ainda não foi inteiramente descrito em nenhum texto impresso. Carinhosamente apelidado de Little Foot [Pezinho], esse esqueleto das cavernas de Sterkfontein, na África do Sul, foi datado em cerca de 3 milhões de anos, mas recentemente a datação foi recalculada para pouco mais de 4 milhões de anos. Sua descoberta foi um trabalho sherloquiano. Pequenos fragmentos do pé esquerdo de Little Foot foram encontrados durante uma escavação no sítio de Sterkfontein em 1978, mas ficaram guardados sem etiqueta, esquecidos, até que, em 1994, o paleontólogo Ronald Clarke, trabalhando sob a direção de Phillip Tobias, os encontrou por acaso numa caixa no galpão usado pelos trabalhadores da caverna de Sterkfontein. Três anos depois, Clarke topou com outra caixa de ossos de Sterkfontein em um depósito na Universidade de Witwatersrand. Essa caixa estava rotulada como "Cercopitecoides". Clarke tinha interesse nesse tipo de macaco, por isso olhou o conteúdo da caixa e extasiou-se quando viu um osso do pé de um hominídeo em meio a ossos de macaco. Vários ossos de pé e perna na caixa pareciam corresponder aos ossos anteriormente encontrados no galpão de Sterkfontein. Um deles era a metade de uma tíbia direita com fratura transversal. Clarke deu um molde da tíbia a dois assistentes africanos, Nkwane Molefe e Stephen Motsumi, e pediu a eles que voltassem a Sterkfontein para procurar a outra metade: "A tarefa que dei a eles era como procurar uma agulha num palheiro, pois a gruta é enorme, profunda e escura, com brechas expostas nas paredes, chão e teto. Depois de dois dias procurando à luz de lanternas manuais, eles o encontraram em 3 de julho de 1997". A façanha da montagem do quebra-cabeça por Molefe e Motsumi foi ainda mais impressionante porque o osso que se encaixava no molde deles estava, disseram eles,

> no extremo oposto do lugar onde havíamos escavado da outra vez. O encaixe era perfeito, apesar de o osso ter sido arrebentado pelos mineiros de calcário 65 anos ou mais antes do achado. À esquerda da extremidade exposta da tíbia direita podia-se ver a seção do corpo quebrado da tíbia esquerda, à qual pôde ser acoplada a extremidade inferior da tíbia esquerda com ossos do pé. À esquerda destes via-se o corpo quebrado da fíbula esquerda. Com base naquelas posições, com os membros inferiores em relação anatômica correta, parecia que todo o esqueleto tinha de estar lá, deitado de bruços.

Na verdade ele não estava bem ali, mas, depois de refletir sobre os colapsos geológicos daquela área, Clarke deduziu o local onde o esqueleto deveria estar, e foi exatamente onde a talhadeira de Motsumi o encontrou. Clarke e sua equipe tiveram uma sorte tremenda, mas temos aqui um perfeito exemplo da máxima de cientistas como Louis Pasteur: "A sorte favorece a mente preparada".

Little Foot ainda não foi totalmente escavado, descrito e formalmente nomeado, mas os relatórios preliminares indicam um achado espetacular, rivalizando com Lucy em completude, só que mais velho. Embora o fóssil se pareça mais com um humano do que com um chimpanzé, o hálux é mais divergente do que o nosso. Isso poderia indicar que Little Foot agarrava ramos de árvore com os pés, de um modo impossível para nós. Embora quase com certeza ele andasse sobre duas pernas, Little Foot provavelmente também subia em árvores, e seu modo de andar era diferente do nosso. Como outros australopitecos, ele talvez passasse algum tempo nas árvores, quem sabe acampando nelas à noite, como os chimpanzés modernos.

Depois da parada no marco de 4 milhões de anos, vamos dar uma rápida olhada na jornada que ainda temos pela frente. Existem alguns vestígios fragmentários de uma criatura possivelmente bípede e com características de *Australopithecus* em uma época ainda mais remota: aproximadamente 4,4 milhões de anos atrás. Tim White e seus colegas descobriram-na na Etiópia, nas proximidades do último local de repouso de Lucy. Batizaram-na de *Ardipithecus ramidus*,* embora alguns prefiram mantê-la no gênero *Australopithecus*. Até hoje não foi encontrado nenhum crânio de *Ardipithecus*, mas seus dentes sugerem que ele era mais semelhante aos chimpanzés do que qualquer um dos humanos posteriores. O esmalte de seus dentes era mais grosso que o dos chimpanzés, mas não tanto quanto o nosso. Foram encontrados alguns ossos cranianos isolados, e esses indicam que o crânio se assentava no topo da coluna vertebral, como o nosso, e não na frente, como o dos chimpanzés. Isso indica uma postura vertical, e os ossos de pé encontrados corroboram a ideia de que o *Ardipithecus* era bípede.

O bipedalismo separa tão drasticamente os humanos do resto dos mamíferos que, na minha opinião, ele merece um conto só para si. E quem melhor para contá-lo do que Little Foot?

O CONTO DE LITTLE FOOT

Não ajuda muito ficar procurando justificar por que andar com duas pernas poderia ser algo bom em todos os sentidos. Se fosse, os chimpanzés também o fariam, para não falar dos outros mamíferos. Não há nenhuma razão óbvia para afirmar que a corrida bípede ou quadrúpede é mais rápida ou mais eficiente. Mamíferos que galopam podem ser assombrosamente velozes usando a flexibilidade que sua espinha dorsal tem de mover-se para baixo e para cima, dando-lhes, entre outros benefícios, condições de alongar eficazmente as passadas. Mas o avestruz prova que o andar bípede como o do homem pode ser páreo para o de um cavalo quadrúpede. De fato, um corredor com velocidade de humano, embora seja perceptivelmente mais lento do que um cavalo ou um cão (e tam-

* Há quem distinga uma segunda espécie, *Ardipithecus kadabba*.

bém do que um avestruz ou um canguru), não é deploravelmente lerdo. Os macacos e os grandes primatas quadrúpedes em geral são corredores medíocres, talvez porque a estrutura de seu corpo tenha de atender às necessidades da escalada de árvores. Até os babuínos, que normalmente procuram comida e correm no chão, recorrem às árvores para dormir e defender-se de predadores, mas são capazes de correr rápido se for preciso.

Portanto, quando perguntamos por que nossos ancestrais se ergueram nas pernas traseiras, e quando imaginamos a alternativa quadrúpede que abandonamos, não é justo apelar para os predadores ou coisas do gênero. Quando nossos ancestrais pela primeira vez se ergueram na postura bípede, não havia nisso nenhuma vantagem esmagadora em eficiência ou velocidade. Devemos procurar em outra parte a pressão da seleção natural que nos impeliu para essa mudança revolucionária de postura.

Assim como outros quadrúpedes, os chimpanzés podem ser treinados para andar sobre as pernas traseiras, e mesmo sem treino eles o fazem por distâncias curtas. Deste modo, provavelmente não seria para eles uma dificuldade insuperável fazer a mudança caso isso lhes trouxesse grandes benefícios. Os orangotangos são ainda melhores no andar bípede. Os gibões selvagens, cujo método mais veloz de locomoção é a braquiação — balançar-se de galho em galho pendurados pelos braços —, também correm em clareiras sobre as pernas traseiras. Alguns macacos aprumam-se para enxergar por sobre o capim alto ou para vadear um rio. Um lêmure chamado sifaca-de-verreaux, embora tenha principalmente uma vida arborícola e seja um espetacular acrobata aéreo, "dança" no chão em meio às árvores sobre as pernas traseiras com os braços levantados, gracioso como um bailarino.

Às vezes, os médicos nos mandam correr sem sair do lugar usando uma máscara no rosto, para medirem nosso consumo de oxigênio e outros índices metabólicos quando estamos nos exercitando. Em 1973, dois biólogos americanos, C. R. Taylor e V. J. Rowntree, puseram chimpanzés e macacos-capuchinhos para correr em uma esteira. Fizeram todos correr com as quatro pernas e com duas (deram-lhes algum apoio onde se segurar), podendo assim comparar o consumo de oxigênio e a eficiência dos dois tipos de corrida. Esperavam que o porte quadrúpede se mostrasse mais eficiente. Afinal de contas, isso é o que ambas as espécies fazem naturalmente, e é para esse modo de andar que sua anatomia é adequada. Talvez o bipedalismo fosse ajudado pelo fato de eles terem onde se segurar. Seja como for, os resultados não foram os esperados. Não houve diferença significativa entre o consumo de oxigênio dos dois modos de correr. Taylor e Rowntree concluíram: "O custo relativo de energia das corridas bípede e quadrúpede não deve ser usado em argumentos sobre a evolução da locomoção bipedal no homem".

Mesmo se isso for um exagero, pelo menos deve servir de incentivo para que procuremos em outra parte os possíveis benefícios da nossa postura incomum e leva-nos a desconfiar que, sejam quais forem os benefícios não locomotores do bipedalismo que possamos aventar como impulsionadores da sua evolução, eles provavelmente não tiveram de lutar contra um custo elevado na locomoção.

Como poderia ser um benefício não locomotor? Uma sugestão estimulante é a teoria da seleção sexual de Maxine Sheets-Johnstone, da Universidade de Oregon. Essa cientista supõe que nos erguemos nas pernas traseiras porque isso nos permitia exibir o pênis. Isso para aqueles dentre nós que possuíam um, obviamente. As fêmeas, pensa Sheets-Johnstone, faziam isso pela razão oposta: esconder sua genitália que, nos primatas, ficam mais à mostra quando se está de quatro. Trata-se de uma ideia interessante, mas não a defendo. Menciono-a só como um exemplo do *tipo* de coisa que tenho em mente quando me refiro a uma teoria não locomotora. Assim como ocorre com tantas teorias desse tipo, ficamos nos perguntando por que ela se aplicaria à nossa linhagem mas não às dos outros grandes primatas ou macacos.

Outro conjunto de teorias salienta a libertação das mãos como a vantagem verdadeiramente importante do bipedalismo. Talvez tenhamos passado a andar sobre as pernas traseiras não porque fosse um bom modo de nos deslocar, mas graças ao que podíamos fazer com as mãos nessa postura — carregar alimentos, por exemplo. Muitos grandes primatas e macacos alimentam-se de matéria vegetal, amplamente disponível, mas não muito rica ou concentrada em nutrientes; por isso, eles precisam comer enquanto se deslocam, mais ou menos continuamente, como os bovinos. Outros tipos de alimentos, como a carne ou grandes tubérculos subterrâneos, são mais difíceis de obter, mas, quando encontrados, são valiosos — merecem ser carregados para casa em maior quantidade do que aquela que se pode comer na hora. Quando um leopardo apanha uma presa, a primeira coisa que costuma fazer é içá-la para o alto de uma árvore e pendurá-la em um galho, onde ela ficará relativamente a salvo de carniceiros larápios e estará disponível para futuras refeições. O leopardo usa suas potentes mandíbulas para segurar a carcaça, pois precisa das quatro pernas para subir na árvore. Será que nossos ancestrais, possuindo mandíbulas muito menores e mais fracas que as do leopardo, beneficiaram-se da habilidade de andar sobre duas pernas porque isso deixava suas mãos livres para carregar alimento — talvez levá-lo para a parceira ou para a cria, trocar favores com os companheiros ou estocá-lo para necessidades futuras?

Aliás, essas duas últimas possibilidades podem ser mais próximas uma da outra do que parecem. A ideia (credito esse inspirado modo de expressá-la a Steven Pinker) é que, antes da invenção da geladeira, o melhor lugar para guardar carne era na barriga de um companheiro. Por quê? A carne em si, logicamente, não está mais disponível depois que o companheiro a come, mas a boa vontade que ela compra está segura, estocada por longo prazo no cérebro do beneficiado, que se recordará do favor prestado e o retribuirá quando a sorte se inverter.* Sabe-se que os chimpanzés trocam carne por favores. No passado remoto, esse tipo de "vale" fazia as vezes do dinheiro.

Uma versão específica da teoria de "levar comida para casa" é a do antropólogo norte-americano Owen Lovejoy. Ele aventa que as fêmeas, ao procurarem alimento, eram tolhidas pelas crias lactentes, e por isso não podiam deslocar-se por longas distâncias em busca de comida. A má nutrição e a baixa produção de leite consequentes retardariam o desmame. Fêmeas lactantes são inférteis. O macho que alimentar uma fêmea lactante acelera o desmame da cria atual e a torna sexualmente receptiva mais cedo. Quando isso ocorrer, ela talvez volte sua receptividade especialmente para o macho que acelerou o processo suprindo-a de alimento. Assim, um macho capaz de trazer bastante comida para casa poderia ganhar uma vantagem reprodutiva direta sobre um macho rival que comesse tudo o que encontrasse. Daí viria a evolução do bipedalismo a fim de livrar as mãos para o transporte.

Outras hipóteses da evolução bipedal invocam os benefícios da altura, talvez para ficar em pé nas pernas traseiras a fim de enxergar por sobre o capim alto, ou manter a cabeça fora d'água ao vadear um rio. Esta última é a imagina-

* Uma teoria sobre o altruísmo recíproco desenvolveu-se acentuadamente no darwinismo a partir do trabalho pioneiro de Robert Trivers, prosseguindo com as formulações de Robert Axelrod e outros. A troca de favores, com retribuição postergada, realmente funciona. Discorro sobre esse tema em *O gene egoísta*, especialmente na segunda edição.

tiva teoria do "primata aquático", de Alister Hardy, habilmente defendida por Elaine Morgan. Outra teoria, preferida por John Reader em sua fascinante biografia da África, aventa que a postura vertical minimiza a exposição ao Sol, limitando-a ao topo da cabeça, que consequentemente é suprida de uma cabeleira protetora. Além disso, quando o corpo não fica rente ao chão, pode perder calor mais depressa.

Meu colega, o eminente artista e zoólogo Jonathan Kingdon, escreveu todo um livro, *Lowly origin* [Origem humilde], centrado no tema da evolução do bipedalismo humano. Após uma vigorosa análise de treze hipóteses mais ou menos distintas, entre as quais as que mencionei, Kingdon apresenta suas próprias ideias em uma teoria refinada e multifacetada. Em vez de enfocar o benefício imediato de andar sobre duas pernas, ele discorre sobre um complexo de mudanças anatômicas quantitativas que teriam surgido por alguma outra razão, mas depois facilitaram a adoção do bipedalismo (o termo técnico para esse tipo de coisa é pré-adaptação). A pré-adaptação aventada por Kingdon é denominada por ele de "comer de cócoras". O ato de comer de cócoras é comum entre os babuínos em campo aberto, e Kingdon visualiza os grandes primatas nossos ancestrais fazendo coisa semelhante na floresta: por exemplo, revirando pedras ou montes de folhas à procura de insetos, larvas, lesmas e outros petiscos nutritivos. Para fazer isso com eficácia, eles teriam de eliminar algumas das adaptações à vida arborícola. Seus pés, que antes se pareciam com mãos e eram usados para agarrar os ramos de árvore, teriam ficado mais achatados, formando uma plataforma estável para a postura de cócoras. O leitor já terá vislumbrado aonde esse argumento quer chegar. Pés mais chatos e menos semelhantes a mãos para permitir a postura de cócoras servirão mais tarde como pré-adaptação para o andar bípede. E o leitor, como sempre, compreenderá que esse meu modo aparentemente deliberado de escrever — eles teriam de "eliminar" suas adaptações à vida arborícola etc. — é como uma taquigrafia facilmente traduzível para os termos darwinianos. Os indivíduos cujos genes por acaso fizeram seus pés mais adequados para comer de cócoras sobreviveram e transmitiram esses genes, pois comer de cócoras era eficiente e ajudava na sobrevivência. Continuarei a empregar essa taquigrafia porque ela combina bem com o modo como os humanos naturalmente pensam.

Poderíamos dizer que um primata arborícola "braquiador" anda de cabeça para baixo nas árvores, ou corre e salta, no caso de um atlético gibão, usando os braços como "pernas" e a cintura escapular como "pélvis". Nossos ancestrais passaram provavelmente por uma fase braquiadora, disso resultando que a verdadeira pélvis acabou por ligar-se com acentuada inflexibilidade ao tronco por longas lâminas ósseas, as quais formam uma parte substancial de um tronco rígido que pode ser girado como um todo único. Para Kingdon, boa parte disso teria de mudar para transformar um ancestral braquiador em um comedor de cócoras eficiente. Mas nem tudo. Os braços poderiam permanecer longos. De fato, braços braquiadores compridos teriam sido uma "pré-adaptação" decididamente benéfica, aumentando o alcance do comedor de cócoras e reduzindo a frequência com que ele tinha de se ajeitar arrastando os pés em uma nova posição. Mas seu tronco de grande primata, avantajado, inflexível e pesado na parte superior, teria sido uma desvantagem para comer de cócoras. Seria preciso libertar e flexibilizar a pélvis, soltá-la mais do tronco, diminuir suas lâminas — tudo teria de assumir proporções mais humanas. Isso, antecipando aqui mais uma vez as etapas seguintes da argumentação (poderíamos dizer que a antecipação é a finalidade de um argumento sobre a pré-adaptação), por acaso produziu uma pélvis mais apropriada ao andar bípede. A cintura ganhou mais flexibilidade e a espinha passou a ser mantida em uma posição mais vertical para permitir ao comedor de cócoras procurar em toda a sua volta com os braços, girando sobre a plataforma dos pés achatados e dos quadris agachados. Os ombros tornaram-se mais leves, e o corpo ficou menos pesado na parte superior. E, com isso, essas sutis mudanças quantitativas e as alterações de equilíbrio e compensação que as acompanharam, incidentalmente, tiveram o efeito de "preparar" o corpo para o andar bípede.

Em nenhum momento Kingdon propõe algum tipo de antecipação do futuro. Acontece, simplesmente, que um grande primata cujos ancestrais se balançavam em árvores e que passou a acocorar-se no chão da floresta possui agora um corpo que se sente relativamente *confortável* andando sobre as pernas traseiras. E teria começado a fazer isso enquanto comia de cócoras, arrastando os pés para ajeitar-se um pouco mais adiante quando já não tivesse mais o que procurar no lugar em que estava comendo. Sem se dar conta do que estava acontecendo, os comedores de cócoras, ao longo de gerações, estavam preparando o corpo para sentir-se mais confortável na vertical, sobre duas pernas, e mais desajeitado de quatro. Uso o termo confortável deliberadamente. Não é uma consideração trivial. Nós podemos andar de quatro como um mamífero típico, mas é desconfortável: um trabalho duro, devido às nossas proporções corporais que se alteraram. Essas mudanças de proporção que hoje nos deixam confortáveis sobre duas pernas surgiram originalmente, supõe Kingdon, a serviço de pequenas modificações nos hábitos alimentares: em razão de comer de cócoras.

Há muito mais na sutil e complexa teoria de Kingdon, mas agora recomendarei seu livro, *Lowly origin*, e seguirei em frente. Minha própria teoria nada convencional sobre o bipedalismo é muito diferente da dele, mas não incompatível. De fato, a maioria das teorias sobre o bipedalismo humano são mutuamente compatíveis, com o potencial de ajudar, e não de se opor, umas às outras. Como no caso do aumento de tamanho do cérebro humano, minha sugestão provisória é que o bipedalismo poderia ter evoluído graças à seleção sexual; por isso, novamente deixarei a questão para mais adiante, em "O conto do pavão".

Não importa em qual teoria sobre as origens do bipedalismo humano acreditamos; o fato é que, subsequentemente, ele se tornou um evento de extrema importância. Outrora, era possível supor, como fizeram respeitados antropólogos até a década de 1960, que o evento decisivo que primeiro nos separou dos outros grandes primatas foi o aumento do cérebro. Erguer-se sobre as pernas traseiras teria sido secundário, um processo impelido pelos benefícios de contar com as mãos livres para fazer o tipo de trabalho especializado que o cérebro aumentado agora era capaz de controlar e explorar. Recentes achados fósseis indicam decisivamente que a sequência foi inversa. O bipedalismo veio primeiro. Lucy, que viveu muito depois do Encontro 1, era bípede, quase ou completamente tão bípede quanto nós, e no entanto seu cérebro tinha aproximadamente o mesmo tamanho do de um chimpanzé. O aumento do cérebro ainda poderia estar associado à libertação das mãos, mas a sequência dos eventos foi inversa. Na verdade, teria sido a libertação das mãos pelo andar bípede que impeliu o crescimento do cérebro. O hardware manual veio primeiro e, em seguida, para beneficiar-se disso, evoluiu o hardware cerebral controlador.

EPÍLOGO DO CONTO DE LITTLE FOOT

Seja qual for a razão da evolução do bipedalismo, descobertas fósseis recentes parecem indicar que os hominídeos já eram bípedes em uma data desconcertantemente próxima do Encontro 1, a birfurcação entre humanos e chimpanzés

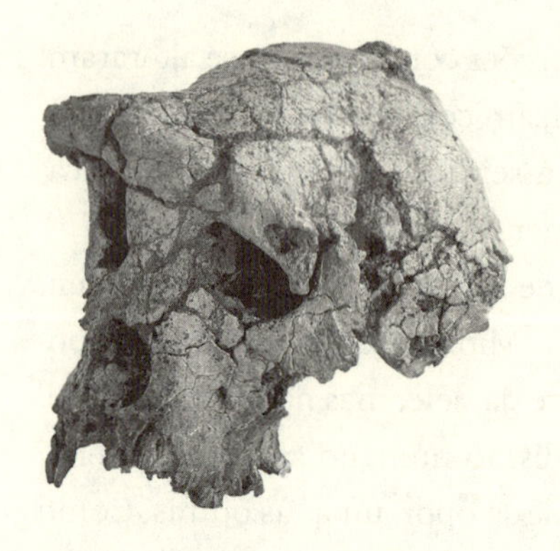

ESPERANÇA DE VIDA. Crânio de *Sahelanthropus tchadensis*, ou Toumai, descoberto na região saheliana do Chade por Michel Brunet e equipe em 2001.

(é desconcertante porque parece deixar pouco tempo para o bipedalismo evoluir). No ano 2000, uma equipe francesa chefiada por Brigitte Senut e Martin Pickford anunciou um novo fóssil encontrado nos montes Tugen, a leste do lago Victoria, no Quênia. Apelidado de Homem do Milênio, datado em 6 milhões de anos e batizado com outro nome genérico, *Orrorin tugenensis*, ele também, segundo seus descobridores, era bípede. Afirmaram até que o topo de seu fêmur, próximo à articulação do quadril, era mais semelhante ao dos humanos do que ao do *Australopithecus*. Esse dado, suplementado por fragmentos de ossos do crânio, sugeriu a Senut e Pickford que os orrorinos são ancestrais de hominídeos posteriores, e que as Lucys não são. Esses pesquisadores franceses vão além e aventam que o *Ardipithecus* poderia ser ancestral dos chimpanzés modernos, e não nosso ancestral. Está claro que precisamos de mais fósseis para decidir esse caso. Outros cientistas são céticos quanto a essas hipóteses dos franceses, e alguns duvidam que haja indícios suficientes para se decidir se o *Orrorin* era ou não bípede. Se ele era bípede, já que 6 milhões de anos é aproximadamente o tempo da separação entre humanos e chimpanzés, segundo as provas moleculares, isso traz questões difíceis sobre a velocidade com que o bipedalismo deve ter surgido.

Se um *Orrorin* bípede remonta a um passado alarmantemente próximo ao Encontro 1, um crânio recém-descoberto no Chade na parte sul do Saara, encontrado por outra equipe francesa chefiada por Michel Brunet, é ainda mais perturbador para as ideias vigentes. Isso, em parte, ocorre por ele ser muito antigo, mas também porque o sítio fica muito a oeste do vale do Rift (como veremos, muitas autoridades julgavam que a evolução inicial dos hominídeos restringia-se ao leste do Rift). Apelidado de Toumai (na língua local, o gourange, Esperança de Vida), seu nome oficial é *Sahelanthropus tchadensis*, uma referência à região saheliana do Saara chadiense onde o crânio foi encontrado. É um crânio intrigante, que se parece muito com o humano se visto de frente (não tem a face protuberante dos chimpanzés e gorilas), mas semelhante ao do chimpanzé se visto por trás, com uma caixa craniana do tamanho da dos chimpanzés. O sobrecenho é extremamente desenvolvido, mais grosso até que o do gorila, sendo essa a principal razão de se supor que Toumai era macho. Os dentes se parecem bastante com os dos humanos, especialmente na espessura do esmalte, intermediária entre a dos chimpanzés e a nossa. O forame magno (a grande abertura por onde passa a medula espinhal) situa-se mais à frente do que o dos chimpanzés e gorilas, o que levou o próprio Brunet, mas não alguns dos outros, a supor que Toumai fosse bípede. Idealmente, isso seria confirmado pelos ossos da pélvis e das pernas, mas infelizmente nada além do crânio foi encontrado até agora.

Não há restos vulcânicos na área que forneçam datas radiométricas, e a equipe de Brunet teve de usar outros fósseis da região como relógio indireto. Esses fósseis foram comparados a faunas já conhecidas de outras partes da África para as quais é possível fazer a datação absoluta. A comparação leva a uma data para Toumai entre 6 e 7 milhões de anos. Brunet e seus colegas afirmam que ele é mais antigo que o *Orrorin*, o que provocou réplicas indignadas por parte dos descobridores do *Orrorin*. Por exemplo, Brigitte Senut, do Museu de História Natural de Paris, disse que Toumai é uma "gorila fêmea", enquanto um colega, Martin Pickford, afirmou que o dente canino de Toumai é "típico de uma grande fêmea de macaco". Esses dois cientistas, lembremos, são os mesmos que revogaram (talvez com razão) as credenciais humanas do *Ardipithecus*, outra ameaça à prioridade de seu querido *Orrorin*. Outras autoridades acolheram Toumai de forma mais generosa: "Espantoso!", "Impressionante!", "Terá o impacto de uma pequena bomba nuclear!".

Se os descobridores do *Orrorin* e de Toumai estiverem certos quanto a eles terem sido bípedes, isso trará problemas para qualquer concepção certinha das origens humanas. A expectativa ingênua é que a mudança evolutiva se difunde uniformemente até prencher o tempo disponível para ela. Se 6 milhões de anos se passaram entre o Encontro 1 e o *Homo sapiens* moderno, alguém poderia candidamente pensar que a quantidade de mudança teria de distribuir-se *pro rata* ao longo dos 6 milhões de anos. Mas tanto *Orrorin* como Toumai viveram muito próximo da data identificada por provas moleculares como a do Concestral 1, a bifurcação entre nossa linhagem e a dos chimpanzés. Esses fósseis, segundo algumas datações, são ainda mais antigos que o Concestral 1.

Supondo-se que as datas moleculares e fósseis estejam corretas, parece haver quatro modos (ou alguma combinação entre esses quatro) para nos posicionarmos em relação a *Orrorin* e Toumai:

1. *Orrorin* e/ou Toumai andavam de quatro. Isso não é improvável, mas as três possibilidades restantes supõem, para simplificar o raciocínio, que isso esteja errado. Se aceitarmos a opção 1, o problema simplesmente desaparece.
2. Ocorreu um surto extremamente rápido de evolução imediatamente depois do Concestral 1, o qual andava de quatro, como um chimpanzé. O bipedalismo dos mais humanoides Toumai e *Orrorin* evoluiu tão depressa depois do Concestral 1 que é difícil determinar a separação em datas.
3. Características humanoides como o bipedalismo evoluíram mais de uma vez, e talvez muitas vezes. *Orrorin* e Toumai poderiam representar ocasiões anteriores em que os grandes primatas africanos experimentaram o bipedalismo e talvez também outras características humanas. Sob esta hipótese, eles realmente poderiam ser anteriores ao Concestral 1 e ao mesmo tempo ser bípedes, e nossa linhagem constituiria uma incursão posterior no bipedalismo.
4. Chimpanzés e gorilas descendem de ancestrais bípedes mais semelhantes aos humanos e reverteram ao andar quadrúpede mais recentemente. Conforme essa hipótese, Toumai, por exemplo, poderia, na verdade, ser o Concestral 1.

As três últimas hipóteses são problemáticas, e muitas autoridades são levadas a duvidar ou da datação ou do suposto bipedalismo de Toumai e *Orrorin*. Mas se, por um momento, aceitarmos essas duas coisas e examinarmos as três hipóteses que admitem o bipedalismo em um tempo muito remoto, não veremos nenhuma forte razão teórica para favorecer ou rejeitar nenhuma dessas hipóteses específicas. Aprenderemos em "O conto do tentilhão das Galápagos" e em "O conto do peixe pulmonado" que a evolução pode ser extremamente rápida ou extremamente lenta. Portanto, a teoria 2 não é implausível. "O conto da toupeira marsupial" nos ensinará que a evolução pode seguir o mesmo caminho ou caminhos impressionantemente paralelos em mais de uma ocasião. Assim, não há nada implausível na teoria 3. A Teoria 4, à primeira vista, parece a mais surpreendente. Estamos tão acostumados com a ideia de que, em nossa evolução, nós "progredimos" em relação aos outros grandes primatas que a teoria 4 parece pôr o carro na frente dos bois e ainda por cima insultar a dignidade humana, (ela costuma provocar boas risadas, pela minha experiência). Além do mais, existe a chamada lei de Dollo, segundo a qual a evolução nunca se reverte, e a teoria 4 parece violar essa lei.

"O conto do peixe cego das cavernas", que trata da lei de Dollo, nos assegurará que isso não ocorre. Não há nada de errado, em princípio, com a Teoria 4. Os chimpanzés realmente poderiam ter passado por um estágio bípede mais humanoide antes de reverter à condição de grande primata quadrúpede. Aliás, foi exatamente essa a hipótese revivida por John Gribbin e Jeremy Cherfas em seus livros *The monkey puzzle* e *The first chimpanzee*. Eles chegam ao ponto de aventar que os chimpanzés descendem de australopitecos gráceis (como Lucy), e os gorilas, de australopitecos robustos (como Dear Boy). E apresentam uma argumentação surpreendentemente boa em favor dessa arrojada suposição. Ela se baseia em uma interpretação da evolução humana que vem sendo aceita há muito tempo, embora não sem controvérsia: os humanos são grandes primatas juvenis que se tornaram sexualmente maduros. Ou, de outro ângulo: somos como chimpanzés que não amadureceram.

"O conto do axolotle" explica essa teoria, conhecida como neotenia. Em resumo, o axolotle é uma larva de tamanho descomunal, um girino com órgãos sexuais. Em um clássico experimento feito por Vilém Laufberger na Alemanha, injeções de hormônio levaram um axolotle a desenvolver-se até se transformar em uma salamandra adulta de uma espécie jamais vista. Desconhecendo esse experimento, Julian Huxley fez depois outro semelhante, que ficou mais célebre no mundo anglófono. Na evolução do axolotle, o estágio adulto fora cortado da parte final do ciclo de vida. Sob a influência do hormônio injetado experimentalmente, o axolotle por fim se desenvolveu por completo e se transformou em uma salamandra adulta presumivelmente nunca vista. O estágio final que faltava no ciclo de vida foi restaurado.

Essa lição foi aproveitada pelo irmão mais novo de Julian, o escritor Aldous Huxley. Seu livro *Também o cisne morre* foi um dos meus romances favoritos na adolescência. Conta a história de Jo Stoyte, um homem rico que lembra William Randolph Hearst e coleciona *objets d'art* com a mesma indiferença voraz. Sua criação rigidamente religiosa deixou-o com pavor da morte, e ele contrata e equipa o dr. Sigismund Obispo, um biólogo brilhante, mas cínico, para pesquisar como prolongar a vida em geral e a de Jo Stoyte em particular. Jeremy Pordage, um estudioso (muito) britânico, é contratado para catalogar manuscritos do século XVIII recém-adquiridos em um lote para a biblioteca do sr. Stoyte. Num antigo diário escrito pelo Quinto Conde de Gonister, Jeremy faz uma descoberta sensacional e a comunica ao Dr. Obispo: o velho conde estava quase desvendando o segredo da vida eterna (comer entranhas de peixe cru), e não havia indícios de que ele houvesse morrido. Obispo leva o cada vez mais impaciente Stoyte à Inglaterra em busca dos restos mortais do Quinto Conde... e o encontra vivo, com duzentos anos! Mas há um problema: o conde acabou amadurecendo, desenvolvendo-se do grande primata juvenil que todos nós somos até se transformar em um grande primata completamente adulto: quadrúpede, peludo, repelente, que urina no chão enquanto cantarola um vestígio grotesco e distorcido de uma ária de Mozart. O diabólico Dr. Obispo, eufórico e evidentemente a par do trabalho de Julian Huxley, diz a Stoyte com uma gargalhada que ele pode começar a comer tripas de peixe amanhã mesmo.

Gribbin e Cherfas estão efetivamente sugerindo ser possível que os chimpanzés e gorilas modernos sejam como o conde de Gonister: humanos (ou australopitecos, orrorinos ou sahelantropos) que cresceram por completo e voltaram a ser quadrúpedes, como seus, e nossos, ancestrais mais distantes. Nunca achei que a teoria de Gribbin/Cherfas fosse obviamente tola. Os novos achados de hominídeos muito antigos, como *Orrorin* e Toumai, cujas datas se aproximam da data em que nos separamos dos chimpanzés, quase poderiam justificar esses dois cientistas se eles dissessem *sotto voce*: "Eu não falei?".

Mesmo se aceitarmos *Orrorin* e Toumai como bípedes, eu não escolheria com confiança entre as teorias 2, 3 e 4. E não devemos nos esquecer da teoria 1, que muitos consideram a mais plausível: a de que eles eram quadrúpedes e com isso o problema desaparece. Mas evidentemente essas diferentes teorias fazem previsões sobre o Concestral 1, nossa próxima parada. As teorias 1, 2 e 3 concordam em supor um Concestral 1 semelhante ao chimpanzé, quadrúpede mas ocasionalmente erguendo-se nas pernas traseiras. A Teoria 4, em contraste, difere porque supõe um Concestral 1 mais humanoide. Para narrar o Encontro 1, fui forçado a decidir entre as teorias. Com alguma relutância, ficarei com a maioria e suporei um ancestral parecido com um chimpanzé. Vamos conhecê-lo agora.

Encontro 1

Chimpanzés

Entre 5 e 7 milhões de anos atrás, em alguma parte da África, nós, peregrinos humanos, temos um encontro importantíssimo. É o Encontro 1, quando pela primeira vez nos reunimos a peregrinos de outra espécie. De duas outras espécies, para ser mais exato, pois os chimpanzés comuns e os chimpanzés pigmeus, ou bonobos, são peregrinos que já juntaram forças uns com os outros cerca de 4 milhões de anos "antes" de seu encontro conosco. O ancestral que temos em comum com eles, Concestral 1, é nosso 250 000º avô — uma estimativa aproximada, obviamente, como as estimativas comparáveis que farei para outros concestrais.

Assim, quando nos aproximamos do Encontro 1, os chimpanzés peregrinos aproximam-se do mesmo ponto vindo de outra direção. Infelizmente não sabemos coisa alguma a respeito dessa outra direção. Embora a África nos tenha entregado alguns milhares de fósseis ou fragmentos de fósseis de hominídeos, não foi encontrado nenhum que pudesse inquestionavelmente ser considerado pertencente à linhagem do chimpanzé na descendência do Concestral 1. Isso talvez se deva ao fato de que os chimpanzés são animais silvícolas, e as folhas que compõem o humo do solo das florestas não favorecem a fossilização. Seja qual for a razão, isso significa que os chimpanzés peregrinos estão procurando às cegas. Seus equivalentes contemporâneos do Menino de Turkana, do 1470, da Sra.

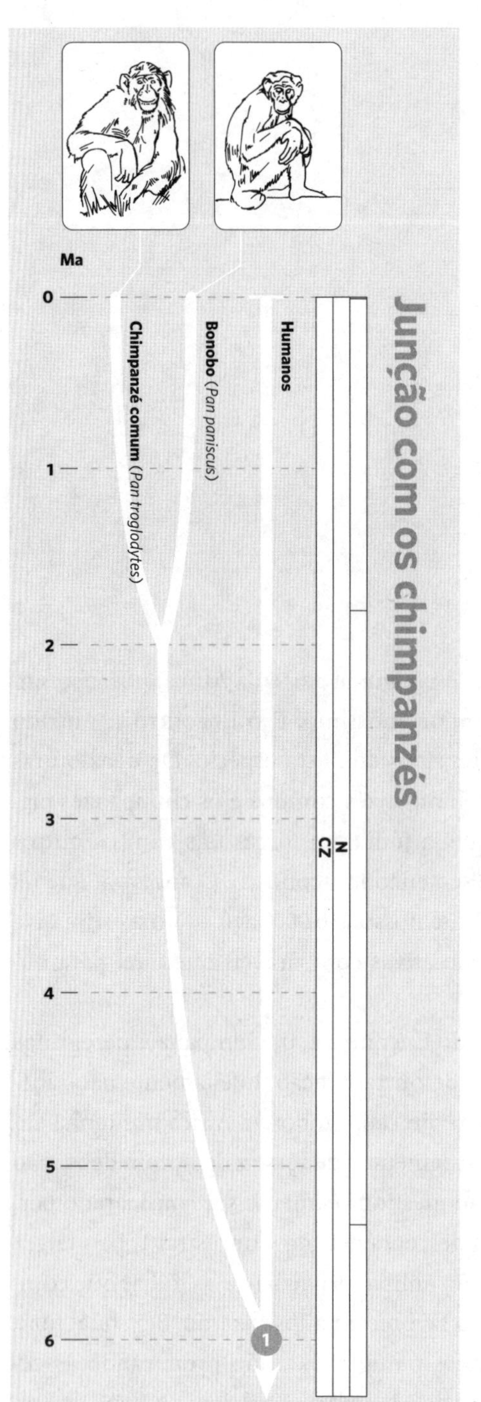

JUNÇÃO COM OS CHIMPANZÉS. As linhas brancas representam a árvore evolutiva (ou filogênese) dos chimpanzés e humanos, que se ramificou no Concestral 1 (marcado por um círculo numerado). O ramo vertical da direita representa o conjunto corrente de peregrinos: neste caso, apenas os humanos. O ramo da esquerda mostra os chimpanzés separando-se em duas espécies há cerca de 2 milhões de anos.

Se examinássemos com uma lente de aumento quaisquer das linhas, constataríamos que elas não são cheias, e sim redes entremeadas de intercruzamentos, como descrito no diagrama sobre a espécie humana no Encontro 0. Continuaremos a partir de agora a usar essa representação em linha cheia.

IMAGENS, DA ESQUERDA PARA A DIREITA: chimpanzé comum (*Pan troglodytes*); bonobo (*Pan paniscus*).

Ples, Lucy, Little Foot, Dear Boy e do resto dos "nossos" fósseis nunca foram encontrados.

Mesmo assim, em nossa fantasia, os peregrinos chimpanzés reúnem-se a nós em alguma clareira de floresta no Plioceno, e seus olhos castanho-escuros, assim como os nossos, de cores menos previsíveis, estão cravados no Concestral 1: ancestral deles e nosso. Ao tentarmos imaginar esse ancestral comum, uma pergunta óbvia a fazer é: ele se parece mais com os chimpanzés modernos ou com os humanos modernos, é intermediário ou totalmente diferente das duas espécies?

Não obstante as deleitáveis conjecturas que encerraram a seção anterior — que eu de modo algum descartaria —, a resposta prudente é que o Concestral 1 se parece mais com o chimpanzé, no mínimo porque os chimpanzés se parecem mais com o resto dos grandes primatas do que os humanos. Nós é que somos os singulares entre os grandes primatas, tanto vivos como fósseis. Menciono isso só para dizer que ocorreu mais mudança evolutiva na linha humana de descendência do ancestral comum do que nas linhas conducentes aos chimpanzés. Não devemos supor, como fazem muitos leigos, que nossos ancestrais *foram* chimpanzés. De fato, a própria expressão "elo perdido" induz a esse equívoco. Ainda hoje ouvimos dizer coisas como "ora, se descendemos dos chimpanzés, por que ainda existem chimpanzés no mundo?".

Portanto, quando nós e os peregrinos chimpanzés/bonobos nos reunirmos no ponto de encontro, a probabilidade é que o ancestral comum que saudarmos na clareira do Plioceno seja peludo como um chimpanzé e possua um cérebro do tamanho do desse animal. Relutando em deixar de lado as especulações do capítulo anterior, diremos que ele provavelmente andava apoiado nas mãos (nós dos dedos), como o chimpanzé, e nos pés, passava algum tempo nas árvores, mas também um bom tempo no chão, talvez comendo de cócoras, como diria Kingdon. Todos os indícios disponíveis levam a crer que ele viveu na África e só na África. É provável que usasse e fizesse ferramentas seguindo as tradições locais, como também fazem os chimpanzés modernos. Era provavelmente onívoro, às vezes caçava, mas preferia frutas.

Bonobos já foram vistos caçando pequenos antílopes africanos, mas a caça é mais frequentemente documentada entre chimpanzés comuns, inclusive com perseguições grupais, bastante coordenadas, a macacos cólobos. A carne, porém, é só um complemento das frutas, esta sim a principal dieta das duas espécies. Jane Goodall, a primeira a descobrir a caça e a guerra intergrupal entre chimpanzés, também foi a primeira a relatar o agora famoso hábito desses animais de "pescar" cupins usando ferramentas que eles próprios fazem. Nunca se viu nenhum bonobo fazer isso, mas talvez seja porque essa espécie tem sido menos estudada. Bonobos em cativeiro prontamente usam ferramentas. Chimpanzés comuns em diferentes partes da África desenvolvem tradições locais de uso de ferramentas. Enquanto os animais estudados por Jane Goodall do lado leste do habitat pescavam cupins, outros grupos do lado oeste desenvolveram tradições locais de quebrar nozes usando martelo e bigorna feitos de pedra ou madeira. Para isso é preciso ter alguma habilidade, bater com força suficiente para quebrar a casca, mas com cuidado, para não esmagar toda a polpa.

A propósito, embora muitos afirmem que se trata de uma nova e empolgante descoberta, Darwin já havia mencionado a quebra de nozes no capítulo 3 de *A descendência do homem* (1871): "Muitos dizem que nenhum animal usa ferramentas, de qualquer tipo que seja; contudo, o chimpanzé, na natureza, quebra com uma pedra uma fruta nativa semelhante a uma noz". O testemunho do fato citado por Darwin (um relato de um missionário na Libéria na edição de 1843 do *Boston Journal of Natural History*) é breve e inespecífico. Declara simplesmente que "o *Troglodytes niger*, ou orangotango negro da África", aprecia uma espécie de noz não identificada, que "eles quebram com pedras exatamente como fazem os seres humanos".

O que há de especialmente interessante em quebrar nozes, pescar cupins e outros hábitos dos chimpanzés é o fato de os hábitos de um grupo serem específicos de sua região e transmitidos no âmbito dessa região. Isso é realmente cultura. Culturas locais estendem-se a hábitos e maneiras sociais. Por exemplo, um grupo que habita as montanhas Mahale, na Tanzânia, tem um estilo particular de fazer a limpeza e arrumação do pelo uns dos outros — prática conhecida em geral como *grooming* e, no caso desse grupo específico, chamada *grooming handclasp* [*grooming* de mãos dadas]. Esse mesmo gesto foi visto em outra população da floresta de Kibale, em Uganda. Mas nunca foi encontrado na população de Gombe Stream que Jane Goodall estudou tão a fundo. Curiosamente, esse gesto também surgiu de modo espontâneo e se difundiu entre um grupo de chimpanzés em cativeiro.

Se as duas espécies modernas de chimpanzé na natureza usassem ferramentas como nós fazemos, isso nos encorajaria a supor que o Concestral 1 também usava. Em minha opinião, isso ocorreu — muito embora não tenhamos visto bonobos na natureza usando ferramentas, em cativeiro eles o fazem com perícia. O fato de chimpanzés comuns usarem diferentes ferramentas em diferentes áreas seguindo as tradições locais leva-me a pensar que a inexistência dessa tradição em uma área específica não deve ser considerada prova em contrário. Afinal, Jane Goodall não viu os chimpanzés que ela estudou em Gombe Stream quebrar nozes. Presumivelmente, eles o fariam se entrassem em contato com a tradição de quebrar nozes do oeste da África. Desconfio que o mesmo possa valer para os bonobos. Talvez eles não tenham sido estudados o suficiente na natureza. Seja como for, acho que há indícios suficientemente fortes de que o Concestral 1 fazia e usava ferramentas. Essa ideia é reforçada pelo fato de que o uso de ferramentas também é visto em orangotangos, e também nesse caso há diferenças entre as populações regionais, sugerindo a existência de tradições locais.*

Os atuais representantes da linhagem dos chimpanzés são, ambos, grandes primatas das florestas, enquanto nós somos grandes primatas das savanas, mais como os babuínos, só que estes, obviamente, não são grandes primatas, e sim macacos. Os bonobos hoje em dia estão confinados nas florestas ao sul da grande curva do rio Congo e a norte de seu afluente, o rio Kasai. Os chimpanzés comuns habitam uma faixa mais larga do continente, ao norte do rio Congo e a oeste da costa, estendendo-se até o vale do Rift a leste.

Como veremos em "O conto do ciclídeo", a atual ortodoxia darwiniana sugere que, em geral, para que uma espécie ancestral se divida em duas espécies-filhas, ocorre inicialmente uma separação geográfica acidental entre elas. Sem a barreira geográfica, a espécie não se dividiria, pois haveria a mistura sexual dos dois reservatórios gênicos. É plausível que o grande rio Congo tenha sido a barreira ao fluxo de genes que contribuiu para a divergência evolutiva das duas espécies de chimpanzé há 2 ou 3 milhões de anos. Aventou-se, nessa mesma linha, que o vale do Rift, na época às voltas com as comoções de seu surgimento, teria constituído a barreira para o fluxo gênico que, em um passado ainda mais remoto, permitiu à nossa linhagem separar-se da que originou os chimpanzés.

A teoria do vale do Rift foi apresentada e defendida pelo eminente primatologista holandês Adriaan Kortlandt. Tornou-se mais conhecida depois, quando foi adotada pelo paleontólogo francês Yves Coppens, e hoje é popularmente cha-

* O uso de ferramentas, aliás, é amplamente encontrado entre mamíferos e aves, como documentou a própria Jane Goodall (e outros).

mada pelo nome que Coppens lhe deu: East Side Story. A propósito: não sei como interpretar o fato de que, em sua França natal, Yvez Coppens é amplamente citado como o descobridor de Lucy, e até como o "pai" de Lucy. No mundo anglófono, essa importante descoberta é universalmente atribuída a Donald Johanson. A teoria East Side Story viu-se em apuros para explicar o *Sahelanthropus* (Toumai), encontrado no Chade, a milhares de quilômetros a oeste do Vale do Rift. O *Australopithecus bahrelghazali*, um australopiteco pouco conhecido também descoberto no Chade, agrava o problema, embora seja mais recente.

Tudo o que eu disser sobre essa questão em breve estará ultrapassado, quando forem descobertos novos fósseis. Por isso, passo agora a palavra ao bonobo e seu conto.

O CONTO DO BONOBO

O bonobo, *Pan paniscus*, é bem parecido com o chimpanzé comum, *Pan troglodytes*, e antes de 1929 não o reconheciam como uma espécie distinta. Apesar de seu outro nome, chimpanzé pigmeu, que deve ser abandonado, o bonobo não é visivelmente menor do que o chimpanzé comum. As proporções de seu corpo diferem ligeiramente, assim como seus hábitos, e essa é a deixa para um breve conto. O primatologista Frans de Waal é conciso: "O chimpanzé resolve as questões de sexo com o poder; o bonobo resolve as questões de poder com sexo [...]". Os bonobos usam o sexo como meio de troca na interação social, mais ou menos como nós usamos o dinheiro. Recorrem à cópula, ou a gestos copulativos, para apaziguar, afirmar dominância, consolidar laços com outros membros de qualquer idade ou sexo em seu grupo, inclusive infantes bem jovens. Eles não têm nada contra a pedofilia; na verdade, agrada-lhes todo tipo de "filia". De Waal conta que, em um grupo de bonobos em cativeiro que ele observava, os machos tinham ereção assim que o tratador se aproximava nas horas de refeição. De Waal imagina que isso poderia ser uma preparação para a partilha da comida — mediada sexualmente. As fêmeas da espécie praticam aos pares a fricção gênito-genital [*GG rubbing*].

> Uma fêmea põe-se diante de outra, agarra-se nela com os braços e pernas, e a outra então, de quatro, ergue a parceira do chão. Em seguida, as duas fêmeas roçam

lateralmente seus genitais intumescidos, mostrando os dentes e emitindo gritinhos que provavelmente refletem experiências orgásmicas.

A imagem dos bonobos *hippies* adeptos do amor livre despertou uma ilusão em algumas boas almas que talvez tenham sido jovens na década de 1960 — ou talvez sigam a escola de pensamento do "bestiário medieval", segundo a qual os animais existem tão somente para nos dar lições de moral. A ilusão é a de que somos parentes mais próximos dos bonobos do que dos chimpanzés comuns. O nosso lado Margaret Mead sente mais afinidade com esse afável modelo do que com o chimpanzé patriarcal e matador de macaquinhos. Mas infelizmente, gostemos ou não, nosso parentesco com as duas espécies é exatamente igual. Isso acontece porque o *P. troglodytes* e o *P. paniscus* têm em comum um ancestral que viveu mais recentemente do que o ancestral que eles têm em comum conosco. De modo análogo, provas moleculares indicam que os chimpanzés e bonobos são parentes mais próximos dos humanos do que dos gorilas. Disso decorre que os humanos são exatamente tão próximos dos gorilas quanto os chimpanzés e bonobos. E nós somos primos tão próximos dos orangotangos quanto os chimpanzés, bonobos e gorilas.

Isso não implica que sejamos igualmente *parecidos* com os chimpanzés e com os bonobos. Se os chimpanzés mudaram mais do que os bonobos desde o ancestral comum, o Concestral 1, talvez sejamos mais parecidos com os bonobos do que com os chimpanzés, ou vice-versa — e provavelmente descobriremos diferentes coisas em comum com ambos os primos *Pan*, quem sabe mais ou menos em igual medida. Eles são igualmente aparentados conosco porque estão ligados a nós por intermédio do mesmo ancestral comum. Essa é a moral de "O conto do bonobo", uma moral simples e muito geral, que tornaremos a encontrar muitas vezes em outras junções da nossa peregrinação.

Encontro 2

Gorilas

O relógio molecular nos diz que o Encontro 2, onde os gorilas juntam-se a nós, também na África, está apenas 1 milhão de anos à frente do Encontro 1 em nossa peregrinação. Há 7 milhões de anos, as Américas do Sul e do Norte não eram contíguas, os Andes não haviam passado por seu principal soerguimento, e os Himalaias tinham acabado de sofrer o seu. Ainda assim, os continentes seriam bem parecidos com o que são hoje, e o clima africano, embora menos sazonal e ligeiramente mais úmido, seria semelhante. A África tinha uma cobertura florestal mais abrangente do que a atual — até o Saara seria na época uma savana arborizada.

Infelizmente, não temos fósseis para preencher a lacuna entre os Concestrais 2 e 1, nada para nos guiar na hora de decidir se o Concestral 2, que talvez seja nosso 300 000º avô, se parecia mais com o gorila ou com o chimpanzé ou, na verdade, mais com o homem. Eu apostaria no chimpanzé, mas isso apenas porque o colossal gorila me parece mais extremo e menos assemelhado aos demais grandes primatas. Mas não exageremos a singularidade dos gorilas. Eles não são os maiores grandes primatas que já existiram. O maior dos gorilas não chegaria à altura dos ombros de um *Gigantopithecus*, grande primata asiático que parecia um orangotango gigante. O *Gigantopithecus* viveu na China e só se extinguiu recentemente, há cerca de meio milhão de anos, tendo sido contemporâneo do *Homo erectus* e do *Homo sapiens* arcaico. Isso é tão recente que alguns fantasistas empreendedores ousaram sugerir que o Yeti ou Abominável Homem das Neves do Himalaia... mas estou divagando. Presumimos que o *Gigantopithecus* andava como o gorila, provavelmente apoiado nos nós dos dedos das mãos e na sola dos pés, como o gorila e o chimpanzé, e diferentemente do orangotango, que tem vida mais arborícola.

É razoável supor que o Concestral 2 também andasse apoiado nos nós dos dedos das mãos, mas que, como os chimpanzés, passasse algum tempo nas árvores, especialmente à noite. Sob o Sol tropical, a seleção natural favorece a pigmentação escura como proteção contra os raios ultravioleta; assim, se tivermos de apostar na cor do Concestral 2, diríamos que ele era presumivelmente preto ou marrom-escuro. Todos os grandes primatas com exceção dos humanos são peludos; por isso, nos surpreenderíamos se os Concestrais 1 e 2 não o fossem. Como chimpanzés, bonobos e gorilas vivem no coração da floresta, é plausível localizar o Encontro 2 em uma floresta na África, mas não há nenhuma forte razão para supormos qualquer parte específica desse continente.

Os gorilas não são chimpanzés gigantes. Eles diferem em outros aspectos, que devemos levar em consideração ao reconstituir o Concestral 2. Gorilas são 100% vegetarianos. Os machos têm haréns de fêmeas. Já os chimpanzés são mais promíscuos, e as diferenças nos seus sistemas de reprodução têm consequências interessantes para o tamanho de seus testículos, como aprenderemos em "O conto da foca". Desconfio que os sistemas reprodutivos são evolutivamente lábeis, ou seja, podem mudar com facilidade. Não vejo nenhum modo óbvio de conjecturar como seriam as características do Concestral 2 nesse aspecto. Na verdade, o fato de as diversas culturas humanas atuais apresentarem uma grande variação nos sistemas reprodutivos — da monogamia fiel a haréns potencialmente bem grandes — reforça minha relutância em especular sobre tais questões para o Concestral 2 e me convence a pôr um rápido ponto final em minhas reflexões acerca de sua natureza.

Os grandes primatas, e talvez especialmente os gorilas, há tempos são grandes geradores — e vítimas — de mitos humanos. "O conto do gorila" examina nossa mudança de atitude em relação aos nossos primos mais próximos.

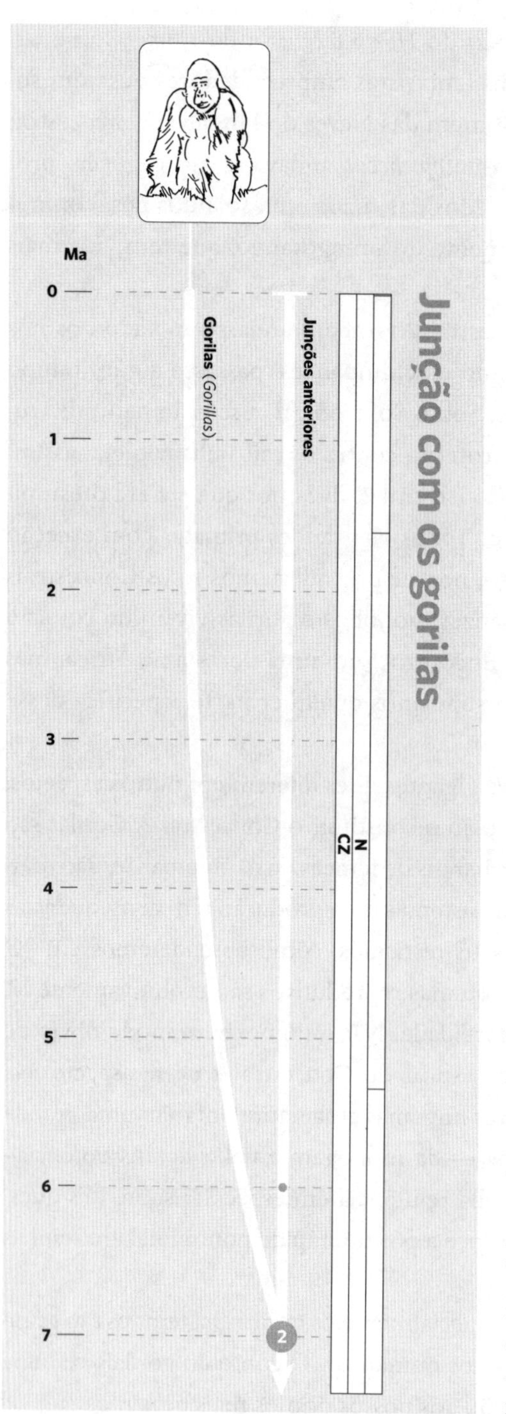

JUNÇÃO COM OS GORILAS. Filogênese mostrando que os gorilas divergiram dos outros grandes primatas africanos há cerca de 7 milhões de anos, segundo dados genéticos. O ramo direito agora representa os chimpanzés e humanos (o Concestral 1 é representado no ramo por um pontinho no marco de 6 milhões de anos atrás). O ramo esquerdo representa o gênero único dos gorilas, que hoje se julga possuir duas espécies.

IMAGEM: gorila ocidental (*Gorilla gorilla*).

A ascensão do darwinismo no século XIX polarizou as atitudes para com os grandes primatas. Oponentes para os quais a evolução em si não teria sido intragável rejeitaram com um horror visceral o parentesco com criaturas que, para eles, não passavam de brutos inferiores e asquerosos, e tentaram desesperadamente magnificar as diferenças entre nós e eles. E isso ocorreu principalmente em relação aos gorilas. Os grandes primatas eram "animais"; não tínhamos nada a ver com eles. Para piorar, enquanto era possível enxergar beleza em outros animais, como os felinos ou o cervo, os gorilas e outros grandes primatas, justamente por causa de sua semelhança conosco, pareciam caricaturas, distorções grotescas.

Darwin nunca perdeu uma oportunidade de mostrar o outro lado, às vezes em breves digressões, como sua simpática observação em *A descendência do homem*, de que macacos "fumam tabaco com prazer". T. H. Huxley, o formidável aliado de Darwin, teve uma acalorada discussão com Sir Richard Owen, o mais ilustre anatomista daquela época, que afirmava (erroneamente, como provou Huxley) que a estrutura cerebral então chamada *hipocampus minor* (calcar avis, na nomenclatura atual) só era diagnosticada no cérebro humano. Hoje em dia os cientistas não apenas acham que somos semelhantes aos grandes primatas. Nós nos incluímos entre os grandes primatas, e especificamente entre os grandes primatas africanos. Enfatizamos, em contraste, que os grandes primatas, inclusive os humanos, se distinguem dos macacos. Chamar um gorila ou chimpanzé de macaco é solecismo.

Nem sempre foi asim. Antigamente, era comum achar que grandes primatas e macacos eram a mesma coisa, e algumas das primeiras descrições confundiam grandes primatas com babuínos, ou com macacos-de-gibraltar (*Macaca sylvanus*), esses últimos ainda hoje conhecidos em inglês como *Barbary apes*.* Mais surpreendente é o fato de que, muito antes de a evolução estar em pauta, e antes de os grandes primatas serem distinguidos uns dos outros e dos macacos, era comum confundir grandes primatas com humanos. Por mais que seja agradável aprovar essa aparente presciência da evolução, infelizmente ela talvez se

* *Ape*, em inglês, designa os primatas antropoides e, em especial, os grandes primatas não humanos: chimpanzé, bonobo, gorila, oragotango. (N. T.)

deva mais ao racismo. Os primeiros exploradores brancos na África consideravam os chimpanzés e gorilas parentes próximos apenas dos humanos negros, e não de si mesmos. É interessante mencionar que tribos do Sudeste Asiático e da África têm lendas tradicionais que sugerem uma inversão da evolução como ela é convencionalmente vista: seus grandes primatas são vistos como humanos que caíram em desgraça. "Orangotango", em malaio, significa "homem da floresta".

Um desenho de um *Ourang Outang* feito pelo médico holandês Bontius em 1658 é, nas palavras de T. H. Huxley, "nada mais que uma mulher muito peluda, de aspecto até gracioso e com proporções e pés totalmente humanos". Curiosamente, ela é peluda exceto em um dos poucos lugares onde uma mulher real é: sua região púbica é marcantemente glabra. Também muito humanos são os desenhos feitos um século depois por Hoppius (1763), pupilo de Lineu. Uma de suas criaturas tem cauda, mas afora isso é inteiramente humana, bípede e porta um cajado. Plínio, o Velho, afirmou: "Sabe-se de espécies caudadas que até jogam damas".

Poderíamos pensar que tal mitologia teria preparado nossa civilização para a ideia da evolução quando esta chegou no século XIX, e que poderia até ter acelerado sua descoberta. Pelo jeito, isso não aconteceu. Ao contrário: o quadro é de confusão entre grandes primatas, macacos e humanos. Isso dificulta datar a descoberta científica de cada espécie de grande primata, e em geral não se sabe ao certo qual espécie estava sendo descoberta. A exceção é o gorila, que se tornou conhecido pela ciência mais recentemente.

Em 1847 um missionário americano, dr. Thomas Savage, viu na casa de outro missionário no rio Gabão "um crânio que os nativos representaram como um animal semelhante a um macaco, notável pelo tamanho, ferocidade e hábitos". A injusta reputação de ferocidade, mais tarde hiperbolizada na história de King Kong, é alardeada em um artigo sobre o gorila na revista *Illustrated London News* publicada no mesmo ano do lançamento de *Origem das espécies*. O texto contém mentiras em quantidade e magnitude tais que desafiam até os padrões mirabolantes estabelecidos pelos cronistas de viagem da época:

> examinar de perto é quase uma impossibilidade, especialmente porque, no momento em que vê um homem, ele o ataca. Consta que o macho adulto, de força prodigiosa e dentes pesados e fortes, observa escondido na densa ramagem das árvores da floresta a aproximação de qualquer membro da espécie humana e, assim

> que esse passa debaixo da árvore, agarra-o pelo pescoço com suas terríveis patas traseiras, providas de um enorme polegar, ergue-o do solo e por fim o atira morto ao chão. Pura malignidade impele o animal a esse proceder, pois ele não come a carne do homem morto, mas encontra uma gratificação diabólica no mero ato de matar.

Savage acreditava que o crânio em posse do missionário pertencia "a uma nova espécie de Orang". Posteriormente, concluiu que essa nova espécie não era outra senão o "pongo" das histórias de viajantes mais antigos na África. Para nomear formalmente seu achado, Savage, juntamente com seu colega anatomista professor Wyman, evitou Pongo e reviveu Gorilla, o nome usado por um antigo almirante cartaginês para designar uma raça de pessoas peludas que afirmou ter encontrado em uma ilha próxima à costa africana. O nome gorila sobreviveu na designação latina [*gorilla*] e no nome vulgar do animal de Savage, enquanto *pongo* hoje é o nome latino do orangotango da Ásia.

A julgar por sua localização, a espécie de Savage deve ter sido o gorila ocidental, *Gorilla gorilla*. Savage e Wyman classificam-no no mesmo gênero do chimpanzé e o denominam *Troglodytes gorilla*. Pelas regras da nomenclatura zoológica, seria preciso desistir de usar *Troglodytes* para nomear tanto os chimpanzés como os gorilas, pois já fora usado — quem diria — para a minúscula cambaxirra. O nome sobreviveu como a designação específica do chimpanzé comum, *Pan troglodytes*, enquanto o nome específico anterior do gorila de Savage foi promovido a nome genérico, *Gorilla*. O "gorila da montanha" foi "descoberto" — na verdade, baleado! — pelo alemão Robert von Beringe somente em 1902. Como veremos, hoje ele é considerado uma subespécie do gorila oriental, e toda a espécie oriental agora — injustamente, poderíamos pensar — leva seu nome: *Gorilla beringei*.

Savage não acreditava que seus gorilas eram realmente a raça de ilhéus descrita pelo marinheiro cartaginês. Mas exploradores dos séculos XVII e XVIII supuseram que os "pigmeus", originalmente mencionados por Homero e Heródoto como uma lendária raça de humanos muito pequenos, nada mais eram que os chimpanzés que na época estavam sendo descobertos na África. Tyson (1699) mostra um desenho de um "Pigmeu" que, como disse Huxley, é claramente um jovem chimpanzé, embora também seja retratado andando ereto e portando um cajado. Hoje, obviamente, voltamos a usar o termo pigmeu para designar seres humanos pequenos.

Isso nos leva de volta ao racismo, que, até uma fase relativamente avançada do século XX, foi endêmico em nossa cultura. Muitos dos primeiros exploradores atribuíram aos povos nativos de florestas uma maior afinidade com os chimpanzés, gorilas e orangotangos do que com eles próprios, exploradores. No século XIX, depois de Darwin, muitos evolucionistas consideraram os povos africanos como intermediários entre os grandes primatas não humanos e os europeus, seres no caminho ascendente para a supremacia branca. Isso não é só incorreto: também viola um princípio fundamental da evolução. Dois primos sempre são aparentados em um grau idêntico a qualquer extragrupo, pois se relacionam a esse extragrupo por intermédio de um ancestral que têm em comum. Pelas razões expostas no conto do bonobo, todos os humanos são primos *exatamente* próximos de todos os gorilas. O racismo e o especismo, assim como nossa eterna confusão sobre quem desejamos incluir em nossa rede moral e étnica, destacam-se com uma nitidez muitas vezes constrangedora na história das nossas atitudes para com nossos semelhantes humanos e para com os grandes primatas — nossos *parentes* grandes primatas.*

* O Projeto Grande Primata, ideado pelo ilustre filósofo moral Peter Singer, vai ao fundo da questão, propondo que seja concedido aos grandes primatas não-humanos, até onde seja possível na prática, o mesmo status moral dos humanos. Minha contribuição para o livro *The Great Ape Projet* é um dos ensaios reimpresso em *O capelão do diabo*.

Encontro 3

Orangotangos

Os dados moleculares situam o Encontro 3 — quando os orangotangos se juntam à nossa peregrinação aos ancestrais — em 14 milhões de anos atrás, bem no meio da Época Miocena. Embora o mundo estivesse começando a entrar em sua atual fase de resfriamento, o clima era mais quente, e os níveis do mar eram mais altos que os atuais. Por causa disso, e também de pequenas diferenças nas posições dos continentes, o mar submergiu terras intermitentemente entre a Ásia e a África, além de boa parte do sudeste europeu. Isso corrobora, como veremos, nosso cálculo sobre o local onde pode ter vivido o Concestral 3, talvez nosso ascendente há dois terços de milhão de gerações. Ele teria vivido na África, como os Concestrais 1 e 2, ou na Ásia? Já que ele é ancestral comum tanto dos humanos como de um grande primata asiático, devemos estar preparados para encontrá-lo em qualquer um desses dois continentes; defensores de um e outro não são difíceis de achar. Em favor da Ásia está sua riqueza de fósseis plausíveis aproximadamente da época certa, de meados à parte final do Mioceno. A África, por sua vez, parece ser o continente onde se originaram os grandes primatas, antes do início do Mioceno. Foi na África que, no princípio da Época Miocena, floresceram várias formas de grandes primatas, como os proconsulídeos (várias espécies do gênero *Proconsul*) e outras, como o *Afropithecus* e o *Kenyapithecus*. Nossos parentes mais próximos hoje vivos, assim como todos os nossos fósseis pós-miocênicos, são africanos.

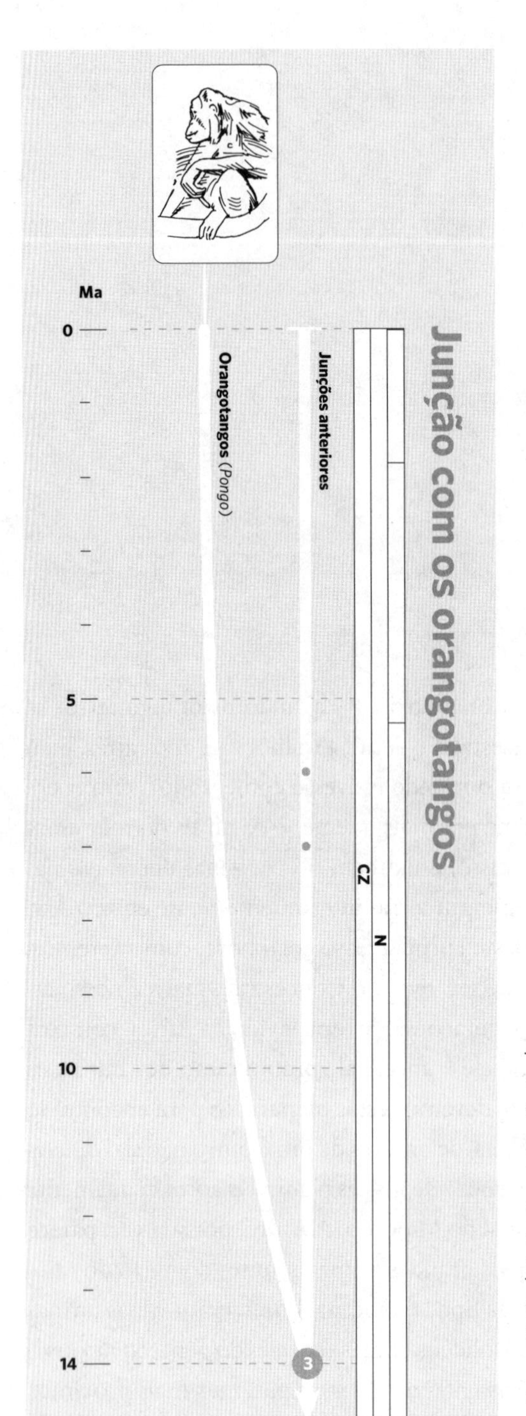

JUNÇÃO COM OS ORANGOTANGOS. É consenso que as duas espécies asiáticas de orangotango divergiram do resto dos grandes primatas há aproximadamente 14 milhões de anos. Como nas filogêneses de todos os nossos outros encontros, o ramo à direita representa as espécies que já se juntaram à peregrinação, com as posições dos concestrais prévios indicadas por pontinhos.

IMAGEM: Orangotango de Bornéu (*Pongo pygmaeus*).

Mas nossa relação especial com os chimpanzés e gorilas é conhecida há apenas algumas décadas. Antes disso, a maioria dos antropólogos pensava que fôssemos o grupo irmão de todos os grandes primatas e, portanto, igualmente aparentados com os grandes primatas africanos e asiáticos. O consenso favorecia a Ásia como o lar dos nossos mais afastados ancestrais miocênicos, e alguns estudiosos chegaram a apontar um "ancestral" fóssil específico, o *Ramapithecus*. Hoje se supõe que esse animal seja o mesmo que o *Sivapithecus*, o qual, por ter sido nomeado primeiro, tem precedência pelas leis da nomenclatura zoológica. Não se deve mais usar a designação *Ramapithecus*, o que é uma pena, pois o nome já se tornara bem conhecido. Independentemente do que se sinta com respeito ao *Sivapithecus/Ramapithecus* como um ancestral humano, muitos estudiosos concordam que ele é próximo da linha que originou o orangotango, e pode, inclusive, ter sido o ancestral direto desse animal. O *Gigantopithecus* poderia ser considerado uma espécie de versão agigantada e terrícola do *Sivapithecus*. Temos vários outros fósseis asiáticos aproximadamente da época certa. O *Ouranopithecus* e o *Dryopithecus* parecem quase brigar pelo título de mais plausível ancestral humano do Mioceno. Se ao menos eles estivessem no continente certo, somos tentados a dizer. Veremos que esse "se ao menos" até pode se revelar acertado.

Se ao menos os grandes primatas miocênicos estivessem na África e não na Ásia, teríamos uma série regular de fósseis plausíveis, abrangendo todo o período que nos leva de volta aos primórdios do Mioceno, ligando os grandes primatas africanos modernos à rica fauna africana de proconsulídeos. Quando dados moleculares estabeleceram sem sombra de dúvida o nosso parentesco com os chimpanzés e gorilas africanos, em vez de com os orangotangos asiáticos, os pesquisadores que buscavam os ancestrais humanos relutantemente deram as costas à Ásia. Supuseram, apesar da plausibilidade dos próprios grandes primatas asiáticos, que nossa linhagem ancestral tinha de situar-se na África por todo o Mioceno, e concluíram que, por alguma razão, nossos ancestrais africanos não se fossilizaram depois do florescimento inicial dos grandes primatas proconsulídeos no começo do Mioceno.

As coisas ficaram nesse pé até 1998, quando uma engenhosa e criativa interpretação foi apresentada em um artigo intitulado "Primate evolution — in and out of Africa", dos autores Caro-Beth Stewart e Todd R. Disotell. Essa história de idas e vindas entre a África e a Ásia será narrada em "O conto do orangotango". E sua conclusão será que, no fim das contas, o Concestral 3 provavelmente viveu na Ásia.

Mas, por ora, não importa onde ele viveu. Como seria o Concestral 3? Já que ele é o ancestral comum dos orangotangos e de todos os atuais grandes primatas africanos, poderia parecer-se com ambos (ver Ilustração 5). Que fósseis poderiam dar-nos pistas úteis? Bem, examinando a árvore genealógica, os fósseis conhecidos como *Lufengpithecus*, *Oreopithecus*, *Sivapithecus*, *Dryopithecus* e *Ouranopithecus* viveram, todos, mais ou menos na época certa ou um pouquinho depois. Nossa melhor reconstrução hipotética do Concestral 3 poderia combinar elementos desses cinco gêneros de fósseis asiáticos — mas ajudaria se pudéssemos aceitar a Ásia como o local do concestral. Ouçamos "O conto do orangotango" antes de decidir.

O CONTO DO ORANGOTANGO

Talvez tenhamos nos precipitado ao supor que nossas ligações com a África são antiquíssimas. E se, em vez disso, nossa linhagem ancestral tivesse dado um pulo fora da África há cerca de 20 milhões de anos — um pulo lateral que a levasse a prosperar na Ásia até aproximadamente 10 milhões de anos atrás e, então, pulado de volta para a África?

Por essa hipótese, todos os grandes primatas sobreviventes, inclusive os que acabaram por ser encontrados na África, descendem de uma linhagem que emigrou da África para a Ásia. Os gibões e os orangotangos descendem desses migrantes que permaneceram na Ásia. Descendentes posteriores dos migrantes voltaram para a África, onde os grandes primatas miocênicos mais antigos já estavam extintos. De volta à sua terra africana ancestral, esses migrantes originaram os gorilas, os chimpanzés e bonobos e os humanos.

Os fatos conhecidos sobre a deriva dos continentes e as flutuações dos níveis do mar são compatíveis. Houve pontes terrestres através da Arábia nas épocas certas. Os dados positivos em favor da teoria dependem da "parcimônia": uma economia de suposições. Uma teoria boa precisa postular pouco para explicar muito. (Por esse critério, como tantas vezes já mencionei em outras obras, a teoria da seleção natural de Darwin pode ser a melhor teoria de todos os tempos.) Aqui estamos falando em minimizar nossas suposições acerca de eventos migratórios. A teoria de que nossos ancestrais permaneceram na África o tempo todo (ou seja: nenhuma migração) aparentava ser mais econômica em hipóteses do que a teoria de que nossos ancestrais se mudaram da África para a Ásia (primeira migração) e depois retornaram à África (segunda migração).

Mas esse cálculo de parcimônia era muito tacanho. Concentrava-se em nossa linhagem e desconsiderava todos os outros grandes primatas, especialmente as numerosas espécies fósseis. Stewart e Disotell fizeram uma nova contagem dos eventos migratórios, porém levando em consideração aqueles que seriam necessários para explicar a distribuição de todos os grandes primatas, inclusive os fósseis. Para isso, primeiro é preciso construir uma árvore genealógica na qual são assinaladas todas as espécies sobre as quais se tem informação suficiente. O próximo passo é indicar, para cada espécie na árvore genealógica, se ela viveu na África ou na Ásia. No diagrama a seguir, extraído do artigo de Stewart e Disotell, os fósseis asiáticos são representados pelas linhas pretas, e os africanos pelas brancas. Nem todos os fósseis conhecidos estão lá, mas Stewart e Disotell incluíram todos aqueles cuja posição na árvore genealógica poderia ser claramente calculada. Também incluíram os macacos do Velho Mundo, que divergiram dos grandes primatas há cerca de 25 milhões de anos (a mais óbvia diferença entre os macacos e os grandes primatas, como veremos, é que os macacos conservaram a cauda). Os eventos migratórios são indicados por setas.

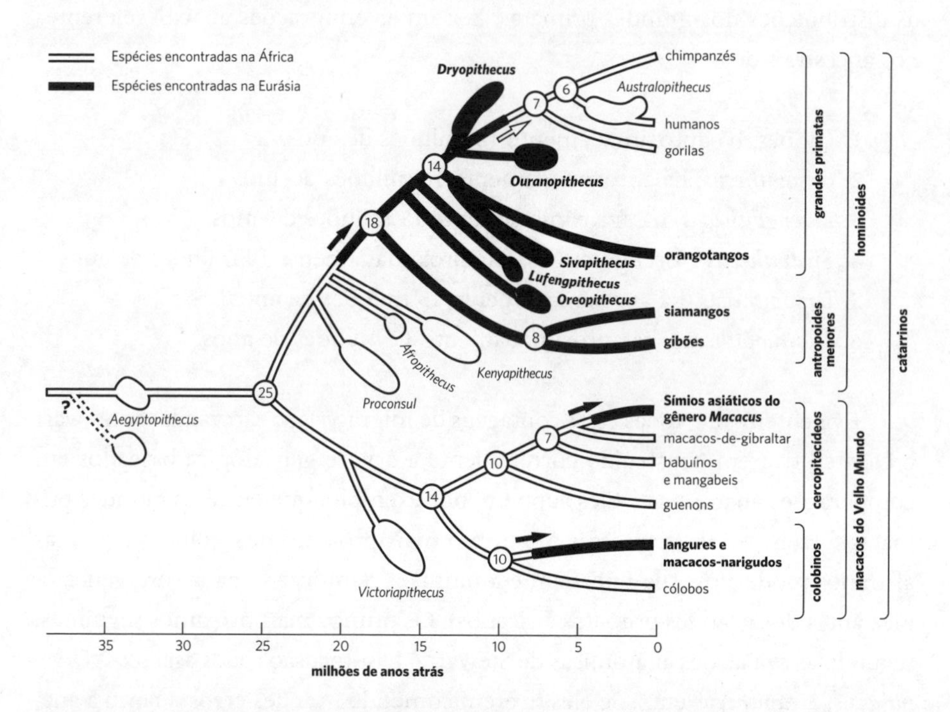

IMIGRAÇÃO E EMIGRAÇÃO DA ÁFRICA. Árvore genealógica dos grandes primatas africanos e asiáticos segundo Stewart e Disotell. As áreas dilatadas representam datas conhecidas por fósseis, enquanto as linhas que as ligam à árvore foram inferidas por análise de parcimônia. As setas representam eventos migratórios inferidos. Adaptado de STEWART e DISOTELL (ver página 725).

Se levarmos em conta os fósseis, a teoria de que nossos ancestrais "deram um pulo até a Ásia e voltaram" é mais parcimoniosa do que a teoria de que eles viveram o tempo todo na África. Deixando de fora os macacos, que, em ambas as teorias, respondem por dois eventos migratórios da África para a Ásia, é preciso postular apenas duas migrações de grandes primatas, a saber:

1. Uma população de grandes primatas emigrou da África para a Ásia por volta de 20 milhões de anos atrás e originou todos os grandes primatas asiáticos, inclusive os gibões e orangotangos atuais.
2. Uma população de grandes primatas emigrou de volta da Ásia para a África e gerou os atuais grandes primatas africanos, incluindo os humanos.

Inversamente, a teoria de que nossos ancestrais viveram o tempo todo na África requer seis eventos migratórios, todos da África para a Ásia, para explicar as distribuições dos grandes primatas. Seriam as emigrações abaixo, referentes aos ancestrais dos:

1. Gibões, há aproximadamente 18 milhões de anos.
2. *Oreopithecus*, há aproximadamente 16 milhões de anos.
3. *Lufengpithecus*, há aproximadamente 15 milhões de anos.
4. *Sivapithecus* e orangotangos, há aproximadamente 14 milhões de anos.
5. *Dryopithecus*, há aproximadamente 13 milhões de anos.
6. *Ouranopithecus*, há aproximadamente 12 milhões de anos.

Evidentemente, todas essas contagens de migrações só são válidas se Stewart e Disotell tiverem construído corretamente a árvore genealógica baseados em comparações anatômicas. Eles supõem, por exemplo, que entre os grandes primatas fósseis, o *Ouranopithecus* é o primo mais próximo dos grandes primatas africanos modernos (sua linhagem é a última a ramificar-se na árvore genealógica antes dos grandes primatas africanos). Os primos mais próximos seguintes, segundo as avaliações anatômicas de Stewart e Disotell, são todos asiáticos (*Dryopithecus*, *Sivapithecus* etc.). Se eles tiverem cometido grandes erros quanto à anatomia — por exemplo, se o fóssil africano *Kenyapithecus* na realidade for mais próximo dos grandes primatas africanos modernos —, então as contagens de migrações terão de ser totalmente refeitas.

A própria árvore genealógica foi construída levando-se em conta a parcimônia. Mas é um tipo diferente de parcimônia. Em vez de tentar minimizar o número de eventos migratórios geográficos que precisamos postular, deixamos de lado a geografia e tentamos minimizar o número de coincidências anatômicas (evolução convergente) que precisamos postular. Uma vez elaborada nossa árvore genealógica sem consideração pela geografia, adicionamos as informações geográficas (a codificação em preto e branco no diagrama) para contar os eventos migratórios. E concluímos que é mais provável que os grandes primatas africanos "recentes", ou seja, gorilas, chimpanzés e humanos, tenham vindo da Ásia.

Agora eis um fato interessante: um clássico livro didático sobre a evolução humana, escrito por Richard G. Klein, da Universidade Stanford, descreve bem o que se conhece sobre a anatomia dos principais fósseis. A certa altura, Klein compara o asiático *Ouranopithecus* e o africano *Kenyapithecus* e indaga qual dos dois mais se assemelha a nosso primo próximo (ou ancestral) *Australopithecus*. Klein conclui que o *Australopithecus* é mais parecido com o *Ouranopithecus* do que com o *Kenyapithecus*. E prossegue afirmando que, se ao menos o *Ouranopithecus* tivesse vivido na África, poderia até ser um candidato plausível a ancestral humano. Entretanto, "por razões geográfico-morfológicas combinadas", o *Kenyapithecus* é melhor candidato. O leitor percebe o que se passa? Klein está fazendo a suposição tácita de que não é provável que os grandes primatas africanos descendam de um ancestral asiático, apesar de os indícios anatômicos sugerirem o contrário. Subconscientemente, permite-se que a parcimônia geográfica tenha precedência sobre a parcimônia anatômica. Esta sugere que o *Ouranopithecus* é primo mais próximo dos humanos do que o *Kenyapithecus*. Mas, sem dizê-lo de forma explícita, está-se supondo que a parcimônia geográfica prevalece sobre a anatômica. Stewart e Disotell argumentam que, quando levamos em conta a geografia de *todos* os fósseis, a parcimônia anatômica e a geográfica *concordam* uma com a outra. A geografia, percebemos então, concorda com a avaliação anatômica inicial de Klein de que o *Ouranopithecus* é parente mais próximo do *Australopithecus* do que o *Kenyapithecus*.

Esse debate talvez ainda não esteja decidido. É complicado fazer malabarismo com a parcimônia anatômica e a geográfica. O artigo de Stewart e Disotell desencadeou vasta correspondência a favor e contra nas publicações científicas. Com os dados de que dispomos no presente, sou de opinião que, tudo considerado, devemos preferir a teoria do "deram um pulo até a Ásia e voltaram" para explicar a evolução dos grandes primatas. Dois eventos migratórios são mais parcimoniosos do que seis. E realmente parece haver algumas semelhanças reveladoras entre os grandes primatas asiáticos de fins do Mioceno e nossa própria linhagem de grandes primatas africanos como o *Australopithecus* e o chimpanzé. É só uma preferência depois de "tudo sopesado", mas me leva a situar o Encontro 3 (e o Encontro 4) na Ásia e não na África.

A moral de "O conto do orangotango" é dupla. A parcimônia está sempre em primeiro lugar na mente de um cientista quando ele escolhe entre teorias, mas o modo de avaliá-la nem sempre é óbvio. E possuir uma boa árvore genealógica costuma ser um primeiro pré-requisito essencial para continuarmos a desenvolver com eficácia o raciocínio na teoria evolutiva. No entanto, construir uma boa árvore genealógica já é, em si, um exercício árduo. Os detalhes dessa tarefa serão explicados pelos gibões, no conto que eles nos narrarão em melodioso coro depois de se juntarem à nossa peregrinação no Encontro 4.

Encontro 4
Gibões

O Encontro 4, onde os gibões se juntam a nós, ocorre por volta de 18 milhões de anos atrás, provavelmente na Ásia, no mundo mais quente e mais arborizado do princípio do Mioceno. Dependendo de que autoridade consultamos, existem até doze espécies modernas de gibões. Todas vivem no Sudeste Asiático, incluindo Indonésia e Bornéu. Alguns especialistas classificam todos eles no gênero *Hylobates*. Costumava-se separar os siamangos e falar em "gibões e siamangos". Quando se percebeu que eles se dividem em quatro grupos, e não em dois, essa distinção tornou-se obsoleta, e chamarei todos de gibões.*

Os gibões são os menores entre os grandes primatas, e talvez sejam os melhores acrobatas do mundo. No Mioceno, havia muitos grandes primatas de pequeno porte. Diminuir e aumentar de tamanho são mudanças fáceis de ocorrer na evolução. Assim como o *Gigantopithecus* e o *Gorilla* agigantaram-se independentemente um do outro, muitos grandes primatas, na era dourada dos primatas antropoides miocênicos, diminuíram de tamanho. Os plioptecídeos, por exemplo, foram grandes primatas de pequeno porte que floresceram na Europa no começo do Mioceno e provavelmente viveram de modo semelhante aos gibões, sem serem ancestrais deles. Suponho, por exemplo, que se locomoviam por braquiação.

* Os siamangos foram separados porque são maiores e possuem uma bolsa na garganta para amplificar seus chamados.

Brachia é "braço" em latim. Braquiação significa deslocar-se usando os braços em vez das pernas, e os gibões são espetacularmente bons nisso. Suas mãos grandes e próprias para agarrar e seus pulsos fortes são como botas de sete léguas de cabeça para baixo, elásticas para projetar como um estilingue o gibão de galho em galho ou de árvore em árvore. Os braços compridos do gibão, perfeitamente de acordo com a física dos pêndulos, são capazes de impulsionar o animal através de um claro de dez metros na cobertura vegetal. Imagino que a braquiação em alta velocidade deve ser mais emocionante até do que o voo, e gosto de sonhar que meus ancestrais desfrutavam dessa que deve ser uma das mais fascinantes experiências que a vida pode oferecer. Infelizmente, o pensamento atual duvida que nossos ancestrais já tenham passado alguma vez por um estágio totalmente equivalente ao do gibão. Mas é razoável conjecturar que o Concestral 4, aproximadamente o nosso milionésimo avô, tenha sido um grande primata arborícola de pequeno porte, com pelo menos alguma proficiência em braquiação.

Entre os grandes primatas, os gibões só perdem para os humanos na difícil arte de andar a prumo. Usando as mãos apenas para equilibrar-se, o gibão percorre toda a extensão de um galho de árvore com andar bípede e usa a braquiação quando quer passar para outro galho. Se o Concestral 4 houver praticado essa mesma arte e se a tiver transmitido a seus descendentes gibões, algum vestígio dessa habilidade poderia ter persistido também no cérebro de seus descendentes humanos, aguardando para reaflorar na África? Isso não passa de especulação agradável, mas é verdade que os grandes primatas em geral têm a tendência de adotar o andar bípede de quando em quando. Também só podemos conjecturar sobre a possibilidade de o Concestral 4 possuir o virtuosismo vocal de seus descendentes gibões e nos perguntar se isso poderia pressagiar a versatilidade sem igual da voz humana na fala e na música. No entanto, os gibões são fielmente monógamos, ao contrário dos grandes primatas que são nossos parentes mais próximos. Ao contrário, inclusive, da maioria das culturas humanas, nas quais o costume, e em vários casos a religião, encoraja (ou pelo menos permite) a poligi-

Página ao lado: JUNÇÃO COM OS GIBÕES. Atualmente costuma-se classificar em quatro grupos as doze espécies de gibão. A ordem das ramificações entre os quatro é controversa, como analisado em detalhes em "O conto do gibão".

IMAGENS, DA ESQUERDA PARA A DIREITA: gibão-de-hoolock (*Bunopithecus hoolock*); gibão-ágil (*Hylobates agilis*); siamango (*Symphalangus syndactilys*); *Nomascus gabriellae*.

Junção com os gibões

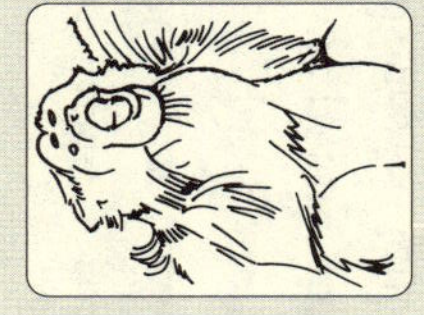

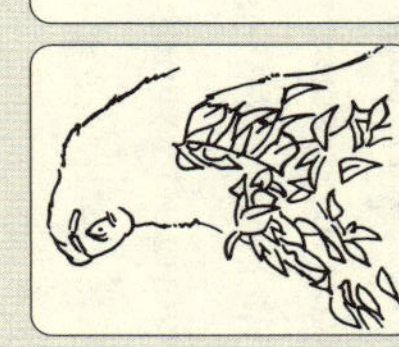

nia. Não sabemos se, nesse aspecto, o Concestral 4 foi semelhante aos seus descendentes gibões ou a seus outros descendentes grandes primatas.*

Façamos um resumo do que podemos supor sobre o Concestral 4, sob a usual hipótese fraca de que ele possui um bom número das características compartilhadas por todos os seus descendentes, ou seja, todos os grandes primatas, inclusive nós. É provável que tivesse uma vida mais acentuadamente arborícola do que o Concestral 3, e era menor. Se, como suspeito, se pendurava e se balançava pelos braços, é possível que estes não tenham sido tão extremamente especializados para a braquiação como os dos gibões modernos, e não tão longos. Sua face provavelmente se parecia com a do gibão, com focinho curto. Ele não tinha cauda. Ou, para ser mais preciso, suas vértebras caudais, como em todos os grandes primatas, uniam-se em uma curta cauda interna, o cóccix.

Não sei por que nós, grandes primatas, perdemos a cauda. Trata-se de uma questão que os biólogos debatem surpreendemente pouco. Uma exceção recente é a discussão de Jonathan Kingdon em *Lowly origin*, mas nem ele chega a uma conclusão satisfatória. Muitos zoólogos, diante desse tipo de enigma, pensam em termos comparativos. Examinam os mamíferos, anotam onde a ausência de cauda (ou uma cauda muito curta) surgiu de forma independente e tentam encontrar um sentido. Creio que ninguém fez isso sistematicamente, mas seria uma excelente iniciativa. Afora os grandes primatas, a ausência de cauda é encontrada nas toupeiras, nos ouriços-cacheiros, no tenreque sem cauda *Tenrec ecaudatus*, nos porquinhos-da-índia, hamsters, ursos, morcegos, coalas, preguiças, cutias e vários outros. Talvez mais interessante para nossos propósitos seja a existência de macacos sem cauda, ou de macacos com uma cauda tão curta que até poderia não existir, como a dos gatos da raça Manx. Os gatos Manx têm um único gene responsável pela ausência de cauda. Esse gene é letal quando é homozigoto (presente duas vezes), portanto sua disseminação pela evolução é improvável. Mas passou-me pela cabeça uma questão: teriam os primeiros grandes primatas sido "macacos Manx"? Em caso afirmativo, a mutação, presumivelmente, seria em um gene Hox (ver "O conto da mosca-das-frutas"). Minha tendência é ser contra

* Talvez os velhos e bons valores familiares dos gibões e a pia esperança de que nossos ancestrais evolutivos também os tenham adotado devam ser enfatizados para a "maioria moral" direitista, cuja ignorante e tacanha oposição ao ensino da evolução põe em risco o nível educacional em vários estados norte-americanos retrógrados. Obviamente, extrair qualquer lição de moral seria cometer a "falácia naturalista", mas, afinal, esse tipo de gente é chegado a falácias.

essas teorias de "monstro promissor" na evolução, mas teria sido essa uma exceção? Seria interessante examinar o esqueleto de mutantes sem cauda de mamíferos "Manx" normalmente caudados, para ver se eles "se viravam" sem a cauda de maneira semelhante aos grandes primatas.

O macaco-de-gibraltar [*Macaca sylvanus*] é um macaco sem cauda talvez por isso, muitos falantes do inglês chamam-no de *Barbary ape*. O *Macaca nigra*, macaco-preto-das-célebes, em inglês conhecido como *Celebes ape*, é outro macaco sem cauda. Jonathan Kingdon disse-me que a aparência e o modo de andar desse animal lembram exatamente os de um chimpanzé em miniatura. Madagascar tem alguns lêmures sem cauda, como o índri, e várias espécies extintas, entre elas os lêmures-gigantes *Megaladapis* (chamados em inglês de *koala lemurs*, ou lêmures coalas) e os *Palaeopropithecus* (*sloth lemurs*, ou lêmures preguiças), alguns do tamanho de gorilas.

Qualquer órgão que não for usado diminuirá, sendo tudo o mais igual, no mínimo por razões de economia. Os mamíferos usam a cauda com finalidades surpreendentemente variadas. As ovelhas armazenam nela uma reserva de gordura. Os castores usam-na para remar. A cauda do macaco-aranha tem uma almofada preênsil calosa e é usada como "quinto membro" na copa das árvores sul-americanas. A avantajada cauda do canguru é elástica como uma mola, para ajudá-lo a pular. Os ungulados espantam mosquitos com a cauda. Os lobos e muitos outros animais usam-na para sinalizar, mas isto provavelmente é um "oportunismo" secundário da seleção natural.

Mas aqui devemos nos ocupar especialmente dos animais que vivem nas árvores. A cauda dos esquilos funciona como uma espécie de paraquedas, por isso "saltar', para ele, é quase como voar. Muitos animais arborícolas possuem cauda longa que atua como contrapeso ou como leme nos saltos. Os lóris e os juparás, que veremos no Encontro 8, rastejam lentamente pelas árvores espreitando as presas, e têm uma cauda extremamente curta. Já seus parentes gálagos, que são vigorosos saltadores, possuem cauda longa e felpuda. As preguiças arborícolas não têm cauda, como os coalas marsupiais, que podem ser considerados seus equivalentes australianos, e ambos se deslocam lentamente pelas árvores, como os lóris.

Em Bornéu e Sumatra, os macacos cynomolgus [*Macaca fascicularis*], de caudas longas, vivem nas árvores, enquanto seu parente próximo, o macaco de cauda de porco [*Macaca nemestrina*], vive no chão e tem cauda curta. Em geral, macacos ativos nas árvores têm cauda longa. Correm de quatro pelos galhos, usando a cauda para equilibrar-se, e pulam de galho em galho com o corpo na horizontal e a cauda estendida para trás, como um leme equilibrador. Mas por que os gibões, tão ativos nas árvores quanto qualquer macaco, não têm cauda? Talvez a resposta esteja em seu modo muito diferente de mover-se. Todos os grandes primatas, como já vimos, ocasionalmente são bípedes, e os gibões, quando não saltam de galho em galho, correm pelos ramos nas pernas traseiras, usando os braços compridos para se equilibrar. É fácil imaginar que a cauda seria um estorvo para o andar bípede. Meu colega Desmond Morris disse-me que às vezes o macaco-aranha anda nas pernas traseiras, e nessas ocasiões se pode ver que sua longa cauda é um grande empecilho. Além disso, quando um gibão projeta o corpo para alcançar um galho distante, ele o faz pendurado em posição vertical, em contraste com a postura horizontal adotada pelos macacos ao saltar. Longe de ser um remo equilibrador estendido para trás, uma cauda seria um inquestionável entrave para um braquiador vertical como o gibão ou, presumivelmente, o Concestral 4.

Isso é o melhor que posso fazer. Acho que os zoólogos precisam se empenhar mais para desvendar por que nós, grandes primatas, perdemos nossa cauda. Imaginar, *a posteriori*, os fatos em contrário engendra especulações estimulantes. Como teríamos acomodado a cauda ao nosso hábito de usar roupas, especialmente calças? No alfaiate, a escolha entre cós alto ou cós baixo seria uma questão muito mais relevante.

O CONTO DO GIBÃO

Em coautoria com Yan Wong

No Encontro 4, é a primeira vez que vemos um grupo de peregrinos com mais de um par de espécies já reunidas. Quando há mais do que isso, podemos ter problemas para deduzir os parentescos. Esses problemas piorarão à medida que nossa peregrinação avançar. Como resolvê-los é o tema de "O conto do gibão".*

* O tema deste conto o torna inevitavelmente mais árduo do que as outras partes do livro. O leitor deve usar seu chapéu pensador durante as próximas quinze páginas ou pular agora para o Encontro 5 e retornar ao conto no momento em que quiser exercitar seus neurônios. A propósito:

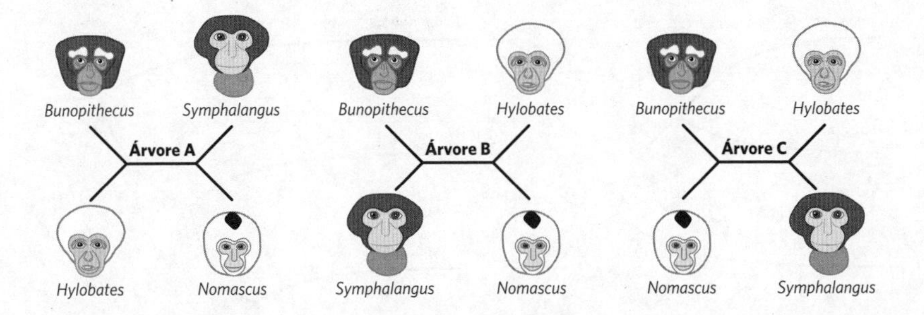

Vimos que há doze espécies de gibão, divididas em quatro grupos principais. São os *bunopithecus* (um grupo composto por uma única espécie, comumente conhecida como *hoolock*, ou gibão-de-sobrancelha-branca), os *hylobates* (seis espécies, das quais a mais conhecida é o gibão-de-mão-branca, *Hylobates lar*), o *symphalangus* (siamango) e os *Nomascus* (quatro espécies de gibão "de topete"). Este conto explica como se constrói um parentesco evolutivo, ou filogênese, entre os quatro grupos.

As árvores genealógicas podem ser "enraizadas" ou "desenraizadas". Quando traçamos uma árvore enraizada, sabemos onde está o ancestral. A maioria dos diagramas em árvore neste livro é enraizada. As árvores desenraizadas, em contraste, não têm direção definida. Muitos as chamam de diagrama em estrela, e nelas não há uma seta de tempo. Elas não começam de um lado da página e terminam do outro. Acima temos três exemplos, que esgotam as possibilidades para relacionarmos quatro entidades.

Em cada bifurcação da árvore não faz diferença qual é o ramo esquerdo e qual o direito. E até agora (embora isso vá mudar mais adiante no conto) nenhuma informação é dada pelos comprimentos dos ramos. Um diagrama em árvore cujos comprimentos dos ramos não têm significado é conhecido como cladograma (um cladograma desenraizado, nesse caso). A ordem das ramificações é a única informação fornecida por um cladograma; o resto é supérfluo. Tente, por exemplo, girar qualquer uma das bifurcações laterais em torno da linha horizontal no meio. Não fará diferença para o padrão de parentesco.

---

sempre me perguntei o que seria realmente um "chapéu pensador". Bem que gostaria de ter um. Dizem que o meu patrono, Charles Simonyi, um dos melhores programadores de computador do mundo, usa um *debugging suit* [traje depurador] especial, o que talvez possa ajudar a explicar seu formidável sucesso.

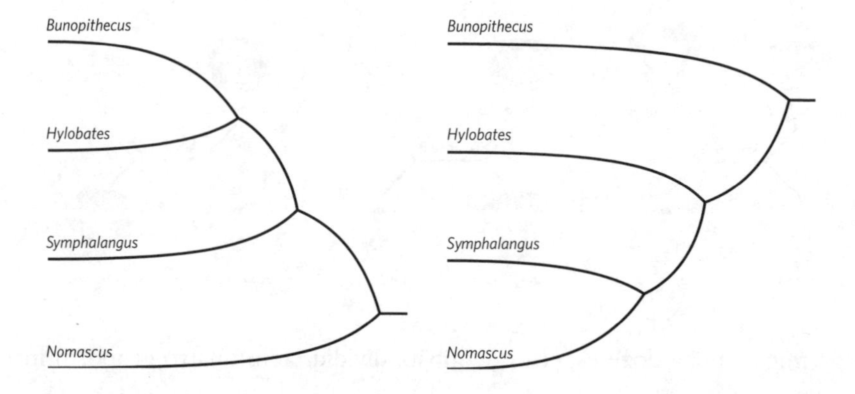

Esses três cladogramas desenraizados representam os únicos modos possíveis de relacionar quatro espécies, desde que nos restrinjamos a parentescos através de ramos que só se dividem em dois (dicotomias). Como nas árvores enraizadas, existe a convenção de desconsiderar as divisões em três ramos (tricotomias) ou mais (politomias), admitindo-se temporariamente a ignorância — elas ficam como "não resolvidas".

Qualquer cladograma desenraizado transforma-se em cladograma enraizado no momento em que especificamos o ponto mais antigo (a "raiz") da árvore. Certos pesquisadores — aqueles nos quais nos baseamos para traçar a árvore no início deste conto — sugeriram para os gibões o cladograma enraizado mostrado acima à esquerda. Mas outros sugeriram o cladograma enraizado à direita.

Na primeira árvore, os gibões de topete, *nomascus*, são parentes distantes de todos os outros gibões. Na segunda, essa distinção é do *bunopithecus*, ou gibão-de-sobrancelha-branca. Apesar de suas diferenças, ambas derivam da mesma árvore desenraizada (a árvore A da página anterior). Os cladogramas diferem apenas na posição da raiz. A primeira é encontrada colocando-se a raiz da árvore A no ramo conducente ao *nomascus*; a segunda, colocando a raiz no ramo conducente ao *bunopithecus*.

Como "enraizamos" uma árvore? O método usual é estender a árvore de modo a incluir pelo menos um — e, de preferência, mais de um — "extragrupo": um membro de um grupo que, de antemão, é universalmente considerado o único que tem parentesco distante com todos os outros. Na árvore dos gibões, por exemplo, os orangotangos ou gorilas — ou, na verdade, os elefantes ou os cangurus — poderiam servir de extragrupo. Por mais incertos que estejamos quanto às relações de parentesco *entre* os gibões, sabemos que o ancestral comum entre *qualquer* gibão e um grande primata ou um elefante é mais antigo do que o ancestral comum entre qualquer gibão e outro gibão: é inquestionável situar a raiz de uma árvore que inclui os gibões e os grandes primatas em algum ponto entre ambos.

É fácil atestar que as três árvores desenraizadas que desenhei aqui são as únicas árvores dicotômicas possíveis para os quatro grupos. Para cinco grupos existem quinze árvores possíveis. Mas nem tente calcular o número de árvores possíveis para, digamos, vinte grupos. Ele está na casa de 10^{20}.* À medida que a contagem das árvores aumenta imensamente conforme o número de grupos a serem classificados, até o computador mais rápido pode demorar uma eternidade. Em princípio, porém, nossa tarefa é simples. De todas as árvores possíveis, devemos escolher a que melhor explique as semelhanças e diferenças entre nossos grupos.

Como julgar "o que melhor explica"? Quando analisamos um conjunto de animais, encontramos semelhanças e diferenças infinitamente expressivas. No entanto, é mais difícil contá-las do que você pode imaginar. Com frequência uma "característica" é parte inextricável de outra. Se as contarmos separadamente, estaremos, na verdade, contando a mesma característica duas vezes. Como um exemplo extremo, suponhamos que haja quatro espécies de centopeia, A, B, C e D. A e B são parecidas entre si em todos os aspectos, exceto na cor das pernas, vermelhas em A e azuis em B. C e D são semelhantes entre si e muito diferentes de A e B, exceto pelo fato de C ter pernas vermelhas, e D, pernas azuis. Se contarmos a cor das pernas como uma única "característica", com acerto agruparemos o grupo AB separadamente de CD. Mas se, ingenuamente, contarmos cada uma das cem pernas separadamente, suas cores centuplicarão o número de características que apoiam o agrupamento alternativo de AC contra BC. Todos concordariam que cometemos o erro de contar a mesma característica cem vezes. É "de fato" uma só característica, pois uma única "decisão" embriológica determinou simultaneamente a cor de todas as cem pernas.

O mesmo vale para a simetria dos lados esquerdo e direito: a embriologia funciona de modo que, com raras exceções, cada lado de um animal é a imagem invertida do outro. Nenhum zoólogo contaria duas vezes cada característica in-

* O número é dado por: $(3 \times 2 - 5) \times (4 \times 2 - 5) \times (5 \times 2 - 5) \times \ldots \times (n \times 2 - 5)$, onde n é o número de grupos.

vertida ao montar um cladograma, mas a não independência nem sempre é tão óbvia. Um pombo precisa de um esterno profundo onde ligar os músculos usados no voo. Já uma ave que não voa, como o quivi, não precisa. Devemos contar o esterno profundo e as asas voadoras como duas características separadas que distinguem os pombos dos quivis? Ou contá-los como uma única característica, argumentando que o estado de uma determina a outra, ou pelo menos reduz sua liberdade para variar? No caso das centopeias e da imagem invertida, a resposta sensata é muito óbvia. No caso do esterno, não. Podemos encontrar pessoas de bom senso defendendo lados opostos.

Isso tudo diz respeito a semelhanças e diferenças visíveis. Mas as características visíveis só evoluem se forem manifestações de sequências de DNA. Hoje podemos comparar sequências de DNA diretamente. E com um benefício adicional: os textos de DNA, sendo fitas longas, fornecem muito mais itens para serem contados e comparados. Problemas como o da asa/esterno tendem a submergir na enxurrada de dados. Ainda melhor é o fato de que muitas diferenças no DNA são invisíveis para a seleção natural e, portanto, fornecem um sinal mais "puro" de descendência. Em um exemplo extremo, alguns códigos de DNA são sinônimos: especificam exatamente o mesmo aminoácido. Uma mutação que troque uma palavra do DNA por um de seus sinônimos é invisível para a seleção natural. Para um geneticista, porém, essa mutação não é menos visível do que qualquer outra. O mesmo se aplica aos "pseudogenes" (em geral, duplicações acidentais de genes reais) e a muitas outras sequências de "*junk* DNA" [DNA-lixo], que existem no cromossomo, mas nunca são lidas nem usadas. Estar isento de seleção natural libera o DNA para sofrer mutações de maneiras que deixam vestígios muito informativos para os taxonomistas. Nada disso altera o fato de que algumas mutações têm efeitos reais e importantes. Mesmo se elas forem apenas pontas de icebergs, são essas pontas que se fazem visíveis para a seleção natural e respondem por todas as belezas e complexidades da vida que nos são visíveis e familiares.

O DNA também está longe de ser imune ao problema da múltipla contagem — o equivalente molecular das pernas das centopeias. Ocasionalmente, uma sequência é duplicada muitas vezes por todo o genoma. Cerca de metade do DNA humano consiste em numerosas cópias de sequências sem sentido, "elementos transponíveis" que podem ser parasitas que sequestram o mecanismo da replicação do DNA para disseminar-se pelo genoma. Um desses elementos parasitários, *Alu*, está presente em mais de 1 milhão de cópias na maioria dos indivíduos;

tornaremos a encontrá-lo em "O conto do bugio". Mesmo para o DNA dotado de sentido e utilidade, existem alguns casos nos quais genes estão presentes em dezenas de cópias idênticas (ou quase idênticas). Na prática, porém, a múltipla contagem tende a não oferecer problema, pois em geral as sequências duplicadas de DNA são fáceis de identificar.

Uma razão melhor para ter cautela é que algumas criaturas comparativamente não aparentadas apresentam enigmáticas semelhanças em extensas regiões de DNA. Ninguém duvida que as aves são parentes mais próximas das tartarugas, lagartos, cobras e crocodilos do que dos mamíferos (ver Encontro 16). Mesmo assim, as sequências de DNA das aves e dos mamíferos têm semelhanças maiores do que poderíamos esperar com base nesse parentesco distante. Ambas têm um excesso de pareamento G-C em seu DNA não codificador. O pareamento G-C é quimicamente mais forte que o A-T, e é possível que as espécies de sangue quente (aves e mamíferos) necessitem de DNA mais fortemente ligado. Seja qual for a razão, devemos nos precaver contra permitir que esse viés G-C nos persuada a enxergar parentesco próximo entre todos os animais de sangue quente. O DNA parece prometer uma utopia para os sistematizadores biológicos, mas devemos estar cientes desses perigos: há muita coisa que ainda não sabemos sobre os genomas.

Cumprido, pois, o dever de invocar a cautela, como podemos usar as informações presentes no DNA? É fascinante notar que os estudiosos da literatura usam as mesmas técnicas dos biólogos evolucionistas para reconstituir a genealogia dos textos. E acontece que um dos melhores exemplos (quase bom demais para ser verdade) é o trabalho do *Canterbury tales* Project [Projeto *Contos de Cantuária*]. Membros dessa associação internacional de estudiosos da literatura usaram as ferramentas da biologia evolutiva para reconstituir a história de 85 diferentes versões manuscritas dos *Canterbury tales*. Esses manuscritos antigos, anteriores ao advento do prelo, são nossa maior esperança de reconstituir o original de Chaucer, que se perdeu. Assim como ocorre com o DNA, o texto de Chaucer sobreviveu por meio de repetidas cópias, com mudanças acidentais que elas perpetuaram. Avaliando meticulosamente as diferenças acumuladas, os estudiosos podem reconstituir a história das cópias, a árvore evolutiva — pois se trata realmente de um processo evolutivo, composto por uma acumulação gradual de erros ao longo de gerações sucessivas. As técnicas e dificuldades para traçar a evolução do DNA e do texto literário são tão semelhantes que uma pode ser usada para ilustrar a outra.

Por isso, mudemos temporariamente dos gibões para Chaucer, e em especial para quatro das 85 versões manuscritas dos *Canterbury tales*: as da "British Library", "Christ Church", "Egerton" e "Hengwrt".* Eis as duas primeiras linhas do "Prólogo geral":

BRITISH LIBRARY: Whan that Aprylle / wyth hys showres soote
The drowthe of Marche / hath pcede to the rote**

CHRIST CHURCH: Whan that Auerell w^{t} his shoures soote
The droght of Marche hath pced to the roote

EGERTON: Whan that Aprille with his showres soote
The drowte of marche hath pced to the roote

HENGWRT: Whan that Aueryll w^{t} his shoures soote
The droghte of March / hath pced to the roote

A primeira coisa que temos de fazer, seja com o DNA, seja com textos literários, é localizar as semelhanças e as diferenças. Para isso, precisamos "alinhá-las" — uma tarefa nem sempre fácil, pois os textos podem ser fragmentários, estar misturados ou ter comprimentos desiguais. Um computador é de grande ajuda quando a dificuldade é grande, mas não precisamos disso para alinhar os dois primeiros versos do "Prólogo geral" de Chaucer. Realcei neles os catorze pontos onde os manuscritos discordam (ver página ao lado).

Dois lugares, o segundo e o quinto, têm três variantes em vez de duas. Há no total, portanto, dezesseis "diferenças". Depois de compilar uma lista de diferenças, devemos calcular que árvore as explica melhor. Há muitos modos de fazer isso, e todos podem ser usados tanto para os animais como para os textos literários. O mais simples é agrupar os textos segundo a semelhança geral. Isso se faz geralmente com base em alguma variante do método que descrevo a se-

* O manuscrito da "British Library" pertenceu a Henry Dene, arcebispo de Cantuária em 1501. Hoje ele se encontra na Biblioteca Britânica, em Londres, juntamente com o manuscrito de Egerton e outros. O manuscrito de "Christ Church" agora reside próximo de onde estou escrevendo, na biblioteca de Christ Church, em Oxford. O primeiro registro do manuscrito de "Hengwrt" indica que ele pertenceu a Fulke Dutton em 1537. Danificado por mordidas de rato no pergaminho em que foi escrito, hoje está guardado na Biblioteca Nacional do País de Gales.

** "Quando abril, com as suas doces chuvas, cortou pela raiz toda a aridez de março". Em *Os contos de Cantuária*, tradução de Paulo Vizioli, São Paulo, T. A. Queiroz Editor, 1991.

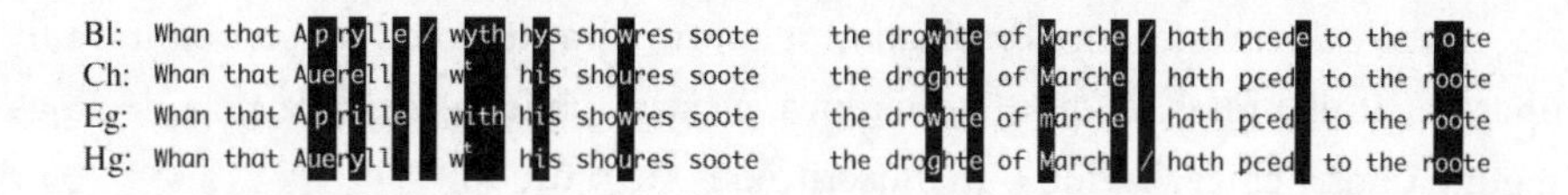

guir. Primeiro, localizamos o par de textos mais semelhante. Em seguida, consideramos esse par como um único texto médio, e o colocamos ao lado dos textos remanescentes enquanto procuramos pelo próximo par mais semelhante. E assim prosseguimos, formando sucessivos grupos encaixados, até termos construído uma árvore de parentesco. Esses tipos de técnicas — das quais uma das mais comuns é conhecida como *neighbor joining* [junção de vizinhos] — são de cálculo rápido, mas não incorporam a lógica do processo evolutivo. São puramente medidas de semelhança. Por essa razão, a escola "cladista" de taxonomia, que tem alicerces profundos na biologia evolutiva (ainda que nem todos os seus membros se deem conta disso), prefere outros métodos, dos quais o primeiro a ser concebido foi o da parcimônia.

Parcimônia, como vimos em "O conto do orangotango", significa, aqui, economia de explicação. Na evolução, quer de animais, quer de manuscritos, a explicação mais parcimoniosa é a que postula a menor quantidade de mudança evolutiva. Se dois textos têm uma característica em comum, a explicação parcimoniosa é que eles herdaram juntos essa característica de um ancestral comum, e não que a característica evoluiu independentemente em cada um deles. Isso está muito longe de ser uma regra invariável, mas pelo menos é mais provável que seja verdade do que o seu oposto. O método da parcimônia — ao menos em princípio — examina todas as árvores possíveis e escolhe a que minimiza a quantidade de mudanças.

Na hora de escolher as árvores segundo a parcimônia, certos tipos de diferença não nos podem ajudar. Diferenças exclusivas de um único manuscrito, ou de uma única espécie de animal, *não são informativas*. O método *neighbor joining* faz uso delas, mas o da parcimônia desconsidera-as totalmente. A parcimônia baseia-se em mudanças *informativas*: as comuns a mais de um manuscrito. A árvore preferida é a que usa os ascendentes comuns para explicar o maior número possível de diferenças informativas. Em nossos versos chaucerianos há cinco diferenças informativas a serem explicadas. Quatro delas dividem os manuscritos em:

{British Library mais Egerton} *versus* {Christ Church mais Hengwrt}.

Essas são as diferenças realçadas pela primeira, terceira, sétima e oitava linhas verticais pretas. A quinta diferença, a barra oblíqua realçada pela décima-segunda linha cinza, divide o manuscrito de outro modo:

{British Library mais Hengwrt} *versus* {Christ Church mais Egerton}.

Essas divisões são conflitantes entre si. Não podemos traçar nenhuma árvore na qual cada mudança ocorre uma única vez. O melhor que podemos fazer é construir a árvore abaixo (note que ela é desenraizada). Ela minimiza o conflito, requerendo apenas que a barra apareça ou desapareça duas vezes.

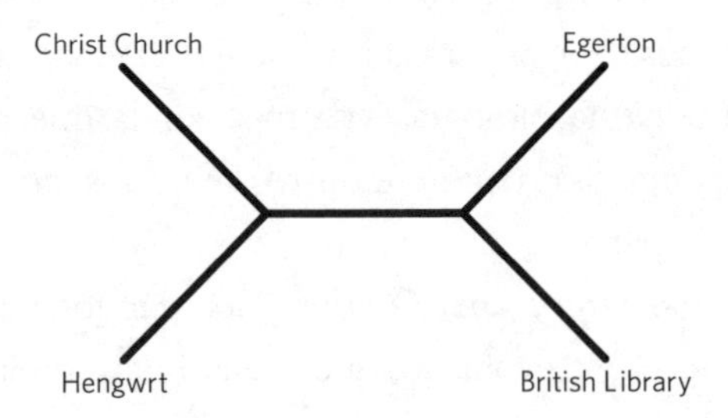

Na verdade, nesse caso não tenho muita confiança em nossa suposição. Convergências ou reversões são comuns em textos, especialmente quando o sentido do verso não muda. Um escriba medieval poderia não ter grandes escrúpulos de alterar a grafia, e menos ainda de inserir ou remover um sinal de pontuação como uma barra. Melhores indicadores de parentesco seriam mudanças como a reordenação de palavras. Os equivalentes genéticos são as "mudanças genômicas raras": eventos como grandes inserções, deleções ou duplicações de DNA. Podemos reconhecê-los explicitamente atribuindo mais ou menos peso a diferentes tipos de mudança. Mudanças que sabidamente são comuns ou não confiáveis recebem peso menor quando computamos mudanças extras. Mudanças que sabidamente são raras, ou são indicadores confiáveis de parentesco, recebem peso maior. Um peso elevado em uma mudança significa que fazemos mais questão de não contá-la duplamente. Assim, a árvore mais parcimoniosa é a que tiver o peso global menor.

O método da parcimônia é muito usado para encontrar árvores evolutivas. Mas, se as convergências ou reversões forem comuns — como ocorre com muitas sequências de DNA e com nossos textos chaucerianos —, a parcimônia pode ser enganosa. É o famigerado bicho-papão conhecido como "atração de ramo longo". Vejamos o que isso significa.

Os cladogramas, enraizados ou não, informam apenas a ordem das ramificações. Os *filogramas*, ou árvores filogenéticas (do grego *phylon* = raça/tribo/classe), são semelhantes, mas também usam o comprimento dos ramos para transmitir informação. Tipicamente, o comprimento dos ramos representa distância evolutiva: ramos longos indicam muita mudança; ramos curtos, pouca. O primeiro verso dos *Canterbury tales* resulta no seguinte filograma:

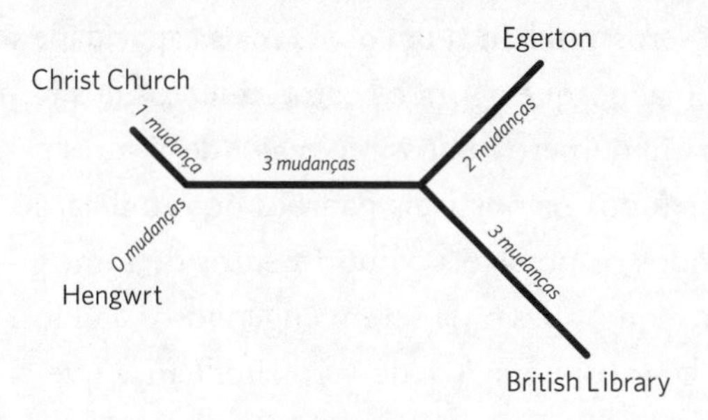

Neste filograma, os ramos não diferem tanto no comprimento. Mas imagine o que aconteceria se dois dos manuscritos mudassem muito em comparação com os outros dois. Os ramos conducentes àqueles seriam representados por traços muito longos. E uma proporção das mudanças não seria única. Elas por acaso seriam idênticas a mudanças em outros pontos da árvore, mas (e eis o X da questão) seriam idênticas *especialmente* às do outro ramo longo. Isso porque, afinal de contas, os ramos longos estão onde há o maior número de mudanças. Com um número suficiente de mudanças evolutivas, as que enganosamente ligam os dois ramos longos eclipsarão o verdadeiro sinal. Baseada em uma contagem simples do número de mudanças, a parcimônia, de modo equivocado, agrupa juntos os terminais de ramos mais longos. O método da parcimônia leva os ramos longos a "atrair" erroneamente uns aos outros.

O problema da atração de ramo longo é uma dor de cabeça considerável para os taxonomistas biológicos. Ele aparece sempre que as convergências e reversões são comuns, e infelizmente não podemos esperar evitá-lo examinando mais texto. Ao contrário: quanto mais texto examinarmos, mais semelhanças errôneas encontraremos e mais forte será nossa aposta na resposta errada. Dizem que tais árvores se encontram na "zona Felsenstein" — um nome que soa perigoso, mas, na verdade, foi dado em honra ao ilustre biólogo americano Joe Felsenstein. Por azar, os dados de DNA são particularmente vulneráveis à atração de ramo longo. A principal razão é que no código do DNA existem apenas quatro letras. Se a maioria das diferenças são mudanças de uma só letra, é extremamente provável ocorrer mutação independente da mesma letra por acidente. Isso arma um campo minado de atração de ramo longo. Nesses casos precisamos de uma alternativa à parcimônia. Ela vem na forma de uma técnica conhecida como análise de verossimilhança, que vem ganhando a preferência na taxonomia biológica.

A análise de verossimilhança usa ainda mais capacidade de computação do que a de parcimônia, porque agora os comprimentos dos ramos são importantes. Assim, temos um número muitíssimo maior de árvores para analisar porque, além de examinar todos os possíveis padrões de ramificação, precisamos também investigar todos os possíveis comprimentos de ramos — uma tarefa hercúlea. Isso significa que, apesar de serem engenhosos atalhos, os computadores atuais só podem lidar com análises de verossimilhança que envolvam números pequenos de espécies.

"Verossimilhança" não é um termo vago. Ao contrário, tem significado preciso. Para uma árvore de uma forma específica (lembrando-se de incluir os comprimentos dos ramos), de todos os caminhos evolutivos possíveis que poderiam produzir uma árvore filogenética com a mesma forma, apenas um número muito pequeno geraria precisamente esses textos que agora vemos. A "verossimilhança" de uma dada árvore é a ínfima probabilidade de se chegar aos textos existentes reais em vez de a qualquer um dos outros textos que poderiam ter sido gerados por uma árvore desse tipo. Embora o valor da verossimilhança para uma árvore seja minúsculo, ainda assim podemos comparar um valor minúsculo com outro, como uma forma de avaliação.

Na análise de verossimilhança há vários métodos alternativos para obtermos a "melhor" árvore. O mais simples é procurar por aquela com maior verossimilhança: a árvore que é a mais verossímil. Como seria de esperar, isso é conhecido como "máxima verossimilhança", mas só porque ela é a única mais verossímil não significa que outras árvores possíveis não sejam quase tão verossímeis quanto ela. Mais recentemente, sugeriu-se que, em vez de acreditar em uma única árvore mais verossímil, deveríamos examinar todas as árvores possíveis, porém dar proporcionalmente mais crédito às mais verossímeis. Essa abordagem, uma

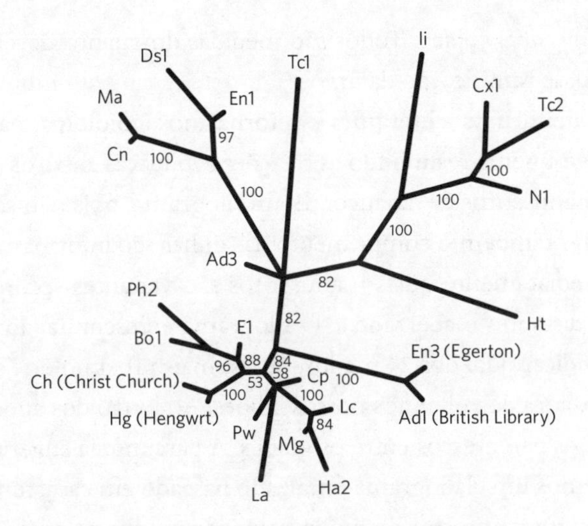

"BY ME WAS NOTHYNG ADDED NE MYNUSSHYD" [Prefácio de Caxton: "Por mim nada foi acrescido nem diminuído"]. Árvore filogenética desenraizada dos primeiros 250 versos de 24 versões manuscritas diferentes dos *Canterbury tales*. Isso representa um subconjunto dos manuscritos estudados pelo *Canterbury Tales* Project, cujas abreviações para os manuscritos são usadas aqui. A árvore foi construída segundo a análise de parcimônia, e os valores *bootstrap* são mostrados nos ramos. As quatro versões analisadas neste livro têm o nome por extenso.

alternativa à máxima verossimilhança, é conhecida como filogenética bayesiana. Se muitas árvores verossímeis concordam em um ponto de ramificação específico, calculamos que ele tem grande probabilidade de estar correto. Obviamente, assim como na máxima verossimilhança, não podemos examinar todas as árvores possíveis, mas existem atalhos computacionais, e eles funcionam muito bem.

Nossa *confiança* na árvore que finalmente escolhermos dependerá da nossa certeza de que seus vários ramos estão corretos, e é comum assinalar medidas dessa confiança ao lado de cada ponto de ramificação. As probabilidades são automaticamente calculadas quando se usa o método bayesiano, mas, para outros métodos, como o da parcimônia ou o da máxima verossimilhança, precisamos de medidas alternativas. Uma medida comumente usada é o método *bootstrap*, que faz repetidas reamostragens de diferentes partes dos dados para ver quanta diferença isso faz para a árvore final — em outras palavras, para saber quanto a árvore é vulnerável ao erro. Quanto maior o valor *bootstrap*, mais confiável é o ponto de ramificação, mas até os especialistas têm de se esforçar para interpretar exatamente o que um valor *bootstrap* específico nos diz. Métodos semelhantes são o *jacknife* e o *decay index*. Todos são medidas do quanto devemos acreditar em cada ponto de ramificação da árvore.

Antes de deixarmos a literatura e retornarmos à biologia, na página anterior temos um esquema resumindo as relações evolutivas entre os primeiros 250 versos de 24 manuscritos de Chaucer. É um filograma, pois não só o padrão de ramificação mas também o comprimento das linhas são informativos. Podemos interpretar imediatamente quais manuscritos são variantes secundárias de outro, quais são distantes e aberrantes. O filograma é desenraizado: não se compromete em indicar qual dos 24 manuscritos é mais próximo do "original".

Chegou a hora de voltar aos nossos gibões. Ao longo dos anos, muitos tentaram calcular os parentescos entre os gibões. A parcimônia sugeriu quatro grupos. Abaixo vemos um cladograma enraizado baseado em características físicas.

Esse cladograma mostra de modo convincente que as espécies do gênero *Hylobates* agrupam-se juntas, assim como as do gênero *Nomascus*. Os dois grupos apresentam valores *bootstrap* razoavelmente elevados (os números nas linhas). Mas em vários lugares a ordem de ramificação não está resolvida. Embora pareça que os *Hylobates* e os *Bunopithecus* formam um grupo, o valor *boostrap*, 63, não é convincente para quem tem prática em interpretar esses hieróglifos. Características morfológicas não bastam para decidir a árvore.

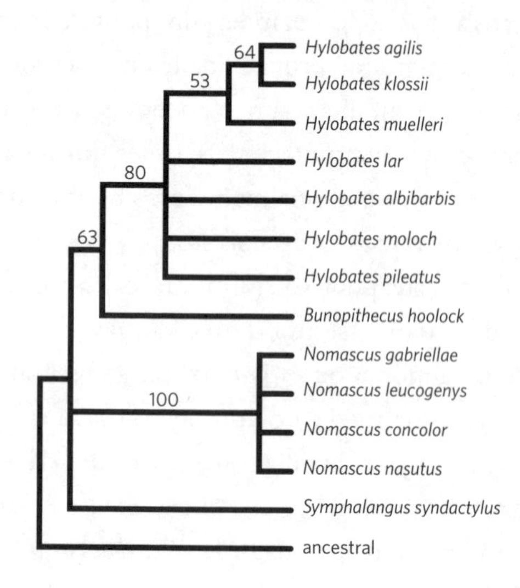

CLADOGRAMA ENRAIZADO DOS GIBÕES, BASEADO NA MORFOLOGIA. Adaptado de GEISSMANN (ver página 717).

Por essa razão, Christian Roos e Thomas Geissmann, na Alemanha, recorreram à genética molecular, e especificamente a uma seção do DNA mitocondrial chamada "região de controle". Usando DNA de seis gibões, eles decifraram as sequências, alinharam-nas letra a letra e as submeteram a análises *neighbor-joining*, de parcimônia e de máxima verossimilhança. A máxima verossimilhança, que dos três métodos é o melhor para lidar com a atração de ramo longo, forneceu o resultado mais convincente. O veredicto final dos dois pesquisadores sobre os gibões é mostrado abaixo. O leitor pode ver que ele decide as relações entre os quatro grupos. Os valores *bootstrap* foram suficientes para me convencer de que essa era a árvore a ser usada para a filogênese no início deste capítulo.

Os gibões "especiaram-se" — ramificaram-se em espécies distintas — em período relativamente recente. Mas, conforme analisamos espécies de parentesco cada vez mais distante, separadas por ramos cada vez mais longos, até mesmo as refinadas técnicas da máxima verossimilhança e análise bayesiana deixam de nos ser úteis. Pode chegar a um ponto no qual uma proporção inaceitavelmente grande de semelhanças são coincidências. Nesses casos, diz-se que as diferenças de DNA estão saturadas. Nenhuma técnica elegante pode recuperar o sinal de ancestralidade, pois quaisquer vestígios de parentesco foram cobertos pelos estragos do tempo. O problema é especialmente agudo com diferenças de DNA neutro. A seleção natural forte faz os genes andarem na linha. Em casos extremos, importantes genes funcionais podem manter-se absolutamente idênticos

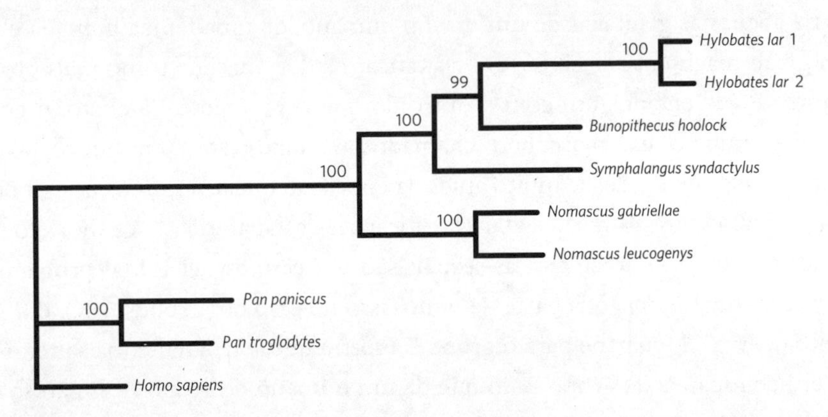

CLADOGRAMA DOS GIBÕES, BASEADO NA ANÁLISE DE MÁXIMA VEROSSIMILHANÇA DE DNA. Adaptado de ROOS e GEISSMANN (ver página 723).

por centenas de milhões de anos. Mas, para um pseudogene que nunca faz coisa alguma, essas imensidões temporais são suficientes para conduzir a uma saturação irremediável. Em casos assim, precisamos de dados diferentes. A ideia mais promissora é usar as mudanças genômicas raras que já mencionei — mudanças que envolvem reorganização de DNA em vez de mudanças de uma só letra. Sendo mudanças raras, na verdade geralmente únicas, a semelhança coincidente é um problema muito menor. E, uma vez encontradas, elas podem revelar notáveis parentescos, como aprenderemos quando ao nosso crescente bando de peregrinos vier juntar-se o hipopótamo. Ficaremos pasmos com a surpresa colossal que ele nos fará em seu conto.

E agora, uma importante reflexão adicional sobre as árvores evolutivas, baseada nas lições de "O conto de Eva" e de "O conto do Neandertal". Poderíamos chamá-la de ascensão e queda da árvore de espécies do gibão. Normalmente, supomos que é possível traçar uma única árvore evolutiva para um conjunto de espécies. Mas "o conto de Eva" nos diz que diferentes partes do DNA (e, portanto, diferentes partes de um organismo) podem ter árvores distintas. A meu ver, isso traz um problema inerente para a própria ideia de árvore de espécies. As espécies são complexos de DNA de muitas fontes distintas. Como vimos em "O conto de Eva" e reiteramos em "O conto do Neandertal", cada gene, ou mesmo cada letra do DNA, segue seu próprio caminho através da história. Cada peça de DNA e cada aspecto do organismo pode ter uma árvore evolutiva distinta.

Deparamos com exemplo disso todos os dias, mas a familiaridade nos leva a não prestar atenção na mensagem. Um taxonomista marciano a quem se mostrasse apenas as genitálias de um macho humano, de uma fêmea humana e de um gibão macho não hesitaria em classificar os dois machos como mais proximamente aparentados um com o outro do que com a fêmea. De fato, o gene que determina o sexo masculino (chamado SRY) nunca esteve em um corpo feminino, pelo menos desde muito antes da época em que divergimos dos gibões. Tradicionalmente, a fim de evitar classificações "estapafúrdias", os morfologistas alegam que as características sexuais são um caso especial. Mas problemas idênticos surgem por toda parte. Já vimos isso no caso dos grupos ABO, em "O conto de Eva". Meu gene para o grupo B mostra que sou parente mais próximo de um chimpanzé de grupo B do que de um humano de grupo A. E não só os genes sexuais ou de grupo sanguíneo, mas *todos* os genes e características são suscetíveis a esse efeito, sob certas circunstâncias. A maioria das características moleculares e morfológicas mostra os chimpanzés como nossos parentes mais próximos. Mas uma minoria expressiva indica parentesco mais próximo com os gorilas, ou sugere que os chimpanzés são parentes mais próximos dos gorilas e que ambos têm um parentesco igualmente próximo com os humanos.

Não devemos nos surpreender com isso. Diferentes genes são herdados por rotas diferentes. A população ancestral de todas as três espécies há de ter sido diversa — cada gene possui muitas linhagens diferentes. É perfeitamente possível que um gene em humanos e gorilas descenda de uma linhagem enquanto nos chimpanzés ele descenda de outra mais remotamente aparentada. Basta que linhagens genéticas que divergiram há muito tempo perdurem através da divisão entre humanos e chimpanzés, de modo que os humanos possam descender de uma, e os chimpanzés, de outra.*

Portanto, temos de admitir que uma única árvore não conta toda a história. Árvores de espécies *podem* ser construídas, mas devem ser consideradas um resumo simplificado de uma multidão de árvores de genes. Posso imaginar dois modos de interpretar uma árvore de espécies. O primeiro é o modo genealógico convencional. Uma espécie é o parente mais próximo de outra se, de todas as espécies consideradas, ela tem o ancestral genealógico mais recente em comum com esta. O segundo modo é, desconfio, o método do futuro. Uma árvore de espécies pode ser vista como a representação das relações entre uma maioria democrática do genoma. Ela representa o resultado de um "voto majoritário" entre árvores de gene.

A ideia democrática — o voto genético — é minha preferida. Neste livro, todas as relações entre espécies devem ser interpretadas dessa maneira. Todas as árvores filogenéticas que apresento devem ser vistas nesse espírito de democracia genética, desde os parentescos entre grandes primatas até os parentescos entre animais, plantas, fungos e bactérias.

* Quanto maior for o tempo das divisões entre espécies (ou quanto menor o tamanho da população), mais linhagens ancestrais perdem-se pela deriva genética. Por isso, os taxonomistas ordeiros, que torcem para que as árvores de espécies coincidam com as árvores de genes, acharão mais fácil lidar com animais cujas divergências são bem espaçadas no tempo, coisa que não ocorre com os grandes primatas africanos. Mas sempre existem genes, como o SRY, para os quais linhagens separadas são sistematicamente mantidas pela seleção natural ao longo de períodos de tempo imensos.

Encontro 5

Macacos do Velho Mundo

Rumo a esse encontro, quando nos preparamos para saudar o Concestral 5 — aproximadamente nosso 1 500 000º avô —, cruzamos uma fronteira importante (ainda que um tanto arbitrária). Pela primeira vez em nossa jornada, deixamos um período geológico, o Neógeno, e adentramos um anterior, o Paleógeno. Na próxima vez que fizermos isso, irromperemos no mundo dos dinossauros, em pleno Cretáceo. O Encontro 5 está marcado para cerca de 25 milhões de anos atrás, no Paleógeno, mais especificamente, na Época Oligocena desse período, a última parada em nossa jornada retrocessiva em que o clima e a vegetação do mundo são reconhecivelmente semelhantes aos atuais. Muito mais para trás no tempo, não encontraremos nenhum indício das pradarias abertas que foram tão características do nosso Período Neógeno, nem dos rebanhos andarilhos de herbívoros que acompanharam a disseminação das pastagens. Há 25 milhões de anos, a África era totalmente isolada do resto do mundo, apartada do pedaço de terra mais próximo — a Espanha — por um mar tão largo quanto o que hoje a separa de Madagascar. É nessa gigantesca ilha África que nossa peregrinação está prestes a ser reforçada por um novo afluxo de recrutas vivazes e versáteis, os macacos do Velho Mundo — os primeiros peregrinos a chegar de cauda.

Atualmente existem pouco menos de cem espécies de macacos do Velho Mundo, algumas das quais emigraram de seu continente de origem para a Ásia (ver "O conto do orangotango"). Elas se dividem em dois grupos principais: de um lado, os cólobos da África, em companhia dos langures e macacos-narigudos da Ásia; de outro, os símios do gênero *Macacus*, a maioria da Ásia, junto com os babuínos e guenons etc., estes da África.

O último ancestral comum de todos os macacos do Velho Mundo sobreviventes viveu cerca de 11 milhões de anos depois do Concestral 5, provavelmente por volta de 14 milhões de anos atrás. O gênero fóssil mais útil para nos dar uma noção sobre esse período é o *Victoriapithecus*, hoje conhecido com base em mais de mil fragmentos, entre eles um esplêndido crânio, encontrados na ilha Maboko, no lago Victoria. Todos os macacos do Velho Mundo peregrinos dão-se as mãos por volta de 14 milhões de anos atrás para saudar seu próprio concestral, talvez mesmo o *Victoriapithecus* ou alguém parecido com ele. E então marcham rumo ao passado para juntar-se aos peregrinos primatas antropoides no ponto do nosso Concestral 5, há 25 milhões de anos.

E como era o Concestral 5? Talvez se parecesse um pouco com o gênero fóssil *Aegyptopithecus*, que, na verdade, viveu aproximadamente 7 milhões de anos antes. É mais provável que o próprio Concestral 5, segundo nossa regrinha prática de costume, tivesse as características compartilhadas por seus descendentes, os Catarrinos, definidos como o conjunto dos grandes primatas e macacos do Velho Mundo. Por exemplo, o Concestral 5 tinha provavelmente narinas estreitas e voltadas para baixo (característica que deu o nome aos Catarrinos), em contraste com as narinas largas e lateralmente direcionadas dos macacos do Novo Mundo, os platirrinos. As fêmeas tinham provavelmente menstruação completa, como é comum entre os grandes primatas e os macacos do Velho Mundo, mas não entre os macacos do Novo Mundo. Provavelmente, o Concestral 5 tinha uma tuba auditiva formada pelo osso timpânico, diferindo dos macacos do Novo Mundo, cuja orelha não tem osso timpânico.

Ele tinha cauda? Quase com certeza, sim. Como a diferença mais óbvia entre os grandes primatas e os macacos é a presença ou ausência da cauda, somos tentados a apostar no *non sequitur* de que a divisão de 25 milhões de anos atrás corresponde ao momento em que a cauda foi perdida. Na verdade, presume-se que o Concestral 5 tinha cauda como praticamente todos os outros mamíferos e que o Concestral 4 não tinha, como todos os seus descendentes, os grandes primatas modernos. Mas não sabemos em que ponto no caminho conducente do Concestral 5 ao Concestral 4 a cauda se perdeu. Tampouco existe alguma razão específica para que subitamente comecemos a usar o termo "grande primata" para indicar a perda da cauda. O fóssil africano do gênero *Proconsul*, por exemplo, pode ser chamado de grande primata em vez de macaco, pois está no lado dos grandes primatas na bifurcação do Encontro 5. Mas esse fato não nos diz nada sobre ele ter ou não cauda. Por acaso, a ponderação das evidências nos sugere que, citando o título de um influente artigo recente, "o *Proconsul* não tinha cauda". Mas isso de modo nenhum decorre do fato de ele estar do lado dos grandes primatas na divisão do Encontro.

Como devemos chamar os intermediários entre o Concestral 5 e o *Proconsul* antes de perderem a cauda? Um cladista rigoroso usaria o termo grandes primatas, já que eles se situam do lado destes na bifurcação da árvore. Um tipo diferente de taxonomista preferiria designá-los como macacos, pois tinham cauda. Afirmo, e não pela primeira vez, que é bobagem nos preocuparmos demais com nomes.

Os macacos do Velho Mundo, cercopitecídeos, são realmente um clado, um grupo que inclui todos os descendentes de um ancestral comum. Mas os "macacos" como um todo não o são, pois incluem os macacos do Novo Mundo, ou platirrinos. Os macacos do Velho Mundo são primos mais próximos dos grandes primatas, com quem estão unidos sob a classificação catarrinos, do que dos macacos do Novo Mundo. Todos os grandes primatas e macacos, juntos, constituem um clado natural, a subordem *Anthropoidea*. "Macacos" é um agrupamento artificial (tecnicamente, "parafilético") porque inclui todos os platirrinos e alguns dos catarrinos, mas exclui uma parcela destes últimos, aquela formada pelos grandes primatas. Talvez fosse melhor chamar os macacos do Velho Mundo de grandes primatas caudados. Catarrino, como já mencionei, significa "de narinas infradirecionadas" — neste aspecto, somos os catarrinos ideais. O Dr.

Página ao lado: JUNÇÃO COM OS MACACOS DO VELHO MUNDO. A filogênese das cerca de cem espécies de macacos do Velho Mundo é generalizadamente aceita. Os círculos agora visíveis nas extremidades dos ramos indicam o número de espécies conhecidas em cada grupo segundo uma ordem de magnitude: ausência de círculo indica 1-9 espécies conhecidas; um círculo de diâmetro pequeno significa 10-99 espécies, um círculo maior, 100-999 etc.; cada um dos quatro grupos mostrados contém entre 10 e 99 espécies.

IMAGENS, DA ESQUERDA PARA A DIREITA: mandril (*Mandrillus sphinx*); macaco-de-cauda-vermelha (*Cercopithecus ascanius*); macaco-narigudo (*Nasalis larvatus*); cólobo-preto-e-branco-ocidental (*Colobus angolensis*).

Junção com os macacos do Velho Mundo

N
E
CZ

Junções anteriores

Cólobos (*Colobina*)

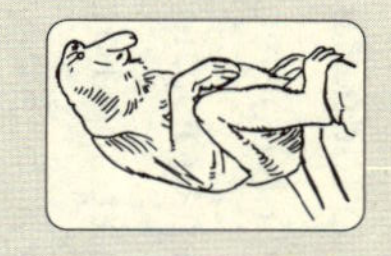

Langures, macacos-narigudos etc. (*Presbytina*)

Guenons etc. (*Cercopithecina*)

Símios do gênero Macacus, babuínos, mandril etc. (*Papionina*)

5

Ma

0 5 10 15 20 25

Pangloss de Voltaire observou que "o nariz foi formado para os óculos, portanto passamos a usar óculos". Ele poderia ter acrescentado que nossas narinas catarrinas são primorosamente direcionadas para não deixar a água da chuva entrar. Platirrino significa nariz achatado ou largo. Essa não é a única diferença diagnóstica entre esses dois grandes grupos de primatas, mas é a que lhes dá seus nomes. Apressemo-nos rumo ao Encontro 6 para conhecer os platirrinos.

Encontro 6

Macacos do Novo Mundo

O Encontro 6, em que os "macacos" platirrinos do Novo Mundo se reúnem a nós e ao nosso aproximadamente trimilionésimo avô — o Concestral 6, o primeiro antropoide —, ocorre por volta de 40 milhões de anos atrás. Era uma época de exuberantes florestas tropicais, e até a Antártida tinha sua porção verde naqueles tempos. Embora hoje todos os macacos platirrinos vivam na América do Sul ou Central, o encontro propriamente dito quase certamente não ocorreu nessa área. Minha suposição é que o Encontro 6 aconteceu em alguma parte da África. Um grupo de primatas africanos de nariz achatado, que não deixou descendentes africanos sobreviventes, conseguiu, não sei como, chegar à América do Sul na forma de uma pequena população fundadora. Não sabemos quando isso ocorreu, mas foi há mais de 25 milhões de anos (os primeiros fósseis de macacos da América do Sul que temos são desse período) e menos de 40 milhões de anos (Encontro 6). A América do Sul e a África eram então mais próximas uma da outra do que hoje, e os níveis do mar eram baixos. Talvez isso deixasse exposta alguma cadeia de ilhas que, a partir da África ocidental, permitisse transpor a distância entre as duas costas pulando de ilha em ilha. Os macacos provavelmente fizeram a travessia flutuando, talvez em fragmentos de manguezais que seriam como ilhas flutuantes capazes de sustentar vida temporariamente. As correntes estavam na direção certa para uma deriva impremeditada. Outro grupo importante de animais, os roedores histricognatos, provavelmente chegou à América do Sul mais ou menos nessa mesma época. É provável que também tenham vindo da África, e seu nome até deriva da designação do porco-espinho africano, Hystrix. É possível que os macacos tenham flutuado pela mesma cadeia de ilhas que os roedores, usando as mesmas correntes favoráveis, embora presumivelmente não as mesmas "balsas".

Todos os primatas do Novo Mundo descendem de um único imigrante? Ou o corredor de ilhas terá sido usado* mais de uma vez por primatas? O que constituiria um indício positivo de uma dupla imigração? No caso dos roedores, ainda existem histricognatos na África, entre eles o porco-espinho-africano, o rato-toupeira, o rato-das-rochas e o rato-de-cana. Se se descobrisse que alguns dos roedores sul-americanos são primos próximos de alguns africanos (digamos, do porco-espinho), enquanto outros roedores sul-americanos são primos mais próximos de outros roedores africanos (digamos, do rato-toupeira), esse seria um bom indício de que houve mais de uma ocasião em que roedores derivaram até chegar à América do Sul. O fato de não ser esse o caso condiz com a ideia de que os roedores se dispersaram para a América do Sul uma única vez, mas não é um indício conclusivo. Os primatas sul-americanos também são todos primos mais próximos uns dos outros do que de qualquer primata africano. Novamente, isso é compatível com a hipótese de um único evento de dispersão, mas também não é um indício conclusivo.

Este é um bom momento para repetir que a improbabilidade de um evento como o da flutuação nesse tipo de "balsa" está longe de ser uma razão para duvidar que ele tenha ocorrido. Uma ideia assim causa estranheza. Em geral, no dia a dia, uma grande improbabilidade é uma boa razão para se pensar que algo

* "Usado", obviamente, é um termo infeliz se implicar qualquer coisa além de impremeditação. Como veremos em "O conto do dodô", nenhum animal jamais tenta colonizar um território novo. Mas quando isso acidentalmente acontece, as consequências evolutivas podem ser importantíssimas.

Página ao lado: JUNÇÃO COM OS MACACOS DO NOVO MUNDO. A filogênese das cerca de cem espécies de macacos do Novo Mundo é um tanto controversa, mas aqui seguimos o consenso moderno.

IMAGENS, DA ESQUERDA PARA A DIREITA: mico-leão-dourado (*Leontopithecus rosalia*); macaco-da--noite (*Aotus trivirgatus*); macaco-de-cheiro (*Saimiri sciureus*); bugio-do-pantanal (*Alouatta caraya*); macaco-cabeludo (*Pithecia monachus*).

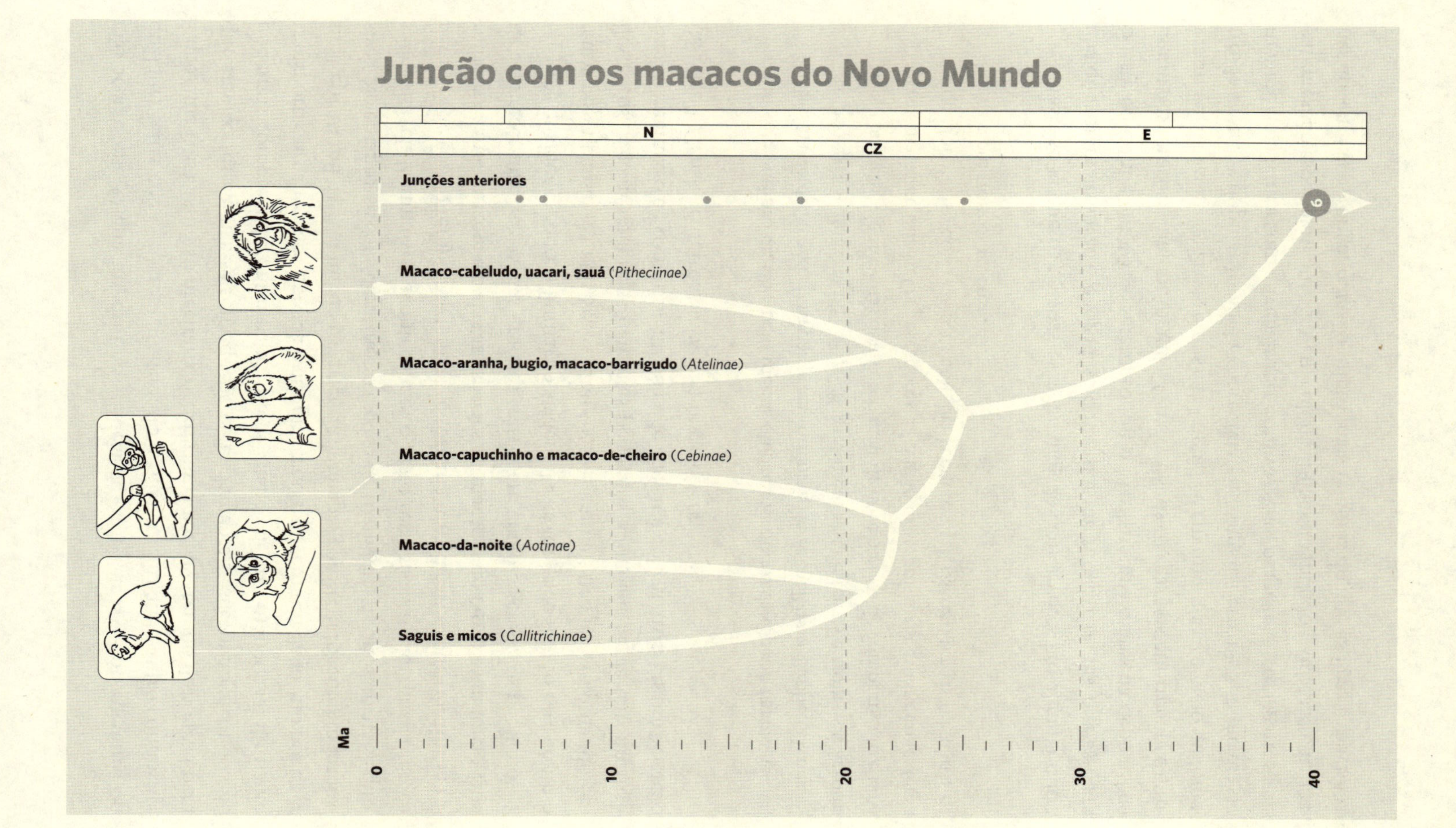

Junção com os macacos do Novo Mundo
N
E
CZ
Junções anteriores
6
Macaco-cabeludo, uacari, sauá (*Pitheciinae*)
Macaco-aranha, bugio, macaco-barrigudo (*Atelinae*)
Macaco-capuchinho e macaco-de-cheiro (*Cebinae*)
Macaco-da-noite (*Aotinae*)
Saguis e micos (*Callitrichinae*)
Ma
0
10
20
30
40

não acontecerá. O que importa nessa ideia de os macacos — ou roedores ou qualquer outra coisa — terem atravessado de ilha em ilha até o outro continente é que uma coisa assim só precisaria ocorrer uma vez, e o tempo disponível para que ela ocorresse e tivesse consequências fundamentais está muito além do que podemos compreender intuitivamente. A chance de um manguezal flutuante transportar uma macaca grávida e atingir terra firme em um dado ano pode ser uma em 10 mil. Isso, à luz da experiência humana, parece praticamente impossível. No entanto, se considerarmos o espaço de 10 milhões de anos, torna-se quase inevitável. E, uma vez acontecendo, o resto seria fácil. A afortunada fêmea daria cria, e com o tempo sua família se tornaria uma dinastia, que por fim se ramificaria dando origem a todas as espécies de macacos do Novo Mundo. Só teria de acontecer uma vez: coisas grandes cresceriam então de começos pequenos.

De qualquer modo, a flutuação acidental está longe de ser tão rara como o leitor possa pensar. Muitas vezes foram vistos animais pequenos flutuando em destroços. E nem sempre são animais pequenos. O iguana-verde tem normalmente um metro de comprimento, e pode chegar a dois metros. Eis uma citação de Ellen J. Censky e outros, enviada à revista *Nature*:

> Em 4 de outubro de 1995 pelo menos quinze indivíduos da espécie *Iguana iguana*, o iguana-verde, apareceram nas praias orientais de Anguilla, no Caribe. Essa espécie não existia antes na ilha. Eles chegaram em uma esteira de troncos e árvores desarraigadas, algumas das quais com mais de nove metros de comprimento e uma vasta massa de raízes. Os pescadores da região disseram que a esteira era extensa e que foi preciso dois dias para empilhá-la em terra. Disseram ter visto iguanas na praia e em troncos na enseada.

Presume-se que os iguanas estavam alojados em árvores em alguma outra ilha que foram arrancadas e jogadas no mar por um furacão: o Luis, que assolara o leste do Caribe em 4-5 de setembro, ou o Marilyn, uma quinzena depois. Nenhum dos furacões atingiu Anguilla. Censky e seus colegas posteriormente capturaram ou avistaram iguanas-verdes em Anguilla e em uma ilhota a meio quilômetro da costa. A população ainda sobrevivia em Anguilla em 1998, e incluía no mínimo uma fêmea com atividade reprodutiva. Aliás, os iguanas e os lagartos seus parentes são especialmente bons em colonizar ilhas no mundo todo. Existem iguanas até em Fiji e Tonga, que são muito mais remotas do que as ilhas caribenhas.

Não posso resistir a comentar que essa lógica do "só precisa acontecer uma vez" é de gelar o sangue quando aplicada a contingências mais próximas de nossa terra. O princípio da *nuclear deterrence* [dissuasão nuclear], e a única justificativa remotamente defensável para a posse de armas nucleares, é que ninguém ousa atacar primeiro, pois receia uma retaliação fulminante. Qual seria a probabilidade de ocorrer um lançamento de míssil equivocado? De um ditador que enlouquece, de uma pane em um sistema computadorizado, de uma escalada de ameaças que acabe saindo do controle? Qual a probabilidade de um erro terrível que desencadeie o Armagedom? Uma em cem, em um dado ano? Eu seria mais pessimista. Chegamos pavorosamente perto em 1963. O que poderia ocorrer na Caxemira? Em Israel? Na Coreia? Mesmo se a probabilidade em um determinado ano for tão pequena quanto 1%, um século é pouquíssimo tempo, considerando-se a escala do desastre em pauta. Só precisa acontecer uma vez.

Voltemos a um tema mais alegre, os macacos do Novo Mundo. Além de andar nas árvores com os quatro pés, como muitos macacos do Velho Mundo, alguns macacos do Novo Mundo penduram-se nos galhos como os gibões e até se locomovem por braquiação. A cauda é proeminente em todos os macacos do Novo Mundo; além disso, no macaco-aranha, no macaco-barrigudo e no bugio ela é preênsil e usada como um braço adicional. Eles podem pendurar-se perfeitamente só pela cauda ou com qualquer combinação de braços, pernas e cauda. Essa não possui uma mão na ponta, mas quem vê um macaco-aranha quase acredita no contrário.*

Entre os macacos do Novo Mundo também estão alguns saltadores espetacularmente acrobáticos, além do único antropoide noturno, o macaco-da-noite. Como as corujas e os gatos, o macaco-da-noite tem olhos grandes, os maiores entre todos os macacos ou grandes primatas. O sagui-leãozinho é do tamanho de um arganaz e menor do que qualquer outro antropoide. Os maiores bugios, porém, aproximam-se em tamanho apenas dos gibões mais graúdos. Os bugios também se parecem com os gibões na destreza para pendurar-se e balançar-se

* A cauda preênsil também é encontrada em vários outros grupos sul-americanos, entre eles o jupará (carnívoro), o porco-espinho (roedor), o tamanduá (xenartro), o gambá (marsupial) e até a salamandra *bolitoglossa*. Será algo especial que a América do Sul possui? Mas a cauda preênsil também existe no pangolim, em alguns ratos arborícolas, em alguns lagartos da família *Scincidae* e em camaleões que não são da América do Sul!

pelos braços e na barulheira que fazem. Mas, enquanto os gibões lembram sirenes de polícia no volume máximo, um bando de bugios, com sua caixa de ressonância vocal formada pelo osso hioide, dá-me mais a ideia de um esquadrão-fantasma de jatos, rugindo assombrosamente na mata. Acontece que os bugios têm um conto especial para apresentar a nós, primatas do Velho Mundo: é sobre o modo como vemos as cores, pois eles chegaram independentemente à mesma solução.

O CONTO DO BUGIO

Em coautoria com Yang Wong

Novos genes não são adicionados ao genoma a partir do nada. Eles se originam como duplicatas de genes mais velhos. E depois, ao longo do tempo evolutivo, seguem seus caminhos separados por meio de mutação, seleção e deriva. Normalmente não vemos isso ocorrendo, mas, como detetives que chegam à cena depois de um crime, podemos deduzir o que deve ter acontecido com base nos indícios que permanecem. Os genes envolvidos na visão de cores fornecem um exemplo notável. Por razões que virão à tona, o bugio está em posição privilegiada para narrar o conto.

Durante seus mega-anos formativos,* os mamíferos foram criaturas da noite. O dia pertencia aos dinossauros, que provavelmente, se os seus parentes modernos forem algum indicador, possuíam excelente visão de cores. Podemos plausivelmente imaginar que o mesmo ocorreu com os ancestrais remotos dos mamíferos, os répteis mamaliformes, que reinaram antes da ascensão dos dinossauros. Durante o longo exílio noturno dos mamíferos, seus olhos precisavam captar imediatamente quaisquer fótons disponíveis, independentemente da cor. Assim, como não é de surpreender, essa discriminação das cores acabou por degenerar-se, por razões que examinaremos em "O conto do peixe cego das cavernas". Até hoje, a maioria dos mamíferos, mesmo os que voltaram a viver à luz do dia, tem visão de cores muito maldotada, com apenas um sistema bicolor ("dicromático"). Esse termo refere-se ao número de classes de células sensíveis à cor na retina, os "cones". Nós, grandes primatas e macacos catarrinos do Velho Mundo, possuímos três: vermelho, verde e azul, e portanto somos tricromáti-

* 1 mega-ano = 10^6 anos. (N. T.)

cos; mas há indícios de que *readquirimos* uma terceira classe de cones depois de nossos ancestrais noturnos terem-na perdido. A maioria dos outros vertebrados, como os peixes e os répteis, mas *não* os mamíferos, tem visão tricromática (três cones) ou tetracromática (quatro cones). A visão das aves e das tartarugas pode ser até mais complexa. Trataremos dentro em pouco da especialíssima situação dos macacos do Novo Mundo e da situação ainda mais especial do bugio.

Curiosamente, há indícios de que marsupiais australianos possuem boa visão tricromática, em contraste com a maioria dos mamíferos. Catherine Arrese e seus colegas, que descobriram esse fato (também demonstrado para os *wallabies*) no timbu-do-mel e no rato marsupial *Sminthopsis crassicaudata*, supõem que os marsupiais australianos (mas não os americanos) conservaram um antigo pigmento visual reptiliano que os demais mamíferos perderam. Mas, de modo geral, os mamíferos possuem provavelmente a pior visão de cores entre os vertebrados. A maioria dos mamíferos vê em cores, quando vê, apenas tão bem quanto um homem daltônico. As notáveis exceções são encontradas nos primatas, e não é por acidente que eles, mais do que qualquer outro grupo de mamíferos, usam cores vivas em exibições sexuais.

Examinando nossos parentes entre os mamíferos, podemos constatar que, diferentemente dos marsupiais australianos, que talvez nunca tenham perdido a visão tricromática, nós, primatas, não a conservamos desde nossos ancestrais reptilianos. No entanto, nós a redescobrimos, não uma vez, mas duas, independentemente — primeiro nos macacos do Velho Mundo e nos grandes primatas, e segundo nos bugios do Novo Mundo, embora não entre os macacos do Novo Mundo em geral. A visão de cores do bugio é semelhante à dos grandes primatas, mas diferente o suficiente para trair sua origem independente.

Por que uma boa visão de cores seria tão importante a ponto de a tricromasia evoluir independentemente em macacos do Velho e do Novo Mundo? A hipótese mais provável se deve à dieta de frutas. Na mata predominantemente verde, as frutas destacam-se pelas cores. Isso, por sua vez, não ocorre por acidente. É provável que as frutas tenham adquirido cores vivas pela evolução, de modo a atrair animais frugívoros, como os macacos, que desempenham a vital função de disseminar e adubar as sementes. Além disso, a visão tricromática ajuda a detectar as folhas mais novas e tenras (a maioria verde-clara ou mesmo vermelha) no fundo verde-escuro — só que isso, presumivelmente, não é vantajoso para as plantas.

A cor deslumbra nossa percepção. Palavras indicadoras de cores estão entre os primeiros adjetivos que as crianças pequenas aprendem e que mais avidamente associam a qualquer nome ao seu alcance. Dificilmente nos lembramos de que os tons que percebemos são designações para radiações eletromagnéticas de comprimentos de onda apenas ligeiramente diferentes. A luz vermelha tem comprimento de onda aproximado de 700 bilionésimos de metro; a violeta, de cerca de 420 bilionésimos de metro, mas toda a gama da radiação eletromagnética visível existente entre esses limites é uma janela quase ridiculamente pequena, uma minúscula fração do espectro total, cujos comprimentos de onda variam de quilômetros (algumas ondas de rádio) a frações de nanômetro (raios gama).

Todos os olhos em nosso planeta são estruturados para explorar os comprimentos de onda da radiação eletromagnética nos quais nossa estrela local brilha mais intensamente e que passam pela janela da nossa atmosfera. Para um olho que se comprometeu com técnicas bioquímicas apropriadas a essa série vagamente ligada de comprimentos de onda, as leis da física impõem limites mais nítidos à porção do espectro eletromagnético que pode ser visto mediante o uso dessas técnicas. Nenhum animal enxerga longe em infravermelho. Os que mais se aproximam disso são os viperídeos dotados de fosseta loreal, um orifício na cabeça que permite a essas serpentes ter alguma sensibilidade à direção do calor gerado por sua presa, embora em nenhum sentido enfoque uma imagem propriamente dita com raios infravermelhos. E nenhum animal enxerga longe no ultravioleta, embora alguns, como as abelhas, possam ver um pouco mais longe do que nós. Por outro lado, as abelhas não enxergam nosso vermelho: para elas, ele é infravermelho. Para todos os animais, "luz" é uma estreita faixa de comprimentos de onda eletromagnética situada em alguma parte entre o ultravioleta no extremo curto e o infravermelho no extremo longo. Abelhas, humanos e cobras diferem apenas ligeiramente nos seus limites em cada extremo da "luz".

Uma visão ainda mais limitada deriva dos diferentes tipos de células sensíveis à luz existentes na retina. Alguns cones têm ligeiramente mais sensibilidade para o extremo vermelho do espectro; outros, para o azul. É a comparação entre cones que possibilita a visão de cores, e a qualidade da visão de cores depende muito de quantas classes diferentes de cones existem para fazer a comparação. Os animais dicromáticos possuem apenas duas populações de cones entremeadas. Os tricromáticos têm três, os tetracromáticos, quatro. Cada cone tem um gráfico de sensibilidade, com o pico em algum ponto do espectro e um enfraquecimento gradual, não particularmente simétrico, de cada lado desse pico. Fora dos limites desse gráfico de sensibilidade, pode-se dizer que a célula é cega.

Suponhamos que a sensibilidade de um cone seja máxima na parte verde do espectro. Isso significaria, se essa célula está disparando impulsos para o cérebro, que ela está olhando para um objeto verde, como a grama ou uma mesa de bilhar? De jeito nenhum. Ocorre apenas que a célula precisaria de mais luz vermelha (digamos) para obter uma taxa de disparos igual à dada por uma determinada quantidade de luz verde. Tal célula se comportaria identicamente diante de uma luz vermelha viva ou de uma luz verde mais tênue.* O sistema nervoso só pode distinguir a cor de um objeto *comparando* as taxas de disparos simultâneos de (no mínimo) duas células que favoreçam cores diferentes. Cada uma serve de "controle" para a outra. Pode-se ter uma ideia ainda melhor da cor de um objeto comparando-se a taxa de disparos de três células, cada qual com seu gráfico de sensibilidade distinto.

A televisão em cores e os monitores de computador, sem dúvida porque são projetados para nossos olhos tricromáticos, também operam em um sistema tricolor. Em um monitor de computador normal, cada *pixel* consiste em três pontos situados próximos demais para que o olho os decomponha. Cada ponto sempre fulgura com a mesma cor — se olharmos para a tela com magnificação suficiente, invariavelmente veremos as mesmas três cores, em geral vermelho, verde e azul, embora outras combinações também possam dar conta da tarefa. Tons de pele, matizes sutis — qualquer nuança desejada —, podem ser obtidos manipulando-se as intensidades com que essas três cores primárias fulguram. As tartarugas tetracromáticas, por exemplo, poderiam decepcionar-se com as imagens irrealistas (para elas, tartarugas) das nossas telas de televisão e cinema.

Comparando as taxas de disparo de apenas três tipos de cones, nosso cérebro pode perceber uma imensa série de cores. Mas a maioria dos mamíferos placentários, como já foi dito, não é tricromata, mas dicromata, com apenas duas populações de cones nas retinas. Uma classe tem o pico no violeta (ou, em alguns casos, no ultravioleta); a outra, em algum ponto entre verde e vermelho.

* Isso gera uma possibilidade fascinante. Imagine que um neurobiólogo insere uma minúscula sonda em um cone verde, por exemplo, e o estimula eletricamente. A célula verde informará "luz" enquanto todas as outras estão em silêncio. Será que o cérebro "verá" um "super verde", um tom que nunca poderia ser obtido mediante alguma luz real? A luz real, por mais pura que seja, sempre estimulará todas as três classes de cones em graus distintos.

Em nós, tricromatas, os cones de comprimentos de ondas curtos têm pico entre o violeta e o azul, e geralmente são chamados de cones azuis. Nossas outras duas classes de cones podem ser chamadas de cones verdes e cones vermelhos. Porém, para deixar as coisas um pouco mais confusas, até os cones "vermelhos" têm pico em um comprimento de onda que, na verdade, é amarelado. Mas sua curva de sensibilidade como um todo adentra o extremo vermelho do espectro. Mesmo se tiverem pico no amarelo, ainda assim disparam fortemente em resposta à luz vermelha. Isso significa que, se subtrairmos a taxa de disparos de um cone "verde" da de um cone "vermelho", obteremos um resultado especialmente alto quando olharmos para uma luz vermelha. Doravante deixarei de lado esses fatos sobre os picos de sensibilidade (violeta, verde e amarelo) e me referirei às três classes de cones como azul, verde e vermelho. Além dos cones, existem os bastonetes: células sensíveis à luz cuja forma é diferente da dos cones. Os bastonetes são especialmente úteis à noite, e não são usados para a visão de cores. Não terão nenhum papel adicional em nossa história.

A química e a genética da visão de cores são muito bem compreendidas. As protagonistas moleculares dessa história são as opsinas, moléculas de proteína nos cones (e bastonetes) que servem como pigmento visual. Cada molécula de opsina funciona ligando-se a uma única molécula de retinal, uma substância derivada da vitamina A,* e envolvendo-a. A molécula de retinal é previamente espiralada de modo a caber dentro da opsina. Quando atingida por um único fóton de luz de cor apropriada, a molécula de retinal se destorce. Esse é o sinal para que a célula dispare um impulso nervoso, que diz ao cérebro: "meu tipo de luz *aqui*". A molécula de opsina é então recarregada com outra molécula de retinal espiralada que se encontra armazenada na célula.

O importante, aqui, é que nem todas as moléculas de opsina são iguais. As opsinas, como todas as proteínas, são produzidas sob influência de genes. Diferenças de DNA resultam em opsinas sensíveis à luz de diferentes comprimentos de onda, e essa é a base genética dos sistemas de duas ou três cores de que estamos falando. Evidentemente, como todos os genes estão presentes em todas as células, a diferença entre um cone vermelho e um cone azul não está nos

* A cenoura é rica em betacaroteno, a partir do qual pode ser produzida a vitamina A, e daí vem o boato — boatos podem ser verdadeiros — de que a cenoura melhora a visão.

genes que eles possuem, mas em quais genes eles ligam. E existe algum tipo de regra determinando que um dado cone liga *apenas* uma dada classe de gene.

Os genes que produzem nossas opsinas verde e vermelha são muito semelhantes entre si, e se encontram no cromossomo X (o cromossomo sexual do qual as mulheres possuem duas cópias, e os homens, uma). O gene que produz a opsina azul é um pouquinho diferente, e se encontra não em um cromossomo sexual, mas em um dos cromossomos não sexuais comuns chamados autossomos (no nosso caso, é o cromossomo 7). Nossas células verdes e vermelhas claramente derivaram de um evento recente de duplicação gênica, e muito antes disso devem ter divergido do gene da opsina azul em outro evento de duplicação. Ter visão dicromática ou tricromática depende de quantos genes de opsina distintos o indivíduo possui no genoma. Se, por exemplo, ele tem opsinas sensíveis para o azul e para o verde mas não para o vermelho, ele será dicromata.

Eis a ideia geral de como funciona a visão de cores. Agora, antes de entrarmos no caso especial do bugio e de como ele se tornou tricromático, precisamos entender o estranho sistema dicromático do resto dos macacos do Novo Mundo (a propósito, alguns lêmures também o possuem, e ele não é encontrado em todos os macacos do Novo Mundo — por exemplo, o macaco-da-noite tem visão monocromática). Para os propósitos desta explanação, o termo "macacos do Novo Mundo" excluirá temporariamente o bugio e outras espécies excepcionais. Trataremos do bugio depois.

Primeiro, separemos o gene azul como um componente invariável de um autossomo, presente em todos os indivíduos do sexo masculino e do sexo feminino. Os genes vermelho e verde, no cromossomo X, são mais complicados e exigirão mais da nossa atenção. Cada cromossomo X tem apenas um lócus onde um alelo vermelho ou verde* pode se alojar. Como a fêmea possui dois cromossomos X, ela tem duas oportunidades para um gene vermelho ou verde. Mas o macho, com apenas um cromossomo X, possui *ou* um gene vermelho *ou* um verde, mas não os dois. Por isso, um típico macho de macaco do Novo Mundo tem de ser dicromata. Ele possui apenas dois tipos de cone: azul e vermelho *ou* azul e verde. Pelos nossos padrões, todos os machos são daltônicos, mas eles o

* Na verdade, vermelho e verde são apenas duas de uma série de possibilidades nesse lócus, mas já temos complicações o bastante com que lidar. Para os propósitos deste conto elas serão firmemente "vermelho" e "verde".

são de dois modos diferentes: alguns machos em uma população não têm a opsina verde, outros não têm a vermelha. Todos têm a azul.

As fêmeas são potencialmente mais afortunadas. Dotadas de dois cromossomos X, poderiam ter a sorte de possuir um gene vermelho em um e um gene verde no outro (além do azul, que agora dispensa mais explicações). Uma fêmea assim seria tricromata.* Mas uma fêmea sem sorte poderia ter dois vermelhos, ou dois verdes, e ser dicromata. Pelos nossos padrões, tais fêmeas são daltônicas, e de dois modos, exatamente como os machos.

Assim, uma população de macacos do Novo Mundo como os micos e os macacos-de-cheiro é uma mistura singularmente complicada. Todos os machos e algumas fêmeas são dicromatas: daltônicos pelos nossos padrões, porém de dois modos alternativos. Algumas fêmeas, mas nenhum macho, são tricromatas, com verdadeira visão de cores, a qual presumivelmente é semelhante à nossa. Experiências com micos que procuraram alimento em caixas camufladas mostraram que os indivíduos tricromatas foram mais bem-sucedidos que os dicromatas. Talvez bandos de macacos do Novo Mundo dependam das afortunadas fêmeas tricromatas em seu grupo para encontrar os alimentos que a maioria deles não perceberia. Por outro lado, existe a possibilidade de que os dicromatas, sozinhos ou em associação com dicromatas do outro tipo, tenham estranhas vantagens. Existem relatos de tripulações de bombardeiros na Segunda Guerra Mundial que deliberadamente recrutavam um homem daltônico para integrar o grupo porque ele era capaz de enxergar certos tipos de camuflagem melhor do que os seus companheiros tricromatas mais bem dotados para outras tarefas. Dados experimentais confirmam que os dicromatas humanos realmente são capazes de identificar certas formas de camuflagem que enganam os tricromatas. Será possível que um bando de macacos composto por tricromatas e dois tipos de dicromatas possa, coletivamente, encontrar maior variedade de frutos do que um bando formado puramente de tricromatas? Pode parecer improvável, mas não é uma ideia tola.

* Acontece que, para as fêmeas, é fácil assegurar que, em qualquer dado cone, seja ativado apenas o gene da opsina vermelha ou o da verde, mas não ambos. As fêmeas já possuem um mecanismo para desligar todo um cromossomo X em qualquer célula. Uma metade aleatória das células desativa um dos dois cromossomos X; a outra metade desativa o outro. Isso é importante, pois todos os genes em um cromossomo X são estruturados para trabalhar se apenas um for ativo — coisa imprescindível, pois os machos possuem só um cromossomo X.

Os genes da opsina vermelha e da opsina verde nos macacos do Novo Mundo são um exemplo de polimorfismo, termo que indica a existência simultânea, em uma população, de duas ou mais versões alternativas de um gene, nenhuma delas rara o suficiente para ser considerada apenas um mutante recente. Um princípio bem estabelecido da genética evolutiva é que polimorfismos visíveis como esse não acontecem sem uma boa razão. A menos que algo muito especial estivesse ocorrendo, os macacos com o gene vermelho teriam ou muito mais vantagens ou muito mais desvantagens do que os macacos com o gene verde. Não sabemos quais seriam, mas é muito improvável que ambos obtivessem vantagens equivalentes. E o tipo inferior seria extinto.

Assim, um polimorfismo estável em uma população indica que algo especial está ocorrendo. Que tipo de coisa? Duas hipóteses foram apresentadas para os polimorfismos em geral, e qualquer uma poderia aplicar-se a esse caso: a seleção dependente de frequência e a vantagem heterozigótica. A seleção dependente de frequência ocorre quando o tipo mais raro está em vantagem simplesmente por ser mais raro. Assim, quando o tipo que julgávamos "inferior" começa a se extinguir, ele deixa de ser inferior e readquire importância. Como isso poderia acontecer? Bem, suponhamos que os macacos "vermelhos" sejam especialmente bons em enxergar frutos vermelhos, enquanto os macacos "verdes" têm especial aptidão para enxergar frutos verdes. Em uma população dominada por macacos vermelhos, a maioria dos frutos vermelhos já teria sido colhida, e um solitário macaco verde, capaz de enxergar os frutos verdes, poderia estar em vantagem — e vice-versa. Mesmo que isso não seja muito plausível, é um exemplo do *gênero* de circunstância especial que pode manter ambos os tipos em uma população, sem que nenhum deles seja extinto. Não é difícil perceber que algo na linha da nossa teoria da "tripulação do bombardeiro" possa ser o tipo de circunstância especial que mantém um polimorfismo.

Tratemos agora da vantagem heterozigótica. O exemplo clássico — quase um clichê — é a anemia falciforme nos humanos. O gene falciforme é ruim porque os indivíduos com duas cópias desse gene (homozigotos) têm corpúsculos danificados no sangue, com aspecto de foice, e sofrem de uma anemia debilitante. Mas é bom porque os indivíduos com apenas uma cópia estão protegidos contra a malária. Em áreas assoladas pela malária, o bom supera o ruim, e o gene falciforme tende a disseminar-se pela população, apesar dos efeitos adversos sobre os desafortunados indivíduos que forem homozigotos.* O professor John Mollon e seus colegas, cuja pesquisa é a principal responsável por revelar o sistema polimórfico da visão de cores dos macacos do Novo Mundo, aventa que a vantagem heterozigótica das fêmeas tricromáticas seria suficiente para favorecer a coexistência dos genes vermelho e verde na população. Mas o bugio faz melhor, e isso nos leva ao próprio narrador do conto.

Os bugios conseguiram aproveitar as virtudes dos dois lados do polimorfismo, combinando-as em um só cromossomo. Fizeram isso graças a uma afortunada translocação. A translocação é um tipo especial de mutação. Um segmento de cromossomo, não se sabe por quê, transfere-se por engano para um cromossomo diferente, ou para um lugar diferente no mesmo cromossomo. Isso parece ter ocorrido com um ditoso ancestral mutante dos bugios, que acabou possuindo tanto um gene vermelho como um gene verde vizinhos um do outro, em um único cromossomo X. Tal macaco provavelmente estaria bem adiantado no caminho evolutivo de se tornar um verdadeiro tricromata, mesmo se fosse macho. O cromossomo X mutante disseminou-se pela população até que hoje todos os bugios o possuem.

Foi fácil para os bugios executar esse truque evolutivo, pois os três genes de opsina já vinham aparecendo na população de macacos do Novo Mundo, só que, com exceção de algumas fêmeas afortunadas, todo macaco possuía apenas dois deles. Quando nós, grandes primatas e macacos do Velho Mundo, fizemos independentemente o mesmo tipo de coisa, foi de um jeito diferente. Os dicromatas dos quais evoluímos eram dicromatas apenas de um modo; não havia polimorfismo para servir de base. Os dados indicam que a multiplicidade dos genes de opsina no cromossomo X em nossos ancestrais resultou de uma verdadeira duplicação. O mutante original viu-se com duas cópias emparelhadas de um gene idêntico, digamos que fossem dois genes verdes vizinhos um do outro no cromossomo. Assim, esse indivíduo não foi um tricromata quase instantâneo como o mutante ancestral dos bugios. Ele era um dicromata, com um gene azul e dois verdes. Os macacos do Velho Mundo tornaram-se tricromatas gradualmente ao

* Esse problema infelizmente afeta muitos afro-americanos que não vivem em uma região malárica, mas herdaram os genes de ancestrais habitantes de áreas afetadas. Outro exemplo é a debilitante fibrose cística, uma doença cujo gene, na condição heterozigótica, parece proteger contra o cólera.

longo da evolução posterior, à medida que a seleção natural favoreceu uma divergência das sensibilidades para as cores dos dois genes de opsina do cromossomo X, respectivamente em direção ao verde e ao vermelho.

Quando ocorre uma translocação, não é só o gene em pauta que se move. Às vezes seus companheiros de viagem — seus vizinhos no cromossomo original que se transferem com ele para o novo cromossomo — podem nos dizer alguma coisa. E isso vale para o caso que estamos examinando. O gene denominado *Alu* é bem conhecido como um "elemento transponível": um segmento pequeno de DNA, parecido com um vírus, que se replica pelo genoma, como uma espécie de parasita, subvertendo o mecanismo celular de replicação do DNA. Teria o *Alu* sido responsável pelo deslocamento da opsina? Parece que sim. Encontramos a "prova do crime" quando examinamos os detalhes. Existem genes *Alu* nas duas extremidades da região duplicada. Provavelmente a duplicação foi um subproduto impremeditado de reprodução parasítica. Em algum imemorial macaco da Época Eocena, um parasita genômico próximo ao gene da opsina tentou se reproduzir, acidentalmente replicou um segmento de DNA muito maior do que o pretendido, e nos pôs no caminho da visão tricromática. A propósito, cuidado com a tentação — extremamente comum — de pensar que, como um parasita genômico parece, *a posteriori*, ter nos feito um favor, os genomas por isso abrigam parasitas na esperança de favores futuros. Não é assim que a seleção natural funciona.

Sejam ou não engendrados por *Alu*, erros desse tipo ainda ocorrem às vezes. Quando, antes da permuta, dois cromossomos X se alinham, é possível alinharem-se incorretamente. Em vez de alinhar o gene vermelho em um cromossomo com o gene vermelho correspondente no outro, a semelhança dos genes pode confundir o processo de alinhamento de modo que um vermelho acabe sendo alinhado a um verde. Se ocorrer a permuta, ela é "desigual": um cromossomo poderia acabar dotado de um verde extra (digamos), enquanto o outro cromossomo fica sem nenhum verde. Mesmo se não ocorrer a permuta, pode ocorrer um processo chamado "conversão gênica", no qual uma breve sequência de um cromossomo converte-se na sequência correspondente no outro. Havendo cromossomos mal alinhados, uma parte do gene vermelho pode ser substituída pela parte equivalente do gene verde, ou vice-versa. Tanto a permuta desigual como a conversão gênica com desalinhamento podem acarretar cegueira para o vermelho e o verde.

A proporção de homens que sofrem de cegueira para o vermelho e o verde é maior que a de mulheres (não que seja um grande sofrimento, mas ainda assim é um transtorno, e esses indivíduos presumivelmente são privados das experiências estéticas desfrutadas pelo resto de nós). Isso ocorre porque, quando herdam um cromossomo X defeituoso, os homens não têm outro para servir de reserva. Ninguém sabe se eles veem o sangue e a grama do mesmo modo como o resto de nós vê o sangue ou a grama, ou ainda se veem tanto um como o outro de um modo totalmente diferente. Aliás, isso pode variar de pessoa para pessoa. Sabemos apenas que quem tem cegueira para o verde e o vermelho acha que as coisas parecidas com a grama têm mais ou menos a mesma cor que as coisas parecidas com o sangue. Nos humanos, essa deficiência dicromática da percepção afeta cerca de 2% dos indivíduos do sexo masculino. A propósito, não nos deixemos confundir pelo fato de outros tipos de cegueira para o verde e o vermelho serem mais comuns (afetando aproximadamente 8% dos homens). Esses indivíduos são chamados tricromatas anômalos: geneticamente são tricromatas, mas um dos seus três tipos de opsina não funciona.*

A permuta desigual nem sempre piora as coisas. Alguns cromossomos X acabam dotados de mais de dois genes de opsina. Os genes adicionais parecem ser quase sempre verdes, e não vermelhos. O número recorde de genes extras é impressionante: doze, dispostos em série. Mas não há indícios de que indivíduos com genes verdes adicionais possam enxergar melhor. Ainda assim, a elevada taxa de mutação nessa parte do cromossomo X significa que nem todos os genes "verdes" na população são exatamente idênticos uns aos outros. Portanto, é possível teoricamente que uma fêmea, com seus dois cromossomos X, não tenha visão tricromática, mas visão tetracromática (ou mesmo pentacromática, se os seus genes vermelhos também diferirem). Que eu saiba, ninguém jamais testou essa hipótese.

É possível que um pensamento inquietante tenha passado pela cabeça do leitor. Do modo como expus o assunto, parece que a aquisição por mutação de

* Mark Ridley, em *Mendel's Demon*, ressaltou que esses 8% (ou mais) são uma porcentagem que se aplica aos europeus e a outros povos com uma história de boa medicina. Os caçadores-coletores e outras sociedades "tradicionais", menos resguardadas do machado da seleção natural, têm uma porcentagem menor. Ridley supõe que um afrouxamento da seleção natural permitiu o aumento da cegueira para cores. O tema da cegueira para cores é tratado em detalhes por Oliver Sacks, com seu estilo original, no livro *A ilha dos daltônicos*.

uma nova opsina confere automaticamente uma visão de cores privilegiada. Mas é óbvio que diferenças entre as sensibilidades dos cones para as cores não servirão para nada se o cérebro não tiver algum modo de saber que tipo de cone está enviando as mensagens. Se o sistema fosse baseado em instruções genéticas — essa célula cerebral está ligada a um cone vermelho, aquela célula nervosa está ligada a um cone verde — ele funcionaria, mas não seria capaz de lidar com mutações na retina. Como poderia fazê-lo? Como poderíamos esperar que células do cérebro "soubessem" que uma nova opsina, sensível a uma cor diferente, subitamente se tornou disponível, e que um dado conjunto de cones, na imensa população de cones da retina, recorreu ao gene para produzir a nova opsina?

Parece que a única resposta plausível é: o cérebro aprende. Presume-se que ele compare as taxas de disparo que se originam na população de cones da retina e "note" que uma subpopulação de células dispara fortemente quando tomates e morangos são vistos; outra população, quando se olha para o céu; e outra ainda quando se olha para a grama. Essa é uma especulação "de brinquedo", mas suponho que algo parecido permita ao sistema nervoso adaptar-se rapidamente a uma mudança genética na retina. Meu colega Colin Blakemore, a quem mencionei a questão, vê esse problema como pertencente a uma família de problemas semelhantes que surgem toda vez que o sistema nervoso central precisa ajustar-se a uma mudança na periferia.*

A última lição de "O conto do bugio" é a importância da duplicação gênica. Os genes de opsina vermelho e verde claramente derivam de um único gene ancestral que se xerocou em uma parte diferente do cromossomo X. Em passado ainda mais remoto, podemos ter certeza, foi uma duplicação semelhante que separou o gene autossômico azul** daquele que viria a ser o gene vermelho/verde do cromossomo X. É comum genes de cromossomos totalmente diferentes pertencerem à mesma "família gênica". As famílias de genes surgiram por duplicações de DNA em tempos remotos, e posteriormente por divergência de função. Vários estudos constataram que um gene humano típico tem probabili-

* Suponho que algum aprendizado semelhante deva ser usado pelas aves e répteis, que aumentam sua gama de sensibilidades para as cores colocando gotículas coloridas de óleo na superfície da retina.

** Ou o ultravioleta, ou o que ele possa ter sido naqueles tempos. Seja como for, presumivelmente as sensibilidades para as cores exatas de todas essas classes de opsina modificaram-se ao longo dos anos evolutivos.

dade média de duplicação em torno de 0,1% a 1% em 1 milhão de anos. A duplicação do DNA pode ser gradativa ou ocorrer em surtos, como por exemplo quando um novo parasita virulento do DNA, como o *Alu*, se espalha pelo genoma, ou quando um genoma se duplica por atacado. (A duplicação integral do genoma é comum em plantas, e postula-se que ocorreu pelo menos duas vezes em nossa linhagem, durante a origem dos vertebrados.) Independentemente de quando ou como ocorre, a duplicação acidental de DNA é uma das principais fontes de novos genes. No decorrer do tempo evolutivo, não são apenas os genes que mudam nos genomas. Os próprios genomas mudam.

Encontro 7
Társios

Nós, peregrinos antropoides, chegamos ao Encontro 7, há 58 milhões de anos nas densas e variadas florestas da Época Paleocena. Ali saudamos um fiozinho evolutivo de primos, os társios. Precisamos de um nome para o clado que une antropoides e társios, e os chamamos de haplorrinos. São haplorrinos o Concestral 7, que talvez seja o nosso 6 000 000º avô, e todos os seus descendentes: társios, "macacos" e grandes primatas.

A primeira coisa que se nota em um társio são os olhos. Quem vê seu crânio quase só tem isso para notar — um par de olhos sobre pernas, eis um bom resumo para um társio. Cada olho é tão grande quanto todo o seu cérebro, e as pupilas também se abrem bastante. O crânio, visto de frente, parece estar usando óculos desproporcionais, para não dizer gigantescos. Por causa desse tamanho descomunal, é difícil fazer a rotação dos olhos nas órbitas, mas os társios, como algumas corujas, não se apertam: giram toda a cabeça, encaixada num pescoço extremamente flexível, por quase 360 graus. A razão dessa enormidade de olhos é a mesma das corujas e do macaco-da-noite: os társios são noturnos. Guiam-se pelo luar e pela luz das estrelas e do crepúsculo, por isso precisam captar cada fóton disponível.

Outros mamíferos noturnos possuem um *tapetum lucidum*, uma camada refletora atrás da retina, que reflete os fótons de volta para a retina e, assim, dá aos pigmentos retinianos uma segunda chance de interceptá-los. É o *tapetum* que fa-

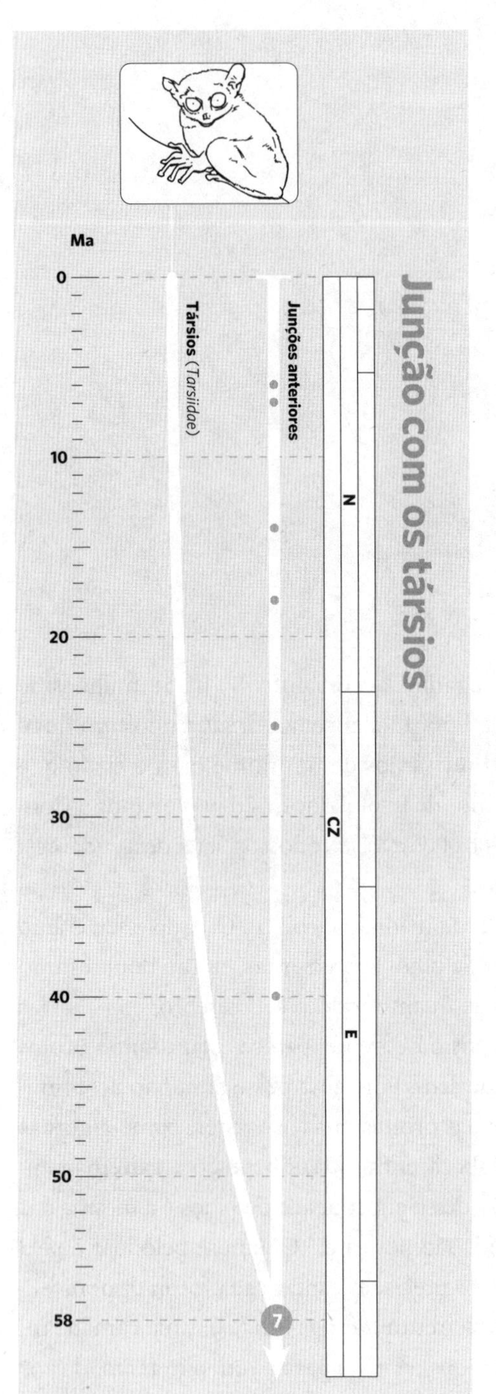

JUNÇÃO COM OS TÁRSIOS. Estudos morfológicos e moleculares recentes situam as cinco espécies de társio como grupo-irmão dos grandes primatas e dos macacos, e não afim com os lêmures, como antes se pensava.

IMAGEM: Társio-das-filipinas (*Tarsius syrichta*).

cilita detectar felinos e outros animais à noite.* Acenda uma tocha e gire-a em torno de seu corpo. Ela chamará a atenção de qualquer animal nas proximidades, e ele olhará direto para a sua luz, por curiosidade. O feixe luminoso será refletido pelo *tapetum*. Às vezes podemos localizar dezenas de pares de olhos com um único giro da tocha. Se feixes de luz elétrica houvessem sido uma característica do meio no qual os animais evoluíram, talvez o *tapetum lucidum* não tivesse evoluído, pois ele trai a posição do seu possuidor.

Os társios, surpreendentemente, não possuem *tapetum lucidum*. Aventou-se que seus ancestrais, ao lado de outros primatas, passaram por uma fase diurna e perderam o *tapetum*. Essa ideia é corroborada pelo fato de que os társios possuem o curioso sistema de visão de cores encontrado na maioria dos macacos do Novo Mundo. Vários grupos de mamíferos que foram noturnos na época dos dinossauros tornaram-se diurnos quando estes se extinguiram e passou a ser seguro sair durante o dia. A hipótese é que, posteriormente, os társios voltaram à vida noturna, mas por alguma razão a via evolutiva que levaria ao reaparecimento do *tapetum* ficou bloqueada para eles. Assim, eles alcançaram o mesmo resultado, captar o máximo possível de fótons, com um crescimento descomunal dos olhos.**

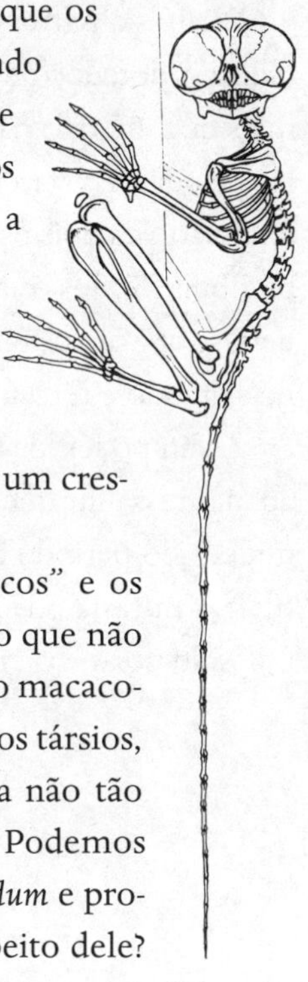

Os outros descendentes do Concestral 7, os "macacos" e os grandes primatas, também não possuem *tapetum lucidum*, o que não é de surpreender, já que são todos diurnos, com exceção do macaco-da-noite sul-americano. E o macaco-da-noite, assim como os társios, compensou isso ganhando olhos bem grandes — embora não tão grandes, em proporção à cabeça, quanto os dos társios. Podemos apostar que o Concestral 7 também não tinha *tapetum lucidum* e provavelmente era diurno. O que mais podemos dizer a respeito dele?

* A maioria das aves noturnas também tem olhos refletores, mas não os egotelídeos da Australásia, nem a gaivota das Galápagos da espécie *Creagrus furcatus*, a única espécie noturna de gaivota do mundo.

** Segundo essa teoria, se os társios houvessem conseguido reaver o *tapetum*, não precisariam de olhos tão enormes, o que teria sido bom. Os maiores olhos em termos absolutos em todo o reino animal são os da lula gigante *Architeutis dux*, com quase 30 cm de diâmetro. Ela também precisa funcionar com níveis muito baixos de luminosidade, não porque seja noturna, mas porque pouquíssima luz penetra nas profundezas abissais do oceano que habita.

Exceto por ser diurno, ele talvez tenha sido bem parecido com os társios. Digo isso porque existem alguns fósseis plausíveis, chamados omomídeos, que provêm mais ou menos do período certo. O Concestral 7 poderia ter sido algo parecido com um omomídeo, e este era bem semelhante aos társios. Seus olhos não eram tão grandes como os dos társios modernos, mas eram graúdos o bastante para indicar que a criatura era noturna. Talvez o Concestral 7 tenha sido uma versão diurna e arborícola do omomídeo. De suas duas linhagens descendentes, uma permaneceu na luz e gerou os macacos e os grandes primatas antropoides. A outra reverteu à escuridão e se transformou nos társios modernos.

Olhos à parte, o que podemos dizer sobre os társios? Eles são grandes saltadores, dotados de pernas compridas como a rã e o gafanhoto. Podem pular mais de 3 metros na horizontal e 1,5 metro na vertical e já foram chamados de rãs peludas. Provavelmente, não é por acidente que eles lembram as rãs também na união dos dois ossos da perna, a tíbia e a fíbula, em um único osso forte, a tibiofibula. Todos os animais antropoides têm unhas em vez de garras, e isso também se aplica aos társios, com a curiosa exceção das "garras de limpar os pelos" no segundo e terceiro dedos.

Não podemos ter certeza quanto ao local do Encontro 7. Mas poderíamos apenas ressaltar que a América do Norte é rica em fósseis mais antigos de omomídeos do período certo, e que naqueles tempos a região era firmemente contígua à Eurásia por intermédio da atual Groenlândia. Talvez o Concestral 7 tenha sido norte-americano.

Encontro 8
Lêmures, gálagos e seus parentes

Acolhendo os pequeninos társios saltadores em nossa peregrinação, partimos nessa jornada ao passado rumo ao Encontro 8, no qual se juntará a nós o resto dos primatas tradicionalmente chamados prossímios: lêmures, potos, gálagos e lóris. Precisamos de um nome para esses prossímios que não são társios. "Estrepsirrino", tornou-se costume chamá-los assim. Significa "narina fendida" (literalmente, nariz torcido). É um nome um pouco confuso. Quer dizer tão somente que a narina tem o mesmo formato da dos cães. Os demais primatas, nós inclusive, são haplorrinos (nariz simples: nossas narinas são, cada uma, um simples orifício).

No Encontro 8, portanto, nós, peregrinos haplorrinos, saudamos nossos primos estrepsirrinos, dos quais a grande maioria são lêmures. Várias datas foram sugeridas para esse ponto. Admito o marco de 63 milhões de anos atrás, uma data comumente aceita e situada pouco "antes" da nossa passagem para o Período Cretáceo. Mas tenhamos em mente que alguns pesquisadores imaginam que esse encontro ocorreu ainda mais no passado, durante o próprio Cretáceo. Há 63 milhões de anos, a vegetação e o clima da Terra já haviam-se recuperado das drásticas alterações que testemunharam o fim do Cretáceo — e dos dinossauros (ver "A grande catástrofe do Cretáceo"). Grande parte do planeta era úmida e coberta de florestas, e no mínimo os continentes setentrionais eram revestidos por uma mistura relativamente restrita de coníferas decíduas e esparsas espécies de plantas floríferas.

Encontramos o Concestral 8 talvez num galho de árvore, procurando frutos ou insetos. Esse mais recente ancestral comum de todos os primatas sobreviventes é aproximadamente o nosso 7 000 000º avô. Entre os fósseis que poderiam nos ajudar a reconstituir o aspecto do Concestral 8 está um grande grupo chamado plesiadapiformes. Eles viveram mais ou menos na época certa e têm muitas das qualidades que se poderia esperar do mais antigo ancestral de todos os primatas. Mas nem todos eles as têm, o que torna polêmica sua suposta proximidade com o ancestral dos primatas.

Dos estrepsirrinos vivos, a maioria são lêmures que vivem exclusivamente em Madagascar, e deles trataremos no conto a seguir. Os outros dividem-se em dois grupos principais, os gálagos saltadores e os lóris e potos rastejadores. Quando eu tinha três anos, morávamos em Niassalândia (atual Malauí) e tínhamos um gálago como animal de estimação: chamava-se Percy, fora trazido por um africano da região e era provavelmente um jovem órfão. Era tão minúsculo que se empoleirava na borda de um copo de uísque para molhar a mão lá dentro e beber com evidente prazer. Durante o dia, dormia agarrado na parte inferior de uma viga no teto do banheiro. Quando "amanhecia" para ele (ou seja, ao anoitecer), se meus pais não o pegassem a tempo (o que era frequente, pois ele era um saltador agilíssimo), Percy se atirava sobre o meu mosquiteiro e lá de cima urinava em mim. Quando ele saltava sobre uma pessoa, por exemplo, não exibia o hábito comum dos gálagos de primeiro urinar nas mãos. Pela teoria de que essa "lavagem com urina" serve de marcação pelo cheiro, isso fazia sentido, já que ele não era adulto. Pela teoria alternativa, a de que a urina aumenta a aderência das mãos, fica menos claro por que ele não agia assim.

Página ao lado: JUNÇÃO COM OS LÊMURES E SEUS PARENTES. Os primatas vivos podem ser divididos em lêmures e seus parentes e o resto. A época em que divergiram é controversa. Alguns especialistas situam-na até 20 milhões de anos antes, o que implicaria um aumento na idade dos Concestrais 9, 10 e 11. As cinco famílias de lêmures de Madagascar (cerca de trinta espécies) e a família dos lóris (dezoito espécies) são conhecidas como "estrepsirrinos". A ordem de ramificação dos lêmures nessa filogênese dos estrepsirrinos permanece em debate.

IMAGENS, DA ESQUERDA PARA A DIREITA: lêmure-rato pigmeu (*Microcebus myoxinus*); lepilêmure de cauda vermelha (*Lepilemur ruficaudatus*); índri (*Indri indri*); lêmure fulvo de fronte branca (*Eulemur fulvus albifrons*); aiai (*Daubentonia madagascariensis*); lóris (*Loris digradus*).

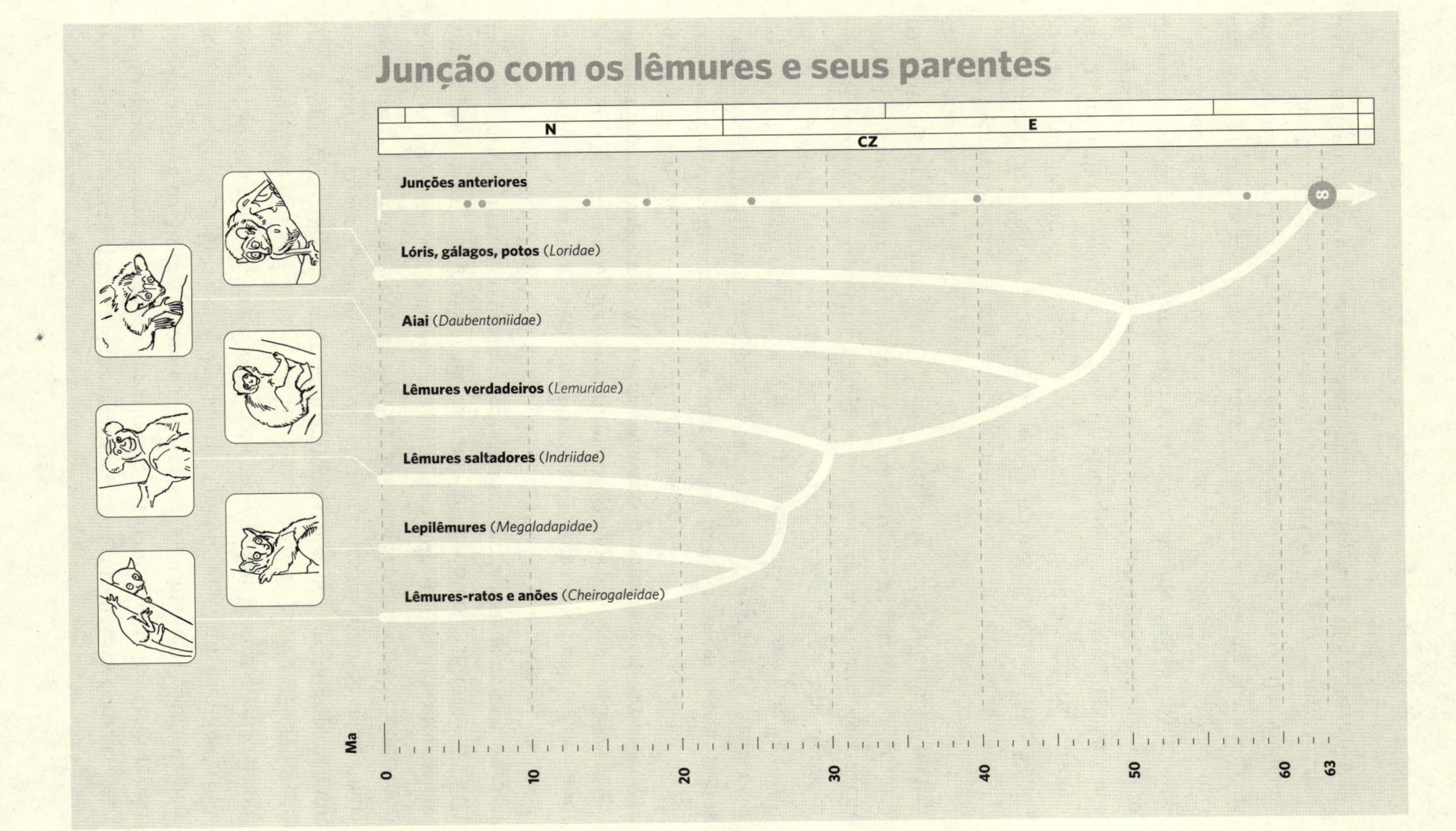
Junção com os lêmures e seus parentes
N
E
CZ
Junções anteriores
Lóris, gálagos, potos (Loridae)
Aiai (Daubentoniidae)
Lêmures verdadeiros (Lemuridae)
Lêmures saltadores (Indriidae)
Lepilêmures (Megaladapidae)
Lêmures-ratos e anões (Cheirogaleidae)
8
Ma
0
10
20
30
40
50
60
63

Nunca saberei a qual das dezessete espécies de gálago Percy pertencia, mas tenho quase certeza de que era um saltador, e não um rastejador. Os rastejadores são os potos da África e os lóris da Ásia. Eles se movem muito mais lentamente — em especial o "lóris lento" do Extremo Oriente, que é um caçador furtivo: avança palmo a palmo pelo galho até ter a presa ao seu alcance, e então dá um bote velocíssimo.

Os gálagos e os potos nos fazem lembrar que uma floresta tropical é um mundo tridimensional, como o mar. A cobertura vegetal, vista de cima, é uma superfície verdejante que ondula em direção ao horizonte. À medida que mergulhamos no mundo de tons mais escuros de verde, abaixo dessa superfície, vamos passando por diversas camadas, também como no mar. Os animais da floresta, como os peixes do oceano, deslocam-se com facilidade tanto na vertical como na horizontal. Porém, também como no mar, cada espécie especializa-se em subsistir em um dado nível. Nas florestas da África ocidental, à noite, a superfície da cobertura vegetal é o território dos gálagos pigmeus caçadores de insetos e dos potos frugívoros. Abaixo do nível da cobertura vegetal, os troncos das árvores são separados por espaços vazios, e esse é o domínio dos gálagos do gênero *Euoticus*, dotados de garras aciculadas, que lhes permitem agarrar-se nos troncos de árvore depois de transpor aos saltos os espaços entre eles. Ainda mais ao fundo, na ramagem mais baixa, o poto *Arctocebus aureus* e seu parente próximo, o angwantibo, caçam lagartas. Quando amanhece, os gálagos e potos noturnos dão lugar aos macacos que caçam durante o dia, e estes dividem a floresta em camadas analogamente estratificadas. Esse mesmo tipo de estratificação ocorre nas florestas sul-americanas, onde até sete espécies de gambá (marsupial) podem ser encontradas, cada qual em seu nível.

Os lêmures descendem dos antigos primatas que acabaram isolados em Madagascar durante a época em que os macacos estavam evoluindo na África. Madagascar é uma ilha suficientemente grande para servir de laboratório a experimentos naturais em evolução. O conto de Madagascar será narrado por um dos lêmures, de forma alguma o mais típico deles: o aiai *Daubentonia*. Não me lembro de muita coisa da palestra sobre os lêmures que Harold Pusey, sábio e douto veterano das salas de conferência, fez para minha geração de zoólogos de Oxford, mas me recordo muito bem do insistente refrão com que ele concluía quase todas as sentenças sobre os lêmures: "Exceto o *Daubentonia*". "EXCETO o *Daubentonia!*" Apesar das aparências, o *Daubentonia*, ou aiai, é um lêmure perfeitamente respeitável, e os lêmures são os mais famosos habitantes da grande ilha de Madagascar.

"O conto do aiai" é sobre Madagascar, vitrine didática de experimentos biogeográficos naturais. Não é apenas um conto sobre lêmures, mas sobre a fauna e a flora peculiares (no sentido original da palavra) de Madagascar.

O CONTO DO AIAI

Um político britânico disse certa vez, a respeito de um rival (que depois se tornou líder de seu partido), que este tinha "algo da noite". O aiai dá essa mesma impressão. De fato, ele é totalmente noturno, e é o maior primata com esse modo de vida. O aiai tem olhos desconcertantemente grandes numa face pálida como a de um fantasma. Seus dedos absurdamente longos lembram as bruxas dos livros infantis. O "absurdo", porém, é pelos padrões humanos, pois podemos ter certeza de que seus dedos são longuíssimos por uma boa razão: um aiai com dedos mais curtos seria penalizado pela seleção natural, mesmo que não saibamos o porquê. A seleção natural é uma teoria forte o suficiente para ser assim preditiva, agora que a ciência não precisa mais ser convencida sobre sua verdade.

Um dos dedos do aiai, o médio, não tem igual. Imensamente longo e fino, até mesmo para os padrões dos aiais, ele é usado para esburacar madeira morta e de lá arrancar larvas. O aiai detecta a presa na madeira tamborilando com esse mesmo dedo comprido e prestando atenção nas mudanças de tom que acusam a presença de insetos nela entranhados.* E não termina aí o uso que ele dá a esse dedo. Na Universidade Duke, que decerto possui a maior coleção de lêmures fora de Madagascar, vi um aiai, com muita delicadeza e precisão, inserir seu longo dedo médio no nariz — sei lá o que procurava. O saudoso Douglas Adams escreveu um capítulo fascinante sobre o aiai em *Last chance to see*, livro sobre suas viagens em companhia do zoólogo Mark Carwardine.

> O aiai é um lêmure noturno. Criatura estranhíssima, dá a impressão de ter sido montada com partes de outros animais. Parece um gato grande com orelhas de

* Esse mesmo hábito, também com um dedo longo (porém o quarto em vez do terceiro), evoluiu convergentemente em um grupo de marsupiais da Nova Guiné, o gambá listrado (*Dactylopsila trivirgata*) e o triok (*Dactylopsila megalura*). Aliás, esses marsupiais parecem ser campeões de convergência. São listrados no mesmo padrão que as doninhas-fedorentas e, como estas, defendem-se exalando um cheiro fortíssimo.

morcego, dentes de castor, cauda que lembra uma grande pena de avestruz, um dedo médio que é um comprido graveto morto e olhos enormes, que parecem sondar além de nós um mundo totalmente diferente situado logo atrás do nosso ombro esquerdo [...]. Como praticamente tudo que vive em Madagascar, ele não existe em nenhuma outra parte da Terra.

Que estilo maravilhosamente eloquente, que falta tremenda faz seu autor! O objetivo de Adams e Carwardine em *Last chance to see* foi chamar a atenção para a difícil situação de espécies ameaçadas. As cerca de trinta espécie sobreviventes de lêmures são relíquias de uma fauna muito mais numerosa que sobreviveu até Madagascar ser invadida por destrutivos humanos há aproximadamente 2 mil anos.

Madagascar é um fragmento de Gondwana (ver página 336) que se separou do que hoje é a África há cerca de 165 milhões de anos e por fim se desmembrou do que viria a ser a Índia há cerca de 90 milhões de anos. Essa ordem dos acontecimentos pode parecer surpreendente, mas, como veremos, assim que a Índia se livrou de Madagascar, afastou-se com rapidez incomum para os padrões sublorisoides da tectônica de placas.

Com exceção dos morcegos (que presumivelmente chegaram voando) e das introduções humanas, os habitantes terrestres de Madagascar são descendentes ou das primevas flora e fauna gondwânicas ou de raros imigrantes que, com improvável boa sorte, chegaram flutuando de algum outro lugar. A ilha é um jardim botânico e zoológico natural, que abriga cerca de 5% de todas as espécies terrestres de plantas e animais do planeta, das quais mais de 80% não são encontradas em nenhuma outra parte do mundo. Mas mesmo sendo tão espantosamente rica em espécies, Madagascar também se destaca pelo número de grupos importantes totalmente ausentes. Ali, em contraste com a África ou a Ásia, não existem antílopes, cavalos, zebras, girafas, elefantes, coelhos e musaranhos-elefantes nativos, e nenhum membro da família dos cães ou da dos gatos. Ali não há nada da esperada fauna africana, embora vestígios fósseis indiquem que várias espécies de hipopótamo tenham sobrevivido até tempos recentes. Existem porcos-da-selva, que parecem ter chegado muito recentemente, talvez introduzidos por humanos. (Voltaremos aos aiais e aos outros lêmures no fim do conto.)

Madagascar tem três membros da família dos mangustos, claramente aparentados uns aos outros. Devem ter chegado da África na forma de uma única espécie fundadora e se ramificado depois. Das três, a mais famosa é a fossa, um tipo de mangusto gigante do tamanho de um cão *beagle* e cauda muito comprida. Seus parentes menores são o mangusto-de-Goudot (*Eupleres goudotii*) e o almiscareiro-fossa, cujo nome latino é *Fossa fossa*. Já o nome latino da fossa é bem diferente do seu nome vulgar: *Cryptoprocta ferox*.

Existe um grupo de roedores exclusivos de Madagascar, composto por nove gêneros unidos em uma subfamília, os *nesomyinae*. Incluem uma forma gigante que vive em tocas e se parece com um rato, uma forma arborícola, um "rato-d'água" de cauda felpuda e uma forma saltadora semelhante ao gerbo. É antiga a polêmica para decidir se esses roedores exclusivamente madagascarenses resultam de um único evento migratório ou de vários. Se houve um só fundador, isso significaria que seus descendentes, desde que chegaram a Madagascar, evoluíram de modo a preencher todos esses vários nichos dos roedores — uma história bem madagascarense. Dados moleculares recentemente obtidos mostram que duas espécies do continente africano são mais proximamente aparentadas com alguns roedores madagascarenses do que certos roedores de Madagascar são aparentados uns com os outros. Isso poderia sugerir que houve mais de uma imigração vinda da África. Mas um exame mais atento dos dados corrobora uma hipótese mais surpreendente. Parece que todos os roedores madagascarenses descendem de um único fundador que chegou não da África, mas da *Índia*. Se isso for verdade, as afinidades com dois roedores africanos indicariam que houve mais imigrações, dessa vez, de animais que flutuaram de Madagascar para a África. Os ancestrais das espécies africanas vieram da Índia via Madagascar. É como se o Oceano Índico favorecesse a flutuação na direção oeste. E mais uma vez não devemos esquecer que a Índia deve ter estado mais próxima de Madagascar quando a imigração ocorreu.

De cada oito espécies de baobá, seis são exclusivas de Madagascar, e as 130 espécies de palmeira da ilha suplantam de longe o número encontrado em toda a África (ver Ilustração 6). Alguns estudiosos supõem que os camaleões originaram-se em Madagascar. É certo que dois terços das espécies de camaleão do mundo todo são nativas de Madagascar. E existe uma família exclusivamente madagascarense de animais parecidos com o musaranho, os tenreques. Outrora classificados na ordem *Insectivora*, hoje eles são considerados pertencentes aos *Afrotheria*, dos quais trataremos no Encontro 13. É provável que os tenreques tenham chegado a Madagascar como duas populações fundadoras distintas vindas da África antes de quaisquer outros mamíferos. Diversificaram-se, e a agora são 27 espécies, entre as quais há algumas que lembram o ouriço-cacheiro, outras parecidas com o musaranho e uma que vive boa parte do tempo submersa, como um musaranho-d'água. As semelhanças são convergentes — evoluíram de maneira independente, ao modo caracteristicamente madagascarense. Como a ilha era isolada, não havia "verdadeiros" ouriços-cacheiros nem "verdadeiros" musaranhos-d'água. Assim, os tenreques, que tiveram a sorte de estar lá, evoluíram e se tornaram os equivalentes locais do ouriço-cacheiro e do musaranho-d'água.

Madagascar não tem nenhum macaco nem grande primata, e isso deixou o palco para os lêmures. Por um afortunado acaso, em algum momento depois de 63 milhões de anos atrás, uma população fundadora de primatas estrepsirrinos antigos foi parar acidentalmente em Madagascar. Como de hábito, não sabemos de que modo isso aconteceu. A divisão evolutiva (Encontro 8, há 63 milhões de anos) ocorreu depois da separação geográfica entre Madagascar e a África (165 milhões de anos atrás) e a Índia (há 88 milhões de anos). Por isso, não podemos dizer que os ancestrais dos lêmures eram residentes gondwânicos que sempre estiveram lá. Em várias partes deste livro usei o termo "flutuar" como uma espécie de código que resume a ideia de "travessia marítima fortuita por algum meio desconhecido, de grande improbabilidade estatística, que só precisaria ter ocorrido uma vez e que sabemos que teve de ocorrer pelo menos uma vez porque estamos vendo as consequências posteriores". Devo acrescentar que "grande improbabilidade estatística" é uma menção meramente formal. Os dados indicam, como vimos no Encontro 6, que na verdade essa "flutuação" no sentido geral é mais comum do que poderíamos intuitivamente esperar. O exemplo clássico é a rápida recolonização do que restou de Krakatoa depois que a ilha foi abruptamente destruída por uma catastrófica erupção vulcânica. E. O. Wilson faz um belo relato do fato em *Diversidade da vida*.

Em Madagascar, as consequências da venturosa flutuação foram impressionantes e encantadoras: lêmures grandes e pequenos, do minúsculo *Mycrocebus mioxinus*, menor do que um hamster, ao recém-extinto *Archaeoindris*, que era mais pesado do que um gorila de dorso prateado e se parecia com um urso; lêmures bem conhecidos, como os lêmures-de-cauda-anelada, cujas caudas compridas e peludas parecem uma tropa de taturanas deslizando no ar quando o bando corre pelo chão; ou o índri, ou ainda os sifakas, que talvez sejam os primatas mais peritos no andar bípede depois de nós.

E, é claro, há o aiai, narrador deste conto. O mundo será um lugar mais triste quando o aiai se extinguir, como receio que possa ocorrer. Mas um mundo sem Madagascar não seria apenas mais triste — seria mais pobre. Se Madagascar fosse riscada do mapa, apenas um milésimo da área terrestre total do planeta se perderia, mas ficaríamos sem 4% de todas as espécies de animais e plantas do mundo.

Para um biólogo, Madagascar é a Ilha dos Abençoados. Em nossa peregrinação, essa é a primeira das cinco ilhas grandes — imensas, em alguns casos — cujo isolamento, em momentos críticos da história da Terra, estruturou radicalmente a diversidade dos mamíferos. E não só dos mamíferos. Coisa semelhante ocorreu com os insetos, as aves, as plantas e os peixes, e, quando por fim nos juntarmos a peregrinos mais distantes, encontraremos outras ilhas desempenhando o mesmo papel, nem todas de terra firme. "O conto do ciclídeo" nos convencerá de que cada um dos grandes lagos africanos é uma espécie de Madagascar aquática e que os ciclídeos são os seus lêmures.

As ilhas ou continentes "insulares" que moldaram a evolução de mamíferos são, na ordem em que os visitaremos: Madagascar, Laurásia (o grande continente setentrional que já foi isolado de seu equivalente meridional, Gondwana), a América do Sul, a África e a Austrália. Gondwana também poderia ser adicionada a essa lista, pois, como descobriremos no Encontro 15, também ela gerou sua fauna única antes de se desmembrar em todos os nossos continentes do Hemisfério Sul. "O conto do aiai" nos mostrou as extravagâncias faunísticas e florísticas de Madagascar. A Laurásia é o imemorial lar e campo de provas darwiniano do enorme afluxo de peregrinos que se juntarão a nós no Encontro 11, os laurasiatérios. No Encontro 12 toparemos com um estranho grupo de peregrinos, os xenartros, que fizeram seu aprendizado evolutivo no então ilhado continente da América do Sul; eles nos narrarão o conto sobre os outros que com eles compartilharam a região. No Encontro 13 veremos os afrotérios, outro grupo imensamente variado de mamíferos, cuja diversidade intensificou-se no continente-ilha da África. E no Encontro 14 será a vez da Austrália e dos marsupiais. Madagascar é o microcosmo que estabelece o padrão: grande o bastante para que o padrão seja seguido, pequeno o bastante para exibi-lo com exemplar clareza.

A grande catástrofe do Cretáceo

O Encontro 8, em que nossos peregrinos se reúnem aos lêmures há 63 milhões de anos, foi o nosso último encontro "antes", em nossa jornada retrocessiva, de transpormos a barreira dos 65 milhões de anos, a chamada fronteira K/T, que separa a Era dos Mamíferos da muito mais longa Era dos Dinossauros, que a precedeu.* K/T foi um divisor de águas na sorte dos mamíferos. Eles tinham sido criaturas miúdas semelhantes ao musaranho, noturnas e insetívoras, e por mais de 100 milhões de anos sua exuberância fora tolhida pelo peso da hegemonia reptiliana. De repente, a pressão desapareceu e, em um tempo geologicamente muito curto, os descendentes daqueles musaranhos expandiram-se para preencher os espaços ecológicos deixados pelos dinossauros.

O que causou a catástrofe propriamente dita? Essa é uma questão polêmica. Havia na época uma intensa atividade vulcânica na Índia, vomitando lava por mais de 1 milhão de km² (no Deccan Traps, região basáltica do oeste indiano).

* K/T representa Cretáceo-Terciário, com "K" em vez de "C" porque "C" já fora usado pelos geólogos para designar o Período Carbonífero. Cretáceo vem de *creta*, palavra latina que indica argila ou giz. Em alemão giz é *Kreide*, daí o K. O "Terciário" era parte de um sistema de nomenclatura hoje em desuso, e abrangia as cinco primeiras épocas da Era Cenozoica. Hoje a fronteira é chamada Cretáceo-Paleógeno (ver a Escala do Tempo Geológico no "Prólogo geral"). No entanto, a abreviação K/T continua a ser comumente usada, e eu a usarei aqui.

Isso pode ter produzido um efeito radical sobre o clima. No entanto, indícios diversos estão levando ao consenso de que o golpe decisivo foi mais súbito e mais drástico. Aparentemente, um projétil vindo do espaço — um grande meteorito ou um cometa — atingiu a Terra. Os detetives costumam reconstituir os acontecimentos a partir de pegadas e cinza de cigarro. A cinza, nesse caso, é uma camada do elemento irídio encontrada em todo o planeta no lugar certo dos estratos geológicos. O irídio é raro na crosta terrestre, mas comum em meteoritos. O tipo de impacto de que estamos falando teria pulverizado o bólido entrante e espalhado seus restos pulverizados por toda a atmosfera, de onde por fim se depositariam por toda a superfície do planeta. A pegada — com 160 km de largura e 48 de profundidade — é uma colossal cratera de impacto, Chicxulub, na extremidade da península mexicana de Yucatán.

O espaço é cheio de objetos em movimento, que se deslocam em direções aleatórias, em velocidades as mais diversas relativamente uns aos outros. Há muito mais modos como os objetos podem deslocar-se relativamente a nós em altas velocidades do que em baixas velocidades. Dessa maneira, a maior parte dos objetos que se chocam com nosso planeta se move a velocidades altíssimas. Felizmente, a maioria deles é pequena e se consome em nossa atmosfera como "estrelas cadentes". Alguns são suficientemente grandes para conservar alguma massa sólida por todo o caminho até a superfície do planeta. E, em intervalos de algumas dezenas de milhões de anos, um objeto bem grande colide catastroficamente conosco. Por causa de sua alta velocidade em relação à Terra, esses objetos colossais liberam uma quantidade inimaginavelmente grande de energia quando se chocam. Um ferimento de bala é quente devido à velocidade do projétil. Um meteorito ou cometa, ao colidir, estava viajando provavelmente ainda mais rápido do que uma bala de rifle de alta velocidade. E, enquanto a bala de rifle tem seu peso em gramas, a massa do projétil celeste que encerrou o Cretáceo e aniquilou os dinossauros media-se em gigatons. O estrondo do impacto, propagado pelo planeta a mil km/h, provavelmente ensurdeceu todas as criaturas vivas que não foram incineradas pela explosão, sufocadas pelo deslocamento de ar, afogadas pelo tsunami de 150 metros que se precipitou pelo mar fervente ou pulverizadas por um terremoto mil vezes mais violento que o maior já provocado pela falha de San Andreas. E esse foi só o cataclismo imediato. Vieram então as consequências — os incêndios florestais globais, a fumaça, a poeira e as cinzas que barraram o Sol em um inverno nuclear de dois anos que matou a maioria das plantas e rompeu as cadeias alimentares do mundo todo.

Não admira que todos os dinossauros, com a notável exceção das aves, tenham perecido — e não só eles, mas cerca de metade de todas as outras espécies, particularmente as marinhas.* Espantoso é que alguma forma de vida sobreviva a essas provações cataclísmicas. A propósito, essa que pôs fim ao Cretáceo e aos dinossauros não foi a maior — a honra cabe à extinção em massa que marca o fim do Permiano, há cerca de um quarto de bilhão de anos, na qual aproximadamente 95% de todas as espécies se extinguiram. Dados obtidos recentemente indicam que um cometa ou meteorito ainda maior pode ter sido o responsável por essa mãe de todas as extinções. Temos a perturbadora consciência de que uma catástrofe semelhante pode nos atingir a qualquer momento. Mas, diferentemente dos dinossauros no Cretáceo ou dos pelicossauros (répteis mamaliformes) do Permiano, seríamos avisados pelos astrônomos com anos, ou pelo menos meses, de antecedência. Isso no entanto não seria uma bênção, pois, ao menos com a tecnologia atual, nada poderíamos fazer para impedir o desastre. Felizmente, a probabilidade de que isso venha a ocorrer durante a vida de uma dada pessoa é, pelos padrões atuariais normais, irrisória. Ao mesmo tempo, a probabilidade de que isso venha a ocorrer durante a vida de *alguns* desafortunados indivíduos é quase de 100%. Acontece que as seguradoras não estão acostumadas a se precaver tanto assim. E os desafortunados indivíduos em questão provavelmente não serão humanos, pois a probabilidade estatística é que, de qualquer modo, já estejamos extintos antes disso.

Pode-se elaborar toda uma argumentação racional mostrando que a humanidade deveria começar agora mesmo a pesquisar medidas defensivas, para levar a tecnologia ao ponto no qual, se for dado um alarme digno de crédito, haja tempo para pô-las em prática. A tecnologia atual só conseguiria minimizar o impacto com um armazenamento equilibrado de sementes, animais domésticos, máquinas, entre elas computadores e bancos de dados bem supridos de sabedoria cultural acumulada, tudo isso em abrigos subterrâneos junto com humanos privilegiados (isso é o que eu chamo de um problema político!). O melhor seria desenvolver tecnologias que até agora só ficaram no plano dos sonhos, e com isso evitar a catástrofe desviando ou destruindo o intruso. Os políticos que

* É tentador ver a catástrofe como estranhamente seletiva. Os foraminíferos das profundezas do oceano (protozoários em minúsculas conchas que se fossilizam em números enormes e, por isso, são muito usados pelos geólogos como espécie indicadora) foram quase totalmente poupados.

inventam ameaças externas de potências estrangeiras, com o intuito de atemorizar para obter apoio econômico ou eleitoral, poderiam se dar conta de que um meteoro com potencial de colidir conosco serviria aos seus ignóbeis propósitos tanto quanto um Império do Mal, um Eixo do Mal ou a mais nebulosa abstração: "terror". E ainda por cima haveria outro benefício: isso encorajaria a cooperação internacional em vez de promover a divisão. A tecnologia em si é semelhante aos mais avançados sistemas de armamentos da "guerra nas estrelas" e à própria tecnologia da exploração espacial. A percepção em massa de que a humanidade como um todo tem inimigos comuns poderia gerar benefícios incalculáveis, aproximando-nos ao invés de nos afastar, como no presente.

Evidentemente, uma vez que existimos, nossos ancestrais sobreviveram à extinção do Permiano e depois à extinção do Cretáceo. Essas duas catástrofes, e outras que também ocorreram, devem ter sido muitíssimo desagradáveis para eles, que sobreviveram por um triz, possivelmente surdos e cegos, mas ainda de algum modo capazes de se reproduzir, pois do contrário não estaríamos aqui. Na época, talvez estivessem hibernando e só acordassem depois do inverno nuclear que se supõe sobrevir a uma catástrofe dessas. E depois, na plenitude do tempo evolutivo, colheram os benefícios. No caso dos sobreviventes do Cretáceo, deixou de haver dinossauros para comê-los e competir com eles. O leitor poderia pensar que teria havido também uma desvantagem: não haveria dinossauros para eles comerem. Mas poucos mamíferos eram grandes o bastante, e poucos dinossauros eram pequenos o bastante para que isso significasse uma perda considerável. Não pode haver dúvida de que mamíferos se desenvolveram em massa após o K/T, mas a forma desse desenvolvimento e como ele se relaciona com os nossos pontos de encontro é controversa. Foram sugeridos três "modelos", e chegou a hora de analisá-los. Há áreas de coincidência entre os três, e eu os apresentarei em suas formas extremas visando tão somente à simplicidade. Em nome da clareza, que eu prezo, mudarei os nomes usuais dessas teorias para: Modelo do Big Bang, Modelo da Explosão Tardia e Modelo Não Explosivo. Existem paralelos na polêmica sobre a chamada Explosão Cambriana que examinaremos em "O conto do verme aveludado".

1. O Modelo do Big Bang, em sua forma extrema, vê uma única espécie de mamífero sobrevivendo à catástrofe do K/T: uma espécie de Noé do Paleoceno. Imediatamente após a catástrofe, os descendentes desse Noé co-

meçaram a proliferar e divergir. No Modelo do Big Bang, a maioria dos pontos de encontro ocorreu em momentos próximos, logo depois da fronteira K/T — o modo de ver retrospectivamente a rápida ramificação divergente dos descendentes de Noé.

2. O Modelo da Explosão Tardia supõe que houve uma grande explosão de diversidade entre os mamíferos depois da fronteira K/T. Mas os mamíferos dessa explosão não descenderam de um único Noé, e a maioria dos pontos de encontro entre mamíferos peregrinos é anterior à fronteira K/T. Quando os dinossauros subitamente saíram de cena, houve numerosas linhagens de pequenos mamíferos semelhantes ao musaranho que sobreviveram e assumiram o lugar dos dinossauros. Um "musaranho" evoluiu e originou os carnívoros, outro originou os primatas, e assim por diante. Esses diferentes "musaranhos", embora provavelmente fossem bem parecidos uns com os outros, vinham de linhagens que haviam se separado em um passado remoto e tinham sido unidas em uma fase muito antiga da época dos dinossauros. Esses ancestrais seguiram paralelamente seus longos estopins rumo ao futuro por toda a época dos dinossauros até a fronteira K/T, e então todos explodiram em diversidade, mais ou menos simultaneamente, quando os dinossauros desapareceram. A consequência é que os concestrais dos mamíferos modernos são bem anteriores à fronteira K/T, embora só tenham começado a divergir uns dos outros em aparência e modo de vida depois da morte dos dinossauros.
3. O Modelo Não Explosivo não supõe que a fronteira K/T marque algum tipo de brusca descontinuidade na evolução da diversidade dos mamíferos. Estes simplesmente foram se ramificando cada vez mais, e esse processo ocorreu antes da fronteira K/T de um modo muito parecido como prosseguiu depois dela. Assim como no Modelo da Explosão Tardia, os concestrais dos mamíferos modernos antecedem a fronteira K/T. Só que, neste terceiro modelo, eles já haviam divergido consideravelmente quando os dinossauros desapareceram.

Dos três modelos, os dados de que dispomos, especialmente as provas moleculares, mas também, cada vez mais, os dados de fósseis, parecem favorecer o Modelo da Explosão Tardia. A maioria das principais ramificações na árvore genealógica dos mamíferos é muito antiga, dos primórdios da era dos dinossauros.

No entanto, a maioria desses mamíferos que coexistiram com os dinossauros eram bem parecidos uns com os outros, e assim permaneceram até que a remoção dos dinossauros libertou-os para explodir na Era dos Mamíferos. Alguns poucos membros dessas principais linhagens não mudaram muito desde esses tempos remotos e consequentemente se parecem uns com os outros, muito embora seus ancestrais comuns sejam antiquíssimos. Os musaranhos eurasianos e os tenreques do gênero *microgale*, por exemplo, são bem parecidos, provavelmente não porque convergiram de pontos de partida diferentes, mas porque não mudaram muito desde tempos primevos. Supõe-se que seu ancestral comum, o Concestral 13, tenha vivido há cerca de 105 milhões de anos, quase tão distante da fronteira K/T quanto essa está longe do presente.

Encontro 9
Colugos e tupaias

O Encontro 9 ocorre há 70 milhões de anos, ainda no tempo dos dinossauros e antes de começar para valer a diversificação dos mamíferos. Na verdade, mesmo as flores mal haviam começado a florescer. As plantas floríferas, embora diversas, até então haviam ficado restritas a habitats perturbados, como os que eram arrasados pelo fogo ou tinham as raízes arrancadas por dinossauros elefantinos. Mas foram evoluindo gradualmente, e agora incluíam diversas árvores altas formadoras do dossel ("teto") da mata, bem como plantas arbustivas de subdossel. O Concestral 9, algo próximo do nosso décimo-milionésimo ascendente, é o ancestral que temos em comum com dois grupos de mamíferos semelhantes aos esquilos. Bem, na verdade um deles lembra os esquilos, e o outro parece mais um esquilo voador. Refiro-me às dezoito espécies de tupaias e a duas espécies de colugos ou "lêmures-voadores", todas do Sudeste Asiático.

As tupaias são bem parecidas entre si e pertencem à família dos tupaiídeos. A maioria vive como os esquilos, em árvores, e algumas espécies se parecem com os esquilos até no detalhe da cauda longa e felpuda. Mas é uma semelhança superficial. Os esquilos são roedores, as tupaias não. E o que elas são? Em parte, é disso que tratará o conto a seguir. Serão musaranhos, como sugere o nome comum pelo qual também são chamadas (musaranhos-arborícolas)? Serão primatas, como por muito tempo julgaram certas autoridades? Ou serão alguma coisa totalmente diferente? A solução pragmática foi classificá-las em uma ordem própria, sem situá-las com precisão: os escandêntias (do latim *scandere*, trepar). Mas, como estamos à procura de pontos para o concestral, não podemos evitar o problema assim tão facilmente. "O conto do colugo" traz minha justificação — ou pedido de desculpa? — para a solução que adotei, unir os colugos e as tupaias "antes" de eles se juntarem à nossa peregrinação.

Por muito tempo os colugos foram conhecidos como lêmures-voadores, o que é um convite à réplica esnobe: eles não voam nem são lêmures. Dados recentes indicam que eles são mais próximos dos lêmures do que até mesmo os responsáveis pelo erro de nomenclatura pensavam. E, embora não tenham um voo propulsionado como os morcegos e as aves, são peritos em planar. As duas espécies, *Cynocephalus volans*, o colugo-das-filipinas, e *C. variegatus*, o colugo-malaio, têm uma ordem só para si: *Dermoptera*. Significa "asas de pele". Como os esquilos voadores da América e Eurásia, os esquilos voadores de cauda escamosa da África, mais remotamente aparentados, e os planadores marsupiais da Austrália e Nova Guiné, os colugos têm uma única membrana larga, o patágio, que funciona mais ou menos como um paraquedas controlador. Diferentemente dos outros planadores, o patágio do colugo abrange a cauda além dos membros e se estende até a ponta dos dedos nas quatro patas. Além disso, os colugos, com sua "envergadura" de 70 cm, são maiores do que todos os outros planadores. Podem planar por mais de 70 metros através da floresta à noite para alcançar uma árvore distante, sem perder altura.

O fato de o patágio estender-se até a ponta da cauda e dos dedos das quatro patas sugere que os colugos têm um modo de vida mais ligado ao voo planado do que os outros mamíferos planadores. E, com efeito, eles são bem ineptos no chão. No ar, eles mais do que compensam essa falta de jeito, com seus enormes paraquedas que lhes dão a liberdade de mover-se velozmente por grandes áreas da floresta. Isso requer boa visão estereoscópica para orientar-se bem à noite em direção a uma árvore visada, evitando colisões fatais, e fazer uma aterrissagem precisa. Para tanto, possuem grandes olhos estereoscópicos, excelentes para a visão noturna.

Os colugos e as tupaias têm sistemas reprodutivos incomuns, mas em direções bem diferentes. Os colugos lembram os marsupiais, pois sua cria nasce cedo no desenvolvimento embriônico. A mãe, que não tem bolsa marsupial, serve-se do patágio. A região caudal do patágio dobra-se para a frente e forma uma bolsa

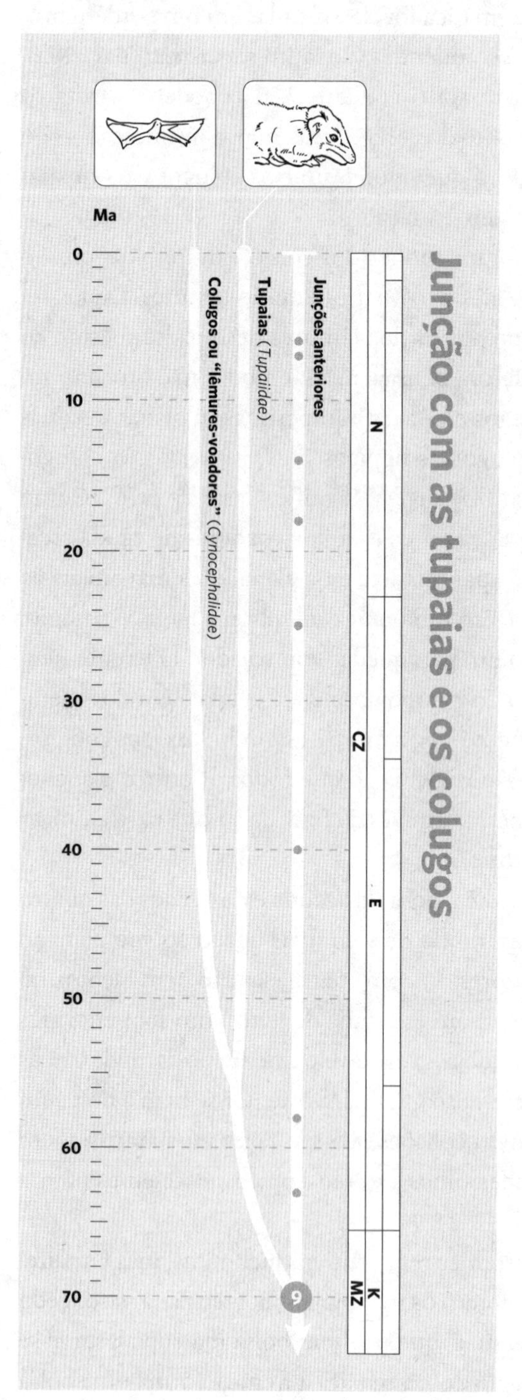

JUNÇÃO COM AS TUPAIAS E OS COLUGOS. Esta é uma das filogêneses mais incertas do livro (ver “O conto do colugo”). O esquema aqui mostrado, que agrupa as dezesseis espécies de tupaia com as duas de colugo como grupo-irmão dos primatas, é defendido por alguns taxonomistas moleculares. As datas desse encontro e do próximo não estão bem determinadas.

IMAGENS, DA ESQUERDA PARA A DIREITA: colugo-malaio (*Cynocephalus variegatus*); tupaia (*Tupaia belangeri*).

improvisada na qual se acomoda o filhote (em geral único). A mãe costuma pendurar-se de cabeça para baixo nos galhos, como uma preguiça, e nessa posição o patágio faz lembrar uma rede de dormir para o bebê.

Parece agradável essa vida de bebê colugo, espiando por sobre a borda de uma rede quentinha e macia. Já o bebê tupaia é o que talvez receba menos cuidados maternos entre todas as crias de mamíferos. A mãe tupaia, pelo menos em várias das espécies, tem dois ninhos, num dos quais ela própria vive, deixando no outro seus bebês. Ela os visita apenas para alimentá-los, e pelo menor tempo possível: entre cinco e dez minutos. Além disso, essas breves visitas ocorrem uma vez a cada 48 horas. Entre uma visita e outra, sem mãe para mantê-las aquecidas como qualquer outro bebê mamífero teria, as pequenas tupaias precisam obter calor do alimento. E, para esse fim, o leite da mãe é excepcionalmente rico.

As afinidades das tupaias e colugos entre si e com o resto dos mamíferos estão sujeitas a controvérsias e incerteza. Esse próprio fato encerra uma lição: a lição de "O conto do colugo".

O CONTO DO COLUGO

O colugo poderia fazer um relato sobre voos planados à noite pelas florestas do Sudeste Asiático. Mas para os propósitos da nossa peregrinação, ele nos fará uma narrativa mais terrena, cuja moral é um alerta. Será um lembrete de que nossa história aparentemente arrumadinha dos concentrais, pontos de encontro e sequência de chegada dos peregrinos está muito sujeita a discordância e revisão, e que é preciso fazer novas pesquisas. O diagrama da filogênese no Encontro 9 mostra uma teoria recente. Segundo essa ideia, que aceito provisoriamente, os peregrinos que nós, primatas, saudamos no Encontro 9 são um grupo já unido, composto por colugos e tupaias. Alguns anos atrás, os colugos não teriam entrado nesse quadro. A taxonomia ortodoxa teria posto as tupaias sozinhas, juntando-se aos primatas nesse encontro, e os colugos teriam se juntado a nós mais adiante, e nem mesmo muito perto.

Nada garante que nosso quadro atual se mantenha. Novos indícios podem ressuscitar nossas hipóteses anteriores, ou trazer à baila uma visão completamente diferente. Alguns pesquisadores, inclusive, acham que os colugos são mais próximos dos primatas do que as tupaias. Se eles tiverem razão, o Encontro 9 é onde os colugos se juntam a nós, primatas. Teríamos de esperar pelas tupaias no Encontro 10, e então a numeração dos concestrais a partir desse ponto precisaria ser acrescida de uma unidade. Mas não é essa a hipótese que adotei. Dúvida e incerteza podem parecer muito insatisfatórias como moral para um conto, mas são uma lição importante que deve ser trazida para bordo, antes de nossa peregrinação ao passado avançar muito. A lição se aplicará a muitos outros encontros.

Eu poderia ter indicado minha incerteza, supondo divisões em vários ramos (como as "politomias": ver "O conto do gibão") em minhas árvores filogenéticas. Essa é a solução adotada por certos autores, em especial por Colin Tudge em seu magistral resumo filogenético da vida na Terra, *The variety of life*. Mas supor politomias em alguns ramos gera o risco de se dar falsa confiança a outros. A revolução na sistemática dos mamíferos envolvendo os laurasiatérios e os afrotérios (Encontros 11 a 13) ocorreu depois de o livro de Tudge ser publicado, só em 2000, e por isso algumas áreas de sua classificação que ele considerava resolvidas agora se transformaram. Se fosse publicar uma nova edição, certamente ela conteria mudanças radicais. Muito possivelmente, o mesmo há de ocorrer com este meu livro, e não só por causa dos colugos e tupaias. A posição dos társios (Encontro 7) e o agrupamento das lampreias junto com os peixes-bruxas (Encontro 22) são incertos. Ainda há alguma hesitação quanto às afinidades dos afrotérios (Encontro 13) e celacantos (Encontro 19). A ordenação do nosso encontro com os cnidários e ctenóforos (Encontros 28 e 29) poderia ser a inversa.

Outros encontros, como o dos orangotangos, são quase tão certos quanto seria possível sê-lo, e há muitos outros nessa feliz categoria. Existem também alguns casos limítrofes. Por isso, em vez de fazer o que seria quase um julgamento subjetivo sobre quais grupos merecem árvores plenamente resolvidas e quais não merecem, atei minhas cores mais ou menos incertas ao mastro em 2004, explicando as dúvidas no texto sempre que possível (com exceção de um único encontro, o de número 37, no qual a ordem é tão incerta que nem os especialistas querem arriscar um palpite). A longo prazo, receio que alguns (mas relativamente poucos, espero) de meus pontos de encontro e suas filogêneses venham a revelar-se incorretos à luz de novas evidências.*

* Alerta contra citações deturpadas: por favor, criacionistas, não citem essas palavras como indicativas de que "os evolucionistas não conseguem concordar a respeito de coisa alguma", com a implicação de que toda a vasta base teórica pode, por isso, ser descartada.

Os sistemas taxonômicos anteriores que não eram vinculados ao padrão da evolução podiam ser controvertidos, como são controvertidas as questões de gosto ou opinião. Um taxonomista poderia argumentar que, por razões de conveniência na exibição de espécimes em museus, seria melhor agrupar as tupaias com os musaranhos e os colugos com os esquilos-voadores. Em opiniões desse tipo, não existe uma resposta absolutamente correta. A taxonomia filética adotada neste livro é diferente. Existe uma árvore da vida correta,* só que ainda não sabemos como ela é. Ainda existe margem para a opinião humana, mas é opinião sobre o que, por fim, se revelará a verdade inquestionável. A única razão de ainda não termos certeza acerca de qual é a verdade é ainda não termos examinado detalhes o bastante, especialmente detalhes moleculares. A verdade paira à espera de ser descoberta. O mesmo não se pode dizer sobre o gosto ou as conveniências de museus.

* Com a breve ressalva de que essa árvore, na verdade, seria um "voto majoritário" entre árvores de genes, como explicado nos últimos parágrafos de "O conto do gibão".

Encontro 10

Roedores e coelhos

O Encontro 10 ocorre no marco dos 75 milhões de anos em nossa jornada. É aqui que os nossos peregrinos recebem, ou, melhor dizendo, são engolfados por uma prolífica, apressadinha e bigoduda praga de roedores. De quebra, recebemos também aqui os coelhos, incluindo seus semelhantes, as lebres e o *jack-rabbit* (*Lepus californicus*), além das mais distantes pikas (ocotonídeos). Os coelhos já foram classificados como roedores, porque também possuem dentes frontais proeminentes feitos para roer; na verdade, eles possuem um par a mais que os roedores. Depois foram separados, e ainda são classificados em uma ordem própria, *Lagomorpha*, e não na ordem *Rhodentia*. Mas os especialistas modernos agru-

Página ao lado: JUNÇÃO COM ROEDORES E COELHOS. Em geral, os especialistas aceitam agrupar as cerca de setenta espécies de parentes do coelho e os aproximadamente 2 mil roedores (dois terços dos quais pertencentes à família do camundongo). Estudos genéticos recentes situam esse grupo como irmão dos primatas, colugos e tupaias. Partes da ordem de ramificação dos roedores não estão totalmente definidas, mas uma filogênese semelhante a esta se fundamenta na maioria dos dados moleculares.

IMAGENS, DA ESQUERDA PARA A DIREITA: capivara (*Hydrochaeris hydrochaeris*); rato-toupeira-do-cabo (*Georychus capensis*); porco-espinho-do-cabo (*Hystrix africaeaustralis*); esquilo-vermelho (*Sciurus vulgaris*); arganaz (*Muscardinus avellanarius*); lebre-saltadora (*Pedetes capensis*); castor europeu (*Castor fiber*); rato-das-margens (*Clethrionomys glareolus*); pequeno rato das estepes (*Sicista betulina*) lebre-do-ártico (Lepus arcticus); pika americana (*Ochotona princeps*).

Junção com roedores e coelhos

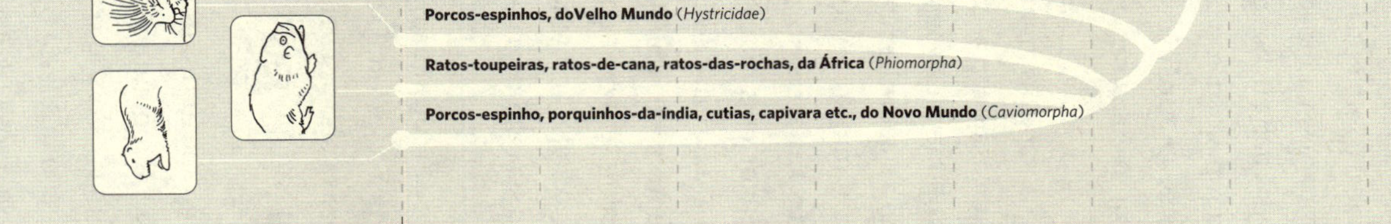

pam os lagomorfos junto com os roedores em uma "coorte" chamada Glires. Na terminologia que combinamos para este livro, os peregrinos lagomorfos e os peregrinos roedores juntaram-se uns aos outros "antes" de todo esse grupo entrar na nossa peregrinação. O Concestral 10 é aproximadamente o nosso 15 000 000º avô. É o mais recente ancestral que temos em comum com o camundongo, mas este se liga ao Concestral 10 por intermédio de um número muito maior de ascendentes, devido ao breve período que separa suas gerações.

Os roedores são um dos grandes sucessos da história dos mamíferos. Eles compõem mais de 40% de todas as espécies mamíferas, e afirma-se que existem mais rodedores no mundo do que todos os demais mamíferos juntos. Os ratos e os camundongos têm sido os beneficiários ocultos da nossa Revolução Agrícola, e viajaram conosco pelos mares a todas as partes do planeta. Devastam nossos celeiros e nossa saúde. Os ratos e sua carga de pulgas foram os responsáveis pela Grande Peste de Londres (1665) (acreditava-se tradicionalmente que a Peste Negra do século XIV também tivesse sido um surto de peste bubônica, mas hoje há controvérsias a respeito). Propagaram o tifo, e a eles se atribuem mais mortes humanas no segundo milênio do que as causadas por todas as guerras e revoluções somadas. Quando até mesmo os quatro cavaleiros houverem sido abatidos pelo apocalipse, serão os ratos que desenterrarão seus restos, os ratos que enxamearão como lemingues nas ruínas da civilização. A propósito: os lemingues também são roedores — ratos do campo que habitam regiões setentrionais e que, por razões ainda não totalmente claras, aumentam sua população até atingirem as proporções de uma praga nos chamados "anos de lemingue" e depois se entregam a frenéticas migrações em massa —, mas não arbitrariamente suicidas, como falsamente se acredita.

Os roedores são máquinas de roer. Possuem um par de dentes incisivos frontais proeminentes, que nunca param de crescer para compensar o forte desgaste. Os músculos masseteres da mastigação são especialmente bem desenvolvidos nos roedores. Eles não têm dentes caninos, e o grande espaço ou diastema que separa seus incisivos dos dentes posteriores aumenta a eficiência da roedura. Os roedores podem roer quase tudo. Castores derrubam árvores grandes roendo-lhes o tronco. Os ratos-toupeiras vivem totalmente no subsolo, e cavam seus túneis não com as patas da frente como as toupeiras, mas unicamente com os incisivos.* Diferentes

* Com exceção de uma das quinze espécies, eles roem para abrir caminho no solo. Os trogloditas-mores entre os ratos-toupeiras, os ratos-toupeiras-pelados, enfileiram-se para produzir tocas em

espécies de roedores penetraram nos desertos do mundo (gundis, gerbis), nas altas montanhas (marmotas, chinchilas), no dossel das florestas (esquilos, incluindo os esquilos-voadores), nos rios (ratos-d'água, castores, capivaras), no chão da floresta pluvial (cutias), nas savanas (os marás, as lebres-saltadoras) e na tundra ártica (os lemingues).

A maioria dos roedores é do tamanho dos ratos, mas também há os de maior porte, como as marmotas, castores, cutias e marás e até as capivaras das lagoas sul-americanas, que têm o tamanho de uma ovelha. A carne de capivara é muito apreciada, não só em razão do tamanho do animal, mas também graças a uma bizarrice: a Igreja Católica Romana considerava a capivara um peixe honorário para ser comido às sextas-feiras, presumivelmente porque o animal vive na água. Mesmo grandalhonas, as capivaras modernas ficam minúsculas se comparadas a vários roedores sul-americanos gigantes que se extinguiram recentemente. A capivara gigante, *Protohydrochoerus*, era do tamanho de um jumento. O *Telicomys* era um roedor ainda maior, que nada ficava a dever a um rinoceronte pequeno, e que, como a capivara gigante, se extinguiu na época do Grande Intercâmbio Americano, quando o istmo do Panamá pôs fim ao isolamento insular da América do Sul. Esses dois grupos de roedores gigantes não tinham um parentesco particularmente próximo, e parecem ter evoluído seu gigantismo de forma independente.

Um mundo sem roedores seria um mundo bem diferente. É menos provável que venha a ocorrer do que um mundo dominado por roedores e livre de gente. Se uma guerra nuclear destruir a humanidade e a maior parte das demais formas de vida, uma boa aposta sobre quem sobreviverá a curto prazo e deixará descendentes evolutivos a longo prazo são os ratos. Tenho uma visão pós-Armagedom. Nós e todos os outros animais grandes desaparecemos. Roedores revelam-se os supremos lixeiros pós-humanos. Roem tudo em Nova York, Londres e Tóquio, digerindo despensas arrebentadas, supermercados-fantasmas e cadáveres humanos, transformando tudo isso em novas gerações de ratos e camundon-

---

massa, e vão chutando para trás a terra roída pelo operário que encabeça a fila. Usei o termo "operário" criteriosamente, pois os ratos-toupeiras-pelados destacam-se também porque são o que os mamíferos têm de mais semelhante aos insetos sociais. Eles até se *parecem* um pouco com cupins enormes: feios de doer para os nossos padrões, mas tão cegos que presumivelmente não ligam para o fato.

gos, cujas populações transbordam explosivamente das cidades e invadem a zona rural. Quando todas as relíquias do desregramento humano tiverem sido comidas, as populações tornarão a despencar, e os roedores se voltarão uns contra os outros e contra as baratas que competem com eles pelo lixo. Em um período de intensa competição, gerações breves, talvez com taxas de mutação radioativamente impulsionadas, levarão à uma rápida evolução. Como os aviões e navios humanos já não existirão, as ilhas voltarão a ser ilhas, com populações locais isoladas, exceto por ocasionais flutuações aleatórias: condições ideais para a divergência evolutiva. Em 5 milhões de anos, todo um conjunto de novas espécies substituirá as que hoje conhecemos. Manadas de gigantescos ratos herbívoros serão perseguidas por ratos predadores de dentes de sabre.* Será que, com tempo suficiente, emergirá uma espécie de ratos inteligentes e refinados? Será que, por fim, historiadores e cientistas roedores organizarão cuidadosas escavações (roeções?) arqueológicas através dos estratos de nossas cidades compactadas pelo tempo e reconstruirão as singulares e temporariamente trágicas circunstâncias que deram à rataria sua grande chance?

O CONTO DO CAMUNDONGO

De todos os milhares de roedores, o camundongo, *Mus musculus*, tem um conto especial porque ele se tornou a segunda espécie de mamífero mais intensivamente estudada depois da nossa. Muito mais do que a proverbial cobaia, o camundongo é matéria-prima para os laboratórios médicos, fisiológicos e genéticos do mundo todo. Em especial, até o presente o camundongo é um dos pouquíssimos animais, com exceção de nós, cujo genoma foi totalmente sequenciado.

Duas coisas relacionadas a esses genomas recentemente sequenciados causaram uma surpresa infundada. A primeira é que os genomas de mamíferos parecem bem pequenos: da ordem de 30 mil genes, ou talvez até menos. E a segunda é que eles são muito semelhantes entre si. A dignidade humana parecia exigir que o nosso genoma fosse muito maior que o de um minúsculo camundongo. E não deveria ser muito maior do que 30 mil genes, afinal de contas?

* Dougal Dixon previu isso muito tempo atrás, e teve talento para pintar sua ideia no imaginativo livro *After man: a zoology of the future*.

Essa última expectativa levou as pessoas, inclusive algumas de quem se esperaria mais tino, a deduzir que o "ambiente" deve ser mais importante do que pensávamos, já que não há genes suficientes para especificar um corpo. Trata-se de uma lógica espantosamente ingênua. Por que critérios nós *decidimos* quantos genes são necessários para especificar um corpo? Esse tipo de pensamento baseia-se em uma suposição subconsciente errada: a de que o genoma é um tipo de gabarito no qual cada gene especifica seu pedacinho do corpo. Como nos dirá "O conto da mosca-das-frutas", ele não é um gabarito, e sim algo mais parecido com uma receita, um programa de computador ou um manual de instruções de montagem.

Se você imaginar o genoma como um gabarito, talvez espere que um animal grande e complexo como você tenha mais genes do que um camundonguinho, dotado de menos células e de um cérebro menos sofisticado. Mas, como eu disse, não é assim que os genes funcionam. Até mesmo o modelo da receita ou manual de instruções pode ser enganoso se não for adequadamente compreendido. Meu colega Matt Ridley faz uma analogia diferente primorosamente clara em seu livro *Nature via nurture*. A maior parte do genoma que sequenciamos não é um manual de instruções nem um programa mestre de computador para construir um humano ou um camundongo, embora partes dele o sejam. Do contrário, poderíamos realmente esperar que nosso programa fosse maior que o do camundongo. Mas a maior parte do genoma parece-se mais com o dicionário de palavras disponíveis para escrever o manual de instruções — ou, como logo veremos, o conjunto de sub-rotinas, chamadas pelo programa mestre. Como diz Ridley, a lista de palavras existentes em *David Copperfield* é quase igual à lista de *O apanhador no campo de centeio*. Ambas se utilizam do vocabulário de um falante instruído da língua em que essas obras foram escritas. O que difere totalmente nesses dois livros é a ordem em que as palavras são encadeadas.

Quando uma pessoa é feita, ou quando um camundongo é feito, ambas as embriologias recorrem ao mesmo dicionário de genes: o vocabulário normal das embriologias mamíferas. A diferença entre uma pessoa e um camundongo vem das diferentes ordens em que são dispostos os genes retirados desse vocabulário mamífero comum, dos diferentes lugares do corpo onde isso ocorre e da sequência dos fatos. Tudo isso está sob o controle de genes específicos cuja tarefa é ativar outros genes, em cascatas complexas e primorosamente coordenadas. Mas esses genes controladores constituem apenas uma minoria dos genes no genoma.

Não se deve entender "ordem" como a ordem em que os genes são enfileirados nos cromossomos. Com notáveis exceções, que veremos em "O conto da mosca-das-frutas", a ordem dos genes em um cromossomo é tão arbitrária quanto a ordem em que as palavras são arroladas em um vocabulário — geralmente alfabética, mas, especialmente em livros de frases para viagens ao exterior, às vezes em ordem de conveniência: palavras úteis no aeroporto, palavras úteis em uma consulta médica, palavras úteis para fazer compras etc. A ordem em que os genes são guardados no cromossomo não tem importância. O importante é que o maquinário celular encontre o gene certo quando precisar, e isso ele faz usando métodos que vêm sendo cada vez mais esclarecidos. Em "O conto da mosca-das-frutas" voltaremos a esses poucos e interessantíssimos casos nos quais a ordem de genes dispostos no cromossomo não é arbitrária, em um sentido mais ou menos análogo ao do livro de frases estrangeiras. Por ora, o importante é que o que distingue um camundongo de um homem não são principalmente os genes em si, nem a ordem na qual eles são armazenados no "livro de frases" cromossômico, e sim a ordem na qual eles são ativados: o equivalente à escolha, por Dickens ou Salinger, das palavras retiradas do vocabulário inglês para dispô-las em sentenças.

Em um aspecto a analogia com palavras é enganosa. Palavras são mais curtas do que genes, e alguns autores compararam cada gene com uma sentença. Mas sentenças não são uma boa analogia, por uma razão diferente. Os diferentes livros não são compostos permutando-se um repertório fixo de sentenças. A maioria das sentenças é única. Os genes, como as palavras, mas não como as sentenças, são usados vezes sem conta em diferentes contextos. Uma analogia melhor do que uma palavra ou sentença para um gene é uma sub-rotina numa caixa de ferramentas do computador.

O computador com o qual por acaso tenho familiaridade é o Macintosh, e já se passaram alguns anos desde que me ocupei com algum tipo de programação; por isso, sem dúvida estou desatualizado com os detalhes. Mas não importa. O princípio permanece, e isso vale também para outros computadores. O Mac tem uma caixa de ferramentas de rotinas armazenadas em ROM (Read Only Memory) ou em arquivos do sistema permanentemente carregados na inicialização. Há milhares dessas rotinas da caixa de ferramentas, e cada qual executa uma operação específica, que provavelmente será necessária muitas vezes, de modos ligeiramente diferentes, em diferentes programas. Por exemplo, a rotina da caixa de ferramentas chamada ObscureCursor oculta o cursor na tela até a próxima vez que o mouse for movido. Sem que você veja, o "gene" ObscureCursor é chamado toda vez que você começa a digitar, e o cursor do mouse desaparece. Rotinas da caixa de ferramentas estão entre as características mais conhecidas encontradas em todos os programas do Mac (e em seus equivalentes imitados nas máquinas que usam o Windows): menus suspensos, barras de rolagem, janelas minimizáveis que podem ser arrastadas pela tela com o mouse e muitas outras.

A razão de todos os programas do Mac terem a mesma "cara" (semelhança que se tornou motivo de um famoso litígio) é precisamente que todos os programas do Mac, sejam escritos pela Apple, pela Microsoft ou por qualquer outro, chamam as mesmas rotinas da caixa de ferramentas. Um programador que quisesse mover toda uma região da tela em alguma direção, por exemplo, acompanhando o arraste do mouse, perderia tempo se não chamasse a rotina ScrollRect na caixa de ferramentas. Ou, se ele quisesse pôr uma marca de verificação em um item do menu suspenso, seria uma sandice escrever um código pessoal para conseguir o efeito. Basta escrever uma chamada de CheckItem no programa, e o trabalho será feito para ele. Se examinarmos o texto de um programa do Mac, não importa quem o tenha escrito, em qualquer linguagem de programação e para qualquer finalidade, notaremos antes de tudo que ele consiste, em grande medida, em invocações de rotinas conhecidas integradas na caixa de ferramentas. O mesmo repertório de rotinas está disponível a todos os programadores. Diferentes programas encadeiam chamados dessas rotinas em diferentes combinações e sequências.

O genoma, que se encontra no núcleo de toda célula, é a caixa de ferramentas de rotinas de DNA disponíveis para a execução de funções bioquímicas padronizadas. O núcleo de uma célula é como a ROM de um Mac. Diferentes células, por exemplo, células do fígado, células ósseas e células musculares, encadeiam "chamadas" dessas rotinas em diferentes ordens e combinações quando executam funções celulares específicas, como crescer, dividir-se ou secretar hormônios. As células ósseas dos camundongos são mais semelhantes às células ósseas dos humanos do que às células do fígado de camundongos — executam operações semelhantes e, para isso, precisam chamar o mesmo repertório de rotinas da caixa de ferramentas. Esse é o tipo de razão por que todos os genomas de mamíferos têm aproximadamente o mesmo tamanho — todos precisam da mesma caixa de ferramentas.

No entanto, as células ósseas dos camundongos têm, sim, um comportamento diferente das células ósseas humanas. E isso também se refletirá em diferentes chamadas da caixa de ferramentas no núcleo. A caixa de ferramentas em si não é idêntica em camundongos e homens, mas, em princípio, até que poderia ser sem pôr em risco as principais diferenças entre as duas espécies. Para o propósito de formar os camundongos diferentemente dos humanos, o que importa são as diferenças nas chamadas das rotinas da caixa de ferramentas, mais do que as diferenças nas rotinas da caixa de ferramentas propriamente ditas.

O CONTO DO CASTOR

Fenótipo é aquilo que é influenciado por genes. Ou seja, na prática, tudo o que diz respeito a um corpo. Mas há uma sutileza de ênfase, decorrente da etimologia da palavra. *Phaino* é palavra grega que significa "mostrar", "trazer à luz", "evidenciar", "exibir", "descobrir", "revelar", "manifestar". O fenótipo é a manifestação externa e visível do genótipo oculto. O *Oxford English Dictionary* define fenótipo como "o total das características observáveis de um indivíduo, visto como a consequência da interação de seu genótipo com seu meio", mas antes dessa definição apresenta outra, mais sutil: "um tipo de organismo distinguível de outros por características observáveis".

Para Darwin, a seleção natural era a sobrevivência e reprodução de certos tipos de organismos em detrimento de tipos rivais de organismo. "Tipos", aqui, não significam grupos, raças ou espécies. No subtítulo de *A origem das espécies*, a muito mal compreendida frase "preservação de raças favorecidas" não se refere, de modo algum, a raças no sentido normal do termo. Darwin escreveu antes que os genes recebessem esse nome e fossem adequadamente compreendidos, mas em termos modernos o que ele queria dizer com "raças favorecidas" era "possuidores de genes favorecidos".

A seleção impele a evolução apenas quando os tipos alternativos devem suas diferenças a genes: se as diferenças não forem herdadas, a sobrevivência diferencial não terá impacto sobre gerações futuras. Para um darwiniano, fenótipos são as manifestações pelas quais os genes são julgados pela seleção. Quando dizemos que a cauda de um castor é achatada para servir de remo, queremos dizer que os genes cuja expressão fenotípica incluíram um achatamento da cauda sobreviveram ajudados por esse fenótipo. Castores individuais com o fenótipo da cauda achatada sobreviveram em consequência de serem melhores nadadores; os genes responsáveis sobreviveram dentro deles e foram transmitidos a novas gerações de castores de cauda achatada.

Ao mesmo tempo, genes que se expressaram em enormes dentes incisivos capazes de roer madeira também sobreviveram. Os castores individuais são formados pela permutação de genes no reservatório gênico dos castores. Genes sobreviveram através de gerações de castores ancestrais porque se revelaram bons em colaborar com outros genes no reservatório gênico dos castores, produzindo fenótipos que prosperam no modo de vida dos castores.

Ao mesmo tempo, mais uma vez, cooperativas alternativas de genes estão sobrevivendo em outros reservatórios gênicos, formando corpos que sobrevivem empenhando-se em outros modos de vida: a cooperativa dos tigres, a dos camelos, a das baratas, a das cenouras. Meu primeiro livro, *O gene egoísta*, poderia igualmente intitular-se *O gene cooperativo* sem que fosse preciso mudar uma só palavra do livro. Aliás, isso talvez tivesse poupado muitos mal-entendidos (alguns dos mais vociferantes críticos de um livro contentam-se em ler apenas o título da obra). Egoísmo e cooperação são dois lados de uma moeda darwiniana. Cada gene promove seu próprio bem-estar egoísta cooperando com os outros genes no reservatório gênico sexualmente mexido que é o meio desse gene, a fim de formar corpos que eles compartilham.

Mas os genes de castor têm fenótipos especiais muito distintos dos de tigres, camelos ou cenouras. Os castores têm fenótipos de lago, causados por fenótipos de represas. Um lago é um *fenótipo estendido*. O fenótipo estendido é um tipo especial de fenótipo, e será o tema do restante deste conto, que é um breve resumo de meu livro *The extended phenotype*. Ele é interessante não apenas em si mesmo, mas porque nos ajuda a entender como se desenvolvem os fenótipos convencionais. Veremos que não há grande diferença de princípios entre um fenótipo estendido como o lago de um castor e um fenótipo convencional como a cauda achatada desses animais.

Como é que pode ser correto usar a mesma palava, fenótipo, para referir-se a uma cauda de carne, osso e sangue e a uma massa de água parada represada num vale? A resposta é que ambas são manifestações de genes de castor; ambas evoluíram para tornar-se cada vez melhores em preservar esses genes; e ambas são ligadas aos genes que elas expressam por uma cadeia semelhante de elos causais embriológicos. Explico.

Os processos embriológicos pelos quais genes de castor moldam caudas de castor não são conhecidos em detalhes, mas sabemos que tipo de coisa ocorre. Genes em cada célula de um castor comportam-se como se "soubessem" em que tipo de célula estão. As células da pele têm os mesmos genes que as células ósseas, mas diferentes genes são ativados nos dois tecidos. Vimos isso em "O conto do camundongo". Os genes, em cada um dos diferentes tipos de célula na cauda de um castor, comportam-se como se "soubessem" onde estão. Levam suas respectivas células a interagir umas com as outras de tal modo que a cauda como um todo assume sua forma achatada e sem pelos. É tremendamente difícil descobrir como elas "sabem" em que parte da cauda estão, mas conhecemos em princípio como essas dificuldades são superadas. E as soluções, assim como as próprias dificuldades, serão do mesmo tipo geral quando examinarmos o desenvolvimento das patas dos tigres, das corcovas dos camelos e das folhas da cenoura.

Elas também são do mesmo tipo geral no desenvolvimento dos mecanismos neuronais e neuroquímicos que regem o comportamento. O comportamento copulativo dos castores é instintivo. O cérebro do castor macho orquestra uma sinfonia de movimentos por meio de secreções hormonais no sangue e de nervos que controlam músculos puxadores de ossos primorosamente articulados. O resultado é a coordenação precisa com uma fêmea, que por sua vez se move com harmonia em sua própria sinfonia de movimentos, igualmente orquestrada para facilitar a união. Podemos ter certeza de que essa esmerada música neuromuscular foi apurada e aperfeiçoada pela seleção natural durante muitas gerações. E isso significa seleção de genes. No reservatório gênico dos castores, sobreviveram os genes cujos efeitos fenotípicos sobre o cérebro, os nervos, os músculos, as glândulas, os ossos e os órgãos dos sentidos de gerações de castores ancestrais aumentaram as chances de esses mesmos genes serem transmitidos através dessas mesmas gerações até chegarem ao presente.

Os genes "para" comportamentos sobrevivem de modo semelhante aos genes "para" ossos e pele. Se alguém protestar que não existem "realmente" genes para comportamentos, mas apenas genes para os nervos e músculos que produzem o comportamento, esse alguém precisa alargar seus horizontes. As estruturas anatômicas não têm um status especial, superior ao das estruturas comportamentais, quando se trata de efeitos "diretos" dos genes. Os genes são "realmente" ou "diretamente" responsáveis apenas por proteínas ou outros efeitos bioquímicos imediatos. Todos os outros efeitos, sobre fenótipos anatômicos ou comportamentais, são indiretos. Mas a distinção entre direto e indireto é vã. O que importa no sentido darwiniano é que *diferenças* entre genes se traduzem em *diferenças* entre fenótipos. A seleção natural só quer saber de diferenças. E, de modo análogo, são as diferenças que interessam aos geneticistas.

Lembremos a definição mais "sutil" de fenótipo dada pelo *Oxford English Dictionary*: "um tipo de organismo distinguível de outros por características observáveis". A palavra-chave é "distinguível". Um gene "para" olhos castanhos não é um gene que codifica diretamente a síntese de um pigmento castanho. Bem, até poderia acontecer que fosse, mas isso não vem ao caso. O importante, no que diz respeito ao gene "para" olhos castanhos, é que possuí-lo faz *diferença* para a cor dos olhos *quando comparado* a alguma versão alternativa do gene — um "alelo". As cadeias de causação que culminam na diferença entre um fenótipo e outro, digamos entre olhos castanhos e azuis, geralmente são longas e tortuosas. O gene faz uma proteína diferente da proteína feita pelo gene alternativo. A proteína tem um efeito enzimático sobre a química celular, que afeta X, que afeta Y, que afeta Z, que afeta... uma longa cadeia de causas intermediárias que afeta... o fenótipo em questão. O alelo faz a *diferença* quando seu fenótipo é comparado ao fenótipo correspondente, no extremo da correspondentemente longa cadeia de causação que decorre do alelo alternativo. Diferenças gênicas causam diferenças fenotípicas. Mudanças gênicas causam mudanças fenotípicas. Na evolução darwiniana, alelos são selecionados, *vis-à-vis* alelos alternativos, em virtude das diferenças em seus efeitos sobre fenótipos.

O castor quer nos dizer que essa comparação entre fenótipos pode ocorrer em qualquer ponto da cadeia de causação. Todos os elos intermediários da cadeia são verdadeiros fenótipos, e qualquer um deles poderia ser o efeito fenotípico pelo qual um gene é selecionado: basta que seja "visível" para a seleção natural; não interessa se é ou não visível para nós. Não existe um "último elo" da cadeia: nada de fenótipo final, definitivo. Qualquer consequência de uma mudança nos alelos, em qualquer parte do mundo, por mais indireta e por mais longa que seja a cadeia de causação, é alvo da seleção natural sempre que influir na sobrevivência do alelo responsável relativamente aos seus rivais.

Examinemos agora a cadeia embriológica de causação que leva os castores a construir represas. O comportamento de construir represas é uma estereotipia complicada, embutida no cérebro como um bem sintonizado mecanismo de relógio. Ou, como se acompanhássemos a história dos relógios até a era eletrônica, a construção de represas está programada no cérebro. Assisti a um filme impressionante sobre castores em cativeiro. Foram presos em uma gaiola sem água, sem madeira, sem coisa alguma. Os castores executaram, "no vácuo", todos os movimentos estereotipados do comportamento construtor que normalmente vemos na natureza, na presença de água e madeira. Eles pareciam estar colocando madeira virtual em uma parede de represa virtual, pateticamente tentando construir uma parede fantasma com gravetos fantasmas, tudo isso no piso duro, seco e plano de sua prisão. Dá pena vê-los: é como se estivessem tentando desesperadamente pôr em ação seu frustrado mecanismo construtor de represas.

Só os castores têm esse tipo de mecanismo de relógio cerebral. Outras espécies têm mecanismos de relógio para copular, para coçar-se e para lutar. Os castores também. Mas apenas os castores têm o mecanismo de relógio cerebral para construir represas, e ele deve ter evoluído lenta e gradativamente em castores ancestrais. Evoluiu porque os lagos produzidos por represas são úteis. Não está bem clara a utilidade que têm, mas sem dúvida foram úteis para os castores que os construíram, e não para quaisquer outros castores. A melhor suposição parece ser que um lago proporciona ao castor um lugar seguro para construir seu abrigo, fora do alcance da maioria dos predadores, e um conduto seguro para transportar alimento. Seja qual for a vantagem, ela deve ser substancial, ou os castores não dedicariam tanto tempo e esforço à construção das represas. Saliento uma vez mais que a seleção natural é uma teoria preditiva. O darwiniano pode fazer a confiante previsão de que, se as represas fossem uma inútil perda de tempo, os castores rivais que não as construíssem sobreviveriam melhor e transmitiriam as tendências genéticas a não construir. O fato de que os castores são tão ávidos por construir represas é um indício muito eloquente de que isso beneficou também seus ancestrais.

Como qualquer outra adaptação útil, decerto o mecanismo de relógio construtor de represas existente no cérebro evoluiu pela seleção darwiniana de genes. Deve ter havido variações genéticas na estruturação do cérebro que afetaram o comportamento construtor de represas. As variantes genéticas que resultaram em represas aperfeiçoadas tiveram maior probabilidade de sobreviver nos reservatórios gênicos dos castores. É a mesma história de todas as adaptações darwinianas. Mas qual é o fenótipo? Em qual elo da cadeia de elos causais diremos que a diferença genética exerce seu efeito? A resposta, repito, é: todos os elos onde se veja uma diferença. No diagrama da montagem do cérebro? Sim, quase certamente. Na química celular que, no desenvolvimento embriônico, leva a essa montagem? É claro. Mas também no *comportamento* — na sinfonia de contrações musculares que é o comportamento — esse ainda é um fenótipo perfeitamente respeitável. Diferenças no comportamento construtor são, sem dúvida, manifestações de diferenças em genes. E, analogamente, as *consequências* desse comportamento também são inteiramente admissíveis como fenótipos de genes. Que consequências? Represas, é claro. E lagos, pois são consequências de represas. Diferenças entre lagos são influenciadas por diferenças entre represas, assim como diferenças entre represas são influenciadas por diferenças entre padrões de comportamento, os quais, por sua vez, decorrem de diferenças entre genes. Podemos dizer que as características de uma represa, ou de um lago, são verdadeiros efeitos fenotípicos de genes, de acordo com a mesma lógica que usamos para dizer que as características de uma cauda são efeitos fenotípicos de genes.

Convencionalmente, os biólogos supõem que os efeitos fenotípicos de um gene mantêm-se dentro dos limites dados pela pele do indivíduo possuidor desse gene. "O conto do castor" mostra que isso não é necessário. O fenótipo de um gene, no verdadeiro sentido da palavra, pode estender-se para além da pele de um indivíduo. O ninho de uma ave é um fenótipo estendido. Sua forma e tamanho, seus intricados afunilamentos e tubos, quando existem, são todos adaptações darwinianas, portanto devem ter evoluído pela sobrevivência diferencial de genes alternativos. Genes para comportamento construtor? Sim. Genes para formar o cérebro de modo que ele seja bom em construir ninhos do tamanho e forma adequados? Sim. Genes para ninhos do tamanho e forma adequados? Sim, por analogia, sim. Ninhos são feitos de mato, gravetos ou lama, não de células de aves. Mas isso não interessa para a questão de se as diferenças entre os ninhos são influenciadas por diferenças entre genes. Se o forem, então os ninhos são efetivamente fenótipos de genes. E diferenças em ninhos sem dúvida têm de ser influenciadas por diferenças de genes, pois de outro modo como eles poderiam ter sido aperfeiçoados pela seleção natural?

Artefatos como ninhos e represas (e lagos) são exemplos facilmente compreendidos de fenótipos estendidos (ver Ilustração 7). Há outros cuja lógica é um pouco mais, digamos, estendida. Por exemplo, podemos dizer que genes de parasitas têm expressão fenotípica no corpo do hospedeiro. Isso pode ser verdade mesmo quando, como no caso dos cucos, o parasita não vive dentro do hospedeiro. E muitos exemplos de comunicação animal — como quando um canário macho canta para uma fêmea e os ovários dela aumentam de tamanho — podem ser reescritos na linguagem do fenótipo estendido. Mas isso nos levaria para muito longe do castor, cujo conto concluiremos com uma última observação. Sob condições favoráveis, o lago de um castor pode abranger vários quilômetros, o que pode fazer dele o maior fenótipo de qualquer gene do mundo.

Encontro 11

Laurasiatérios

Chegamos ao marco de 85 milhões de anos atrás, na estufa que era o mundo no Cretáceo Superior, e saudamos o Concestral 11, aproximadamente nosso 25 000 000º avô. Aqui se junta a nós um grupo de peregrinos muito mais diversificado que o dos roedores e coelhos que inflaram nossa caravana no Encontro 10. Taxonomistas zelosos reconhecem sua descendência comum dando-lhes um nome, *Laurasiatheria*, raramente usado, pois, para falar a verdade, trata-se de uma turma bem heterogênea. Os roedores são todos formados com base em uma mesma estrutura dentuça, e presumivelmente proliferaram e se diversificaram porque ela funciona muito bem. Portanto, "roedores" é de fato um termo com significado forte: abrange animais que têm muito em comum. Já "laurasiatérios"

Página ao lado: JUNÇÃO COM OS LAURASIATÉRIOS. No começo da década de 2000, estudos genéticos revolucionaram a taxonomia dos mamíferos. Segundo essa nova visão, existem quatro grandes grupos de mamíferos placentários. Um é o nosso atual grupo de peregrinos (composto principalmente de roedores e primatas). Consistentemente considerado seu parente mais próximo há outro grande grupo, formado pelas cerca de duas mil espécies de laurasiatérios. A filogênese dos laurasiatérios aqui esboçada é considerada razoavelmente certa pelos proponentes dessa nova classificação.

IMAGENS, DA ESQUERDA PARA A DIREITA: pangolim-comum (*Manis temminckii*); urso-polar (*Ursus maritimus*); tapir malaio (*Tapirus indicus*); hipopótamo (*Hippopotamus amphibius*); morcego-fantasma (*Macroderma gigas*); raposa-voadora (*Pteropus giganteus*); ouriço-europeu (*Erinaceus europaeus*).

Junção com os Laurasiatérios

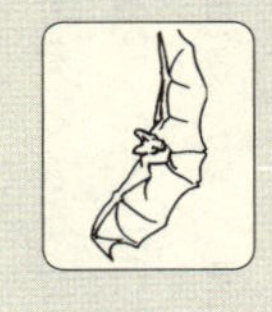
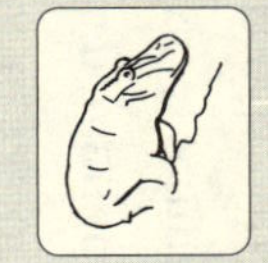
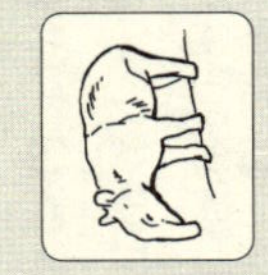

é um termo tão desajeitado quanto o som da palavra. Ele agrupa mamíferos muito dessemelhantes, que só têm em comum uma coisa: todos os seus peregrinos juntaram-se uns aos outros "antes" de se juntarem a nós. Todos provêm, originalmente, do antigo continente setentrional, a Laurásia.

E que pessoal diversificado são esses peregrinos laurasianos! Alguns voam, outros nadam, muitos galopam, metade deles sempre a olhar nervosamente por sobre o ombro, com medo de ser comida pela outra metade. Eles pertencem a sete ordens distintas: Folidotos (pangolins), Carnívoros (cães, gatos, hienas, ursos, doninhas, focas etc.), Perissodátilos (cavalos, antas e rinocerontes), Cetartiodátilos (antílopes, veados, bois, camelos, porcos, hipopótamos e... bem, mais adiante veremos o membro-surpresa deste grupo), Microquirópteros e Megaquirópteros (respectivamente pequenos e grandes morcegos) e Insetívoros (toupeiras, ouriços e musaranhos, mas não os musaranhos-elefantes nem os tenreques: teremos de esperar pelo Encontro 13 para encontrá-los).

Carnívoro é um nome irritante porque, afinal de contas, significa simplesmente comedor de carne, e comer carne é algo inventado independentemente centenas de vezes no reino animal. Nem todos os carnívoros são da ordem *Carnivora* (as aranhas são carnívoras, e era carnívoro o ungulado *Andrews-archus*, o maior comedor de carne desde o fim dos dinossauros), e nem todos os *Carnivora* são carnívoros (pense no manso panda-gigante, que quase não come nada além de bambu). Entre os mamíferos, a ordem dos Carnívoros não parece ser um clado genuinamente monofilético, ou seja, um grupo de animais que descendem, todos, de um único concestral que seria classificado como um deles. Os felinos (incluindo o leão, o guepardo e o tigre-dentes-de-sabre), os cães (incluindo o lobos, o chacal e o cachorro-selvagem-africano), a doninha e seus parentes, o mangusto e seus parentes, os ursos (incluindo os pandas), a hiena, o carcaju, a foca, o leão-marinho e a morsa, todos são membros da laurasiateriana ordem dos Carnívoros, e todos descendem de um concestral que teria sido classificado nessa mesma ordem.

Os Carnívoros e suas presas precisam ultrapassar uns aos outros em velocidade, e não é de surpreender que as demandas de ligeireza os tenham impelido em direções evolutivas semelhantes. Correr requer pernas longas, e os grandes herbívoros e carnívoros laurasiaterianos acrescentaram, de modos independentes e diferentes, comprimento extra às suas pernas recrutando ossos que, em nós, ficam discretamente escondidos nas mãos (metacarpos) ou pés (metatarsos). O "osso canhão" do cavalo é o terceiro metacarpo (ou metatarso) aumentado e fundido com dois minúsculos ossinhos metacárpicos, vestígios do segundo e do quarto metacarpos (metatarsos). Nos antílopes e em outros ungulados de dedos pares, o osso canhão é uma fusão do terceiro e do quarto metacarpos (metatarsos). Os Carnívoros também possuem metacarpos e metatarsos alongados, mas esses cinco ossos mantiveram-se separados em vez de fundir-se ou desaparecer totalmente, como nos cavalos, nos bois e no resto dos chamados ungulados.

Unguis em latim significa unhas, e os ungulados são animais que andam sobre as unhas — os cascos. Mas o modo de andar dos ungulados foi inventado várias vezes, e ungulado é um termo descritivo, e não um nome taxonômico respeitável. O cavalo, o rinoceronte e a anta são ungulados de dedos ímpares. O cavalo anda sobre um único dedo, o médio. O rinoceronte e a anta andam sobre os três dedos médios, como faziam os cavalos primitivos e ainda fazem hoje alguns cavalos atavisticamente mutantes. Ungulados de dedos pares ou cascos fendidos andam sobre dois dedos, o terceiro e o quarto. As semelhanças convergentes entre a família de dois dedos dos bovídeos e a família de um dedo do cavalo são modestas em comparação com as semelhanças convergentes de ambos, separadamente, com certos herbívoros sul-americanos extintos. Um grupo chamado litopternos "descobriu", independentemente e antes, o hábito equino de andar sobre um único dedo, o médio. Os esqueletos de suas pernas são quase idênticos aos dos cavalos. Outros herbívoros sul-americanos, entre os chamados notoungulados, descobriram independentemente o hábito dos bovídeos/antílopes de andar sobre o terceiro e quarto dedos. Essas semelhanças impressionantes enganaram um veterano zoólogo argentino no século XIX. Ele pensou que a América do Sul fosse o berço evolutivo de muitos dos nossos grandes grupos de mamíferos. Em particular, ele acreditava que os litopternos eram parentes primitivos do cavalo verdadeiro (talvez com certo orgulho pátrio pela possibilidade de seu país ser o berço desse nobre animal).

Os peregrinos laurasiatérios que agora se juntam a nós incluem tanto animais pequenos como grandes ungulados e carnívoros. Os morcegos destacam-se pelas mais diversas razões. São os únicos vertebrados sobreviventes que oferecem algum tipo de competição com as aves no voo, e nisso eles são notáveis. Com quase mil espécies, superam em número, de longe, todas as outras ordens de mamíferos com exceção dos roedores. Além disso, os morcegos aprimoraram o sonar (o equivalente sonoro do radar) muito mais do que qualquer outro grupo de animais, e mais até do que os projetistas humanos de submarinos.*

O outro grupo principal de laurasiatérios de pequeno porte são os chamados insetívoros. A ordem *Insectivora* inclui musaranhos, toupeiras, ouriços e outras criaturinhas focinhudas que se alimentam de insetos e pequenos invertebrados terrestres como minhocas, lesmas e centopeias. Como fiz com os Carnívoros, usarei inicial maiúscula quando me referir ao grupo taxonômico, Insetívoros, para diferenciá-lo dos insetívoros, que significará apenas qualquer comedor de insetos. Assim, um pangolim (comedor de formigas de pele escamosa) é insetívoro, mas não Insetívoro. A toupeira é um Insetívoro que realmente come insetos. Como já salientei, é uma pena que os taxonomistas antigos usassem os nomes Insetívoros e Carnívoros, que são apenas imprecisamente correlacionados com as descrições das dietas preferidas com as quais eles são tão facilmente confundidos.

A foca, o leão-marinho e a morsa são parentes de carnívoros como o cão, o gato e o urso. Logo ouviremos "O conto da foca", que trata de sistemas de acasalamento. Acho as focas interessantes também por outra razão: elas se mudaram para a água e se modificaram para a vida aquática em um grau cerca de metade do visto nos dugongos e nas baleias. E isso me faz lembrar outro grande grupo de laurasiatérios dos quais não tratamos. Passemos a "O conto do hipopótamo" e teremos uma bela surpresa.

O CONTO DO HIPOPÓTAMO

Quando garoto, nas aulas de grego, aprendi que *hippos* significa "cavalo" e *potamos*, "rio". O hipopótamo era o cavalo do rio. Mais tarde, quando desisti do grego e passei à zoologia, não fiquei confuso demais quando soube que, afinal de contas, o hipopótamo não era parente próximo do cavalo. Em vez disso, ele era classificado seguramente junto com os porcos, em meio aos ungulados ou artiodátilos de dedos pares. Agora aprendi uma coisa tão espantosa que ainda

* Eu gostaria de inserir aqui "O conto do morcego", mas ele seria muito parecido com um capítulo de outro livro meu; por isso, não o farei. Aliás, tive de me refrear também para não incluir um "o conto da aranha", um "o conto da figueira" e meia dúzia de outros.

reluto em acreditar, mas parece que serei obrigado a isso. Os parentes vivos mais próximos dos hipopótamos são as baleias (ver Ilustração 8). Os ungulados de dedos pares incluem as baleias! Não é preciso dizer que baleias não têm cascos, nem com dedos em números ímpares, nem com pares. Elas nem sequer têm dedos, e por isso talvez fique menos confuso se adotarmos o nome científico, artiodátilos (que na verdade é apenas o termo grego para designar dedos pares, de modo que tal mudança não ajuda muito). Para ser mais completo, devo acrescentar que o nome equivalente para a ordem do cavalo é Perissodátilos (em grego, dedos ímpares). As baleias, indicam agora sólidos testemunhos moleculares, são artiodátilos. Mas como elas antes eram classificadas na ordem Cetáceos, e dado que Artiodátilos também era um nome bem estabelecido, foi cunhado um novo nome composto: Cetartiodátilos.

As baleias são maravilhas do mundo. Entre elas estão os maiores organismos que já se moveram no planeta. Elas nadam movendo a espinha de cima para baixo, movimentos que derivaram do galope mamífero, e não oscilando lateralmente a espinha como fazem os peixes ao nadar ou a lagartixa ao correr. Ou, presumivelmente, como faziam os ictiossauros, que, em outros aspectos, se pareciam muito com os golfinhos, exceto pela reveladora cauda vertical, em contraste com a dos golfinhos, horizontal para galopar no mar. Os membros frontais da baleia são usados para direcionar e estabilizar. Não existem membros posteriores externamente visíveis, mas algumas baleias possuem pequenos ossos vestigiais de pelves e pernas, ocultos profundamente no corpo.

Não seria difícil demais acreditar que as baleias são primas mais próximas dos ungulados de dedos pares do que de qualquer outro mamífero. É meio estranho, talvez, mas não chocante aceitar que algum ancestral remoto se ramificou para a esquerda e foi para o mar, originando as baleias, ao mesmo tempo em que se ramificava para a direita e originava os ungulados de dedos pares. O espantoso é que, segundo as evidências moleculares, as baleias estão profundamente inseridas *em meio* aos ungulados de dedos pares. O hipopótamo é primo mais próximo das baleias do que de quaisquer outros grupos, inclusive o dos ungulados de dedos pares como o porco.* Em sua jornada ao passado, os pere-

* A propósito, erramos até quando classificamos o hipopótamo como mais próximo dos porcos entre os artiodátilos. As moléculas indicam que o grupo-irmão do clado dos hipopótamos e baleias é o dos ruminantes: vacas, ovelhas e antílopes. Os porcos ficam fora de todos esses.

grinos hipopótamos e as peregrinas baleias unem-se uns aos outros "antes" que ambos os grupos se unam aos ruminantes e em seguida a outros ungulados de dedos pares como o porco. As baleias são a inclusão-surpresa à qual me referi de passagem quando introduzi os cetartiodátilos no Encontro 11. Essa hipótese é conhecida como *Whyppo Hypothesis* ("Hipótese Balipótamo").

Tudo isso pressupõe que acreditamos no testemunho das moléculas.* E os fósseis, o que dizem? Já de saída me surpreendi: a nova teoria encaixa-se satisfatoriamente. A maioria das grandes ordens de mamíferos (embora não suas subdivisões) remonta aos primórdios do tempo dos dinossauros, como vimos ao tratar da Grande Catástrofe do Cretáceo. O Encontro 10 (com os roedores e coelhos) e o Encontro 11 (este ao qual acabamos de chegar) ocorreram, ambos, durante o Período Cretáceo, no auge do regime dos dinossauros. Mas naquela época os mamíferos eram criaturas bem pequenas parecidas com o musaranho, independentemente de seus respectivos descendentes estarem destinados a tornar-se camundongos ou hipopótamos. O verdadeiro aumento da diversidade dos mamíferos começou subitamente após os dinossauros serem extintos, há 65,5 milhões de anos. Foi então que os mamíferos puderam prosperar em todos os ramos econômicos deixados vagos pelos dinossauros. Ter um corpo de tamanho grande foi só uma das coisas que se tornaram possíveis aos mamíferos assim que os dinossauros saíram do caminho. O processo da evolução divergente foi rápido, e uma imensa variedade de mamíferos, de todos os tamanhos e formas, espalhava-se pelo planeta 5 milhões de anos após a "libertação". Para 5 a 10 milhões de anos depois, em fins do Paleoceno e início do Eoceno, existem fósseis de ungulados de dedos pares em abundância.

Decorridos outros 5 milhões de anos, entre início e meados do Eoceno, encontramos um grupo chamado arqueocetos. O termo significa "baleias antigas", e a maioria dos especialistas aceita que entre esses animais estiveram os ancestrais das baleias modernas. Desses, um dos mais antigos, o *Pakicetus*, do Paquistão, aparentemente passava pelo menos parte do tempo em terra firme.

* As provas moleculares para essa hipótese radical são do tipo que mencionei em "O conto do gibão" como Mudanças Genômicas Raras (MGR). Elementos transponíveis de genes que são altamente reconhecíveis são encontrados em determinados lugares do genoma, e presume-se que foram herdados do ancestral dos hipopótamos e das baleias. Embora isso seja um testemunho muito eloquente, ainda assim é prudente examinar também os fósseis.

Encontramos tempos depois o lamentavelmente nomeado *Basilossaurus* (lamentável não por causa de Basil, mas porque *saurus* significa lagarto: quando descobriram o *Basilossaurus*, pensaram que ele fosse um réptil marinho, e as regras de denominação privilegiam rigidamente a prioridade, apesar de hoje estarmos mais bem informados).* Ele tinha um corpo imensamente longo, e teria sido um bom candidato para a lendária serpente marinha gigante, se não estivesse extinto há tanto tempo. Mais ou menos na época em que as baleias eram representadas por criaturas como o *Basilosaurus*, os ancestrais contemporâneos do hipopótamo podem ter sido membros de um grupo chamado antracotérios, que em algumas reconstruções estão bem parecidos com o hipopótamo.

Voltando às baleias: e quanto aos antecessores dos arqueocetos antes de reinvadirem as águas? Se as moléculas estiverem certas na indicação de que as mais estreitas afinidades das baleias são com o hipopótamo, poderíamos ser tentados a procurar seus ancestrais entre fósseis que dão alguma mostra de terem sido herbívoros. Por outro lado, hoje não existe nenhuma baleia ou golfinho herbívoro. Aliás, os dugongos e peixes-bois, sem nenhum parentesco com as baleias, mostram que é perfeitamente possível um animal puramente marinho ter uma dieta exclusivamente herbívora. Mas as baleias comem crustáceos planctônicos (baleias de barbatana), peixes ou lulas (golfinhos e a maioria das baleias com dentes), ou presas grandes como as focas (orcas). Isso levou especialistas a procurar os ancestrais das baleias entre os mamíferos carnívoros terrestres; Darwin logo fez suas ponderações, que alguns ridicularizaram, embora eu nunca tenha entendido por quê:

> Na América do Norte, Hearne viu um urso-negro nadar por horas com a boca escancarada, apanhando insetos na água, como uma baleia. Mesmo em um caso tão extremo como esse, se a oferta de insetos fosse constante, e se competidores mais bem adaptados ainda não existissem na região, não vejo dificuldade para que uma raça de ursos se tornasse, pela seleção natural, cada vez mais aquática em sua estrutura e hábitos, com bocas cada vez maiores, até produzir-se uma criatura tão enorme como a baleia (*A origem das espécies*, 1859, p. 184).

* O célebre anatomista vitoriano Richard Owen tentou obter a mudança do nome para *Zeuglodon*, e Haeckel seguiu o exemplo em sua filogênese, reproduzida na Ilustração 9. Mas ficamos encalhados com o *Basilosaurus*.

Cabe aqui uma digressão. Essa conjectura de Darwin ilustra uma ideia geral importante sobre a evolução. O urso visto por Hearne era evidentemente um indivíduo empreendedor, que se alimentava de um modo incomum para sua espécie. Desconfio que muitos novos afastamentos significativos na evolução comecem exatamente assim, com uma iniciativa criativa de um indivíduo que inventa algum truque útil e aprende a aperfeiçoá-lo. Se depois o hábito for imitado por outros, incluindo, talvez, os filhos desse indivíduo, uma nova pressão seletiva se estabelecerá. A seleção natural favorecerá as predisposições genéticas a ser bom em aprender o novo truque, e haverá muitas consequências. Suspeito que algo nessa linha explique como começaram hábitos alimentares "instintivos", como o de bicar as árvores, dos pica-paus, e o de quebrar moluscos, dos tordos e lontras-do-mar.*

Durante muito tempo, quem examinava os fósseis disponíveis em busca de um antecedente plausível dos arqueocetos decidia-se pelos mesoniquídeos, um numeroso grupo de mamíferos terrestres que floresceu na Época Paleocênica, logo após a extinção dos dinossauros. Os mesoniquídeos parecem ter sido sobretudo carnívoros, ou onívoros como o urso de Darwin, e condiziam com o que nós todos — antes do advento da teoria do hipopótamo — julgávamos que devia ser um ancestral das baleias. Uma boa característica adicional dos mesoniquídeos era que eles tinham cascos. Eram carnívoros com cascos, talvez um pouco parecidos com os lobos, mas que corriam sobre cascos!** Será que eles poderiam ter originado os ungulados de dedos pares, além das baleias? Infelizmente, essa ideia não se encaixa especificamente na teoria do hipopótamo. Embora os mesoniquídeos pareçam ser primos dos atuais ungulados de dedos pares (e há várias razões além dos seus cascos para supor isso), eles não são mais próximos dos hipopótamos do que de todo o resto dos animais de cascos fendidos. Voltamos sempre à surpresa molecular: as baleias não são apenas primas dos artiodátilos; elas estão inseridas nos artiodátilos, mais próximas dos hipopótamos do que estes das vacas e porcos.

Juntando tudo isso, podemos esboçar uma cronologia progressiva, como a seguir. Dados moleculares nos dizem que a separação entre os camelos (e as lha-

* Essa ideia tem um nome, Efeito Baldwin, embora ela tenha sido proposta independentemente por Loyd Morgan no mesmo ano e por Douglas Spalding antes. Baseio-me na explanação de Alister Hardy em *The living stream*. Não sei por quê, mas ela é a preferida dos místicos e obscurantistas.

** O apavorante *Andrewsarchus* era um deles.

mas) e o resto dos artiodátilos ocorreu há 65 milhões de anos, mais ou menos quando os dinossauros morreram. A propósito, não imagine que o ancestral comum deles tinha qualquer semelhança com um camelo. Naqueles tempos, todos os mamíferos se pareciam com o musaranho. Mas há 65 milhões de anos, os "musaranhos" que originariam os camelos separaram-se dos "musaranhos" que originariam todo o resto dos artiodátilos. A separação entre os porcos e o resto (principalmente ruminantes) ocorreu há 60 milhões de anos. A separação entre ruminantes e hipopótamos deu-se há cerca de 55 milhões de anos. E a linhagem das baleias destacou-se da dos hipopótamos não muito depois; digamos que tenha sido há cerca de 54 milhões de anos, o que dá tempo à evolução de baleias primitivas como o semiaquático *Pakicetus*, por volta de 50 milhões de anos atrás. As baleias com dentes e as baleias de barbatana apartaram-se muito depois, por volta de 34 milhões de anos atrás, mais ou menos na época dos primeiros fósseis de baleias de barbatanas encontrados.

Talvez eu estivesse exagerando um pouco quando dei a entender que um zoólogo tradicional como eu deveria ficar perturbado com a descoberta da ligação entre os hipopótamos e as baleias. Mas deixe-me tentar explicar por que realmente me desconcertei ao ler pela primeira vez sobre o assunto, alguns anos atrás. Não era só porque isso não condizia com o que me haviam ensinado quando estudante. Isso não me teria preocupado nem um pouco. Na verdade, eu teria exultado. O que me preocupava, e ainda preocupa um pouco, era que uma coisa assim parecia solapar todas as generalizações que se pudesse querer fazer a respeito de agrupamentos de animais. A vida de um taxonomista molecular é curta demais para permitir uma comparação par a par de cada espécie com cada uma das outras espécies. O que se faz, em vez disso, é pegar duas ou três espécies de baleia, por exemplo, e supor que elas são representantes das baleias como um grupo. É fundamental para essa suposição que as baleias formem um clado, possuidoras de um ancestral comum que não é compartilhado pelos outros animais com os quais se faz a comparação. Em outras palavras, supõe-se que não importa qual baleia escolhemos para representar todas elas. Analogamente, não havendo tempo para testar todas as espécies de roedores, digamos, ou de artiodátilos, poderíamos extrair sangue* de um rato e de uma vaca. Não importa que artiodátilo

* Na verdade, o sangue não é a melhor fonte de DNA em mamíferos porque, coisa incomum entre os vertebrados, seus eritrócitos não têm núcleo.

escolhemos para comparar com a representante das baleias porque, mais uma vez, supomos que os artiodátilos são um bom clado, e por isso não faz diferença nenhuma se escolhemos uma vaca, um porco, um camelo ou um hipopótamo.

Mas agora nos dizem que isso importa, sim. Sangue de camelo e sangue de hipopótamo realmente mostrarão diferenças quando forem comparados ao sangue de baleia porque os hipopótamos são primos mais próximos das baleias do que dos camelos. Veja só aonde isso nos leva. Se não podemos confiar que os artiodátilos formam realmente um grupo, representados por qualquer um de seus membros, como podemos ter certeza de que qualquer grupo se sustentará como tal? Será, inclusive, que podemos supor que os hipopótamos formam um grupo, de modo a não fazer diferença se escolhemos um hipopótamo-pigmeu ou um hipopótamo-comum para comparar com as baleias? E se as baleias forem mais próximas do hipopótamo-pigmeu do que do hipopótamo-comum? Na verdade, provavelmente podemos descartar isso, pois indícios fósseis levam a crer que os dois gêneros de hipopótamo se separaram tão recentemente quanto nós dos chimpanzés, e isso realmente deixa pouquíssimo tempo para a evolução de todos os diferentes tipos de baleias e golfinhos.

É mais problemático determinar se todas as baleias podem ser classificadas juntas. Ao que parece, as baleias dentadas e as baleias de barbatana podem muito bem representar dois retornos totalmente separados da terra para o mar. Aliás, já se defendeu exatamente essa possibilidade. Os taxonomistas moleculares que demonstraram a ligação com os hipopótamos foram muito espertos em obter DNA tanto de uma baleia dentada como de uma baleia de barbatana. Constataram que, de fato, as duas baleias são primas muito mais próximas uma da outra do que dos hipopótamos. Mas, ainda assim, como saber se as "baleias dentadas" são um grupo? E igualmente para as "baleias de barbatana"? Talvez todas as baleias de barbatana sejam parentes do hipopótamo, com exceção da baleia *minke*, parente do hamster. Não, eu não acredito nisso, e realmente acho que as baleias de barbatana são um clado unido, que têm em comum um ancestral não compartilhado por mais ninguém além das baleias de barbatana. Mas dá para perceber como a descoberta da ligação hipopótamos-baleias abala nossa confiança?

Podemos reaver a segurança se atinarmos com uma boa razão para que as baleias sejam especiais nesse aspecto. Se as baleias são artiodátilos transformados, elas são artiodátilos que subitamente decolaram, evolutivamente falando, deixando o resto dos artiodátilos para trás. Seus primos mais próximos, os hipopótamos, permaneceram relativamente estáticos, como artiodátilos normais e decentes. Alguma coisa aconteceu na história das baleias que as fez engrenar uma marcha evolutiva acelerada. Elas evoluíram tão mais rapidamente que o resto dos artiodátilos que sua origem dentro desse grupo ficou obscurecida até que apareceram os taxonomistas moleculares para descobri-la. Então, o que há de especial na história das baleias?

Quando pomos a coisa por escrito como acima, a solução salta da página. Deixar a terra firme e tornar-se totalmente aquático foi mais ou menos como ir para o espaço. Quando estamos no espaço cósmico, não temos peso (a propósito, não por estarmos longe da gravidade terrestre como muita gente pensa, mas porque estamos em queda livre como um paraquedista antes de puxar a corda de abertura). As baleias flutuam. Em contraste com as focas ou as tartarugas, que vão a terra firme para procriar, as baleias nunca param de flutuar. Nunca precisam lutar com a gravidade. Os hipopótamos passam algum tempo na água, mas ainda precisam de pernas fortes e troncudas e de músculos possantes para andar em terra. As baleias não precisam de pernas, e de fato não as têm. Pensemos numa baleia como aquilo que o hipopótamo gostaria de ser caso pudesse ficar livre da tirania da gravidade. E, obviamente, há tantas outras singularidades em viver o tempo todo no mar que já não surpreende tanto que a evolução das baleias tenha disparado desse modo, deixando os hipopótamos para trás, encalhados em terra e no meio dos artiodátilos. Isso sugere que fui indevidamente alarmista alguns parágrafos atrás.

Coisa bem parecida ocorreu na outra direção, 300 milhões de anos antes, quando nossos ancestrais peixes emergiram da água e foram para terra firme. Se as baleias são hipopótamos transformados, nós somos peixes pulmonados transformados. O surgimento de baleias sem pernas do meio dos artiodátilos, deixando "para trás" o resto deles, não deve parecer mais surpreendente do que o surgimento de animais terrestres quadrúpedes a partir de um determinado grupo de peixes, deixando estes "para trás". Pelo menos é assim que racionalizo a ligação entre hipopótamos e baleias e recobro minha serenidade zoológica.

EPÍLOGO DO CONTO DO HIPOPÓTAMO

Serenidade zoológica uma ova. Reparei no seguinte, quando este livro estava nas etapas finais de preparação: em 1866, o grande zoólogo alemão Ernst

Haeckel esquematizou uma árvore evolutiva dos mamíferos (ver Ilustração 9). Eu já vira muitas vezes a árvore inteira reproduzida em histórias da zoologia, mas nunca havia notado a posição das baleias e dos hipopótamos no esquema de Haeckel. As baleias são "*Cetacea*", como hoje, e Haeckel prescientemente as situou próximo dos artiodátilos. Mas espantoso mesmo foi onde ele pôs os hipopótamos. Ele lhes deu a inglória designação de "*Obesa*" e os classificou não nos artiodátilos, mas em um minúsculo galho no ramo conducente aos *Cetacea*.* Haeckel classificou os hipopótamos como grupo-irmão das baleias: os hipopótamos, a seu ver, eram parentes mais próximos das baleias que dos porcos, e os três eram mais proximamente aparentados entre si do que com as vacas.

> [...] nada há, pois, novo debaixo do Sol. Há alguma coisa de que se possa dizer: Vê, isto é novo? Já foi nos séculos que foram antes de nós.
>
> Eclesiastes, 1:9-10

O CONTO DA FOCA

Na natureza, a maioria das populações animais tem números aproximadamente iguais de machos e fêmeas. Há uma boa razão darwiniana para isso, e ela foi entendida claramente pelo grande estatístico e geneticista evolutivo R. A. Fisher. Imagine uma população na qual os números sejam desproporcionais. Nesse caso, os indivíduos do sexo mais raro terão, em média, uma vantagem reprodutiva sobre os do sexo mais comum. Isso não ocorre porque há mais demanda para eles e lhes é mais fácil encontrar parceiro (embora essa possa ser uma razão adicional). A razão de Fisher é mais profunda, com um sutil viés econômico. Suponhamos que haja duas vezes mais machos do que fêmeas numa população. Como cada cria nascida tem exatamente um pai e uma mãe, a fêmea média deve, sendo tudo o mais igual, ter duas vezes mais filhos do que o macho médio. E vice-versa, se invertermos a razão entre os sexos na população. É simplesmente uma questão de alocar a prole disponível entre os pais disponíveis. Portanto, a seleção natural imediatamente contrabalançará qualquer tendência

* Mas Haeckel não acertou em tudo. Ele classificou os sirênios (dugongos e peixes-boi) junto com as baleias.

geral dos genitores a favorecer filhos em vez de filhas, ou filhas em vez de filhos. A única razão entre os sexos evolutivamente estável é 50/50.

Mas não é assim tão simples. Fisher detectou uma sutileza econômica nessa lógica. E se, por exemplo, custar duas vezes mais criar um filho do que uma filha, presumivelmente porque os machos são duas vezes maiores? Então o raciocínio muda. A escolha que se apresenta a um genitor já não é "Terei um filho ou uma filha?". Agora é "Terei um filho ou — pelo mesmo preço — duas filhas?". A razão de equilíbrio entre os sexos na população agora é duas fêmeas para cada macho. Pais que favorecem filhos do sexo masculino com a justificativa de que os machos são raros verão sua vantagem solapada precisamente pelos custos extras de produzir machos. Fisher conjecturou que a verdadeira razão entre os sexos equilibrada pela seleção natural não é a proporção entre machos e fêmeas. É a razão entre o dispêndio econômico de criar filhos e o dispêndio econômico de criar filhas. E o que significa dispêndio econômico? Alimento? Tempo? Risco? Sim, na prática todas essas coisas tendem a ser importantes, e para Fisher os agentes que despendem são sempre os pais. Mas os economistas usam uma expressão mais geral para designar esse gasto: custo de oportunidade. O verdadeiro custo de produzir um filho, para um genitor, é medido em oportunidades perdidas de produzir outros filhos. Fisher chamou esse custo de oportunidade de Dispêndio Parental. Sob o termo Investimento Parental, Robert L. Trivers, um brilhante intelectual sucessor de Fisher, usou a mesma ideia para elucidar a seleção sexual. Trivers também foi o primeiro a compreender claramente o fascinante fenômeno do conflito entre pais e prole, em uma teoria que o também brilhante David Haig desenvolveu em direções surpreendentes.

Como sempre, e com o risco de entediar meus leitores não incomodados por rudimentos de filosofia, mais uma vez devo ressaltar que a linguagem premeditada que empreguei não deve ser interpretada ao pé da letra. Os pais não se sentam para deliberar se terão um filho ou uma filha. A seleção natural favorece, ou desfavorece, tendências genéticas a investir alimento ou outros recursos de um modo que acabe levando a um gasto parental igual ou desigual com filhos e filhas considerando-se o total da população reprodutiva. Na prática, isso implicará frequentemente números iguais de machos e fêmeas na população.

Mas e quanto aos casos em que uma minoria de machos mantém a maioria das fêmeas em haréns? Isso não viola as expectativas de Fisher? E que dizer dos casos em que machos desfilam diante das fêmeas em um *lek* [arena de acasalamento] para que elas os examinem e escolham seu favorito? A maioria das fêmeas tem o mesmo favorito, portanto o resultado final é igual ao do harém: a poliginia — um acesso desproporcional a uma maioria de fêmeas por uma privilegiada minoria de machos. Essa minoria de machos acaba originando boa parte da geração seguinte, e os demais sobram como solteirões. A poliginia viola as previsões de Fisher? Surpreendentemente, não. Fisher ainda prevê igual investimento em filhos e filhas, e ele tem razão. Os machos têm expectativa mais baixa de reproduzir-se, mas quando eles se reproduzem, é para valer. As fêmeas têm pouca probabilidade não só de não ter filhos, mas também de ter uma prole muito numerosa. Mesmo sob condições de extrema poliginia ocorre uma compensação, e o princípio de Fisher se sustenta.

Alguns dos mais extremos exemplos de poliginia são encontrados entre as focas. As focas arrastam-se para a praia para reproduzir-se, geralmente em imensas colônias palpitantes de atividade sexual e agressiva. Em um célebre estudo de elefantes-marinhos feito pelo zoólogo californiano Burney Leboeuf, 4% dos machos eram responsáveis por 88% de todas as cópulas vistas. Não admira que o resto dos machos fique insatisfeito e que as lutas entre elefantes-marinhos sejam das mais ferozes encontradas no reino animal.

Os elefantes-marinhos são assim chamados em virtude de sua tromba (curta, pelos padrões elefantinos, e usada apenas para propósitos sociais), mas também poderia ser pelo seu tamanho. Os elefantes-marinhos-do-sul podem pesar até 3,7 toneladas, mais do que algumas fêmeas de elefante. Mas somente os elefantes-marinhos machos atingem esse peso, e esse é um dos pontos mais importantes deste conto. As fêmeas de elefante-marinho costumam ter menos de um quarto do peso dos machos, que muitas vezes atropelam fêmeas e filhotes quando arremetem uns contra os outros.*

Por que os machos são tão maiores do que as fêmeas? Porque o tamanho grande os ajuda a obter haréns. A maioria das crias de elefantes-marinhos, independente do sexo, tem como pai um gigante que ganhou um harém e não um macho menor que não conseguiu adquirir o seu. A maioria das crias de elefantes-marinhos, independentemente do sexo, tem uma mãe relativamente pequena cujo tamanho foi otimizado em função da tarefa de gerar e criar filhos, e não de vencer lutas.

* Não se surpreenda pelo fato de os elefantes-marinhos machos atropelarem filhotes de sua espécie. Qualquer filhote esmagado não tem maior probabilidade de ser filho do atropelador do que de qualquer outro macho rival. Portanto, não há seleção darwiniana contra o atropelamento.

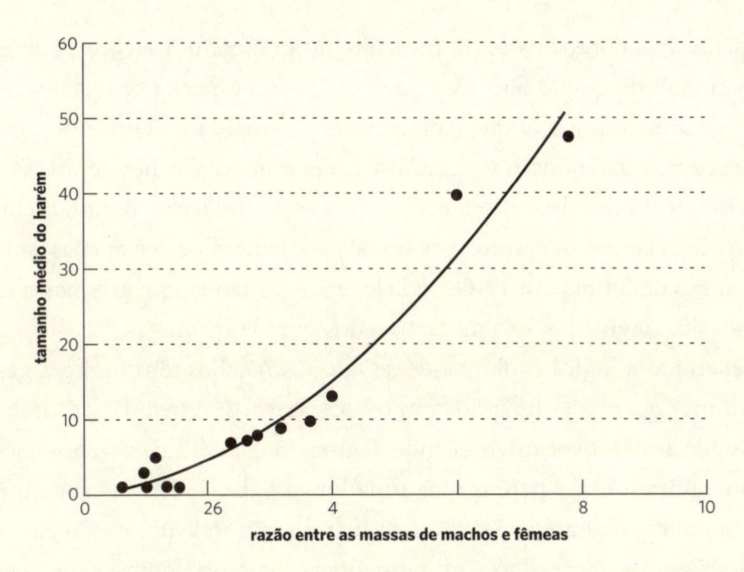

RELAÇÃO ENTRE DIMORFISMO SEXUAL E TAMANHO DO HARÉM. Cada ponto representa uma espécie de foca ou leão-marinho. Adaptado de ALEXANDER *et al.* (ver página 713).

A otimização separada das características de machos e fêmeas ocorre através da seleção de genes. Há quem se surpreenda ao saber que os genes em questão são encontrados em ambos os sexos. A seleção natural favoreceu os chamados genes limitados ao sexo. Eles estão presentes em ambos os sexos, mas são ativados apenas em um. Por exemplo, genes que dizem a um elefante-marinho em crescimento: "Se você for macho, cresça muito e lute" são favorecidos ao mesmo tempo que genes que dizem "se você for fêmea, cresça pouco e não lute". Ambas as classes de genes são transmitidas a filhos e filhas, mas cada uma se expressa apenas em um dos sexos.

Se examinarmos os mamíferos como um todo, notaremos uma generalização. O dimorfismo sexual — ou seja, uma grande diferença entre machos e fêmeas — tende a ser mais pronunciado em espécies políginas, sobretudo nas de sociedade com haréns. Vimos que há boas razões teóricas para isso, e também que as focas e leões-marinhos são os que mais se destacam nesse aspecto específico.

O gráfico acima provém de um estudo do eminente zoólogo Richard D. Alexander, da Universidade de Michigan, e seus colegas. Cada ponto no gráfico representa uma espécie de foca ou leão-marinho, e podemos ver que existe uma acentuada relação entre o dimorfismo sexual e o tamanho do harém. Em casos extremos, por exemplo para os elefantes-marinhos-do-sul e as otárias, representados pelos dois pontos na parte mais alta do gráfico, os machos podem pesar seis vezes mais do que as fêmeas. E, de fato, nessas espécies os machos bem-sucedidos — uma minoria, o que é dizer pouco — têm haréns enormes. Duas espécies extremas não podem ser usadas para extrair conclusões gerais. Mas uma análise estatística dos dados conhecidos para as focas e leões-marinhos confirma que a tendência que pensamos ver é real (as chances de ser apenas um efeito aleatório são de 5 mil para 1). Os indícios não são tão eloquentes nessa direção nos casos dos ungulados, dos macacos e dos grandes primatas.

Repetindo a lógica evolutiva desse fato: os machos têm muito a ganhar e também muito a perder lutando com outros machos. A maioria dos indivíduos nascidos, de ambos os sexos, descende de uma longa linha de machos ancestrais que conseguiram obter haréns e de uma longa linha de fêmeas ancestrais que foram membros de haréns. Portanto, a maioria dos indivíduos, fêmeas ou machos, e sejam eles vencedores ou perdedores, herda o equipamento genético para ajudar corpos de machos a ganhar haréns e corpos de fêmeas a participar de haréns. O tamanho é importantíssimo, e os machos bem-sucedidos podem ser enormes (ver Ilustração 10). As fêmeas, porém, têm pouco a ganhar lutando umas contra as outras, e crescem apenas até o tamanho necessário para sobreviverem e serem boas mães. Indivíduos de ambos os sexos herdam genes que fazem as fêmeas evitar a luta e se concentrar na criação da prole. Indivíduos de ambos os sexos herdam genes que fazem os machos lutar uns contra os outros, mesmo à custa do tempo que poderia ser usado para ajudar a criar a prole. Se os machos pudessem resolver suas disputas no cara ou coroa, presumivelmente encolheriam, no decorrer do tempo evolutivo, até o tamanho das fêmeas ou menos, com grande economia para todos os envolvidos, e poderiam usar seu tempo cuidando dos filhotes. Seu excesso de massa, que em casos extremos sem dúvida custa muito alimento para construir e manter, é o preço que pagam para serem competitivos com outros machos.

Obviamente, nem todas as espécies são como as focas. Muitas são monógamas e os sexos são bem mais parecidos. Espécies nas quais os sexos são do mesmo tamanho tendem, com algumas exceções, como os cavalos, a não ter haréns. Espécies nas quais os machos são acentuadamente maiores do que as fêmeas tendem a ter haréns ou a praticar alguma outra forma de poliginia. A maioria das espécies é ou polígina ou monógama, presumivelmente dependendo de suas diferentes circunstâncias econômicas. A poliandria (fêmeas acasalando-se com mais de um macho) é mais rara. Entre nossos parentes próximos, os gorilas têm um sistema de reprodução polígino baseado em haréns, e os gibões são fielmente monógamos. Poderíamos ter adivinhado isso observando, respectivamente, o dimorfismo sexual e a ausência dele. Um gorila macho grande pesa o dobro da fêmea típica, enquanto os gibões machos e fêmeas têm aproximadamente o mesmo tamanho. Os chimpanzés são mais indiscriminadamente promíscuos.

"O conto da foca" pode nos dizer alguma coisa sobre nosso próprio sistema reprodutivo natural, antes de a civilização e o costume terem apagado os vestígios? Nosso dimorfismo sexual é moderado, mas inegável. Muitas mulheres são mais altas do que muitos homens, mas os homens mais altos são mais altos do que as mulheres mais altas. Muitas mulheres correm mais rápido, levantam pesos mais pesados, lançam dardos mais longe e jogam tênis melhor do que muitos homens. Mas entre os humanos, ao contrário do que ocorre com os cavalos de corrida, o dimorfismo sexual básico inviabiliza a competição entre atletas de alto nível de sexos diferentes em quase todos os esportes que nos vierem à cabeça. Na maioria dos esportes físicos, qualquer um dos cem melhores atletas homens do mundo venceria qualquer uma das cem melhores atletas.

Mesmo assim, pelos padrões das focas e de muitos outros animais, somos apenas ligeiramente dimorfos. Menos do que os gorilas, mais do que os gibões. Talvez nosso leve dimorfismo signifique que nossas ancestrais ora foram monógamas, ora viveram como membros de pequenos haréns. As sociedades atuais variam tanto que podemos encontrar exemplos para corroborar quase qualquer preconcepção. O *Etnographic atlas*, de G. P. Murdock, publicado em 1967, é uma compilação arrojada. Traz informações sobre 849 sociedades humanas coligidas em um levantamento mundial. Nele talvez pudéssemos ter esperança de contar o número das sociedades que permitem haréns e o das que impõem a monogamia. O problema de contar sociedades é que raramente se evidencia onde devemos delimitar ou o que deve ser considerado independente. Isso dificulta um trabalho estatístico sério. Não obstante, o atlas fez o melhor que pôde. Dessas 849 sociedades, 137 (cerca de 16%) são monógamas, quatro (menos de 1%) são poliândricas e nada menos que 83% delas (708) são políginas (os homens podem ter mais de uma esposa). As 708 sociedades políginas dividem-se mais ou menos igualmente entre aquelas em que a poliginia é permitida pelas regras da sociedade, mas é rara na prática, e aquelas em que a poliginia é comum. Para ser brutalmente preciso, "comum" quer dizer mulheres pertencendo a um harém e homens aspirando a possuir um. Por definição, havendo números iguais de homens e mulheres, a maioria dos homens fica de fora. Os haréns de alguns imperadores chineses e sultões otomanos bateram os mais exorbitantes recordes de elefantes--marinhos e leões-marinhos. No entanto, nosso dimorfismo físico é pequeno se comparado ao das focas, e também provavelmente — embora esse indício seja refutado — em comparação com os australopitecinos. Isso significaria que os chefes australopitecinos tinham haréns ainda maiores que os dos imperadores chineses?

Não. Não devemos aplicar a teoria de maneira ingênua. A correlação entre dimorfismo sexual e tamanho do harém é apenas vaga. E o tamanho físico é apenas um indicador de força competitiva. Para os elefantes-marinhos, o tamanho do macho é presumivelmente importante, pois eles ganham seus haréns lutando contra outros machos, mordendo-os ou subjugando-os pelo puro poder da gordura. É provável que o tamanho não seja desimportante no caso dos hominídeos. Mas qualquer tipo de poder diferencial que permita a alguns machos controlar um número desproporcional de fêmeas pode ocupar o lugar do tamanho físico. Em muitas sociedades, a influência política tem esse papel. Ser amigo do chefe — ou, melhor ainda, ser o chefe — dá poder a um indivíduo: permite--lhe intimidar rivais de um modo que equivale à intimidação física de um macho grande sobre um pequeno na sociedade das focas. Ou pode haver grandes desigualdades na riqueza econômica, e as esposas são compradas, em vez de adquiridas pela luta. Ou alguém paga a soldados para lutar em seu lugar a fim de obtê-las. O sultão ou o imperador pode ser um fracote e mesmo assim conseguir um harém maior que o de qualquer foca macho. Estou direcionando a argumentação para mostrar que, mesmo se os autralopitecinos tiverem sido muito mais dimorfos em tamanho do que nós, a nossa evolução a partir deles pode não ter sido, afinal de contas, um afastamento da poliginia propriamente dita. Talvez tenha havido apenas uma mudança nas armas usadas na competição masculina: do tamanho e força bruta para o poder econômico e a intimidação política. Ou, evidentemente, também podemos ter mudado em direção a uma igualdade sexual mais genuína.

Para aqueles entre nós que têm antipatia pela desigualdade sexual, é uma esperança consoladora que a poliginia cultural, no que ela se distingue da poliginia baseada na força bruta, talvez seja mais fácil de ser eliminada. Aparentemente, foi isso que ocorreu nas sociedades cristãs (não mormonistas) que se tornaram oficialmente monógamas. Digo "aparentemente" e "oficialmente" porque também existem indícios de que sociedades que parecem ser monógamas não o são exatamente. Laura Betzig, historiadora com veia darwiniana, descobriu fascinantes indicadores de que sociedades declaradamente monógamas, como a Roma antiga e a Europa medieval, na verdade eram políginas. Um nobre rico, ou senhor feudal, podia ter apenas uma esposa legítima, mas na prática possuía um harém de escravas ou criadas e mulheres e filhas de seus servos. Betzig cita outras evidências de que o mesmo se podia dizer dos padres, inclusive os presumidamente celibatários.

Para alguns cientistas, esses fatos históricos e antropológicos, aliados ao nosso moderado dimorfismo sexual, sugerem que evoluímos sob um regime reprodutivo polígino. Mas o dimorfismo sexual não é a única pista que podemos obter da biologia. Outro sinal interessante do passado é o tamanho dos testículos.

Nossos parentes mais próximos, os chimpanzés e os bonobos, possuem testículos extremamente avantajados. Eles não são políginos como os gorilas, nem monógamos como os gibões. Chimpanzés fêmeas no cio normalmente copulam com mais de um macho. Esse padrão de acasalamento promíscuo não é poliandria, que significa um vínculo estável de uma fêmea com mais de um macho. Não prediz nenhum padrão simples de dimorfismo sexual. Mas sugeriu ao biólogo britânico Roger Short uma explicação para os testículos grandes: genes de chimpanzé foram transmitidos através de gerações por meio de esper-

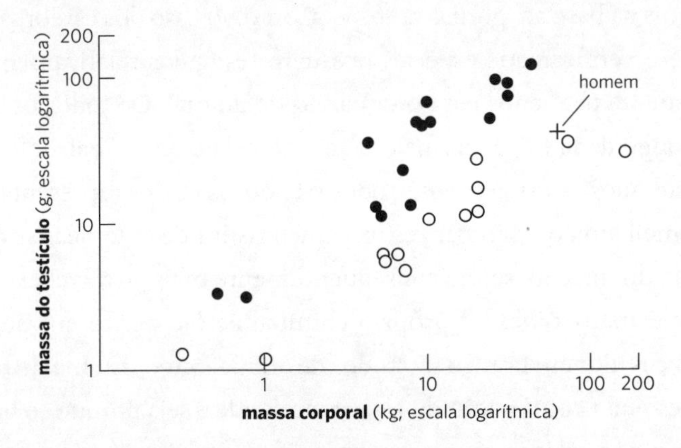

RELAÇÃO ENTRE MASSA DO TESTÍCULO E MASSA CORPORAL. Cada ponto representa uma espécie de primata. Adaptado de HARVEY e PAGEL (ver página 718).

matozoides que tiveram de lutar na competição com espermatozoides rivais de vários machos dentro da mesma fêmea. Em um mundo assim, um grande número de espermatozoides é importante, e isso requer testículos grandes. Os gorilas machos, por outro lado, possuem testículos pequenos, mas ombros titânicos e enormes peitos ressonantes. Os genes de gorila competem por intermédio das lutas entre os machos e das ameaças com batidas no peito para ganhar fêmeas, o que dispensa a subsequente competição de espermatozoides dentro delas. Os chimpanzés competem por intermédio de seus representantes espermatozoides no interior das vaginas. É por isso que os gorilas têm um pronunciado dimorfismo sexual e testículos pequenos enquanto os chimpanzés possuem testículos grandes e fraco dimorfismo sexual.

Meu colega Paul Harvey, com vários colaboradores, entre eles Roger Short, testou essa ideia usando dados comparativos de macacos e grandes primatas. Pesaram os testículos de vinte gêneros de primatas. Bem, na verdade, eles foram à biblioteca e coligiram informações publicadas sobre as massas dos testículos. Animais grandes obviamente tendem a possuir testículos maiores do que os de animais pequenos, por isso foi preciso corrigir essas discrepâncias. O método usado foi o mesmo explicado em "O conto do Homem Habilidoso" para o caso do cérebro. Cada gênero de macaco ou grande primata foi representado por um ponto em um gráfico (página anterior) que relaciona massa do testículo à massa corporal e, pelas mesmas razões que vimos em "O conto do Homem Habilidoso", foram usados logaritmos para ambos. Os pontos incidiram ao longo de uma reta, de saguis na base até gorilas no topo. Como no caso dos cérebros, a questão interessante é verificar que espécies possuem testículos relativamente grandes ou relativamente pequenos para o tamanho do animal. De todos os pontos dispersos ao longo da linha, quais incidem acima dela e quais abaixo?

Os resultados são sugestivos. Todos os pontos cheios representam animais que se assemelham aos chimpanzés na característica de as fêmeas se acasalarem com mais de um macho, sendo consequentemente mais provável existir competição de espermatozoides. O próprio chimpanzé é o ponto em negrito mais elevado. Os círculos em branco são todos de animais cujo sistema de reprodução não envolve muita competição de espermatozoides, seja porque se baseiam em haréns, como os gorilas (o círculo em branco na extrema direita), seja porque os animais são fielmente monógamos, como os gibões.

A separação entre os círculos em branco e os cheios é satisfatória.* Parece que temos apoio para a hipótese da competição de espermatozoides. E agora, naturalmente, queremos saber onde estamos nesse gráfico. Que dizer do tamanho dos nossos testículos? Nossa posição no gráfico (ver a pequena cruz) é próxima da do orangotango. Parece que nos agrupamos com os círculos em branco e não com os cheios. Não somos como os chimpanzés, e provavelmente não tivemos de nos haver com muita competição de espermatozoides em nossa história evolutiva. Mas esse gráfico não diz se o sistema de reprodução do nosso passado evolutivo era como o dos gorilas (harém) ou o dos gibões (monogamia fiel). Isso nos leva de volta às evidências do dimorfismo sexual e da antropologia, que sugerem, ambas, uma moderada poliginia: uma pequena tendência aos haréns.

Se de fato existem indícios de que nossos ancestrais evolutivos recentes foram um tanto políginos, espero não ser preciso dizer que isso não deve ser usado para justificar uma posição moral ou política a favor ou contra. "Não se pode obter um deve ser de um é" já foi dito tantas vezes que corremos o risco de nos tornarmos tediosos. Mas nem por isso deixa de ser verdade. Passemos logo ao nosso próximo encontro.

* Em gráficos desse tipo, é importante incluir apenas dados que sejam independentes uns dos outros, sob pena de inflar injustamente o resultado. Harvey e seus colegas procuraram evitar esse risco contando gêneros em vez de espécies. É um passo na direção certa, mas a solução ideal é a recomendada por Mark Ridley em *The explanation of organic diversity*, e plenamente endossada por Harvey: examine a própria árvore genealógica e conte não as espécies ou gêneros, mas as evoluções independentes das características em pauta.

Encontro 12

Xenartros

O Encontro 12, aproximadamente 95 milhões de anos atrás na época do nosso 35 000 000º avô, é onde se reúnem a nós os peregrinos xenartros da América do Sul, a qual havia então, mais ou menos recentemente, se separado da África e era uma imensa ilha — o ideal para promover a evolução de uma fauna única. Os xenartros são um grupo bem inusitado de animais, composto por tatus, preguiças e tamanduás, junto com seus parentes extintos. Seu nome significa "juntas estranhas", uma referência ao modo singular como suas articulações se ligam: eles possuem articulações extras entre suas vértebras lombares, que reforçam a espinha dorsal para a tarefa de cavar, à qual muitos deles se dedicam. De todos os comedores de formiga, só os sul-americanos são xenartros. Outros mamíferos, como o pangolim e o *aardvark*, também comem formigas e são chamados, respectivamente, *scaly anteater* [papa-formigas escamoso, em inglês] e porco-formigueiro. A propósito, todos os "comedores de formigas" também poderiam ser chamados comedores de cupins, pois são grandes apreciadores desses insetos.

O CONTO DO TATU

Zoologicamente falando, a América do Sul é uma espécie de Madagascar gigante. Como Madagascar, ela se separou da África, só que do lado oeste em vez

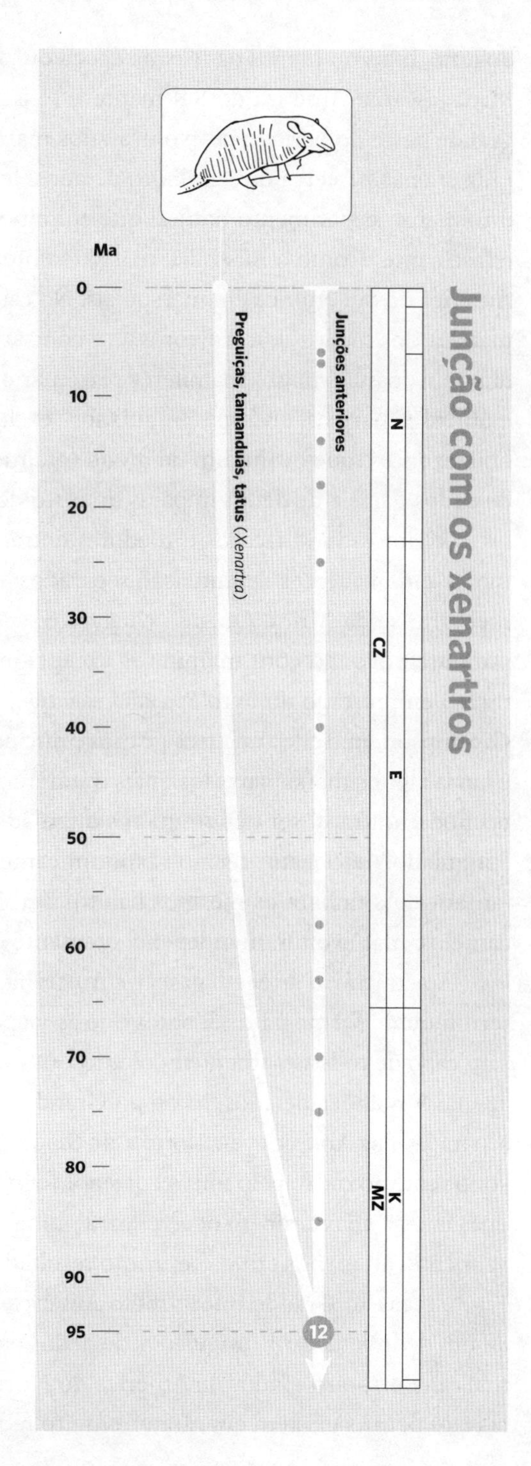

JUNÇÃO COM OS XENARTROS. Dos quatro principais grupos de mamíferos placentários identificados pelos taxonomistas moleculares, os dois ramos mais antigos são os afrotérios (ver Encontro 13) e os xenartros sul-americanos (aproximadamente trinta espécies de preguiças, tamanduás e tatus). É concebível que dados adicionais possam inverter a ordem dos Encontros 12 e 13, mas aqui indicamos o consenso atual.

IMAGEM: tatu-peba (*Euphractus sexcintus*).

do leste, mais ou menos na mesma época ou talvez um pouco mais tarde. Como Madagascar, a América do Sul manteve-se isolada do resto do mundo durante grande parte do período de evolução dos mamíferos. Sua longa reclusão, encerrada apenas há cerca de 3 milhões de anos, levou a América do Sul a tornar-se um imenso experimento natural que culminou em uma fauna mamífera única e fascinante. Como a Austrália, mas diferentemente de Madagascar, a fauna da América do Sul era rica em marsupiais. No caso sul-americano, eles ocuparam a maioria dos nichos de carnívoros. Ao contrário da Austrália, a América do Sul também possuía muitos mamíferos placentários (não marsupiais), entre eles tatus e outros xenartros, e vários "ungulados" exclusivamente sul-americanos, todos hoje extintos, que evoluíram de modo totalmente independente dos ungulados de dedos pares e de dedos ímpares do resto do mundo.

Já vimos que macacos e roedores entraram na América do Sul, provavelmente em incidentes de flutuação separados, muito depois de o continente desmembrar-se da África. Quando chegaram, encontraram um continente já densamente povoado com mamíferos excepcionais. Esses "veteranos", usando o termo emprestado do livro *Splendid isolation*, do grande zoólogo americano G. G. Simpson, pertenciam a três grupos principais. Um deles era o dos xenartros, e havia alguns marsupiais, dos quais trataremos mais tarde. Os veteranos restantes podem, todos, ser denominados ungulados. Como vimos no Encontro 11, "ungulado" não é um termo taxonomicamente preciso. Esses veteranos sul-americanos tinham os mesmos hábitos herbívoros dos cavalos, rinocerontes e camelos, mas evoluíram independentemente deles.

Ao contrário de Madagascar e Austrália, na América do Sul o isolamento terminou de forma natural, antes que as viagens humanas mais ou menos dessem cabo de todo isolamento zoológico. O surgimento do istmo do Panamá, há apenas 3 milhões de anos, levou ao Grande Intercâmbio Americano. As faunas separadas das Américas do Norte e do Sul ficaram livres para deslocar-se de um continente ao outro pelo longo corredor formado pelo istmo. Isso enriqueceu as duas faunas, mas também ocorreram algumas extinções nos dois lados, presumivelmente, ao menos em parte, como resultado de competição.

Graças ao Grande Intercâmbio Americano, existem hoje antas (ungulados de um dedo) e pecaris (ungulados de dedos pares) na América do Sul. Esses animais ali entraram vindos da América do Norte, onde hoje as antas estão extintas e os pecaris existem em número muito reduzido. Devido ao Intercâmbio, há onças-pintadas na América do Sul. Antes não havia felinos nem membro algum da ordem Carnívoros. Havia, isto sim, marsupiais carnívoros, alguns de aparência temível, lembrando o tigre-dentes-de-sabre (verdadeiro felino), que era seu contemporâneo da América do Norte. Desde o Intercâmbio houve tatus na América do Norte, inclusive gliptodontes — tatus gigantes com uma protuberância na cabeça que parecia um engraçado boné de *tweed* e uma formidável clava com ferrões na ponta da cauda, talvez usada contra os dentes-de-sabre marsupiais e placentários. É uma pena, mas os gliptodontes extinguiram-se, em época surpreendentemente recente, assim como as preguiças-gigantes, morosas primas terrícolas das atuais preguiças arborícolas. As preguiças terrícolas costumam ser retratadas erguendo-se nas pernas traseiras para comer em árvores, que elas talvez derrubassem, como fazem hoje os elefantes. De fato, a maior delas comparava-se ao elefante em tamanho, com seis metros de comprimento e entre três e quatro toneladas de peso. As preguiças terrícolas (mas não as maiores entre elas) penetraram na América do Norte e chegaram quase ao Alasca.

Pelo outro lado vieram lhamas, alpacas, guanacos e vicunhas, todos membros da família dos camelos. Hoje essas espécies estão restritas à América do Sul, mas os camelos evoluíram originalmente na América do Norte. Expandiram-se para a Ásia e depois para a Arábia e a África em tempos bem recentes, presumivelmente via Alasca, onde originaram os camelos-bactrianos da estepe mongólica e os dromedários dos desertos quentes. A família do cavalo também teve a maior parte de sua evolução na América do Norte, mas depois se extinguiu por lá. Por isso, é pungente o pasmo dos nativos americanos diante dos cavalos reintroduzidos da Eurásia pelos infames conquistadores.

Os comedores de formiga aparentemente não chegaram à América do Norte, mas na América do Sul sobrevivem três gêneros, que são mamíferos muito singulares. Não têm dentes, e seu crânio, especialmente nos *Myrmecophaga*, a família do grande tamanduá-bandeira, tornou-se pouco mais do que um tubo longo e curvo, uma espécie de canudo para sorver formigas e cupins que são arrancados dos ninhos pela língua comprida e viscosa. E eles têm uma característica fascinante: a maioria dos mamíferos, como nós, secreta ácido hidroclorídrico no estômago para ajudar a digestão, mas não os tamanduás sul-americanos. Em vez disso, eles contam com o ácido fórmico proveniente das formigas que comem. Eis um típico oportunismo da seleção natural.

Dos outros "veteranos" da América do Sul, os marsupiais sobrevivem apenas na forma dos gambás (que hoje também são comuns na América do Norte), das bem diferentes "cuícas-musaranhos" (restritas aos Andes) e do singular "monito-del-monte", parecido com um camundongo (que, curiosamente, parece ter emigrado de volta da Austrália para a América do Sul). Voltaremos a eles mais apropriadamente quando chegarmos ao Encontro 14.

Os antigos "ungulados" sul-americanos estão todos extintos, o que é deplorável, ainda mais por eles terem sido criaturas assombrosas. Com "veteranos", Simpson quer dizer apenas que os ancestrais desses animais estiveram na América do Sul por muito tempo, provavelmente desde que o continente se desmembrou da África. Eles evoluíram e se diversificaram durante o mesmo longo período em que nossos mais conhecidos mamíferos estavam evoluindo e se diversificando no Velho Mundo. Muitos deles floresceram até a época do Grande Intercâmbio Americano e, em alguns casos, até depois. Os litopternos dividiram-se cedo em formas semelhantes ao cavalo e ao camelo, que provavelmente (a deduzir pela posição dos ossos do nariz) possuíam tromba, como os elefantes. Outro grupo, os pirotérios, provavelmente também tinha tromba, e muitos deles foram bem parecidos com o elefante em outros aspectos. Sem dúvida eram muito grandes. A fauna mamífera sul-americana tendeu a assumir formas vultosas semelhantes aos rinocerontes, e alguns ossos fósseis desses animais foram descobertos pela primeira vez por Darwin. Entre os notoungulados incluíam-se os enormes toxodontes, parecidos com o rinoceronte, e formas menores semelhantes aos coelhos e roedores.

"O conto do tatu" é o conto da América do Sul na Idade dos Mamíferos. É o conto de uma gigantesca balsa, como Madagascar, Austrália e Índia, deixada à deriva pela fragmentação de Gondwana. Já tratamos de Madagascar em "O conto do aiai". A Austrália será tema de "o conto da toupeira marsupial". A Índia teria sido um quarto experimento de flutuação, não fosse pelo fato de ter se deslocado para o norte tão rapidamente que atingiu a Ásia bem cedo, e por isso sua fauna tornou-se integrada à da Ásia na segunda metade da Idade dos Mamíferos. A África também foi uma ilha gigantesca durante a ascensão dos mamíferos, não tão isolada como a América do Sul, e não por período tão longo. Mas ficou assim tempo suficiente para que um grupo grande e muito diversificado de mamíferos seguisse seu próprio caminho no isolamento, primos mais próximos uns dos outros do que do resto dos mamíferos, embora não se possa adivinhar isso apenas olhando para eles. Refiro-me aos Afrotérios, e estamos prestes a conhecê-los no Encontro 13.

Encontro 13
Afrotérios

Os Afrotérios são os últimos mamíferos placentários a juntar-se à nossa peregrinação. Originaram-se na África, como indica seu nome, e incluem os elefantes, os musaranhos-elefantes, o dugongo e o peixe-boi (estes também conhecidos como vaca-marinha e manati, respectivamente), os híraces, os *aardvarks* ou porcos-formigueiros e provavelmente os tenreques de Madagascar e as toupeiras-douradas da África meridional. Os próximos peregrinos que encontraremos, os marsupiais, serão nossos primos bem mais distantes; portanto os Afrotérios, todos no mesmo grau, são os nossos mais distantes primos não marsupiais. O Concestral 13 viveu há 105 milhões de anos, e foi o nosso 45 000 000º avô, ou mais ou menos isso. Também ele se parecia com o Concestral 12 e com o Concestral 11, e todos eles eram bem semelhantes aos musaranhos.

Eu nunca tinha visto um musaranho-elefante até rever a bela região do Malauí, meu lar na infância, quando ainda se chamava Niassalândia. Minha mulher e eu passamos algum tempo na Reserva Animal de Mvuu, logo ao sul do grande lago do vale do Rift, que deu seu nome à região e em cujas praias arenosas passei minhas primeiras férias de balde e pazinha muito tempo atrás. Nessa reserva de animais selvagens, pudemos contar com os conhecimentos enciclopédicos sobre os animais do nosso guia africano, seu olhar apurado para localizá-los e seu cativante estilo de chamar nossa atenção para eles. Os musaranhos-elefantes sempre lhe inspiravam a mesma brincadeira, que parecia melhorar a cada repetição: "Um dos cinco pequenos"* (ver Ilustração 11).

Os musaranhos-elefantes, assim chamados por causa de seu nariz comprido que parece uma tromba, são maiores do que os musaranhos europeus e têm pernas mais altas, ou mais compridas, que fazem lembrar um pouco um antílope. A menor das quinze espécies salta. Os musaranhos-elefantes já foram mais numerosos e diversificados, e incluíram algumas espécies herbívoras além das insetívoras que sobreviveram até nossos dias. Os musaranhos-elefantes têm o prudente hábito de dedicar tempo e atenção à abertura de caminhos sob a vegetação rasteira, usando-os depois para fugir de predadores. Isso soa como antevisão, e de certo modo é. Mas não deve ser interpretado como uma intenção deliberada (embora, como sempre, tal coisa não deva ser descartada). Muitos animais comportam-se como se soubessem o que será bom para eles no futuro, porém devemos ter cuidado para não esquecer o "como se". A seleção natural é uma enganosa simuladora de propósitos deliberados.

Apesar de suas trombinhas, nunca ocorreu a ninguém que os musaranhos-elefantes pudessem ter algum parentesco particularmente próximo com os elefantes. Sempre se supôs que eles fossem apenas versões africanas dos musaranhos eurasianos. Mas dados moleculares recentes nos surpreenderam com a informação de que os musaranhos-elefantes são primos mais próximos dos elefantes do que dos musaranhos, e hoje há quem prefira chamá-los por seu nome

* O musaranho-elefante é um dos "cinco pequenos" animais da África geralmente mencionados como tão necessitados de preservação quanto os "cinco grandes" (elefante-africano, leão, búfalo-africano, rinoceronte-branco e rinoceronte-negro). Os outros quatro "pequenos" são: a formiga-leão, o tecelão *Bubalomis niger*, chamado em inglês de *buffalo weaver*, a tartaruga-leopardo africana e o besouro-rinoceronte. (N. T.)

Página ao lado: JUNÇÃO COM OS AFROTÉRIOS. A nova filogênese dos mamíferos placentários reconhece a separação entre as cerca de setenta espécies de afrotérios e todos os outros placentários como a primeira divisão no grupo. Contudo, a ordem dos Encontros 12 e 13 não foi plenamente determinada. No clado dos Afrotérios ainda não há consenso sobre a ordem de ramificação entre os elefantes, sirenídeos e híraces, a posição do aardvark, e a dos tenreques e toupeiras-douradas.

IMAGENS, DA ESQUERDA PARA A DIREITA: musaranho-elefante (*Elephantulus edwardii*); toupeira-dourada-do-deserto-de-grant (*Eremitalpa granti*); aardvark (*Orycteropus afer*); peixe-boi-marinho (*Trichechus manatus*); elefante-africano (*Loxodonta africana*); hírace (*Procavia capensis*).

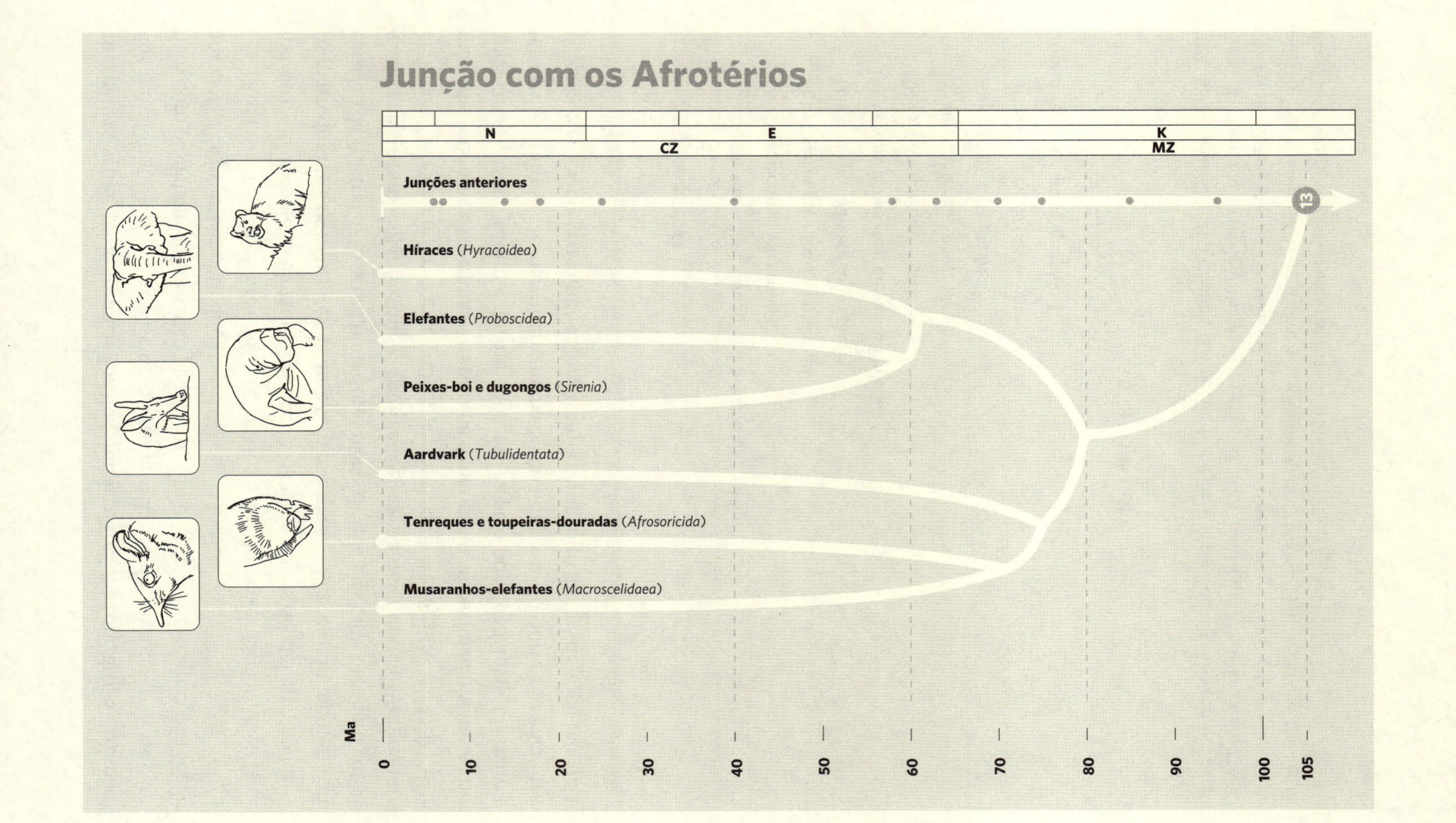
Junção com os Afrotérios
N
E
K
CZ
MZ
Junções anteriores
Híraces (Hyracoidea)
Elefantes (Proboscidea)
Peixes-boi e dugongos (Sirenia)
Aardvark (Tubulidentata)
Tenreques e toupeiras-douradas (Afrosoricida)
Musaranhos-elefantes (Macroscelidaea)
13
Ma
0
10
20
30
40
50
60
70
80
90
100
105

alternativo, sengi, para distanciá-los dos musaranhos. A propósito, a "tromba" dos musaranhos-elefantes quase com certeza decorre do parentesco desses animais com os elefantes. Dos cinco pequenos para os grandes, passaremos a seguir aos elefantes propriamente ditos.

Atualmente os elefantes estão reduzidos a dois gêneros: *Elephas*, o elefante indiano, e *Loxodonta*, o elefante africano. Mas vários tipos de elefante, inclusive os mastodontes e os mamutes, já andaram por quase todos os continentes, com exceção da Austrália. Existem tentadoras pistas de que eles talvez tenham conseguido chegar também à Austrália, onde se registrou a descoberta de fragmentos de fósseis de elefante, mas esses talvez sejam despojos chegados da África pelo mar. Mastodontes e mamutes viveram na América até aproximadamente 12 mil anos atrás, quando foram exterminados, talvez pelo povo de Clovis. Os mamutes extinguiram-se tão recentemente na Sibéria que vez ou outra são encontrados congelados no *permafrost* e chegaram a virar ingrediente de sopa nas palavras de um poeta:

O mamute congelado

A criatura, mesmo que rara, ainda é encontrada no leste
Da zona siberiana setentrional
Entre aqueles primitivos é proverbial
Que a carcaça dá uma sopa celeste
O preparo, porém, tem ao menos um senão
(Reconheço que inconteste)
Se antes de fervida a pele for perfurada
A receita irá toda pro lixo
Eis por que, então (dado o tamanho do bicho),
*A iguaria é quase ignorada.**

Hilaire Belloc

* *The frozen mammooth: This Creature, though rare, is still found to the East/ Of the Northern Siberian Zone./ It is known to the whole of that primitive group/ That the carcass will furnish an excellent soup,/ Though the cooking it offers one drawback at least/ (Of a serious nature I own):/ If the skin be but punctured before it is boiled/ Your confection is wholly and utterly spoiled./ And hence (on account of the size of the beast)/ The dainty is nearly unknown.*

A África é o antigo lar dos elefantes, mastodontes e mamutes, assim como de todos os afrotérios; é a raiz da evolução desses animais e o local onde ocorreu a maior parte de sua diversificação. A África também se tornou o lar de muitos outros mamíferos, como os antílopes, as zebras e os carnívoros que os caçam; esses, porém, são laurasiatérios, que chegaram à África mais tarde, vindos do grande continente setentrional, a Laurásia. Os afrotérios são os "veteranos" da África.

A ordem dos elefantes é chamada *Proboscidea*, em razão de sua longa probóscide, ou tromba, que é um nariz encompridado. Entre as muitas serventias da tromba está beber, que talvez tenha sido seu uso primitivo. Beber é um problema quando se é um animal muito alto como o elefante ou a girafa. A comida, para os elefantes e as girafas, cresce sobretudo em árvores, o que pode, em parte, ser a razão de esses animais serem tão altos. Mas a água encontra seu próprio nível, que tende a ser desconfortavelmente baixo. Ajoelhar-se para beber é uma possibilidade. Os camelos o fazem. Só que se levantar de novo é trabalho duro, mais ainda para os elefantes e as girafas. Ambos resolvem o problema sorvendo a água através de um longo sifão. As girafas espetam a cabeça na extremidade do sifão — o pescoço. Por isso é que a cabeça da girafa tem de ser bem pequena. Os elefantes mantêm a cabeça na base do sifão — e por isso ela pode ser maior e ter um cérebro proporcionalmente mais avantajado. Seu sifão, obviamente, é a tromba, que vem a calhar para uma série de outros propósitos também. Citei em outro texto um trecho de Oria Douglas-Hamilton sobre a tromba do elefante. Boa parte da vida dessa zoóloga foi dedicada, ao lado de seu marido Iain, ao estudo e preservação dos elefantes selvagens. É uma passagem cheia de indignação, suscitada pela visão de um colossal "refugo" de elefantes no Zimbábue:

> Olhando uma das trombas descartadas, fiquei pensando quantos milhões de anos devem ter sido necessários para criar-se tamanho milagre da evolução. Equipada com 50 mil músculos e controlada por um cérebro à altura de tanta complexidade, ela é capaz de arrancar e empurrar com toneladas de força. E no entanto, ao mesmo tempo, pode desempenhar as mais delicadas operações, como apanhar uma pequenina vagem e levá-la à boca. Esse órgão versátil é um sifão capaz de conter quatro litros de água para ser bebida ou aspergida sobre o corpo, pode funcionar como um dedo estendido, uma trombeta ou alto-falante. A tromba também tem funções sociais: carícias, investidas sexuais, apaziguamento, saudação e abraços mútuos entrelaçados... Contudo, lá estava ela, amputada como tantas trombas de elefante que eu vira por toda a África.

Os proboscídeos também ganharam presas, que são incisivos muito desenvolvidos. Os elefantes modernos possuem presas apenas no maxilar superior, mas alguns proboscídeos extintos tinham-nas também no maxilar inferior, ou somente neste. O *Deinotherium* tinha grandes presas arqueadas para baixo na mandíbula e nenhuma no maxilar superior. O *Amebelodon*, membro norte-americano do grande grupo dos primeiros proboscídeos, chamados gonfotérios, tinha presas parecidas com as do elefante no maxilar superior e presas achatadas semelhantes a pás na mandíbula. Talvez fossem mesmo usadas como pás, para arrancar tubérculos da terra (ver Ilustração 12). A propósito: essa conjectura não conflita com a suposição de que a evolução da tromba como um sifão ocorreu para dispensar a necessidade de ajoelhar-se para beber. A mandíbula, com suas duas pás achatadas na extremidade, era tão longa que o gonfotério, em pé, poderia facilmente usá-la para escavar o chão.

Em *The water babies*, Charles Kingsley escreveu que o elefante "é primo-irmão daquele *coney* peludinho das Escrituras". O primeiro significado de *coney* no dicionário de inglês é coelho, e duas das quatro ocorrências do termo na Bíblia são justificativas para o *coney* não ser um alimento *kosher*: "And the coney, because he cheweth the cud, but divideth not the hoof; he is unclean to you" (Levítico 11:5, e a passagem muito semelhante em Deuteronômio 14:7). Mas Kingsley não pode ter se referido ao coelho nesse caso, pois mais adiante afirma que o elefante é o 13º ou 14º primo do coelho. As duas outras referências bíblicas dizem respeito a um animal que vive entre as rochas: Salmo 104 ("The high hills are a refuge for the wild goats; and the rocks for the conies") e Provérbios 30:26 ("The conies are but a feeble folk, yet make their houses in the rocks").* Aqui a concordância é geral em que *coney* significa hírace, rato-das-rochas ou *rock badger* [texugo das rochas], e Kingsley, um admirável clérigo darwiniano, estava certo.

Bem, ele esteve certo por algum tempo, até que, um belo dia, lá vieram os meticulosos dos taxonomistas modernos meter o bedelho. Os livros didáticos dizem que os primos vivos mais próximos dos elefantes são os híraces, o que condiz com a ideia de Kingsley. Contudo, uma análise recente mostrou que tam-

* Na Bíblia Católica traduzida por João Ferreira de Almeida os respectivos versículos leem-se assim: "o arganaz, porque rumina, mas não tem as unhas fendidas, este vos será imundo"; "Os altos montes são das cabras montesinhas, e as rochas o refúgio dos arganazes"; "os arganazes, povo não poderoso, contudo fazem a sua casa nas rochas". (N. T.)

bém temos de incluir os dugongos e os peixes-boi nessa mistura, talvez até mesmo como os mais próximos parentes vivos dos elefantes, com os híraces como grupo-irmão. Os dugongos e os peixes-boi são animais puramente aquáticos que nunca vão a terra firme, nem mesmo para reproduzir-se, e parece que fomos levados a um equívoco, como nos ocorreu no caso dos hipopótamos e baleias. Animais puramente aquáticos são livres das restrições da gravidade terrestre, e podem evoluir rapidamente em sua própria direção especial. Os híraces e os elefantes, que ficaram para trás em terra firme, permaneceram mais parecidos uns com os outros, como os hipopótamos e os porcos. Analisando retrospectivamente, o nariz, que lembra um pouco uma tromba dos dugongos e peixes-boi, e seus olhinhos na face enrugada conferem a esses animais uma aparência ligeiramente elefantina, mas isso provavelmente é acidental.

Os dugongos e peixes-boi pertencem à ordem dos sirênios. Esse nome provém da suposta semelhança desses animais com as sereias mitológicas, embora não se possa dizer que tal ideia seja lá muito convincente. Seu estilo de nadar, lento, como quem se move em uma lagoa calma, talvez tenha sido considerado parecido com o de uma sereia. E há também o fato de eles amamentarem as crias com um par de mamas sob as nadadeiras. Mas é bem possível que os marinheiros que primeiro viram a semelhança deviam estar havia demasiado tempo no mar. Os sirênios, assim como as baleias, são os únicos mamíferos que nunca vão a terra firme. Uma espécie, o peixe-boi da Amazônia, vive em água doce; os outros dois peixes-boi também são encontrados no mar. Os dugongos são exclusivamente marinhos, e todas as quatro espécies estão vulneráveis à extinção, o que inspirou minha mulher a criar uma camiseta com os dizeres: "Dugoing Dugong Dugone".* Uma história comovente é a da quinta espécie, a enorme vaca-marinha-de-steller, que vivia no estreito de Bering e pesava mais de 5 toneladas. Passados apenas 27 anos de sua descoberta pela malsinada tripulação de Bering em 1741, a espécie foi caçada até ser extinta, o que mostra o alto grau de vulnerabilidade dos sirênios.

Como ocorre com as baleias e os golfinhos, nos sirênios os membros anteriores tornaram-se nadadeiras, e não existem membros posteriores. Os sirênios também são conhecidos como vacas-marinhas, mas não têm parentesco com as

* Trocadilho que remete a tempos verbais do inglês, e que numa tradução livre poderia ficar mais ou menos assim: "O dugongo está indo, o dugongo já vai, o dugongo foi". (N. T.)

vacas nem ruminam. Sua dieta vegetariana requer um intestino imensamente longo e baixo estoque de energia. As velozes acrobacias aquáticas de um golfinho carnívoro contrastam drasticamente com o nado preguiçoso do dugongo vegetariano, como um míssil guiado e um balão dirigível.

Também existem afrotérios pequenos. As toupeiras-douradas e os tenreques parecem ser parentes, e a maioria dos estudiosos modernos classifica-os entre os afrotérios. As toupeiras-douradas vivem na África meridional, onde fazem o mesmo trabalho que as toupeiras na Eurásia, e com maestria, nadando na areia como se fosse em água. Os tenreques vivem principalmente em Madagascar. No oeste da África existem alguns "musaranhos-lontra" semiaquáticos, que na verdade são tenreques. Como vimos em "O conto do aiai", os tenreques madagascarenses incluem formas parecidas com os musaranhos, formas parecidas com os ouriços e também uma espécie aquática que provavelmente voltou para a água separadamente dos africanos.

Encontro 14
Marsupiais

Cá estamos, 140 milhões de anos atrás, na base do Cretáceo, quando vivia à sombra dos dinossauros o Concestral 14, nosso 80 000 000º avô em números arredondados. Como veremos em "O conto do pássaro-elefante", América do Sul, Antártida, Austrália, África e Índia, que haviam sido parte do grande supercontinente meridional, Gondwana, começavam a separar-se (um mapa retratando aproximadamente esse período é mostrado na Ilustração 19). Em consequência, mudanças climáticas haviam mergulhado o planeta em um período frio (geologicamente) breve, com neve e gelo branqueando os polos durante os meses de inverno. Apenas algumas plantas floríferas cresciam nas florestas temperadas de coníferas e nas planícies de samambaias que cobriam as porções norte e sul do globo, e havia poucos dos insetos polinizadores que hoje conhecemos. É em um mundo assim que toda a massa de peregrinos formada pelos mamíferos placentários — cavalos e gatos, preguiças e baleias, morcegos e tatus, camelos e hienas, rinocerontes e dugongos, ratos e homens —, todos agora representados por um pequeno insetívoro, saúda o outro grande grupo de mamíferos, os marsupiais.

Marsupium em latim significa bolsa. Os anatomistas usam esse termo técnico para denotar qualquer bolsa, como o escroto humano, por exemplo. Mas as bolsas mais famosas do mundo animal são aquelas onde os cangurus e outros marsupiais mantêm os filhotes. Os marsupiais nascem como pequeninos embriões capazes apenas de rastejar — rastejar para sobreviver através da floresta dos pelos de sua mãe até chegarem à bolsa, onde cravam a boca em uma mama.

Os mamíferos do outro grande grupo são chamados de placentários porque nutrem seus embriões através de várias versões da placenta: um grande órgão através do qual quilômetros de vasos capilares pertencentes ao bebê são postos em íntimo contato com quilômetros de vasos capilares pertencentes à mãe. Esse excelente sistema de intercâmbio (pois serve para remover resíduos do feto além de alimentá-lo) permite ao bebê nascer bem mais tarde em sua carreira. Ele desfruta da proteção do corpo da mãe até que, no caso dos herbívoros com cascos, por exemplo, o filhote seja capaz de acompanhar a manada com as próprias pernas e inclusive correr de predadores. Os marsupiais fazem diferente. A bolsa é como um útero externo, e a grande mama, à qual o bebê se liga como um apêndice semipermanente, funciona de modo um tanto parecido com o cordão umbilical. Mais tarde, a cria desprende-se do mamilo e suga apenas ocasionalmente, como um bebê placentário. Ela emerge da bolsa como em um segundo nascimento, e passa a usá-la com frequência cada vez menor como refúgio temporário. A bolsa do canguru abre-se para a frente, mas a de muitos marsupiais abre-se para trás.

Os marsupiais, como vimos, são um dos dois grandes grupos nos quais se dividem os mamíferos sobreviventes. Normalmente os associamos à Austrália, e, do ponto de vista da fauna, é conveniente considerarmos que esse continente abrange a Nova Guiné. É uma pena que não exista um termo amplamente co-

Página ao lado: JUNÇÃO COM OS MARSUPIAIS. São reconhecidas três linhas principais de mamíferos vivos, baseadas em seu método de reprodução. São elas: os mamíferos ovíparos (monotremados), os mamíferos com bolsa (marsupiais) e os mamíferos placentários (nos quais nos incluímos). A morfologia e a maioria dos estudos de DNA concordam em agrupar juntos os marsupiais e os placentários, o que faz do Encontro 14 o momento em que as cerca de 270 espécies de marsupiais divergiram dos aproximadamente 4500 mamíferos placentários. Aceita-se em geral que os marsupiais se classificam nas sete ordens aqui mostradas. Seus parentescos não estão firmemente estabelecidos; em particular, é problemática a posição do monito-de-monte sul-americano.

IMAGENS, DA ESQUERDA PARA A DIREITA: canguru-vermelho (*Macropus rufus*); diabo-da-tasmânia (*Sarcophilus harrisii*); toupeira-marsupial-do-sul (*Notoryctes typhlops*); bilby (*macrotis lagotis*); gambá-americano (*Didelphis virginiana*).

Junção com os marsupiais

N		E		K	J
CZ				MZ	

Junções anteriores

Gambás-americanos e comuns (*Didelphimorphia*)

Cuícas-musaranho (*Paucituberculata*)

Bandicoots* e *bilbies (*Peramelemorphia*)

Toupeira-marsupial (*Notoryctemorphia*)

Diabo-da-tasmânia, numbate etc. (*Dasyuromorphia*)

Monito-del-monte (*Microbiotheria*)

Vombates, cangurus, gambás, coala etc. (*Diprotodontia*)

Ma: 0 — 50 — 100 — 140

14

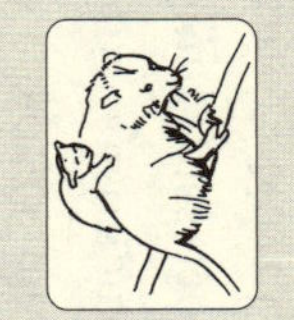

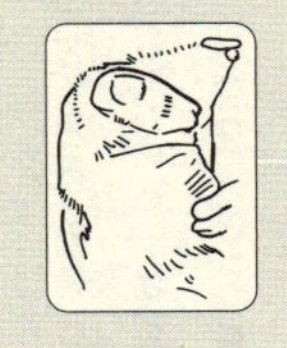

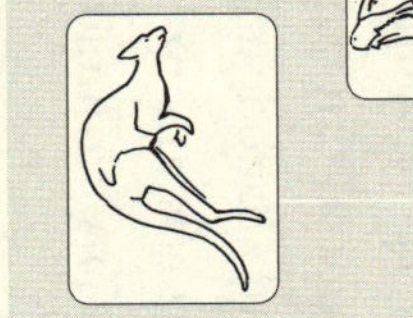

nhecido para designar essas duas grandes massas em conjunto. "Meganésia" e "Sahul" não são memoráveis nem evocativos o bastante. Australásia não serve porque inclui a Nova Zelândia, e esta, zoologicamente, tem pouco em comum com Austrália e Nova Guiné. Para meu propósito, cunharei um termo: Australiné.* Um animal australineano provém da Austrália continental, da Tasmânia ou da Nova Guiné, mas não da Nova Zelândia. De um ponto de vista zoológico, mas não humano, a Nova Guiné é como uma ala tropical da Austrália, e as faunas mamíferas de ambas são dominadas por marsupiais. Como vimos em "O conto do tatu", os marsupiais também têm uma longa e mais antiga história de associação com a América do Sul, onde ainda são encontrados, sobretudo na forma de algumas dezenas de espécies de gambá.

Embora os atuais marsupiais das Américas sejam quase todos gambás, nem sempre foi assim. Levando em conta os fósseis, a maior diversidade no conjunto dos marsupiais é encontrada na América do Sul. Foram encontrados fósseis mais antigos na América do Norte, mas, de todos os fósseis de marsupiais, o mais velho é da China. Eles se extinguiram na Laurásia, mas sobreviveram em duas das principaias relíquias de Gondwana: a América do Sul e a Australiné. E o principal palco da moderna diversidade marsupial é a Australiné. É consenso que os marsupiais lá chegaram vindos da América do Sul via Antártida. Os marsupiais fósseis que foram encontrados na Antártida não são, eles próprios, ancestrais plausíveis das formas australineanas, mas isso provavelmente ocorre porque foram encontrados pouquíssimos fósseis na Antártida.

Acontece que, durante boa parte de sua história desde a separação de Gondwana, a Australiné não teve mamíferos placentários. Não é improvável que todos os marsupiais da Austrália derivem de uma única introdução de um animal fundador semelhante ao gambá vindo da América do Sul via Antártida. Não sabemos exatamente quando, mas não pode ter sido muito depois de 55 milhões de anos atrás, a época aproximada em que a Austrália (em especial, a Tasmânia) afastou-se o bastante da Antártida para ser inacessível aos mamíferos que pulavam

* A fauna australineana estende-se um pouco além da Nova Guiné em direção à Ásia. A Linha de Wallace, assim chamada em honra ao codescobridor da seleção natural, separa a fauna predominantemente australiana da asiática. Por mais surpreendente que possa parecer, essa linha passa entre duas ilhotas do arquipélago indonésio, Lombok e Bail, que são separadas apenas por um estreito muito apertado (mas profundo). Mais para o norte, a Linha de Wallace separa as ilhas maiores de Sulawesi e Bornéu.

de ilha em ilha. Poderia ter sido muito mais cedo, dependendo de quanto a Antártida era inóspita para os mamíferos. Os gambás das Américas não são parentes mais próximos dos animais que os australianos chamam de *possum* do que de quaisquer outros marsupiais australianos. Outros marsupiais americanos, sobretudo fósseis, parecem ter um parentesco mais distante. Em outras palavras, a maioria dos principais ramos da árvore genealógica marsupial é americana e migrou para a Australiné, e não vice-versa. Mas o ramo australineano da família diversificou-se tremendamente depois que sua terra ficou isolada. O isolamento chegou ao fim por volta de 15 milhões de anos atrás, quando a Australiné (especificamente a Nova Guiné) se aproximou da Ásia o suficiente para permitir a entrada de morcegos e roedores (que devem ter chegado lá pulando de ilha em ilha). E depois, muito mais recentemente, vieram os dingos (em canoas de comerciantes, devemos supor) e, por fim, todo um bando de outros animais, como coelhos, camelos e cavalos, introduzidos por imigrantes europeus. E o mais ridículo: também foram levadas raposas, para serem caçadas — uma eloquente crítica à alegação de que a perseguição a elas se justifica como controle de praga.

Junto com os monotremados que se reunirão a nós a seguir, os marsupiais australianos em evolução foram levados, pela grande balsa em que a Austrália se transformou, para o isolamento no Pacífico Sul. Lá, pelos 40 milhões de anos seguintes, os marsupiais (e monotremados) tiveram a Austrália só para si. Se houve outros animais no princípio,* eles se extinguiram antes. O lugar dos dinossauros estava esperando para ser preenchido, na Austrália e no resto do mundo. Do nosso ponto de vista, a Austrália é empolgante por ter ficado isolada durante muito tempo e possuir uma população fundadora muito pequena de mamíferos marsupiais, que concebivelmente compunham até mesmo uma única espécie.

E os resultados? Foram surpreendentes. Das cerca de 270 espécies marsupiais sobreviventes do mundo, cerca de ¾ são australineanas (as demais são todas americanas: gambás principalmente, acrescidos de algumas outras espécies como o enigmático *Dromiciops*, o *monito-del-monte*. As duzentas (um pouco mais ou um pouco menos, dependendo de sermos agrupadores ou separadores)**

* Foram encontrados alguns dentes que parecem pertencer a condilartros (um grupo de mamíferos placentários extintos), mas nada com menos de 55 milhões de anos.

** *Lumpers* [agrupadores] e *splitters* [separadores] tornaram-se termos técnicos para designar respectivamente os taxonomistas que costumam agrupar animais (ou plantas) em alguns grupos grandes espécies australineanas ramificaram-se e ocuparam todo o conjunto de "nichos" antes pertencentes aos dinossauros e independentemente ocupados por outros mamíferos no resto do mundo. "O conto da toupeira marsupial" examina alguns desses nichos, um a um.

O CONTO DA TOUPEIRA MARSUPIAL

É possível sustentar-se no subsolo, em um modo de vida que passamos a conhecer graças às toupeiras (família *Talpidae*) na Eurásia e América do Norte. As toupeiras são dedicadas máquinas de cavar, com mãos modificadas e transformadas em pás, e olhos, que no subsolo seriam inúteis, quase totalmente degenerados. Na África, o nicho da toupeira é ocupado pelas toupeiras-douradas (família *Chrysochloridae*). Elas são superficialmente muito semelhantes às toupeiras eurasianas, e por anos foram classificadas na mesma ordem: Insetívoros. Na Austrália, como seria de esperar, o nicho é ocupado por um marsupial, *Notoryctes*, a toupeira-marsupial.*

As toupeiras marsupiais se parecem com as toupeiras verdadeiras (talpídeos) e com as toupeiras-douradas; alimentam-se de vermes e larvas de insetos como as toupeiras verdadeiras e as toupeiras douradas e cavam tocas como as toupeiras verdadeiras e até mais como as toupeiras-douradas. As toupeiras verdadeiras deixam um túnel vazio atrás de si quando cavam em busca de presas. As toupeiras-douradas, pelo menos as que vivem no deserto, "nadam" na areia, que desaba atrás delas, e o mesmo fazem as toupeiras marsupiais. A evolução moldou as "pás" das toupeiras talpídeas a partir dos cinco dedos da mão. As toupeiras marsupiais e as toupeiras-douradas usam duas garras (ou três, em algumas toupeiras-douradas). A cauda é curta nas toupeiras talpídeas e nas marsupiais, e totalmente invisível nas douradas. Todas as três são cegas e não têm orelhas visíveis. As toupeiras marsupiais são dotadas de bolsa (é isso que signifi-

---

e os que habitualmente os separam em numerosos grupos pequenos. Os *splitters* produzem nomes em profusão, em casos extremos quando se trata de fósseis, elevando quase todo espécime que descobrem à categoria de espécie.

* O *Necrolestes*, um marsupial sul-americano da Época Miocena, também parece ter sido uma "toupeira". Seu nome, muito impropriamente, quer dizer "ladrão de sepultura".

ca marsupial), na qual se abriga a prole, que nasce prematuramente (pelos padrões placentários).

As semelhanças entre essas três "toupeiras" são convergentes: elas evoluíram independentemente no hábito de cavar, a partir de começos diferentes e de ancestrais que não eram cavadores. E é uma convergência em três vias. Embora as toupeiras-douradas e as toupeiras eurasianas sejam parentes mais próximas entre si do que das toupeiras marsupiais, seu ancestral comum, sem dúvida, não era especialista em cavar. Todas as três se parecem porque todas cavam. Aliás, estamos tão acostumados à ideia de que os mamíferos vieram ocupar o lugar dos dinossauros que nos surpreendemos ao refletir que até agora nunca foi encontrada nenhuma "toupeira dinossáurica". Já foram descritos órgãos especiais adaptados para cavar e tocas fossilizadas para os "répteis mamaliformes" que precederam os dinossauros, mas nunca, convincentemente, para os próprios dinossauros.

A Australiné é o lar não só das toupeiras marsupiais, mas também de uma impressionante lista de marsupiais, cada qual desempenhando mais ou menos o mesmo papel que os mamíferos placentários em outro continente. Existem "camundongos" marsupiais (mais apropriadamente chamados de musaranhos marsupiais porque comem insetos), "gatos", "cães", "esquilos voadores" marsupiais e toda uma galeria de equivalentes de animais conhecidos no resto do mundo. Em alguns casos, a semelhança é espantosa. Esquilos-voadores como o *Glaucomys volans* das florestas americanas têm aparência e comportamento muito semelhantes aos de moradores das florestas de eucalipto australianas, como as espécies *Petaurus breviceps* e *Petaurus gracilis*, também conhecidos como "falângeres voadores", embora não sejam realmente da família dos falangerídeos (os cuscuses e os opossuns-australianos-de-cauda-espessa). Os esquilos voadores americanos são esquilos verdadeiros, aparentados com os esquilos arborícolas nossos conhecidos. Na África, curiosamente, o nicho do esquilo voador é ocupado pelos chamados esquilos de cauda escamosa ou anomalurídeos, que, embora também sejam roedores, não são esquilos verdadeiros. Os marsupiais da Austrália também produziram três linhagens de planadores, cujo hábito evoluiu independentemente. Voltando aos planadores placentários, já fomos apresentados, no Encontro 9, aos misteriosos "lêmures voadores" ou colugos, que diferem dos esquilos voadores e planadores marspiais no detalhe de sua cauda estar incluída na membrana planadora junto com os quatro membros.

O *Thylacinus*, ou lobo-da-tasmânia, é um dos mais famosos exemplos de evolução convergente. Ele às vezes é chamado de tigre-da-tasmânia porque tem as costas listradas, mas esse nome foi mal escolhido. O animal se parece muito mais com os lobos e os cães. O lobo-da-tasmânia já foi comum em toda a Austrália e Nova Guiné, e sobreviveu na Tasmânia até o século XX. Até 1909, pagava-se recompensa por escalpos de lobos-da-tasmânia, e o último espécime de autenticidade atestada visto na natureza foi morto em 1930. O último lobo-da-tasmânia em cativeiro morreu no Zoológico de Hobart em 1936. A maioria dos museus possui um espécime empalhado. As listras no dorso facilitam distinguir o lobo-da-tasmânia do cão, mas o esqueleto é difícil de diferenciar. Os estudantes de zoologia da minha geração tinham de identificar cem espécimes zoológicos em uma parte do exame de fim de curso. Logo circulou um conselho: mesmo se o examinando recebesse uma cabeça de "cão" para identificar, era seguro identificá-la como um *Thylacinus*, pois uma coisa tão óbvia quanto um crânio de cão sem dúvida seria uma pergunta capciosa. Até que um dia os examinadores — crédito lhes seja dado — blefaram duplamente e puseram uma cabeça de cão verdadeiro. Caso o leitor esteja curioso: o modo mais fácil de diferenciar um do outro é pelos dois orifícios bem visíveis no osso do palato, característicos dos marsupiais em geral. É óbvio que os dingos não são marsupiais, mas cães verdadeiros, provavelmente introduzidos por aborígines. Talvez em parte tenha sido a competição com os dingos que impeliu os lobos-da-tasmânia à extinção no continente australiano. Os dingos nunca chegaram à Tasmânia, e quem sabe terá sido essa a razão de o lobo-da-tasmânia ter sobrevivido até que os colonizadores europeus dessem cabo dele. Mas os fósseis mostram que houve outras espécies de lobo-da-tasmânia na Austrália que se extinguiram cedo demais para pormos a culpa nos humanos ou nos dingos.

O "experimento natural" dos "mamíferos alternativos" da Australiné costuma ser demonstrado com uma série de imagens, cada qual contrapondo um marsupial australineano com seu mais famoso equivalente placentário. Mas nem todos os equivalentes ecológicos assemelham-se. Parece não haver nenhum equivalente placentário do timbu-do-mel. É mais fácil perceber por que não existe marsupial equivalente às baleias: além da dificuldade de lidar com uma bolsa debaixo d'água, as "baleias" não teriam sido submetidas ao isolamento que permitiu aos marsupiais australianos evoluir separadamente. Um raciocínio semelhante explica por que não existem morcegos marsupiais. E embora os cangurus pudessem ser descritos como os equivalentes autralineanos dos antílopes, sua aparência é diferente, pois boa parte de seu corpo é construída em torno de seu incomum jeito de andar saltando nas pernas traseiras com a avantajada cauda de contrapeso. No entanto, o conjunto das 68 espécies de cangurus e *wallabies* australineanos equipara-se ao conjunto das 72 espécies de antílopes e gazelas na dieta e no modo de vida. Não se trata de uma coincidência exata. Alguns cangurus comem insetos se tiverem chance, e fósseis indicam a existência de um grande canguru carnívoro que deve ter sido apavorante. Existem mamíferos placentários fora da Austrália que pulam de maneira semelhante ao canguru, mas são, na maior parte, pequenos roedores, como os gerbos saltadores. A lebre saltadora da África também é um roedor, e não uma lebre verdadeira, e é o único mamífero placentário que realmente poderíamos confundir com um canguru (ou melhor, com um *wallaby* bem pequeno). Tanto é que meu colega, dr. Stephen Cobb, na época em que lecionava zoologia na Universidade de Nairobi, divertia-se porque seus alunos se exaltavam e o contradiziam quando ele lhes ensinava que os cangurus estavam restritos à Austrália e à Nova Guiné.

As lições de "O conto da toupeira marsupial" sobre a importância da convergência na evolução — convergência real, com o avançar do tempo, e não a coalescência retrocessiva da metáfora central deste livro — serão retomadas no último capítulo, "O regresso do albergueiro".

Encontro 15
Monotremados

O Encontro 15 ocorre por volta de 180 milhões de anos atrás, num mundo dividido entre a aridez e as monções do Jurássico Inferior. O continente meridional, Gondwana, ligava-se ainda minimamente ao grande continente setentrional, a Laurásia — a primeira vez em nossa jornada ao passado que encontramos todas as principais massas terrestres reunidas em uma única "Pangeia". Tempos à frente, a fragmentação da Pangeia teria consequências fundamentais para os descendentes do Concestral 15, talvez o nosso 120 000 000º avô. Esse nosso encontro é bem desproporcional. Os novos peregrinos que agora se juntam a todos os demais mamíferos representam apenas três gêneros: o *Ornithorhyncus anatinus*, o ornitorrinco, que vive no leste da Austrália e na Tasmânia e tem bico semelhante ao do pato; o *Tachyglossus aculeatus*, ou equidna, que tem bico curto e vive em toda a Austrália e Nova Guiné; e o *Zaglossus*, a equidna de bico longo que só é encontrada nos altiplanos da Nova Guiné.* Coletivamente, os três gêneros são conhecidos como monotremados.

Vários contos versaram sobre o tema de continentes insulares que foram viveiros de grandes grupos de animais: a África para os afrotérios, a Laurásia

* Foram discriminadas três espécies de *Zaglossus*, e tenho o grande prazer de dizer que uma delas foi chamada de *Z. attenboroughi*.

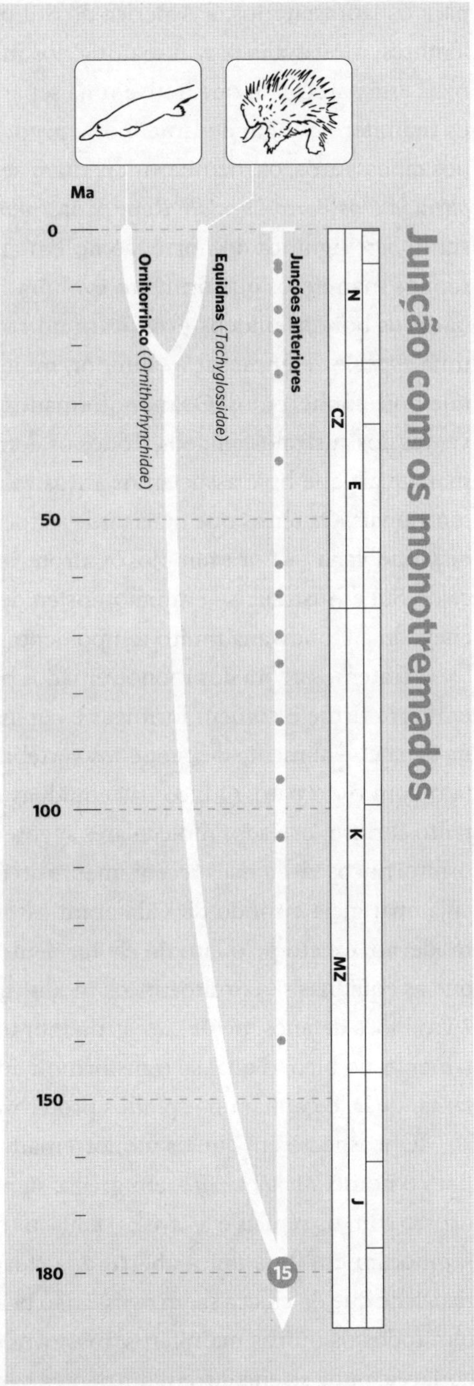

Junção com os monotremados

Ma

0

50

100

150

180

Ornitorrinco (*Ornithorhynchidae*)

Equidnas (*Tachyglossidae*)

Junções anteriores

15

N

CZ

E

K

MZ

J

JUNÇÃO COM OS MONOTREMADOS. Todos os mamíferos vivos, que não chegam a 5 mil espécies, têm pelos e amamentam a cria. Acredita-se que os que encontramos até agora — os mamíferos placentários e os marsupiais — têm origem comum no Hemisfério Norte, no Período Jurássico. As cinco espécies monotremadas são as únicas sobreviventes de uma outrora diversificada linhagem de mamíferos do hemisfério sul que conservaram o hábito de pôr ovos.

IMAGENS, DA ESQUERDA PARA A DIREITA: Ornitorrinco (*Ornithorhynchus anatinus*); equidna-de-bico-curto (*Tachyglossus aculeatus*).

para os laurasiatérios, a América do Sul para os xenartros, Madagascar para os lêmures, a Austrália para a maioria dos marsupiais sobreviventes. Mas cada vez mais está parecendo que houve uma separação continental muito anterior entre os mamíferos. Segundo uma teoria proposta, muito antes do desaparecimento dos dinossauros, os mamíferos dividiam-se em dois grandes grupos: os *Australosphenida* e os *Boreosphenida*. Repito: *australo* não quer dizer da Austrália, e sim do sul. E *bore* significa do norte, como em aurora boreal. Os australosfenídeos foram os mamíferos que primeiro evoluíram no continente meridional, Gondwana. E os boreosfenídeos evoluíram no continente sententrional, Laurásia, em uma espécie de encarnação anterior, muito antes da evolução dos laurasiatérios que hoje conhecemos. Os monotremados são os únicos representantes sobreviventes dos australosfenídeos. Todos os demais mamíferos, os térios, incluindo os marsupiais que hoje associamos à Austrália, descendem dos boreosfenídeos setentrionais. Os térios que mais tarde se tornaram associados ao sul e à separação de Gondwana — por exemplo, os afrotérios da África e os marsupiais da América do Sul e Austrália — eram boreosfenídeos que haviam emigrado para o sul e chegado a Gondwana muito tempo depois de suas origens no norte.

Tratemos agora dos monotremados propriamente ditos. As equidnas vivem em terra firme e comem formigas e cupins. O ornitorrinco vive principalmente na água e se alimenta de pequenos vertebrados na lama. Seu "bico" se parece de fato com o do pato. O bico das equidnas é mais tubular. Aliás, há um fato um tanto curioso: os dados moleculares sugerem que o concestral das equidnas e dos ornitorrincos viveu mais recentemente do que o fóssil de ornitorrinco *Obdurodon*, cuja aparência e modo de vida eram essencialmente como os do ornitorrinco moderno, exceto pelo fato de ele ter dentes no interior do bico. Isso significaria que as equidnas são ornitorrincos modificados que deixaram a água nos últimos 20 milhões de anos, perderam as membranas entre os dedos, tiveram um estreitamento no bico, o qual se transformou em um tubo de sondagem como o dos tamanduás, e ganharam espinhos protetores.

Um aspecto em que os monotremados se assemelham a répteis e aves deu-lhes o nome. *Monotremata*, em grego, significa dotado de um só orifício. Como ocorre com os répteis e as aves, o ânus, o trato urinário e o trato reprodutivo desembocam em uma única abertura, a cloaca. Ainda mais reptiliana é a característica de que da cloaca saem ovos e não bebês. Não microscópicos óvulos, como têm todos os outros mamíferos, mas ovos de 2 cm com uma forte casca branca coriácea, onde se encontram nutrientes para alimentar o bebê até ele estar pron-

NOSSO ANCESTRAL PODERIA TER SIDO ASSIM? Desenho do *Henkelotherium*, um eupantotério, por Elke Gröning. (A forma da folhagem na gravura é a do ginkgo moderno; as folhas dos ginkgos jurássicos teriam divisões mais delgadas.)

to para sair do ovo, coisa que ele faz como um réptil ou uma ave: com a ajuda de um "dente do ovo" na ponta do "bico".

Os monotremados têm ainda outras características tipicamente reptilianas, como o osso interclavicular próximo ao ombro, que os répteis possuem, mas os mamíferos térios, não. Porém, o esqueleto dos monotremados também tem algumas características comuns aos mamíferos. Sua mandíbula consiste em um único osso, o dentário. A mandíbula dos répteis possui três ossos adicionais em torno da articulação com o resto do crânio. Durante a evolução dos mamíferos, esses três ossos migraram, afastando-se da mandíbula e adentrando a orelha média, onde, rebatizados de martelo, bigorna e estribo, transmitem os sons do tímpano para a orelha média de um modo engenhoso que os físicos chamam de casamento de impedância. Nesse aspecto, os monotremados estão firmemente com os mamíferos. Sua orelha interna, porém, é mais reptiliana ou aviária, pois a cóclea, o tubo na orelha interna que detecta sons de diferentes alturas, tem um trajeto menos curvo do que a cóclea encaracolada de todos os outros mamíferos, característica que deu seu nome ao órgão.

Os monotremados também estão com os mamíferos na característica de secretar para sua cria o leite, a mais mamífera das substâncias. Entretanto, estragam um pouco o efeito por não terem mamilos bem definidos. Em vez disso, o leite goteja de poros em uma vasta área de pele na superfície do ventre e é lambido pelo bebê agarrado aos pelos da barriga da mãe. Nossos ancestrais provavelmente fizeram o mesmo. Os membros dos monotremados esparramam-se lateralmente um pouco mais que os dos mamíferos típicos. Podemos ver isso no esquisito modo de andar ondulante das equidnas: não exatamente como um lagarto, mas também não muito como os mamíferos. Isso aumenta a impressão de que os monotremados seriam uma espécie de intermediários entre réptil e mamífero.

Como teria sido o Concestral 15? Decerto, não há razão para pensar que ele fosse como uma equidna ou um ornitorrinco. Afinal de contas, ele foi *nosso* ancestral também, e todos nós tivemos um tempo muito longo para evoluir desde então. Os fósseis da época certa no Período Jurássico pertencem a vários tipos de animais parecidos com musaranhos ou roedores, como o *Morganucodon* e o grande grupo conhecido como multituberculados. O simpático desenho da página 281 representa outro desses mamíferos primitivos, o eupantotério, em uma árvore de ginkgo.

O CONTO DO ORNITORRINCO

Um nome latino anterior do ornitorrinco era *Ornithorhynchus paradoxus*. Acharam aquele animal tão esdrúxulo na época em que o descobriram que, quando um espécime foi enviado para um museu, pensaram tratar-se de alguma brincadeira; pedaços de mamífero costurados a pedaços de ave. Houve quem conjecturasse que Deus não estava em seus melhores dias quando criou o ornitorrinco. Ele teria visto alguns pedaços sobressalentes jogados pelo chão de sua oficina e decidiu uni-los em vez de jogar tudo fora. Mais insidiosamente (porque não estão gracejando), alguns zoólogos depreciam os monotremados considerando-os "primitivos", como se ser primitivo fosse um modo de vida pleno e acabado. Questionar essa ideia é o propósito de "O conto do ornitorrinco".

Desde o Concestral 15, os ornitorrincos tiveram exatamente o mesmo tempo que todos os demais mamíferos para evoluir. Não há razão para que um grupo seja mais primitivo do que outro (primitivo, é bom lembrar, significa precisamente "parecido com o ancestral"). Os monotremados poderiam ser mais primitivos do que nós em alguns aspectos, como o oviparismo. Mas não há razão para que ser primitivo em um aspecto implique ser primitivo em outro. Não existe uma substância chamada Essência de Antiguidade que impregne o sangue e embeba os ossos. Um osso primitivo é um osso que não mudou muito por longo tempo. Não há nenhuma regra dizendo que o osso vizinho também tem de ser primitivo, e nem mesmo uma débil suspeita nesse sentido — a menos que se apresente algum argumento adicional. Não há melhor ilustração que o bico do ornitorrinco. Ele evoluiu muito, mesmo se outras partes desse animal não o tenham feito.

O bico do ornitorrinco parece engraçado, e sua semelhança com o dos patos fica ainda mais incongruente por causa de seu tamanho relativamente grande, e também porque o bico do pato tem certa comicidade intrínseca, talvez emprestada pelo Pato Donald. Mas o humor não faz justiça a esse equipamento maravilhoso. Quem quiser pensar em algum enxerto incongruente, que esqueça os patos. Uma comparação mais reveladora é o nariz extra enxertado em um avião de reconhecimento Nimrod. O equivalente americano é o Awacs, mais familiar, mas menos apropriado para minha comparação, pois o "enxerto" do Awacs fica no topo da fuselagem e não na frente, como um bico.

Acontece que o bico do ornitorrinco não é apenas um par de maxilares para remexer e comer, como o do pato. O do ornitorrinco também faz isso, embora seja borrachento e não córneo como o do pato. Mas, o que é bem mais interessante, o bico do ornitorrinco é um dispositivo de reconhecimento, um órgão sensor como nos aviões Awacs. O ornitorrico caça crustáceos, larvas de insetos e outras criaturas pequenas no lodo e no fundo dos rios e lagos. Olhos não ajudam grande coisa no lodo, e o ornitorrinço os mantém bem fechados enquanto procura comida. Além disso, fecha as narinas e orelhas. Ele não vê, não ouve e não fareja as presas, e no entanto as encontra com grande eficiência, apanhando metade do peso de seu corpo em alimentos num só dia.

Se você fosse um investigador cético tentando desmascarar alguém que diz possuir um "sexto sentido", o que faria? Vendaria o sujeito, taparia seus ouvidos e narinas e lhe daria alguma tarefa de percepção sensitiva. Os ornitorrincos desdobram-se para realizar esse experimento para você. Desativam três sentidos importantes para nós (e talvez para eles em terra firme), como se quisessem concentrar toda a atenção em algum outro sentido. E a pista é dada por uma característica adicional em seu comportamento de caça. Eles oscilam o bico de um lado para outro enquanto nadam, em movimentos chamados sacádicos. Isso lembra muito a varredura de uma antena de radar...

Em uma das primeiras descrições científicas do ornitorrinco, publicada na ata *Philosophical Transactions of the Royal Society*, de 1802, Sir Everard Home mos-

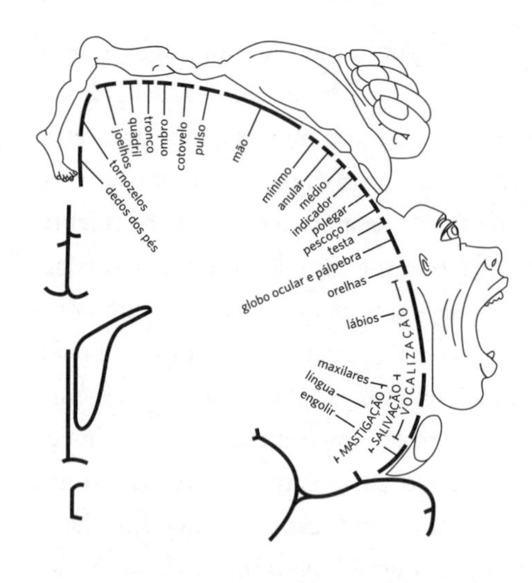

MAPA DO CÉREBRO, POR PENFIELD. Adaptado de PENFIELD e RASMUSSEN (ver página 722).

trou grande presciência. Ele salientou que o ramo do nervo trigêmeo que inerva a face é "incomumente grande. Tal circunstância deve levar-nos a crer que a sensibilidade das diferentes partes do bico é muito intensa e, portanto, que atende ao propósito de uma mão e é capaz de discriminar bem como o tato".

Sir Everard não sabia nem a metade da história. É a referência à mão que diz tudo. O grande neurologista canadense Wilder Penfield publicou uma célebre imagem de um cérebro humano junto com um diagrama mostrando as proporções dedicadas a diferentes partes do corpo. O mapa de uma parte do cérebro dedicada a controlar músculos em diferentes partes do corpo, de um lado, é mostrado acima. Penfield elaborou um mapa semelhante de partes do cérebro ligadas ao sentido do tato em diferentes partes do corpo. Nos dois mapas, impressiona o imenso destaque dado à mão. A face também se destaca, em especial as partes que controlam os movimentos dos maxilares na mastigação e na fala. Mas é a mão que notamos realmente quando vemos um "homúnculo" de Penfield. A imagem reproduzida na Ilustração 13 é outro modo de representar a mesma coisa. Esse ser grotesco tem o corpo distorcido em proporção à quantidade de cérebro dedicada a diferentes partes. Novamente, mostra que o cérebro humano dá ênfase à mão.

Aonde isso tudo nos leva? Meu conto do ornitorrinco tem uma dívida para com o ilustre neurobiólogo australiano Jack Pettigrew e seus colegas, entre eles Paul Manger. Uma das coisas fascinantes que eles fizeram foi criar um "ornitorrúnculo", o equivalente do homúnculo de Penfield para o ornitorrinco. Antes de tudo, cabe dizer que o ornitorrúnculo é muito mais acurado que o homúnculo de Penfield, o qual se baseou em pouquíssimos dados. O ornitorrúnculo é uma obra muito meticulosa. Podemos ver três pequenos mapas do ornitorrinco na parte superior do cérebro: representações separadas, em diferentes partes do cérebro, de informações sensitivas provenientes da superfície do corpo. O que importa para o animal é que exista um mapeamento espacial ordenado entre cada parte do corpo e a parte do cérebro correspondente.

Note que as mãos e os pés, em preto nos três mapas, estão em proporção aproximada com o corpo propriamente dito, em contraste com o homúnculo de Penfield e suas manzorras. O que não está em proporção no ornitorrinco é o bico. Os mapas do bico são as áreas enormes que se salientam dos mapas do resto do corpo. O cérebro humano enfatiza a mão, e o do ornitorrinco, o bico (ver Ilustração 14). A conjectura de Sir Everard Home parece boa. Mas, como veremos, em um aspecto o bico é ainda melhor do que uma mão: ele pode estender-se e "ver" coisas que não toca. É capaz de sentir à distância. E faz isso por meio da eletricidade.

Quando qualquer animal, como um camarão de água doce, uma presa típica do ornitorrinco, usa seus músculos, gera fracos campos elétricos. Com um mecanismo suficientemente sensível, isso pode ser detectado, especialmente na água. É possível calcular a fonte dos campos elétricos com um computador dedicado que seja potente o bastante para lidar com dados de um grande conjunto de sensores. É claro que o ornitorrinco não faz cálculos como um matemático ou um computador. Mas, em algum nível do seu cérebro, ele faz o equivalente de um cálculo, e o resultado é que ele apanha a presa.

O ornitorrinco possui cerca de 40 mil sensores elétricos distribuídos pelas faixas longitudinais em ambas as superfícies do bico. Como mostra o ornitorrúnculo, uma grande proporção do cérebro é dedicada ao processamento dos dados provenientes desses 40 mil sensores. Mas a coisa não para por aí. Além dos 40 mil sensores elétricos, existem aproximadamente 60 mil sensores mecânicos conhecidos como *push rods*, espalhados por toda a superfície do bico. Pettigrew e seus colaboradores descobriram células nervosas no cérebro que recebem informações enviadas por esses sensores mecânicos. E descobriram outras células cerebrais que respondem tanto a sensores elétricos como a sensores mecânicos (até agora não descobriram células cerebrais que respondam somente aos sensores elétricos). Ambos os tipos de célula ocupam a posição correta no mapa espacial do bico, e estão dispostos em camadas de um modo que faz lembrar o cérebro visual humano, no qual a estratificação ajuda a visão binocular. Nosso cérebro em camadas combina informações enviadas pelos olhos para obter um percepto em estéreo. O grupo de Pettigrew supõe que o ornitorrinco talvez possa combinar as informações captadas pelos sensores elétricos e mecânicos de algum modo analogamente útil. Como isso poderia ocorrer?

Pettigrew e seus colegas fazem uma analogia com o trovão e o raio. O relâmpago e o ribombo do trovão ocorrem no mesmo momento. Vemos o clarão do raio instantaneamente, mas o trovão demora mais para chegar até nós, pois viaja à velocidade do som, que é menor (a propósito, o estrondo parece um ronco surdo e prolongado por causa do eco). Cronometrando a defasagem temporal entre o relâmpago e o trovão, podemos calcular a que distância está a tempestade. Talvez as descargas elétricas dos músculos da presa sejam o relâmpago do ornitorrinco, e o trovão seja as ondas de perturbação na água causadas pelos movimentos da presa. Será que o cérebro do ornitorrinco é construído de modo a computar a defasagem temporal entre essas duas coisas e, assim, calcular a que distância a presa se encontra? Parece provável.

Quanto a determinar a direção da presa, isso tem de ser feito comparando os sinais enviados por diferentes receptores dispersos por todo o mapa, presumivelmente com a ajuda de um escaneamento com movimentos do bico de um lado para o outro, como um radar fabricado pelo homem usa a rotação da antena. Com esse imenso conjunto de sensores projetando para conjuntos mapeados de células cerebrais, muito provavelmente o ornitorrinco forma uma imagem tridimensional minuciosa de quaisquer perturbações elétricas nas proximidades.

Pettigrew e seus colegas elaboraram esse mapa topográfico de linhas de igual sensitividade elétrica ao redor do bico do ornitorrinco. Quando você pensar em um ornitorrinco, esqueça os patos; pense no Nimrod, pense no Awacs. Pense numa mão enorme tateando, percebendo por meio de formigamentos remotos; pense na luz do relâmpago e no estrondo do trovão propagando-se pelos lamaçais da Austrália.

O ornitorrinco não é o único animal que usa essa espécie de sentido elétrico. Vários peixes também o fazem, entre eles o espátula da espécie *Polyodon spathula*. Tecnicamente um "peixe ósseo", o espátula, junto com seus parentes,

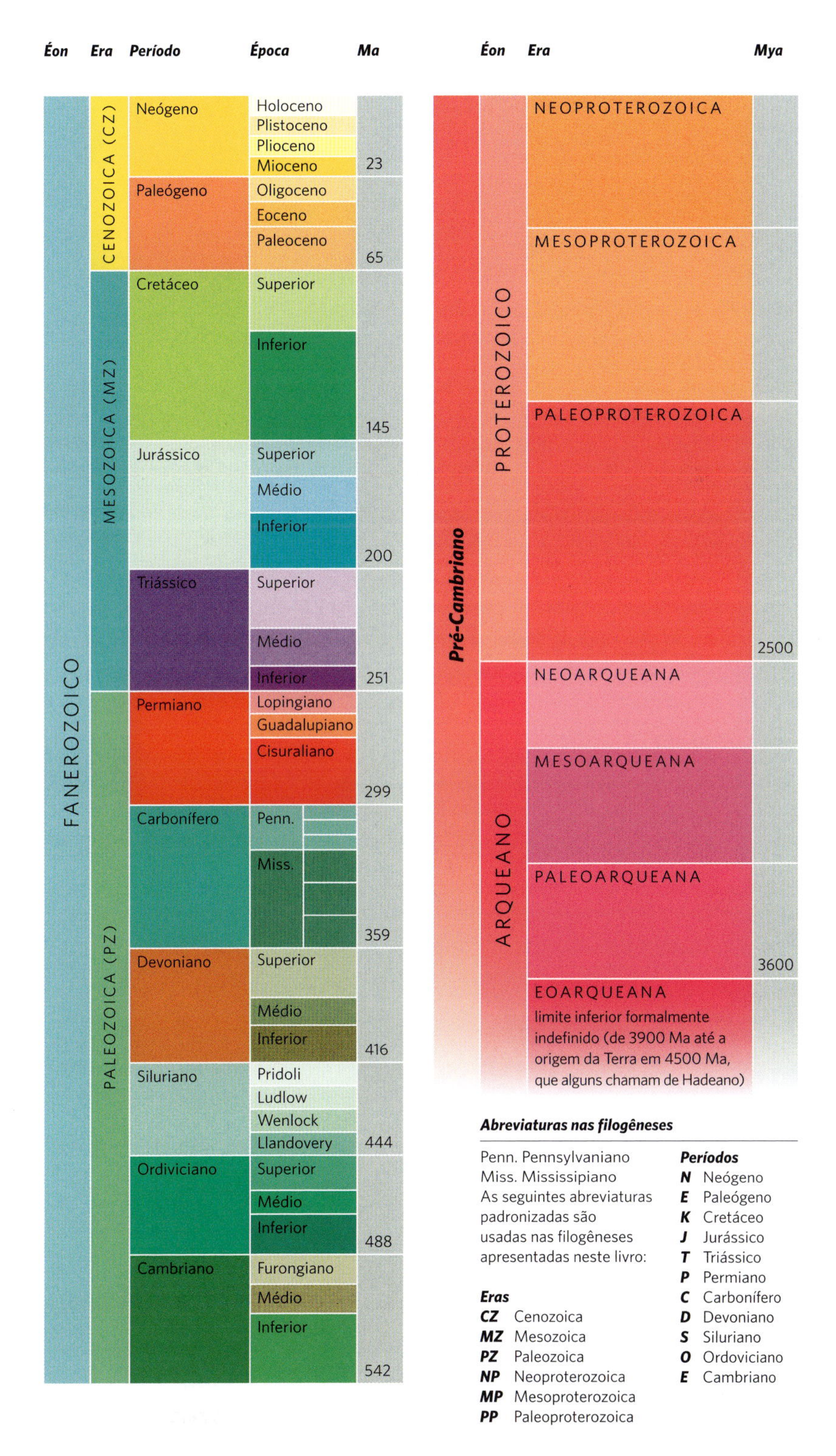

1. Versão simplificada da escala de tempo publicada pela International Commission on Statigraphy (www.statigraphy.org). A escala de tempo divide-se em éons, eras, períodos e épocas. O tempo é medido em "milhões de anos" (Ma) (ver página 34).

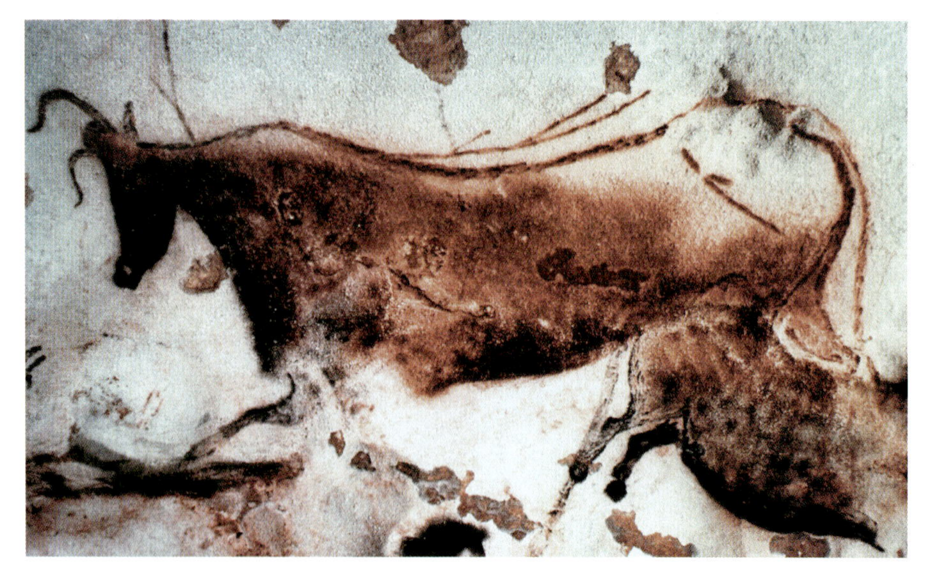

2. ALGO MUITO ESPECIAL COMEÇA A ACONTECER...
Esta pintura de um touro está nas Cavernas de Lascaux, na Dordonha, França. Descobertas em 1940, as pinturas têm mais de 16 mil anos. Mostram uma excelente noção das formas e movimentos do animal e um primoroso senso artístico. Não se sabe qual era o propósito de tais pinturas (ver página 56).

3. ESTARIAM DE MÃOS DADAS?
As pegadas de hominídeos deixadas há 3,6 milhões de anos em Laetoli, Tanzânia, foram descobertas por Mary Leakey em 1978. Fossilizaram-se em cinza vulcânica. A trilha estende-se por cerca de 70 metros, e provavelmente foi feita por *Australopithecus afarensis* (ver página 100).

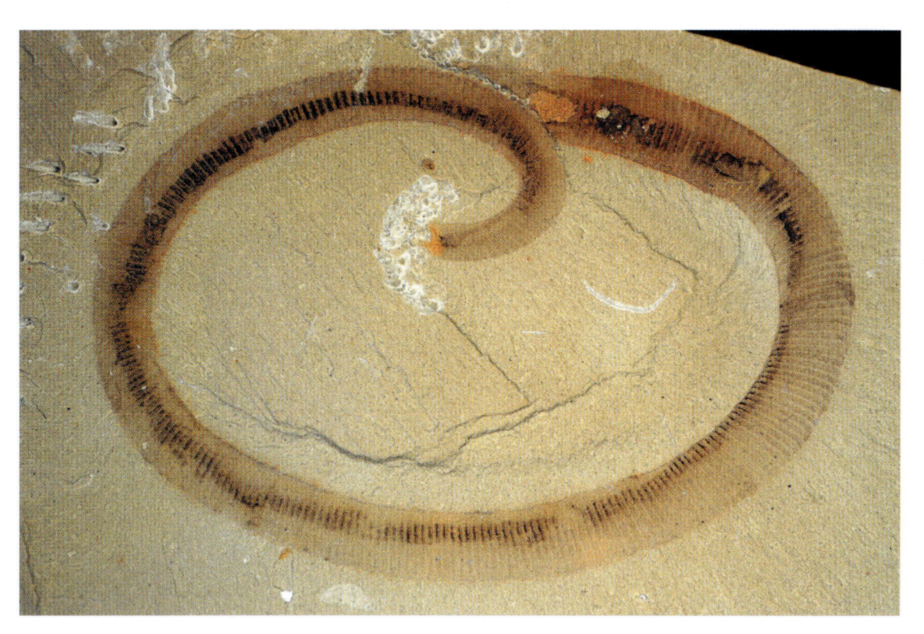

4. UMA SORTE TERMOS FÓSSEIS

Um verme fóssil, *Palaeoscolex sinensis*, dos sítios fossilíferos de Chengjiang, mostra detalhes precisos de partes moles do corpo. Os fósseis de Chengjiang são do Cambriano Inferior, cerca de 525 milhões de anos atrás (ver página 101).

6. UM MARCIANO SE SENTIRIA EM CASA EM MADAGASCAR?
Avenida de baobás, Morondava, Madagascar. Essa espécie de baobá, *Adansonia grandidieri*, é uma das seis exclusivas de Madagascar (ver página 207).

Página ao lado
5. CONCESTRAL 3
Reconstrução imaginária do Concestral 3, um grande primata quadrúpede que provavelmente passava boa parte do tempo nas árvores. Como todos os grandes primatas, ele possivelmente demonstrava considerável inteligência. Reconstrução artística de Malcolm Godwin (ver página 148).

7. NADANDO EM SEU FENÓTIPO ESTENDIDO
Castor europeu (*Castor fiber*) (ver página 235).

8. UMA SURPRESA COLOSSAL
Hippopotamus amphibius em seu elemento. Duas espécies de hipopótamo sobrevivem hoje na África (a outra é o hipopótamo-pigmeu, *Hexaprotodon liberiensis*), mas vestígios fósseis indicam que talvez três espécies de hipopótamo viveram em Madagascar até o Holoceno (ver página 241).

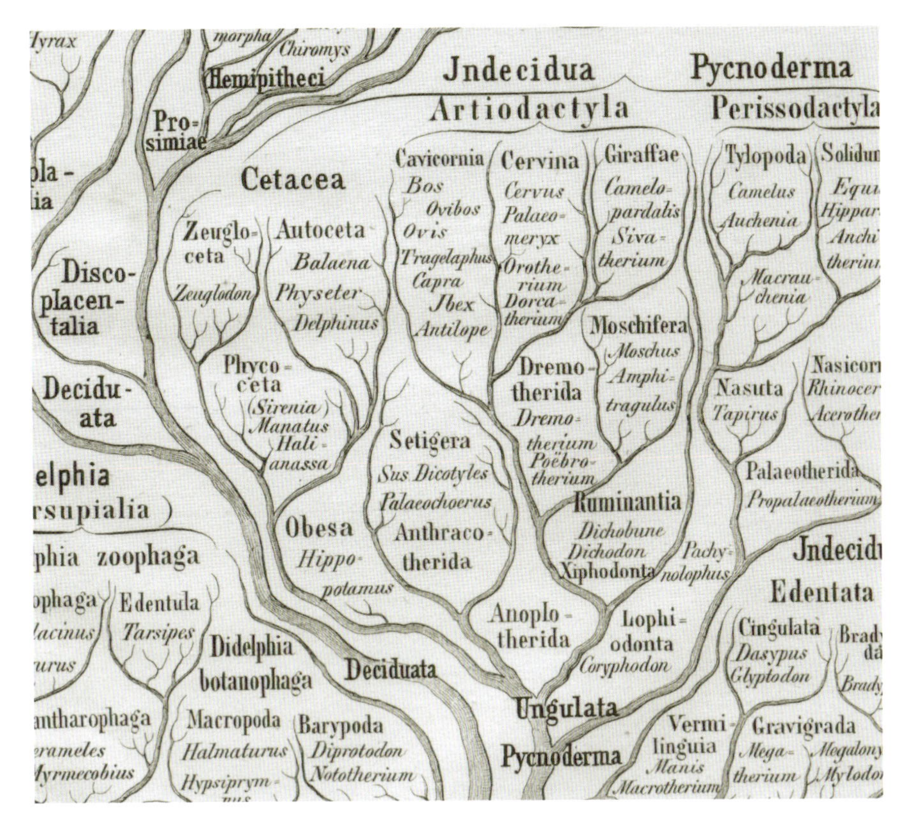

9. NADA DE NOVO SOB O SOL

Detalhe da árvore evolutiva dos mamíferos de Ernst Haeckel, publicada em 1866, mostrando o parentesco próximo dos hipopótamos com as baleias (ver página 248).

10. TAMANHO É DOCUMENTO

Macho e fêmea de elefante-marinho (*Mirounga leonina*) (ver página 252).

11. UM DOS CINCO PEQUENOS
Musaranho-elefante (*Elephantulus edwardii*) (ver página 264).

12. A PÁ COMANDA
Impressão artística de um Amebelodon, ou "tromba de pá" (ver página 268).

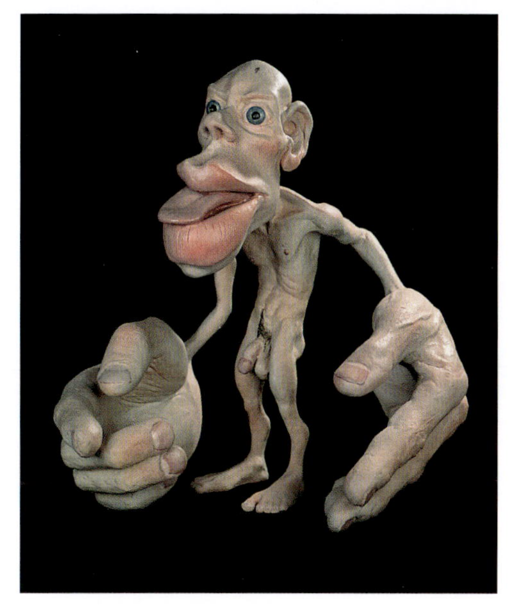

13. O CÉREBRO HUMANO PRIVILEGIA A MÃO
Um homúnculo de Penfield mostra partes do corpo humano infladas em proporção à área do córtex cerebral dedicada à sua percepção sensitiva (ver página 286).

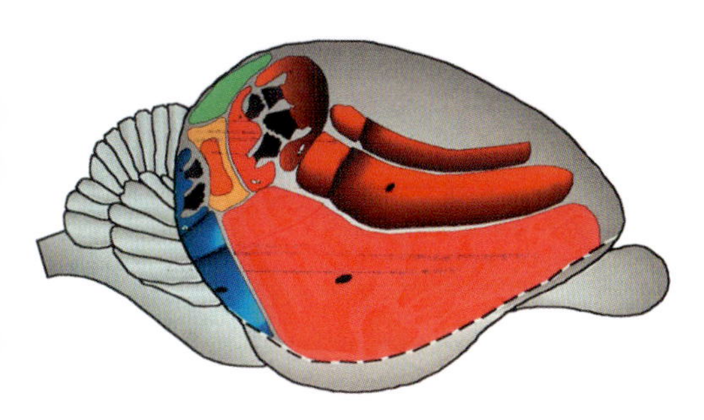

14. O CÉREBRO DO ORNITORRINCO PRIVILEGIA O BICO
"Ornitorrúnculo", de PETTIGREW *et al.* (ver página 287).

15. O MESMO TRUQUE ENGENHOSO?
O espátula (*Polyodon spathula*) (ver página 290).

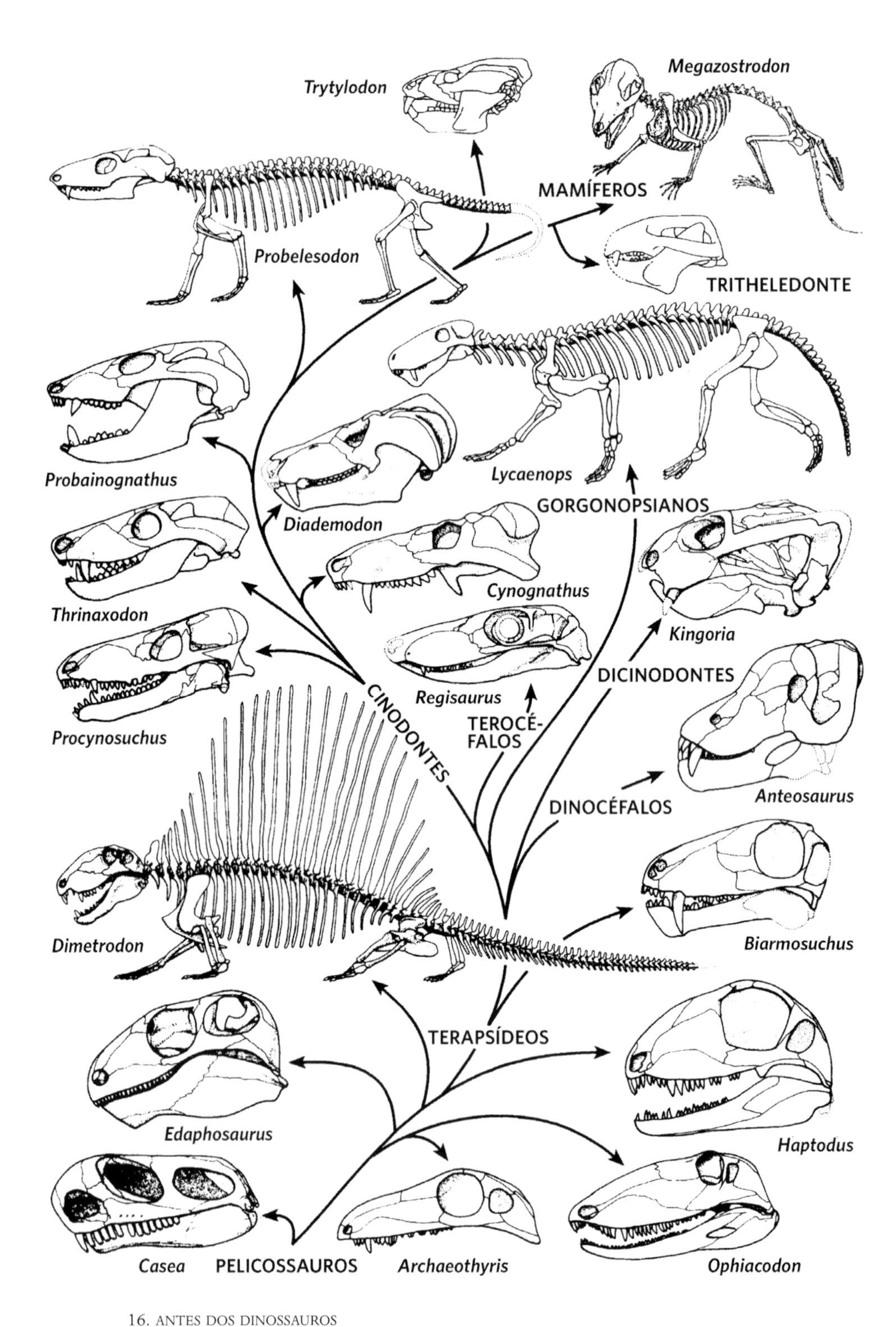

16. ANTES DOS DINOSSAUROS
As relações filogenéticas dos répteis mamaliformes. Adaptado de TOM KEMP (ver página 302).

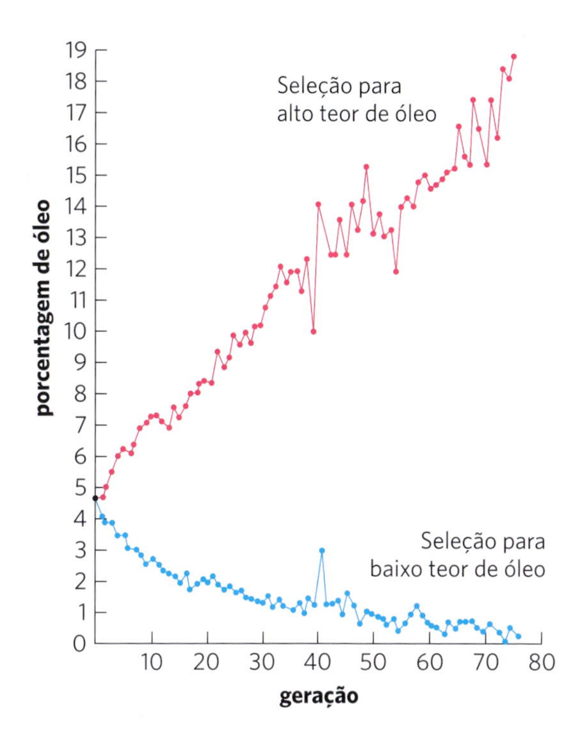

17. O PODER DA SELEÇÃO
Impacto da seleção para alto e baixo teor de óleo em sementes de milho no decorrer de 90 gerações. Adaptado de DUDLEY e LAMBERT (ver página 309).

18. EVOLUÇÃO EM SINGULARIDADE E EXTRAVAGÂNCIA
Ave-do-paraíso-de-wilson (*Diphyllodes respublica*) (ver página 315).

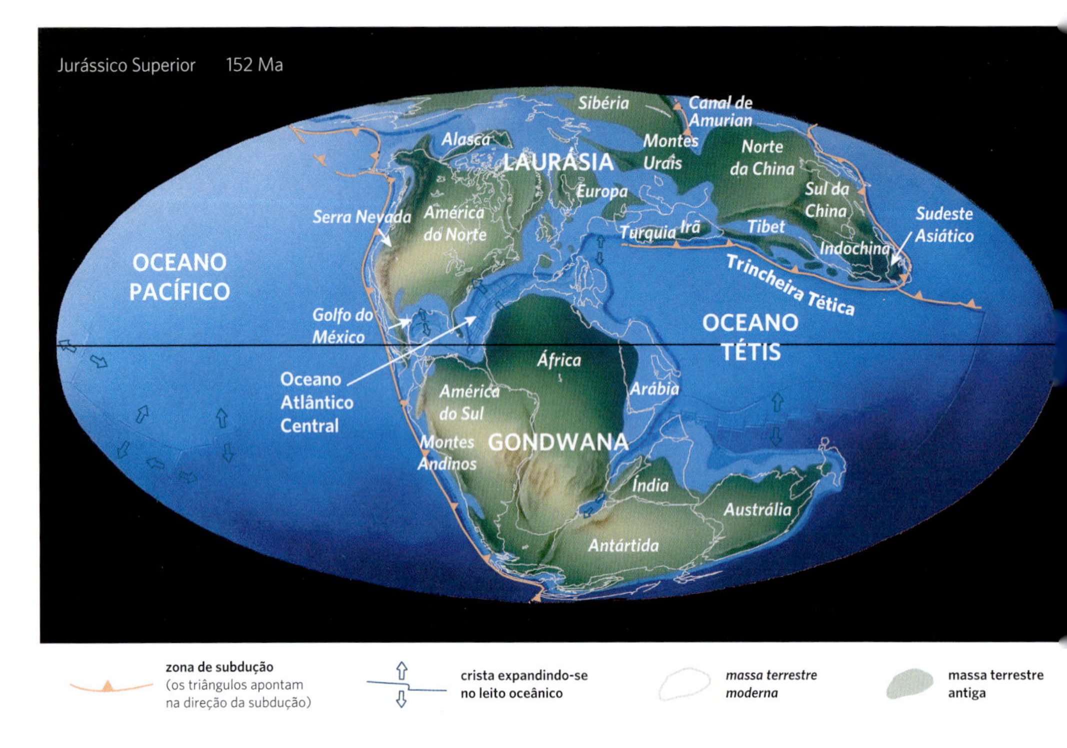

19. A TERRA NO JURÁSSICO SUPERIOR, HÁ APROXIMADAMENTE 150 MILHÕES DE ANOS

O supercontinente Pangeia separara-se em Laurásia (no norte) e Gondwana (no sul), e o Oceano Atlântico começava a formar-se. Gondwana estava também prestes a fragmentar-se. O clima era bem quente (ver página 337).

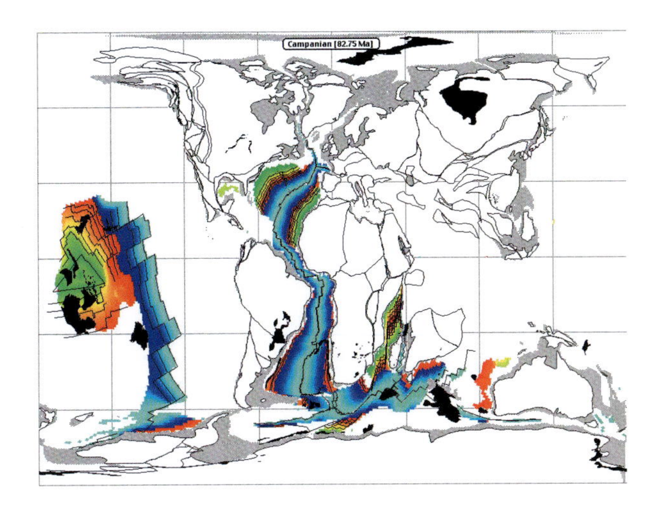

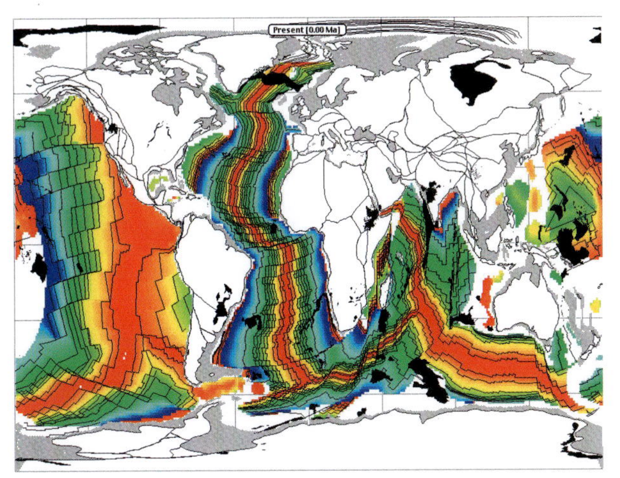

20. Estes dois mapas representam as idades das rochas no leito oceânico, baseadas em seu magnetismo remanescente. O mapa de cima mostra a Terra há 68 milhões de anos. O de baixo retrata a Terra hoje. As faixas em falsa-cor mostram rochas no leito oceânico do Período Cretáceo empurradas para trás conforme se formava o novo leito oceânico, alargando o Atlântico (ver página 344).

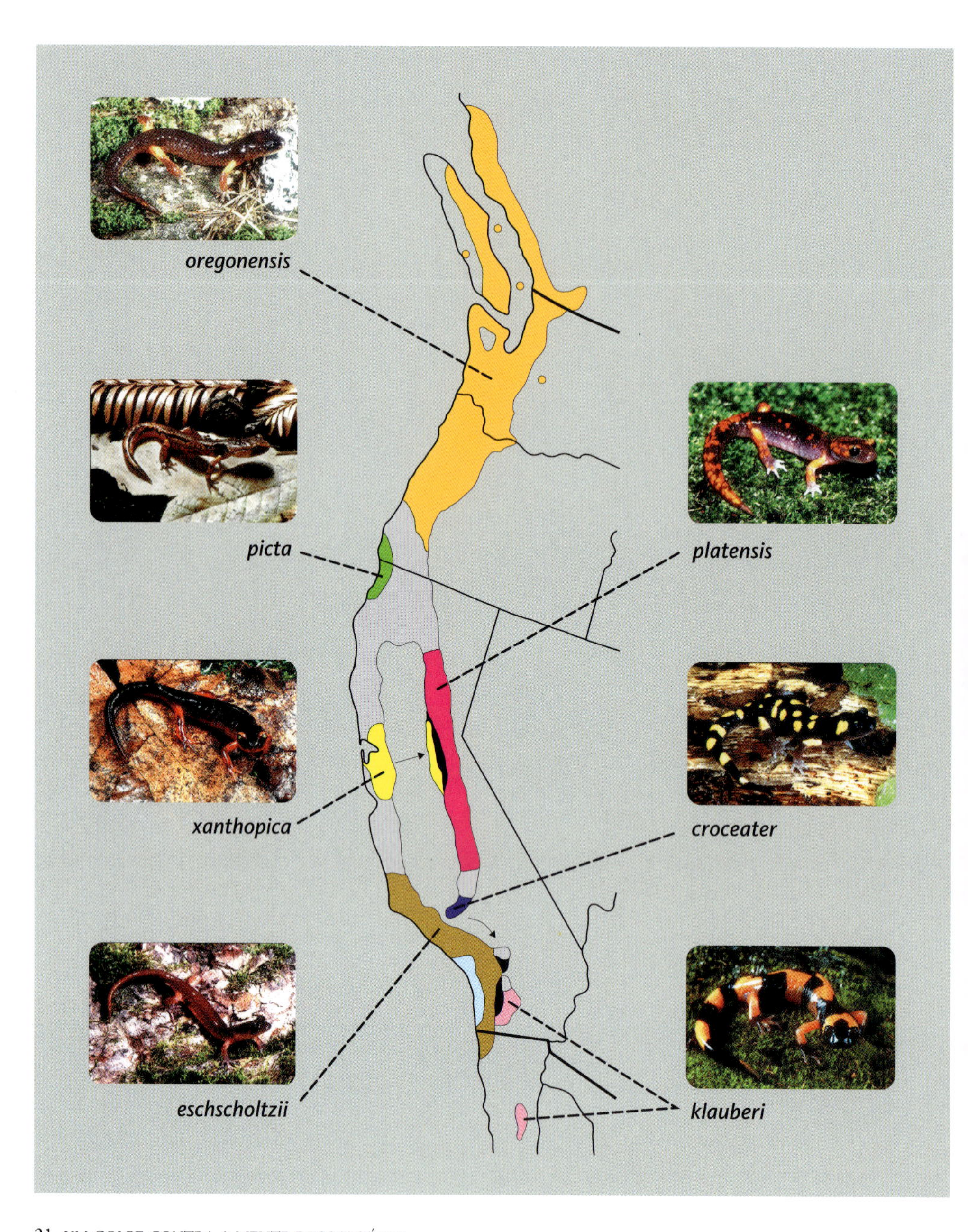

21. UM GOLPE CONTRA A MENTE DESCONTÍNUA
Populações de *Ensatina* ao redor do Vale Central na Califórnia. As áreas pontilhadas indicam zonas de transição. Mapa adaptado de STEBBINS (ver página 357).

Página ao lado
22. CONCESTRAL 18
Os vertebrados terrestres evoluíram de peixes de nadadeiras lobadas como este reconstituído aqui. Esse nome provém dos proeminentes lobos em todas as nadadeiras, exceto na dorsal e na cauda heterocercal (assimétrica). Reconstrução artística de Malcolm Godwin (ver página 378).

23. “NEM SE EU VISSE UM DINOSSAURO ANDANDO PELA RUA EU TERIA FICADO TÃO SURPRESO.” Celacanto (*Latimeria chalumnae*) fotografado no litoral das ilhas Comoros, no Oceano Índico (ver página 386).

24. NÃO É ALGA MARINHA Dragão-marinho (*Phycodurus equus*) (ver página 390).

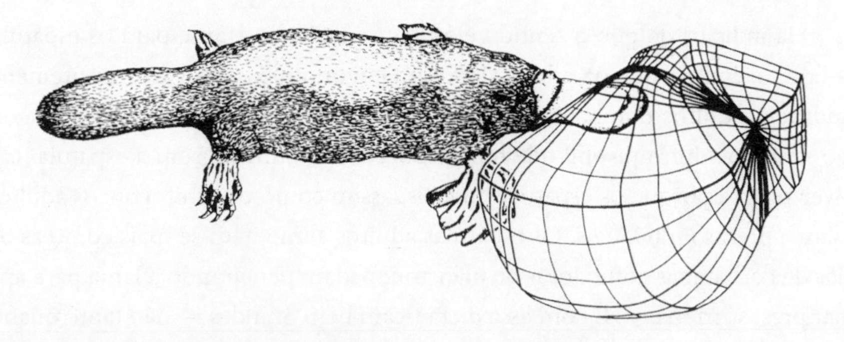

FORMIGAMENTOS REMOTOS. O mundo sensitivo elétrico do ornitorrinco.
Extraído de MANGER e PETTIGREW (ver página 721).

os esturjões, ao longo da evolução adquiriu secundariamente um esqueleto cartilaginoso como o do tubarão. Mas, em contraste com este, os espátulas vivem em água doce, em geral rios turvos onde, novamente, os olhos não têm muita serventia. Sua "espátula" tem uma forma bem parecida com a da maxila no bico do ornitorrinco, embora não seja uma maxila e sim uma extensão do crânio. Ela pode ser extremamente longa, muitas vezes com quase um terço do comprimento do corpo. Mais ainda que o bico do ornitorrinco, ela me faz pensar em um avião Nimrod.

É óbvio que espátula tem algum papel importante na vida do peixe. De fato, demonstrou-se claramente que ela faz o mesmo trabalho que o bico do ornitorrinco: detectar campos elétricos de presas. Assim como no ornitorrinco, os sensores elétricos encontram-se em poros dispostos em linhas longitudinais. Mas os dois sistemas evoluíram independentemente. Os poros elétricos do ornitorrinco são glândulas mucosas modificadas. Os poros elétricos do espátula são tão semelhantes aos poros usados pelos tubarões como sensores elétricos, chamados ampolas de Lorenzini, que receberam o mesmo nome. Mas enquanto o ornitorrinco tem seus poros sensitivos em cerca de uma dezena de faixas estreitas dispostas longitudinalmente no bico, o espátula possui duas faixas largas, uma de cada lado da linha média da espátula. Assim como o ornitorrinco, o espátula tem um número enorme de poros sensitivos — mais até do que o ornitorrinco. Mas o espátula e o ornitorrinco são muito mais sensíveis à eletricidade do que qualquer um de seus sensores sozinho. Sem dúvida, eles fazem algum tipo complexo de soma dos sinais captados pelos diferentes sensores.

Há indícios de que o sentido elétrico é mais importante para os espátulas na fase juvenil do que na adulta. Já foram encontrados, vivos e aparentemente saudáveis, adultos que haviam perdido a espátula por acidente, mas até agora não se viu nenhum juvenil que tenha sobrevivido num rio sem a espátula. Isso talvez ocorra porque os espátulas juvenis, assim como os ornitorrincos adultos, visam a presas individuais. Os espátulas adultos alimentam-se mais como as baleias de barbatanas comedoras de plâncton: nadam peneirando a lama para apanhar presas em massa. E com essa dieta ficam bem grandes — não tanto quanto as baleias, mas tão pesados e compridos quanto um homem, maiores do que a maioria dos animais que nadam em água doce. Presumivelmente, quem filtra o plâncton quando adulto tem menos necessidade de um acurado localizador de presas do que quem sai à caça de presas individuais, como os juvenis.

Portanto, o ornitorrinco e o espátula chegaram independentemente ao mesmo truque engenhoso (ver Ilustração 15). Algum outro animal descobriu o truque? Enquanto fazia seu doutorado na China, meu assistente de pesquisa Sam Turvey encontrou um trilobito muito incomum chamado *Reedocalymene*. Ele se parece com os trilobitos mais comuns que vivem em charcos (como o "Dudley Bug", *Calymene*, encontrado no sítio fossilífero de Dudley e retratado no brasão dessa cidade), mas tem uma característica única e notável: um rostro enorme e achatado, parecido com o do espátula, com o mesmo comprimento do resto do corpo. Não pode ser com vistas à hidrodinâmica que um rostro assim evoluiu, já que esse trilobito, ao contrário de muitos outros, obviamente não é aparelhado para nadar acima do leito marinho. Um propósito defensivo também é improvável, por várias razões. Assim como os bicos do espátula, do esturjão ou do ornitorrinco, o rostro do trilobito é crivado de estruturas que parecem ser receptores sensitivos, usados provavelmente para detectar presas. Turvey desconhece artrópodes modernos que possuam um sentido elétrico (o que em si já é interessante, considerando a versatilidade dos artrópodes), mas aposta que o *Reedocalymene* é outro "espátula" ou "ornitorrinco". Ele espera começar a estudar o assunto em breve.

Outros peixes, embora desprovidos de uma "antena" que lembre o Nimrod como as do ornitorrinco e do espátula, possuem um sentido elétrico ainda mais refinado. Não se contentando em captar sinais elétricos emitidos inadvertidamente pela presa, esses peixes geram seu próprio campo elétrico. Navegam e detectam as presas lendo as distorções que sentem nesses campos autogerados. Tal como várias arraias cartilaginosas, dois grupos de peixes ósseos — a família dos gimnotídeos da América do Sul e a família dos mormorídeos da África — desenvolveram independentemente essa aptidão em altíssimo grau.

Como esses peixes produzem sua própria eletricidade? Do mesmo modo que os camarões, as larvas de insetos e outras presas do ornitorrinco o fazem de forma inadvertida: usando os músculos. Mas enquanto os camarões não podem evitar produzir um pouco de eletricidade simplesmente porque é isso que os músculos fazem, o peixe elétrico põe seus músculos para trabalhar em grupo, como baterias em série.* Um peixe elétrico gimnotídio ou mormirídio possui uma bateria de blocos musculares dispostos em série ao longo da cauda, e cada qual gera uma baixa voltagem e se soma a uma voltagem mais alta. A enguia elétrica (não uma enguia verdadeira, mas outro gimnotídio sul-americano de água doce) leva isso ao extremo. Ela tem uma cauda muito longa na qual pode acondicionar uma bateria de células muito maior do que a que caberia em um peixe de comprimento normal. Essa enguia aturde a presa com choques elétricos que podem exceder 600 volts e ser fatal a um humano. Outros peixes de água doce, como o peixe-gato elétrico africano *Malapterurus* e a arraia-marinha elétrica *Torpedo* também geram voltagem suficiente para matar, ou pelo menos nocautear a presa.

Esses peixes de alta voltagem parecem ter levado ao atordoante extremo uma capacidade que originalmente foi um tipo de radar usado pelo peixe para orientar-se e detectar presas. Peixes pouco elétricos como o *Gymnotus* sul-americano e o não aparentado *Gymnarchus* africano possuem um órgão elétrico como o da enguia-elétrica, só que bem mais curto — sua bateria consiste em menos placas musculares modificadas em série; e um peixe fracamente elétrico costuma gerar menos do que um volt. O peixe posta-se como uma vareta rígida na água, por uma boa razão, como veremos, e a corrente elétrica passa ao longo de linhas curvas que teriam encantado Michael Faraday. Poros ocupam os flancos do corpo, contendo sensores elétricos que são minúsculos voltímetros. Obstáculos ou presas distorcem o campo de vários modos, e estes são detectados pelos pequenos voltímetros. Comparando as leituras dos diferentes voltímetros e cor-

* A palavra "bateria", em seu sentido elétrico original, significa uma bateria de células em série, em contraste com uma única célula. Se um rádio transistor usa seis "baterias", um pedante insistiria em dizer que ele usa uma bateria de seis células.

relacionado-as com as flutuações do próprio campo (sinusoidais em algumas espécies, pulsáteis em outras), o peixe pode calcular a localização dos obstáculos e presas. Eles também usam seus órgãos e sensores elétricos para se comunicar uns com os outros.

Um peixe elétrico sul-americano como o *Gymnotus* é muito semelhante ao seu colega africano *Gymnarchus*, mas há uma diferença reveladora. Ambos têm uma única nadadeira longa que acompanha longitudinalmente a linha média, e ambos a usam para o mesmo propósito. Eles não podem mover o corpo com as sinuosidades normais de um peixe nadador porque isso distorceria seu sentido elétrico. Ambos são obrigados a manter o corpo rígido, por isso nadam usando a nadadeira logitudinal, que ondula exatamente como a de um peixe normal. Isso significa que eles nadam devagar, mas presumivelmente isso vale a pena, pois lhes dá o benefício de um sinal claro. O fato fascinante é que o *Gymnarchus* tem a nadadeira longitudinal nas costas, enquanto no *Gymnotus* e nos outros peixes elétricos sul-americanos, inclusive a "enguia" elétrica, ela é ventral. Foi para casos como esse que se cunhou a expressão "exceção que prova a regra".

Voltando ao ornitorrinco, o ferrão traseiro, na verdade, fica nas garras posteriores do ornitorrinco macho. Verdadeiros ferrões venenosos, com injeção hipodérmica, são encontrados em vários filos de invertebrados, assim como em peixes e répteis entre os vertebrados, mas nunca em aves ou mamíferos, com exceção do ornitorrinco (a menos que contemos a saliva tóxica dos solenodontes e alguns musaranhos, que torna a mordida desses animais ligeiramente venenosa). Entre os mamíferos, o ornitorrinco macho é uma classe única, e talvez também o seja entre os animais venenosos. O fato de o ferrão ser encontrado apenas nos machos sugere, surpreendentemente, que ele não é usado contra predadores (como o das abelhas) nem contra as presas (como o das cobras), mas contra rivais. Ele não é perigoso, mas é muitíssimo doloroso, e não reage à morfina. Ao que parece, o veneno do ornitorrinco atua diretamente sobre os próprios receptores da dor. Se os cientistas pudessem compreender como isso ocorre, poderíamos ter esperança de encontrar alguma pista sobre como resistir à dor causada pelo câncer.

Este conto começou repreendendo os zoólogos que chamam o ornitorrinco de "primitivo" como se houvesse algum tipo de explicação para o modo como ele é. Na melhor das hipóteses, é uma descrição. Primitivo significa "semelhante ao ancestral", e em muitos aspectos essa é uma boa descrição para o ornitorrinco. O bico e o ferrão são exceções interessantes. Mas a moral mais importante do conto é que mesmo um animal genuinamente primitivo em todos os aspectos é primitivo por uma razão. As características ancestrais são boas para seu modo de vida, e por isso não há por que mudar. Como gostava de dizer o professor Arthur Cain, da Universidade de Liverpool, um animal é como é porque precisa ser.

O QUE A TOUPEIRA-DE-NARIZ-ESTRELADO DISSE PARA O ORNITORRINCO

A toupeira-de-nariz-estrelado, que com os outros laurasiatérios se juntara à peregrinação no Encontro 11, ouviu muito atenta "O conto do ornitorrinco" e, com crescente reconhecimento transparecendo em seus olhinhos vestigiais do tamanho de uma ponta de alfinete, bateu as patas dianteiras cheia de animação e exclamou com uma vozinha esganiçada, aguda demais para ser ouvida por alguns dos peregrinos maiores: "Taí! É exatamente o que acontece comigo... Quer dizer, mais ou menos".

Não, não vai dar. Eu queria imitar Chaucer e ter pelo menos uma seção dedicada ao que um peregrino disse a outro, mas vou limitá-la ao cabeçalho e ao primeiro parágrafo e voltar à prática de narrar o conto com minhas próprias palavras. Bruce Fogle (*100 perguntas que seu cão faria ao veterinário*) ou Olivia Judson (*Consultório sexual da Dra. Tatiana*) talvez se saíssem bem numa tentativa desse tipo, mas não eu.

CAPACIDADE TÁTIL JAMAIS SONHADA. *Close* frontal de uma toupeira-de-nariz-estrelado, *Condylura cristata*.

A toupeira-de-nariz-estrelado, *Condylura cristata*, é uma toupeira norte-americana que, além de fazer tocas e caçar vermes como outras toupeiras, também é boa nadadora e procura presas debaixo d'água. Ela costuma cavar túneis profundos em margens de rios. Além disso, tem mais desenvoltura na superfície do que outras toupeiras, embora ainda prefira lugares úmidos e encharcados. Como as outras toupeiras, ela tem mãos grandes que parecem pás.

O que a distingue é o impressionante nariz ao qual ela deve seu nome. Suas narinas voltadas para a frente são circundadas por um extraordinário anel de tentáculos carnosos que fazem pensar em uma pequena estrela-do-mar com 22 braços. Os tentáculos não são usados para agarrar. Tampouco ajudam o olfato, o que poderia ser a próxima hipótese a nos ocorrer. E também não são, apesar do começo desta seção, um radar elétrico como o do ornitorrinco. Sua verdadeira natureza foi descoberta por Kenneth Catania e Jon Kaas, da Universidade Vanderbilt, no Tennessee. A estrela é um órgão tátil, como uma mão humana dotada de sensitividade extraordinária, só que sem a função preênsil da mão e muito mais sensível do que esta. Mas não é apenas um órgão com sensitividade meramente extraordinária. A toupeira-de-nariz-estrelado tem uma capacidade tátil além de todos os nossos sonhos. A pele de seu nariz é mais sensível do que qualquer outra área de pele de qualquer parte do corpo de qualquer mamífero, e mais até do que a mão humana.

Há onze tentáculos ao redor de cada narina, chamados de 1 a 11 na sequência. O tentáculo 11, situado próximo da linha média e logo abaixo do nível da narina, é especial, como veremos em um momento. Embora não sejam usados para agarrar, os tentáculos movem-se, independentemente ou em grupos específicos. A superfície de cada tentáculo é revestida com um conjunto regular de pequenas protuberâncias arredondadas chamadas órgãos de Eimer. Cada uma delas é uma unidade tátil, e cada uma está ligada a fibras nervosas, cujo número varia de sete (para o tentáculo, onze) a quatro (para a maioria dos outros tentáculos).

A densidade dos órgãos de Eimer é igual em todos os tentáculos. O tentáculo 11, por ser menor, possui menos dessas papilas, mas tem mais nervos abastecendo cada uma. Catania e Kaas conseguiram mapear as conexões dos tentáculos com o cérebro. Encontraram (no mínimo) dois mapas independentes do nariz de estrela no córtex cerebral. Em cada uma dessas duas áreas cerebrais, as partes do cérebro correspondentes a cada tentáculo estão dispostas em ordem. E o tentáculo 11 também é especial. Ele é mais sensível do que os outros. Assim

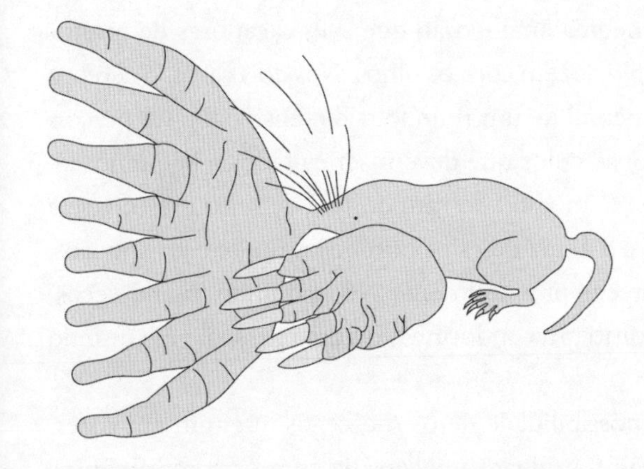

A PRIORIDADE ESTÁ NA CARA. "Toupeirúnculo", o mapa cerebral da toupeira-de-nariz-estrelado. Extraído de CATANIA e KAAS (ver página 715).

que um objeto é detectado por qualquer tentáculo, o animal move a estrela de modo a permitir que o tentáculo 11 faça um exame atento. Só então é tomada a decisão de comer o achado ou não. Catania e Kaas referem-se ao tentáculo 11 como a "fóvea" da estrela.* De modo mais geral, eles dizem: "Embora o nariz da toupeira-de-nariz-estrelado atue como uma superfície sensitiva tátil, existem semelhanças anatômicas e comportamentais entre o sistema sensitivo da toupeira e o sistema visual de outros mamíferos".

Se a estrela não é um sensor elétrico, o que explica a empatia com o ornitorrinco no começo desta seção? Catania e Kaas construíram um modelo esquemático da quantidade relativa de tecido cerebral dedicada a diferentes partes da superfície do corpo. É um toupeirúnculo, por analogia com o homúnculo de Pendield e com o ornitorrúnculo de Pettigrew. E vejam só!**

Dá para perceber quais são as prioridades da toupeira-de-nariz-estrelado. Podemos fazer uma ideia do mundo desse animal: o tato é soberano. Ela vive em um mundo tátil, dominado pelos tentáculos do nariz, com um interesse secundário nas manzorras de pá e nos bigodes.

Como é ser uma toupeira-de-nariz-estrelado? Sinto-me tentado a apresentar o equivalente, para esse animal, de uma ideia que certa vez sugeri para os morcegos. Os morcegos vivem em um mundo de sons, mas o que eles fazem

* A fóvea é a pequena área no meio da retina humana onde os cones se concentram para que a acuidade e a visão de cores sejam máximas. Com a fóvea nós lemos, reconhecemos o rosto das pessoas e fazemos tudo o que requer uma discriminação visual refinada.

** Note que partes do "toupeirúnculo" estão ocultas atrás de partes que podemos ver.

com as orelhas é em grande medida análogo ao que aves caçadoras de insetos como as andorinhas, por exemplo, fazem com os olhos. Nos dois casos, o cérebro precisa construir um modelo mental de um mundo tridimensional a ser percorrido em alta velocidade, com obstáculos que devem ser evitados e pequenos alvos móveis a serem apanhados. O modelo do mundo tem de ser o mesmo, seja ele construído e atualizado com a ajuda de raios luminosos ou de ecos sonoros. Minha suposição é que um morcego provavelmente "vê" o mundo (usando ecos) de um modo muito parecido como uma andorinha, ou uma pessoa, vê o mundo usando a luz.

Cheguei até a cogitar na possibilidade de os morcegos ouvirem em cores. Os matizes que percebemos não têm ligação necessária com os comprimentos de onda luminosa específicos que eles representam. A sensação que chamo de vermelho (e ninguém sabe se o meu vermelho é o mesmo que o seu) é um rótulo arbitrário para a luz de comprimentos de onda longos. Poderia ter sido usada igualmente para comprimentos de ondas curtos (azul), e a sensação que chamo de azul ser usada para comprimentos de onda longos. Essas sensações de tom estão disponíveis no cérebro para serem associadas a qualquer coisa, no mundo exterior, que seja mais conveniente. No cérebro dos morcegos, esses vívidos *qualia* seriam desperdiçados se fossem associados à luz. É mais provável que sejam usados como rótulos associados a qualidades específicas do eco, talvez texturas de superfícies de obstáculos ou de presas.

Minha conjectura agora é que uma toupeira-de-nariz-estrelado "vê" com o nariz. E minha suposição é que ela usa esses mesmos *qualia* que chamamos de cor como rótulos para sensações táteis. Analogamente, quero supor que o ornitorrinco "vê" com o bico e usa os *qualia* que chamamos de cor como rótulos internos para sensações elétricas. Será por isso que o ornitorrinco fecha bem os olhos quando está em uma caçada elétrica com o bico? Seria porque os olhos e o bico competem, no cérebro, por rótulos internos de *qualia*, e usar ambos os sentidos simultaneamente causaria confusão?

Répteis mamaliformes

Agora que os monotremados se juntaram a nós, toda a companhia de peregrinos mamíferos volta no tempo por 130 milhões de anos ininterruptos, o maior intervalo entre dois marcos até aqui. O destino é o Encontro 16, onde nos reuniremos a um grupo de peregrinos ainda maior que o nosso, os sauropsídeos, composto por répteis e aves. Isso engloba quase todos os vertebrados que botam ovos com uma casca à prova d'água em terra firme. Em parte, preciso dizer "quase" porque os monotremados, que já se juntaram a nós, também põem ovos desse tipo. Até as tartarugas marinhas arrastam-se para a praia na hora de botar seus ovos. Os plesiossauros talvez fizessem o mesmo. Já os ictiossauros eram tão especializados para nadar que, assim como os golfinhos que mais tarde se pareceriam com eles, é provável que nunca pudessem ir a terra firme. Eles descobriram independentemente como parir crias vivas — o que sabemos graças a mães que se fossilizaram nesse ato.*

Afirmei que nossos peregrinos atravessaram 130 milhões de anos ininterruptamente, "sem marcos pelo caminho", mas está claro que só posso dizer "sem marcos" segundo as convenções deste livro: reconhecemos como marcos apenas os encontros com peregrinos vivos. Nossa linhagem ancestral entregou-se a uma

* Alguns lagartos remanescentes também descobriram o nascimento vivo.

prolífica ramificação evolutiva nessa época, como sabemos, graças ao rico registro fóssil de "répteis mamaliformes". Mas nenhuma dessas ramificações conta como um "encontro" porque, no fim, nenhuma delas sobreviveu. Por isso, elas não têm representantes modernos que possam partir do presente como peregrinos. Quando deparamos com um problema semelhante ao tratarmos dos hominídeos, decidimos dar a certos fósseis o status honorário de "peregrinos oficiosos". Como somos peregrinos à procura dos nossos ancestrais, peregrinos que realmente desejam saber como era nosso 100 000 000º avô, não podemos desconsiderar os répteis mamaliformes e pular direto para o Concestral 16. Como veremos, ele parecia-se com um lagarto. O hiato desde o Concestral 15, que tinha a aparência de um musaranho, é grande demais para deixarmos de fazer a ponte entre um e outro. Temos de examinar os répteis mamaliformes como peregrinos oficiosos, como se eles fossem peregrinos vivos juntando-se à nossa jornada — mas sem que eles efetivamente narrem contos. Primeiro, porém, cumpre dar algumas informações básicas sobre o período de tempo decorrido, pois ele é muito longo.

Os anos intermediários sem marcos de encontro abrangem metade do Jurássico, todo o Triássico, todo o Permiano e os últimos 10 milhões de anos do Carbonífero. Quando a peregrinação retrocede no tempo a partir do Jurássico em direção ao mundo mais quente e mais seco do Triássico — um dos períodos mais quentes da história do planeta, quando todas as massas de terra eram unidas e formavam a Pangeia —, passamos pela extinção em massa de fins do Triássico, na qual três quartos de todas as espécies desapareceram. Mas isso é nada em comparação com a transição retrocessiva seguinte, do Período Triássico ao Permiano. Na fronteira Permo-Triássica, nada menos que 90% de todas as espécies pereceram sem deixar descendentes, entre elas todos os trilobitos e vários outros grupos importantes de animais. Os trilobitos, para dizer a verdade, já vinham declinando havia muito tempo. Mas a extinção em massa de fins do Permiano foi a mais devastadora de todos os tempos. Da Austrália, temos alguns indícios de que essa extinção, como a do Cretáceo, foi causada pela colisão de um bólido imenso. Até os insetos sofreram um forte golpe, o único em sua história. No mar, as comunidades das profundezas foram quase aniquiladas. Em terra, o Noé dos répteis mamaliformes foi o *Lystrosaurus*. Logo após a catástrofe, o atarracado e braquicaudado *Lystrosaurus* tornou-se extremamente abundante no mundo todo, ocupando nichos vagos sem demora.

A associação natural com uma carnificina apocalíptica precisa ser amenizada. A extinção é o destino final de quase todas as espécies. Talvez 99% de todas as espécies que já existiram extinguiram-se. Entretanto, a taxa de extinção por milhões de anos não é fixa, e só às vezes supera 75%, o limiar arbitrariamente reconhecido para caracterizar uma extinção "em massa". As extinções em massa são picos na taxa de extinção, que se elevam acima da taxa básica.

O diagrama da página seguinte mostra taxas de extinção por milhões de anos.* Alguma coisa aconteceu na época desses picos. Alguma coisa ruim. Talvez um único evento catastrófico, como a colisão com uma gigantesca rocha celeste que matou os dinossauros 65 milhões de anos atrás, na extinção do Cretáceo-Paleógeno. Ou, em alguns dos outros cinco picos, a agonia pode ter sido prolongada. O que Richard Leakey e Roger Lewin denominaram Sexta Extinção é aquela que agora vem sendo perpetrada pelo *Homo sapiens* — ou *Homo insipiens*, como preferia dizer meu velho professor de alemão William Cartwright.**

Antes de chegarmos aos répteis mamaliformes, temos de enfrentar uma questão de terminologia um tanto maçante. Termos como réptil e mamífero podem referir-se a "clados" ou a "grados" — essas designações não são exclusivas. Um clado é um grupo de animais composto por um ancestral e todos os seus descendentes. As "aves" compõem um bom clado. "Réptil", como tradicionalmente entendido, não é um bom clado, pois exclui as aves. Por isso, os biólogos referem-se aos répteis como "parafiléticos". Alguns répteis (por exemplo, os crocodilos) são primos mais próximos de alguns não-répteis (aves) do que de outros répteis (tartarugas). Uma vez que os répteis todos têm algo em comum, eles são membros de um *grado*, não de um clado. Um grado é um grupo de animais que atingiram um estágio semelhante em uma tendência evolutiva reconhecivelmente progressiva.

Outro nome informal de grado, muito a gosto dos zoólogos norte-americanos, é *herp*. Herpetologia é o estudo dos répteis (exceto aves) e anfíbios. *Herp*

* Os números absolutos são inferiores a 75%, pois se referem a gêneros, e não a espécies. Os números absolutos para as espécies são superiores aos dos gêneros, pois cada gênero contém várias espécies, sendo, portanto, mais difícil extinguir-se um gênero do que uma espécie.

** Um homem notável de sobrancelhas cerradas e fala morosa, que não tinha papas na língua e vivia sempre em guarda, o professor Cartwright descobriu o ativismo ecológico muito antes de isso ser moda, e permeava suas aulas com ecologia, em prejuízo do nosso alemão, mas em benefício de nossa educação humanista.

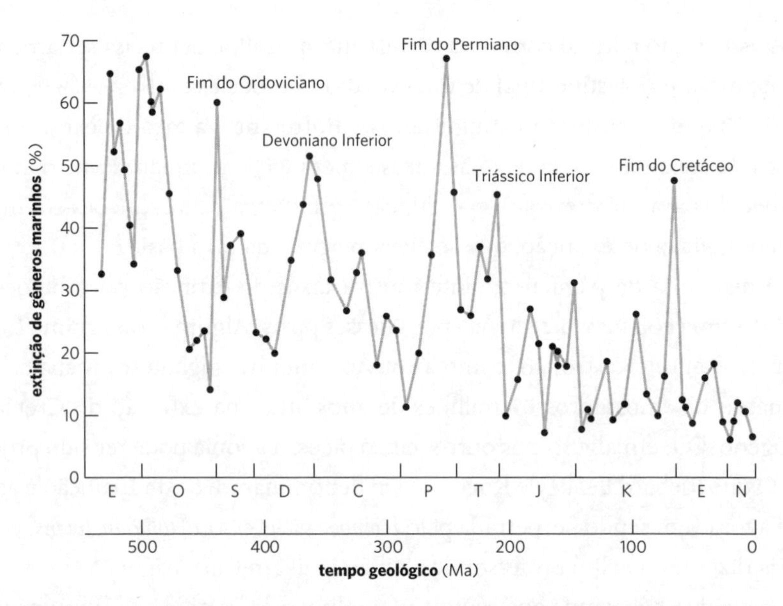

PERCENTUAL DE EXTINÇÃO DE GÊNEROS MARINHOS EM TODO O ÉON FANEROZOICO. Adaptado de SEPKOSKI (ver página 724).

é uma espécie de palavra rara: uma abreviatura para a qual não existe forma por extenso. Um *herp* é simplesmente o tipo de animal estudado pelos herpetologistas, e esse é um modo muito insatisfatório de definir um animal. O único outro termo que se aproxima é o bíblico "que rasteja".

Outro nome de grado é "peixes". "Peixes" inclui tubarões, vários grupos fósseis extintos, teleósteos (peixes ósseos como as trutas e o lúcio) e os celacantos. Mas as trutas são primas mais próximas dos humanos que dos tubarões (e os celacantos são primos ainda mais próximos dos humanos do que as trutas). Por isso, "peixe" não é um clado, pois exclui os humanos (e todos os mamíferos, aves, répteis e anfíbios). Peixe é um nome de grado que designa animais com aparência pisciana. É mais ou menos impossível obter uma terminologia precisa para um grado. Os ictiossauros e os golfinhos têm aparência de peixe, e muito possivelmente teriam gosto de peixe se os comêssemos, mas não são considerados membros do grado peixes, pois reverteram à aparência pisciana por intermédio de ancestrais que não se pareciam com peixes.

A terminologia do grado funciona bem para quem tem uma sólida convicção de que a evolução caminha progressivamente em uma direção, em linhas paralelas a partir de um ponto inicial comum. Se, digamos, alguém pensa que em um conjunto de linhagens aparentadas todas vêm evoluindo de maneira independente e paralela, de anfíbios para répteis, e depois para mamíferos, poderia falar em passar pelo grado réptil a caminho do grado mamífero. Algo parecido com essa marcha paralela pode ter ocorrido. Essa foi a visão que me ensinou meu respeitado professor de paleontologia dos vertebrados, Harold Pusey. Eu não desgosto da ideia, mas não é algo que deva ser tido por certo em geral, nem necessariamente cultuado na terminologia.

Se formos para o outro extremo e adotarmos a terminologia estritamente cladística, o termo réptil só poderá ser salvo se considerarmos que ele inclui as aves. Essa é a linha preferida pelo influente projeto "Árvore da Vida" fundado pelos irmãos Maddison.* Há muitos argumentos em favor de adotar essa linha e também de adotar a tática muito diferente de substituir "réptil mamaliforme" por "mamífero reptiliforme". Mas a palavra réptil tornou-se tão arraigada em seu sentido tradicional que, receio, causaria confusão mudá-la agora. Além disso, há ocasiões em que o purismo estritamente cladístico pode levar a resultados hilariantes. Vejamos uma *reductio ad absurdum*. O Concestral 16 sem dúvida teve um descendente imediato do lado mamífero e um descendente imediato do lado lagarto/crocodilo/dinossauro/ave, ou "sauropsídeo". Esses dois descendentes devem ter sido quase idênticos um ao outro. De fato, deve ter existido uma época em que eles podiam cruzar um com o outro e produzir híbridos. No entanto, o cladista rigoroso insistiria em chamar um deles de sauropsídeo e o outro de mamífero. Felizmente não costumamos chegar a essa *reductio* na prática, mas tais casos hipotéticos são bons para citar quando os cladistas puristas começam a ficar muito presumidos.

Estamos tão acostumados com a ideia dos mamíferos como sucessores dos dinossauros que podemos achar surpreendente o fato de os répteis mamaliformes terem florescido antes da ascensão dos dinossauros. Eles ocuparam o mesmo conjunto de nichos que depois seriam ocupados pelos dinossauros e, depois, pelos mamíferos. Na verdade, ocuparam esses nichos não uma só vez, mas várias, sucessivamente, separadas por extinções em grande escala. Como não há marcos representados por encontros com peregrinos vivos, reconhecerei três marcos "oficiosos" para transpormos o hiato entre o Concestral 15 (que nos liga

* Esse excelente recurso é continuamente atualizado em <http://tolweb.org/tree>. O site traz uma encantadora ressalva: "A Árvore está em construção. Por favor, seja paciente: a Árvore real demorou mais de 3 bilhões de anos para crescer".

aos monotremados e se parecia com os musaranhos) e o Concestral 16 (que nos liga às aves e dinossauros e se parecia com os lagartos).

Nossa 150 000 000ª avó poderia ter sido meio parecida com um *Thrinaxodon*, que viveu no Triássico Médio. Foram encontrados fósseis desse animal na África e na Antártida, que na época estavam unidas em Gondwana. É esperar demais que fosse o próprio *Thrinaxodon* ou qualquer outro fóssil específico que tivemos a sorte de encontrar. Devemos pensar no *Thrinaxodon* como em qualquer outro fóssil, como um primo do nosso ancestral, e não como o próprio ancestral. Ele foi membro de um grupo de répteis mamaliformes chamados cinodontes. Os cinodontes eram tão parecidos com mamíferos que é tentador chamá-los por esse nome. Mas que importa o nome que lhes damos? Eles são intermediários quase perfeitos. Dado que a evolução ocorreu, seria estranho não haver intermediários como os cinodontes.

Os cinodontes estiveram entre os vários grupos que se irradiaram a partir de um grupo anterior de répteis mamaliformes chamados terapsídeos. O nosso 160 000 000º avô foi provavelmente um terapsídeo que viveu durante o Período Permiano, mas é difícil escolher um fóssil específico para representá-lo. Os terapsídeos dominaram os nichos terrestres antes de os dinossauros surgirem no Período Triássico, e mesmo durante o Triássico foram páreo duro para os dinossauros. Havia entre eles alguns animais enormes: herbívoros com três metros de comprimento, que eram caçados por carnívoros grandes e possivelmente ferozes. Mas é provável que o terapsídeo nosso ancestral tenha sido uma criatura menor e mais insignificante. Parece que, via de regra, animais grandes ou especializados, como os gorgonopsídeos, de temíveis dentes afiados, ou os dicinodontes, herbívoros dotados de presas (ver Ilustração 16), não têm um futuro evolutivo de longo prazo; pertencem aos 99% das espécies fadadas à extinção. As espécies Noé, o 1% do qual descendemos todos nós, animais mais recentes — não importa se nós mesmos somos ou não somos grandes e espetaculares em nossa época —, tendem a ser menores e mais retraídas.

Os primeiros terapsídeos foram um pouco menos parecidos com mamíferos do que seus sucessores, os cinodontes, mas mais do que seus predecessores, os pelicossauros, que se irradiaram primeiro dos répteis mamaliformes. Antes dos terapsídeos, nossa 165 000 000ª avó quase certamente foi um pelicossauro, embora, repito, seja imprudente tentar dar a um fóssil específico essa honra. Os pelicossauros foram a primeira onda de répteis mamaliformes. Floresceram no Período Carbonífero, quando estavam em formação as grandes jazidas carboníferas. O pelicossauro mais conhecido é o dimetrodonte, aquele com uma crista no dorso que parece uma vela de navio. Ninguém sabe como o dimetrodonte usava essa vela. Talvez ela tenha sido um painel solar para ajudar o animal a aquecer-se até uma temperatura na qual pudesse usar seus músculos, e quem sabe também um radiador, para resfriar-se na sombra se o calor se tornasse excessivo. Ou, poderia ter sido um anúncio sexual, um equivalente ósseo do leque do pavão. A maioria dos pelicossauros extinguiu-se durante o Permiano — todos, exceto os pelicossauros-Noés que originaram a segunda onda de répteis mamaliformes, os terapsídeos. Esses passaram então à parte inicial do Período Triássico "reinventando muitas das formas corporais perdidas, de fins do Permiano".*

A semelhança dos pelicossauros com os mamíferos era consideravelmente menor que a dos terapsídeos, e a desses, por sua vez, menor que a dos cinodontes. Por exemplo, os pelicossauros tinham o ventre mais rente ao chão e as pernas escarranchadas, como os lagartos. Ao andarem, provavelmente coleavam de um modo que lembrava os peixes. Os terapsídeos, depois os cinodontes e por fim os mamíferos foram erguendo aos poucos o ventre do chão, com suas pernas tornando-se mais verticais e seu andar lembrando menos um peixe em terra. Entre outras tendências de "mamalização" — talvez reconhecidas como progressivas apenas pela visão retrospectiva dos mamíferos que somos — incluem-se: a redução da mandíbula a um único osso, o dentário, enquanto os outros ossos mandibulares passaram a ser usados pela orelha (como vimos no Encontro 15); e em algum momento, embora os fósseis não ajudem a precisar a época, o surgimento de pelos, de um termostato, de leite e de cuidados avançados com a prole, além de dentes complexos com propósitos diferenciados.

Discorri sobre a evolução de nossas âncoras répteis mamaliformes — "peregrinos oficiosos" — como três ondas sucessivas: pelicossauros, terapsídeos e cinodontes. Os mamíferos propriamente ditos foram a quarta onda, mas sua invasão evolutiva no conjunto familiar de ecotipos foi postergada em 150 milhões de anos. Primeiro, os dinossauros tiveram sua vez, que durou o dobro do tempo das três ondas de répteis mamaliformes somadas.

Em nossa marcha retrocessiva, o mais antigo dos nossos três grupos de "peregrinos oficiosos" levou-nos a um pelicossauro "Noé" parecido com um lagarto, nosso 165 000 000º avô, que viveu no Período Triássico há cerca de 300 milhões de anos. Estamos às portas do Encontro 16.

* Essa feliz expressão provém de *Mass extinctions and their aftermath*, de A. Hallam e P. B. Wignall.

Encontro 16
Sauropsídeos

O Concestral 16, aproximadamente nosso 170 000 000º avô, viveu há cerca de 310 milhões de anos, na segunda metade do Carbonífero, um tempo de vastos pantanais com imensos licopódios arbóreos nos trópicos (a origem da maior parte do carvão) e uma extensa calota de gelo no Polo Sul. É neste ponto de encontro que vem juntar-se a nós uma colossal multidão de novos peregrinos: os sauropsídeos. Eles são, incomparavelmente, o maior contingente de recém-chegados com que deparamos até agora em nossa Estrada dos Peregrinos. Durante a maior parte dos anos, desde o surgimento do Concestral 16, os sauropsídeos, em forma de dinossauros, dominaram o planeta. Mesmo hoje, sem dinossauros,

Página ao lado: JUNÇÃO COM OS RÉPTEIS (INCLUINDO AS AVES). Um grande avanço na evolução dos vertebrados terrestres foi o âmnio, uma membrana que envolve o embrião, impermeável, mas que permite a respiração. Duas linhagens desses "amniotas" que divergiram primeiro ainda sobrevivem: os sinapsídeos (hoje representados pelos mamíferos) e os sauropsídeos (17 mil espécies vivas de "répteis" e aves), que vêm juntar-se a nós aqui. A filogênese aqui mostrada é razoavelmente inconteste.

IMAGENS, DA ESQUERDA PARA A DIREITA: tentilhão da terra de bico médio (*Geospiza fortis*); pavão-azul (*Pavo cristatus*); marreco mandarim (*Aix galericulata*); tinamu-solitário (*Tinamus solitarius*); crocodilo--do-nilo (*Crocodylus niloticus*); cobra-garter (*Thamnophis sirtalis parietalis*); camaleão-comum (*Chamaeleo chamaeleon*); tuatara (*Sphenodon punctatus*); tartaruga-verde (*Chelonia mydas*).

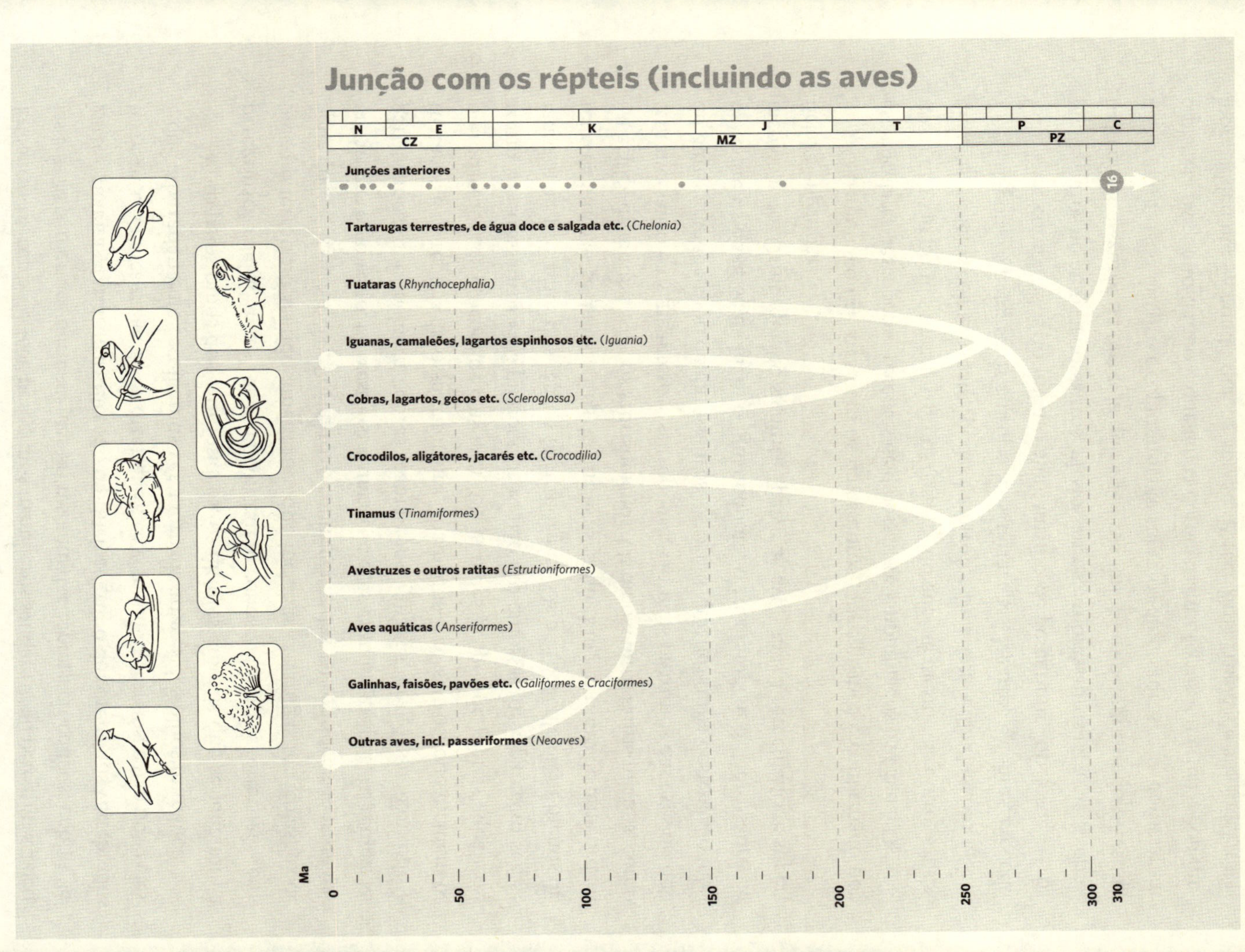

Junção com os répteis (incluindo as aves)
N
E
CZ
K
J
T
MZ
P
C
PZ
Junções anteriores
16
Tartarugas terrestres, de água doce e salgada etc. (*Chelonia*)
Tuataras (*Rhynchocephalia*)
Iguanas, camaleões, lagartos espinhosos etc. (*Iguania*)
Cobras, lagartos, gecos etc. (*Scleroglossa*)
Crocodilos, aligátores, jacarés etc. (*Crocodilia*)
Tinamus (*Tinamiformes*)
Avestruzes e outros ratitas (*Estrutioniformes*)
Aves aquáticas (*Anseriformes*)
Galinhas, faisões, pavões etc. (*Galiformes* e *Craciformes*)
Outras aves, incl. passeriformes (*Neoaves*)
Ma
0
50
100
150
200
250
300
310

ainda existem três vezes mais espécies de sauropsídeos do que de mamíferos. No Encontro 16, cerca de 4600 peregrinos mamíferos saúdam 9600 peregrinos avícolas e 7770 peregrinos pertencentes ao restante dos répteis: crocodilos, cobras, lagartos, tuataras, tartarugas. Eles são o principal grupo de peregrinos vertebrados terrestres. A única razão de eu dizer que eles vêm juntar-se a nós, e não nós a eles, é que arbitrariamente escolhemos ver a jornada através dos olhos humanos.

Visto pelos olhos dos sauropsídeos, os últimos animais que se juntaram à peregrinação deles "antes" de se encontrarem conosco foram as tartarugas (emprego o termo no sentido americano, que inclui as tartarugas terrícolas, as de água doce e as marinhas). Portanto, o contingente dos sauropsídeos consiste nas tartarugas e no resto. O "resto" é a união de dois grandes grupos: os répteis lagartiformes, que incluem cobras, camaleões, iguanas, dragões-de-komodo e tuataras, e os répteis dinossauriformes, chamados arcossauros, que incluem os pterodáctilos, os crocodilos e as aves. Os grandes grupos de répteis aquáticos, como os ictiossauros e os plesiossauros, não são dinossauros e parecem ser, se tanto, mais próximos dos répteis lagartiformes. Os pterodáctilos têm menos direito de intitular-se dinossauros do que as aves, que são um ramo de uma ordem específica de dinossauros, os saurisquianos. Os dinossauros saurisquianos, como o tiranossauro e os gigantescos saurópodes, são mais próximos das aves do que do outro grande grupo de dinossauros, os ornitisquianos (uma designação infeliz) entre os quais se incluem o iguanodonte, o triceratope e o hadrossauro de bico de pato. Ornitisquiano significa "pelve de ave", mas a semelhança é superficial e enganosa.

O parentesco das aves com os dinossauros saurisquianos é confirmado por espetaculares descobertas recentes de dinossauros emplumados na China. Os tiranossauros são primos mais próximos das aves do que até mesmo de outros saurisquianos como os colossais saurópodes herbívoros *Diplodocus* e *Brachiosaurus*.

Eis, pois, os peregrinos sauropsídeos: tartarugas, lagartos e cobras, crocodilos e aves, combinados ao imenso ajuntamento de peregrinos "oficiosos" — os pterossauros no ar, os ictiossauros, plesiossauros e mosassauros na água e sobretudo os dinossauros na terra. Já que este livro enfoca os peregrinos do presente, não é apropriado discorrer copiosamente sobre os dinossauros, que dominaram o planeta por tanto tempo e que ainda dominariam não fosse o cruel — ou melhor, indiferente — bólido que os abateu. Parece uma crueldade adicional tratá-

-los agora com tanta indiferença.* Mas eles sobrevivem, de certa forma — na bela e especial forma das aves —, e nós os homenagearemos ouvindo quatro contos de aves. Mas primeiro, *in memoriam*, a conhecida "Ode a um dinossauro", de Shelley:

Encontrei um viajante numa terra antiga
Que me disse: "Há no deserto duas pernas de pedra
Imensas, sem tronco... ali perto, na areia, quase soterrado
Jaz um rosto em pedaços, cujo cenho cerrado,
E lábios tesos num esgar de implacável comando,
Dizem que seu escultor leu muito bem as paixões
Que, estampadas naquelas coisas sem vida, sobrevivem ainda
À mão que delas zombou e ao coração coração que as alimentou:
E no pedestal estão gravadas estas palavras:
'Meu nome é Ozimândias, rei dos reis:
Contemplai minhas obras, ó Poderosos, e desesperai!'
Nada resta além disso. Em volta dos escombros
Desse colosso decaído, espraiadas e infinitas
*As desertas areias estendem-se ao longe".***

PRÓLOGO DO CONTO DO TENTILHÃO DAS GALÁPAGOS

A imaginação humana acanha-se diante a Antiguidade, e a magnitude do tempo geológico está tão fora do alcance do entendimento dos poetas e arqueó-

* Outros livros fizeram justiça à importância dos dinossauros, como *Dinosaur!*, de David Norman e *The dinosaur heresies*, de Robert Bakker, sem falar do simpático e afetuoso *How to keep dinosaurs*, de Robert Mash.

** *I met a traveller in an antique land/ Who said: "Two vast and trunkless legs of stone/ Stand in the desert... near them, on the sand,/ Half-sunk, a shattered visage lies, whose frown,/ And wrinkled lip, and sneer of cold command,/ Tell that its sculptor well those passions read/ Which yet survive, stamped on these lifeless things,/ The hand that mocked them and the heart that fed:/ And on the pedestal these words appear:/ 'My name is Ozymandias, king of kings:/ Look on my works, ye Mighty, and despair!'/ Nothing beside remains. Round the decay/ Of that colossal wreck, boundless and bare/ The lone and level sands stretch far away."*

O autor trocou por "Ode a um dinossauro" o verdadeiro título desse soneto de Shelley: *Ozymandias* (apelido grego do faraó Ramsés II). (N. T.)

logos que pode ser intimidante. Mas o tempo geológico é vasto não só em comparação com as conhecidas escalas temporais da vida e história humanas. Ele é vasto na própria escala da evolução. Isso surpreenderia as pessoas — a começar pelos críticos de Darwin — em cuja opinião a seleção natural não teria tido tempo para efetuar as mudanças que a teoria lhe atribui. Agora nos damos conta de que o problema, na verdade, é inverso. Houve tempo demais! Se medirmos as taxas evolutivas no decorrer de um breve período e extrapolarmos, digamos, para 1 milhão de anos, veremos que a quantidade de mudança evolutiva potencial é muitíssimo maior do que a quantidade efetivamente ocorrida. É como se a evolução houvesse passado boa parte do tempo apenas marcando passo. Ou, se não houvesse marcado passo, andado a esmo, flutuando sem rumo e submergindo, a curto prazo, tendências que porventura pudessem existir a longo prazo.

Indícios de vários tipos, além de cálculos teóricos, apontam para essa conclusão. A seleção darwiniana, se a impusermos artificialmente com a maior intensidade que nos for possível, pode impelir a mudança evolutiva a uma taxa muito mais elevada do que jamais se viu na natureza. Para visualizarmos isso, beneficiamo-nos do afortunado fato de que nossos antepassados, não importa se compreendessem ou não plenamente o que estavam fazendo, promoveram durante séculos a reprodução seletiva de animais domésticos e plantas (ver "O conto do agricultor"). Em todos os casos, essas espetaculares mudanças evolutivas foram obtidas em não mais do que alguns séculos ou, no máximo, em milênios, muito mais depressa até mesmo do que as mais rápidas mudanças evolutivas que podemos medir no registro fóssil. Não admira que Charles Darwin, em seus livros, tenha dado tanta atenção à domesticação.

Podemos fazer o mesmo em condições experimentais mais controladas. O teste mais direto de uma hipótese sobre a natureza é um *experimento*, no qual imitamos de modo deliberado e artificial o elemento crucial da natureza que estamos supondo. Se, por exemplo, temos a hipótese de que as plantas crescem melhor em solo que contém nitratos, não nos limitamos a analisar solos para ver se neles há nitrato. *Adicionamos* nitrato experimentalmente a alguns solos, mas não a outros. O mesmo ocorre com a seleção darwiniana. A hipótese sobre a natureza é que a sobrevivência não aleatória ao longo de gerações leva a uma mudança sistemática na forma média. O teste experimental consiste em engendrar justamente essa sobrevivência não aleatória, na tentativa de conduzir a evolução em alguma direção desejada. É isso que significa seleção artificial. Os experimentos mais elegantes selecionam simultaneamente duas linhas em direções opostas, a partir de um mesmo ponto inicial: por exemplo, uma linha conducente a animais maiores e outra a menores. Se quisermos obter resultados aproveitáveis antes de que a idade dê cabo de nós, é óbvio que temos de escolher uma criatura com um ciclo de vida mais rápido do que o nosso.

A mosca-das-frutas e os camundongos medem suas gerações em semanas e meses, e não em décadas como nós. Em um experimento, drosófilas foram divididas em duas "linhas". Em uma delas foram feitos cruzamentos ao longo de várias gerações, tendo em vista uma tendência positiva a aproximar-se da luz. Em cada geração, permitiu-se a reprodução dos indivíduos que mais procuravam a luz. A outra linha teve a reprodução controlada sistematicamente na direção oposta, ao longo do mesmo número de gerações, com vistas à tendência de evitar a luz. Em apenas vinte gerações obteve-se uma impressionante mudança evolutiva em ambas as direções. Essa divergência prosseguiria para sempre à mesma taxa? Não, no mínimo porque a variação genética disponível acabaria por esgotar-se, e teríamos de aguardar novas mutações. Mas, antes que isso ocorra, podemos obter muitas mudanças.

O milho tem o tempo de geração mais longo que o das drosófilas. Mas em 1896, o Laboratório Agrícola do Estado de Illinois começou a fazer cruzamentos em função do teor de óleo nas sementes de milho. Uma "linha alta" foi selecionada por seu maior teor de óleo, e uma linha baixa, simultaneamente, pelo teor menor (ver Ilustração 17). Felizmente esse experimento prosseguiu por mais tempo do que dura a carreira de qualquer cientista normal, e é possível constatar, em cerca de noventa gerações, um aumento aproximadamente linear no teor de óleo da linha alta. A linha baixa mostrou um declínio menos rápido no teor de óleo, mas presume-se que isso ocorreu porque estava chegando próximo ao piso do gráfico: não se pode ter um teor de óleo menor do que zero.

Esse experimento, assim como o das drosófilas e muitos outros do mesmo tipo, evidencia o possível poder da seleção para impelir com tremenda rapidez a mudança evolutiva. Se traduzirmos noventa gerações de milho, ou vinte gerações de drosófilas, ou mesmo vinte gerações de elefantes em tempo real, ainda assim teremos algo ínfimo na escala geológica. Um milhão de anos, um período breve demais para ser notado na maior parte do registro fóssil, é 20 mil vezes mais longo do que o tempo necessário para triplicar o teor de óleo em sementes de milho. Obviamente, isso não significa que 1 milhão de anos de seleção poderiam multiplicar o teor de óleo por 60 mil. Independentemente de esgotar-se a variação genética, existe um limite à quantidade de óleo que uma semente de milho pode conter. Mas esses experimentos servem de alerta para que não interpretemos de forma ingênua as tendências aparentes dispersas por milhões de anos como respostas a pressões seletivas continuamente sustentadas.

As pressões da seleção darwiniana atuam, é claro. E são imensamente importantes, como veremos por todo este livro. Mas as pressões da seleção não são constantes nem uniformes ao longo do tipo de escalas temporais que podem normalmente ser esclarecidas por fósseis, em especial nas partes mais antigas do registro fóssil. A lição do milho e da mosca-das-frutas é que a seleção darwiniana poderia vaguear para lá e para cá, de um lado para o outro, 10 mil vezes, tudo isso dentro do mais curto período de tempo que podemos medir no registro das rochas. Meu palpite é que isso ocorre.

Entretanto, existem tendências importantes no decorrer de escalas temporais mais longas, e precisamos estar cônscios delas também. Repetindo uma analogia que já usei: pense numa rolha flutuando pela costa atlântica da América. A Corrente do Golfo impõe uma deriva geral para o leste, na posição média da rolha, que acabará sendo empurrada para alguma costa europeia. Mas se medirmos a direção de seu movimento durante um minuto qualquer, jogada pelas ondas, contracorrentes e redemoinhos, parecerá que ela se move para oeste e para leste com a mesma frequência. Não notaremos uma tendência para o leste, a menos que consideremos amostras da posição da rolha no decorrer de períodos muito mais longos. No entanto, a tendência para o leste é real, está lá, e também merece uma explicação.

As ondas e contracorrentes da evolução natural geralmente são lentas demais para que as vejamos durante nosso período de vida, ou pelo menos na breve duração de uma típica bolsa para pesquisa. Existem algumas notáveis exceções. A escola de E. B. Ford — o excêntrico e meticuloso acadêmico com quem a minha geração de zoólogos de Oxford aprendeu genética — dedicou décadas de pesquisas a acompanhar, ano a ano, a sorte de genes específicos em populações de borboletas, mariposas e lesmas na natureza. Seus resultados, em alguns casos, parecem ter explicações darwinianas diretas. Em outros, o ruído das ondas encobre o sinal de quaisquer correntes do Golfo que possam estar puxando a contracorrente, e os resultados são enigmáticos. O que estou querendo dizer é que esses enigmas devem ser esperados por qualquer darwiniano mortal — até mesmo um darwiniano com uma carreira de pesquisador tão longa como a de Ford. Uma das principais mensagens que o próprio Ford extraiu de sua vida de trabalho foi que as pressões da seleção que realmente podemos encontrar na natureza, mesmo se não puxarem sempre na mesma direção, são ordens de magnitude maiores do que qualquer coisa já sonhada pelos mais otimistas fundadores do *revival* neodarwiniano. E isso mais uma vez destaca a questão: por que a evolução não anda mais depressa?

O CONTO DO TENTILHÃO DAS GALÁPAGOS

O arquipélago das Galápagos é vulcânico e não tem mais que 5 milhões de anos. Durante essa breve existência, evoluiu por lá uma espetacular quantidade de diversidade, da qual a mais célebre é a de catorze espécies de tentilhões, que muitos, talvez equivocadamente, julgam ter sido a principal inspiração de Darwin.* Os tentilhões das Galápagos estão entre os animais existentes mais estudados. Peter e Rosemary Grant dedicaram sua vida profissional a acompanhar ano a ano a sorte desses passarinhos ilhéus. E nos anos decorridos entre Darwin e Peter Grant (cujo rosto lembra simpaticamente o de Darwin), o grande (mas imberbe) ornitólogo David Lack também lhes fez uma perspicaz e produtiva visita.**

Os Grant, seus colegas e alunos têm voltado anualmente às ilhas Galápagos por mais de um quarto de século para capturar tentilhões, marcá-los, medir seus bicos e asas e, mais recentemente, tirar amostras de sangue para análises de DNA, a fim de estabelecer a paternidade e outros parentescos. É provável que nunca tenha havido um estudo mais completo dos indivíduos e genes de uma população selvagem. Os Grant sabem em detalhes o que está acontecendo exatamente com as rolhas flutuantes das populações de tentilhões que vão sendo atiradas para um lado e para o outro no mar da evolução pelas pressões da seleção que mudam todo ano.

* Stephen Gould discorre sobre essa questão em "Darwin no mar — e as virtudes do porto", um dos ensaios coligidos em *O sorriso do flamingo*.

** Ver seu livro *Darwin's finches*, de 1947. Em 1994 o trabalho dos Grant serviu de base para outro excelente livro, *O bico do tentilhão*, de Jonathan Weiner. A clássica monografia de Peter Grant, *Ecology and evolution of Darwin finches*, de 1986, foi republicada em 1999.

Em 1977, houve uma grave seca e o estoque de alimentos despencou. O total de tentilhões de todas as espécies da ilhota de Daphne Maior declinou de 1300 em janeiro para menos de 300 em dezembro. A população da espécie dominante, *Geospiza fortis*, o tentilhão da terra de bico médio, caiu de 1200 para 180. O tentilhão dos cactos, *G. scandens*, minguou de 280 para 110. Os números para outras espécies confirmaram que 1977 foi um *annus horribilis* para os tentilhões. Mas a equipe de Gant não apenas contou quantos em cada espécie viveram e morreram. Darwinianos que são, esses cientistas examinaram os números da mortalidade *seletiva* em cada espécie. Indivíduos com certas características tiveram maior probabilidade do que outros de sobreviver à catástrofe? A seca mudou seletivamente a composição relativa da população?

Sim. Na população de *G. fortis*, os sobreviventes eram em média mais de 5% maiores que os vitimados. E o bico médio após a seca tinha 11,07 mm de comprimento em comparação com 10,68 mm antes. A profundidade média do bico, analogamente, aumentou de 9,42 mm para 9,96 mm. Essas diferenças podem parecer minúsculas, mas, dadas as convenções céticas da ciência estatística, eram consistentes demais para ser obra do acaso. Mas por que um ano de seca favoreceria tais mudanças? A equipe já tinha dados segundo os quais aves maiores com bicos maiores eram mais eficientes do que as aves médias para lidar com sementes grandes, duras e espinhosas como as da erva *Tribulus*, que eram praticamente as únicas sementes que se podia encontrar no auge da seca. Uma espécie diferente, o tentilhão da terra de bico grande, *G. magnirostris*, é profissional em lidar com sementes de *Tribulus*. Mas a sobrevivência darwiniana dos mais aptos significa a sobrevivência relativa de indivíduos dentro de uma espécie, e não a sobrevivência relativa de uma espécie comparada a outra. E na população de tentilhões da terra de bico médio, os indivíduos maiores com os maiores bicos sobreviveram. O indivíduo médio da população de *G. fortis* tornou-se um pouquinho mais parecido com o *G. magnirostris*. A equipe de Grant observou um pequeno episódio de seleção natural em ação durante um único ano.

Os cientistas testemunharam outro episódio depois de terminada a seca que impeliu as populações de tentilhões na mesma direção evolutiva, mas por outra razão. Como ocorre com muitas espécies de aves, os *G. fortis* machos são maiores do que as fêmeas e têm bico maior, o que presumivelmente os equipou para melhor sobreviver à seca. Antes da seca havia cerca de seiscentos machos e seiscentas fêmeas. Dos 180 indivíduos que sobreviveram, 150 eram machos. As chuvas, quando finalmente retornaram, em janeiro de 1978, desencadearam condições de expansão ideais para a reprodução. Mas agora havia cinco machos para cada fêmea. Compreende-se que tenha havido uma competição feroz entre os machos pelas raras fêmeas. E os que venceram essas competições sexuais, os novos vencedores entre os machos sobreviventes já maiores do que o normal, novamente tenderam a ser os machos maiores com os maiores bicos. Mais uma vez a seleção natural estava impelindo a população a ganhar porte corporal e bico maiores, mas por uma razão diferente. Quanto ao porquê de as fêmeas preferirem machos maiores, "O conto da foca" preparou-nos para enxergar significado no fato de os machos *Geospiza* — o sexo mais competitivo — serem maiores do que as fêmeas de qualquer modo.

Se o tamanho grande é assim tão vantajoso, por que as aves já não eram maiores antes mesmo de tudo acontecer? Porque em outros anos, os anos sem seca, a seleção natural favorece indivíduos menores com bicos menores. De fato, os Grant atestaram isso nos anos seguintes a 1982-83, quando houve a inundação do El Niño. Depois da cheia, mudaram as proporções entre as sementes. As sementes grandes e duras de plantas como o *Tribulus* rarearam em comparação com as sementes menores e mais macias de plantas como o *Cacabus*. Dessa vez, os tentilhões menores com bico menor levaram a melhor. Não que as aves grandes não pudessem comer sementes menores e macias. Mas precisavam de quantidades maiores para manter seu corpo mais graúdo. Por isso, os pássaros menores se viram com um tantinho mais de vantagem. E, na população de tentilhões médios, a sorte virou. A tendência evolutiva dos anos de seca inverteu-se.

As diferenças de tamanho de bico entre as aves bem-sucedidas e as malsucedidas no ano de seca parecem ínfimas, não parecem? Jonathan Weiner citou um caso revelador sobre essa questão, contado por Peter Grant:

> Um dia, quando eu começava uma conferência, um biólogo na plateia me interrompeu, perguntando:
>
> — Quanta diferença o senhor afirma ver entre o bico de um tentilhão que sobrevive e o de um que morre?
>
> — Meio milímetro em média — respondi.
>
> — Não acredito! — disse o homem. — Não acredito que meio milímetro tenha realmente tanta importância.
>
> — Pois esse é o fato — repliquei. — Examine meus dados e depois faça perguntas. — E ele nada perguntou.

Peter Grant calculou que seria preciso apenas 23 episódios de seca como o de 1977 em Daphne Maior para transformar o *Geospiza fortis* no *G. magnirostris*. Claro que não seria exatamente o *magnirostris*. Mas esse é um modo vívido de visualizar a origem das espécies e a rapidez com que ela pode ocorrer. Mal sabia Darwin, quando os encontrou e não conseguiu nomeá-los apropriadamente, que aliados poderosos os "seus" tentilhões acabariam sendo.*

O CONTO DO PAVÃO

A "cauda" do pavão não é uma verdadeira cauda morfológica (a verdadeira cauda de uma ave é o diminuto uropígio); é um "leque" feito de longas penas posteriores. "O conto do pavão" é exemplar para este livro porque, no verdadeiro estilo chauceriano, ele traz uma mensagem de um peregrino que ajuda outros peregrinos a compreenderem a si mesmos. Especificamente, quando eu estava discorrendo sobre duas das principais transições na evolução humana, ansiava pelo momento em que o pavão se juntaria à nossa peregrinação e nos daria o benefício de seu conto. E esse, naturalmente, é um conto sobre a seleção sexual. As duas transições hominídeas foram nossa passagem de quatro para duas pernas e o subsequente aumento do nosso cérebro. Acrescentemos uma terceira transição, talvez menos importante, mas bem caracteristicamente humana: a perda dos pelos do corpo. Por que o homem virou o macaco nu?

Havia numerosas espécies de grandes primatas na África em fins do Mioceno. Por que de repente uma delas começou a evoluir depressa em uma direção muito diferente das demais — e, de fato, do resto dos mamíferos? O que destacou essa única espécie e a impeliu feito um bólido em novas e estranhas direções

* O Havaí é um arquipélago vulcânico ainda mais remoto e aproximadamente tão recente quanto as Galápagos. A ave Robinson Crusoe do Havaí foi um saí cujos descendentes evoluíram depressa, como em Galápagos, originando até um "pica-pau". Analogamente, cerca de quatrocentas espécies imigrantes originais de insetos deram origem a todas as 10 mil espécies endêmicas do Havaí, entre elas uma singular lagarta carnívora e um grilo semimarinho. Com exceção de um morcego e uma foca, não existem mamíferos nativos do Havaí. Infelizmente, citando o belo livro de E. O. Wilson, *Diversidade da vida*, "A maioria dos saís já não existe. Eles recuaram e desapareceram sob a pressão da caça predatória, do desmatamento, dos ratos e formigas carnívoras e da malária e hidropisia trazidas por aves exóticas introduzidas para 'enriquecer' a paisagem havaiana".

evolutivas: primeiro tornando-se bípede, depois "cerebruda" e, em algum momento, perdendo a maior parte dos pelos do corpo?

Para mim, arrancos aparentemente arbitrários de evolução, em direções insólitas, dizem uma coisa: seleção sexual. É aqui que temos de começar a ouvir o pavão. Por que ele possui uma cauda que eclipsa o resto do corpo, cintilando fremente ao Sol com gloriosos motivos de ocelos violáceos e verdes? Porque gerações de pavoas escolheram pavões que exibiam equivalentes ancestrais desses anúncios extravagantes. Por que o macho da ave-do-paraíso-doze-arames tem olhos vermelhos e uma coleira de penas preta com bordas verdes iridescentes enquanto a ave-do-paraíso-de-wilson chama a atenção com seu dorso escarlate, pescoço amarelo e cabeça azul? Não foi porque alguma coisa em suas respectivas dietas ou habitats predispuseram essas duas espécies a possuir esses dois esquemas distintos de cores. Não, essas diferenças, assim como as que destacam tão notavelmente todas as demais espécies de aves-do-paraíso, são arbitrárias, caprichosas, desimportantes para todos, exceto para as aves-do-paraíso fêmeas (ver Ilustração 18). A seleção sexual faz esse tipo de coisa. A seleção sexual produz a evolução insólita, caprichosa, que desembesta em direções aparentemente arbitrárias, alimentando-se de si mesma e resultando em loucos voos de fantasia evolutiva.

Por outro lado, a seleção sexual também tende a magnificar diferenças entre os sexos — o dimorfismo sexual (ver "O conto da foca"). Qualquer teoria que atribua o cérebro humano, o bipedalismo ou o corpo glabro à seleção sexual depara com uma grande dificuldade. Não há indícios de que um sexo seja mais inteligente do que o outro, nem de que um sexo seja mais bípede do que o outro. É verdade que um sexo tende a ter menos pelos no corpo do que o outro, e Darwin fez uso desse fato quando teorizou sobre a perda dos pelos nos humanos pela seleção sexual. Ele supôs que os machos ancestrais escolhiam as fêmeas, e não o contrário, como é normal no reino animal, e que eles preferiam as fêmeas sem pelos. Quando um sexo evolui à frente do outro (nesse caso, o sexo feminino em direção à pele glabra), podemos considerar que o outro sexo é "arrastado pela corrente". Esse é o tipo de explicação que mais ou menos temos a oferecer para a velha questão dos mamilos dos machos humanos. Não é implausível invocá-la para a evolução do glabrismo parcial no homem, arrastado pela corrente da mais total ausência de pelos nas mulheres. A teoria do "arrasto pela corrente" não funciona tão bem para o bipedalismo e o cérebro grande. A mente hesita — e até recua — quando tenta imaginar um bípede de um sexo em companhia de um quadrúpede do outro. Ainda assim, a teoria do "arrasto pela corrente" tem um papel a desempenhar.

Há circunstâncias em que a seleção sexual pode favorecer o monomorfismo. Meu palpite, e também o de Geoffrey Miller em *The mating mind*, é que a escolha de parceiro entre os humanos, ao contrário, talvez, do que ocorre com os pavões, tem mão dupla. Além disso, nosso critério de escolha pode ser diferente quando procuramos um parceiro de longo prazo ou só para uma noite.

Por ora, voltemos ao mundo mais simples dos pavões e pavoas, no qual as fêmeas escolhem e os machos pavoneiam-se na esperança de ser escolhidos. Uma versão da ideia supõe que a escolha do parceiro (nesse caso, pelas pavoas) é arbitrária e caprichosa se comparada, por exemplo, à escolha de alimento ou de habitat. Mas seria razoável querer saber o porquê disso. Segundo pelo menos uma influente teoria da seleção sexual, a do grande geneticista e estatístico R. A. Fisher, há uma razão muito boa. Expus a teoria em detalhes no capítulo 8 de meu livro *O relojoeiro cego*, por isso não o farei aqui. O essencial é sabermos que a aparência dos machos e o gosto das fêmeas evoluem juntos em uma espécie de explosiva reação em cadeia. Inovações no consenso do gosto das fêmeas em uma espécie, e nas correspondentes mudanças da aparência dos machos, são amplificadas em um processo desenfreado que impele as duas partes a seguir cada vez mais em uma direção em ritmos muito semelhantes. Não existe uma razão avassaladora para que tal direção seja escolhida. Simplesmente aconteceu de ela ser a direção na qual começou a tendência evolutiva. As ancestrais das pavoas por acaso deram um passo na direção de preferir leques maiores. Isso bastou para o explosivo motor da seleção sexual. Foi dada a partida e, em pouquíssimo tempo, pelos padrões evolutivos, os pavões estavam ostentando leques maiores e mais iridescentes que encantavam as fêmeas.

Cada espécie de ave-do-paraíso, muitas outras aves, assim como peixes, rãs, besouros e lagartos, dispararam em suas próprias direções evolutivas, com suas cores vivas e formas extravagantes — mas cores vivas e formas extravagantes distintas. O que interessa para os nossos propósitos é que a seleção sexual, segundo uma sólida teoria matemática, tende a impelir a evolução a decolar em direções arbitrárias e empurrar para o excesso não utilitário. Nos capítulos sobre a evolução humana surgiu a sugestão de que é justamente isso que parece ocorrer com a súbita inflação do cérebro. E também com a súbita perda dos pelos do corpo, e até com o súbito aparecimento do bipedalismo.

Boa parte do livro *A descendência do homem*, de Darwin, trata da seleção sexual. A minuciosa análise que Darwin faz da seleção sexual em animais não humanos prefacia seu argumento de que a seleção sexual é a força dominante na evolução recente da nossa espécie. Sua discussão sobre o glabrismo humano começa descartando — mais despreocupadamente do que seus seguidores modernos julgam conveniente — a possibilidade de que perdemos nossos pelos por razões utilitárias. A fé de Darwin na seleção sexual é reforçada pela observação de que em todas as raças, por mais peludas ou glabras que sejam, as mulheres tendem a ser mais nuas que os homens. Darwin acreditava que os homens ancestrais não achavam atraentes as mulheres peludas. Gerações de homens escolheram para parceiras as mulheres mais nuas.* O glabrismo nos homens foi arrastado pela corrente evolutiva do glabrismo das mulheres, mas os dois nunca se emparelharam, e é por isso que os homens permanecem mais peludos do que as mulheres.

Para Darwin, as preferências que impeliram a seleção sexual não precisavam de justificativa, eram um dado. Os homens simplesmente preferiam mulheres sem pelos, e pronto. Alfred Russel Wallace, o co-descobridor da seleção natural, detestava a arbitrariedade da seleção sexual darwiniana. Ele queria que as fêmeas escolhessem os machos não por capricho, mas por mérito. Queria que as penas fulgurantes dos pavões e aves-do-paraíso fossem símbolos de uma aptidão inerente. Darwin achava que as pavoas escolhiam os pavões simplesmente porque, aos olhos delas, eles eram bonitos. Posteriormente, a matemática de Fisher deu um fundamento matemático mais sólido a essa teoria darwiniana. Para os wallaceanos,** as pavoas escolhem os pavões não por serem bonitos, mas porque suas penas vistosas são um sinal de saúde e aptidão básicas.

Na linguagem pós-Wallace, uma fêma wallaceana está, de fato, lendo os genes de um macho por meio das manifestações externas desses genes, a partir das quais ela julga as qualidades gênicas. E é uma consequência surpreendente de algumas teorizações neowallaceanas sofisticadas que os machos presumivelmente se desdobram para facilitar às fêmeas a leitura de sua qualidade, mesmo que essa seja ruim. Essa teoria — ou melhor, dessa progressão de teorias — que

* Evidentemente, assim como meu colega Desmond Morris, estou usando "nu" no sentido de glabro, e não de sem roupa.

** Termo de Helena Cronin em seu esplêndido livro *A formiga e o pavão*.

devemos a A. Zahavi, W. D. Hamilton e A. Grafen, por mais interessante que seja, nos levaria longe demais. Minha melhor tentativa de expô-la está nas notas finais da segunda edição inglesa de *O gene egoísta*.

Isso nos leva à primeira das nossas três questões sobre a evolução humana. Por que perdemos os pelos? Mark Pagel e Walter Bodmer levantaram a intrigante hipótese de que o glabrismo evoluiu para reduzir ectoparasitas como os piolhos e, em compasso com o tema deste conto, para anunciar a descontaminação tendo em vista a seleção sexual. Pagel e Bodmer seguiram Darwin ao invocarem a seleção sexual, mas na versão neowallaceana de W. D. Hamilton.

Darwin não tentou explicar a preferência das fêmeas. Contentou-se em postulá-la para explicar a aparência dos machos. Os wallaceanos buscam explicações evolutivas para as preferências sexuais em si. A explicação preferida de Hamilton foi a do anúncio de saúde. Quando os indivíduos escolhem parceiros, buscam saúde, ausência de parasitas ou sinais de que o parceiro tem boa probabilidade de ser apto para evitar ou combater parasitas. E os indivíduos que procuram ser escolhidos anunciam sua saúde, facilitando a quem escolhe perceber sua saúde, seja ela boa ou má. Trechos de pele nua nos perus e nos macacos são telas bem visíveis onde é exibida a saúde de seus donos. De fato, pode-se ver a cor do sangue através da pele.

Os humanos não têm a pele nua apenas no traseiro, como os macacos. Toda a sua pele é nua, com exceção do topo da cabeça, das axilas e da região púbica. Quando somos infestados por ectoparasitas como os piolhos, eles costumam restringir-se exatamente a essas regiões. O piolho-das-virilhas, *Phthirus pubis*, é encontrado principalmente na região púbica, mas também pode infestar as axilas, a barba e até as sobrancelhas. O piolho-da-cabeça, *Pediculus humanus capitus*, ataca apenas os cabelos. O piolho-do-corpo, *P. h. humanus*, é uma subespécie da mesma espécie do piolho-da-cabeça que, segundo uma interessante hipótese, teria evoluído só depois que começamos a andar vestidos. Alguns estudiosos na Alemanha examinaram o DNA de piolhos-da-cabeça e de piolhos-do-corpo para descobrir quando eles divergiram e, assim, datar a invenção das roupas. Calcularam que isso tenha ocorrido por volta de 72 mil anos atrás, com margem de erro de 42 mil anos.

Os piolhos precisam de pelos, e a primeira hipótese de Pagel e Bodmer é que o benefício de perdermos a pelagem do corpo foi reduzir o terreno disponível para os piolhos. Surgem duas questões. Por que, se perder os pelos é uma ideia tão boa, outros mamíferos que também sofrem com ectoparasitas conservaram sua pelagem? Aqueles que, como os elefantes e rinocerontes, podiam dar-se ao luxo de perder os pelos porque são grandes o bastante para manter-se aquecidos sem eles, de fato os perderam. Pagel e Bodmer aventam que foi a invenção do fogo e das roupas que nos permitiu dispensar os pelos. Isso leva imediatamente à segunda questão. Por que conservamos os pelos da cabeça, das axilas e da região púbica? Deve ter havido vantagens predominantes. É totalmente plausível que os cabelos no alto da cabeça protejam contra a insolação, que pode ser muito perigosa na África, onde evoluímos. Quanto aos pelos das axilas e do púbis, é provável que ajudem a disseminar os potentes feromônios (sinais levados pelo ar) que decerto nossos ancestrais usavam em sua vida sexual e que ainda hoje usamos mais do que muitos se dão conta.

Assim, segundo a teoria de Pagel e Bodmer, os ectoparasitas como os piolhos são perigosos (piolhos transmitem tifo e outras doenças graves), e os ectoparasitas preferem pelos a pele glabra. Livrar-se dos pelos é um bom modo de dificultar a vida desses parasitas incômodos e perigosos. Além disso, é muito mais fácil ver e pegar ectoparasitas como os carrapatos quando não temos pelos. Os primatas gastam um tempo enorme na tarefa de catar os ectoparasitas de si mesmos e dos outros. Tanto que isso se tornou uma atividade social importantíssima e, como subproduto, um veículo para a formação de vínculos.

Mas, a meu ver, o ângulo mais interessante da teoria de Pagel e Bodmer é tratado muito brevemente em seu artigo: a seleção sexual, o motivo de o artigo ser adequado para "O conto do pavão". A pele glabra não é apenas má notícia para piolhos e carrapatos. É boa notícia para quem, na hora de escolher, tenta descobrir se um possível parceiro sexual *tem* piolhos ou carrapatos. A teoria de Hamilton, Zahavi e Grafen prediz que a seleção sexual intensificará o que for preciso para ajudar quem escolhe a identificar se os aspirantes a parceiros têm parasitas. O glabrismo é um belo exemplo. Quando terminei de ler o artigo de Pagel e Bomer, lembrei-me das célebres palavras de T. H. Huxley: mas que estupidez a minha, não ter pensado nisso!

O glabrismo, porém, é uma questão de menor importância. Como prometido, trataremos agora do bipedalismo e do cérebro. Poderá o pavão nos ajudar a entender esses dois eventos maiores na evolução humana, o andar erguido nos membros posteriores e a inflação do cérebro? O bipedalismo surgiu primeiro, e o examinarei primeiro. Em "O conto de Little Foot", mencionei várias teorias sobre o bipedalismo, incluindo a recente teoria sobre comer de cócoras proposta por Jonathan Kingdon, a qual considero muito convincente. Eu disse que postergaria minha própria sugestão até "O conto do pavão".

A seleção sexual e seu poder de impelir a evolução em direções arbitrárias não utilitaristas é o primeiro ingrediente da minha teoria da evolução do bipedalismo. O segundo é a tendência a imitar. Existe até um verbo, macaquear, que significa arremedar, embora eu não tenha certeza de que ele seja muito adequado. De todos os grandes primatas, os humanos são os campeões em copiar, mas os chimpanzés também o fazem, e não há razão para supor que os australopitecos não fizessem. O terceiro ingrediente é o hábito disseminado entre os grandes primatas em geral de erguer-se temporariamente sobre as pernas traseiras, inclusive durante demonstrações de agressividade e exibições sexuais. Os gorilas fazem isso para bater no peito com os punhos. Os chimpanzés machos também batem no peito e têm um modo de exibição notável chamado dança da chuva, que requer pular nas pernas traseiras. Um chimpanzé cativo chamado Oliver tinha o hábito e a preferência de andar nas pernas traseiras. Vi-o andar em um filme, e sua postura é surpreendentemente ereta — não o avanço vacilante de um bebê que aprendeu a andar, e sim um andar quase militar. O andar de Oliver é tão inusitado para um chimpanzé que o animal foi alvo de bizarras especulações. Enquanto os testes de DNA não demonstraram que ele era um chimpanzé, *Pan troglodytes*, houve quem pensasse que ele era um híbrido de chimpanzé e humano ou de chimpanzé e bonobo, ou até mesmo um australopiteco relicto. Infelizmente, é difícil coligir a biografia de Oliver, e aparentente ninguém sabe se ele foi ensinado a andar para um número circense ou atração de feira, ou se estamos diante de uma curiosa idiossincrasia: ele poderia até mesmo ser um mutante genético. Oliver à parte, os orangotangos são um pouquinho melhores que os chimpanzés no andar sobre as pernas traseiras. E os gibões selvagens atravessam clareiras correndo nas pernas de trás, em um estilo que não difere muito do modo como eles correm pelos galhos das árvores — quando não estão se deslocando pendurados pelos braços.

Juntando todos esses ingredientes, eis minha hipótese para a origem do bipedalismo humano: nossos ancestrais, assim como outros grandes primatas, andavam de quatro quando não estavam nas árvores, mas se erguiam nas pernas traseiras de vez em quando, talvez para fazer algo parecido com a dança da chuva ou para apanhar frutas em ramos baixos, passar de uma posição de cócoras para outra, vadear os rios, exibir o pênis, ou por qualquer combinação de razões, como fazem hoje os grandes primatas e os macacos. E então — esta é a sugestão crucial que estou acrescentando — alguma coisa singular aconteceu com uma dessas espécies de grandes primatas, aquela da qual nós descendemos. Surgiu uma *moda* de andar sobre as pernas traseiras, e ela apareceu de um modo tão súbito e caprichoso como qualquer moda. Era um chamariz. Podemos encontrar uma analogia na lenda (que infelizmente deve ser falsa) de que o ceceio do espanhol teve origem na moda de imitar um cortesão admirado ou, em outra versão da lenda, um rei da dinastia Habsburgo, ou uma infanta, que tinha um defeito da fala.

Seria mais fácil se eu contasse a história sendo parcial para um dos sexos, com as fêmeas escolhendo os machos, mas lembremos que poderia ter sido o contrário. Em minha visão, um grande primata admirado ou dominante, um Oliver do Plioceno, talvez, ganhou atratividade sexual e elevou seu status social graças a um incomum virtuosismo na manutenção da postura bípede, talvez em algum equivalente imemorial da dança da chuva. Outros imitaram seu hábito-chamariz, que em dada área se tornou "chique", "*cool*", "o máximo", exatamente como em determinadas regiões bandos de chimpanzés têm o hábito de quebrar nozes ou pescar cupins, o que se disseminou pela imitação de uma moda. Quando eu era adolescente, uma canção popular ainda mais inane que o normal tinha o seguinte refrão:

Everybody's talking
'Bout a new way of walking!
[A onda agora é falar/ De um novo jeito de andar!]

E embora essa estrofe específica provavelmente tenha sido escolhida a serviço de uma rima pobre, sem dúvida é verdade que os estilos de andar exercem uma espécie de contágio e são imitados porque despertam admiração. O colégio interno onde estudei, Oundle, na Inglaterra central, tinha um ritual no qual os alunos veteranos entravam desfilando na capela depois que o resto de nós já estava acomodado. O estilo de andar mutuamente imitado dos veteranos, um gingado arrastado e cheio de empáfia (que eu hoje, estudioso do comportamento animal e colega de Desmond Morris, reconheço como uma demonstração de dominância) era tão característico e idiossincrático que meu pai, vendo-o certo dia, numa comemoração do dia dos Pais, deu-lhe um nome: "a ginga de Oundle". O escritor Tom Wolfe, grande observador da sociedade, batizou o jeito de andar dos dândis norte-americanos de certos círculos, com braços e pernas bem soltos, de ginga do cafetão. Na época em que escrevo este livro, o abjeto servilismo do primeiro-ministro britânico ao presidente dos Estados Unidos rendeu-lhe o seguinte título: "o *poodle* de Bush". Vários observadores notaram que, especialmente em companhia do americano, o primeiro-ministro imita a ginga de caubói de Bush, mantendo os braços meio arqueados para os lados, todo machão, como quem está pronto para sacar dois revólveres.

Voltando à sequência de eventos que imaginamos terem ocorrido entre os ancestrais humanos, as fêmeas na região de influência da moda preferiram acasalar-se com machos que adotavam o novo modo de andar. Preferiram-nos pela mesma razão que os indivíduos quiseram aderir à moda: porque ela era admirada em seu grupo social. E agora o próximo passo do argumento é crucial. Os que eram especialmente bons na nova moda de andar teriam maior probabilidade de atrair parceiras e gerar filhos. Mas isso só teria importância evolutiva se houvesse um componente genético na variação da habilidade para executar "o andar". E isso é bastante plausível. Devemos lembrar que estamos falando em uma mudança quantitativa no tempo gasto na execução de uma atividade existente. É raro uma mudança quantitativa em uma variável existente *não ter* um componente genético.

O próximo passo no argumento segue a teoria clássica da seleção sexual. As escolhedoras cujas preferências condizem com o gosto da maioria tenderão a ter filhos que herdarão, graças à escolha materna de parceiro, a habilidade de andar segundo a moda bípede. Também terão filhas que herdarão o gosto materno por parceiros. Essa dupla seleção — dos machos por possuírem certa qualidade e das fêmeas por admirar essa mesma qualidade — é o ingrediente para uma seleção explosiva, desenfreada, segundo a teoria de Fisher. O ponto fundamental é que a direção exata da evolução desenfreada é arbitrária e imprevisível. Poderia ter sido o contrário. De fato, talvez fosse na direção oposta em alguma população de outra região. Uma explosiva excursão evolutiva numa direção arbitrária e imprevisível é justamente o tipo de coisa de que precisamos se quisermos explicar por que um grupo de grandes primatas (os que se tornaram nossos ancestrais) evoluiu subitamente na direção do bipedalismo enquanto outro grupo (os ancestrais dos chimpanzés) não o fez. Uma virtude adicional da teoria é que esse arranco evolutivo teria sido excepcionalmente rápido: é o que necessitamos para explicar a proximidade no tempo, que de outro modo seria um mistério, entre o Concestral 1 e os supostamente bípedes Toumai e *Orrorin*.

Tratemos agora do outro grande avanço na evolução humana, o aumento do cérebro. "O conto do Homem Habilidoso" examinou várias teorias, e novamente deixamos a seleção sexual por último, adiando-a até "O conto do pavão". Em *The mating mind*, Geoffrey Miller explica que uma porcentagem muito elevada dos genes humanos, talvez cerca de 50%, se expressa no cérebro. E mais uma vez, tendo em vista a clareza, convém contarmos a história de um só ponto de vista, as fêmeas escolhendo os machos. Mas poderia ser o contrário, ou os dois modos simultaneamente. Uma fêmea que busca uma leitura penetrante e completa da qualidade dos genes de um macho procederia com acerto se se concentrasse no cérebro dele. Como não pode enxergar o cérebro, ela olha as obras do indivíduo. E, seguindo a teoria de que os machos devem facilitar isso anunciando suas qualidades, eles não esconderão seu brilho mental; ao contrário, tratarão de evidenciá-los. Vão cantar, dançar, serão bons conversadores, contarão piadas, comporão músicas ou poemas, tocarão instrumentos ou recitarão poesia, pintarão em paredes de cavernas ou no teto da Capela Sistina. Sim, sim, eu sei que Michelangelo talvez não tivesse nenhum interesse em impressionar mulheres. Mesmo assim, é bastante plausível que o cérebro dele tenha sido "projetado" pela seleção natural para impressionar fêmeas, exatamente como — não importando suas preferências pessoais — seu pênis foi projetado para engravidá-las. A mente humana, nessa visão, é uma cauda de pavão mental. E o cérebro expandiu-se sob o mesmo tipo de seleção sexual que impeliu o aumento da cauda do pavão. O próprio Miller prefere a versão wallaceana à versão fisheriana para a seleção sexual, mas a consequência é essencialmente a mesma: o cérebro aumenta, e de um modo veloz e explosivo.

A psicóloga Susan Blackmore, em seu ousado livro *The meme machine*, apresenta uma teoria mais radical sobre a seleção sexual da mente humana. Essa autora recorre ao que batizamos de "memes", unidades de herança cultural. Memes não são genes e não têm nenhuma relação com o DNA, exceto por analogia. Enquanto os genes são transmitidos por óvulos fertilizados (ou por vírus), os memes transmitem-se por imitação. Se eu ensinar você a fazer um modelo em origami de um junco chinês, um meme passa do meu cérebro para o seu. Você pode então ensinar a duas pessoas essa mesma habilidade, e cada uma delas ensinar a outras duas e assim por diante. O meme propaga-se exponencialmente, como um vírus. Supondo que todos nós cumprimos de forma adequada nossa tarefa de ensinar, as "gerações" posteriores do meme não serão perceptivelmente diferentes das primeiras gerações. Todas produzirão o mesmo "fenótipo" do origami.* Alguns juncos podem ser mais perfeitos do que outros se, digamos, alguns dobradores de papel forem mais cuidadosos. Mas a qualidade não se deteriorará de modo gradual e progressivo ao longo das "gerações". O meme é transmitido, inteiro e intacto como um gene, mesmo se sua expressão fenotípica detalhada variar. Esse exemplo específico de um meme é um bom análogo para um gene, especificamente um gene de vírus. Um modo de falar ou uma técnica de marcenaria podem ser candidatos mais dúbios a memes porque é provável — estou supondo — que, progressivamente, "gerações" posteriores em uma linhagem de imitação se diferenciem mais da geração original.

Blackmore, assim como o filósofo Daniel Dennett, acredita que os memes tiveram um papel decisivo no processo que nos tornou humanos. Nas palavras de Dennett:

> O porto a que todos os memes esperam chegar é a mente humana, mas a própria mente humana é um artefato criado quando memes reestruturam um cérebro humano para torná-lo um melhor habitat para memes. As rotas de entrada e saída são modificadas para adequar-se às condições locais e reforçadas por vários recursos artificiais que intensificam a fidelidade e a prolixidade da replicação: mentes de chineses nativos diferem drasticamente de mentes de franceses nativos, e mentes de literatos diferem de mentes de iletrados.**

Dennet pensaria que a principal diferença entre os cérebros anatomicamente modernos antes e depois do Grande Salto para a Frente na cultura é que os cérebros posteriores ao Grande Salto fervilham de memes. Blackmore vai além.

* Como vimos em "O conto do castor", fenótipo significa normalmente a aparência externa pela qual um gene se manifesta, como a cor dos olhos, por exemplo. É óbvio que estou usando o termo em um sentido análogo: o fenótipo visível de um meme que, de outro modo, está oculto no cérebro, em comparação com um gene oculto dentro do cromossomo. Essa também é uma boa analogia para a propriedade "autonormalizadora" que mencionei no "Prólogo geral" ao discorrer sobre as "relíquias renovadas". Ver também meu prefácio para o livro de Blackmore.

** Dennett faz um uso construtivo da teoria dos memes em vários de seus trabalhos, entre eles *Consciousness explained*, (do qual essa citação foi extraída) e *A perigosa ideia de Darwin*.

Invoca os memes para explicar a evolução do avantajado cérebro humano. Isso não poderia ser obra só de memes, evidentemente, pois estamos falando aqui de uma mudança anatômica fundamental. Os memes podem manifestar-se no fenótipo do pênis circuncidado (que às vezes passa, de um modo quase genético, de pai para filho) e até em uma forma corporal (pense em uma moda transmitida de emagrecer ou de alongar o pescoço com colares). Só que a duplicação de tamanho do cérebro é outra coisa. Ela tem de ocorrer por meio de mudanças no reservatório gênico. Mas então, que papel Blackmore vê para os memes na expansão evolutiva do cérebro humano? É aqui, mais uma vez, que entra a seleção sexual.

As pessoas tendem mais a copiar seus memes de modelos admirados. Esse é um fato no qual os anunciantes apostam seu dinheiro: pagam a jogadores de futebol, astros de cinema e supermodelos para recomendar produtos — pessoas que não têm um conhecimento especializado para avaliá-los. Indivíduos atraentes, admirados, talentosos ou por algum outro motivo renomados são poderosos doadores de memes. Essas mesmas pessoas também tendem a ser sexualmente atraentes e, portanto, ao menos no tipo de sociedade polígama na qual é provável que tenham vivido nossos ancestrais, ser poderosos doadores de genes. Em cada geração, os indivíduos atraentes contribuem proporcionalmente mais tanto com genes como com memes para a geração seguinte. Blackmore supõe que parte do que torna uma pessoa atraente é sua mente geradora de memes: uma mente criativa, artística, loquaz, eloquente. E os genes ajudam a produzir o tipo de cérebro eficiente para gerar memes atraentes. Assim, a seleção quase darwiniana de memes no reservatório "mêmico" anda de mãos dadas com a seleção sexual genuinamente darwiniana de genes no reservatório gênico. Eis mais uma receita para a evolução desenfreada.

Qual é exatamente, nessa visão, o papel dos memes no aumento evolutivo do cérebro humano? Eis, a meu ver, o modo mais proveitoso de examinar essa questão. Existem variações genéticas nos cérebros que permaneceriam despercebidas sem memes que as trouxessem à luz. Por exemplo, há bons indícios de que existe um componente genético na variação da habilidade musical. O talento musical dos membros da família Bach provavelmente deveu muito aos seus genes. Em um mundo repleto de memes musicais, as diferenças genéticas em habilidade musical salientam-se e estão potencialmente disponíveis para a seleção sexual. Em um mundo anterior à entrada de memes musicais nos cérebros humanos, as diferenças genéticas na habilidade musical também estariam presentes, mas não se manifestariam, ou pelo menos não do mesmo modo. Elas não estariam disponíveis para a seleção sexual ou natural. A seleção memética não pode mudar o tamanho do cérebro sozinha, mas pode trazer à luz variações genéticas que, de outro modo, permaneceriam ocultas. Isso pode ser visto como uma versão do Efeito Baldwin, que mencionamos em "O conto do hipopótamo".

"O conto do pavão" usou a bela teoria de Darwin sobre a seleção sexual para levantar algumas questões sobre a evolução humana. Por que nossa pele é glabra? Por que andamos com duas pernas? E por que temos cérebro grande? Não vou me arriscar a supor a seleção sexual como a resposta universal para todas as questões relevantes sobre a evolução humana. No caso específico do bipedalismo, estou no mínimo tão convencido dessa teoria quanto da hipótese de Jonathan Kingdon sobre o papel de comer de cócoras. Mas aplaudo a atual tendência de retomar a reflexão atenta sobre a seleção sexual, negligenciada por tanto tempo desde que Darwin a aventou. E ela nos dá uma resposta pronta à questão suplementar que tão frequentemente espreita por trás das principais questões: por que, se o bipedalismo (ou o cérebro avantajado, ou a pele glabra) foi uma ideia tão boa para nós, não vemos isso em outros grandes primatas? A seleção sexual é boa para explicar isso, pois prediz súbitos arrancos evolutivos em direções arbitrárias. Por outro lado, a ausência de dimorfismo sexual no tamanho do cérebro e no bipedalismo requer argumentação especial. Deixemos o assunto por aqui. Ele precisa ser examinado mais a fundo.

O CONTO DO DODÔ

Os animais terrestres, por óbvias razões, têm grande dificuldade para chegar a ilhas oceânicas remotas, como o arquipélago das Galápagos ou as ilhas Maurício. Se, por obra do muito invocado e insólito acidente de flutuar inadvertidamente num manguezal desgarrado, acontece-lhes ir parar numa ilha como a Maurício, a tendência é que tenham pela frente uma vida tranquila. Isso ocorre precisamente por ser difícil atingir a ilha e, portanto, a competição e a predação não costumam ser tão ferozes como no continente que o animal deixou para trás. Como vimos, foi provavelmente assim que macacos e roedores chegaram à América do Sul.

Se digo que é "difícil" colonizar a ilha, devo apressar-me a prevenir o costumeiro mal-entendido. Um indivíduo que está se afogando pode tentar desesperadamente chegar a terra firme, mas nenhuma espécie jamais *tenta* colonizar uma ilha. Uma espécie não é o tipo de entidade que tenta fazer alguma coisa. Indivíduos de uma espécie podem, por acaso, achar-se em posição de colonizar uma ilha antes inabitada por sua espécie. Podemos esperar que os indivíduos em questão passem a aproveitar esse vácuo, e a consequência poderá ser que sua espécie venha a ser considerada pelos que analisarem o fato no futuro uma colonizadora da ilha. Os descendentes dessa espécie podem depois mudar seu modo de ser, ao longo do tempo evolutivo, para ajustar-se às condições pouco familiares da ilha.

E agora chegamos à razão de ser de "O conto do dodô". É difícil para animais terrestres chegar a uma ilha, mas para animais alados a coisa fica bem mais fácil. Como ocorreu com os ancestrais dos tentilhões das Galápagos... ou com os ancestrais do dodô, sejam eles quem forem. Os animais voadores estão em uma situação especial. Não precisam da proverbial jangada de mangue. Suas asas os carregam, talvez em um acidente anômalo, levados por um vendaval até uma ilha remota. Chegam alados e descobrem que não precisam mais das asas. Especialmente porque predadores em ilhas são coisa rara. É por isso que os animais insulanos, como Darwin notou nas Galápagos, costumam ser impressionantemente mansos. E é isso que faz deles carne fácil para o prato dos marinheiros. O mais famoso exemplo é o dodô, *Raphus cucullatus*, cruelmente batizado de *Didus ineptos* por Lineu, o pai da taxonomia.

O próprio nome dodô vem do português doudo [doido ou estúpido]. Estúpido é injustiça. Quando navegantes portugueses chegaram a Maurício em 1507, os abundantes dodôs eram completamente mansos e se aproximavam dos marinheiros de um modo que não pode estar muito longe de "confiante". Por que não confiariam, já que por milhares de anos os seus ancestrais não haviam encontrado predadores? Uma confiança deplorável. Os infelizes dodôs foram mortos a pauladas pelos marinheiros portugueses, e mais tarde holandeses — apesar de serem considerados "intragáveis". Presume-se que foi por "esporte". A extinção não demorou nem dois séculos. Como é muito comum, ela ocorreu por uma combinação de matanças e efeitos mais indiretos. Os humanos introduziram cães, porcos, ratos e refugiados religiosos. Os três primeiros comiam os ovos dos dodôs, e os últimos plantavam cana-de-açúcar e destruíam habitats.

A conservação é uma ideia muito recente. Duvido que alguém, no século XVII, tivesse alguma ideia sobre extinção e o que isso significa. Dói-me o coração contar a história do Dodô de Oxford, o último dodô empalhado na Inglaterra. Seu dono, o taxidermista John Tradescant, foi induzido a legar sua vasta coleção de raridades e tesouros ao infame (segundo alguns) Elias Ashmole, sendo esta a razão por que o Museu Ashmoleano em Oxford não se chama Museu Tradescantiano, como (afirmam alguns) deveria ser. Os curadores de Ashmole (dizem alguns, provavelmente mentindo) mais tarde decidiram queimar, como lixo, todo o dodô de Tradescant exceto o bico e um pé. Essas duas peças encontram-se hoje onde trabalho, no Museu Universitário de História Natural, onde memoravelmente inspiraram Lewis Carroll. E também Hilaire Belloc:

Dodô vivia a passear
Ao Sol e ao ar, feliz.
Deixou o Sol de ver Dodô
No chão de seu país!

Calou-se a voz esganiçada
Por toda a eternidade
Mas, no museu, bico e ossos
*Estão pra posteridade**

Afirmou-se que o dodô branco, *Raphus solitarius*, teve o mesmo destino na ilha vizinha, Reunião.** E Rodriguez, a terceira ilha do arquipélago Mascarenhas,

* *The Dodo used to walk around/ And take the sun and air./ The sun yet warms his native ground —/ The Dodo is not there!// The voice, which used to squawk and squeak/ Is now for ever dumb —/ Yet you may see his bones and beak/ All in the Mu-se-um.*

** Mas o meu espantosamente erudito assistente de pesquisa Sam Turvey informou-me que o dodô branco quase com certeza nunca existiu: "Dodôs brancos aparecem em algumas pinturas do século XVII, e viajantes contemporâneos fizeram referência a grandes aves brancas em Reunião, mas são relatos vagos e possivelmente equivocados; além disso, não se conhece nenhum material esqueletal rafídeo que seja proveniente da ilha. Embora a espécie tenha recebido a designação científica de *Raphus solitarius*, e o excêntrico naturalista japonês Masauji Hachisuka tenha apontado a ocorrência de duas espécies de dodôs em Reunião (que ele chamou de *Victoriornis imperialis* e *Ornithaptera solitaria*), é mais provável que os primeiros relatos refiram-se a uma íbis extinta de Reunião (*Threskiornis solitarius*), para a qual se conhece material esqueletal e que parece ter sido abrigou e perdeu pela mesma razão um parente um pouco mais distante, o solitário-de-rodriguez, *Pezophaps solitaria*.

Os ancestrais do dodô tinham asas. Seus antepassados foram pombos voadores que chegaram às ilhas Mascarenhas por sua própria força muscular, talvez ajudados por um vento anormal. Lá chegando, não tiveram mais necessidade de voar, pois não precisavam fugir de nada. Por isso, perderam as asas. Como as Galápagos e o Havaí, essas ilhas são criações vulcânicas recentes, nenhuma delas com mais de 7 milhões de anos. Dados moleculares sugerem que o dodô e o solitário provavelmente chegaram às ilhas Mascarenhas vindos do leste, e não da África ou de Madagascar como poderíamos supor. Talvez o solitário tenha passado pelo grosso de sua divergência evolutiva antes de finalmente chegar a Rodriguez, conservando uma capacidade de voar suficiente para ir de lá até Maurício.

Por que se dar ao trabalho de perder as asas? Elas demoraram muito tempo para evoluir, então por que não mantê-las para o caso de um dia poderem voltar a ser úteis? Infelizmente (para o dodô) não é assim que a evolução pensa. A evolução não pensa, e muito menos antevê. Se pensasse, os dodôs teriam conservado suas asas, e os marinheiros portugueses e holandeses não teriam tido alvos fáceis para seu vandalismo.

O saudoso Douglas Adams comoveu-se com o triste caso do dodô. Em um dos episódios da série *Doctor Who* que ele escreveu para o rádio nos anos 1970, a sala do idoso Professor Chronotis, em Cambridge, faz as vezes de máquina do tempo, mas ele a usa para um único propósito, seu vício secreto: as visitas obsessivamente repetidas a Maurício, onde ele vai *chorar pelo dodô*. Por causa de uma greve na BBC esse episódio nunca foi transmitido, e mais tarde Douglas Adams reciclou o persistente motivo do dodô em sua novela *Agência de detetives holística*. Podem me chamar de sentimental, mas farei agora um minuto de silêncio — por Douglas, pelo Professor Chronotis e por quem ele chorava.

A evolução, ou o motor que impele a seleção natural, não tem presciência. Em cada geração de cada espécie, os indivíduos mais bem equipados para sobreviver e se reproduzir contribuem mais do que proporcionalmente para a geração seguinte. A consequência, mesmo sendo cega, é o mais próximo da presciência que a natureza admite. Talvez as asas viessem a ser úteis dentro de 1 milhão de anos, quando chegassem os marinheiros com seus porretes. Mas asas não ajuda-

---

semelhante à ibis branca sagrada hoje viva, ou a espécimes imaturos do dodô pardo de Maurício. Alternativamente, podem ser meros produtos de licença artística".

riam uma ave a contribuir com descendentes e genes para a geração seguinte, no aqui-agora imediato. Ao contrário: as asas, e especialmente os grandes músculos peitorais necessários para movê-las, seriam um luxo caro. Se encolhessem, os recursos poupados poderiam ser gastos em algo de utilidade mais imediata, como ovos: imediatamente úteis para a sobrevivência e a reprodução dos próprios genes que programaram o encolhimento.

Esse é o tipo de coisa que a seleção natural faz o tempo todo. Ela está sempre bulindo: diminui um pouco aqui, expande um pouco ali, ajustando constantemente, pondo e tirando, otimizando o êxito reprodutivo imediato. A sobrevivência nos séculos vindouros não entra nos cálculos, pela boa razão de que na verdade não é feito cálculo algum. Tudo acontece automaticamente, quando alguns genes sobrevivem no reservatório gênico e outros não.

O triste fim do Dodô de Oxford (O Dodô de Alice, o Dodô de Belloc) é mitigado por uma sequência mais feliz. Um grupo de cientistas de Oxford, no laboratório de meu colega Alan Cooper, obteve permissão para extrair uma minúscula amostra do interior de um dos ossos do pé. Também obtiveram um osso da coxa de um solitário encontrado numa caverna em Rodriguez. Esses ossos forneceram DNA mitocondrial suficiente para permitir comparações detalhadas, letra a letra, entre as duas aves extintas e um amplo conjunto de aves vivas. O resultado confirma que, como por muito tempo se suspeitou, os dodôs foram pombos modificados. Também não é surpresa que, na família do pombo, o parente mais próximo do dodô seja o solitário, e vice-versa. O menos esperado é que esses dois gigantes incapazes de voar se aninhem profundamente na árvore genealógica dos pombos. Em outras palavras, os dodôs são parentes mais próximos de alguns pombos voadores do que esses são próximos de outros pombos voadores, embora, ao olharmos para eles, suporíamos que todos os pombos voadores são parentes mais próximos entre si e que os dodôs estariam situados em um ramo afastado. Entre os pombos, os dodôs são mais próximos do pombo-de--nicobar, *Caloenus nicobarica*, uma bela ave do Sudeste Asiático. Por sua vez, o grupo composto por pombo-de-nicobar e dodôs é parente mais próximo da pomba-goura-de-vitória, uma esplêndida ave da Nova Guiné, e do *Didunculus*, um raro pombo samoano de bico dentado que se parece com o dodô e cujo nome, inclusive, significa "pequeno dodô".*

* Um pombo gigante fossilizado que não voava, o *Natunaornis*, com tamanho próximo ao do dodô, foi descoberto recentemente em Fiji.

Os cientistas de Oxford comentam que o estilo de vida nômade do pombo--de-nicobar faz dele uma ave ideal para invadir ilhas remotas, e fósseis do tipo do nicobar foram encontrados em ilhas do Pacífico até, a leste, as ilhas Pitcairns. Esses pombos coroados e dentados, ressaltam os cientistas, são aves grandes e terrícolas que raramente voam. Parece que todo esse subgrupo de pombos costuma colonizar ilhas e perde então a capacidade de voar, tornando-se maior e mais parecido com o dodô. O próprio dodô e o solitário levaram essa tendência a extremos.

Algo parecido com "O conto do dodô" tem se repetido em ilhas do mundo todo. Muitas famílias diferentes de aves, a maioria dominada numericamente por espécies voadoras, adquiriram em ilhas formas que não voam através da evolução. A própria Maurício tem uma grande galinha-d'água não voadora, *Aphanapteryx bonasia*, também hoje extinta, que pode ocasionalmente ter sido confundida com o dodô. Rodriguez possui uma espécie aparentada, *A. leguati*. As galinhas-d'água parecem encaixar-se bem no processo de pular de ilha em ilha, culminando na incapacidade de voar que descrevemos em "O conto do dodô". Além das formas do Oceano Índico, existe uma galinha-d'água no arquipélago de Tristão da Cunha, no Atlântico Sul; e a maioria das ilhas do Pacífico tem — ou teve — sua própria espécie de galinha-d'água não voadora. Antes de o homem arruinar a avifauna havaiana, havia mais de doze espécies de galinha--d'água não voadoras no arquipélago. Mais de um quarto de todas as sessenta e tantas espécies vivas de galinha-d'água não voam, e todas as galinhas-d'água não voadoras vivem em ilhas (se contarmos as ilhas grandes como Nova Guiné e Nova Zelândia). Talvez nada menos que duzentas espécies tenham sido extintas em ilhas tropicais do Pacífico desde o contato com os humanos.

Novamente em Maurício, e também hoje extinto, houve um grande papagaio, *Lophopsittacus mauritianus*. Esse papagaio cristado voava mal e pode ter ocupado um nicho semelhante ao do (ainda) sobrevivente kakapo neozelandês.* A Nova Zelândia é, ou foi, o lar de um grande número de aves não voadoras pertencentes a muitas famílias diferentes. Uma das mais impressionantes é o chamado *adzebill* [bico de enxó] — uma ave atarracada e corpulenta, parente distante dos grous e das galinhas-d'água. Havia várias espécies de *adzebill* na Ilha do Norte e na Ilha do Sul, mas nenhuma delas tinha mamíferos, com exce-

* Também memoravelmente celebrado por Douglas Adams em *Last chance to see*.

ção (pela razão óbvia que fundamenta "O conto do dodô") de morcegos, e é fácil imaginar que os *adzebills* ganhavam a vida em um estilo bem parecido com o dos mamíferos, ocupando um nicho disponível no mercado.

Em todos esses casos, a história evolutiva é quase certamente uma versão de "O conto do dodô". Aves voadoras ancestrais são levadas por suas asas a uma ilha remota, onde a ausência de mamíferos abre oportunidades para viverem no solo. Suas asas deixam de ser úteis do modo como eram no continente de origem, e com isso as aves param de voar, suas asas e os dispendiosos músculos que as impelem degeneram. Há uma notável exceção, um dos mais antigos e mais famosos de todos os grupos de aves não-voadoras: os ratitas, a ordem do avestruz. A história evolutiva dos ratitas é bem diferente da de todas as demais aves não voadoras, e elas têm um conto próprio, "O conto do pássaro-elefante".

O CONTO DO PÁSSARO-ELEFANTE

Dos contos das *Mil e uma noites*, a imagem que mais mexia com minha imaginação na infância era a do pássaro roca encontrado por Sinbad, o Marujo, que primeiro confundiu a gigantesca ave com uma nuvem que encobrira o Sol: "Ouvi contar por peregrinos e viajantes de outrora que numa certa ilha habitava um imenso pássaro, chamado roca, que alimentava sua cria com elefantes".

A lenda do pássaro roca (*rucke* ou *rukh*) aparece em várias histórias das *Mil e uma noites* — duas em que figuram Sinbad e duas sobre Abd-al-Rahman. Marco Polo mencionou que a ave vivia em Madagascar, e contava-se que enviados do rei de Madagascar haviam presenteado o *khan* de Catai com uma pena de pássaro roca. Michael Drayton (1563-1631) invocou o nome da ave colossal para contrastar com a proverbialmente minúscula cambaxirra:

Todos os seres emplumados já vistos pelo homem,
*Do imenso roca à pequenina cambaxirra...**

Qual a origem da lenda do pássaro roca? E, se é pura fantasia, de onde vem a recorrente associação com Madagascar?

* *All feathered things yet ever knowne to men, / From the huge Rucke, unto the little Wren...*

Fósseis de Madagascar dizem-nos que lá viveu uma ave gigantesca, o pássaro-elefante *Aepyornis maximus*, talvez tão recentemente quanto o século XVII,* embora com maior probabilidade, até por volta de 1000 d.C. O pássaro-elefante finalmente sucumbiu, talvez em parte porque as pessoas roubassem seus ovos, que tinham até 1 metro de circunferência** e dariam uma refeição equivalente a duzentos ovos de galinha. O pássaro-elefante tinha 3 metros de altura e pesava quase meia tonelada — o peso de cinco avestruzes. Ao contrário do lendário pássaro roca (que usava suas asas de 16 metros de envergadura para transportar Sinbad e elefantes pelos ares), o verdadeiro pássaro-elefante não voava, e suas asas eram (relativamente) pequenas, como as do avestruz. Mas, embora fossem primos, seria um engano imaginar o pássaro-elefante como um avestruz em maior escala. Ele era mais robusto e atarracado, uma espécie de tanque emplumado com cabeça e pescoço avantajados, em contraste com o esguio periscópio do avestruz. Considerando o modo como as lendas crescem e inflam depressa, o *Aepyornis* é um plausível progenitor do pássaro roca.

O pássaro-elefante era provavelmente vegetariano, em contraste com o fabulosamente elefantófago pássaro roca e com grupos anteriores de gigantescas aves carnívoras como a família *Phorusrhachidae* do Novo Mundo. Elas podiam chegar à mesma altura do *Aepyiornis*, e possuíam um temível bico adunco que, como se quisesse justificar o apelido de "tiranossauro emplumado", parece capaz de engolir inteiro um advogado de estatura mediana. Esses monstruosos grous parecem à primeira vista mais bem talhados para o papel do terrível pássaro roca do que o *Aepyornis*, mas extinguiram-se em um passado muito distante para terem iniciado a lenda e, de qualquer modo, Sinbad (ou seu equivalente árabe da vida real) nunca esteve nas Américas.

O pássaro-elefante de Madagascar, pelo que se sabe, é a ave mais pesada que já viveu, mas não a mais comprida. Algumas espécies de moa podiam chegar a 3,5 metros de altura, porém só com o pescoço erguido, como na montagem de Richard Owen (foto da página seguinte). Quando vivos, ao que parece, costumavam manter a cabeça apenas um pouco acima do dorso. Mas o moa não pode

* Na verdade havia várias espécies aparentadas, em dois gêneros, *Aepyornis* e *Mullerornis*. Mas o *A. maximus*, como sugere seu nome, é quem mais merece ser chamado de pássaro-elefante.

** Não de diâmetro — é menos surpreendente do que parece.

SUMIU, NÃO TEM MAIS MOA.
Sir Richard Owen com o esqueleto do *Dinornis*, o moa gigante. Owen, a quem devemos o termo "dinossauro", foi o primeiro a descrever o moa.

ter gerado a lenda do pássaro roca, pois a Nova Zelândia também estava muito fora do alcance de Sinbad. Existiram em torno de dez espécies de moa na Nova Zelândia, de tamanhos que variavam do equivalente do peru até duas vezes o avestruz.* Os moas são extremados entre as aves não voadoras porque não têm nenhum traço de asas e nem mesmo vestígios embutidos de ossos de asas. Eles floresceram na Ilha do Norte e na Ilha do Sul da Nova Zelândia até a recente invasão pelo povo maori, por volta de 1250 d.C. Eram presas fáceis, sem dúvida pela mesma razão que o dodô. Com exceção da águia-de-haast (extinta), a maior águia que já viveu, os moas não conheceram predadores por dezenas de milhões de anos, e os maoris os exterminaram. Comeram as partes preferidas e descartaram o resto, desmentindo, não pela primeira vez, o mito do nobre selvagem vivendo em respeitosa harmonia com seu meio. Quando chegaram os europeus, apenas alguns séculos depois dos maoris, o último moa já desaparecera. Lendas e histórias inacreditáveis de avistamentos persistem até hoje, mas não há mais esperança. Nas palavras de uma lamentosa canção (é recomendável cantá-la com um lastimoso sotaque neozelandês):

* Os quivis são menores do que os perus, mas não são mais considerados moas anões. Como veremos, eles são parentes mais próximos dos emus e casuares e chegaram posteriormente da Austrália.

Não tem moa, não tem moa

*Na velha Ao-tea-roa.**

Ninguém acha,

Foi comido,

*Sumiu, não tem mais moa!***

O pássaro-elefante e o moa (mas não os carnívoros *Phorusrhachidae* nem vários outros gigantes não voadores extintos) eram ratitas, uma antiga família de aves que hoje inclui as emas da América do Sul, os emus da Austrália, os casuares da Nova Guiné e Austrália, os quivis da Nova Zelândia e o avestruz, hoje restrito à África e à Arábia, mas que já foi comum na Ásia e até na Europa.

Fascina-me o poder da seleção natural, e eu bem que gostaria de poder afirmar que a característica de não voar evoluiu separamente nos ratitas de diferentes partes do mundo, em conformidade com a mensagem de "O conto do dodô". Em outras palavras, eu gostaria que os ratitas fossem um agrupamento artificial, levado por pressões paralelas em diversos lugares a ter uma semelhança superficial. Infelizmente, isso não é verdade. A verdadeira história dos ratitas, que estou atribuindo ao pássaro-elefante, é bem outra. E devo dizer que, no fim das contas ela é, a seu próprio modo, ainda mais fascinante. "O conto do pássaro-elefante", visto junto com seu "Epílogo", é um relato sobre Gondwana e sobre a deriva continental ou, como hoje ela é chamada, a tectônica das placas.

Os ratitas são um grupo efetivamente natural. Avestruzes, emus, casuares, emas, quivis, moas e pássaros-elefantes são, na verdade, parentes mais próximos uns dos outros do que de quaisquer outras aves. E seu ancestral comum também não voava. É provável que tenha perdido as asas, pelas razões expostas em "O conto do dodô", depois de voar para alguma ilha já esquecida há muito tempo, nos arredores de Gondwana. Mas isso foi antes de os ratitas dividirem-se nas formas distintas cujos descendentes hoje encontramos nos diversos continentes e ilhas meridionais. Além disso, a divisão entre os ratitas e o resto das aves é extremamente antiga. Os ratitas são um grupo genuinamente imemorial em um sentido que explicarei agora. As aves sobreviventes classificam-se em dois grupos. De um lado temos os ratitas e os tinamus (um grupo de aves sul-americanas

* Nome maori da Nova Zelândia.

** *No moa, no moa/ In old Ao-tea-roa./ Can't get 'em./ They've et 'em;/ They've gone and there ain't no moa!*

voadoras). Do outro está todo o restante das aves sobreviventes, juntas. Por isso uma ave *ou* é ratita/tinamu *ou* se classifica junto com todas as demais, e a divisão entre essas duas categorias é a mais antiga entre as aves sobreviventes. Tenho de dizer aves sobreviventes porque existem vários grupos de aves extintas (voadoras e não voadoras) que não são primas de todas aves modernas.

Os ratitas são, portanto, um grupo natural com um ancestral comum ratita que também não era voador. Isso não quer dizer que um ancestral anterior dos ratitas não voasse. É claro que ele voava, pois do contrário por que eles (ou a maioria deles) teriam asas vestigiais? Existem, inclusive, indícios fósseis na forma do *Lithornis*, um parente voador dos ratitas, que viveu na América no Norte nas épocas Paleocena e Eocena. Mas o último ancestral comum de todos os ratitas sobreviventes já reduzira suas asas a tocos vestigiais muito antes de seus descendentes ramificarem-se nos vários grupos de ratitas hoje encontrados. Isso nos priva do conhecido "o conto do dodô", com ancestrais que atravessaram o mar voando e chegaram a terras distantes, perdendo então as asas independentemente. Os ratitas chegaram às suas atuais regiões separadas sem o benefício do voo. Como fizeram isso?

Andando. Todo o caminho.* Como isso foi possível? É isso que pretende mostrar "O conto do pássaro-elefante". Não havia mar — nada para atravessar. O que hoje conhecemos como continentes separados era uma coisa só, e as grandes aves não voadoras caminharam sem molhar os pés.

Quando eu era criança, na África, minha irmã mais nova e eu nos regalávamos com as histórias que meu pai nos contava na hora de ir para a cama. Deitados debaixo do mosquiteiro, deslumbrados com seu relógio de pulso luminoso, ouvíamos suas histórias sobre um "broncossauro" que viveu numa terra muuuuuito distante chamada Gonwonky. Esqueci-me completamente dessas histórias até bem mais tarde, quando aprendi sobre o grande continente meridional de Gondwanalândia.

Há 150 milhões de anos, Gondwanalândia, ou Gondwana,** consistia em tudo o que hoje conhecemos como América do Sul, África, Arábia, Antártida,

* Com a provável exceção do kiwi, como veremos.

** "Gondwanalândia" é criticado como tautologia, porque *vana*, em sânscrito, significa terra [na verdade, floresta]. Não usarei o termo. Mas ele tem a virtude de distinguir o imenso continente da região central de Madhya Pradesh, onde vivem os gonds: essa região ainda é chamada Gondwana e foi ela quem deu o nome à série geológica de Gondwana.

Australásia, Madagascar e Índia. O extremo sul da África era contíguo à Antártida e pendia para a "direita". Havia, portanto, uma lacuna triangular entre a costa leste da África e a costa norte da Antártida — mas não era realmente uma lacuna, pois era preenchida pela Índia. Naquele tempo, a Índia estava separada do resto da Ásia (Laurásia) por um oceano, o Tétis, cujo centro correspondia aproximadamente ao atual Oceano Índico e cujas bordas ocidentais são hoje o mar Mediterrâneo. Madagascar aninhava-se entre a Índia e a África, ligada dos dois lados. A Austrália com a Nova Guiné e a embrionária Nova Zelândia também eram ligadas à Antártida, mais adiante na costa, depois da Índia (ver Ilustração 19).

Mas Gondwana estava prestes a fragmentar-se. Já podemos ver aonde este conto chegará. De início, quando as aves ratitas perambulavam por Gondwana, podiam andar de qualquer um dos lugares que mais tarde habitariam para outro. Foram encontrados fósseis de ratitas na Antártida, que hoje sabemos, graças a fósseis de plantas, ter sido coberta na época por uma floresta subtropical de clima ameno. Os ratitas ancestrais vagueavam livremente por todo o continente de Gondwana sem desconfiar que sua terra natal estava destinada a partir-se em pedaços separados por milhares de quilômetros de oceano. Quando ela se desmembrou, os ratitas foram junto. Flutuaram pelo mar, sim, mas sua jangada não foi o proverbial fragmento de mangue. Foi o próprio solo sob seus pés. E houve tempo de sobra para evoluírem separadamente, em suas massas de terra que se afastavam umas das outras.

A separação ocorreu de modo muito súbito e explosivo pelos padrões do tempo geológico. Há cerca de 150 milhões de anos, a Índia (ainda com Madagascar agregada) começou a despegar-se da África. À medida que aumentava a brecha entre a África e a Índia/Madagascar, em torno de 140 milhões de anos atrás, a água passava a interpor-se, do outro lado, entre a Índia e a Antártida e entre a Austrália e a Antártida. Um pouco depois, a América do Sul começou a desvincular-se do lado ocidental da África, e há cerca de 120 milhões de anos um canal imensamente longo e estreito em forma de anzol separou as duas. O último lugar em que se pôde atravessar de uma para a outra foi onde a África Ocidental se ligava por um fio ao que hoje é o Brasil. Àquela altura, um canal também longo e estreito abrira-se entre a Antártida e a nova costa meridional da Austrália. Por volta de 80 milhões de anos atrás, Madagascar desatrelou-se da Índia e permaneceu aproximadamente em sua atual posição enquanto a Índia dava início a uma migração espetacularmente rápida para o norte, que terminaria em uma trombada na costa meridional da Ásia, originando os Himalaias. Durante esse mesmo período, os outros fragmentos de Gondwana haviam prosseguido em seu afastamento, cada qual levando sua carga de passageiros ratitas: emas ancestrais para o novo continente sul-americano, pássaros-elefantes ancestrais para Índia / Madagascar, emus ancestrais para a Austrália, avestruzes ancestrais para... mas não, deixemos esse assunto para mais tarde.

Fósseis de plantas nos dizem que a Antártida do Cretácio era subtropical, dotada de vegetação luxuriante, um excelente lugar para animais viverem.* Os raros fósseis que foram encontrados não podem refletir uma correspondente raridade de animais; uma vegetação rica como aquela deve ter sustentado uma fauna igualmente rica. Como já mencionei, entre os poucos animais fósseis que *foram* encontrados estão ratitas de grande porte, alguns graúdos como o moa, e parece provável que essas aves tenham sido abundantes na Antártida do Cretáceo. Mesmo que não tenha sido necessariamente a Grande Estação Central dos Ratitas, a Antártida foi uma ponte terrestre amena e acolhedora para os ratitas, ligando a África e a América do Sul de um lado do mundo à Austrália e à Nova Zelândia, e também à Índia / Madagascar, do outro.

Do ponto de vista de um ancestral ratita andarilho, o que importa não é quando a grande massa de seu continente específico se separou do resto de Gondwana. O que importa é o último momento em que ele ainda poderia atravessar andando a brecha. Por exemplo, por volta de 100 milhões de anos atrás, a África estava bem separada da Antártida no sul e da Índia / Madagascar no leste. Desses pontos de vista, a África já era uma ilha. Também estava muito separada da América do Sul, por quase toda a sua costa ocidental. Mas existia ainda aquela persistente ponte, entre a margem sul da massa africana ocidental e a parte que hoje é o Brasil. Esse foi o último momento de contato entre os ancestrais da ema e o resto do que outrora fora Gondwana. Temos outras datas de último contato entre os vários elementos da diáspora continental gondwanense.

Terá existido alguma coincidência entre as épocas em que os vários continentes e ilhas se separaram geograficamente e as épocas em que, segundo dados genéticos moleculares, as correspondentes linhagens de aves ratitas se separa-

* No entanto, o que nos causa estranheza, as partes mais meridionais ainda passavam boa parte do ano na escuridão. Presumivelmente, isso levou a adaptações comportamentais de todo tipo, para as quais não existem equivalentes modernos, pois hoje as latitudes extremas têm frio extremo.

ram na evolução? Ou, se não for demais perguntar, seriam os dois processos pelo menos compatíveis entre si no tempo? Sim, eles são. E, com exceção do quivi e, em um sentido interessante que logo explicarei, do avestruz, eles são incompatíveis com a hipótese alternativa de que os ratitas se distribuíram entre suas atuais massas de terra *depois* que elas se destacaram umas das outras.

Alan Cooper e seus colegas de Oxford, que encontramos em "O conto do dodô", compararam a genética molecular de todas as aves ratitas. Fazer isso com aves sobreviventes é fácil. Basta obter sangue de espécimes de avestruz, emus etc., mantidos em zoológico. Aliás, numerosas sequências já foram divulgadas em publicações especializadas. Mas a equipe de Cooper realizou a façanha adicional de sequenciar o DNA mitocondrial de dois gêneros de moa e um de pássaro-elefante para os quais contaram apenas com velhos ossos emprestados por museus. Notavelmente, a equipe conseguiu reunir todo o genoma mitocondrial dos dois gêneros de moa, embora as aves estivessem mortas havia pelo menos setecentos anos. O material dos pássaros-elefantes não estava tão bem preservado quanto o dos moas, mas ainda assim a equipe logrou sequenciar parte do DNA do pássaro-elefante. Essas sequências antigas de DNA puderam ser comparadas umas com as outras e com as sequências dos ratitas sobreviventes. A técnica do relógio molecular permitiu aos pesquisadores apontar datas aproximadas para as divergências evolutivas entre os ratitas.

Seria bom poder dizer que, de fato, as divisões moleculares entre os ratitas coincidem exatamente com as separações geográficas de suas regiões de origem. Infelizmente, a datação não é precisa o bastante para podermos ter certeza. Lembremos, também, que pular de ilha em ilha continuou sendo uma opção, até mesmo para animais não voadores, por um bom tempo depois que seus continentes se afastaram, e por isso o momento exato em que as várias partes de Gondwana se destacaram não é tão importante. Afinal, as aves não voadoras são tão não voadoras quanto os mamíferos, como macacos e roedores, que de algum modo passaram da África para a América do Sul atravessando o mar, ou quanto as iguanas impelidas para Anguilla por um furacão. Para dificultar mais as coisas, Gondwana fragmentou-se na maioria de suas partes mais ou menos simultaneamente (de novo usando esse termo no sentido geológico de "tirando ou pondo alguns milhões de anos"). O que as sequências moleculares agora nos permitem afirmar com confiança é que as divisões ancestrais entre os ratitas são antiquíssimas — o suficiente para serem totalmente compatíveis com a suposição de que seus ancestrais já se encontravam em suas terras separadas no hemisfério sul quando ocorreu a fragmentação.

Eis o melhor palpite sobre o que ocorreu. Pense na Antártida como a unidade a partir da qual os outros continentes se separaram. Obviamente, os continentes também se separaram uns dos outros, mas ajuda ter um ponto de referência, e a Antártida é convenientemente central, o que facilita a visualização. Além disso, como vimos, durante a época que interessa para o nosso conto, o Período Cretácio, que abrange cerca de 40 milhões de anos dos dois lados do marco de 100 milhões de anos, a Antártida não foi, de forma alguma, o deserto congelado que é hoje. Terá sido porque a Antártida estava em uma latitude mais amena? Não, pois ela estava só um pouco ao norte de sua posição atual. Ela era mais quente porque, por acaso, as formas costeiras naquela época dirigiam correntes quentes dos trópicos para latitudes meridionais distantes, numa versão mais acentuada do modo como a Corrente do Golfo favorece as palmeiras no oeste da Escócia atualmente. Uma das consequências do desmembramento de Gondwana foi que a corrente quente não se dirigiu mais para o sul. A Antártida reverteu ao clima gélido apropriado à sua latitude, e tem sido gelada desde então.

Portanto, na Antártida havia ratitas em abundância e no período certo. O resto do conto é de fácil compreensão. A América do Sul já estava bem povoada com os ancestrais das emas. A Nova Zelândia separou-se da Antártida há cerca de 70 milhões de anos, levando sua carga de moas ancestrais. Os dados moleculares indicam que os moas já tinham divergido dos outros ratitas há aproximadamente 80 milhões de anos. A Austrália perdeu contato com a Antártida por volta de 56 milhões de anos atrás. Isso condiz com os indícios moleculares de que os moas se separaram dos outros ratitas antes (82 milhões de anos) dos ratitas australianos, do emu e do casuar, que divergiram uns dos outros há cerca de 30 milhões de anos. É provável que os quivis sejam a única exceção à regra de que as aves ratitas andaram por toda parte. Eles não são parentes próximos dos moas. Suas afinidades são com os ratitas australianos, e eles presumivelmente pularam de ilha em ilha — da Austrália até a Nova Zelândia — via Nova Caledônia. Quanto ao pássaro-elefante, ele permaneceu em Madagascar depois que a Índia se desmembrou, há 75 milhões de anos, e lá permaneceu até a chegada do homem.

Eu disse que voltaria ao avestruz. A partir de aproximadamente 90 milhões de anos atrás, não foi mais possível passar por terra da África à qualquer outra parte da ex-Gondwana. Portanto, poderíamos pensar, esse foi o último momento em que o avestruz, sendo uma ave africana, poderia ter divergido do resto dos ratitas. Mas, na verdade, os dados moleculares indicam que o avestruz se separou de outras aves de Gondwana por volta de 75 milhões de anos atrás. Como poderia ter acontecido tal coisa?

O argumento é um tanto intricado, por isso repetirei a questão. Os dados geográficos indicam que a África já estava separada do resto da ex-Gondwana desde cerca de 90 milhões de anos atrás, mas os dados moleculares indicam que o avestruz se separou das outras aves gondwanenses por volta de 75 milhões de anos atrás. Onde estiveram os ancestrais do avestruz durante os 15 milhões de anos intermediários? Presumivelmente, não na África, pela razão que acabamos de expor. Eles poderiam estar em qualquer parte do resto de Gondwana, pois todas as outras partes — América do Sul, Austrália, Nova Zelândia e Indo-Madagascar — permaneceram em contato umas com as outras, mesmo que apenas por intermédio da Antártida e de pontes terrestres ainda existentes.

Mas então, como foi que os avestruzes modernos conseguiram ir parar na África? Alan Cooper tem uma teoria engenhosa. A Índia / Madagascar permaneceu ligada à Antártida por uma grande ponte terrestre chamada platô Kerguelen (hoje submerso) até 75 milhões de anos atrás, quando o que hoje é o Sri Lanka se destacou. Até aquele momento, os ancestrais do avestruz e do pássaro-elefante ainda estavam em contato com a Antártida — e portanto com o resto de Gondwana exceto a África, que se separara anteriormente. De acordo com a suposição de Cooper, os ancestrais do avestruz e do pássaro-elefante estavam na Índia / Madagascar nessa época da separação. Por essa hipótese, podemos considerar 75 milhões de anos como o último momento em que as linhagens do avestruz e do pássaro-elefante poderiam ter se separado dos outros ratitas, e isso se encaixa bem com os dados moleculares. E então, cerca de 5 milhões de anos mais tarde, a Índia destacou-se de Madagascar, levando de carona os que seriam os ancestrais dos avestruzes e deixando para trás os progenitores dos pássaros-elefante.

Até aqui, tudo bem. Mas ainda nos resta o enigma que iniciou esta parte do nosso conto. Se os ancestrais do avestruz estavam encafuados na ilha que era então a Índia, como foram parar na África? Agora chegamos à parte final da teoria de Cooper. A Índia, como o leitor há de se lembrar, depois de se separar de Madagascar, deslocou-se velozmente para o norte até sua atual posição como parte da Ásia. Para Cooper, os ancestrais dos avestruzes foram, com ela, aproveitando a colisão para enveredar pela Ásia. E, tendo penetrado na Ásia, a linhagem do avestruz espraiou-se em um grande leque para o norte. Ainda existem avestruzes na Arábia, e há fósseis na Ásia, na Índia, e até na Europa. Naquela época, como agora, a África estava ligada à Ásia via Arábia, e por essa rota, talvez há cerca de 20 milhões de anos, os avestruzes finalmente chegaram à África, onde hoje os encontramos. Segundo Cooper, os avestruzes ancestrais não foram absolutamente os únicos animais que pegaram a balsa da Índia para a Ásia. Ele aventa que a carga indiana de animais gondwanenses teve papel fundamental na recolonização da Ásia após a catástrofe que aniquilou os dinossauros.

A lenda do pássaro roca, a fabulosa ave gigante com força para mover elefantes, é um fascínio da infância. Mas a verdadeira história de como os próprios continentes se moveram, por milhares de quilômetros, não é ainda mais fascinante, mais digna da imaginação adulta? Examinaremos os detalhes no epílogo deste conto.

EPÍLOGO DO CONTO DO PÁSSARO-ELEFANTE

A teoria da tectônica das placas, como hoje a chamam, é uma das histórias de sucesso da ciência moderna. Na década de 1930, quando meu pai estava em Oxford, muitos, mas não todos, ridicularizavam o que então se chamava de teoria da deriva continental. Ela era associada ao meteorologista alemão Alfred Wegener (1880--1930), mas outros antes dele haviam feito suposição semelhante. Várias pessoas haviam notado como a costa leste da América do Sul se encaixava bem na costa oeste da África, mas em geral isso era descartado como uma coincidência. Havia algumas coincidências ainda mais impressionantes nas distribuições de animais e plantas, o que tinha de ser explicado postulando-se pontes terrestres entre os dois continentes. Mas a maioria dos cientistas achava que o mapa fora alterado por flutuações do nível do mar e não porque os próprios continentes houvessem derivado lateralmente. O nome Gondwana fora cunhado originalmente para designar um continente composto por África e América do Sul, em suas atuais posições, mas com o Atlântico sul drenado. A ideia de Wegener, de que os próprios continentes haviam derivado, era muito mais revolucionária — e polêmica.

Mesmo quando eu estava cursando a graduação, nos anos 1960 e não nos 1930, a questão não estava decidida. Charles Elton, o veterano ecologista de Oxford, fez uma conferência para nós sobre o tema. No final, ele organizou uma votação (coisa que eu lamento dizer, pois a democracia não é um modo de estabelecer uma verdade), e acho que ficamos divididos mais ou menos igualmente. Tudo isso mudou pouco depois que me formei. Evidenciou-se que Wegener estava muito mais próximo da verdade do que a maioria dos contemporâneos que zombaram dele. Seu principal equívoco foi pensar que as massas continentais existentes flutuavam no manto semilíquido e que haviam avançado laboriosamente como jangadas no mar. A moderna teoria da tectônica de placas vê toda a superfície da Terra — o assoalho oceânico e os continentes visíveis — como um conjunto de *placas*. Os continentes são partes espessas e menos densas de placas que afloram na atmosfera formando montanhas e que se afundam no manto. Em sua maioria, as fronteiras das placas estão sob o mar. De fato, compreenderemos melhor a teoria se esquecermos o mar. Vamos fingir que ele não existe. Nós o traremos de volta para inundar as terras baixas mais tarde.

As placas não avançam laboriosamente pelo mar, seja ele de água ou de rocha derretida. Em vez disso, toda a superfície da Terra é blindada, coberta por placas que deslizam sobre a superfície e às vezes mergulham por baixo de outra placa no processo conhecido como subdução. Quando uma placa se move, não deixa uma brecha atrás de si como Wegener imaginara. Ocorre que a "brecha" é continuamente preenchida por material novo que aflora das camadas profundas do manto terrestre e contribui para a substância da placa, no processo denominado espalhamento do assoalho oceânico. Em alguns aspectos, a placa parece uma imagem rígida demais; uma metáfora melhor é a de uma esteira rolante, ou uma escrivaninha de tampo corrediço. Eu a descreverei usando o exemplo mais claro e elegante: a Dorsal Mesoatlântica.

A Dorsal Mesoatlântica é um cânion submerso com 16 mil km de comprimento que descreve uma colossal curva em S entre o Atlântico Norte e o Atlântico Sul. A dorsal é uma zona de afloramento vulcânico. Rocha fundida sobe das profundezas do manto. Em seguida, verte lateralmente para leste e oeste, como duas tampas corrediças de escrivaninha. A tampa corrediça do leste empurra a África e a afasta do meio do Atlântico. A tampa corrediça do oeste empurra a América do Sul na outra direção. É por isso que esses dois continentes estão se afastando um do outro à taxa de 1 cm por ano, taxa que, como imaginativamente já se comentou, é mais ou menos aquela em que crescem as unhas, embora as taxas de movimento, de placa para placa, sejam muito variáves. Essa é a mesma força que originalmente as impeliu para longe uma da outra quando Gondwana se desmembrou. Existem zonas semelhantes de afloramento vulcânico no assoalho do Oceano Pacífico, do Oceano Índico e em vários outros lugares (embora às vezes sejam chamadas de elevações e não de dorsais). Essas dorsais oceânicas que se espalham são as propulsoras do movimento das placas.

Mas a linguagem do "empurrar" será muito enganosa se levar a crer que o afloramento do assoalho oceânico empurra a placa por trás. Afinal de contas, como é que um objeto tão imenso como uma placa continental poderia ser movido com um empurrão por trás? Não é isso. Na verdade, a crosta e a parte superior do manto são movidas pelas correntes que circulam na rocha derretida que está por baixo. Uma placa não é empurrada por trás, e sim arrastada pela corrente no líquido onde ela flutua, uma corrente que exerce sua força sob toda a porção inferior da placa.

Os dados que corroboram a visão da tectônica de placas são elegantemente eloquentes, e a teoria hoje está provada além de qualquer dúvida razoável. Se medirmos a idade das rochas dos dois lados de uma dorsal, como a Mesoatlântica, notaremos uma coisa impressionante. As rochas mais próximas da dorsal são as mais recentes. Quanto mais nos afastamos lateralmente da dorsal, mais antigas são as rochas. O resultado é que se traçarmos linhas "isócronas" (isto é, contornos geológicos de idades iguais), essas linhas serão paralelas à própria dorsal, serpenteando com ela pelo Atlântico Norte e pelo Atlântico Sul. Isso vale para os dois lados da dorsal. As linhas isócronas de um lado da dorsal são quase perfeitamente como uma imagem no espelho do outro lado (ver Ilustração 20).

Imagine que decidimos atravessar o fundo do Atlântico num trator submersível, diretamente para leste no décimo paralelo, partindo do porto de Maceió, no Brasil, em direção ao cabo da Barra do Cuanza, em Angola, passando rente à ilha de Ascensão pelo caminho. Enquanto avançamos, vamos coletando amostras das rochas sob a esteira do nosso trator (pneus não suportariam a pressão). Por razões que decorrem da teoria do espalhamento do assoalho oceânico, só estaremos interessados no basalto ígneo (lava solidificada) que jaz na base de seja qual for a rocha sedimentar que possa ter se depositado sobre ele. São essas rochas ígneas que, segundo a teoria, constituem o tampo corrediço ou esteira rolante à medida que a América do Sul se move para oeste e a África para leste. Perfuraremos os sedimentos — que podem ser bem grossos em certos lugares, pois se depositaram durante milhões de anos — e extrairemos amostras das duras rochas vulcânicas que há por baixo.

Pelos primeiros 50 km da nossa jornada para o leste, estamos na plataforma continental. Ela não é considerada, para nossos propósitos, como fundo do mar. Não deixamos o continente sul-americano; apenas temos um pouco de água rasa sobre nossas cabeças. De qualquer modo, para a finalidade de explicar a tectônica de placas, estamos desconsiderando a água. Mas depois passamos a descer rapidamente ao fundo do mar propriamente dito, extraímos nossa primeira amostra do verdadeiro assoalho oceânico e fazemos a análise radiométrica da data do basalto sob os sedimentos. Aqui, na borda ocidental do Atlântico, essa data é do Cretácio Inferior, cerca de 140 milhões de anos atrás. Continuamos nossa jornada para o leste, colhendo amostras a intervalos regulares das rochas vulcânicas na base dos sedimentos, e constatamos um fato notável: elas vão sendo cada vez mais recentes. A 500 km do nosso ponto de partida, estamos bem entranhados no Cretácio Superior, com rochas mais novas do que 100 milhões de anos. Percorridos cerca de 730 km em nossa jornada, embora não vejamos nenhuma fronteira distinta porque o que estamos vendo é apenas rocha vulcânica, cruzamos a fronteira dos 65 milhões de anos entre o Cretácio e o Período Paleógeno, o instante geológico em que, em terra firme, os dinossauros desapareceram subitamente. A sequência de idades decrescentes continua. Conforme avançamos diretamente para o leste, as rochas vulcânicas submarinas vão sendo cada vez mais recentes. A 1600 km de nosso ponto de partida estamos no Plioceno, olhando para rochas jovens, contemporâneas dos mamutes lanosos na Europa e de Lucy na África.

Quando chegamos à Dorsal Mesoatlântica propriamente dita, a cerca de 1620 km da América do Sul e um pouco mais distante (nessa latitude) da África, notamos que as rochas da nossa amostra agora são tão recentes que pertencem à nossa época. Acabaram de irromper das profundezas do mar. De fato, se tivermos muita sorte, poderemos contemplar uma erupção na parte específica da Dorsal Mesoatlântica que estamos atravessando. Mas teríamos de ter sorte, pois, apesar da imagem de uma esteira rolante em movimento contínuo, ela não é exatamente incessante. E como poderia ser, dado que o tampo corrediço se move em média 1 cm por ano? Quando ocorre uma erupção, as rochas são deslocadas em mais de 1 cm. Mas, correspondentemente, as erupções ocorrem com frequência menor do que uma vez por ano em qualquer dado ponto ao longo da dorsal.

Transpomos a Dorsal Mesoatlântica e continuamos nossa jornada para o leste em direção à África, novamente extraindo amostras de rocha vulcânica da parte inferior dos sedimentos. Observamos agora que as idades da rocha são como uma imagem refletida num espelho daquilo que medimos antes. As rochas vão ficando progressivamente mais antigas conforme nos afastamos do centro da dorsal, e isso continua por todo o caminho até a África e a orla oriental do Atlântico. Nossa última amostra, bem próxima da plataforma continental africana, mostra rochas do Cretáceo Inferior, exatamente como suas imagens no espelho do lado ocidental, próximas da América do Sul. De fato, toda a sequência se reflete pela Dorsal Mesoatlântica, e esse reflexo é ainda mais preciso do que poderíamos constatar com base apenas na datação radiométrica. O que decorre é muito elegante.

Em "O conto da sequoia", conheceremos a engenhosa técnica de datação chamada de dendrocronologia. Os anéis das árvores resultam do fato de que as árvores têm uma temporada anual de crescimento, e, como nem todos os anos são favoráveis por igual, surge um padrão característico de anéis grossos e finos. Essas assinaturas digitais, quando surgem às vezes na natureza, são uma dádiva natural para a ciência que deve ser avidamente aproveitada sempre que a encontrarmos. Particularmente feliz é o fato de que algo parecido com os anéis de árvores, embora em uma escala temporal maior, imprime-se na lava vulcânica quando essa resfria e se solidifica. Vejamos como isso funciona. Enquanto a lava ainda está líquida, as moléculas em seu interior comportam-se como minúsculas agulhas de bússola e se alinham com o magnetismo da Terra. Quando a lava se solidifica em rocha, as agulhas de bússola ficam petrificadas em sua posição corrente. Assim, a rocha ígnea atua como um ímã fraco, cuja polaridade é um registro congelado do campo magnético da Terra no momento da solidificação. Essa polaridade, que é fácil de medir, nos diz a direção do Polo Norte magnético no momento em que a rocha se solidificou.

Agora vem um fato propício. A polaridade do campo magnético da Terra inverte-se em intervalos irregulares, mas bem frequentes pelos padrões geológicos, numa escala temporal de dezenas ou centenas de milhares de anos. Podemos ver de pronto a empolgante consequência disso. Conforme as duas esteiras rolantes correm para oeste e para leste a partir da Dorsal Mesoatlântica, sua polaridade magnética medida exibirá listras, refletindo as viradas do campo da Terra, congeladas no momento da solidificação da rocha. O padrão de listras do lado

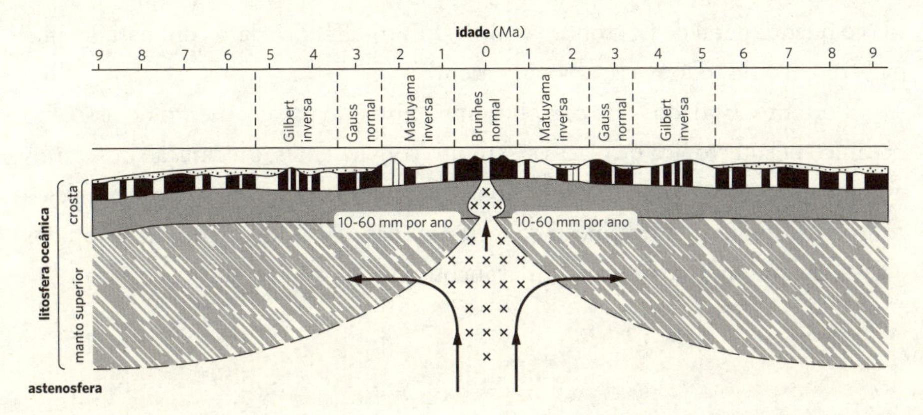

LISTRAS MAGNÉTICAS DOS DOIS LADOS DE UMA DORSAL OCEÂNICA. As listras escuras representam polaridade normal; as brancas, polaridade inversa. Os geólogos agrupam-nas em intervalos magnéticos dominados por polaridade normal ou inversa. A simetria das listras foi pela primeira vez identificada como indício do espalhamento do assoalho oceânico por Fred Vine e Drummond Matthews em um clássico artigo publicado na revista *Nature* em 1963 (ver página 726). A crosta e a camada superior dura do manto, conhecidas conjuntamente como litosfera, são empurradas e separadas por correntes de convecção no magma na camada semirrígida do manto subjacente (a astenosfera). O padrão característico de listras permite-nos identificar a idade das rochas no leito oceânico até aproximadamente 150 milhões de anos atrás. O leito oceânico mais antigo foi destruído por subdução.

oeste espelhará exatamente o padrão de listras do lado leste, pois os dois conjuntos de rochas partilharam o mesmo campo magnético quando elas jorraram juntas, em forma líquida, da dorsal meso-oceânica. É possível fazer a correspondência exata de cada listra do lado leste com a sua equivalente do lado oeste, e as duas listras podem ser datadas (ambas têm a mesma data, evidentemente, porque foram líquidas na mesma época em que jorraram juntas da dorsal). O mesmo padrão de listras será encontrado dos dois lados das zonas de espalhamento em todos os outros assoalhos oceânicos, embora as distâncias entre as listras correspondentes dos dois lados variem, pois nem todas as esteiras rolantes se movem na mesma velocidade. Não se poderia pedir um testemunho mais eloquente.

Há complicações. O padrão de listras paralelas não serpenteia pelo leito oceânico de um modo simples e ininterrupto. Ele está sujeito a numerosas fraturas — "falhas". Escolhi deliberadamente o décimo paralelo ao sul do equador para nossa jornada em trator de lagarta porque ele não tem a complicação de linhas de falha. Em outra latitude, nossa sequência de idades que mudam gradualmente seria interrompida por soluços ocasionais ao cruzarmos linhas de falha.

Mas o quadro geral de isócronos paralelos fica totalmente claro com base no mapa geológico de todo o assoalho atlântico.

Portanto, os dados que corroboram a teoria do espalhamento do assoalho oceânico pela tectônica de placas são muito convincentes, e a datação dos vários eventos tectônicos, como a separação de continentes específicos, é precisa pelos padrões geológicos. A revolução da tectônica das placas foi um dos mais rápidos e ao mesmo tempo mais decisivos avanços em toda a história da ciência.

Encontro 17
Anfíbios

Há 340 milhões de anos, no começo do Período Carbonífero, apenas cerca de 30 milhões de anos além do grande marco do Encontro 16, nós, os amniotas (o nome que une os mamíferos às aves e répteis), reunimo-nos aos nossos primos anfíbios no Encontro 17. A Pangeia ainda não se juntara, e as massas de terra do norte e do sul circundavam o oceano pré-Tétis. Uma calota de gelo começava a se formar no Polo Sul, havia florestas tropicais de licopódios ao redor do equador, e é provável que o clima se parecesse um pouco com o de hoje, embora obviamente a flora e a fauna fossem muito diferentes.

O Concestral 17, na vizinhança do nosso 175 000 000º avô, é o ancestral de todos os tetrápodes sobreviventes. Tetrápodes significa dotado de quatro pés. Nós, que não andamos com quatro pés, somos tetrápodes "não praticantes", recentemente não praticantes no caso dos humanos e muito menos recentemente no caso das aves. Mas todos somos chamados de tetrápodes. A propósito, o Concestral 17 é o mais antigo ancestral da imensa multidão de vertebrados terrestres. Apesar de minhas críticas anteriores à presunção das análises *a posteriori*, a subida de peixes para a terra firme foi uma transição fundamental em nossa história evolutiva.

Três principais grupos de peregrinos anfíbios modernos juntaram forças muito "antes" de se encontrarem com os amniotas, que somos nós. Refiro-me

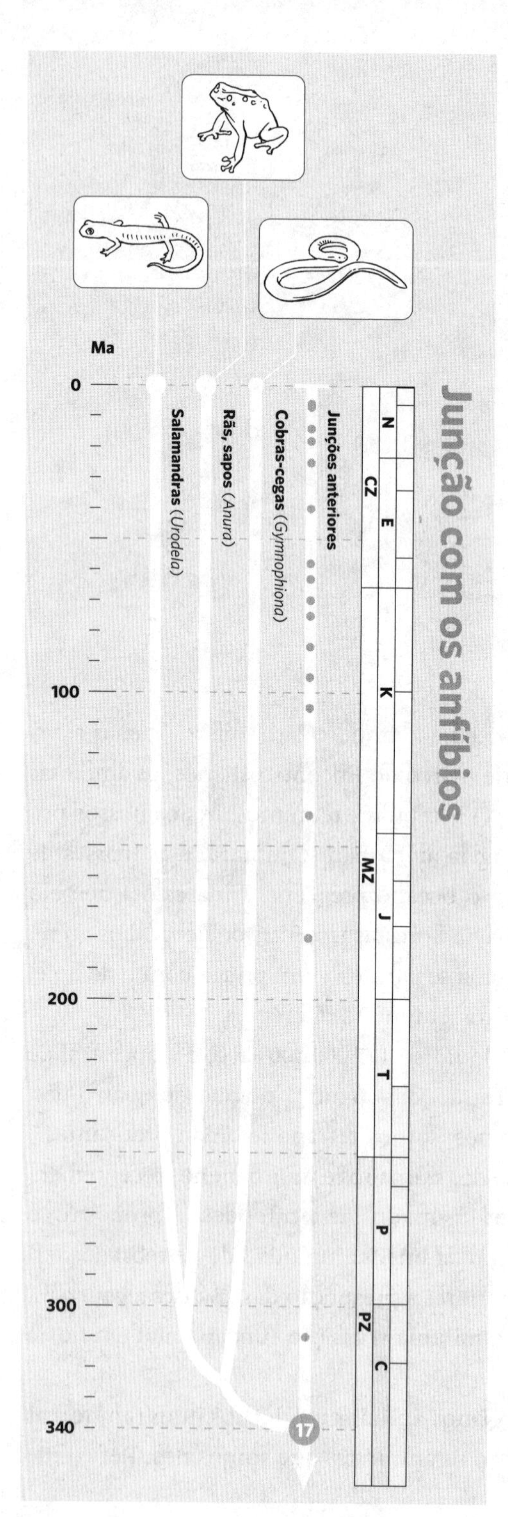

JUNÇÃO COM OS ANFÍBIOS. Contradizendo vários estudos de fósseis, estudos genéticos unem consistentemente as cerca de 5 mil espécies descritas de anfíbios em um só grupo, irmão dos amniotas. Seguiu-se aqui a taxonomia molecular, mas há discordâncias quanto à ordem de ramificação entre os três grupos de anfíbios.

IMAGENS, DA ESQUERDA PARA A DIREITA: Ensatina de Monterey (*Ensatina eschscholtzii eschscholtzii*); rã venenosa azul (*Dendrobates azureus*); cobra-cega (*Ichthyophis sp.*).

às rãs (e sapos: a distinção não é zoologicamente útil), às salamandras (e tritões, que são as espécies que retornam à água para se reproduzir) e às cobras-cegas (cavadoras ou nadadoras, de corpo úmido e sem pernas, que lembram superficialmente as minhocas ou cobras). As rãs adultas não têm cauda, mas na fase larval possuem uma cauda com a qual nadam vigorosamente. As salamandras têm uma cauda longa tanto no estágio adulto como no larval, e as proporções de seu corpo lembram mais os anfíbios ancestrais, a julgar pelos fósseis. As cobras-cegas não têm membros — nem mesmo vestígios internos das cinturas peitoral e pélvica que sustentavam os membros de seus ancestrais. A cobra-cega adquiriu seu corpo tão comprido graças à multiplicação das vértebras na região do tronco (até 250, em comparação com 12 nas rãs), e de suas costelas, que são úteis como apoio e proteção. A cauda, curiosamente, é muito curta ou até ausente: se as cobras-cegas tivessem pernas, as posteriores estariam localizadas bem no extremo posterior do corpo, onde alguns anfíbios extintos as tinham.

Apesar de viverem em terra quando adultos, a maioria dos anfíbios se reproduz na água, enquanto os amniotas (exceto em casos de evolução secundária, como as baleias, dugongos e ictiossauros) se reproduzem em terra. A reprodução dos amniotas é vivípara: produzem crias vivas ou dotadas de um ovo relativamente grande, de casca dura e impermeável. Nos dois casos o embrião flutua em seu próprio "lago particular". Os embriões dos anfíbios têm probabilidade muito maior de flutuar em um lago de verdade, ou em algo equivalente. Os peregrinos anfíbios que se juntam a nós no Encontro 17 podem passar parte de seu tempo em terra, mas raramente se afastam muito da água e, pelo menos em algum estágio do seu ciclo de vida, costumam retornar ao meio líquido. Os que se reproduzem em terra empenham-se para conseguir condições aquáticas.

As árvores fornecem refúgio relativamente seguro, e as rãs descobriram modos de se reproduzir nelas sem perder a vital ligação com a água. Algumas exploram as pequenas poças de chuva que se formam nas rosetas das plantas bromeliáceas. Os machos das rãs africanas arborícolas cinzentas, *Chiromantis xerampelina*, cooperam batendo as pernas traseiras para formar uma espessa espuma branca a partir de um líquido secretado pelas fêmeas. Essa espuma endurece na superfície criando uma crosta que protege o interior úmido, o ninho dos ovos do grupo. Os girinos desenvolvem-se dentro do ninho de espuma molhada em uma árvore. Quando ficam prontos, na estação chuvosa seguinte, desprendem-se e caem nas poças de água embaixo da árvore, onde se tornarão rãs. Outras espécies usam a técnica do ninho de espuma, mas não cooperam para produzi-lo. Em vez disso, um macho bate a espuma a partir da secreção de uma fêmea.

Algumas espécies de rãs fizeram interessantes transições em direção à verdadeira viviparidade, o nascimento vivo. A fêmea da rã marsupial sul-americana (várias espécies do gênero *Gastrotheca*) transfere seus ovos fertilizados para o dorso, onde são cobertos por uma camada de pele. Ali os girinos se desenvolvem e podem ser vistos remexendo-se sob a pele das costas da mãe até que por fim a pele se rompe e eles saem. Várias outras espécies fazem coisa parecida, o que provavelmente evoluiu de modo independente.

Outra espécie de rã sul-americana, batizada de *Rhinoderma darwinii* em honra a seu ilustre descobridor, pratica uma versão insólita de viviparidade. O macho parece engolir os ovos que fertilizou. Mas eles não descem pelas entranhas do pai. Como muitos machos de rã, ele possui um cômodo saco vocal, usado como ressoador para amplificar a voz, e é nessa câmara úmida que os ovos se alojam. Ali se desenvolvem até serem vomitados como rãzinhas completamente formadas, abrindo mão da liberdade de nadar como girinos.

A principal diferença entre anfíbios e amniotas é que, nos amniotas, a pele e o invólucro do ovo são impermeáveis. A pele dos anfíbios permite a evaporação da água do corpo à mesma taxa que se esperaria de uma massa de água encontrada na mesma área. Em relação à água existente sob a pele, quase tanto faz se existe a pele ou não. Isso é muito diferente do que ocorre com os répteis, aves e mamíferos, cuja pele tem, entre outras, a função essencial de servir de barreira à água. Existem exceções entre os anfíbios — notavelmente, entre várias espécies de rãs do deserto na Austrália. Elas exploram o fato de que até mesmo os desertos podem ter épocas de inundação, ainda que breves e muito espaçadas. Durante essas raras e intermitentes épocas de chuvas fortes, cada rã produz um casulo cheio de água e ali se enterra em estado de torpor durante dois anos ou, segundo alguns relatos, até sete. Algumas espécies de rã podem suportar temperaturas muito inferiores ao ponto normal de congelamento da água, produzindo o anticongelante glicerol.

Quase nenhum anfíbio vive em água do mar. Por isso, não surpreende que, ao contrário dos lagartos, raramente sejam encontrados em ilhas remotas.* Darwin

* Sam Turvey informou-me que duas espécies de rã com a mais remota distribuição em ilhas, as rãs fijianas *Patymantis vitiensis* e *P. vitianus* (parentes próximas e presumivelmente descendentes de

mencionou isso em mais de um livro, e salientou também o fato de que as rãs artificialmente introduzidas em ilhas desse tipo prosperaram. Ele supôs que os ovos de lagarto eram protegidos pela casca dura contra a água do mar, que mata de imediato a prole das rãs. Entretanto, há rãs em todos os continentes, com exceção da Antártida, e é provável que tenham existido continuamente nesses lugares antes da separação dos continentes. Elas formam um grupo muito bem-sucedido.

As rãs lembram-me as aves em um aspecto. Ambas têm um plano corporal, uma modificação um tanto bizarra do plano ancestral. Isso não é particularmente digno de nota, mas acontece que as aves e as rãs usaram esse plano corporal bizarro como base para toda uma nova série de variações. As espécies de rãs são menos numerosas que as de aves, mas as mais de 4 mil espécies de rãs de todas as partes do mundo já nos impressionam o bastante. Assim como o plano corporal das aves é obviamente apropriado ao voo, inclusive o das aves que não voam, como o avestruz, o melhor modo de compreender o plano corporal de uma rã adulta é como uma máquina de saltar altamente especializada. Algumas espécies podem pular por distâncias espetaculares, superiores a cinquenta vezes o comprimento de seu corpo, no caso da justamente batizada rã-foguete, da Austrália (*Litoria nasuta*). Afirma-se que a maior rã do mundo, a golias, da África Ocidental (*Conraua goliath*), do tamanho de um cão de pequeno porte, pode saltar três metros. Nem todas as rãs pulam, mas todas descendem de ancestrais saltadores. São, no mínimo, saltadoras que deixaram de praticar, assim como os avestruzes são voadores que deixaram de praticar. Algumas espécies arborícolas, como a rã voadora de Wallace, *Racophorus nigropalmatus*, prolongam o salto espalmando os longos dedos das quatro patas, cujas membranas atuam como paraquedas. Elas planam de fato, mais ou menos como os esquilos voadores.

As salamandras e os tritões, quando estão na água, nadam como peixes. Mesmo em terra, suas pernas são pequenas e débeis demais para andar ou correr no sentido que reconheceríamos, e a salamandra recorre a um sinuoso movimento natatório, como o de um peixe, no qual as pernas apenas ajudam a dar impulso. A maioria das salamandras atuais é bem pequena. A maior atinge o respeitável

---

uma única ancestral colonizadora), desenvolvem-se completamente no ovo em vez de passar por uma fase de girino livre-natante. Elas parecem ser mais tolerantes ao sal do que a maioria das rãs, e algumas *P. vitianus* até são encontradas em praias. Essas características incomuns, se estiveram presentes em seu ancestral colonizador como parece provável, teriam pré-adaptado essas rãs para pular de ilha em ilha.

comprimento de 1,5 metro, mas ainda assim é bem menor do que os gigantescos anfíbios do passado, que dominaram a terra firme antes da ascensão dos répteis.

Mas como era o Concestral 17, o ancestral que os anfíbios têm em comum com os répteis e conosco? Certamente se parecia mais com um anfíbio do que com um amniota, e mais com uma salamandra do que com uma rã — mas provavelmente não muito nem com uma, nem com outra. Os melhores fósseis encontram-se na Groenlândia, que, no Período Devoniano, estava no equador. Têm sido muito estudados esses possíveis fósseis transicionais,* entre eles o *Ichthyostega* e o *Acanthostega*, que parece ter sido totalmente aquático (mostrando que originalmente as "pernas" evoluíram para a movimentação na água e não em terra).

O Concestral 17 poderia ter sido mais ou menos parecido com o *Ichthyostega* ou com o *Acanthostega*, embora ambos fossem maiores do que normalmente esperamos dos ancestrais mais antigos. Há algumas outras surpresas para os zoólogos condicionados pela familiaridade com animais modernos. Tendemos a pensar que possuir cinco dedos é uma característica profundamente arraigada nas mãos e pés dos tetrápodes — o membro "pentadáctilo" é um clássico totem zoológico. Mas dados recentes mostram que o *Ichthyostega* tinha sete dedos, o *Acanthostega*, oito, e o *Tulerpeton*, um terceiro gênero de tetrápode devoniano, seis. É tentador dizer que o número de dedos não importa, que é funcionalmente neutro. Duvido. Suponho, provisoriamente, que naqueles tempos remotos as diferentes espécies se beneficiassem de seus respectivos números de dedos. Eram de fato mais eficientes do que outras quantidades teriam sido, para nadar ou para andar. Mais tarde, o design dos membros dos tetrápodes consolidou-se com os cinco dedos provavelmente porque algum processo embriológico interno passou a depender desse número. Em muitos adultos, o número se reduz em relação à quantidade encontrada no embrião — em casos extremos, como o dos cavalos modernos, para apenas um, o dedo médio.

O grupo de peixes do qual os anfíbios se originaram é o dos peixes de nadadeiras lobadas. Os únicos sobreviventes desse grupo são os peixes pulmonados e os celacantos,** que veremos respectivamente nos Encontros 18 e 19. Nos

* Notavelmente nestes últimos anos, pela dra. Jennifer Clark e seus colegas da Universidade de Cambridge. Ver seu livro *Gaining ground: the origin and evolution of tetrapods*.

** O nome em inglês para os peixes de nadadeiras lobadas, *lobefin*, não é usado por consenso. Alguns autores excluem os peixes pulmonados e afirmam que os celacantos são os únicos *lobefins* tempos devonianos, os peixes de nadadeiras lobadas destacavam-se muito mais nas faunas do mar e de água doce. Os tetrápodes provavelmente evoluíram, e são hoje os únicos descendentes vivos de um grupo de peixes de nadadeiras lobadas chamado osteolepiformes. Entre os osteolepiformes estavam o *Eusthenopteron* e o *Panderichthys*, ambos de fins do Devoniano, mais ou menos da mesma época em que os primeiros tetrápodes começavam a vir para terra firme.

Por que peixes começaram a adquirir as primeiras mudanças que lhes permitiram sair da água para a terra? Pulmões, por exemplo. E nadadeiras com as quais era possível andar em vez de nadar, ou além de nadar? Eles não estavam tentando iniciar o próximo grande capítulo da evolução, é claro! Por anos, a resposta preferida a essa pergunta foi a que o ilustre paleontologista americano Alfred Sherwood Romer derivou do geólogo Joseph Barrell. A ideia era que, se esses peixes estavam tentando fazer alguma coisa, era voltar para a água. Em épocas de seca é fácil peixes ficarem encalhados em lagoas que vão secando gradativamente. Os indivíduos capazes de andar e respirar ar têm a imensa vantagem de poder abandonar uma lagoa condenada a secar e partir para outra mais profunda em outro lugar.

Essa admirável teoria saiu de moda, mas não, a meu ver, por razões boas. Infelizmente, Romer citou a crença prevalecente em sua época de que o Devoniano foi uma época de secas, uma crença que foi questionada depois. Mas, na minha opinião, Romer não precisava de um Devoniano ressequido. Mesmo em épocas sem secas específicas, sempre haverá lagoas rasas o suficiente para correrem o perigo de se tornar rasas demais para algum tipo de peixe. Se lagoas com 1,5 m de profundidade teriam corrido risco nas condições de uma seca severa, as condições de uma seca branda poriam em risco as lagoas de meio metro. É suficiente para a hipótese de Romer que haja algumas lagoas que sequem totalmente, e portanto alguns peixes que possam salvar-se emigrando. Mesmo se o mundo de fins do Devoniano fosse muito molhado, poderíamos dizer que isso simplesmente aumenta o número de lagoas disponíveis para secar, e assim que seriam maiores as oportunidades para salvar tanto a vida do peixe ambulante como a teoria de Romer. Não obstante, é meu dever deixar registrado que hoje essa teoria saiu de moda. Um argumento adicional contra ela é o fato de os pei-

---

sobreviventes. Sigo a terminologia do professor Robert Carroll em *Vertebrate Palaeontology and evolution*, e incluo os peixes pulmonados entre os peixes de nadadeiras lobadas.

xes modernos que se aventuram em terra firme fazerem-no em áreas úmidas, molhadas — ou seja, quando as condições em terra são "boas" para animais aquáticos, e não ruins, como na hipótese de Romer.

Além disso, existem certamente muitas outras boas razões para um peixe emergir em terra firme em caráter temporário ou permanente. Riachos e lagoas podem tornar-se inviáveis para a vida por outras razões além de secar. Podem ser sufocados por plantas, e nesse caso, novamente, um peixe capaz de emigrar por terra para águas mais profundas poderia se beneficiar. Se, como se sugeriu contra Romer, estamos falando em pântanos devonianos e não em secas devonianas, os pântanos fornecem amplas oportunidades para que um peixe se beneficie de andar, deslizar, estrebuchar ou de algum outro modo se deslocar através da vegetação pantanosa em busca de água mais profunda ou, aliás, de alimento. Isso ainda retém a ideia essencial de Romer de que nossos ancestrais deixaram a água, a princípio, não para colonizar a terra firme, mas para voltar para o meio líquido.

O grupo de peixes de nadadeiras lobadas do qual nós, os tetrápodes, derivamos hoje está reduzido a míseros quatro gêneros, mas outrora dominaram os mares quase como fazem hoje os peixes teleósteos. Só nos reuniremos aos teleósteos no Encontro 20, mas eles ajudarão nossa exposição porque alguns respiram ar, pelo menos ocasionalmente, e alguns até saem da água e andam em terra firme. Um pouco adiante na nossa peregrinação teremos notícias de um deles, o saltador-do-lodo, que nos apresentará um conto sobre uma entrada independente e mais recente em terra firme.

O CONTO DA SALAMANDRA

Os nomes são uma ameaça na história evolutiva. Não é segredo que a paleontologia é uma área polêmica na qual há inclusive algumas inimizades pessoais. Existem pelo menos oito livros intitulados *Bones of contention* [literalmente, "ossos da discórdia"]. E se formos procurar o porquê de dois paleontologistas estarem brigando, o mais das vezes descobriremos que é por causa de um nome. Esse fóssil é *Homo erectus* ou *Homo sapiens* arcaico? E esse é um dos primeiros *Homo habilis* ou um dos últimos *Australopithecus*? Evidentemente é dada uma imensa importância a tais questões, mas com frequência se trata de minúcias. Elas até lembram questões teológicas, e suponho que assim temos uma pista da razão de suscitarem essas desavenças exaltadas. A obsessão por nomes separados é um exemplo do que denomino tirania da mente descontínua. "O conto da salamandra" desfere um golpe contra a mente descontínua (ver Ilustração 21).

O Vale Central estende-se na longitudinal por boa parte da Califórnia, limitado a oeste pela Cadeia da Costa e a leste pela Sierra Nevada. Essas longas cordilheiras ligam-se nos extremos norte e sul do vale, que é, portanto, cercado por terreno elevado. Em toda essa região alta vive um gênero de salamandra chamado *Ensatina*. O centro do vale propriamente dito, com cerca de 64 km de largura, é inóspito para as salamandras, e lá elas não são encontradas. Elas podem deslocar-se por todo o vale, mas não costumam atravessá-lo, e sua população é mais ou menos contínua em toda uma orla oval alongada. Na prática, as pernas curtas de uma salamandra, em seu breve período de vida, não podem levá-la para longe do lugar onde nasceu. Mas com os genes, que persistem através de uma escala temporal mais longa, a coisa é outra. As salamandras individuais podem intercruzar com vizinhas cujos pais podem ter intercruzado com vizinhos de áreas mais adiante no anel, e assim por diante. Portanto, potencialmente existe um fluxo gênico por todo o anel. Potencialmente. Na prática, o que ocorre foi constatado pelos estudos de meus velhos colegas da Universidade da Califórnia em Berkeley, iniciados por Robert Stebbins e continuados por David Wake.

Em uma área de estudo chamada Camp Wolahi, nas montanhas ao sul do vale, existem duas espécies claramente distintas de *Ensatina* que não se intercruzam. Uma tem vistosas manchas amarelas e pretas. A outra tem a pele sem manchas, de um marrom-claro uniforme. Camp Wolahi está em uma zona de sobreposição, mas uma amostragem mais abrangente indica que a espécie com manchas é típica do lado oriental do Vale Central que, nessa parte do sul da Califórnia, é conhecido como vale San Joaquin. A espécie marrom-clara, ao contrário, é tipicamente encontrada no lado oeste de San Joaquin.

Não haver intercruzamento é o critério reconhecido para estabelecer se duas populações merecem nomes de espécie distintos. Portanto, deveria ser fácil decidir usar o nome *Ensatina eschscholtzii* para a espécie ocidental de pele lisa e *Ensatina klauberi* para a espécie oriental com manchas. Inquestionável, se não fosse por uma circunstância notável, que é o eixo deste conto.

Se subirmos as montanhas que limitam o extremo norte do vale Central, que nesse trecho se chama vale Sacramento, encontraremos apenas uma espécie de *Ensatina*. Sua aparência é intermediária entre a espécie com manchas e a de pele lisa: principalmente marrom, com manchas pouco distintas. Ela não é um híbrido das duas. Esse é o modo errado de considerá-la. Para descobrir o modo certo, temos de fazer duas expedições ao sul, colhendo amostras de populações de salamandras à medida que elas se bifurcam para os lados oeste e leste do vale Central. Do lado leste, elas se tornam progressivamente mais manchadas até atingirem o extremo da *klauberi* na ponta sul. Do lado oeste, as salamandras têm a pele cada vez parecida com a da *eschscholtzii* lisa que encontramos na zona de sobreposição em Camp Wolahi.

Eis por que é difícil ter certeza quanto a tratar ou não a *Ensatina eschscholtzii* e a *Ensatina klauberi* como espécies separadas. Elas constituem uma "espécie em anel". Nós a reconheceremos como espécies separadas se coletarmos amostras apenas do sul. Mas conforme seguimos para o norte elas se transformam gradualmente umas nas outras. Os zoólogos costumam seguir o exemplo de Stebbin e classificar todas na mesma espécie, *Ensatina eschscholtzii*, porém dando-lhes uma série de nomes de subespécies. Começando pelo extremo sul com a *Ensatina eschscholtzii eschscholtzii*, a forma de pele marrom totalmente lisa, subimos pelo lado oeste do vale e passamos pela *Ensatina eschscholtzii xanthopica* e pela *Ensatina eschscholtzii oregonensis*, que, como sugere seu nome, também é encontrada mais ao norte em Oregon e Washington. Na ponta norte do Vale Central da Califórnia encontramos a *Ensatina eschscholtzii picta*, a forma semimanchada que já mencionei. Seguindo pelo anel e começando a descer pelo lado leste do vale, passamos pela *Ensatina eschscholtzii platensis* com um pouco mais de manchas que a *picta*, depois pela *Ensatina eschscholtzii croceater* até chegarmos à *Ensatina escscholtzii klauberi* (aquela toda manchada que chamamos anteriormente de *Ensatina klauberi* quando a estávamos considerando uma espécie separada).

Stebbins supõe que os ancestrais da *Ensatina* chegaram à ponta norte do vale Central e evoluíram gradualmente ao descerem pelos dois lados do vale, divergindo pelo caminho. Uma possibilidade alternativa é terem começado no sul como, digamos, *Ensatina eschscholtzii eschscholtzii*, evoluindo ao subirem pelo lado oeste do vale, darem a volta pelo topo e descerem pelo outro lado, terminando como *Ensatina eschscholtzii klauberi* do outro lado do anel. Seja qual for a história, o que ocorre hoje é que existe hibridização em toda a extensão do anel, exceto onde os dois extremos da linha se encontram, na ponta sul da Califórnia.

Para complicar, existe a impressão de que o vale Central não é uma barreira total ao fluxo gênico. Parece que ocasionalmente salamandras conseguiram fazer a travessia, pois existem populações, por exemplo, de *xanthoptica*, uma das subespécies ocidentais, no lado oriental do vale, onde se hibridizaram com a subespécie oriental, a *platensis*. Outra complicação é a existência de uma pequena ruptura próxima ao extremo sul do anel, onde parece não haver salamandras. Podemos presumir que tenha havido antes, mas desapareceram gradualmente. Ou talvez ainda estejam lá, só que não foram encontradas: disseram-me que as montanhas dessa área são escarpadas e que é muito difícil procurar ali. O anel é complicado, mas um anel de fluxo gênico contínuo ainda assim é o padrão predominante desse gênero, como é também para o mais conhecido caso das gaivotas-argênteas e das gaivotas-de-asa-escura nas proximidades do Círculo Ártico.

Na Grã-Bretanha, a gaivota-argêntea e a gaivota-de-asa-escura são espécies claramente distintas. Qualquer pessoa pode diferenciá-las, sobretudo pela cor da parte de cima das asas. As gaivotas-argênteas têm a parte de cima das asas em tom cinza prateado, e as de asa escura as têm cinza-escuras, quase pretas. Mais importante: as próprias aves também sabem fazer a distinção, pois não se hibridizam apesar de se encontrarem frequentemente e às vezes até se reproduzirem lado a lado em colônias mistas. Por isso, os zoólogos sentem-se plenamente justificados em dar-lhes nomes diferentes, *Larus argentatus* e *Larus fuscus*.

Mas agora vem a observação interessante e a semelhança com as salamandras. Se acompanharmos a população de gaivotas-argênteas na direção oeste até a América do Norte e depois na volta ao mundo através da Sibéria até retornarmos à Europa, notaremos um fato curioso. As "gaivotas argênteas", à medida que contornamos o polo, gradualmente se tornam menos parecidas com gaivotas-argênteas e mais semelhantes às gaivotas-de-asa-escura, até por fim descobrirmos que as nossas gaivotas-de-asa-escura-pequenas do oeste da Europa são a outra ponta de um *continuum* aneliforme que começou com as gaivotas-argênteas. Em cada estágio ao longo do anel, as aves são suficientemente parecidas com suas vizinhas imediatas no anel para intercruzar-se com elas. Isto é, até chegarmos aos extremos do *continuum*, quando o anel morde a ponta da própria cauda. A gaivota-argêntea e a gaivota-de-asa-escura-pequena na Europa nunca se intercruzam, embora sejam ligadas por uma série contínua de colegas que se intercruzam por todo o caminho até o outro lado do mundo.

As espécies em anel, como as salamandras e as gaivotas, estão apenas nos mostrando na dimensão espacial algo que sem dúvida sempre ocorreu na dimensão temporal. Suponhamos que nós, humanos, e os chimpanzés sejamos uma espécie em anel. Pode ter acontecido: um anel que talvez subisse por um lado do vale do Rift e descesse pelo outro, com duas espécies totalmente separadas coexistindo no extremo sul do anel, mas um *continuum* ininterrupto de intercruzamento por todo o caminho de volta até o outro lado. Se isso fosse verdade, que efeito teria sobre nossas atitudes em relação à outra espécie? E sobre todas as aparentes descontinuidades?

Muitos dos nossos princípios legais e éticos dependem da separação entre o *Homo sapiens* e todas as outras espécies. Entre as pessoas que consideram o aborto um pecado (inclusive aquela minoria que chega ao ponto de assassinar médicos e explodir clínicas de aborto), muitas comem carne sem pensar no que estão fazendo e não se preocupam se chimpanzés são presos em zoológicos e sacrificados em laboratórios. Será que pensariam duas vezes caso pudéssemos traçar um *continuum* vivo de intermediários entre nós e os chimpanzés, ligados em uma cadeia ininterrupta de intercruzamentos como as salamandras californianas? Sem dúvida pensariam. No entanto, aconteceu, só por mero acidente, de todos os intermediários estarem mortos. Só por causa desse acidente podemos confortavelmente imaginar com grande facilidade um enorme abismo entre nossas duas espécies — ou, aliás, entre duas espécies quaisquer.

Já mencionei o caso do perplexo advogado que me interpelou depois de uma conferência. Munido de toda a sua proficiência jurídica, ele veio discutir a seguinte questão interessante: se a espécie A evolui para a espécie B, ele ponderou, tem de chegar um ponto em que uma criança pertence à nova espécie B, mas seus pais ainda são da espécie antiga, A. Membros de diferentes espécies não podem, por definição, intercruzar-se, e no entanto sem dúvida um filho não seria tão diferente de seus pais a ponto de ser incapaz de intercruzar-se com a espécie deles. Será que isso — remata ele, sacudindo seu metafórico dedo daquele jeito especial que os advogados, pelo menos nos filmes de tribunal, aperfeiçoaram como sua característica — deita por terra toda a ideia da evolução?

Isso equivale a dizer: "Quando você aquece uma chaleira de água fria, não existe um momento específico em que a água deixa de estar fria e se torna quente; portanto é impossível preparar uma xícara de chá". Como sempre procuro virar as questões em uma direção construtiva, falei ao advogado sobre as gaivotas-argênteas, e acho que ele se interessou. Ele insistira em classificar os indivíduos firmemente em uma ou em outra espécie. Não admitia a possibilidade de um indivíduo estar a meio caminho entre duas espécies, ou a um décimo do caminho da espécie A para a espécie B. A mesma limitação de pensamento tolhe os intermináveis debates sobre quando exatamente no desenvolvimento de um embrião ele se torna humano (e quando, por implicação, o aborto deve ser considerado equivalente a assassinato). Não adianta dizer para essa gente que, dependendo da característica humana que nos interesse, um feto pode ser "meio humano" ou "um centésimo humano". "Humano", para a mente qualitativa, absolutista, é como "diamante". Não existem casas no meio do caminho. As mentes absolutistas podem ser uma ameaça. Elas causam sofrimento real, sofrimento humano. É isso que chamo de tirania da mente descontínua, e que me leva a discorrer sobre a moral de "O conto da salamandra".

Para certos propósitos, os nomes e as categorias descontínuas são exatamente aquilo de que precisamos. Os advogados, aliás, precisam deles o tempo todo. Crianças não podem dirigir, adultos podem. A lei precisa estipular um limiar, por exemplo o 18º aniversário. É revelador o fato de as seguradoras terem uma posição muito diferente quanto à idade adequada para esse limiar.

Algumas descontinuidades são reais, por quaisquer critérios. Você é uma pessoa e eu sou outra, e nossos nomes são rótulos descontínuos que indicam corretamente nossa separação. O monóxido de carbono é de fato distinto do dióxido de carbono. Não existe sobreposição. Uma molécula consiste em 1 átomo de carbono e 1 de oxigênio, ou 1 de carbono e 2 de oxigênio. Nenhuma tem 1 átomo de carbono e 1,5 de oxigênio. Um gás é letalmente venenoso, o outro é necessário para as plantas produzirem as substâncias orgânicas das quais todos dependemos. O ouro é distinto da prata. Cristais de diamante são realmente diferentes de cristais de grafite. Ambos são feitos de carbono, mas os átomos de carbono dispõem-se naturalmente de dois modos muito distintos. Não há intermediários.

Mas muitas descontinuidades estão longe de ser claras. Meu jornal publicou a notícia abaixo durante uma recente epidemia de gripe. Ou seria mesmo uma epidemia? Essa questão foi o tema da notícia.

> Estatísticas oficiais indicam que 144 em cada 100 mil pessoas estão com gripe, disse uma porta-voz do Departamento de Saúde. Como o critério habitual para definir uma epidemia é 400 pessoas em cada 100 mil, o governo não considera que há epidemia. Mas a porta-voz acrescentou: "O professor Donaldson sustenta sua ver-

> são de que estamos diante de uma epidemia. Ele acha que há muito mais do que 144 casos por 100 mil. Isso é muito confuso, e depende da definição que se escolhe. O professor Donaldson examinou seu gráfico e afirmou que se trata de uma epidemia grave".

O que sabemos é que um determinado número de pessoas está com gripe. Isso, em si, já não nos diz o que queremos saber? Mas para a porta-voz a questão importante é se a situação pode ser considerada uma "epidemia". A proporção de doentes atravessou o rubicão dos 400 por 100 mil? Essa é a grande questão a que o professor Donaldson precisava responder examinando seu gráfico. Poderíamos pensar que ele faria melhor se tentasse tomar alguma providência a respeito da situação, independentemente de ela ser ou não oficialmente classificada como uma epidemia.

Mas acontece que, ao menos no caso das epidemias, existe de fato um rubicão natural: uma massa crítica de infecções acima da qual o vírus, ou a bactéria, "decola" de repente e aumenta drasticamente sua velocidade de propagação. É por isso que as autoridades de saúde pública se desdobram para vacinar uma proporção de pessoas superior ao limiar calculado para uma epidemia, digamos, de coqueluche. O objetivo não é apenas proteger os indivíduos vacinados. É também privar os patógenos da oportunidade de atingirem sua massa crítica para a "decolagem". No caso da nossa epidemia de gripe, o que efetivamente deveria preocupar a porta-voz do Ministério da Saúde é se o vírus da gripe já havia atravessado seu rubicão para a decolagem e engrenara uma marcha acelerada para alastrar-se pela população. Isso deveria ser decidido por algum outro meio que não a referência a números mágicos como 400 por 100 mil. A preocupação com números mágicos é a marca da mente descontínua, ou qualitativa. O engraçado é que, nesse caso, a mente descontínua desconsidera uma genuína descontinuidade, o ponto de decolagem de uma epidemia. Em geral não existe uma genuína descontinuidade que se possa desconsiderar.

Muitos países do Ocidente sofrem hoje do que se designa como epidemia de obesidade. Tenho a impressão de ver indícios disso por toda parte, mas não me impressiono com o modo preferido de traduzir essa situação em números. Uma porcentagem da população é descrita como "clinicamente obesa". A mente descontínua insiste em separar as pessoas em obesas de um lado da linha e não obesas do outro. Não é assim que funciona na vida real. A obesidade tem uma distribuição contínua. Podemos medir o grau de obesidade de um indivíduo e computar estatísticas de grupo para essas mensurações. As contagens das pessoas que se encontram acima de algum limiar de obesidade definido de modo arbitrário não são esclarecedoras, no mínimo porque instigam imediatamente uma demanda para que o limiar seja especificado e talvez redefinido.

A mesma mente descontínua também espreita sob todos os números oficiais que indicam o número de pessoas "abaixo da linha de pobreza". Podemos indicar a pobreza de uma família especificando sua renda, preferencialmente expressa em termos reais do que ela pode comprar. Ou podemos dizer que "X está com uma mão na frente e outra atrás" ou que "Y é podre de rico", e todo mundo saberá o que queremos dizer. Mas são perniciosas as contagens ou porcentagens espuriamente precisas de pessoas que estariam acima ou abaixo de uma *linha* de pobreza estipulada de forma arbitrária. São perniciosas porque a precisão que essa porcentagem implica é de imediato desmentida pela artificialidade sem sentido da "linha". Linhas são imposições da mente descontínua. Ainda mais politicamente sensível é o rótulo de "negro" em oposição ao de "branco" no contexto da sociedade moderna — em especial a americana. Essa é a questão central de "O conto do gafanhoto", e a deixarei de lado por ora, exceto para dizer que, a meu ver, raça é mais um dos muitos casos em que não precisamos de categorias descontínuas e que podemos dispensar a menos que se apresente um argumento extremamente eloquente em seu favor.

Eis outro exemplo. Nas universidades da Grã-Bretanha, as avaliações são classificadas em três classes distintas, primeira, segunda e terceira classe. As universidades de outros países fazem algo equivalente, mesmo que com nomes diferentes, como A, B, C etc. O que eu quero dizer é que os estudantes não se separam nitidamente em bons, medianos e fracos. Não existem classes separadas e distintas de habilidade ou empenho. Os examinadores esforçam-se para inserir os alunos em uma escala numérica minuciosamente contínua dando notas ou pontos que se destinam a ser adicionados a outras notas do gênero ou manipulados de modos matematicamente contínuos. A pontuação nessa escala numérica contínua fornece mais informações do que a classificação em uma das três categorias. Mesmo assim, apenas as categorias descontínuas são publicadas.

Em uma amostra muito grande de estudantes, a distribuição de capacidade e mestria costuma ser uma curva normal, com alguns obtendo resultados excelentes, alguns com resultados péssimos e muitos entre esses dois extremos. Pode não ser uma curva simétrica como a da figura abaixo, mas com certeza seria suavemente contínua, e se tornaria mais suave conforme fossem adicionados mais estudantes na amostra.

Alguns examinadores (em especial, espero ser perdoado por acrescentar, os de matérias não científicas) parecem mesmo acreditar que existe uma entidade distinta chamada mente de primeira classe, ou "mente alfa", a qual um estudante inquestionavelmente possuiu ou não possui. A tarefa do examinador seria separar os primeiros dos segundos e os segundos dos terceiros, exatamente como podemos separar ovelhas de cabras. A probabilidade de que na realidade exista um *continuum* suave que passe brandamente por todos os intermediários entre a pura ovelhice e a pura cabrice é uma coisa difícil de ser entendida por certos tipos de mentalidade.

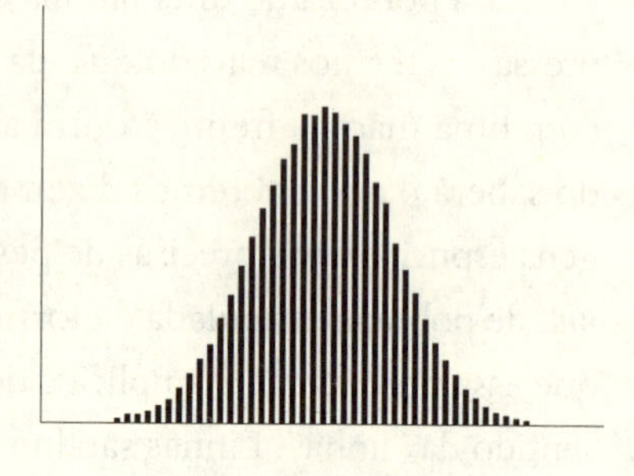

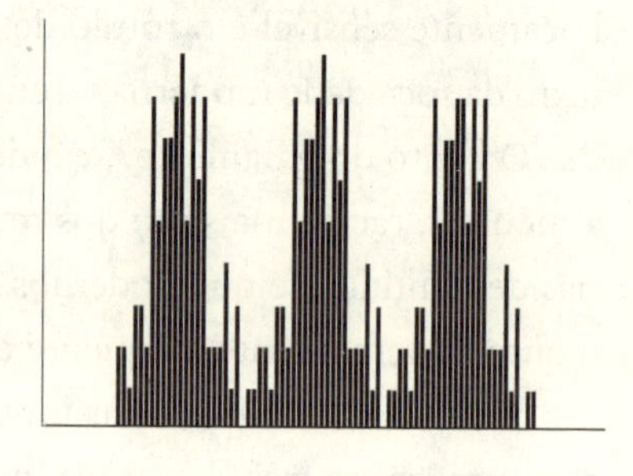

Se, contrariando todas as minhas expectativas, se revelasse que quanto mais estudantes adicionamos mais a distribuição das notas de exames se aproxima de uma distribuição descontínua com três picos (ver a figura inferior), esse seria um resultado fascinante. E os conceitos de primeira, segunda e terceira classes poderiam justificar-se.

Mas certamente não há indícios disso e, se houvesse, considerando tudo o que sabemos a respeito da variação humana, seria uma enorme surpresa. No sistema atual, a injustiça é evidente: existe muito mais diferença entre o topo de uma classe e a base dessa mesma classe do que entre a base de uma classe e o topo da classe seguinte. Seria mais justo publicar a pontuação efetivamente obtida ou uma lista hierarquizada com base nessas pontuações. Mas a mente descontínua ou qualitativa insiste em forçosamente classificar as pessoas em uma ou em outra categoria distinta.

Voltando ao nosso tema da evolução: e quanto às ovelhas e cabras propriamente ditas? Existem drásticas descontinuidades entre espécies ou será que elas se fundem umas com as outras como as notas de exame da primeira e da segunda classe? Se olharmos apenas para os animais sobreviventes, a resposta normal é: sim, existem drásticas descontinuidades. Exceções como as gaivotas e as salamandras californianas são raras, mas reveladoras, pois traduzem para o domínio espacial a continuidade que normalmente encontramos apenas no domínio temporal. As pessoas e os chimpanzés sem dúvida são ligados por uma cadeia contínua de intermediários e por um ancestral comum, mas os intermediários estão extintos; o que resta é uma distribuição descontínua. O mesmo se aplica a pessoas e macacos e a pessoas e cangurus, só que os intermediários extintos viveram muito tempo atrás. Como os intermediários quase sempre estão extintos, é comum cometer-se impunemente o erro de supor que existe uma drástica descontinuidade entre cada espécie e todas as demais. Mas neste livro estamos tratando da história evolutiva dos mortos e dos vivos. Quando falamos de todos os animais que já viveram, e não só dos que estão vivos hoje, a evolução nos diz que existem linhas de continuidade gradual ligando precisamente cada espécie a todas as demais. Quando o assunto é história, mesmo espécies modernas aparentemente descontínuas como ovelhas e cães são ligadas, pelo ancestral que elas têm em comum, em linhas ininterruptas de suave continuidade.

Ernst Mayr, o papa da evolução no século XX, apontou a ilusão da descontinuidade — sob seu filosófico nome de essencialismo — como a principal razão de a compreensão evolutiva ter chegado tão tarde na história humana. Platão, cuja filosofia pode ser vista como a inspiração para o essencialismo, acreditava que as coisas reais são versões imperfeitas de um arquétipo ideal de seu tipo. Pairando em algum lugar do espaço ideal está um coelho essencial, perfeito, que tem a mesma relação com um coelho real que o círculo perfeito de um matemático tem com um círculo desenhado no pó. Até hoje muita gente acalenta firmemente a ideia de que ovelhas são ovelhas e cabras são cabras e que nenhuma espécie jamais poderá dar origem a outra porque, para fazê-lo, teriam de alterar sua "essência".

Essência não existe.

Nenhum evolucionista pensa que as espécies modernas se transformam em outras espécies modernas. Gatos não viram cachorros, ou vice-versa. O que ocorre é que gatos e cachorros evoluíram de um ancestral comum, que viveu há dezenas de milhões de anos. Se todos os intermediários ainda estivessem vivos, a tentativa de separar cães de gatos seria fadada ao fracasso, como acontece com as salamandras e as gaivotas. Longe de ser uma questão de essências ideais, separar gatos e cães só se mostra possível por causa do afortunado (do ponto de vista dos essencialistas) fato de que os intermediários por acaso estão mortos. Platão talvez achasse irônico se soubesse que, na realidade, é uma imperfeição — a esporádica má fortuna da morte — que possibilita separar qualquer espécie de outra. Isso evidentemente vale para a questão de separar os seres humanos de nossos parentes mais próximos — e, com efeito, também dos nossos parentes mais distantes. Num mundo de informações perfeitas e completas, informações fósseis tanto quanto informações recentes, seria impossível dar nomes distintos aos animais. Em vez de nomes separados precisaríamos de escalas graduadas, do mesmo modo como as palavras quente, morno, fresco e frio são substituídas de modo mais eficaz por escalas graduadas como Celsius ou Fahrenheit.

Hoje, a evolução é universalmente aceita como um fato pelas pessoas pensantes, e por isso poderíamos esperar que as intuições essencialistas em biologia tivessem, por fim, sido superadas. Infelizmente isso não ocorreu. O essencialismo não quer dar o braço a torcer. Na prática, ele não costuma ser um problema. Todos concordam que *Homo sapiens* é uma espécie diferente (e a maioria até diria que é um gênero diferente) de *Pan troglodytes*, a espécie dos chimpanzés. Mas também todos concordam que se traçarmos a árvore genealógica humana em direção ao passado até o ancestral comum, voltando depois em direção ao futuro até os chimpanzés, os intermediários por todo o caminho formariam um *continuum* gradual no qual em cada geração um indivíduo teria sido capaz de intercruzar-se com seu genitor ou seu filho do sexo oposto.

Pelo critério do intercruzamento, cada indivíduo é membro da mesma espécie que a de seus pais. Isso é uma conclusão mais do que esperada, para não dizer banal de tão óbvia, mas só até percebermos que ela gera um paradoxo intolerável na mente essencialista. A maioria dos nossos ancestrais, por toda a história evolutiva, pertenceu a espécies diferentes da nossa por qualquer critério, e nós certamente não poderíamos ter intercruzado com eles. No Período Devoniano, nossos ancestrais diretos eram peixes. No entanto, embora não pudéssemos intercruzar com eles, estamos ligados por uma cadeia ininterrupta de gerações ancestrais, cada uma delas capaz de intercruzar-se com seus predecessores imediatos e com seus sucessores imediatos nessa cadeia.

À luz desse fato, como é vazia a maioria das discussões exaltadas sobre a nomeação de fósseis específicos de hominídeos! O *Homo ergaster* é amplamente reconhecido como a espécie predecessora que originou o *Homo sapiens*, e assim aproveitarei essa ideia para o que vem a seguir. Em princípio, nomear o *Homo* *ergaster* como uma espécie separada do *Homo sapiens* poderia ter um significado preciso, mesmo sendo impossível testar isso na prática. Significa que, se pudéssemos voltar ao passado em nossa máquina do tempo para conhecer nossos ancestrais *Homo ergaster*, não poderíamos intercruzar com eles.* Mas suponhamos que, em vez de desembarcarmos diretamente na época do *Homo ergaster*, ou, na verdade, de qualquer outra espécie extinta em nossa linhagem ancestral, parássemos nossa máquina do tempo a cada mil anos ao longo do caminho e trouxéssemos para bordo um passageiro jovem e fértil. Transportamos esse passageiro ou passageira em direção ao passado até a próxima parada, mil anos antes, e o libertamos (ou *a* libertamos: peguemos alternadamente alguém do sexo feminino e do masculino a cada parada). Contanto que o nosso passageiro de cada parada pudesse adaptar-se aos costumes sociais e linguísticos locais (uma tarefa e tanto!), não haveria barreiras biológicas para que ele se intercruzasse com um membro do sexo oposto de mil anos antes. Agora pegamos um novo passageiro, digamos que dessa vez seja do sexo masculino, e o transportamos mil anos em direção ao passado. Mais uma vez, ele também seria biologicamente capaz de fecundar uma fêmea de mil anos antes do período em que ele se originou. Essa ligação em cascata continuaria em direção ao passado até a época em que nossos ancestrais estavam no mar. Poderia prosseguir retrocessivamente sem interrupção, chegar aos peixes, e ainda assim seria verdade que cada passageiro transportado mil anos antes de sua época seria capaz de intercruzamento com seus predecessores. No entanto, em algum ponto, que poderia ser 1 milhão de anos, mas talvez pudesse ser menos ou mais tempo do que isso, haveria um ponto em que nós, modernos, não poderíamos intercruzar com um ancestral, apesar de o passageiro que tivéssemos trazido a bordo na última escala poder fazê-lo. Nesse ponto, poderíamos dizer que viajamos até encontrar uma espécie diferente.

A barreira não surgiria subitamente. Nunca haveria uma geração na qual fizesse sentido dizer, sobre um indivíduo, que ele é *Homo sapiens* mas seus pais são *Homo ergaster*. Podemos pensar nisso como um paradoxo, se preferirmos, mas não há razão para supor que alguma criança jamais tenha sido membro de uma espécie diferente da de seus pais, muito embora a ligação em cascata de pais e filhos se estenda retrocessivamente dos humanos até os peixes e além deles.

* Não afirmo isso como um fato. Não sei se é um fato, embora desconfie que seja. Trata-se de uma implicação de termos concordado em dar ao *Homo ergaster* um nome de espécie distinto.

Na verdade, isso não é paradoxal para ninguém além dos mais ferrenhos essencialistas. Não é mais paradoxal do que afirmar que nunca houve um momento no qual uma criança em crescimento deixa de ser baixa e passa a ser alta. Ou em que uma chaleira deixa de estar fria para estar quente. A mente jurídica pode julgar necessário impor uma barreira entre a menoridade e a maioridade — a batida da meia-noite no 18º aniversário ou seja lá qual for o momento estipulado. Mas qualquer um pode ver que isso é uma ficção (necessária para certos fins). Quisera eu que mais pessoas pudessem entender que o mesmo se aplica ao momento, digamos, em que um embrião se torna "humano"!

Os criacionstas adoram as "lacunas" no registro fóssil. Mal sabem eles que os biólogos também têm boas razões para adorá-las. Sem lacunas no registro fóssil, todo o nosso sistema de nomeação das espécies soçobraria. Os fósseis não poderiam ser nomeados; teriam de ser designados por números ou por posições num gráfico. Ou ainda, em vez de se discutir acirradamente sobre se um fóssil é "de fato", digamos, um *Homo ergaster* ou um *Homo habilis* mais recente, poderíamos chamá-lo de *habigaster*. Muito se pode dizer em defesa dessa ideia. Não obstante, com frequência nos sentimos mais à vontade usando nomes separados para as coisas quando falamos sobre elas, talvez porque nosso cérebro tenha evoluído em um mundo no qual a maioria das coisas realmente se encaixa em categorias distintas, e em particular no qual a maioria dos intermediários entre espécies vivas estão mortos. Não sou exceção, e você também não, por isso não vou me desdobrar para evitar o uso de nomes descontínuos ao falar sobre espécies neste livro. Mas "O conto da salamandra" explica por que se trata de uma imposição humana e não algo profundamente arraigado no mundo natural. Usemos os nomes como se eles refletissem de fato uma realidade descontínua, mas, cá entre nós, lembremos sempre que, ao menos no mundo da evolução, isso não é mais do que uma ficção conveniente, uma concessão às nossas limitações.

O CONTO DA RÃ DE BOCA ESTREITA

Microhyla (às vezes confundido com *Gastrophryne*) é um gênero de pequenas rãs conhecidas como rãs de boca estreita. Existem várias espécies, entre elas duas na América do Norte: a rã de boca estreita do leste, *Microhyla carolinensis*, e a rã de boca estreita das Grandes Planícies, *Microhyla olivacea*. As duas são parentes tão próximas que ocasionalmente se hibridizam na natureza. O habitat da rã de boca estreita do leste estende-se da costa leste desde as Carolinas até a Flórida e segue para oeste até meio caminho de Texas e Oklahoma. A rã de boca estreita das Grandes Planícies habita desde o estado mexicano de Baja California no oeste até o leste do Texas e o leste de Oklahoma e segue para o norte até a região setentrional do Missouri. Portanto, seu habitat é um espelho ocidental do da rã de boca estreita do leste, e a espécie até que poderia ser conhecida como rã de boca estreita do oeste. O importante é que seus habitats se encontram no meio: existe uma zona de sobreposição que abrange da metade oriental do Texas até Oklahoma. Como eu disse, ocasionalmente são encontrados híbridos nessa zona de sobreposição, mas por via de regra as rãs fazem as distinções tão bem quanto os herpetologistas. Isso é o que justifica serem conhecidas como duas espécies distintas.

Como ocorre com quaisquer duas espécies, sem dúvida houve um tempo em que elas foram uma só. Alguma coisa as separou. Usando o termo técnico, a espécie ancestral única "especiou-se" e se tornou duas. Esse é um modelo para o que ocorre em cada ponto de ramificação na evolução. Cada especiação começa com algum tipo de separação inicial entre duas populações da mesma espécie. Nem sempre é uma separação geográfica, mas, como veremos em "O conto do ciclídeo", algum tipo de separação inicial possibilita que as distribuições estatísticas dos genes nas duas populações se distanciem. Isso em geral resulta numa divergência evolutiva com respeito a algo visível: forma, cor ou comportamento. No caso dessas duas populações de rãs americanas, a espécie ocidental tornou-se mais adaptada do que a oriental à vida em climas mais secos, mas a diferença mais evidente está em seus chamados de acasalamento. Ambos são zumbidos esganiçados, mas cada zumbido da espécie ocidental dura em torno de o dobro (2 segundos) do da espécie oriental, e é perceptivelmente mais agudo: 4 mil ciclos por segundo, em comparação com 3 mil. Ou seja, a altura predominante da rã de boca estreita ocidental é próxima do dó agudo, a nota mais alta do piano, e a altura predominante da rã do leste aproxima-se do fá sustenido abaixo daquele. Mas esses sons não são musicais. Os dois chamados contêm uma mistura de frequências que variam de muito mais baixas a muito mais altas. Ambos são zumbidos, mas o da rã oriental é mais grave. O chamado ocidental, além de ser mais longo, começa com um pio distinto, e vai subindo em altura antes de o zumbido predominar. A rã oriental entra direto em seu zumbido mais breve.

Por que tantos detalhes sobre esses chamados? Porque o que descrevi só ocorre na zona de sobreposição onde a comparação entre eles é mais clara, e essa é a razão de ser deste conto. W. F. Blair gravou em fita o som de rãs de uma amostra bem distribuída por todo o território norte-americano, com resultados fascinantes. Nas áreas onde as duas espécies de rãs nunca se encontravam — a Flórida para a espécie oriental e o Arizona para a ocidental — os cantos de ambas eram muito mais semelhantes entre si na altura: para as duas espécies, a altura predominante é de 3500 ciclos por segundo: o lá mais agudo do piano. Nas áreas próximas da zona de sobreposição, mas não exatamente nela, as duas espécies mostram mais diferença, porém não tanta como na zona de sobreposição propriamente dita.

A conclusão é fascinante. Alguma coisa induz os chamados dessas duas espécies a diferenciar-se na zona em que se sobrepõem. A interpretação de Blair, que nem todo mundo aceita, é que os híbridos são penalizados. Qualquer coisa que ajude miscigenadores em potencial a distinguir as espécies e evitar a espécie errada é favorecida pela seleção natural. As pequenas diferenças que podem existir são magnificadas exatamente na parte do território em que isso tem importância. O grande geneticista evolutivo Theodosius Dobzhansky chama isso de "reforço" do isolamento reprodutivo. Nem todos aceitam a teoria do reforço de Dobzhansky, mas ao menos "O conto da rã de boca estreita" parece corroborá-la.

Há outra boa razão para que espécies proximamente aparentadas possam ser repelidas quando seus territórios coincidem. Elas tendem a competir por recursos semelhantes. Em "O conto do tentilhão das Galápagos" vimos como diferentes espécies de tentilhão dividiram entre si as sementes disponíveis. Espécies com bico maior ficam com sementes maiores. Quando não se sobrepõem, ambas as espécies podem apoderar-se de uma gama maior de recursos — sementes grandes e pequenas. Quando se sobrepõem, cada espécie é forçada, pela competição com a outra, a diferenciar-se. As espécies de bico grande podem ganhar pela evolução um bico ainda maior, e as de bico pequeno podem ter seu bico ainda mais reduzido. A propósito: como sempre, que o leitor não se deixe enganar pela ideia metafórica de ser forçado a evoluir. O que ocorre realmente é que no âmbito de cada espécie, quando a outra espécie está presente, os indivíduos que por acaso são mais diferentes da concorrente prosperam.

Esse fenômeno, em que duas espécies diferem mais entre si quando se sobrepõem, chama-se "deslocamento por características" ou "clina reversa" [*rever-*

se cline]. É fácil generalizar das espécies biológicas para casos em que qualquer classe de entidade difere mais quando essas se encontram umas com as outras do que quando estão sozinhas. Os paralelos humanos são tentadores, mas resistirei. Como diziam os autores de antigamente: deixarei como um exercício para o leitor.

O CONTO DO AXOLOTLE

Concebemos os animais jovens como versões pequenas dos adultos em que se transformarão, mas isso está longe de ser a regra. É provável que a maioria das espécies animais tenha uma história de vida bem diferente. Os jovens têm um modo próprio de subsistir, um modo especializado, totalmente distinto do de seus pais. Uma fração substancial do plâncton consiste em larvas nadadoras cuja vida adulta — se elas sobreviverem, coisa estatisticamente improvável — será bem outra. Em muitos insetos, o estágio larval é o responsável pelo grosso da alimentação, para construir um corpo que por fim se metamorfoseará em um adulto cujos únicos papéis são a dispersão e a reprodução. Em casos extremos, como as efeméridas, os adultos não se alimentam, e — como a natureza é sempre sovina — não possuem tubo digestivo nem outros dispendiosos mecanismos de alimentação.

A lagarta é uma máquina de comer que, quando cresce até um bom tamanho comendo plantas, efetivamente recicla seu próprio corpo e se reconstitui na forma de uma borboleta adulta, que voa, suga néctar como combustível de voo e se reproduz. As abelhas adultas também abastecem seus músculos do voo com energia do néctar enquanto colhem o pólen (um tipo de alimento muito diferente) para suas larvas vermiformes. Muitas larvas de insetos vivem submersas antes de eclodir como adultas, voar e dispersar seus genes por outras águas. Uma enorme diversidade de invertebrados marinhos vive no fundo do mar em seu estágio adulto, alguns permanentemente ancorados num só local, mas passaram por estágio larval bem distinto, no qual dispersaram seus genes nadando no plâncton. Entre esses incluem-se os moluscos, os equinodermos (ouriços-do-mar, estrelas-do-mar, pepinos-do-mar, ofiuroides), ascídias, muitos tipos de vermes, caranguejos e lagostas e as cracas. Os parasitas costumam passar por uma série de estágios larvais, cada qual com seu próprio modo de vida e dieta característicos.

Em muitos casos, os diferentes estágios de vida também são parasíticos, porém em hospedeiros bem diferentes. Alguns vermes parasitas atravessam até cinco estágios juvenis totalmente distintos, cada qual com um modo de subsistência diferente dos demais.

Tudo isso significa que um único indivíduo precisa ter dentro de si o conjunto completo de instruções genéticas para cada um dos estágios larvais, com seus diferentes modos de ganhar a vida. Os genes da lagarta "sabem" como fazer uma borboleta, e os genes da borboleta sabem como fazer uma lagarta. Sem dúvida alguns desses mesmos genes estão envolvidos, de modos diferentes, na produção desses corpos radicalmente diferentes. Outros genes jazem inativos na lagarta e são ativados na borboleta. Outros ainda são ativos na lagarta, mas são desativados e esquecidos quando ela se torna borboleta. No entanto, todo o conjunto de genes está lá, em ambos os corpos, e é transmitido à geração seguinte. A lição é que não nos deveríamos surpreender porque alguns animais tão diferentes entre si como a lagarta e a borboleta evoluem diretamente um do outro. Explicarei o que estou querendo dizer.

Os contos de fadas são repletos de sapos que viram príncipes e abóboras que se transformam em carruagens puxadas por alvos cavalos metamorfoseados de camundongos brancos. Tais fantasias são radicalmente antievolutivas. Elas não poderiam acontecer, não por razões biológicas, mas matemáticas. Essas transições teriam um valor de improbabilidade inerente comparável, digamos, a uma mão perfeita no bridge, o que significa que, para fins práticos, podemos excluí-las. Mas não há problema para a lagarta transformar-se em borboleta; isso ocorre sempre, pois as regras foram compiladas através das eras pela seleção natural. E embora nenhuma borboleta jamais tenha sido vista transformando-se numa lagarta, isso não nos deveria surpreender do mesmo modo que, digamos, uma transformação de sapo em príncipe. Sapos não contêm genes de fazer príncipe. Mas contêm genes de fazer girinos.

Meu ex-colega de Oxford, John Gurdon, demonstrou isso dramaticamente em 1962 quando transformou um sapo adulto (bem, na verdade foi uma célula de um sapo adulto!) em um girino (sugeriu-se que essa primeira clonagem experimental de um vertebrado merecia o prêmio Nobel). Analogamente, borboletas contêm genes para fazer lagartas. Não sei que obstáculos biológicos precisariam ser vencidos para persuadir uma borboleta a metamorfosear-se numa lagarta. Sem dúvida seria dificílimo. Mas a possibilidade não é completamente ridícula como a transformação do sapo em príncipe. Se um biólogo afirmasse ter induzido uma borboleta a se transformar em lagarta, eu estudaria seu relatório com interesse. Mas, se ele dissesse que transformou uma abóbora numa carruagem de vidro ou um sapo em um príncipe, eu saberia que se trata de um charlatão sem precisar examinar as provas. A diferença entre os dois casos é significante.

Girinos são larvas de rãs e salamandras. Os girinos aquáticos mudam radicalmente, no processo chamado metamorfose, transformando-se em uma rã ou salamandra terrestre adulta. Um girino pode não ser tão diferente de uma rã quanto uma lagarta de uma borboleta, mas isso não tem nada de mais. Um girino típico subsiste como um peixe pequeno: nada com a cauda, respira embaixo d'água com guelras e come matéria vegetal. Uma rã típica vive em terra firme, pula em vez de nadar, respira ar em vez de água e caça animais vivos para comer. No entanto, por mais que pareçam diferentes, poderíamos facilmente imaginar um ancestral adulto parecido com uma rã evoluindo em um descendente adulto parecido com um girino, pois todas as rãs contêm os genes para fazer girinos. Uma rã "sabe" geneticamente como ser um girino, e um girino sabe como ser uma rã. O mesmo vale para as salamandras, e elas são bem mais parecidas com suas larvas do que as rãs se parecem com as suas próprias. As salamandras não perdem a cauda de girino, embora essa tenda a perder sua forma de carena vertical e se torne mais arredondada na transversal. Muitas larvas de salamandra são carnívoras como os adultos. E, como os adultos, têm pernas. A diferença mais evidente é que as larvas possuem guelras longas e penugentas, mas existem também várias diferenças menos óbvias. Na verdade, transformar uma espécie de salamandra numa espécie cujo estágio adulto fosse um girino seria fácil — bastaria que os órgãos reprodutivos amadurecessem cedo, suprimindo-se a metamorfose. No entanto, se apenas esse estágio adulto se fossilizasse, ele daria a impressão de ser uma grande, e aparentemente "improvável", transformação evolutiva.

E assim chegamos ao axolotle, o narrador deste conto. Ele é uma criatura estranha, originária de um lago em uma montanha do México. Essencial neste conto é deixar clara a dificuldade de dizer exatamente o que é um axolotle. É uma salamandra? Mais ou menos. Ele se chama *Ambystoma mexicanum*, e é parente próximo da salamandra-tigre, *Ambystoma tigrinum*, a qual é encontrada na mesma área e também mais amplamente na América do Norte. A salamandra-tigre, assim chamada por razões óbvias, é uma salamandra comum com cauda cilíndrica e pele seca, que anda em terra firme. O axolotle não se parece nada com uma salamandra adulta. Ele se parece com uma salamandra larval. Na verdade, ele é uma salamandra larval exceto por um detalhe: nunca se transforma em uma salamandra propriamente dita e nunca deixa a água — acasala-se e se reproduz conservando ainda o aspecto e o comportamento de um juvenil. Eu quase disse que o axolotle se acasala e se reproduz enquanto *ainda é* juvenil, mas isso poderia violar a definição de juvenil.

Definições à parte, parece haver pouca dúvida sobre o que ocorreu na evolução do axolotle moderno. Um ancestral recente foi apenas uma salamandra comum, provavelmente bem parecida com a salamandra-tigre. Suas larvas nadavam e tinham guelras externas e cauda com quilha profunda. No fim da vida larval elas se metamorfoseavam, suponho, em salamandras de terra firme. Mas então aconteceu uma notável alteração evolutiva. É provável que, sob o controle de hormônios, alguma coisa tenha mudado no calendário embriológico, levando os órgãos sexuais e o comportamento sexual a amadurecerem cada vez mais cedo (ou talvez possa ter sido até mesmo uma mudança súbita). Essa regressão evolutiva prosseguiu até que a maturidade sexual passou a ocorrer em um estágio que, em outros aspectos, era claramente o larval. E o estágio adulto foi eliminado do fim da história de vida. Alternativamente, pode-se preferir conceber a mudança não como uma aceleração da maturidade sexual em relação ao resto do corpo ("progênese"), mas como uma desaceleração de tudo o mais em relação à maturidade sexual ("neotenia").*

Independentemente de o meio ser a neotenia ou a progênese, a consequência evolutiva é chamada de pedomorfose. Não é difícil ver sua plausibilidade. A desaceleração ou aceleração de certos processos de desenvolvimento em relação a outros é coisa que ocorre o tempo todo na evolução. Denomina-se heterocronia e presumivelmente, pensando bem, tem de basear muitas das mudanças evolutivas na forma anatômica, se não todas. Quando o desenvolvimento reprodutivo varia heterocronicamente em relação ao resto do desenvolvimento, o que pode evoluir é uma nova espécie que não apresenta o estágio adulto anterior. Parece ter sido isso o que ocorreu com o axolotle.

O axolotle é apenas um extremo entre as salamandras. Muitas espécies parecem ser pedomórficas, pelo menos em certo grau. E outras fazem coisas hete-

* Stephen Jay Gould esclarece convenientemente essa terminologia em seu clássico *Ontogeny and Phylogeny*.

rocronicamente interessantes. As várias espécies de salamandra chamadas coloquialmente de "tritões" têm uma história de vida bastante reveladora.* O tritão vive inicialmente na água, como uma larva dotada de guelras. Depois emerge da água e, tendo perdido as guelras e a quilha na cauda, vive por dois ou três anos como um tipo de salamandra em terra firme. Mas, ao contrário de outras salamandras, o tritão não se reproduz em terra. Ele volta para a água, readquirindo algumas de suas características larvais, porém não todas. Diferentemente dos axolotles, os tritões não têm guelras, e sua necessidade de subir à superfície para respirar é uma restrição importante e competitiva à sua corte subaquática. Ainda que não readquiram as guelras do estágio larval, eles voltam a ter a cauda, e em outros aspectos também lembram uma larva. Mas, ao contrário de uma larva típica, seus órgãos reprodutivos desenvolvem-se, e eles fazem a corte e se acasalam debaixo d'água. A fase de terra firme nunca se reproduz e, neste sentido, poderíamos preferir não chamá-la de "adulta".

O leitor poderia perguntar por que os tritões se dão ao trabalho de se transformar em uma forma que vive em terra firme se depois terão de voltar à água para se reproduzir. Por que não fazer como os axolotles: começar na água e ficar por lá? A resposta parece ser que existe uma vantagem em reproduzir-se em lagoas temporárias que se formam na estação das chuvas e estão fadadas a secar, e que é preciso ser bom em terra firme para alcançá-las (isso nos lembra Romer). Tendo chegado a uma lagoa, como reinventar o equipamento aquático? A heterocronia vem em socorro; mas é uma heterocronia de um tipo especial, que envolve reverter depois que o "adulto seco" cumpriu seu propósito de dispersar-se para uma nova lagoa temporária.

Os tritões evidenciam a flexibilidade da heterocronia. Eles lembram minha exposição sobre como genes em uma parte do ciclo de vida "sabem" como fazer outras partes. Os genes das salamandras em terra firme sabem como fazer uma forma aquática porque já fizeram uma; e para provar, é exatamente isso que os tritões fazem.

Os axolotles, em um aspecto, são mais diretos. Eles eliminaram a fase terrestre do final de seu ciclo de vida ancestral. Mas os genes para fazer uma salamandra de terra firme ainda espreitam em todo axolotle. Há tempos se sabe, graças ao clássico trabalho de Laufberger e ao de Julian Huxley mencionados no "Epílogo" de "O conto de Little Foot", que esses genes podem ser ativados em

* A. Fink-Nottle, por carta.

laboratório por uma dose adequada de hormônios. Axolotles tratados com tiroxina perdem as guelras e se tornam salamandras terrícolas, exatamente como faziam seus ancestrais de modo natural. Talvez o mesmo feito possa ser obtido pela evolução natural, se a seleção favorecê-lo. Um modo poderia ser uma elevação geneticamente mediada da produção natural de tiroxina (ou um aumento de sensibilidade para a tiroxina existente). Talvez os axolotles tenham passado repetidamente por evoluções pedomórficas e reverso-pedomórficas ao longo de sua história. Talvez todos os animais em evolução estejam continuamente, embora em um grau menos notável que o axolotle, movendo-se para um lado ou para o outro em torno de um eixo de pedomorfose/pedomorfose reversa.

A pedomorfose é uma daquelas ideias que, assim que a entendemos, começamos a ver exemplos por toda parte. Um avestruz nos lembra o quê? Durante a Segunda Guerra, meu pai era oficial do regimento colonial britânico King's African Rifles. Seu ordenança, Ali, como muitos africanos de seu tempo, nunca vira a maioria dos grandes animais selvagens que dão fama à sua terra natal, e quando avistou pela primeira vez um avestruz correndo pela savana berrou espantado: "Uma galinhona! UMA GALINHONA!". Ali quase acertou, mas teria sido mais perspicaz se dissesse: "Um pintinho gigante!". As asas do avestruz são um toquinho de nada, como as de um pintinho recém-nascido. Em vez das penas robustas de uma ave voadora, as penas do avestruz são versões grosseiras da penugem fofa dos pintinhos. A pedomorfose ilumina nossa compreensão da evolução das aves não voadoras como o avestruz e o dodô. Sim, a economia da seleção natural favoreceu plumas macias e asas minúsculas em uma ave que não precisava voar (veja "O conto do pássaro-elefante" e "O conto do dodô"). Mas a rota evolutiva que a seleção natural empregou para atingir esse resultado vantajoso foi a pedomorfose. Um avestruz é um pintinho em tamanho extragrande.

Os cachorros pequineses parecem filhotes em tamanho grande.* Os adultos têm a testa abaulada e o porte juvenil, inclusive a graça juvenil, de um filhote. Konrad Lorenz sugeriu, gracejando, que os pequineses e outras raças de cães com cara de bebê, como os King Charles spaniels, falam aos instintos maternais de mães frustradas. Os criadores, sabendo ou não ou que estavam tentando obter, sem dúvida ignoravam que estavam tendo êxito graças a uma versão artificial da pedomorfose.

* A pernóstica interferência no idioma que nos impôs "Beijing", "Mumbai" e "cosmonauta" até agora nos poupou de "cão beijingnês".

Walter Garstang, renomado zoólogo inglês de cem anos atrás, foi o primeiro a salientar a importância da pedomorfose na evolução. O argumento de Garstang foi depois retomado por seu genro, Alister Hardy, meu professor na faculdade. Sir Alister comprazia-se em recitar os versos cômicos que eram o meio preferido de Garstang para comunicar suas ideias. Na época, eles eram um tanto engraçados, mas não, a meu ver, o suficiente para justificar o elaborado glossário zoológico que precisaria acompanhar sua reprodução aqui.* A ideia de Garstang sobre a pedomorfose, contudo, é hoje tão interessante quanto sempre foi — o que não significa necessariamente que seja correta.

Podemos conceber a pedomorfose como um tipo de jogada evolutiva: a Jogada de Garstang. Ela pode, em teoria, introduzir uma direção inteiramente nova na evolução, e até, como acreditavam Garstang e Hardy, permitir um escape de um beco sem saída — um escape notável e, pelos padrões geológicos, súbito. Isso parece especialmente promissor se o ciclo de vida contiver uma fase larval distinta como a do girino. Uma larva que já esteja adaptada a um modo de vida diferente daquele encontrado no adulto da forma anterior está equipada para desviar a evolução para uma direção totalmente nova com o simples truque de acelerar a maturidade sexual em relação a tudo o mais.

Entre os primos dos vertebrados estão os tunicados ou as ascídias. Isso parece surpreendente, pois as ascídias adultas são sedentárias e se alimentam filtrando a água, ancoradas em rochas ou plantas marinhas. Como esses sacos d'água molengos podem ser primos de peixes vigorosamente nadadores? Bem, a ascídia adulta pode parecer um saco, mas a larva lembra um girino. Chegam a chamá-la de "larva-girino". Você já pode imaginar o que Garstang pensou disso. Voltaremos a esse assunto, e infelizmente lançaremos dúvidas sobre a teoria de Garstang, quando nos reunirmos às ascídias no Encontro 24.

Tendo em mente que o pequinês adulto é um filhote crescido, pense na cabeça dos grandes primatas juvenis. O que eles lembram? Você não acha que um chimpanzé ou um orangotango juvenil é mais humanoide do que um chimpanzé ou um orangotango adulto? Trata-se de uma questão polêmica, mas para alguns biólogos o ser humano é um grande primata juvenil. Um grande primata que nunca cresceu. Um grande primata axolotle. Já encontramos essa ideia no "Epílogo" de "O conto de Little Foot", e não a retomarei aqui.

* Um trecho de um deles encabeça "O conto do anfioxo".

Encontro 18
Peixes pulmonados

No Encontro 18, há cerca de 417 milhões de anos nos mares quentes e rasos da fronteira entre Devoniano e Siluriano, juntamo-nos a um pequeno grupo de peregrinos que seguiram um curso solitário desde o presente. São os peixes pulmonados, e eles se reúnem a nós para ver nosso ancestral comum — uma experiência que talvez pareça menos estranha a eles do que a nós, pois constatam que têm muito em comum com o Concestral 18 — aproximadamente nosso 185 000 000º avô, que era um sarcopterígio, um peixe de nadadeiras lobadas, mais parecido com um peixe pulmonado do que com um tetrápode (ver Ilustração 22).

Hoje em dia existem apenas seis espécies de peixe pulmonado: *Neoceratodus forsteri*, da Austrália, *Lepidosiren paradoxa*, da América do Sul, e quatro espécies de *Protopterus*, da África. O peixe pulmonado australiano tem aparência muito semelhante à dos antigos sarcopterígios, com nadadeiras lobadas carnudas como um celacanto. Nas espécies africanas e na sul-americana, que são parentes próximas, as nadadeiras foram reduzidas a longas fitas tremulantes, e assim eles se parecem menos com o peixe de nadadeiras lobadas do qual descendem. Todos os peixes pulmonados respiram ar por pulmões. O peixe pulmonado australiano possui um só pulmão; os outros têm dois. As espécies africanas e a sul-americana usam os pulmões para sobreviver à estação seca. Enterram-se na lama e permanecem dormentes, inalando ar por um pequeno respiradouro na lama. A espécie

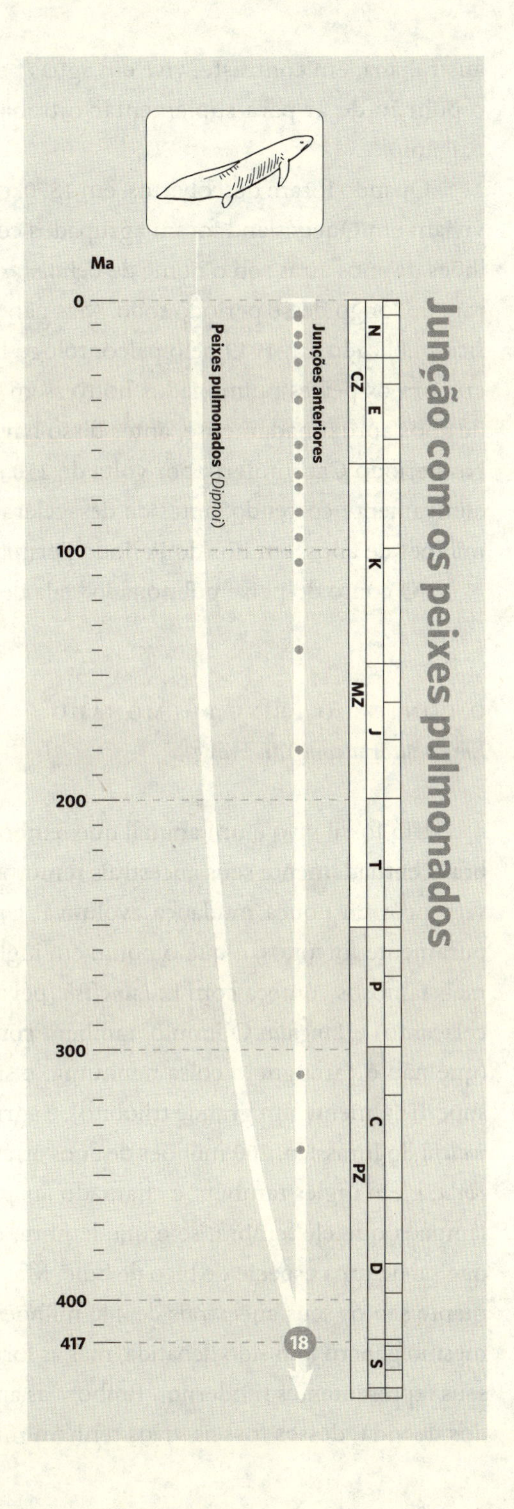

JUNÇÃO COM OS PEIXES PULMONADOS. Pode-se dizer que os humanos e os demais "tetrápodes" são peixes de nadadeiras lobadas cujos braços, pernas ou asas são nadadeiras lobadas modificadas. As duas outras linhagens vivas de peixes de nadadeiras lobadas são os celacantos e os peixes pulmonados. Supõe-se que a divisão dessas três linhagens no fim do Siluriano tenha acontecido no decorrer de um período muito breve. Isso dificulta estabelecer a ordem das ramificações, mesmo recorrendo a dados genéticos. Ainda assim, os estudos genéticos e de fósseis começam a concordar em que as três espécies de peixe pulmonado são os parentes vivos mais próximos dos tetrápodes, como mostrado aqui.

IMAGEM: peixe pulmonado australiano (*Neoceratodus forsteri*).

australiana, em contraste, vive em águas permanentes repletas de algas. Enche o pulmão de ar para suplementar o trabalho das guelras na água pobre em oxigênio.

Quando foram descobertos, em 1870, os peixes pulmonados modernos que viviam em Queensland foram agrupados com peixes fósseis de mais de 200 milhões de anos atrás sob o nome de *Ceratodus*. Isso indica o pouco que eles mudaram ao longo desse período todo. Mas não nos empolguemos. Um estudo clássico publicado em 1949 pelo paleontólogo britânico T. S. Westoll mostrou que, embora os peixes pulmonados houvessem estagnado nos últimos 200 milhões de anos aproximadamente, antes disso haviam evoluído muito mais depressa. No Período Carbonífero, por volta de 250 milhões de anos atrás, eles estavam efetivamente correndo, antes de desacelerarem até quase zero há cerca de 250 milhões de anos, em fins do Período Permiano.

"O conto do peixe pulmonado" fala de "fósseis vivos".

O CONTO DO PEIXE PULMONADO

Em coautoria com Yan Wong

Um fóssil vivo é um animal que, embora esteja vivo como você e eu, lembra acentuadamente seus ancestrais remotos. Na linhagem conducente ao fóssil vivo ocorreu pouca mudança evolutiva. Um fato, daqueles despropositados e puramente fortuitos, é que o nome em inglês ou latim dos quatro fósseis vivos mais famosos começa com L: *Lungfish* [peixe pulmonado], *Limulus*, *Latimeria* (o celacanto) e *Lingula*. O límulo, também conhecido como caranguejo-ferradura (que não é caranguejo coisa nenhuma, e sim um animal singular que lembra superficialmente um grande trilobito), é agrupado no mesmo gênero do *Limulus walchi* do Jurássico, 200 milhões de anos atrás. O *Lingula* pertence ao filo *Brachiopoda*, e em inglês também é chamado *lampshell* [bulbo de lâmpada]. O tipo de lâmpada que ele lembra, se é que lembra, é aquela do Aladim, com um pavio que sai de uma espécie de bico de bule. Mas o que o *Lingula* lembra espetacularmente são os seus ancestrais de 400 milhões de anos atrás. Sua classificação no mesmo gênero tem sido debatida, mas as formas fósseis são muito parecidas com seus representantes modernos. Embora as anatomias, e presumivelmente os modos de vida, desses fósseis vivos tenham mudado pouquíssimo, seus textos de

DNA não pararam de evoluir. Nós, primos dos peixes pulmonados, sofremos mudanças acentuadas ao longo das centenas de milhões de anos desde que nos ramificamos. Mas, ainda que durante esse mesmo período o corpo dos peixes pulmonados pouco tenha mudado, ninguém adivinharia isso analisando a velocidade da evolução de seu DNA.

Os peixes de nadadeiras raiadas (muito conhecidos, como as trutas ou percas) produziram, durante esse tempo, uma espantosa variedade de formas. E o mesmo fizeram os tetrápodes, que conhecemos muito bem, pois somos nós, os peixes de nadadeiras lobadas glorificados, que se mudaram para a terra firme. O corpo dos peixes de nadadeiras lobadas modernos evoluiu extremamente devagar. No entanto, ao mesmo tempo — e é aqui aonde quer chegar este conto — suas moléculas gênicas aparentemente não se ativeram a esse ritmo lerdo. Do contrário, as sequências de DNA dos peixes pulmonados e dos celacantos mostrariam muito mais semelhança umas com as outras (e presumivelmente com as dos ancestrais remotos) do que com as nossas e as dos peixes de nadadeiras raiadas. Mas isso não ocorre.

Conhecemos, graças aos fósseis, os momentos aproximados das separações ancestrais entre os peixes pulmonados, os celacantos, nós e os peixes de nadadeiras raiadas. A primeira separação, há cerca de 440 milhões de anos, foi entre os peixes de nadadeiras raiadas e o resto de nós. Os próximos a se separarem foram os celacantos, há cerca de 425 milhões de anos. Restaram os peixes pulmonados e o resto de nós. Por volta de 5 ou 10 milhões de anos mais tarde, os peixes pulmonados se separaram, deixando que o resto de nós, chamados tetrápodes, seguisse nosso próprio caminho evolutivo. Pelos padrões do tempo evolutivo, todas essas três separações ocorreram quase simultaneamente, pelo menos se comparadas com o longo período durante o qual as quatro linhagens têm evoluído desde então.

Embora estivessem estudando um assunto diferente, Rafael Zardoya, da Espanha, e Axel Meyer, da Alemanha, traçaram a árvore evolutiva da página seguinte para o DNA de várias espécies. O comprimento de cada ramo reflete a quantidade de mudança evolutiva no DNA mitocondrial ao longo do ramo.

Se o DNA evoluísse em ritmo constante, independentemente da espécie, esperaríamos que todos os ramos terminassem alinhados na ponta direita. Isso claramente não ocorre. No entanto, tampouco os organismos que mostram as menores quantidades de mudanças morfológicas têm os ramos mais curtos. O

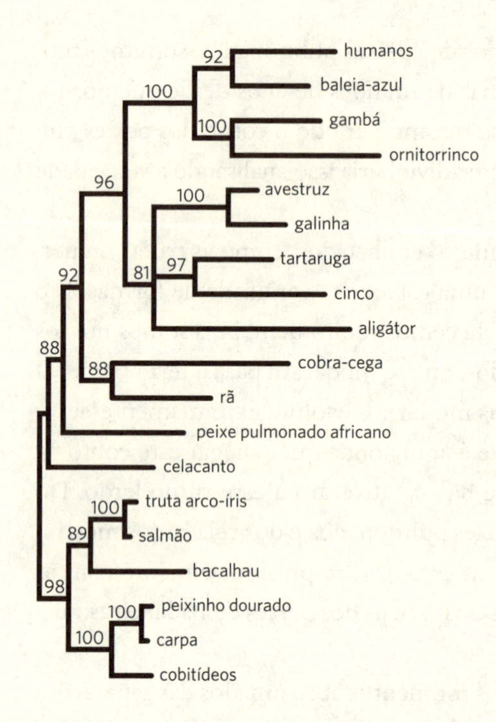

ÁRVORE EVOLUTIVA DE VÁRIAS ESPÉCIES, COM BASE NA ANÁLISE DE MÁXIMA VEROSSIMILHANÇA DE DNA (ver "O conto do gibão"). Adaptado de uma das várias árvores montadas por Zardoya e Meyer (2000, p. 725).

DNA parece ter evoluído aproximadamente à mesma velocidade nos peixes pulmonados e celacantos e nos peixes de nadadeiras raiadas. Os vertebrados que colonizaram a terra firme tiveram uma taxa mais rápida de evolução de DNA, porém mesmo isso não está obviamente vinculado à mudança morfológica. O primeiro e o segundo colocado nessa corrida de comitê* molecular são o ornitorrinco e o aligátor, e nenhum dos dois evoluiu morfologicamente tão depressa quanto, por exemplo, a baleia-azul ou (a vaidade inevitavelmente sugere baixinho) tão depressa quanto nós.

O diagrama ilustra um fato importante. A velocidade de evolução do DNA não é sempre constante, mas também não tem correlação óbvia com mudanças morfológicas. A árvore acima é apenas um exemplo. Lindell Bromham e seus colegas, da Universidade de Sussex, compararam árvores evolutivas baseadas em mudanças morfológicas com árvores equivalentes baseadas em mudanças no DNA. E o que eles constataram confirmou a mensagem de "O conto do peixe

* Em inglês, *caucus race*, uma alusão à corrida de bichos no capítulo 3 de *Alice no País das Maravilhas*, de Lewis Carroll. (N. T.)

pulmonado". A taxa global de mudança genética independe da evolução morfológica.* Isso não quer dizer que ela é constante — teria sido bom demais para ser verdade. Certas linhagens, como a dos roedores e a dos vermes nematódeos, parecem ter uma taxa global de evolução molecular muito rápida em comparação com parentes próximos. Em outras, como os cnidários, a taxa é bem mais lenta do que a de linhagens aparentadas.

"O conto do peixe pulmonado" traz uma esperança que, alguns anos atrás, nenhum zoólogo ousava acalentar. Com a devida cautela na escolha de genes e com os métodos disponíveis de fazer as correções para as linhagens que apresentam taxas variáveis de evolução, deveríamos ser capazes de determinar, em milhões de anos, a época em que qualquer espécie dada se separou de qualquer outra. Essa gloriosa esperança é chamada de "relógio molecular": é a técnica responsável pela maioria das datas citadas para os nossos pontos de encontro neste livro. O princípio do relógio molecular, assim como as controvérsias que ainda o enleiam, será explicado em "O conto do verme aveludado".

Mas passemos agora ao Encontro 19 e ao misterioso celacanto.

* Um estudo anterior chegara a um resultado diferente. Mas Bromham e seus colegas demonstraram de forma convincente que aquele estudo deixara de levar em conta a não independência dos dados — o problema da múltipla contagem visto em "O conto da foca".

Encontro 19
Celacantos

O Concestral 19, talvez nosso 190 000 000º avô, viveu por volta de 425 milhões de anos atrás, quando as plantas estavam colonizando a terra firme e os recifes de coral se expandiam no mar. Nesse encontro deparamos com um dos mais esparsos e tênues grupos de peregrinos dessa história. Conhecemos apenas um gênero de celacanto hoje vivo, e sua descoberta causou uma surpresa fenomenal. O episódio foi bem descrito por Keith Thomson em seu livro *Living fossil: the story of the Coelacanth*.

Os celacantos eram bem conhecidos no registro fóssil, mas pensava-se que eles se haviam extinguido antes dos dinossauros. Então, para espanto de todos, eis que um celacanto vivo aparece na rede de arrasto de um pescador sul-africano em 1938. Por sorte, o capitão Harry Goosen, que estava ao leme do *Nerita*, era amigo de Marjorie Courtenay-Latimer, a jovem e entusiástica curadora do East London Museum. Goosen costumava separar achados interessantes para ela e, em 22 de dezembro de 1938, ele telefonou a Marjorie dizendo que encontrara algo. Ela foi até o cais. Um velho escocês da tripulação mostrou-lhe uma variegada coleção de peixes descartados, que a princípio não pareceram interessantes. Estava prestes a ir embora, conta ela, quando: "Vi uma nadadeira azul e, ao puxar o peixe, apareceu o peixe mais bonito que eu já vira. Tinha 1,5 metro de comprimento e a pele azul-malvácea com manchas prateadas iridescentes".

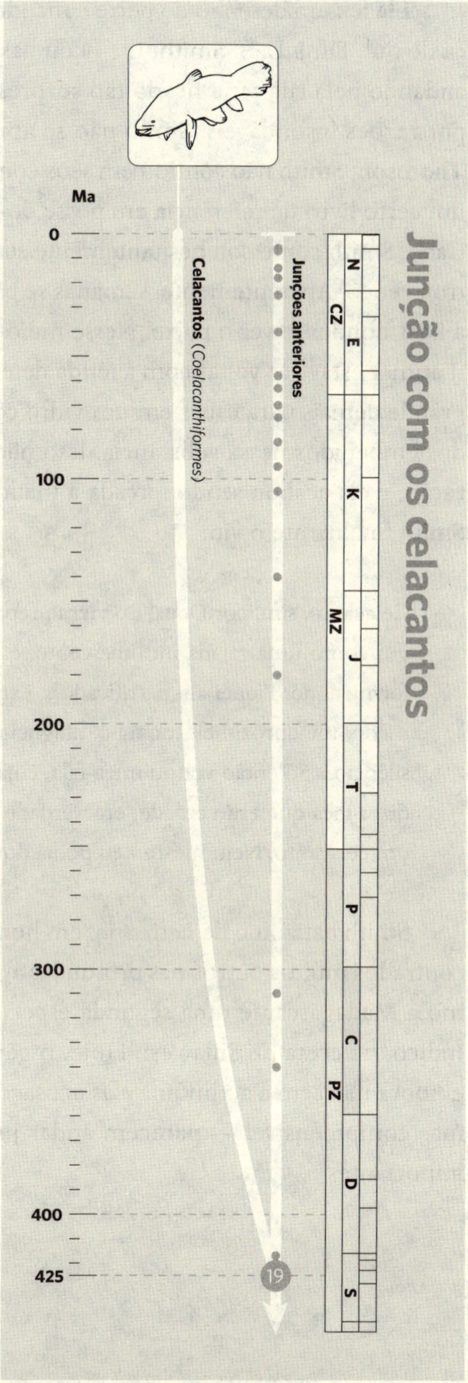

Junção com os celacantos

Ma
0
100
200
300
400
425

Celacantos (*Coelacanthiformes*)
Junções anteriores
19

N
CZ
E
K
MZ
J
T
P
C
PZ
D
S

JUNÇÃO COM OS CELACANTOS. Um consenso crescente classifica os celacantos (dos quais há duas espécies vivas conhecidas) como os primeiros a divergir das três linhagens remanescentes de peixes de nadadeiras lobadas.

IMAGEM: Celacanto de Comoros (*Latimeria chalumnae*).

Ela fez um desenho do peixe e mandou para o principal ictiologista da África do Sul, Dr. J. L. B. Smith. Ele ficou pasmo. "Nem se eu visse um dinossauro andando pela rua teria ficado tão surpreso". (Ver Ilustração 23). Infelizmente, por razões insondáveis, Smith não se apressou a ir até a cena. Segundo Keith Thomson, Smith não confiou em seus conhecimentos e precisou mandar buscar um certo livro de referência em posse do Dr. Barnard, um colega da Cidade do Cabo. Smith confessou hesitantemente seu segredo a Barnard, que logo se mostrou cético. Aparentemente, semanas se passaram antes de Smith resolver-se a ir a East London e ver o peixe. Nesse meio-tempo, a pobre senhorita Courtenay-Latimer estava às voltas com a fétida deterioração do seu achado. Como ele era grande demais para caber em um vidro com formalina, ela o envolveu em tecidos embebidos nessa substância. Isso não era adequado para evitar a deterioração, e ela acabou sendo forçada a mandar empalhá-lo. E foi nessa forma que Smith finalmente o viu:

> Celacanto, sim, por Deus! Eu viera preparado, mas aquela primeira visão me atingiu como uma rajada incandescente, e eu me pus a tremer, atordoado, o corpo formigando. Fiquei ali, petrificado... Esqueci de tudo o mais, e então, quase com medo, me aproximei, toquei-o, afaguei-o enquanto minha mulher observava em silêncio... Só então voltou-me a fala, cujas palavras exatas eu esqueci, mas foi para dizer-lhes que era verdade, era verdade mesmo, aquele era inquestionavelmente um celacanto. Nem mesmo eu podia duvidar mais.

Smith batizou-o de *Latimeria*, em honra a Marjorie. Desde então, foram encontrados muitos outros nas profundas águas ao redor das ilhas Comoro, próximo a Madagascar, e uma segunda espécie apareceu do outro lado do Oceano Índico, na costa de Sulawesi. Hoje, o gênero está minuciosamente estudado, embora não sem a acrimônia e as acusações de fraude que — coisa lamentável, mas compreensível — parecem andar juntas com descobertas raras e muito importantes.

Encontro 20

Peixes de nadadeiras raiadas

O Encontro 20 é grandioso e ocorre há 440 milhões de anos, no começo do Siluriano, quando ainda restava no sul uma calota de gelo do frio Ordoviciano. O Concestral 20, que calculo ter sido o nosso 195 000 000º avô, é quem nos une aos actinopterígios, ou peixes de nadadeiras raiadas, dos quais a maioria pertence ao numeroso e bem-sucedido grupo conhecido como teleósteos. Os peixes teleósteos são a grande história de sucesso entre os vertebrados modernos — compõem cerca de 23 500 espécies. Eles se destacam em muitos níveis das cadeias alimentares de água doce e salgada. Conseguiram invadir fontes de águas termais em um extremo e gélidas águas dos mares árticos e lagos de alta montanha em outro. Prosperam em águas ácidas, em pântanos fétidos e em lagos salinos.

Chamamos suas nadadeiras de "raiadas" porque elas têm um esqueleto que lembra o leque das damas vitorianas. Os peixes de nadadeiras raiadas não possuem o lobo carnudo na base de cada nadadeira, que é o epônimo dos peixes de nadadeiras lobadas, como o celacanto e o Concestral 18. Em contraste com nossos braços e pernas, que comparativamente têm poucos ossos, e com os músculos que podem movê-los em relação uns aos outros dentro dos membros, as nadadeiras dos actinopterígios são movidas por músculos situados na parede principal do corpo. Nesse aspecto, nós somos mais parecidos com os peixes de nadadeiras lobadas — como se poderia esperar, já que somos peixes de nadadei-

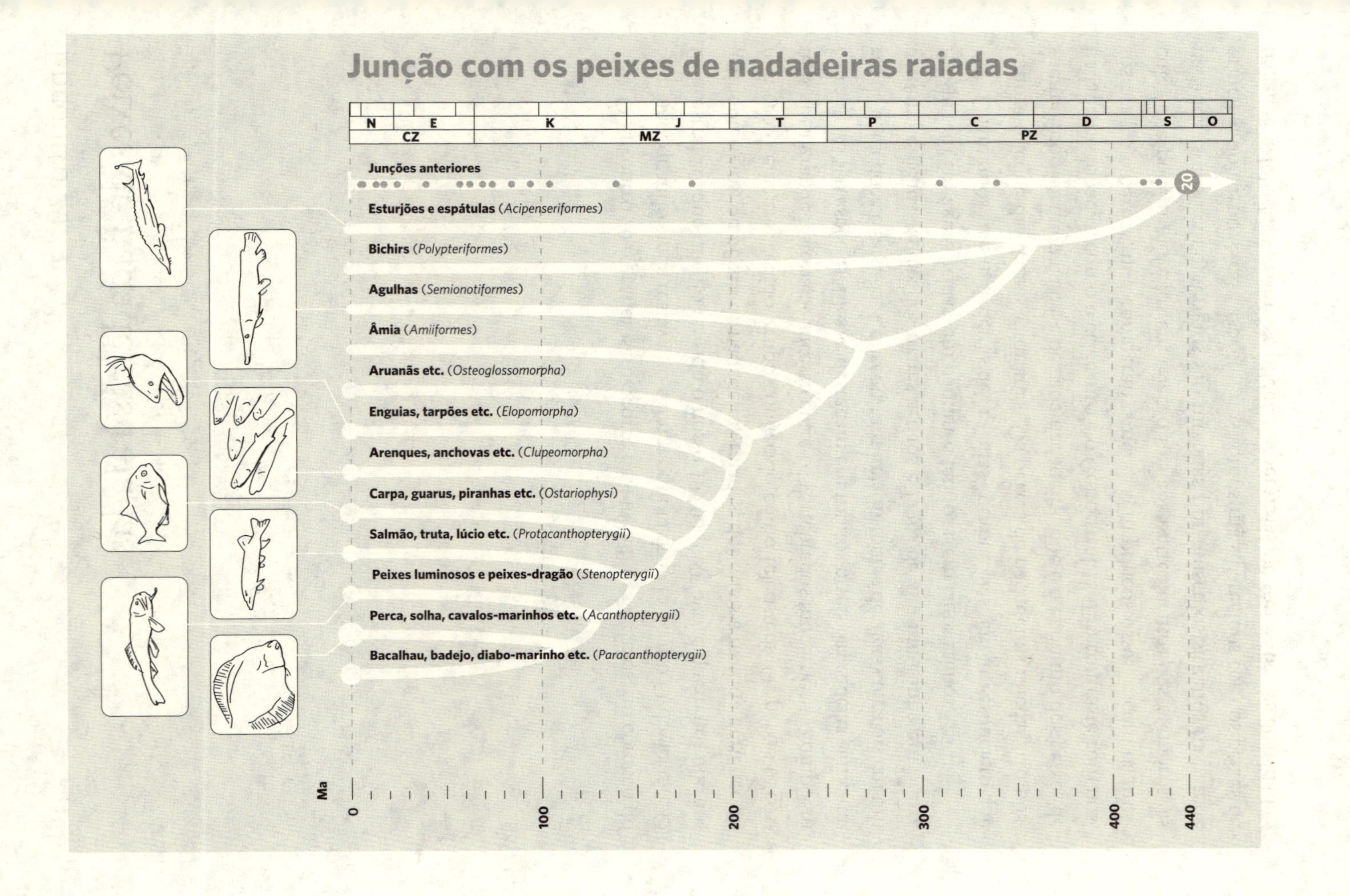

Junção com os peixes de nadadeiras raiadas
N
E
K
J
T
P
C
D
S
O
CZ
MZ
PZ
Junções anteriores
20
Esturjões e espátulas (Acipenseriformes)
Bichirs (Polypteriformes)
Agulhas (Semionotiformes)
Âmia (Amiiformes)
Aruanãs etc. (Osteoglossomorpha)
Enguias, tarpões etc. (Elopomorpha)
Arenques, anchovas etc. (Clupeomorpha)
Carpa, guarus, piranhas etc. (Ostariophysi)
Salmão, truta, lúcio etc. (Protacanthopterygii)
Peixes luminosos e peixes-dragão (Stenopterygii)
Perca, solha, cavalos-marinhos etc. (Acanthopterygii)
Bacalhau, badejo, diabo-marinho etc. (Paracanthopterygii)
Ma
0
100
200
300
400
440

ras lobadas adaptados para a vida em terra firme. Os peixes de nadadeiras lobadas têm músculos nas próprias nadadeiras carnudas, assim como nós temos bíceps e tríceps nos braços e músculos de Popeye nos antebraços.

Os peixes de nadadeiras raiadas são principalmente teleósteos, com algumas exceções variadas, como os esturjões e os espátulas, que mencionamos em "O conto do ornitorrinco". É justo que um grupo tão bem-sucedido contribua com vários contos, por isso é para eles que deixo boa parte do que tenho a dizer neste capítulo. Os peregrinos teleósteos chegam numa fervilhante multidão, brilhantes em sua diversidade. A magnitude dessa diversidade é a inspiração para "O conto do dragão-marinho".

O CONTO DO DRAGÃO-MARINHO

Quando minha filha era pequena, gostava de pedir aos adultos para desenharem peixes. Vinha correndo quando eu estava tentando escrever um livro, metia o lápis na minha mão e clamava: "Desenhe um peixe, papai, desenhe um peixe!". O esboço que eu imediatamente fazia para aquietá-la — e o único tipo de peixe que ela queria que eu desenhasse — era sempre o mesmo: um peixe daqueles regulamentares, como um arenque ou uma perca, de linhas hidrodinâmicas quando visto de lado, pontudo na frente, nadadeira triangular em cima e embaixo, cauda triangular e rematado com um pontinho que era o olho, semicircundado pela curva da cobertura da guelra. Acho que eu não chegava aos detalhes das nadadeiras peitorais ou pélvicas — negligência minha, pois todos as possuem. O peixe típico tem, de fato, uma forma muito comum, que obviamente funciona bem para todos os tamanhos, dos guarus aos tarpões.

Página ao lado: JUNÇÃO COM OS PEIXES DE NADADEIRAS RAIADAS. Os peixes de nadadeiras raiadas são os parentes mais próximos dos peixes de nadadeiras lobadas — nós — e compreendem aproximadamente o mesmo número de espécies descritas — cerca de 25 mil. Sua filogênese não está bem esclarecida, embora se saiba que os esturjões e os espátulas, o bichirs, os agulhas e o âmia ramificaram-se cedo. A filogênese aqui descrita é particularmente incerta. Por isso, alguns dos grupos mais obscuros foram omitidos desta árvore.

IMAGENS, DA ESQUERDA PARA A DIREITA: solha (*Pleuronectes platessa*); "snaggletooth" (*Astronesthes niger*); lúcio (*Esox lucius*); piranha-caju (*Serrasalmus nattereri*); biqueirão-do-pacífico-norte (*Engraulis mordax*); moreia-verde (*Gymnothorax prasinus*); gar da Flórida (*Lepisosteus platyrhincus*); esturjão-siberiano (*Acipenser baeri*).

O que Juliet teria dito se minha habilidade me permitisse desenhar para ela um dragão-marinho, *Phycodurus equus*? (Ver Ilustração 24). "NÃO, papai, alga marinha não! Desenhe um peixe. Um PEIXE!". A mensagem do dragão-marinho é que as formas animais são maleáveis como massa de modelar (ver Ilustração 25). Um peixe, ao longo do tempo evolutivo, pode mudar para qualquer forma requerida por seu estilo de vida, inclusive formas que não lembram um peixe. Os que se parecem com o peixe padrão de Juliet só são assim porque lhes convém. Essa é uma boa forma para nadar em águas abertas. Mas se a sobrevivência depender de manter-se imóvel em leitos de algas que oscilam suavemente, a forma do peixe pode ser retorcida, amassada, repuxada em projeções fantasticamente ramificadas cuja semelhança com a fronde das algas marrons é tanta que um botânico poderia sentir-se tentado a reduzi-lo a espécie (talvez do gênero *Fucus*).

O peixe-camarão *Aeoliscus strigatus*, que vive em recifes no oeste do Pacífico, também tem um disfarce astuto demais para que Juliet o aceitasse caso eu o desenhasse como um "peixe". Seu corpo extremamente comprido é ainda mais prolongado por um longo nariz, e o efeito é realçado por uma lista escura que vai do olho até a cauda (que não tem jeito de cauda). Esse peixe parece um camarão comprido, ou lembra um pouco uma navalha afiada, o que explica o outro nome pelo qual é conhecido, peixe-navalha. Ele é coberto por uma couraça transparente que dá até impressão de ser a de um camarão, disse-me o meu colega George Barlow, que observou esses peixes na natureza. Provavelmente, porém, a semelhança com o camarão não faz parte de sua camuflagem. Como muitos teleósteos, o peixe-camarão nada em grupos coordenados e com sincronia militar. Mas em contraste com outros teleósteos que poderiam vir à mente do leitor, nada com o corpo na vertical, apontando para baixo. Isso não quer dizer que nade na direção vertical. Ele nada na direção horizontal, mas com o corpo a prumo. O efeito global desse nado sincronizado lembra um bosque de algas ou, ainda mais acentuadamente, os longos espinhos de um gigantesco ouriço-do-mar, entre os quais esses peixes costumam refugiar-se. Nadar de cabeça para baixo é uma decisão deliberada. Quando se alarmam, são perfeitamente capazes de mudar depressa para uma posição horizontal mais convencional e fugir com surpreendente rapidez.

Ou o que diria Juliet se eu lhe desenhasse uma enguia com um bico de galinhola (*Nemichthyidae*) ou uma enguia com um bico de pelicano (*Eurypharynx pelecanoides*), duas enguias das profundezas do oceano apelidadas com nomes de aves? A enguia "bico de galinhola" parece piada: é ridiculamente comprida e fina, com mandíbulas parecidas com as das aves, que se afastam recurvadas uma da outra como um megafone. Essas mandíbulas divergentes parecem tão disfuncionais que não posso deixar de me perguntar quantos desses peixes terão sido vistos vivos. As mandíbulas de megafone seriam uma distorção em um espécime de museu que foi desidratado?

A enguia pelicanoide parece um pesadelo. Com mandíbulas absurdamente grandes para o corpo, ou pelo menos é essa a impressão que temos, ela é capaz de engolir inteira uma presa de tamanho superior ao seu — um dos vários peixes de mar alto que tem esse notável talento. Evidentemente, é comum predadores *matarem* presas maiores do que eles próprios e depois comê-las aos pedaços. Os leões fazem isso, e as aranhas também.* Mas *engolir* inteiro um animal maior do que o engolidor é algo difícil de imaginar. A enguia pelicanoide assim como outros peixes de águas profundas — como sua parente próxima, a enguia *Sacopharynx lavenberg* (cujo nome comum em inglês é *swallower eel*, ou enguia engolidora), e o não aparentado *Chiasmodon niger* (*black swallower*, ou engolidor negro), que não é uma enguia — realizam o truque. Fazem-no graças a uma combinação de mandíbulas desproporcionalmente grandes e um estômago frouxo e distensível que pende quando cheio, parecendo um tumor externo muito avantajado. Após o longo período de digestão, o estômago volta a encolher. Por que esse truque de prodigiosa engolição deveria ser típico de cobras** e peixes de águas profundas não é óbvio para mim. A enguia engolidora e o engolidor negro atraem presas próximas de sua toca com a ajuda de uma isca luminosa na ponta da cauda.

O plano corporal dos teleósteos parece ser quase infinitamente maleável no decorrer do tempo evolutivo, tolerante a ser puxado ou espremido em qualquer formato, por mais diferente que seja da forma "padrão" dos peixes. O nome latino do peixe-lua, *Mola mola*, significa pedra de moinho, e é fácil ver por quê. De lado ele parece um imenso disco, que pode chegar a espantosos quatro metros de diâmetro e pesar até duas toneladas. A circularidade de seu contorno é rom-

* As aranhas, na verdade, comem presas grandes não em pedaços, mas em forma líquida. Elas injetam na presa sucos digestivos, depois a sugam como se fosse por um canudo.

** As cobras desarticulam o crânio para realizar o truque. Para uma cobra, fazer uma refeição deve ser tão penoso quanto dar à luz para uma mulher.

pida apenas por duas nadadeiras colossais em cima e embaixo, cada qual com dois metros de comprimento.

"O conto do hipopótamo" invocou, para explicar a gritante diferença entre esse animal e suas primas baleias, a libertação da gravidade que as baleias desfrutaram assim que cortaram todos os laços com a terra firme. Com certeza coisa parecida explica a grande variedade de formas que os peixes teleósteos exibem. Mas, ao explorarem essa libertação, os teleósteos têm uma vantagem sobre, por exemplo, os tubarões. Os teleósteos lidam com a flutuação de um modo muito especial, que o lúcio nos relatará em seu conto.

O CONTO DO LÚCIO

Conheço um lindo lago na tristonha província de Ulster, onde "as montanhas de Mourne resvalam para o mar".* Um grupo de crianças nadava lá certa vez, todas nuas, quando alguém gritou que tinha visto um lúcio grandão. Na mesma hora, todos os meninos — mas não as meninas — fugiram para a terra firme. O lúcio do norte, *Esox lucius*, é um formidável predador de peixes pequenos. Tem uma bela camuflagem que o ajuda não a se defender de predadores, mas a se aproximar furtivamente das presas. É um predador sorrateiro e não muito rápido em distâncias maiores. Paira quase imóvel na água e vai avançando quase imperceptivelmente até estar perto o suficiente para atacar. Durante essa aproximação mortífera, ele se impele com movimentos quase indetectáveis da nadadeira dorsal, situada na parte posterior de seu corpo.

Toda essa técnica de caça depende da capacidade de pairar na água na altura desejada como um dirigível à deriva, sem fazer esforço nenhum, em perfeito equilíbrio hidrostático. Todo o trabalho locomotor concentra-se na atividade clandestina de avançar à socapa. Se o lúcio precisasse nadar para manter-se no nível desejado, como fazem muitos tubarões, sua técnica de emboscada não funcionaria. A manutenção sem esforço do nível e o ajuste do equilíbrio hidrostático são a especialidade sem igual dos peixes teleósteos e, isoladamente considerada, talvez seja a mais significativa chave de seu sucesso. Como eles fazem isso?

* Alusão à canção "The mountains of Morne", composta em 1896 pelo irlandês Percy French sobre o tema da diáspora irlandesa. (N. T.)

Por meio da bexiga natatória, um pulmão modificado cheio de gás, que permite um controle sensitivo dinâmico da flutuação. Com exceção de alguns habitantes do fundo que perderam secundariamente a bexiga natatória, todos os teleósteos a possuem — e não apenas o lúcio e suas presas.

Muitos explicam a bexiga natatória citando o princípio do "mergulhador cartesiano", ou ludião, mas a meu ver isso não é correto. O mergulhador cartesiano é uma pequena câmara de mergulho contendo uma bolha de ar, que paira em equilíbrio hidrostático dentro de uma garrafa com água. Se a pressão for aumentada (geralmente apertando-se para baixo a rolha no gargalo da garrafa), a bolha é comprimida, e menos água é deslocada pelo mergulhador como um todo. Portanto, pelo Princípio de Arquimedes, o mergulhador afunda. Se a rolha for afrouxada um pouco mais para cima, de modo a diminuir a pressão na garrafa, a bolha no mergulhador expande-se, mais água é deslocada, e o mergulhador flutua um pouco acima. Assim, com o dedão na rolha, podemos exercer um bom controle sobre o nível em que o mergulhador encontra o equilíbrio.

O principal a saber sobre o mergulhador cartesiano é que o número de moléculas de ar na bolha continua o mesmo enquanto são alterados o volume e a pressão (em proporções inversas, seguindo a Lei de Boyle). Se os peixes funcionassem como mergulhadores cartesianos, usariam força muscular para comprimir ou relaxar a bexiga natatória e, com isso, mudar a pressão e o volume, deixando igual o número de moléculas. Isso em teoria funcionaria, mas não é o que ocorre. Em vez de manter fixo o número de moléculas e ajustar a pressão, os peixes ajustam o número de moléculas. Para afundar, eles absorvem no sangue algumas moléculas de gás da bexiga natatória, e assim reduzem o volume. Para subir, fazem o inverso, liberando moléculas de gás na bexiga natatória.

Em alguns teleósteos, a bexiga natatória também é usada para auxiliar a audição. Como o corpo do peixe é sobretudo água, ondas sonoras propagam-se através dele mais ou menos como se propagavam na água antes de chegarem ao peixe. Mas quando elas atingem a parede da bexiga natatória, subitamente encontram um meio diferente, o gás. Assim, a bexiga natatória atua como um tímpano. Em algumas espécies, ela fica encostada na orelha interna. Em outras, conecta-se à orelha interna por uma série de ossinhos chamados ossículos weberianos. Estes fazem um trabalho parecido com o dos nossos martelo, bigorna e estribo, mas são ossos totalmente diferentes.

A bexiga natatória parece ter evoluído — sido "cooptada" — de um pulmão primitivo, e alguns teleósteos sobreviventes, como a âmia, o gar e o bichir, ainda a usam para respirar. Isso talvez nos surpreenda um pouco, pois, para nós, respirar ar parece ser um "avanço" significativo que acompanhou a saída da água para a terra firme. Alguém poderia supor que o pulmão é uma bexiga natatória modificada, mas, ao contrário, parece que o pulmão respirador primitivo se ramificou na evolução e seguiu dois caminhos. De um lado, levou para a terra sua função inicial, a respiração, e nós ainda a usamos. O outro ramo da bifurcação foi a novidade empolgante: o velho pulmão modificou-se e deu forma a uma genuína inovação: a bexiga natatória.

O CONTO DO SALTADOR-DO-LODO

Em nossa peregrinação evolutiva convém que alguns dos contos, embora sejam narrados por peregrinos sobreviventes, versem sobre reencenações recentes de eventos evolutivos remotos. Tão variáveis e versáteis são os peixes teleósteos que já se esperaria que alguns deles pudessem reproduzir partes da história dos peixes de nadadeiras lobadas e vir para a terra firme. O saltador-do-lodo (mais conhecido como *mudskipper*) é um desses peixes fora d'água, e vive hoje para nos narrar este conto.

Várias espécies de peixes teleósteos vivem em águas pantanosas, pobres em oxigênio. Suas guelras não conseguem extrair o suficiente, e eles precisam da ajuda do ar. Peixes de aquário bem conhecidos, vindos dos pântanos do Sudeste Asiático, como o beta, ou "peixe de briga siamês" (*Betta splendens*), sobem frequentemente à superfície para sorver ar, mas ainda usam as guelras para extrair o oxigênio. Suponho, já que as guelras são molhadas, que esse sorvo equivale a oxigenar localizadamente a água das guelras, do mesmo modo que podemos inserir ar borbulhante em um aquário. Mas é mais do que isso, pois a câmara da guelra é dotada de um espaço auxiliar para o ar, ricamente irrigado de vasos sanguíneos. Essa cavidade não é um verdadeiro pulmão. O verdadeiro homólogo do pulmão nos peixes teleósteos é a bexiga natatória, que, como nos mostrou "O conto do lúcio", eles usam para manter uma flutuação neutra.

Os peixes que respiram ar pela câmara das guelras redescobriram a respiração aérea por um caminho completamente diferente. Talvez os mais avançados representantes dotados dessa câmara respiradora de ar nas guelras sejam as percas trepadoras, *Anabas*. Esses peixes também vivem em águas pouco oxigenadas e têm o hábito de andar em terra firme em busca de água quando seca seu lar anterior. Conseguem sobreviver dias a fio fora da água. A *Anabas* é, de fato, um exemplo vivo e respirador para corroborar a teoria de Romer (hoje menos em voga) sobre como os peixes vieram para a terra firme.

Outro grupo de peixes teleósteos que andam é o dos saltadores-do-lodo, como o *Periophthalmus*, que está narrando este conto. Alguns saltadores-do--lodo, aliás, passam mais tempo fora do que dentro da água. Comem insetos e aranhas que não são encontrados no mar. É possível que nossos ancestrais devonianos se beneficiassem de modo semelhante quando pela primeira vez deixaram a água, já que foram precedidos por insetos e aranhas nessa vinda para a terra firme. O saltador-do-lodo locomove-se aos pinotes pelo lamaçal deixado pela baixa das águas, e também pode deslocar-se usando as nadadeiras peitorais (braços), cujos músculos, de tão desenvolvidos, permitem-lhes sustentar o peso do corpo. O saltador-do-lodo, inclusive, faz a corte parcialmente em terra firme, e o macho pode fazer flexões de braço, como também fazem alguns lagartos, para exibir seu queixo e garganta dourados para as fêmeas. O esqueleto das nadadeiras também evoluiu convergentemente de um modo que lembra o de um tetrápode como a salamandra.

Os saltadores-do-lodo podem saltar mais de meio metro, curvando o corpo para um lado e endireitando-o subitamente — daí vêm alguns de seus vários nomes populares, como saltão, saltão-da-vasa, peixe-sapo, e em inglês *mud-hopper* [pulador de lama], *johnny jumper* [joãozinho-saltador] e *kangaroo fish* [peixe-canguru]. Outro nome comum, *climbing fish* [peixe-escalador], provém do hábito de subir em árvores de manguezais em busca de presas. Os peixes agarram-se na árvore com as nadadeiras peitorais, auxiliados por uma espécie de ventosa que se forma quando eles unem as nadadeiras pélvicas sob o corpo.

Assim como os já mencionados peixes do pântano, os saltadores-do-lodo respiram introduzindo ar em suas câmaras branquiais úmidas. Também absorvem oxigênio através da pele, a qual tem de manter-se com umidade. Quando um saltador-do-lodo está em perigo de ressecar-se, rola numa poça. Seus olhos são especialmente vulneráveis à desidratação, e o peixe às vezes molha-os com a nadadeira. Esses peixes têm olhos protuberantes muito próximos um do outro e quase no topo da cabeça, onde podem ser usados como periscópios, como fazem as rãs e os crocodilos, permitindo-lhes ver acima da superfície quando o peixe está submerso. Em terra firme, o saltador-do-lodo frequentemente recolhe os olhos salientes para dentro das órbitas a fim de molhá-los. Antes de deixar a água para uma incursão em terra, o peixe enche de água as cavidades das guelras.

Em um livro de divulgação científica sobre a conquista da terra firme, o autor menciona um relato de um artista do século XVIII que vivia na Indonésia e manteve um "peixe-sapo" vivo por três dias em sua casa: "Ele me seguia por toda parte com grande familiaridade, até parecia um cachorro".

O livro traz um desenho de um "peixe-sapo" andando como um cão, mas na verdade o que está ali retratado é sem dúvida um peixe-*pescador* (também conhecido como peixe-sapo ou tamboril): um peixe de águas profundas com um chamariz que paira acima da cabeça na ponta de um espinho e é usado para apanhar peixes menores. Desconfio que o desenhista foi vítima de um equívoco, e um equívoco instrutivo, pois mostra o que pode acontecer quando nos baseamos em nomes vulgares coloquiais para designar animais em vez de usarmos o nome científico, que, por mais defeitos que tenha, foi concebido para ser exclusivo. É verdade que alguns chamam o peixe-pescador de peixe-sapo. Mas é imensamente implausível que aquele peixe que seguiu o artista pela casa como um cachorro fosse um peixe-pescador das profundezas do oceano. No entanto, bem que poderia ser um saltador-do-lodo, pois existe realmente esse tipo de peixe na Indonésia, onde é coloquialmente conhecido, entre outros nomes, como peixe-sapo. Eu, pelo menos, acho que o saltador-do-lodo se parece muito mais com um sapo do que o peixe-pescador. Ele até pula como sapo. Suponho que o "peixe-sapo" mascote que seguiu o artista por todo canto como um cão foi um saltador-do-lodo.

Agrada-me a ideia de que descendemos de alguma criatura que, mesmo se tiver sido diferente de um saltador-do-lodo moderno em muitos outros aspectos, foi aventureira e empreendedora como um cãozinho — talvez a coisa mais parecida com um cachorro que o devoniano tinha a oferecer? Muito tempo atrás, uma ex-namorada explicou-me por que ela adorava cães: "Eles topam tudo". Acho que o primeiro peixe que se aventurou em terra firme deve ter sido o topa-tudo arquetípico, alguém que eu teria prazer em chamar de ancestral.

O CONTO DO CICLÍDEO

O lago Vitória é o terceiro maior lago do mundo, mas também é um dos mais recentes. Dados geológicos indicam que ele tem apenas cerca de 100 mil anos. Esse lago é o lar de um número colossal de peixes ciclídeos endêmicos. "Endêmicos" significa que são encontrados tão somente no lago Vitória, onde presumivelmente evoluíram. Dependendo de o ictiologista ser um agrupador ou um separador, o número de espécies de ciclídeos no lago Vitória está entre 200 e 500, e uma respeitada estimativa recente apontou 450. Dessas espécies endêmicas, a grande maioria pertence a uma tribo, os haplocrominos. Ao que parece, todos eles evoluíram, como um único "bando de espécies", durante os últimos 100 mil anos aproximadamente.

Como vimos em "O conto da rã de boca estreita", a ramificação evolutiva de uma espécie em duas chama-se especiação. O que nos surpreende na pouca idade do lago Vitória é que ela sugere um ritmo espantosamente rápido de especiação. Também há indícios de que o lago secou totalmente há cerca de 15 mil anos, e alguns até concluíram que as 450 espécies endêmicas evoluíram de uma única espécie fundadora nesse tempo impressionantemente breve. Como veremos, é provável que isso seja um exagero. Mas, de qualquer modo, um pouco de cálculo ajuda a pôr em perspectiva esses períodos curtos. Que tipo de velocidade de especiação seria preciso para gerar 450 espécies em 100 mil anos? O mais prolífico padrão de especiação, em teoria, seria uma sucessão de duplicações. Nesse padrão idealizado, uma espécie ancestral origina duas espécies-filhas, e cada uma dessas divide-se em duas, que por sua vez também se dividem cada qual em duas, e assim por diante. Seguindo esse padrão de especiação mais produtivo ("exponencial"), uma espécie ancestral poderia facilmente gerar 450 espécies em 100 mil anos, com um intervalo de 10 mil anos, que parece ser bastante longo, separando as especiações em qualquer dada linhagem. Partindo de qualquer peregrino ciclídeo moderno em direção ao passado, haveria apenas dez pontos de encontro em 100 mil anos.

Obviamente, é muito improvável que na vida real a especiação siga o padrão ideal das duplicações sucessivas. O extremo oposto seria um padrão no qual a espécie fundadora originasse sucessivamente uma espécie-filha após a outra, sem que nenhuma das espécies-filhas viesse a especiar-se depois. Seguindo esse padrão "menos eficiente" de especiação, para gerar 450 espécies em 100 mil anos, o intervalo entre os eventos de especiação teria de ser de alguns séculos. Isso também não nos soa ridiculamente breve. A verdade está, com certeza, entre os dois padrões extremos: digamos que um ou alguns milênios seja o intervalo médio entre os eventos de especiação em qualquer dada linhagem. Raciocinando assim, a velocidade de especiação não parece tão espetacularmente alta, em especial à luz dos tipos de taxas evolutivas que vimos em "O conto do tentilhão das Galápagos". Mesmo assim, como um feito contínuo de especiação, esse é bem rápido e prolífico pelos padrões que os evolucionistas aprenderam a esperar, e os ciclídeos do lago Vitória tornaram-se famosos entre os biólogos por essa razão.*

Os lagos Tanganica e Malauí são só um pouco menores que o Vitória — em área, frisemos. Mas, enquanto o Vitória é uma bacia ampla e rasa, o Tanganica e o Malauí são lagos do vale do Rift: longos, estreitos e muito profundos. Não são tão recentes quanto o Vitória. O lago Malauí, que já mencionei nostalgicamente como o local das minhas primeiras férias "na praia", tem entre 1 e 2 milhões de anos. O lago Tanganica é o mais antigo, entre 12 e 14 milhões. Apesar dessas diferenças, os três lagos têm em comum a notável característica que inspira este conto. Todos pululam com centenas de espécies endêmicas de peixes ciclídeos, exclusivas de seus respectivos lagos. Os ciclídeos do Vitória formam um conjunto de espécies totalmente diferente dos ciclídeos do Tanganica, e por sua vez os do Malauí são completamente distintos dos outros dois. E, no entanto, cada um dos três bandos de centenas de espécies produziu, pela evolução convergente em seu próprio lago, uma variedade de tipos muito semelhantes. Parece que uma única espécie haplocromina fundadora (ou bem poucas) entrou, talvez por um rio, em cada um dos lagos quando estes estavam nascendo. Desses começos pequenos, sucessivas subdivisões evolutivas — "eventos de especiação" — geraram centenas de espécies de ciclídeos, cuja gama de tipos tem paralelo próximo com a de cada um dos outros dois grandes lagos. A esse tipo de rápida diversificação em muitos tipos diferentes dá-se o nome de "irradiação adaptativa". Os tentilhões de Darwin são outro exemplo famoso de irradiação adaptativa, mas os ciclídeos africanos são ainda mais especiais porque com eles o fenômeno ocorreu triplamente.**

* O lago Vitória vem sendo vítima de uma catástrofe que é obra do homem. Em 1954, a administração colonial britânica, na tentativa de melhorar a indústria da pesca, introduziu a perca-do-nilo (*Lates niloticus*) no lago Vitória. Os biólogos opuseram-se a essa decisão, prevendo que a perca prejudicaria os ecossistemas únicos do lago. A previsão revelou-se desastrosamente acertada. Os ciclídeos nunca tinham evoluído para lidar com um predador grande como a perca-do-nilo. É provável que cinquenta espécies de ciclídeos tenham desaparecido para sempre, e outras 130 estão muito em perigo. Em apenas meio século, a ignorância perfeitamente evitável devastou economias locais na região do lago e aniquilou irreversivelmente um recurso científico inestimável.

** Todo esse assunto é analisado detalhadamente no livro recente de Dolph Schluter, *The ecology of adaptive radiation*.

Boa parte da variação no âmbito de cada lago está relacionada à dieta. Cada lago tem seus especialistas em alimentar-se de plâncton, seus especialistas em comer algas extraídas das rochas, em predar outros peixes, em sustentar-se com matéria em decomposição, em roubar comida, em devorar ovas de peixe. Existem, inclusive, paralelos com o hábito dos peixes-limpadores, mais conhecido graças aos peixes de recifes tropicais (ver "O conto do polipífero"). Os peixes ciclídeos têm um complexo sistema de mandíbulas duplas. Além das mandíbulas externas "usuais", que podemos ver, existe um segundo conjunto de "mandíbulas faríngeas" no fundo da garganta. É provável que essa inovação tenha aparelhado os ciclídeos para a versatilidade alimentar e, daí, para a habilidade de diversificar-se repetidamente nos grandes lagos africanos.

Apesar de serem muito antigos, os lagos Tanganica e Malauí não possuem um número de espécies notavelmente maior do que o Vitória. É como se cada lago chegasse a um tipo de limite, a um equilíbrio no número de espécies, e este não aumentasse no decorrer do tempo. Na verdade, poderia até diminuir. O lago Tanganica, dos três o mais antigo, é o que tem menos espécies. O Malauí, de idade intermediária, é o que tem mais. Parece provável que os três lagos tenham seguido o padrão do Vitória: uma especiação extremamente rápida a partir de começos muito pequenos, gerando várias centenas de novas espécies endêmicas nas primeiras centenas de milhares de anos.

"O conto da rã de boca estreita" abordou a teoria em voga para explicar como ocorre a especiação, a teoria do isolamento geográfico. Essa não é a única teoria, e mais de uma pode ser correta em diferentes casos. A "especiação simpátrica" — a separação de populações em espécies distintas na mesma área geográfica — pode ocorrer em algumas condições, especialmente com insetos, para os quais ela pode até ser a regra. Há alguns indícios de especiação simpátrica de peixes ciclídeos em pequenos lagos de cratera africanos. Mas o modelo de especiação em isolamento geográfico ainda é o dominante, e prevalecerá por todo o resto deste conto.

Segundo a teoria do isolamento geográfico, a especiação começa quando uma divisão geográfica acidental de uma única espécie ancestral origina populações separadas. Essas duas populações deixam de poder intercruzar-se e se afastam gradativamente, ou são impelidas pela seleção natural em diferentes direções evolutivas. Caso venham mais tarde a encontrar-se depois de terem divergido, ou não poderão ou não quererão intercruzar-se. Costumam reconhecer sua própria espécie por alguma característica particular, e evitam cuidadosamente espécies semelhantes que não a possuem. A seleção natural condena o acasalamento com a espécie errada, principalmente se a espécie for próxima o suficiente para que isso constitua uma tentação e próxima o bastante para que a prole híbrida sobreviva, a consumir dispendiosos recursos parentais e por fim ficar estéril, como as mulas. Muitos zoólogos interpretaram as exibições de corte como sendo destinadas sobretudo a evitar a miscigenação. Isso pode ser um exagero, e existem outras pressões seletivas importantes que governam a corte. Mas, ainda assim, é provavelmente correto interpretar algumas exibições de corte e algumas cores vivas e outros anúncios vistosos como "mecanismos de isolamento reprodutivo" que a seleção fez evoluir contra a hibridização.

Acontece que foi feito um experimento particularmente elegante com ciclídeos. Ole Seehausen, hoje na Universidade de Hull, e seu colega Jacques van Alphen, da Universidade de Leiden, usaram duas espécies aparentadas de ciclídeos do lago Vitória, *Pundamilia pundamilia* e *P. nyererei* (assim batizada em homenagem a um dos grandes líderes africanos, Julius Nyerere, da Tanzânia). As duas espécies são muito semelhantes, exceto pelo fato de a *P. nyererei* ter cor avermelhada, e a *P. pundamilia* ser azulada. Em condições normais, nos testes de escolha, as fêmeas preferem acasalar-se com machos da própria espécie. Mas Seehausen e Van Alphen fizeram seu teste crítico. Deram às fêmeas as mesmas escolhas, mas sob luz artificial monocromática. Isso muda drasticamente a percepção das cores, como eu me recordo vividamente de meus dias de colégio em Salisbury, uma cidade cujas ruas são iluminadas por lâmpadas de sódio. Nossos bonés e nossos ônibus escolares, que eram de um vermelho vivo, pareciam pardacentos. É isso que ocorre com os machos *Pundamilia* vermelhos e azuis no experimento de Seehausen e Van Alphen. Vermelhos ou azuis sob a luz branca, todos eles ficavam pardacentos. E o resultado? As fêmeas não mais distinguiam entre eles e se acasalavam indiscriminadamente. A prole desses cruzamentos era fértil, o que indica que a escolha das fêmeas é a única barreira entre as espécies e a hibridização. "O conto do gafanhoto" traz um exemplo semelhante. Se as duas espécies fossem um pouquinho mais diferentes, sua prole provavelmente seria infértil, como as mulas. Ainda mais adiante no processo de divergência, populações isoladas chegam ao ponto de não poderem hibridizar — mesmo que o quisessem.

Seja qual for a base da separação, a incapacidade de hibridizar-se define duas populações como pertencentes a espécies diferentes. Cada uma dessas duas espécies agora está livre para evoluir separadamente, livre de contaminar-se com os genes da outra, muito embora a barreira geográfica original à contaminação não exista mais. Sem a intervenção inicial de barreiras geográficas (ou algum equivalente), as espécies nunca poderiam ter se especializado em dietas, habitats ou padrões de comportamento específicos. Ressalto que "intervenção" não significa necessariamente que seja a geografia em si a responsável pela mudança ativa — como quando um vale se inunda ou um vulcão entra em erupção. O mesmo efeito é obtido se barreiras geográficas existissem o tempo todo, grandes o suficiente para impedir o fluxo gênico, mas não tão formidáveis que nunca fossem transpostas por ocasionais populações fundadoras. Em "O conto do dodô" encontramos a ideia de que, esporadicamente, indivíduos têm a sorte de ir parar em uma ilha remota, onde se cruzam isolados de sua população original.

Ilhas como a Maurício e as Galápagos são as responsáveis clássicas pela separação geográfica, mas nem sempre "ilha" quer dizer terra cercada por água. Quando falamos em especiação, "ilha" vem a ser qualquer tipo de área de reprodução isolada, definida do ponto de vista do animal. Não é à toa que o belo livro de Jonathan Kingdon sobre a ecologia africana se chama *Island Africa*. Para um peixe, um lago é uma ilha. Como, então, centenas de novas espécies de peixe puderam divergir de um único ancestral, se todas vivem no mesmo lago?

Uma resposta é que, do ponto de vista dos peixes, há muitas "ilhotas" em um grande lago. Os três grandes lagos africanos possuem recifes isolados. Obviamente, "recife", nesse caso, não significa recifes de coral, mas "uma estreita crista ou cadeia de rochas, seixos ou areia à flor da água ou submersa próximo à superfície" (*Oxford English dictionary*). Esses recifes lacustres são cobertos de algas, e muitos tipos de ciclídeos alimentam-se neles. Para um ciclídeo desses, um recife pode muito bem ser uma "ilha", separada por águas profundas do recife vizinho, a uma distância suficientemente grande para constituir uma barreira ao fluxo gênico. Embora os peixes sejam capazes de nadar de uma para outra, não querem fazê-lo. Há indícios genéticos que corroboram essa ideia em um estudo do lago Malauí que analisou amostra de uma espécie de ciclídeo, *Labeotropheus fuelleborni*. Indivíduos de extremos opostos de um grande recife apresentavam a mesma distribuição de genes: havia um abundante fluxo gênico ao longo de todo o recife. Mas, quando os pesquisadores analisaram amostras da mesma espécie extraídas de outros recifes, separadas por águas profundas, encontraram diferenças significativas na coloração visível e nos genes. Um fosso de 2 km bastou para causar uma separação genética mensurável; e quanto maior o fosso físico, maior o fosso genético. Indícios adicionais provêm de um "experimento natural" no lago Tanganica. Uma violenta tempestade no começo da década de 1970 criou um novo recife a 14 km do vizinho mais próximo. Este deveria ter sido um excelente habitat para ciclídeos de recifes, mas várias semanas depois, quando o recife foi examinado, nenhum ciclídeo lá chegara. Evidentemente, do ponto de vista dos peixes, havia de fato "ilhas" naqueles vastos lagos.

Para que a especiação ocorra, é preciso haver populações isoladas o suficiente para que o fluxo gênico entre elas seja raro, mas não tão isoladas que nenhum indivíduo fundador chegue ao novo local. A receita para a especiação é: "fluxo gênico, mas não muito". Esse é o título de uma seção de *The cichlid fishes*, de George Barlow, o livro que foi minha inspiração ao escrever este conto. A seção descreve outro estudo genético no lago Malauí, que analisou quatro espécies de ciclídeos habitantes de quatro recifes vizinhos, distanciados entre si em aproximadamente 1 ou 2 km. As quatro espécies, conhecidas como *mbuna* no dialeto local, estavam presentes em todos os quatro recifes. Para cada uma delas havia diferenças genéticas entre os quatro recifes. Uma refinada análise das distribuições de genes mostrou que realmente existia um pequenino fluxo gênico entre os recifes, um fluxo muito tênue — a receita perfeita para a especiação.

Vejamos mais um modo como a especiação poderia ter ocorrido, um modo que parece especialmente plausível para o lago Vitória. A datação por radiocarbono do lodo leva a crer que o lago Vitória secou totalmente há cerca de 15 mil anos. O *Homo sapiens*, então quase contemporâneo dos primeiros agricultores da Mesopotâmia, podia andar sem molhar os pés de Kisumu, no Quênia, até Bukoba, na Tanzânia — uma jornada que hoje é uma viagem de 300 km no *Victoria*, um navio de tamanho respeitável, popularmente conhecido como "Rainha da África". Essa foi uma seca extremamente recente, mas quem sabe quantas vezes a bacia do Vitória secou e inundou-se, inundou-se e secou nos milênios anteriores? Na escala temporal de milhares de anos, o nível do lago pode ter subido e descido como um ioiô.

Agora mantenhamos essa ideia em mente, junto com a teoria da especiação por isolamento geográfico. Quando a bacia do Vitória seca de tempos em tempos, o que sobra? Pode ser um deserto, se a secagem for total. Mas uma secagem parcial deixaria pequenos lagos e lagoas espalhados, representando as depressões mais profundas da bacia. Qualquer peixe que ficasse preso nesses pequenos lagos teria a oportunidade perfeita para evoluir e afastar-se de seus colegas dos outros pequenos lagos, tornando-se uma espécie distinta. E quando a bacia tornasse a encher e o lago se reconstituísse, as espécies recém-separadas nadariam por toda a área e se juntariam à fauna maior do Vitória. Quando o ioiô descesse na próxima vez, seria um conjunto diferente de espécies que acidentalmente se veria separada em cada um dos refúgios menores. De novo, uma bela receita para a especiação.

Dados de DNA mitocondrial corroboram essa teoria do sobe-desce do nível dos lagos para o mais antigo deles, o Tanganica. Embora seja um lago profundo de rifte, e não uma bacia rasa como o Vitória, há indícios de que o nível do Tanganica já foi bem mais baixo e de que houve uma época na qual ele se dividiu em três lagos médios. Os dados genéticos sugerem uma segregação inicial de ciclídeos em três agrupamentos, presumivelmente um para cada um dos lagos antigos, seguida por especiações adicionais após a formação do atual lago grande.

No caso do lago Vitória, Erik Verheyen, Walter Salzburger, Jos Snoeks e Axel Meyer realizaram um estudo genético minucioso das mitocôndrias de peixes ciclídeos haplocrominos, não só no lago principal, mas também nos rios vizinhos e nos lagos satélites Kivu, Edward, George, Albert e outros. Os pesquisadores demonstraram que o Vitória e seus vizinhos menores tinham em comum um "bando de espécies" monofiléticas que começou a divergir há cerca de 100 mil anos. Essa refinada pesquisa usou os métodos da parcimônia, da máxima verossimilhança e da análise bayesiana que mencionamos em "O conto do gibão". Verheyen e seus colegas analisaram a distribuição em todos os lagos e rios vizinhos de 122 "haplótipos" do DNA mitocondrial desses peixes. Um haplótipo, como vimos em "O conto de Eva", é um trecho de DNA que dura tempo suficiente para ser reconhecido repetidamente em numerosos indivíduos, os quais podem pertencer a muitas espécies distintas. Em nome da simplicidade, usarei o termo "gene" como um sinônimo aproximado de haplótipo (embora os geneticistas puristas não o façam). Os cientistas desconsideraram, temporariamente, a questão das espécies. Na prática, imaginaram genes nadando em lagos e rios e contaram a frequência com que o faziam.

É fácil equivocar-se com o diagrama (ver Ilustração 26) que Verheyen e seus colegas usaram para resumir seu trabalho. Fica-se tentado a supor que os círculos representam espécies agrupadas em torno de uma espécie-mãe, como em uma árvore genealógica. Ou que representam lagos pequenos agrupados em torno de lagos maiores, como em um mapa estilizado das rotas de uma linha aérea (anfíbia!). Nada disso sequer se aproxima do que o diagrama representa. Os círculos não são espécies nem eixos geográficos. Cada um é um haplótipo: um "gene", um trecho específico de DNA que um peixe individual pode ou não possuir.

Cada gene, portanto, é representado por um círculo. A área do círculo indica o número de indivíduos que possuíam esse gene específico, *independentemente da espécie*, computados em todos os lagos e rios estudados. O círculo pequeno indica um gene encontrado em um só indivíduo. O gene 25, a julgar pela área de seu círculo (o maior), foi encontrado em 24 indivíduos. O número de círculos, ou pontinhos, na linha que une dois círculos representa o número mínimo de mudanças mutacionais necessárias para passar de um ao outro. O leitor reconhecerá, lembrando de "O conto do gibão", que essa é uma forma de análise de parcimônia, porém um pouco mais fácil do que a análise de parcimônia de genes com parentesco distante, pois os intermediários ainda existem. Os pontinhos pretos representam genes intermediários que não foram encontrados em peixes reais, mas que podemos inferir como provavelmente existentes no curso da evolução. Essa é uma árvore desenraizada que não se compromete com a direção da evolução.

A geografia só entra no diagrama na codificação colorida. Cada círculo é um gráfico de pizza que mostra o número de vezes em que o gene em questão foi encontrado em cada um dos lagos ou rios estudados (ver a legenda das cores na parte inferior direita do diagrama). Dos numerosos genes, os que foram designados como 12, 47, 7 e 56 foram encontrados apenas no lago Kivu (todos círculos vermelhos). Os genes 77 e 92 foram encontrados apenas no lago Vitória (todos azuis). O gene 25, o mais abundante de todos, apareceu principalmente no lago Kivu, mas também em números significativos de "lagos de Uganda" (um grupo de pequenos lagos próximos uns dos outros a oeste do lago Vitória). O gráfico de pizza mostra que o gene 25 também foi encontrado no rio Nilo Vitória, no próprio lago Vitória e no lago Edward/George (estes dois lagos pequenos e vizinhos foram computados como um só). Mais uma vez, devemos ter em mente que o diagrama não contém informações sobre as espécies. A fatia azul no círculo do gene 25 indica que dois indivíduos do lago Vitória possuíam esse gene. Não há indicação nenhuma sobre se esses indivíduos eram ou não da mesma espécie, ou da mesma espécie que qualquer um dos indivíduos do lago Kivu portadores desse gene. Não é para isso que serve esse diagrama. Ele serve para fascinar qualquer entusiasta do gene egoísta.

Os resultados são eloquentemente reveladores. O pequeno lago Kivu emerge como o viveiro de todo o bando de espécies. Sinais genéticos mostram que o lago Vitória foi "semeado" com ciclídeos haplocrominos do lago Kivu em duas ocasiões. A grande seca de 15 mil anos atrás não extinguiu o bando de espécies e, ainda por cima, muito provavelmente o enriqueceu do modo como estávamos ainda agora imaginando, com a bacia do Vitória tornando-se uma "Finlândia" de pequenos lagos. Quanto à origem da população mais antiga de ciclídeos do próprio lago Kivu (que hoje tem 26 espécies, entre elas 15 de haplocrominos endêmicos), o oráculo genético diz que elas provêm de rios tanzanianos.

Esse trabalho está apenas começando. A imaginação, de início, desencoraja-se, mas depois se anima com a contemplação do que se terá quando esses métodos forem rotineiramente aplicados não só aos ciclídeos dos lagos africanos, mas a qualquer animal, em qualquer "arquipélago" de habitats.

O CONTO DO PEIXE CEGO DAS CAVERNAS

Animais de vários tipos acabaram por habitar cavernas escuras, onde as condições de vida são muito diferentes das existentes do lado de fora. Repetidamente, e em muitos grupos de animais tão diversos como platelmintos, insetos, lagostim, salamandras e peixes, criaturas cavernícolas adquiriram independentemente, pela evolução, muitas mudanças semelhantes. Algumas podem ser consideradas mudanças construtivas, como por exemplo a reprodução retardada, ovos em menor quantidade, porém maiores e de maior longevidade. Aparentemente, para compensar seus olhos inúteis, os animais das cavernas têm os sentidos do paladar e do olfato mais apurados, longas antenas e, no caso dos peixes, um aperfeiçoado sistema de linha lateral (um órgão sensitivo relacionado à pressão que está além da nossa empatia, mas é importantíssimo para os peixes). Outras mudanças são apontadas como regressivas. Os habitantes das cavernas tendem a perder os olhos e o pigmento da pele, tornando-se cegos e brancos.

O tetra mexicano *Astyanax mexicanus* (também conhecido como *A. fasciatus*) é particularmente notável porque diferentes populações *da mesma* espécie de peixe entraram independentemente em cavernas seguindo cursos d'água e adquiriram muito depressa, pela evolução, um padrão comum de mudanças regressivas relacionadas à vida cavernícola. Essas mudanças podem ser diretamente contrastadas com características de membros da mesma espécie que ainda vivem fora de cavernas. Esses "peixes cegos de caverna mexicanos" são encontrados apenas em cavernas do México — a maioria, cavernas de calcário em um único vale. Antigamente se pensava que eles pertenciam a espécies distintas, mas hoje são classificados como uma raça da mesma espécie, *Astyanax mexicanus*, comum nas águas de superfície do México ao Texas. Essa raça cega foi encontrada em 29 cavernas e, repetindo, é forte a impressão de que, pelo menos em algumas dessas populações cavernícolas, os olhos e a coloração branca foram evoluções regressivas que ocorreram independentemente em cada população: muitas foram as ocasiões em que tetras que habitavam na superfície foram residir em cavernas e, independentemente, perderam os olhos e a cor em todas essas ocasiões.

Parece que algumas populações estão nas cavernas há mais tempo do que outras, e isso transparece como um gradiente do quanto elas se embrenharam nos grotões. O extremo é encontrado na caverna Pachon, na qual, acredita-se, vive a população mais antiga. No extremo "jovem" do gradiente está a caverna Micos, cuja população é relativamente inalterada quando comparada à forma da espécie que habita na superfície. Nenhuma das populações pode estar vivendo nas cavernas há muito tempo, pois essa é uma espécie sul-americana que não poderia ter chegado ao México antes da formação do istmo do Panamá, 3 milhões de anos atrás — o Grande Intercâmbio Americano. Meu palpite é que as populações de tetras das cavernas são muito mais jovens do que isso.

É fácil ver por que a evolução pode não ter dado olhos a habitantes das trevas; menos fácil é entender por que, se os seus ancestrais recentes possuíam certamente olhos normais e funcionais, o peixe das cavernas se "daria ao trabalho" de livrar-se deles. Se há uma possibilidade, por mais ínfima que seja, de um peixe das cavernas ser varrido pelas águas para fora da caverna à luz do dia, não haveria algum benefício em conservar os olhos, "só por precaução"? Não é assim que a evolução funciona, mas podemos pôr a ideia em termos mais respeitáveis. Construir olhos — construir qualquer coisa, na verdade — não é isento de custos. O peixe individual que desviasse recursos para alguma outra parte da economia do animal teria uma vantagem sobre peixes rivais que conservassem olhos do tamanho integral.* Se um habitante das cavernas tem probabilidade insuficiente de

* Os olhos podem ser uma extravagância ainda mais dispendiosa se ficarem infeccionados ou irritados, motivo provável de as toupeiras cavadoras os terem reduzido o máximo possível.

precisar de olhos para compensar os custos econômicos de fazê-los, os olhos desaparecerão. Em se tratando de seleção natural, até mesmo vantagens muito pequenas são significativas. Outros biólogos não levam a economia em consideração. Para eles, é suficiente invocar um acúmulo de mudanças aleatórias no desenvolvimento dos olhos que não sejam penalizadas pela seleção natural porque não fazem diferença. Há muito mais modos de ser cego do que de ser vidente; logo, as mudanças aleatórias, por razões puramente estatísticas, tendem à cegueira.

E isso nos traz ao principal ponto de "O conto do peixe cego das cavernas". Ele fala da Lei de Dollo, que afirma que a evolução não é reversível. Será que a Lei de Dollo é refutada pela aparente reversão de uma tendência evolutiva nos peixes das cavernas, o encolhimento de olhos que cresceram a tão duras penas no decorrer do tempo evolutivo? Aliás, existe alguma razão teórica geral para esperar que a evolução seja irreversível? A resposta às duas questões é: não. Mas a Lei de Dollo tem de ser compreendida corretamente, e esse é o propósito deste conto.

Exceto a curtíssimo prazo, a evolução não pode ser revertida com precisão e exatidão, mas, note-se, a ênfase está em "precisão e exatidão". É muito improvável que qualquer caminho evolutivo, especificado de antemão, venha a ser seguido. Existem demasiados caminhos possíveis. Uma reversão exata da evolução é apenas um caso especial de um dado caminho evolutivo, especificado de antemão. Com um número tão imenso de possíveis caminhos que a evolução poderia seguir, a probabilidade é mínima para qualquer caminho dado, e isso inclui o da reversão exata do caminho à frente que acabou de ser trilhado. Mas não existe lei contra a reversão evolutiva em si.

Os golfinhos descendem de mamíferos terrícolas. Voltaram para o mar e se parecem, em muitos aspectos superficiais, com grandes peixes que nadam rápido. Mas a evolução não se reverteu. Os golfinhos se parecem com peixes em certos aspectos, porém a maioria de suas características internas os classifica certamente como mamíferos. Se de fato a evolução houvesse revertido, eles seriam simplesmente peixes. Ou será que alguns "peixes" na verdade são golfinhos — reverteram à condição de peixes de um modo tão perfeito e abrangente que não notamos? Quer apostar? É nesse sentido que podemos apostar alto na Lei de Dollo. Em especial, se analisarmos a mudança evolutiva no nível molecular.

Essa interpretação da Lei de Dollo poderia ser chamada de interpretação termodinâmica. Ela faz lembrar a Segunda Lei da Termodinâmica, segundo a qual a entropia (ou desordem, confusão) aumenta em um sistema fechado. Uma analogia popular para a Segunda Lei (que talvez seja mais do que uma analogia) é a da biblioteca. Sem um bibliotecário que devolva os livros a seus lugares corretos, a biblioteca tende a desordenar-se. Os livros ficam baralhados. As pessoas os deixam nas mesas ou põem-nos na prateleira errada. Com o passar do tempo, o equivalente bibliotecal da entropia inevitavelmente aumenta. É por isso que todas as bibliotecas precisam de um bibliotecário a trabalhar constantemente para restaurar a ordem dos livros.

O grande equívoco sobre a Segunda Lei é supor que existe um impulso irresistível em direção a algum estado alvo de desordem específico. Não é nada disso. Ocorre apenas que existem muito mais modos de ser desordenado do que de ser ordenado. Se os livros forem baralhados por usuários descuidados, a biblioteca se afastará automaticamente do estado (ou da pequena minoria de estados) que reconheceríamos como ordenado. Não existe nenhum impulso em direção ao estado de alta entropia. O que acontece é que a biblioteca segue a esmo em alguma direção aleatória e se afasta do estado inicial de alta ordem, e não importa por onde ela vagueie no espaço de todas as possíveis bibliotecas, a imensa maioria de possíveis caminhos constituirá um aumento da desordem. Analogamente, de todos os caminhos evolutivos que uma linhagem poderia seguir, apenas um em um número enorme de possíveis caminhos será uma reversão exata do caminho pelo qual essa linhagem veio a surgir. A Lei de Dollo, no fim das contas, não é mais profunda do que a "lei" segundo a qual se jogarmos uma moeda cinquenta vezes, não obteremos cara em todas as vezes — nem coroa, nem uma alternância estrita, *nem qualquer outra sequência específica*. Essa mesma lei da "termodinâmica" também afirmaria que qualquer caminho evolutivo *específico* em uma direção "à frente" (seja lá o que isso signifique!) não será seguido precisamente duas vezes.

Nesse sentido termodinâmico, a Lei de Dollo é correta, mas não tem nada de excepcional. Nem sequer merece o título de lei, do mesmo modo que também não existe "lei" alguma contra jogar uma moeda cem vezes e obter cara em todas as jogadas. Até poderíamos imaginar uma "lei de verdade" nascida de uma interpretação da Lei de Dollo, uma lei que dissesse que a evolução não pode retornar a qualquer coisa vagamente parecida com um estado ancestral, como um golfinho que lembra vagamente um peixe. Essa interpretação seria muito notável e interessante, mas é falsa (pergunte a qualquer golfinho). E não consigo imaginar nenhum fundamento teórico sensato para supô-la verdadeira.

Uma cativante qualidade de Chaucer é o singelo perfeccionismo de seu "Prólogo", onde ele apresenta os peregrinos. Não bastava ter um médico entre os peregrinos — tinha de ser o melhor médico do mundo: "Não havia no mundo maior especialista em cirurgia e medicina".*

O "legítimo Cavaleiro, perfeito e gentil" parecia não encontrar em toda a cristandade quem a ele se igualasse em coragem, lealdade e até em temperamento. E seu filho, o Escudeiro, era um "jovem [...] galante e fogoso [...] recoberto de bordados [...], aparentando possuir notável agilidade e grande força". Além de tudo, ele "tinha o frescor do mês de maio". Até o Feitor do Cavaleiro sabia tudo sobre carpintaria. O leitor acaba convicto de que, se uma profissão for mencionada, seu praticante mostrará automaticamente não ter rivais em toda a Inglaterra.

O perfeccionismo é um vício dos evolucionistas. Estamos tão acostumados com os prodígios da adaptação darwiniana que é uma tentação acreditar que não poderia existir nada melhor. De fato, essa é uma tentação que eu quase poderia recomendar. Seria possível apresentar uma argumentação surpreendentemente convincente em favor da perfeição evolutiva, mas isso teria de ser feito com circunspecção e com uma atenção refinada.** Darei aqui apenas um exemplo de uma restrição histórica, o chamado "efeito motor a jato": imagine como seria imperfeito um motor a jato se, em vez de ser projetado em uma prancheta de desenho limpa, tivesse de ser modificado um passo por vez, parafuso por parafuso e rebite por rebite, a partir de um motor de hélice.

A raia é um peixe achatado que poderia ter sido desenhado numa prancheta para ter o corpo chato e ficar de barriga para baixo, com largas "asas" estendidas simetricamente de ambos os lados. Os peixes achatados teleósteos adotam outra posição: mantêm um dos lados para baixo, o esquerdo (o solha, por exemplo) ou o direito (como fazem o rodovalho e o linguado). Seja qual for o lado, a forma de todo o crânio é distorcida, com o olho do lado de baixo transferido para o lado de cima, onde ele pode ver. Picasso teria adorado esses peixes (ver Ilustração 27). Mas, pelos padrões de qualquer prancheta de desenho, eles são reveladoramente imperfeitos. Têm precisamente o tipo de imperfeição que esperaríamos de quem evoluiu e não de quem foi projetado.

* *In all this world ne was ther noon hym lik, / To speke of physik and of surgerye.* (Tradução de Paulo Vizioli).

** Discorri sobre as armadilhas em um capítulo de *The extended phenotype* intitulado "Restrições à perfeição".

Encontro 21

Tubarões e parentela

"Da assassina inocência do mar...". O contexto do poema de Yeats era bem outro, mas não tem jeito, essa frase sempre me faz pensar num tubarão. Assassino, mas inocente de crueldade deliberada, apenas buscando seu sustento como talvez a mais eficaz máquina de matar do mundo. Conheço pessoas cujo maior pesadelo é o grande tubarão-branco. Se o leitor for uma delas, é capaz de nem querer saber que o tubarão miocênico *Carcharocles megalodon* era três vezes maior que o grande tubarão-branco, com mandíbulas e dentes proporcionais ao seu tamanho.

Meu pesadelo recorrente, já que cresci como um contemporâneo exato da bomba atômica, não é um tubarão, mas um imenso avião preto, futurista, de asas delta, todo eriçado com lança-mísseis de alta tecnologia, enchendo o céu com sua sombra e meu coração com maus presságios. Uma forma quase igual à da raia-jamanta. A forma negra que sobrevoa rugindo o arvoredo em meus sonhos, com suas duas torres de tiro tão enigmaticamente ameaçadoras, é uma espécie de prima tecnológica da *Manta birostris*. Sempre achei difícil aceitar que esses monstros de sete metros são inofensivas criaturas que com suas guelras filtram da água o plâncton de que se alimentam. Além de tudo, elas são lindas.

E quanto ao peixe-serra, que diabos é isso? E o tubarão-martelo? Os tubarões-martelo às vezes atacam pessoas, mas não é por isso que eles podem invadir

Junção com os tubarões e parentela

Ma

0 — 100 — 200 — 300 — 400 — 460

N, E, CZ, K, J, MZ, T, P, C, PZ, D, S, O

Junções anteriores

Quimeras (*Holocephali*)

Outros tubarões, raias, rajídeos (*Squalea*)

Tubarão-branco, tubarões-martelo, tubarão-lixa etc. (*Galea*)

21

JUNÇÃO COM OS TUBARÕES E PARENTELA. Os peixes cartilaginosos, que aqui se juntam a nós, incluem os tubarões e as raias. Os fósseis não deixam dúvida sobre a separação inicial dos vertebrados com mandíbula em peixes ósseos e esses peixes cartilaginosos. Sólidos dados recentes corroboram acentuadamente esse esquema de parentescos entre as cerca de 850 espécies de peixes cartilaginosos.

IMAGENS, DA ESQUERDA PARA A DIREITA: tubarão-cinzento-dos-recifes (*Carcharhinus amblyrhynchos*); raia-jamanta (*Manta birostris*); peixe-elefante (*Callorhynchus milii*).

nossos sonhos. É pela bizarra cabeça em T, os olhos mais separados do que se esperaria fora da ficção científica, como se esse tubarão houvesse sido desenhado por um artista com a imaginação turbinada por drogas (ver Ilustração 28). E o tubarão-raposa, *Alopias*, não é outra obra de arte, outro candidato para um sonho? O lobo superior de sua cauda é quase tão longo quanto o resto do corpo. Os tubarões-raposa usam a prodigiosa pá da cauda primeiro para tanger a presa e depois para matá-la a trompaços. Conta-se que um tubarão-raposa, importunado por um pescador num barco, decapitou um homem com um só golpe de sua formidável cauda.

Os tubarões, raias e outros peixes cartilaginosos, ou condrictes, juntam-se a nós no Encontro 21, há 460 milhões de anos, nos mares que banhavam as terras gélidas e áridas do Ordoviciano Médio. A diferença mais notável entre os novos peregrinos e todos os demais vistos até agora é que os tubarões não têm ossos. Seu esqueleto é feito de cartilagem. Nós também temos cartilagens para finalidades específicas, como revestir as articulações, e todo o nosso esqueleto começa como cartilagem flexível no embrião. Depois, a maior parte ossifica-se graças à incorporação de cristais minerais, sobretudo fosfato de cálcio. Com exceção dos dentes, o esqueleto do tubarão nunca sofre essa transformação. No entanto, seu esqueleto é muito rígido e pode cortar nossa perna com uma única mordida.

Os tubarões não possuem a bexiga natatória que contribui para o sucesso dos peixes ósseos, e muitos precisam nadar continuamente para manter o nível desejado na água. Sua flutuação é auxiliada pela ureia, matéria excrementícia que eles retêm no sangue, e pelo óleo abundante em seu grande fígado. A propósito: alguns peixes ósseos usam óleo em vez de gás na bexiga natatória.

Se o leitor for tão temerariamente afetuoso a ponto de afagar um tubarão, sentirá que toda a pele dele parece uma lixa, pelo menos quando alisada a contrapelo. Ela é revestida de dentículos — pequenas escamas afiadas e parecidas com dentes. Não só essas formações se parecem com dentes, mas os formidáveis dentes dos tubarões são, eles próprios, modificações evolutivas dos minúsculos dentículos.

Quase todos os tubarões e raias vivem no mar, embora alguns gêneros se aventurem em estuários e rios. Em Fiji eram comuns os ataques de tubarões a humanos em água doce, mas isso foi quando os humanos eram canibais. Comiam apenas a carne "de primeira" e jogavam todo o resto nos rios. Parece que os tubarões subiam o rio atraídos pelo cheiro das sobras dos banquetes canibalescos. Quando os europeus chegaram, deram fim ao canibalismo, mas ao mesmo tempo trouxeram inadvertidamente novas doenças contra as quais os fijianos não tinham adquirido imunidade. Os corpos das vítimas das doenças também eram descartados nos rios, e assim os tubarões continuaram a ser atraídos. Atualmente, não se jogam mais corpos nos rios, e com isso os ataques de tubarões também diminuíram. Ao contrário dos peixes ósseos, nenhum tubarão jamais mostrou qualquer inclinação a vir para a terra firme.

Os peixes cartilaginosos dividem-se em dois principais grupos: as esquisitíssimas quimeras ou peixes-rato, que não são numerosas o bastante para compor uma parte significativa da fauna, e os tubarões, raias e rajídeos, que o são. As raias e rajídeos são tubarões achatados. Os pequenos tubarões conhecidos em inglês como *dogfish* não são tão pequenos assim: não existe tubarão do tamanho de um guaru. O tubarão-anão com espinhos, *Squaliolus laticaudus*, cresce até 20 cm. O plano corporal do tubarão parece prestar-se ao tamanho grande, e o maior deles, o tubarão-baleia *Rhincodon typus*, pode chegar a 12 m de comprimento e pesar até 12 t. Assim como o segundo maior, o tubarão-frade *Cetorhinus maximus*, e as maiores baleias, o tubarão-baleia alimenta-se de plâncton. O *Carcharocles megalodon*, já mencionado como protagonista de pesadelos, não era — usando um eufemismo calculado — do tipo que se alimenta de plâncton. Esse monstro miocênico tinha dentes, cada um deles maior do que nosso rosto. Era um predador voraz, como a maioria dos tubarões atuais, que têm encabeçado as cadeias alimentares dos oceanos por centenas de milhões de anos com relativamente poucas mudanças.

Se as raias-jamanta figuram nos pesadelos como bombardeiros, o papel menor do jato de caça de decolagem vertical poderia ser desempenhado pelas quimeras (ver Ilustração 29), também conhecidas como peixes-rato ou tubarões-fantasmas. Esses estranhos peixes de águas profundas compõem a classe dos holocéfalos ("cabeça inteira"), enquanto todo o resto dos peixes cartilaginosos, tubarões e raias juntos, pertencem aos elasmobrânquios. As quimeras podem ser reconhecidas pelas inusitadas coberturas das guelras, que envolvem completamente as guelras separadas, dando-lhes uma única abertura para todas. Diferentemente dos tubarões e das raias, nas quimeras a pele é "lisa", ou seja, não é coberta por dentículos. Talvez seja isso que lhes dá a aparência "fantasmagórica". A semelhança com um avião de pesadelo deve-se ao fato de que sua cauda não é proeminente, e elas nadam "voando" com as grandes nadadeiras peitorais. Existem apenas cerca de 35 espécies vivas de quimeras.

Por mais bem-sucedidos que sejam os tubarões — e por um tempo espetacularmente longo, ainda por cima —, os peixes teleósteos os superam em trinta vezes no quesito do número de espécies. Houve duas principais irradiações de tubarões. A primeira ocorreu profusamente nos mares paleozoicos, em especial durante o Período Carbonífero. No começo da Era Mezosoica (a era dos dinossauros terrestres), o prolongado domínio dos tubarões tinha chegado ao fim. Após uma calmaria de cerca de 100 milhões de anos, os tubarões fizeram outro retorno triunfal no Cretáceo, e assim continuaram até o presente.

Um teste de associação de palavras que mencione "tubarão" muito provavelmente suscitará a resposta "mandíbulas", por isso é pertinente que o Concestral 21, talvez nosso 200 000 000º avô, seja o ancestral mais antigo de todos os vertebrados que possuem verdadeiras maxilas, os gnatostomados. *Gnathos* em grego significa maxilar inferior ou mandíbula, e isso é especificamente o que os tubarões e todo o resto de nós temos em comum. Um dos triunfos da anatomia comparativa clássica foi demonstrar que as maxilas evoluíram de partes modificadas do esqueleto das guelras. Os peregrinos que se juntarão a nós em seguida, no Encontro 22, são os vertebrados sem mandíbulas, ou ágnatos, bem dotados de guelras mas sem o maxilar inferior. Outrora numerosos, variados e fortemente encouraçados, os ágnatos hoje estão reduzidos às anguiliformes lampreias e aos peixes-bruxas.

Encontro 22

Lampreias e peixes-bruxas

O Encontro 22, onde nos reunimos às lampreias e aos peixes-bruxas, ocorre em alguma parte dos quentes mares do Cambriano Inferior, digamos que há 530 milhões de anos, e suponho, muito imprecisamente, que o Concestral 22 tenha sido nosso 240 000 000º avô. As lampreias e os peixes-bruxas sobrevivem como mensageiros centrais da aurora dos vertebrados. Embora seja conveniente analisá-los juntos, como os peixes sem mandíbulas e sem membros, tenho de admitir que, para muitos morfologistas, as lampreias são primas mais próximas de nós do que dos peixes-bruxas. Segundo essa escola, deveríamos saudar as peregrinas lampreias no Encontro 22 e os peixes-bruxas no 23. Por outro lado, os biólogos moleculares são igualmente categóricos quando afirmam que ambos se juntam a nós em um encontro único, e esta é a opinião que provisoriamente adoto aqui. De qualquer maneira, é justo dizer que nem as lampreias nem os peixes-bruxas fazem justiça aos peixes sem mandíbulas como um todo, cuja maioria está extinta.

As lampreias e os peixes-bruxas têm uma aparência superficialmente semelhante à das enguias. Seu corpo é mole, mas, na devoniana Era dos Peixes, quando os mares eram dominados por peixes sem mandíbulas, muitos deles, conhecidos como ostracodermos, possuíam uma carapaça óssea dura, e alguns tinham nadadeiras emparelhadas, ausentes nas lampreias e nos peixes-bruxas. Esses animais desmentem qualquer insinuação de que os ossos são uma característica "avan-

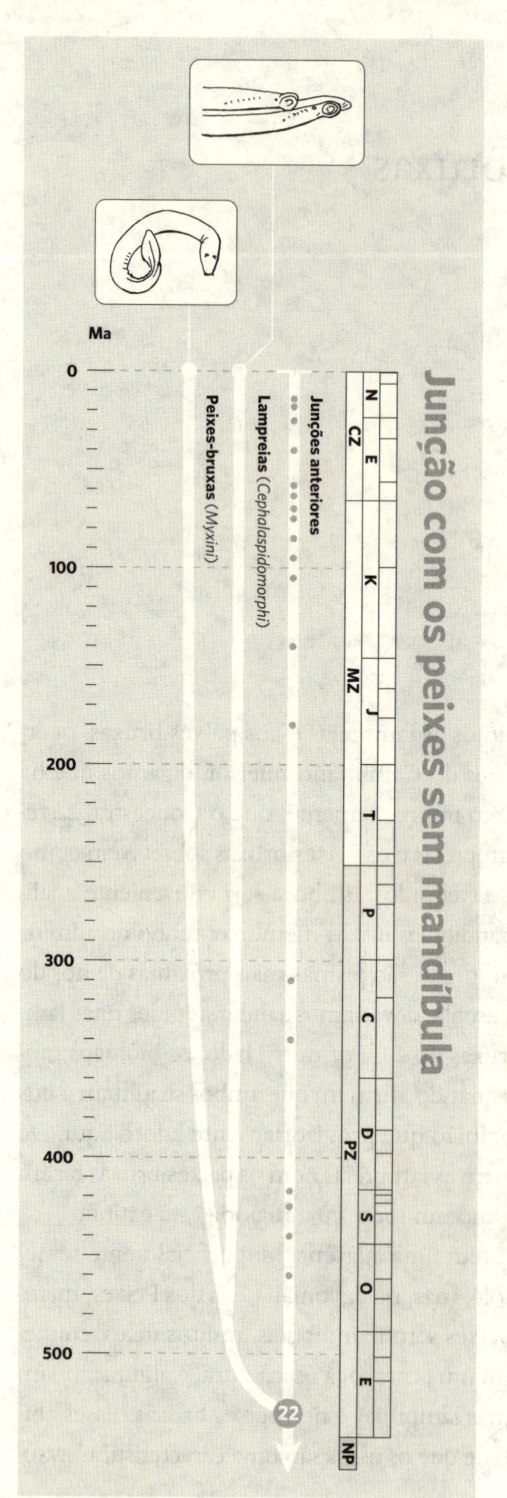

JUNÇÃO COM OS PEIXES SEM MANDÍBULA.
Muito se debate ainda sobre as relações evolutivas na base da linhagem dos vertebrados, em especial no que respeita aos peixes sem mandíbula vivos: as 41 espécies de lampreias e as 43 de peixes-bruxas. Os fósseis indicam que a primeira divergência ocorreu entre os peixes-bruxas e os demais vertebrados, seguida pela divergência da linhagem das lampreias. Mas os dados moleculares indicam eloquentemente que as lampreias e os peixes-bruxas pertencem a um mesmo grupo, como mostrado aqui.

IMAGENS, DA ESQUERDA PARA A DIREITA:
mixina da Nova Zelândia (*Eptatretus cirrhatus*); lampreia-marinha (*Petromyzon marinus*).

çada" dos vertebrados que "sucedeu" a cartilagem. Os esturjões e alguns outros peixes ósseos lembram os tubarões e as lampreias no esqueleto composto quase inteiramente de cartilagem, mas descendem de ancestrais muito mais ossudos — ou melhor, de peixes dotados de uma forte couraça —, e é provável que os tubarões e as lampreias também tenham se originado desses mesmos ancestrais.

Ainda mais encouraçados foram os placodermos, um grupo totalmente extinto de peixes com mandíbula e membros, de afinidades incertas, que também viveram no Período Devoniano, contemporâneos de alguns dos ostracodermos sem mandíbula e presumivelmente descendentes de peixes sem mandíbula mais antigos. Alguns dos placodermos tinham uma blindagem tão forte que até seus membros possuíam um exosqueleto tubular articulado, superficialmente semelhante à perna dos caranguejos. Se, estando com a imaginação à solta, você encontrasse um deles em um lugar mal iluminado, poderia ser perdoado por pensar que tropeçou em algum tipo esquisito de lagosta ou caranguejo. Eu, quando era um jovem universitário, sonhava em descobrir um placodermo vivo — era meu equivalente da fantasia de ganhar cem corridas pela seleção de críquete da Inglaterra.

Por que tanto os placodermos com mandíbula como os ostracodermos sem mandíbula adquiriram um corpo assim tão fortificado? O que havia naqueles mares paleozoicos que exigia essa proteção tremenda? A resposta, presume-se, é: predadores igualmente tremendos, e os candidatos óbvios, além de outros placodermos, são os euriptéridos ou escorpiões-marinhos, alguns dos quais com mais de dois metros de comprimento — os maiores artrópodes que já existiram. Não importa se algum dos euriptéridos possuía ou não um ferrão venenoso como os escorpiões modernos (dados recentes indicam que não); de qualquer maneira eles teriam sido predadores temíveis, capazes de impelir os peixes devonianos, com ou sem mandíbula, a adquirir uma dispendiosa couraça pela evolução.

As lampreias não têm carapaça e são fáceis de comer, como o rei Henrique I teve boas razões para lamentar (os livros didáticos de história nunca deixam de nos lembrar que ele morreu porque se empaturrou com elas). A maioria das lampreias são parasitas de outros peixes. Em vez de mandíbula, possuem uma ventosa ao redor da boca, mais ou menos parecida com a ventosa dos polvos, porém com círculos concêntricos de minúsculos dentes. A lampreia crava a ventosa na superfície de outro peixe, os dentinhos arranham a pele e ela suga o sangue da vítima, como um sanguessuga. As lampreias têm causado graves prejuízos à indústria da pesca, por exemplo nos Grandes Lagos da América do Norte.

Ninguém sabe como era o Concestral 22, mas, como ele viveu provavelmente no Período Cambriano, muito antes da Era Devoniana dos Peixes e dos temíveis escorpiões-marinhos, não deve ter tido carapaça como os ostracodermos do apogeu dos peixes sem mandíbula. Ainda assim, os ostracodermos parecem ser primos mais próximos de nós, os vertebrados com mandíbula, do que as lampreias. Em outras palavras: "antes" de nossos peregrinos juntarem-se às lampreias no Encontro 22, já incorporamos os ostracodermos em nossa peregrinação. Nosso concestral com os ostracodermos, que não numeraremos porque estão todos extintos, presumivelmente não tinha mandíbula.

Os peixes-bruxas modernos parecem-se com as lampreias em algumas características: a forma alongada como a das enguias, a ausência de mandíbula e de membros emparelhados, a fieira de orifícios das guelras, como vigias de navio dos dois lados do corpo, e a notocorda, que é mantida no adulto (esse bastão reforçado que percorre longitudinalmente todo o corpo está presente apenas no embrião da maioria dos vertebrados). Mas os peixes-bruxas não são parasitas. Vasculham o fundo do mar com sua boca de ventosa à procura de pequenos invertebrados, ou comem peixes ou baleias mortas, muitas vezes introduzindo-se coleantes na carcaça para comer de dentro para fora. São muito viscosos, e usam seu surpreendente talento para dar um nó em si mesmos quando querem impelir o corpo na hora de se enterrar numa carcaça.

Pensava-se outrora que os vertebrados haviam surgido muito depois do Período Cambriano. Talvez esse fosse um aspecto do nosso desejo esnobe de organizar o reino animal em uma escada de progresso. Por alguma razão, parecia certo ter havido uma época em que a vida animal se limitava a invertebrados, preparando o cenário para finalmente chegarem os poderosos vertebrados. Ensinava-se aos zoólogos da minha geração que o mais antigo vertebrado conhecido foi um peixe sem mandíbula chamado *Jamoytius* (batizado, com uma certa liberdade, em honra a J. A. Moy-Thomas), que viveu em meados do Período Siluriano, 100 milhões de anos antes do Cambriano, quando surgiu a maior parte dos filos de invertebrados. É óbvio que os vertebrados tiveram ancestrais que viveram no Cambriano, mas supunha-se que eram precursores invertebrados dos verdadeiros vertebrados — os protocordados. O *Pikaia* foi com grande alarde anunciado como o mais antigo fóssil protocordado.* Assim, foi uma deliciosa

* Esse fóssil do Cambriano, originalmente classificado como um verme anelídeo, foi depois reconhecido como um protocordado, e nesse papel estrelou em *Vida maravilhosa*, de S. J. Gould.

surpresa quando fósseis de vertebrados aparentemente verdadeiros começaram a ser encontrados no estrato cambriano da China, e ainda por cima no Cambriano Inferior. Isso roubou parte da aura do *Pikaia*. Ali estavam vertebrados verdadeiros, peixes sem mandíbula, vivendo antes dele. Os vertebrados remontam aos primórdios do Cambriano.

Evidentemente, dada sua imensa antiguidade, esses fósseis, chamados *Myllokunmingia* e *Haikouchthys* (embora talvez pertençam à mesma espécie), não se encontram como se estivessem novos em folha, e muito ainda se desconhece sobre esses peixes primevos. Ao que parece, eles possuíam a maioria das características que esperaríamos de um parente das lampreias e dos peixes-bruxas, entre elas guelras, blocos segmentados de músculos e uma notocorda. O *Myllokunmingia*, que tornaremos a mencionar em "O conto do verme aveludado", talvez não esteja tão longe de ser um modelo plausível para o Concestral 22.

O Encontro 22 é um marco importantíssimo. De agora em diante, pela primeira vez, todos os vertebrados estão unidos em um único grupo de peregrinos. É um evento fundamental porque, tradicionalmente, os animais foram divididos em dois grandes grupos, os vertebrados e os invertebrados. Como uma divisão de conveniência, essa distinção sempre foi útil na prática. Mas, de um ponto de vista estritamente cladístico, a distinção entre vertebrados e invertebrados é esquisita, quase tão antinatural quanto a antiga classificação judaica da humanidade entre judeus e gentios (que quer dizer literalmente "todos os demais"). Por mais importantes que nós, os vertebrados, nos consideremos, não constituímos sequer um filo completo. Somos um subfilo do filo *Chordata*, e este deve ser considerado no mesmo nível que, digamos, o filo *Mollusca* (caracóis, lapas, lulas etc.) ou o filo *Echinodermata* (estrelas-do-mar, ouriços-do-mar etc.). O filo *Chordata* inclui outras criaturas que lembram vertebrados mas não têm coluna vertebral — por exemplo, os anfioxos, que estamos prestes a conhecer no Encontro 23.

Em que pese o cladismo estrito, os vertebrados têm realmente algo de muito especial. O professor Peter Holland ressaltou-me o fato fundamental de que existe uma grande diferença na complexidade do genoma entre (todos) os vertebrados e (todos) os invertebrados. "É talvez, no nível genético, a maior mudança em nossa linhagem metazoária."* Holland é de opinião que a tradicional divisão

* "Metazoário" significa animal de muitas células, e mais adiante em nossa peregrinação tornaremos a encontrar esse termo.

entre vertebrados e invertebrados precisa ser revivida, e eu percebo o que ele quer dizer.

Os cordados são assim chamados em razão da já mencionada notocorda, o bastão dorsal cartilaginoso presente no embrião do animal, quando não no adulto.* Entre outras características dos cordados (incluindo os vertebrados), que em nós se veem apenas no embrião, estão aberturas bilaterais de guelras próximo ao extremo frontal e uma cauda que se estende para além do ânus. Todos os cordados possuem um cordão nervoso dorsal, em contraste com muitos invertebrados, que têm cordão nervoso ventral.

Todos os embriões vertebrados possuem notocorda, mas no adulto ela é substituída, em maior ou menor grau, pela espinha dorsal segmentada e articulada. Na maioria dos vertebrados a notocorda propriamente dita sobrevive no adulto apenas em fragmentos, como os discos intervertebrais, cuja tendência à herniação pode nos causar tanto sofrimento. As lampreias e os peixes-bruxas são singulares entre os vertebrados porque conservam a notocorda mais ou menos intacta na fase adulta. Nesse aspecto eles são, suponho, vertebrados "limítrofes", mas ainda assim todos os chamam de vertebrados.

O CONTO DA LAMPREIA

A razão de caber à lampreia narrar este conto será revelada no fim. É a reprise de um tema que já vimos: do ponto de vista dos genes, existe uma visão separada sobre linhagem e descendência que é surpreendentemente independente da visão que temos quando pensamos em árvores genealógicas de modos mais tradicionais.

A hemoglobina é bem conhecida como a molécula de importância vital que transporta o oxigênio para nossos tecidos e dá ao nosso sangue a sua cor espetacular. A hemoglobina no humano adulto é um composto de quatro cadeias de proteínas chamadas globinas, enredadas umas nas outras. Suas sequên-

* Notocorda em inglês é *notochord*, um termo que tende a causar confusão, pois, em inglês moderno, *chord*, com h, significa somente algo musical, como em "The lost chord" [O acorde perdido], uma das minhas músicas favoritas. Por sua vez, *notochord* é uma corda ou cordão, que em inglês se escreve *cord*, sem h. No entanto, *chord* é uma grafia arcaica reconhecida de *cord* [corda], e a relação com a música talvez seja que *chorda* é a palavra latina que designa a corda de um instrumento.

cias de DNA mostram que as quatro cadeias de globinas são parentes muito próximas, mas não são idênticas. Duas delas chamam-se globinas alfa (cada uma é uma cadeia de 141 aminoácidos), e as outras duas, globinas beta (cada uma é uma cadeia de 146 aminoácidos). Os genes codificadores das globinas alfas estão no nosso cromossomo 11, e os codificadores das globinas beta, no 16. Em cada um desses cromossomos existe um agrupamento de genes de globina em série, entremeados com DNA-lixo que nunca é transcrito. O agrupamento alfa, no cromossomo 11, contém sete genes de globina. Quatro deles são pseudogenes — versões desativadas de alfa com falhas na sequência, nunca traduzidos em proteínas. Dois são verdadeiras globinas alfa, usadas no adulto. O último é chamado de zeta, e apenas os embriões os usam. O agrupamento beta, no cromossomo 16, tem seis genes, alguns dos quais desativados, e um deles usado apenas no embrião. A hemoglobina do adulto, como vimos, contém duas cadeias alfa e duas beta, enroladas umas nas outras, formando um pacote que funciona elegantemente.

Toda essa complexidade não vem ao caso. Eis o fato fascinante: uma cuidadosa análise letra a letra mostra que os diferentes tipos de gene de globina são literalmente primos uns dos outros — membros de uma família. Mas esses primos distantes ainda coexistem dentro de você e de mim. Ainda jazem lado a lado com seus primos no interior de cada célula de cada javali e de cada vombate, de cada coruja e de cada lagarto.

Na escala dos organismos inteiros, evidentemente, todos os vertebrados também são primos uns dos outros. A árvore da evolução dos vertebrados é aquela árvore genealógica que todos conhecemos, com os pontos de ramificação representando os eventos de especiação — a separação de espécies em espécies-filhas. Inversamente, são os pontos de encontro que pontuam essa peregrinação. Mas existe outra árvore genealógica ocupando a mesma escala temporal, cujos ramos representam não os eventos de especiação, mas os eventos de duplicação gênica nos genomas. E o padrão de ramificação da árvore de globinas é bem diferente do padrão de ramificação da árvore genealógica quando a traçamos do modo ortodoxo usual, com as espécies ramificando-se para formar espécies-filhas. Não existe só uma árvore evolutiva na qual as espécies se dividem e originam espécies-filhas. Cada gene tem sua própria árvore, sua crônica de separações, seu próprio catálogo de primos próximos e distantes.

As cerca de doze globinas diferentes que existem dentro de você e de mim chegaram até nós através de toda a linhagem dos nossos ancestrais vertebrados.

Há cerca de meio bilhão de anos, em um peixe sem mandíbula talvez parecido com uma lampreia, um gene de globina ancestral acidentalmente se dividiu em dois, e ambas as cópias permaneceram em diferentes partes do genoma desse peixe. Houve, então, duas cópias dele, em diferentes partes do genoma de todos os animais descendentes. Uma cópia originaria o agrupamento alfa naquele que por fim se tornaria o cromossomo 11 do nosso genoma; a outra geraria o agrupamento beta, hoje em nosso cromossomo 16. É inútil ficar tentando adivinhar em que cromossomo cada um deles se instalou nos ancestrais intermediários. As localizações das sequências reconhecíveis de DNA, e na verdade o número de cromossomos no qual o genoma se divide, são baralhadas e mudadas com surpreendente desenvoltura. Portanto, os sistemas de numeração de cromossomos não se generalizam por todos os grupos de animais.

Com o passar das eras ocorreram mais duplicações, e sem dúvida também algumas deleções. Por volta de 400 milhões de anos atrás, o gene alfa ancestral tornou a duplicar-se, mas desta vez as duas cópias permaneceram vizinhas próximas, em um agrupamento no mesmo cromossomo. Uma delas viria a ser o zeta dos nossos embriões, a outra tornou-se os genes de globina alfa dos humanos adultos (ramificações adicionais originaram as pseudogenes não funcionais que mencionei). A história foi semelhante ao longo do ramo beta da família, mas com duplicações em outros momentos da história geológica.

Agora eis o dado fascinante. Como a separação entre o agrupamento alfa e o agrupamento beta ocorreu há meio bilhão de anos, obviamente não serão apenas os nossos genomas humanos que mostrarão a divisão e que possuirão tanto os genes alfa como os beta em diferentes partes dos nossos genomas. Deveríamos ver a mesma separação em um indivíduo se olhássemos os genomas de qualquer outro mamífero, de aves, répteis, anfíbios ou peixes ósseos — pois o ancestral que temos em comum com todos eles viveu há menos de 500 milhões de anos. Essa suposição tem se revelado correta sempre que é estudada. Nossa maior esperança de encontrar um vertebrado que não tenha em comum conosco a muito antiga separação alfa/beta seria um peixe sem mandíbula como a lampreia ou o peixe-bruxa, pois eles são nossos primos mais remotos entre os vertebrados sobreviventes. São os únicos vertebrados sobreviventes cujo ancestral comum com os demais é suficientemente antigo para poder ter sido anterior à separação alfa/beta. Pois, de fato, esses peixes sem mandíbula são os únicos vertebrados conhecidos que não possuem a divisão alfa/beta. Em outras palavras, o Encontro 22 é tão antigo que ocorreu em data anterior à da divisão entre as globinas alfa e beta.

Algo parecido com "O conto da lampreia" poderia ser narrado para cada um dos nossos genes, pois todos eles, se voltarmos no tempo o suficiente, devem sua origem à divisão de algum gene imemorial. E algo parecido com este livro poderia ser escrito para cada gene. Nós, arbitrariamente, decidimos que esta seria uma peregrinação humana, e definimos nossos marcos como pontos de encontro com outras linhagens, o que significa, na direção à frente, eventos de especiação nos quais nossos ancestrais humanos se separaram dos outros. Já expliquei que poderíamos igualmente ter começado nossa peregrinação com um dogongo moderno, ou um melro moderno, e contado regressivamente um conjunto diferente de concestrais até Cantuária. Mas agora estou defendendo um argumento mais radical: também poderíamos escrever uma peregrinação retrocessiva para cada *gene*.

Poderíamos escolher acompanhar a peregrinação da hemoglobina alfa, do citocromo c ou de qualquer outro gene estipulado. O Encontro 1 teria sido o marco no qual o gene nosso eleito houvesse sofrido a mais recente duplicação e produzido uma cópia de si mesmo em outra parte do genoma. O Encontro 2 teria sido o evento de duplicação anterior, e assim por diante. Cada um dos marcos de encontro teria ocorrido dentro de algum animal ou planta específico, exatamente como "O conto da lampreia" identificou um peixe sem mandíbula do Cambriano como o receptáculo provável para a separação entre a hemoglobina alfa e a beta.

A visão da evolução da perspectiva dos genes continua a impor-se à nossa atenção.

Encontro 23

Anfioxos

E agora, eis que um bem-composto peregrinozinho vem, coleante e sozinho, juntar-se à nossa peregrinação. É o anfioxo. Seu nome latim era *Amphioxus*, mas as regras da nomeclatura impuseram-lhe a designação *Branchiostoma*. Entretanto, ele se tornara tão conhecido como *Amphioxus* que o nome ainda perdura. O anfioxo é um protocordado, e não um vertebrado, mas tem um claro parentesco com os vertebrados e é com eles classificado no filo *Chordata*. Existem outros gêneros aparentados, tão semelhantes ao *Branchiostoma* que não os distinguirei: chamarei todos, informalmente, de anfioxos.

Elogiei o anfioxo como bem-composto porque exibe elegantemente as características que o proclamam como cordado. Ele é um diagrama de livro didático vivo e nadador (bem, na verdade, em vez de nadar, o que ele mais faz é enterrar-se na areia). Lá está a notocorda estendida ao longo de todo o corpo, porém sem nenhum traço de coluna vertebral. Lá está o tubo nervoso no lado dorsal da notocorda, mas não há cérebro, a menos que levemos em conta a pequena protuberância no extremo frontal do tubo nervoso onde também vemos um ocelo, e não há caixa craniana esquelética. Vemos as fendas branquiais nas laterais, usadas para filtrar o alimento, e os blocos musculares segmentados ao longo do corpo, porém sem traços de membros. Lá está a cauda, prolongando-se atrás do ânus, em contraste com um verme típico, que tem o ânus no extremo

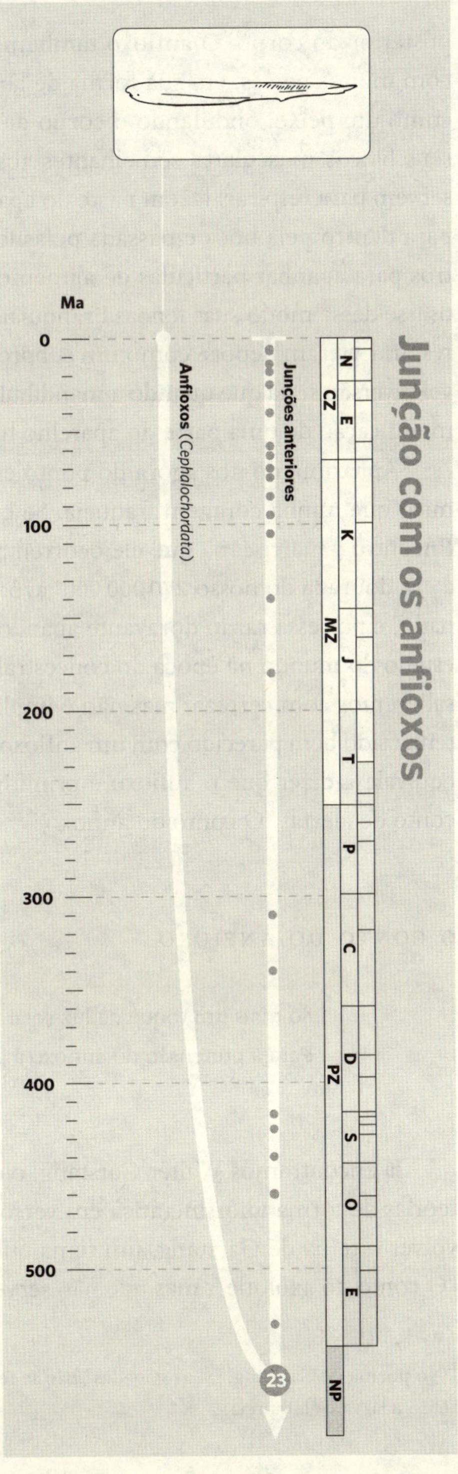

Junção com os anfioxos

Ma
0
100
200
300
400
500

Anfioxos (*Cephalochordata*)

Junções anteriores

N E CZ K MZ J T P C D PZ S O E NP

23

JUNÇÃO COM OS ANFIOXOS. Os parentes vivos mais próximos dos vertebrados são as 25 espécies registradas de animais parecidos com peixes conhecidos como anfioxos. Quanto a isso, pouco se debate. Mas a partir de agora muitas das *datas* dos pontos de encontro na rota que nos leva ao passado são controversas (ver o epílogo de "O conto do verme aveludado").

IMAGEM: *Branchiostoma sp.* (ex-*Amphioxus*).

posterior do corpo. O anfioxo também é diferente dos vermes, mas parecido com muitos peixes, em sua forma de lâmina vertical e não cilíndrica. Ele nada como um peixe, ondulando o corpo de um lado para o outro, e para isso usa seus blocos musculares semelhantes aos dos peixes. As fendas branquiais não servem para respirar: fazem parte do aparelho de alimentação. A água é puxada para dentro pela boca e passada pelas fendas branquiais, que atuam como filtros para apanhar partículas de alimento. É bem provável que o Concestral 23 usasse desse modo suas fendas branquiais, o que significaria que as guelras para respirar vieram depois, como um subproduto. Se isso for verdade, uma agradável reversão seria que quando a mandíbula por fim evoluiu, teria sido como uma modificação de uma parte do aparelho branquial.

Aproximamo-nos agora do ponto em que datar torna-se tão difícil e polêmico que minha coragem fraqueja. Se eu fosse forçado a atribuir uma data ao Encontro 23, arriscaria que ele ocorreu por volta de 560 milhões de anos atrás, a era dourada do nosso 270 000 000º avô. Mas eu poderia facilmente estar enganado, e por essa razão doravante abandonarei minhas tentativas de descrever o estado do mundo na época do concestral. Quanto à aparência, acho que nunca saberemos com certeza, mas não é implausível que o Concestral 23 realmente tenha sido bem parecido com um anfioxo (ver Ilustração 30). Se isso for verdade, equivale a dizer que o anfioxo é primitivo. Mas isso requer agora mesmo um conto de alerta: "O conto do anfioxo".

O CONTO DO ANFIOXO

> Só mais um toque da luz solar que lhe fizesse crescer as gônadas bastaria
> Para a pretensão do anfioxo à ancestralidade parecer vazia.
>
> Walter Garstang (1868-1949)

Já encontramos Walter Garstang, o eminente zoólogo que expressava suas teorias de forma idiossincrática em verso. Cito o dístico acima não para desenvolver o tema de Garstang, um tema que até seria interessante para constituir "O conto do axolotle", mas que não serve aos meus propósitos agora.* No mo-

* No poema de Garstang, "suas gônadas" não se referem às gônadas do anfioxo, mas às do "amocete", a larva da lampreia.

mento só estou pensando no último verso, e especialmente no trecho "pretensão à ancestralidade". O anfioxo, ou *Branchiostoma*, tem características em comum com os vertebrados o suficiente para ter sido por muito tempo considerado um parente sobrevivente de algum ancestral remoto deles. Ou mesmo — e esse é o verdadeiro alvo da minha crítica — o próprio ancestral.

Estou cometendo uma injustiça com Garstang, pois ele sabia com certeza que o anfioxo, sendo um animal sobrevivente, não poderia, rigorosamente falando, ser um ancestral. Ainda assim, expressar-se nesses termos pode ser enganoso. Estudantes de zoologia iludem-se imaginando que, ao olharem algum animal moderno que eles chamam de "primitivo", estão vendo um ancestral remoto. Essa ilusão é traída por expressões como "animal inferior" ou "na base da escala evolutiva", expressões essas que não são apenas presunçosas, mas evolutivamente incoerentes. O conselho que Darwin deu a si mesmo serviria a todos nós: "nunca use as palavras superior e inferior".

Os anfioxos são criaturas vivas, exatamente nossas contemporâneas. São animais modernos que tiveram o mesmo tempo que nós para evoluir. Outra expressão reveladora é "um ramo colateral da linha principal da evolução". Todos os animais vivos são ramos colaterais. Nenhuma linha da evolução é mais "principal" do que qualquer outra, exceto pela presunção da análise *a posteriori*.

Animais modernos como os anfioxos, portanto, nunca devem ser reverenciados como ancestrais, nem vistos presunçosamente como "inferiores", e tampouco, aliás, louvados como "superiores". Ainda mais surpreendente — e aqui chegamos ao segundo ponto essencial do conto do anfioxo — é que provavelmente, em geral, é mais seguro dizer o mesmo em relação aos fósseis. Em teoria, é concebível que um fóssil específico seja de fato o ancestral direto de algum animal moderno. Mas isso é estatisticamente improvável, pois a árvore da evolução não é uma árvore de Natal ou um choupo-negro, mas uma moita ou arbusto muito cerrado. O fóssil que olhamos não é provavelmente nosso ancestral, mas pode nos ajudar a compreender o *tipo* de estágio intermediário pelo qual nossos verdadeiros ancestrais passaram, pelo menos no que diz respeito a algum pedacinho específico do corpo, como a orelha ou a pelve. Desse modo, um fóssil tem mais ou menos o mesmo status que um animal moderno. Ambos podem ser usados para subsidiar nossas hipóteses sobre algum estágio ancestral. Em circunstâncias normais, nenhum deve ser tratado como se realmente fosse um ancestral. Em geral, é melhor tratar os fósseis, tanto quanto as criaturas vivas, como primos, e não como ancestrais.

Seguidores da escola cladística de taxonomia podem mostrar-se decididamente evangélicos nessa questão, proclamando a não especialidade dos fósseis com o fervor de um puritano ou inquisidor espanhol. Alguns vão ao extremo. Interpretam uma afirmação sensata — "é improvável que qualquer fóssil específico seja um ancestral de qualquer espécie sobrevivente" — como se ela quisesse dizer "nunca houve ancestrais!". Obviamente, este livro evita tal absurdo. Em cada momento da história tem de ter existido pelo menos um ancestral humano (contemporâneo, ou idêntico, a um ancestral dos elefantes, das andorinhas, dos polvos etc.), mesmo se qualquer fóssil específico quase certamente não seja esse ancestral.

O resultado é que, em nossa jornada de volta ao passado, os concestrais que temos encontrado não são, de modo geral, fósseis específicos. O melhor que podemos esperar é reunir uma lista de atributos que o ancestral provavelmente possuía. Não dispomos de um fóssil do ancestral que tivemos em comum com os chimpanzés, muito embora ele tenha existido há menos de 10 milhões de anos. Mas conseguimos supor, com ressalvas, que esse ancestral muito provavelmente foi, nas célebres palavras de Darwin, um quadrúpede peludo, pois somos os únicos grandes primatas que andam nas pernas traseiras e têm a pele glabra. Os fósseis podem nos ajudar com outras inferências, mas de modo geral é o mesmo tipo de ajuda indireta que os animais vivos podem nos dar.

A moral de "O conto do anfioxo" é que é muito mais difícil encontrar um ancestral do que um primo. Se quisermos saber como eram nossos ancestrais há 100 milhões de anos, ou há 500 milhões de anos, não adianta atingir a profundidade apropriada nas rochas e torcer para dar de cara com um fóssil rotulado como "Ancestral". O máximo que podemos esperar em geral é achar uma série de fósseis que — alguns com respeito a uma parte, outros com respeito a outra — representem o *tipo* de coisa que os ancestrais provavelmente possuíam. Talvez esse fóssil nos diga algo sobre os dentes do nosso ancestral, enquanto outro fóssil de alguns milhões de anos mais tarde nos dê uma pista sobre os braços dos nossos ancestrais. Qualquer fóssil específico quase com certeza não é nosso ancestral, mas, com sorte, algumas partes dele podem ser parecidas com as partes correspondentes do ancestral, exatamente como, hoje em dia, a escápula de um leopardo é uma aproximação razoável da escápula de um puma.

Encontro 24
Ascídias

As ascídias parecem, a princípio, recrutas improváveis para a nossa peregrinação centrada nos humanos. Os peregrinos que até aqui encontramos não eram tão drasticamente diferentes dos que já vinham na jornada. Até o anfioxo pode ser considerado um peixe despojado: faltam-lhe características importantes, é verdade, mas ainda é possível esboçar facilmente um caminho ao longo do qual alguma coisa meio parecida com um anfioxo poderia evoluir para um peixe. Já a ascídia é outra coisa. Ela não nada como um peixe. Não nada como coisa alguma. Ela não nada, e pronto. Não se sabe por que, afinal, ela merece o ilustre nome de cordado. Uma ascídia típica é um saco cheio de água do mar acrescido de uma entranha e órgãos reprodutivos, ancorado em uma rocha. O saco tem dois sifões nas extremidades, um inalante, outro exalante. Dia e noite, a água entra por um sifão e sai pelo outro. Pelo caminho, atravessa a faringe, um cesto filtrante que extrai da água partículas de alimento. Algumas ascídias aglomeram-se em colônias, mas cada membro faz essencialmente a mesma coisa. Nenhuma ascídia lembra, sequer de longe, um peixe ou qualquer vertebrado, e tampouco um anfioxo (ver Ilustração 31).

Ou melhor, nenhuma ascídia adulta. Por menos parecida que seja uma ascídia adulta com um cordado, sua larva lembra... um girino. Lembra também a larva da lampreia, o amocete do verso de Garstang na página 426. Como mui-

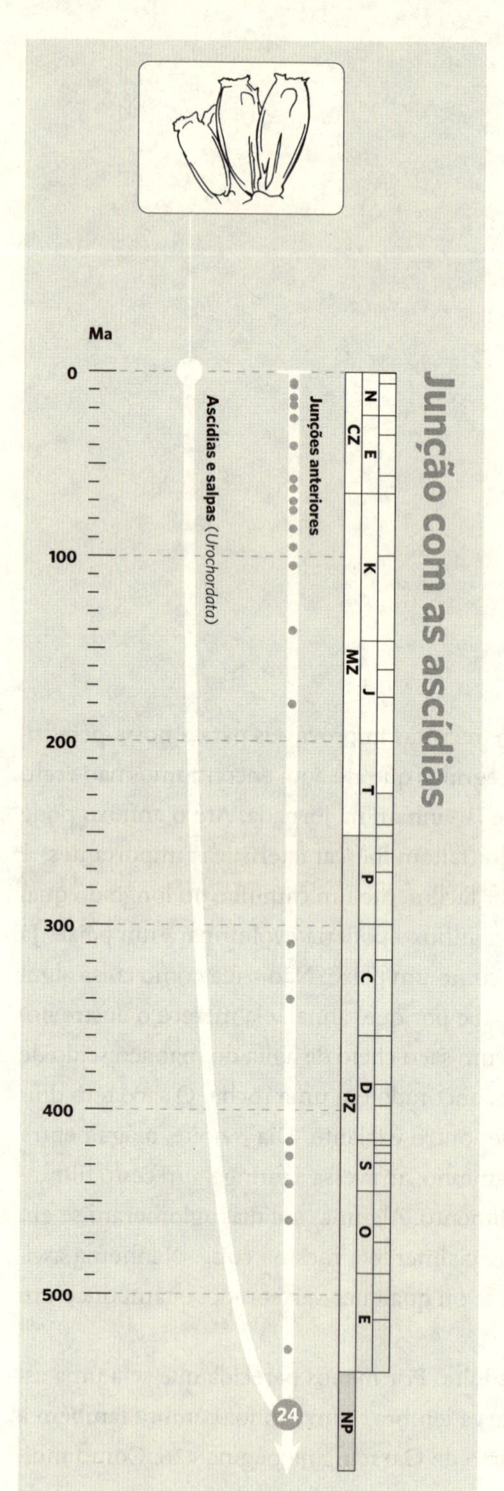

JUNÇÃO COM AS ASCÍDIAS. Os animais dotados de uma "notocorda" cartilaginosa rígida são classificados juntos como cordados (nos humanos, vestígios desse bastão persistem nos discos entre as vértebras). Há tempos se aceita que, entre os cordados, as ascídias e seus afins (dos quais existem cerca de 2 mil espécies descritas) são os que têm parentesco mais remoto com todos os demais. Isso também foi corroborado por dados moleculares recentes.

IMAGEM: ascídia-azul (*Rhopalaea crassa*).

tas larvas de animais sedentários das profundezas do oceano que filtram da água seu alimento, a larva girino da ascídia nada no plâncton. Impele o corpo como um peixe usando uma cauda pós-anal que ondula lateralmente. Possui notocorda e um tubo nervoso dorsal. A larva, mas não a ascídia adulta, tem a aparência de um cordado pelo menos rudimentar. Quando está pronta para se metamorfosear em adulta, a larva adere primeiro pela cabeça a uma rocha (ou a qualquer coisa que virá a ser sua morada quando adulta), perde a cauda, a notocorda e boa parte de seu sistema nervoso, e ali se aloja para o resto da vida.

Ela até é chamada de "larva girino", e Darwin sabia muito bem a importância disso. Ele deu às ascídias a seguinte introdução nada promissora, chamando-as pelo seu nome científico, *Ascidians*:

> Elas não parecem animais, e consistem em um saco coriácio simples e resistente, com dois pequenos orifícios de bordas salientes. Classificam-se entre os *Molluscoidea* de Huxley — uma divisão inferior do grande reino dos *Mollusca*, mas recentemente alguns naturalistas inseriram-nas entre os *Vermes*. As larvas lembram um pouco os girinos na forma e têm a capacidade de nadar livremente.

Devo dizer que nem os *Molluscoidea* nem os *Vermes* são hoje reconhecidos, e que as ascídias não são mais classificadas próximo aos moluscos ou aos vermes. Darwin prossegue declarando-se satisfeito por descobrir uma larva como essa nas ilhas Falkland em 1833, e continua:

> M. Kovalevsky observou recentemente que as larvas das *Ascidians* são parentes dos *Vertebrata*, no modo como se desenvolvem, na posição relativa do sistema nervoso e na posse de uma estrutura bem semelhante à da *chorda dorsalis* dos animais vertebrados [...]. Justifica-se, pois, acreditarmos que em um período extremamente remoto existiu um grupo de animais, lembrando em muitos aspectos as larvas das nossas atuais *Ascidians*, que divergiu em dois grandes ramos — um que regrediu no desenvolvimento e produziu a presente classe das *Ascidians*, e o outro que ascendeu ao ápice e à coroa do reino animal dando origem aos *Vertebrata*.

Mas agora temos uma divisão de opinião entre os especialistas. Há duas teorias sobre o que ocorreu: a defendida por Darwin e outra, posterior, que "O conto do axolotle" já atribuiu a Walter Garstang. O leitor há de se lembrar da mensagem do axolotle sobre a neotenia. Em certos casos, o estágio juvenil em um ciclo de vida pode adquirir órgãos sexuais e reproduzir-se: a criatura torna-se sexualmente madura enquanto permanece imatura em outros aspectos. Já aplicamos antes a mensagem do axolotle aos cães pequineses, aos avestruzes e a nós mesmos. Nós, humanos, aos olhos de alguns cientistas parecemos grandes primatas juvenis que aceleraram seu desenvolvimento reprodutivo e cortaram fora a fase adulta do ciclo de vida.

Garstang aplicou a mesma teoria às ascídias nessa conjuntura muito posterior da nossa história. A fase adulta do nosso ancestral remoto, ele aventou, foi uma ascídia sedentária, que adquiriu pela evolução a larva girino como uma adaptação para poder dispersar-se, do mesmo modo que uma semente de dente-de-leão possui um pequeno paraquedas a fim de levar a geração seguinte para bem longe do lugar onde vive o genitor. Nós, vertebrados, supôs Garstang, descendemos de *larvas* de ascídias — larvas que nunca amadureceram, ou melhor, larvas cujos órgãos reprodutivos amadureceram sem que elas se transformassem jamais em ascídias adultas.

Um segundo Aldous Huxley poderia projetar a longevidade humana fictícia até o ponto em que algum Supermatusalém se fixasse finalmente de cabeça em algum lugar e se metamorfoseasse numa gigantesca ascídia, sempre grudada no sofá diante da televisão. O enredo ganharia um tempero satírico extra com o popular mito de que uma larva de ascídia, quando troca a atividade pelágica pela vida sedentária de adulto, "come o próprio cérebro". Alguém já deve ter expressado pitorescamente o fato mais rotineiro de que, como uma lagarta em seu casulo, a larva da ascídia, ao metamorfosear-se, desintegra seus tecidos larvais, recicla-os e os transforma no corpo adulto. Isso inclui desintegrar o gânglio da cabeça, útil enquanto a criatura nadava livremente no plâncton. Rotineira ou não, uma metáfora literária tão promissora quanto essa nunca passaria despercebida — um meme tão fecundo não deixaria de ser difundido. Mais de uma vez vi referências à ascídia larval que, chegada a hora, se fixa na vida sedentária e "come seu cérebro, como um professor universitário depois de ser efetivado no corpo docente".

Existe um grupo de animais modernos no subfilo das ascídias, chamado *Larvaceae*, que são reprodutivamente adultos, mas lembram as larvas das ascídias. Garstang sofregamente apontou-os como uma reprise mais recente de seu imemorial roteiro evolutivo. Para ele, os larváceos tiveram ancestrais que eram ascídias sedentárias fixadas no fundo do mar e passavam por uma fase larval planctônica. Adquiriram pela evolução a capacidade de reproduzir-se no estágio larval e então eliminaram o estágio adulto do final do seu ciclo de vida. Tudo isso poderia ter ocorrido bem recentemente, dando-nos um fascinante vislumbre do que talvez tenha acontecido com nossos ancestrais há meio bilhão de anos.

A teoria de Garstang sem dúvida é atraente, e por muitos anos esteve muito em voga, sobretudo em Oxford, sob a influência do persuasivo genro de Garstang, Alister Hardy. Mas, infelizmente, os atuais dados de DNA fizeram a balança pender para o lado da teoria original de Darwin. Se fossem uma reprise recente de um remoto cenário suposto por Garstang, os larváceos teriam parentesco mais próximo com algumas ascídias modernas do que com outras. É uma pena, mas isso não ocorre. A mais antiga divisão em todo o filo é aquela entre os larváceos e todo o resto do filo. Isso não prova conclusivamente que Garstang estava errado, mas, como me explicou o atual ocupante da cátedra de Alister Hardy, Peter Holland, enfraquece o argumento de Garstang — e de um modo que nem ele nem Hardy poderiam ter previsto.

A estimativa que adotei para a data do Concestral 24 é 565 milhões de anos atrás, o que faria dele nosso 275 000 000º avô, mas essas estimativas agora estão ficando cada vez mais forçadas. Esse Concestral pode muito bem ter sido mais ou menos parecido com uma larva de ascídia. No entanto, contradizendo Garstang, agora parece provável que a ascídia adulta tenha evoluído depois, como aventou Darwin. Ele supôs tacitamente que o adulto dessa espécie remota foi parecido com um girino. Um ramo dos seus descendentes manteve a forma de girino e evoluiu tornando-se peixe. O outro ramo foi efetivado no emprego, acomodou-se no fundo do mar e se tornou sedentário, alimentando-se pela filtragem da água e conservando sua forma adulta anterior apenas no estágio larval.

Encontro 25
Ambulacrarianos

Nossa peregrinação é agora uma horda babélica na qual estão reunidos todos os vertebrados e seus primitivos primos cordados, anfioxos e ascídias. É uma grande surpresa que os próximos peregrinos que se juntarão a nós, nossos parentes mais próximos entre os invertebrados, incluam estranhas criaturas (às quais logo me referirei como "marcianas"): estrelas-do-mar, ouriços-do-mar, ofiuroides e pepinos-do-mar. Junto com um grupo quase totalmente extinto chamado crinoides ou lírios-do-mar, elas formam o filo *Echinodermata*, ou "pele de ouriço". Antes de se juntarem a nós, os equinodermos dão o braço a uns poucos grupos heterogêneos semelhantes aos vermes que, na ausência de dados moleculares, haviam sido classificados diferentemente no reino animal. Os *Enteropneusta* e os *Pterobranchia* tinham sido classificados antes com as ascídias e os protocordados.

Página ao lado: JUNÇÃO COM AS ESTRELAS-DO-MAR E SEUS PARENTES. Nós, os cordados, pertencemos ao grande ramo de animais conhecidos como deuterostômios. Estudos moleculares recentes indicam que todas as outras espécies de deuterostômios, totalizando aproximadamente 8100, pertencem a um mesmo grupo. Esse novo grupo, que recebeu o nome de *Ambulacraria*, tem muitos defensores, embora haja incerteza quanto à posição do aflitivamente amorfo par de espécies dos *Xenoturbellida*.

IMAGENS, DA ESQUERDA PARA A DIREITA: maçã-do-mar (*Pseudo-colochirus violaceus*); ouriço-do-mar comestível (*Echinus esculentus*); estrela-do-mar comum (*Asterias rubens*); ofiuroide (*Ophiothrix sp.*); estrela-do-mar "pluma" (*Cenometra bella*); enteropneusto (*Enteropneusta*).

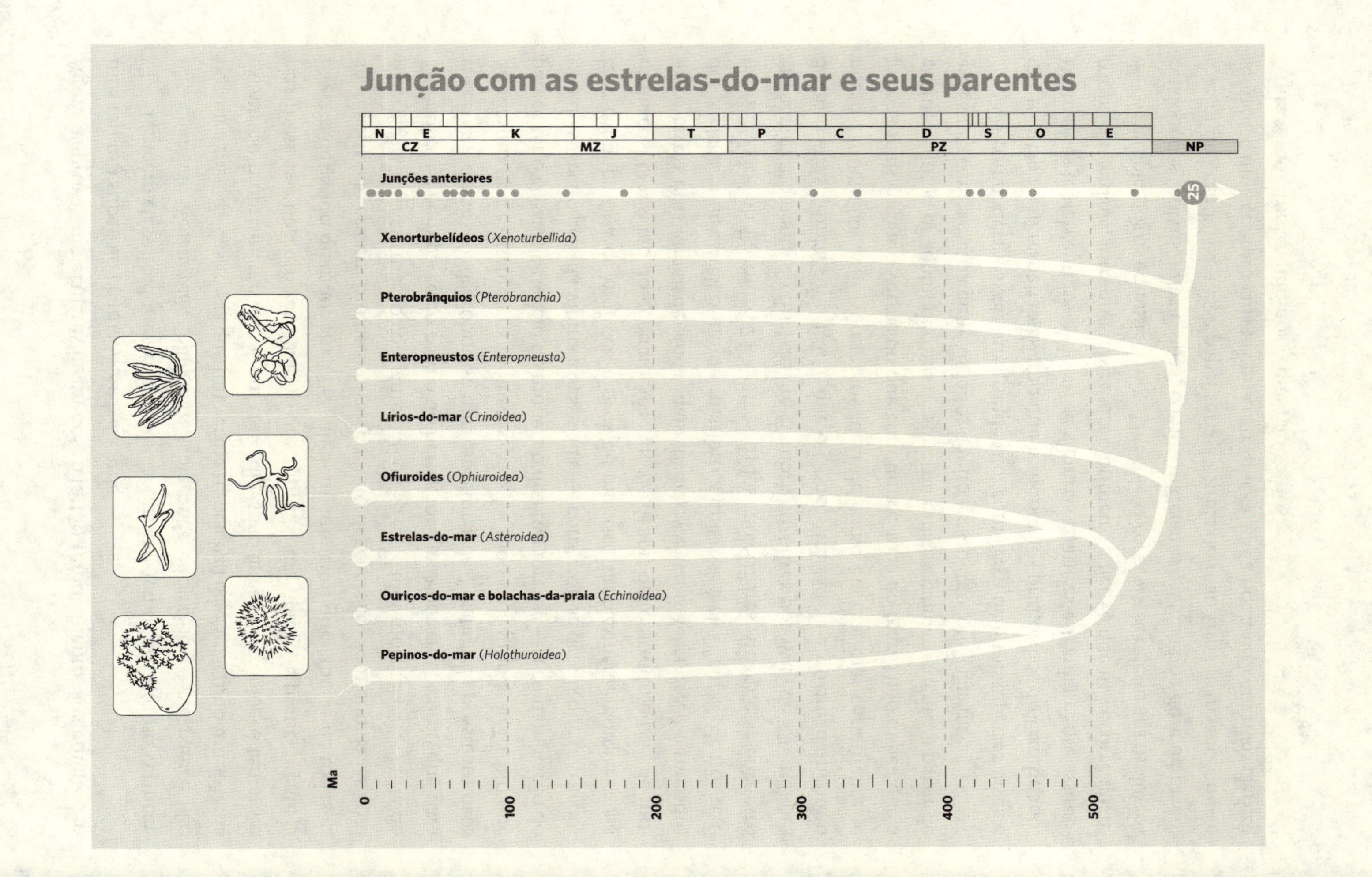
Junção com as estrelas-do-mar e seus parentes
N
E
CZ
K
J
MZ
T
P
C
D
S
O
E
PZ
NP
Junções anteriores
25
Xenorturbelídeos (Xenoturbellida)
Pterobrânquios (Pterobranchia)
Enteropneustos (Enteropneusta)
Lírios-do-mar (Crinoidea)
Ofiuroides (Ophiuroidea)
Estrelas-do-mar (Asteroidea)
Ouriços-do-mar e bolachas-da-praia (Echinoidea)
Pepinos-do-mar (Holothuroidea)
Ma
0
100
200
300
400
500

Agora as provas moleculares ligam-nos, não tão remotamente, aos equinodermos em um superfilo chamado *Ambulacraria*.

Também classificados entre os ambulacrarianos temos um curioso vermezinho chamado *Xenoturbella*. Ninguém sabia onde encaixá-lo — ele parece não possuir a maioria das coisas que um verme respeitável deve ter, como um sistema excretório propriamente dito e um trato digestivo linear. Os zoólogos tentaram classificar esse obscuro vermezinho ora num filo, ora noutro, e praticamente já haviam desistido quando, em 1997, alguém anunciou que, apesar de todas as aparências, ele era um molusco bivalve muito degenerado, com afinidades com o berbigão. Essa afirmação confiante baseou-se em dados moleculares. O DNA do *Xenoturbella* é bem parecido com o do berbigão. Ainda por cima, como que para encerrar a discussão, descobriu-se que espécimes de *Xenoturbella* possuíam ovos do mesmo tipo existente nos moluscos. Mas foi tudo uma grande lição. No que parece ser o clássico pesadelo do moderno detetive forense — a contaminação do DNA do suspeito pelo da vítima assassinada —, constatou-se depois que o *Xenoturbella* continha DNA de molusco e ovos de molusco simplesmente porque *comia* moluscos! O resíduo do genuíno *Xenoturbella* depois de removido o DNA de molusco revela uma afinidade ainda mais surpreendente: o *Xenoturbella* é membro dos *Ambulacraria*, talvez o último membro a juntar-se a eles "antes" de nos reunirmos todos no Encontro 25. Outros dados moleculares situam esse encontro em algum momento do final do Pré-Cambriano, talvez por volta de 570 milhões de anos atrás. Minha suposição é que o Concestral 25 seja aproximadamente o nosso 280 000 000º avô. Não temos ideia de como ele era, mas certamente se parecia mais com um verme do que com uma estrela-do-mar. Tudo indica que a evolução dotou os equinodermos de simetria radial secundariamente, a partir de ancestrais com simetria entre os lados direito e esquerdo, ou "*bilateria*".

Os equinodermos são um grande filo, com cerca de 6 mil espécies vivas e um registro fóssil respeitabilíssimo que remonta aos primórdios do Cambriano. Entre esses fósseis antigos incluem-se algumas criaturas estranhamente assimétricas. Na verdade, estranho talvez seja o primeiro adjetivo que nos ocorre quando contemplamos os equinodermos. Um colega certa vez se referiu aos moluscos cefalópodes (polvos, lulas e sibas) como "marcianos". Tinha boa dose de razão, mas minha candidata a esse papel seria a estrela-do-mar. Um "marciano", nesse sentido, é uma criatura cuja própria estranheza ajuda-nos a ver com mais clareza o que somos, mostrando-nos o que não somos.

A maioria dos animais da Terra é bilateralmente simétrica: possui uma extremidade anterior e uma posterior, um lado esquerdo e um direito. As estrelas-do-mar têm simetria radial, com a boca bem no meio da superfície inferior e o ânus bem no meio da superfície superior. A maioria dos equinodermos é semelhante, mas os ouriços-coração e as bolachas-do-mar redescobriram um pequeno grau de simetria bilateral, com frente e traseira, para poderem enterrar-se na areia. Se é que as estrelas-do-mar "marcianas" têm algum tipo de "lado", eles são cinco (ou, em alguns casos, mais numerosos), e não dois, como a maioria de nós, os demais terráqueos. Grande parte dos animais desse planeta tem sangue. As estrelas-do-mar, em vez disso, têm água marinha encanada. A maior parte dos animais da Terra move-se por meio de músculos, puxando ossos ou outros elementos do esqueleto. As estrelas-do-mar movem-se por meio de um sistema hidráulico ímpar, baseado no bombeamento da água. Seus órgãos propulsores são centenas de pequeninos "pés tubulares" na superfície inferior do corpo, dispostos em avenidas ao longo dos cinco eixos de simetria. Cada pé tubular parece um minúsculo tentáculo com uma ventosinha redonda na ponta. Sozinho, o pé é pequeno demais para mover o animal, mas todo o conjunto puxando junto pode dar conta do trabalho, lenta mas poderosamente. Um pé tubular é estendido por pressão hidráulica, exercida por um diminuto bulbo comprimido em sua extremidade mais próxima. Cada pé tubular individual tem um ciclo de atividade, mais ou menos como uma perna minúscula. Depois de exercer sua propulsão, ele libera sua ventosa, recolhe-se e oscila para a frente a fim de agarrar-se novamente pela ventosa e tornar a impelir-se.

Os ouriços-do-mar locomovem-se pelo mesmo método. Os pepinos-do-mar, que parecem linguiças verruguentas, também podem deslocar-se desse modo, mas as espécies que se enterram movem-se à moda das minhocas, comprimindo alternadamente o corpo de maneira a alongá-lo para a frente e depois puxar para junto da dianteira a parte posterior. Os ofiuroides, (geralmente) dotados de cinco braços delgados e ondulantes que se irradiam de um disco central quase circular, deslocam-se remando com os braços inteiros, em vez de se arrastarem por meio de pés tubulares. As estrelas-do-mar também têm músculos que movem os braços como um todo. Elas os usam, por exemplo, para engolfar uma presa e para separar conchas de mexilhões.

"Para a frente" é uma direção arbitrária em se tratando desses "marcianos", e aqui se incluem os ofiuroides e a maioria dos ouriços-do-mar, além das estrelas-do-mar. Em contraste com a maioria das formas de vida terráqueas, que possuem uma extremidade dianteira definida dotada de uma cabeça, na estrela-do-mar qualquer um dos cinco braços pode "ser o cabeça". As centenas de pés tubulares, não se sabe como, conseguem "concordar" em seguir o braço condutor em qualquer dado momento, mas o papel de encabeçar o deslocamento pode mudar de um braço para outro. A coordenação é obtida graças a um sistema nervoso, cujo padrão, porém, difere de qualquer outro a que estejamos acostumados neste planeta. A maioria dos sistemas nervosos baseia-se em um longo cabo-tronco que vai da extremidade dianteira à posterior do corpo percorrendo a região dorsal (como nossa medula espinhal) ou a região ventral. Nesse segundo caso, ele costuma ser duplo, com uma escada de conexões entre os lados esquerdo e direito (como nos vermes e em todos os artrópodes). Em uma criatura terráquea típica, o principal cabo-tronco longitudinal possui nervos laterais, em geral emparelhados em segmentos repetidos serialmente da parte anterior à posterior. E, em geral, a criatura possui gânglios, protuberâncias locais que, quando suficientemente grandes, são dignificadas com o nome de cérebro. O sistema nervoso da estrela-do-mar é totalmente diferente. Como a essa altura já passamos a esperar, ele é disposto em raios. Um anel completo circunda a boca, e a partir dele irradiam-se cinco (ou o mesmo número de braços que o animal tiver) cabos, cada qual ao longo de um braço. Como o leitor pode prever, os pés tubulares ao longo de cada braço são controlados pelo nervo-tronco que percorre todo o membro.

Além dos pés tubulares, algumas espécies possuem centenas de pedicelárias espalhadas pela superfície inferior dos cinco braços. Cada uma possui minúsculas quelas e são usadas para pegar alimento ou em defesa contra pequenos parasitas.

"Marcianos" alienígenas na aparência, as estrelas-do-mar e seus parentes ainda assim são nossos primos relativamente próximos. Menos de 4% de todas as espécies animais são primas mais próximas de nós do que as estrelas-do-mar. A imensa maioria dos representantes do reino animal ainda não se juntou à nossa peregrinação. E boa parte deles chega junto, no Encontro 26, em um colossal afluxo de peregrinos. Os protostômios estão prestes a tornar-se a maioria esmagadora até mesmo diante da multidão de peregrinos que já estão em marcha.

Encontro 26
Protostômios

Nas profundezas do tempo geológico, e cada vez mais privados do conceituado apoio dos fósseis, agora dependemos inteiramente da técnica da "telemetria molecular", ou triangulação, a que me referi no "Prólogo geral". Um ponto positivo é que essa técnica vem se tornando cada vez mais refinada. A telemetria molecular confirma uma antiga suposição dos anatomistas comparativos, ou, mais estritamente, dos embriologistas comparativos: a maior parte do reino animal divide-se essencialmente em dois grandes sub-reinos, os deuterostômios e os protostômios.

Vejamos qual o papel da embriologia nessa questão. Os animais têm logo no início da vida um divisor de águas, um evento fundamental chamado gastrulação. O renomado embriologista e iconoclasta da ciência Lewis Wolpert declarou: "Não é o nascimento, o casamento ou a morte, mas a gastrulação, o momento verdadeiramente mais importante em nossa vida".

A gastrulação ocorre para todos os animais no início da vida. Normalmente, antes da gastrulação, um embrião animal consiste em uma esfera oca de células, a blástula, cuja parede tem a espessura de uma célula. Durante a gastrulação, a esfera ganha uma reentrância e adquire a forma de uma taça com duas camadas. A borda da taça fecha-se, formando um orifício denominado blastóporo. Quase todos os embriões animais passam por esse estágio, e assim podemos presumir

Junção com os protostômios

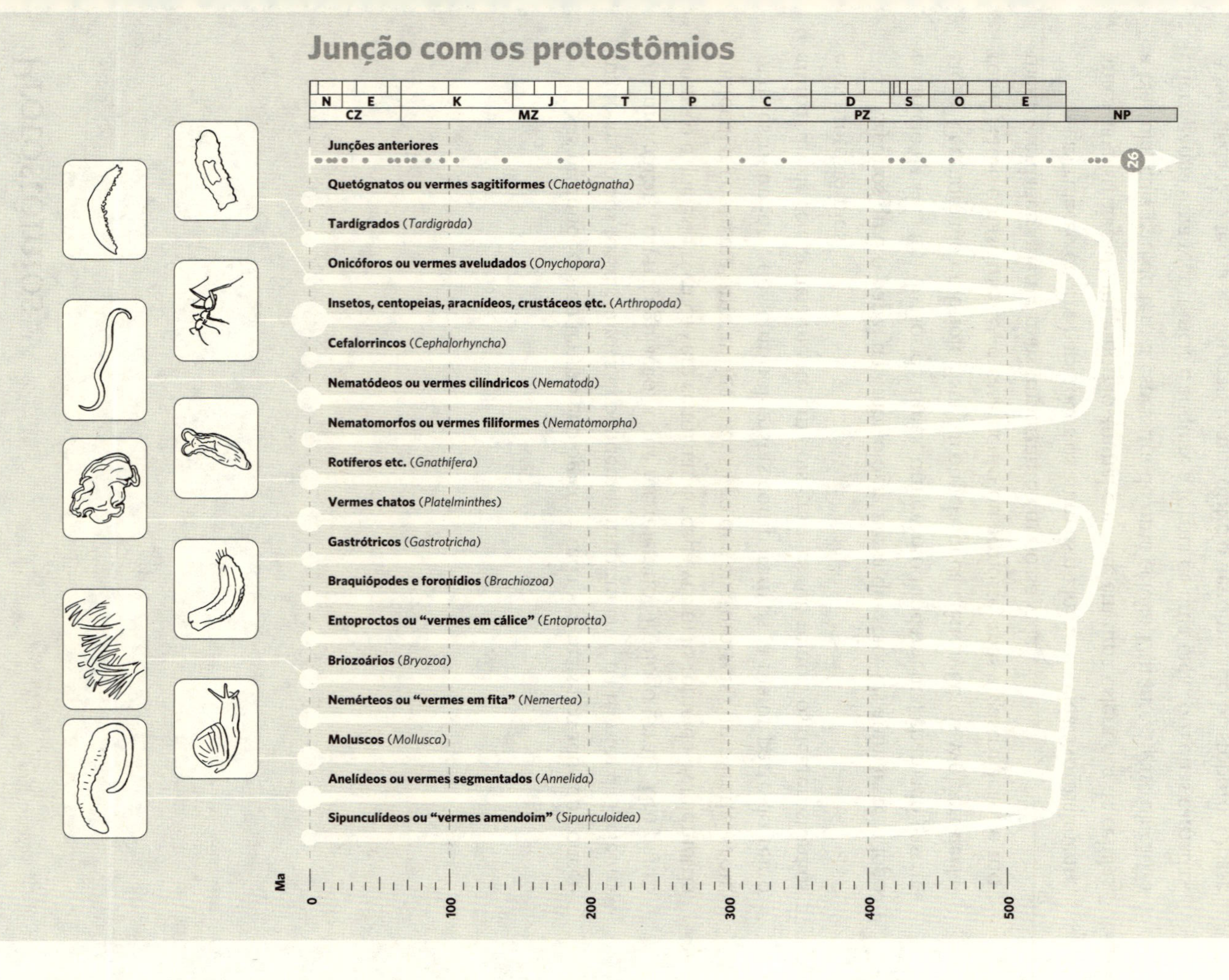

que ele seja uma característica antiquíssima. Acertará quem supuser que uma abertura tão fundamental virá a ser uma das duas grandes cavidades do corpo. Mas eis que ocorre nesse momento a divisão essencial no reino animal, entre os deuterostômios (cada peregrino que chegou antes do Encontro 26, inclusive nós, humanos) e os protostômios (a colossal multidão que agora se junta a nós no Encontro 26).

Na embriologia dos deuterostômios, o destino final do blastóporo é tornar-se o ânus (ou, no mínimo, o ânus desenvolver-se próximo ao blastóporo). A boca surge mais tarde, como um orifício distinto, na outra extremidade do trato digestivo. Com os protostômios ocorre de outro modo: em alguns, o blastóporo torna-se a boca, e o ânus surge mais tarde; em outros, os blastóporo é uma fenda que depois se fecha no meio, ficando a boca de um lado e o ânus do outro. Protostômio significa "boca primeiro". Deuterostômio quer dizer "boca em segundo lugar".

Essa classificação embriológica tradicional do reino animal tem sido corroborada por dados moleculares. Existem realmente dois tipos principais de animais, os deuterostômios (a nossa turma) e os protostômios (a outra turma). Contudo, alguns filos que antes eram incluídos nos deuterostômios agora foram transferidos para os protostômios pelos revisionistas moleculares, nos quais me basearei. Refiro-me aos filos dos chamados lofoforados — os foronídios, os briozoários e os braquiópodes — agora agrupados junto com os moluscos e os vermes anelídeos na divisão *Lophotrochozoa* dos protostômios. Rogo ao leitor que não se dê ao trabalho de decorar o que são os "lofoforados". Preciso mencioná-los aqui só porque os zoólogos de uma certa idade poderiam surpreender-se por não encontrá-los entre os deuterostômios. Existem também alguns animais que não pertencem aos protostômios nem aos deuterostômios, mas trataremos deles mais à frente.

Página ao lado: JUNÇÃO COM OS PROTOSTÔMIOS. Neste encontro, as cerca de 60 mil espécies conhecidas de deuterostômios juntam-se a mais de 1 milhão de protostômios descritos. Essa filogênese dos protostômios representa outro rearranjo radical recentemente ensejado pela genética. Os dois grupos principais hoje são aceitos em geral, mas a ordem de ramificação em cada um deles é muito incerta. A ordem nas sete linhagens à esquerda (*Lophotrochozoa*) é particularmente polêmica.

IMAGENS, DA ESQUERDA PARA A DIREITA: Arenícola (*Arenicola sp.*); caracol comum (*Helix aspersa*); briozoário desconhecido; gastrótrico (*Chaetonotus simrothi*); platelminto policládio (*Pseudoceros dimidiatus*); rotífero bdeloídio antártico (*Philodina gregária*); nematódeo desconhecido; saúva (*Atta sp.*); verme aveludado (*Peripatopsis moseleyi*); tardígrado desconhecido.

O Encontro 26 é o maior de todos. Está mais para um comício-monstro de peregrinos do que para um encontro. Quando ele ocorreu? É difícil estimar datas tão remotas. Minha hipótese, 590 milhões de anos, contém grande margem de erro. O mesmo vale para a estimativa de que o Concestral 26 é o nosso 300 000 000º avô. Os protostômios formam o grosso da peregrinação de animais. Como nossa espécie é da vertente dos deuterostômios, dei-lhe atenção especial neste livro e estou narrando como se os protostômios houvessem se juntado à peregrinação todos de uma vez, em um grande encontro. Não só os protostômios veriam o caso da maneira inversa, mas um observador imparcial faria o mesmo.

Os protostômios abrangem um número de filos animais muito maior do que os deuterostômios, e incluem o maior de todos os filos. Refiro-me aos moluscos, filo que possui duas vezes mais espécies que os vertebrados. Eles compreendem os três grandes filos de vermes: vermes chatos, vermes cilíndricos e vermes anelídeos, cujas espécies, juntas, superam numericamente em trinta vezes as espécies mamíferas. Acima de tudo, os peregrinos protostômios incluem os artrópodes: insetos, crustáceos, aranhas, escorpiões, centopeias, artrópodes milípedes e vários outros grupos menores. Os insetos, isoladamente, constituem pelo menos três quartos, e provavelmente mais, de todas as espécies animais. Como disse Robert May, presidente da Royal Society, em uma primeira aproximação todas as espécies são insetos.

Nos tempos pré-taxonomia molecular, agrupávamos e dividíamos os animais com base em sua anatomia e embriologia. De todos os níveis classificatórios — espécie, gênero, ordem, classe etc. —, o filo tinha um status especial, quase místico. Animais de um mesmo filo eram claramente aparentados. Animais de filos diferentes eram distintos demais para que qualquer parentesco entre eles fosse levado a sério. Os filos separavam-se por um abismo quase intransponível. Hoje, a comparação molecular indica que os filos são muito mais relacionados do que jamais imagináramos. Em certo sentido, isso sempre foi óbvio — ninguém acreditava que os filos animais houvessem surgido separadamente do lodo primordial. Eles tinham de ser aparentados, com padrões hierárquicos análogos aos de suas partes constituintes. Mas acontece que as ligações, perdidas no tempo imemorial, eram difíceis de ver.

Havia exceções. Admitia-se o agrupamento de protostômios e deuterostômios acima do nível dos filos, com base na embriologia. E entre os protostômios era amplamente aceito que os vermes anelídeos (vermes de corpo segmentado que incluem as minhocas, os sanguessugas e os poliquetas) eram parentes dos artrópodes, sendo ambos os grupos dotados de um plano corporal segmentado. Agora essa relação específica parece errada, como veremos: hoje, os anelídeos são vistos como parentes dos moluscos. Na verdade, sempre incomodou um pouco o fato de os anelídeos marinhos terem um tipo de larva tão semelhante às larvas de muitos moluscos marinhos que receberam o mesmo nome, larvas "trocóforas". Se o agrupamento de anelídeos e moluscos for correto, significa que o plano corporal segmentado foi inventado duas vezes (pelos anelídeos e pelos artrópodes), e não que a larva trocófora foi inventada duas vezes (pelos anelídeos e pelos moluscos). A associação de anelídeos e moluscos, assim como sua separação dos artrópodes, é uma das maiores surpresas que a genética molecular trouxe para os zoólogos formados pela taxonomia baseada na morfologia.

Os dados moleculares dividem os filos de protostômios em dois, ou talvez três grupos principais — superfilos, suponho que poderíamos chamá-los. Alguns especialistas ainda não aceitaram essa classificação, mas prosseguirei com ela, mesmo reconhecendo que pode revelar-se incorreta. Os dois superfilos chamam-se *Ecdysozoa* e *Lophotrochozoa*. O terceiro superfilo, *Platyzoa*, é menos amplamente reconhecido, mas eu o aceitarei em vez de agrupar seus integrantes junto com os *Lophotrochozoa*, como preferem alguns.

Os *Ecdysozoa* devem seu nome à característica da muda, ou ecdise (do grego *ékdusis*, ação de se despir). Isso nos dá imediatamente a dica de que os insetos, crustáceos, aranhas, milípedes, centopeias, trilobitos e outros artrópodes são ecdisozoários, e isso significa que a facção dos ecdisozoários na peregrinação dos protostômios é enorme, muito mais do que três quartos do reino animal.

Os artrópodes dominam a terra firme (especialmente insetos e aranhas) e o mar (crustáceos e, em tempos mais remotos, os trilobitos). Com exceção dos euriptéridos, aqueles escorpiões marinhos* paleozoicos que, imaginamos, aterrorizavam os peixes de seu tempo, os artrópodes não adquiriram o imenso tamanho corporal de alguns vertebrados extremos. Muitos atribuem esse fato a

* Também existiram escorpiões gigantes no Paleozoico, com comprimento estimado de 1 m, um fato que me dá arrepios (uma de minhas primeiras lembranças, antes de desmaiar, foi de ter sido picado por um escorpião africano moderno). O maior trilobita conhecido, *Isotelus rex*, chegava a 72 cm de comprimento. Libélulas com envergadura de até 70 cm floresceram no Carbonífero. O maior artrópode da atualidade, o caranguejo-aranha-gigante *Macrocheira kaempferi*, tem corpo de 30 cm, e a envergadura de seus membros imensamente longos e dotados de garras pode chegar a 4 m.

limites estabelecidos por seu método de se envolver em um exoesqueleto encouraçado, com membros formados por tubos articulados e unidos. Isso quer dizer que eles só podem crescer por meio da ecdise: livram-se periodicamente de seu invólucro externo, e um outro, maior, endurece para substituí-lo. Não está totalmente claro para mim o modo como os euriptéridos conseguiram contornar essa suposta limitação de tamanho.

Persiste ainda uma disputa acerca de como classificar os subcontingentes de artrópodes. Alguns zoólogos sustentam a antiga ideia de que os insetos se agrupam com os miriápodes (centopeias, artrópodes milípedes e seus parentes), separadamente dos crustáceos. Hoje a maioria agrupa os insetos junto com os crustáceos, deixando os miriápodes e as aranhas de fora como extragrupos. Todos concordam que as aranhas e os escorpiões, juntamente com os assustadores euriptéridos, pertencem ao grupo chamado quelicerados. O *Limulus*, o fóssil vivo infelizmente conhecido como caranguejo-ferradura, também é classificado entre os quelicerados, apesar de sua semelhança superficial com os extintos trilobitos, que são separados em um grupo próprio.

Aliados aos artrópodes junto com os *Ecdysozoa* e, às vezes, chamados de panartrópodes, existem dois pequenos contingentes de peregrinos, os onicóforos e os tardígrados. Os ornicóforos, como o *Peripatus*, são conhecidos como vermes aveludados. Agora estão sendo classificados no filo *Lobopodia*, que, como veremos em "O conto do verme aveludado", possui um importante contingente fóssil. O próprio *Peripatus* lembra um pouco uma simpática lagarta, embora no quesito simpatia seja suplantado pelos tardígrados. Toda vez que encontro um tardígrado, sinto vontade de adotá-lo como bicho de estimação. Alguns chamam-nos de ursos d'água, e de fato esses animais têm a graciosa aparência de um filhote de urso. Um filhote muito novo, na verdade, pois só ao microscópio podemos enxergá-lo, agitando suas oito perninhas com um cativante desajeitamento característico dos bebês.

O outro grande filo do superfilo *Ecdysozoa* é o dos vermes nematódeos. Eles também são extremamente numerosos, um fato que muito tempo atrás se tornou memorável nas palavras do zoólogo americano Ralph Buchsbaum:

> Se toda a matéria do universo exceto os nematódeos fosse eliminada, nosso mundo ainda seria vagamente reconhecível [...] veríamos suas montanhas, colinas, vales, rios, lagos e oceanos representados por uma película de nematódeos [...]. Ainda

haveria árvores, em renques fantasmagóricos delineando nossas ruas e estradas. A localização de várias plantas e animais ainda seria decifrável e, em muitos casos, se tivéssemos conhecimento suficiente, até mesmo suas espécies poderiam ser determinadas pelo exame de seus parasitas nematódeos de outrora.

Fascinou-me essa imagem quando li o trecho pela primeira vez no livro de Buchsbaum, mas devo confessar que agora o releio com ceticismo. Digamos apenas que os vermes nematódeos são extremamente numerosos e ubíquos.

Os *Ecdysosoa* contêm filos menores de vários outros tipos de vermes, entre eles os priapulídeos, ou vermes faliformes. Seu nome foi bem escolhido, apesar de o campeão nessa linha ser o fungo cujo nome latino é *Phallus* (espere até o Encontro 34). À primeira vista, é surpreendente que hoje a classificação dos priapulídeos seja tão distante da dos vermes anelídeos.

Os peregrinos lofotrocozoários podem ser superados numericamente pelos ecdisozoários, mas até eles são decisivamente mais numerosos que nossos peregrinos deuterostômios. Os dois grandes filos de lofotrocozoários são os moluscos e os anelídeos. Ninguém confunde por muito tempo os vermes anelídeos com os vermes nematódeos, pois os anelídeos são segmentados — como os já mencionados artrópodes. Isso significa que seu corpo é formado por uma série de segmentos dispostos longitudinalmente, como vagões de trem. Muitas partes do corpo, como por exemplo, os gânglios nervosos e vasos sanguíneos que percorrem o tubo digestivo, repetem-se em cada segmento ao longo de todo o corpo. O mesmo ocorre com os artrópodes e, de forma mais óbvia, com os milípedes e as centopeias, pois seus segmentos são todos muito parecidos entre si. Na lagosta, e ainda mais no caranguejo, muitos dos segmentos diferem uns dos outros, mas ainda assim podemos ver claramente que o corpo é segmentado na longitudinal. Decerto seus ancestrais possuíam segmentos mais uniformes, como os tatuzinhos ou os milípedes.* Os vermes anelídeos, nesse aspecto, são como os milípedes e o tatuzinho, embora os vermes sejam parentes mais próximos dos moluscos não segmentados. Os vermes anelídeos mais conhecidos são as minhocas comuns ou de jardim. Tive o privilégio de ver na Austrália minhocas gigantes (*Megascolides australis*) que, segundo afirmaram, podiam atingir 4 m de comprimento.

* Alguns milípedes fascinantes — os *Glomeris marginata* — têm a aparência e o comportamento muito semelhantes aos do tatuzinho. Esse é um de meus exemplos favoritos de evolução convergente.

Os lofotrocozoários incluem outros filos vermiformes, como o dos vermes nemertinos, que não devem ser confundidos com nematódeos. A semelhança dos nomes é infeliz e inconveniente, e ainda por cima é agravada pela confusão adicional com dois outros filos de vermes, os *Nematomorpha* e os *Nemertodermatida*. Nema (*nematos*), em grego, significa "filamento", enquanto Nemerte era o nome de uma ninfa marinha. Uma coincidência nada útil. Em uma viagem de estudo do meio à costa escocesa com nosso inspirador professor de zoologia, I. F. Thomas, encontramos um verme parecido com um cadarço de bota, *Lineus longissimus*, uma espécie de nemertino que, lendariamente, é capaz de atingir 50 m de comprimento. Nosso espécime tinha no mínimo 10 m, mas não me recordo da medida exata. Por azar, o professor Thomas perdeu a foto que tirou nessa ocasião inesquecível, e por causa disso ela terá de permanecer como uma versão nemertiana de história de pescador.

Existem vários outros filos mais ou menos vermiformes, mas o maior e mais importante filo dos *Lophotrochozoa* é o *Mollusca*: as lesmas, ostras, amonites, polvos e seus parentes. A maior parte do contingente molusco da peregrinação rasteja a passo de caracol, mas as lulas, que usam uma forma de propulsão a jato, estão entre os mais rápidos nadadores do mar. Elas e seus primos polvos têm o mais espetacular talento para mudar de cor em todo o mundo animal, deixando no chinelo o proverbial camaleão, especialmente porque trocam de cor em alta velocidade. As amonites eram parentes das lulas que viviam em conchas espiraladas. Essas conchas serviam como órgãos de flutuação, como ocorre com o ainda sobrevivente náutilo. As amonites outrora abarrotavam os mares, mas por fim se extinguiram na mesma época que os dinossauros. Suponho que também mudassem de cor.

Outro grupo significativo de moluscos é o dos bivalves: ostras, mexilhões, mariscos e vieiras, dotados de duas conchas ou valvas. Os bivalves possuem um único músculo, extremamente poderoso, o adutor, cuja função é fechar as valvas e mantê-las trancadas para proteger-se dos predadores. Nunca ponha o pé numa concha gigante, a *Tridacna*, pois jamais o terá de volta. Os bivalves incluem o teredem, ou "cupim dos mares", que usa as valvas como um instrumento cortante para perfurar madeira à deriva, barcos de madeira e pilares de atracadouros e molhes. É provável que o leitor já tenha visto os buracos perfeitamente circulares feitos por eles na madeira. Os foladídeos fazem coisa semelhante em rochas.

Superficialmente parecidos com os moluscos bivalves são os braquiópodes [*lampshells*]. Também eles fazem parte do grande contingente de lofotrocozoários da peregrinação dos protostômios, mas não têm parentesco próximo com os moluscos bivalves. Já encontramos um deles em "O conto do peixe pulmonado", como um famoso "fóssil vivo": o *Lingula*. Hoje existem apenas cerca de 350 espécies de braquiópodes, mas na Era Paleozoica eles rivalizavam com os moluscos bivalves.* A semelhança entre eles é superficial: as duas valvas dos moluscos bivalves são à esquerda e à direita, enquanto as dos braquiópodes situam-se em cima e embaixo. Ainda está em discussão a classificação dos peregrinos braquiópodes, bem como a de dois grupos aliados de "lofoforados" chamados foronídios e briozoários. Como já mencionei, estou seguindo a escola de pensamento atualmente dominante ao classificá-los entre os *Lophotrochozoa* (tendo eles, aliás, contribuído para esse nome). Alguns zoólogos deixam-nos onde eles estavam antes, totalmente fora dos protostômios e com os deuterostômios, mas desconfio que estão empenhados numa batalha perdida.

O terceiro grande ramo do superfilo dos protostômios, os *Platyzoa*, seria classificado por alguns especialistas junto com os *Lophotrochozoa*. "Plat(i)" significa "chato", e o nome *Platyzoa* provém de um dos filos componentes, os vermes chatos ou *Platyelminthes*. "Helminto" significa "verme intestinal", e embora alguns platelmintos sejam parasitas (tênias e fascíolas), há também um grande grupo de vermes chatos de vida livre, os turbelários, muitos deles belíssimos. Há pouco tempo, os taxonomistas moleculares removeram dos protostômios alguns dos animais tradicionalmente classificados como platelmintos, como os acelos. Logo seremos apresentados a eles.

Outros filos estão provisoriamente classificados entre os *Platyzoa*, porém, no momento é por falta de um lugar mais certo para encaixá-los. A maioria deles não tem o corpo achatado. Eles pertencem aos chamados "filos menores", são fascinantes por mérito próprio e cada um deles merece todo um capítulo em um livro didático sobre a zoologia dos invertebrados. Mas infelizmente temos uma peregrinação a concluir e devemos seguir em frente. Desses filos menores, mencionarei apenas os rotíferos, pois eles têm um conto para narrar.

Os rotíferos são tão pequenos que originalmente eram agrupados com os protozoários unicelulares ou "animálculos". Na verdade, eles são multicelulares

* Stephen Gould comparou-os em um elegante ensaio intitulado "Ships that pass in the night".

CECI N'EST PAS UNE COQUILLE. Braquiópode fóssil (*Doleorthis*) do Siluriano.

e bem complexos, só que em miniatura. Um grupo, os rotíferos bdeloídios, é notável porque nunca se encontrou nenhum macho. Esse é o tema do conto, e logo trataremos dele.

E assim, essa enchente de peregrinos protostômios, composta de afluentes de muitas partes, o fluxo verdadeiramente dominante de peregrinos animais, converge para seu encontro com os deuterostômios, o contingente júnior (em comparação), cujo progresso acompanhamos até agora pela suficiente razão de ser o nosso progresso. O mais antigo ancestral de ambos, o Concestral 26 do nosso ponto de vista humano, é de reconstrução extremamente difícil a essa distância tão remota no tempo.

Parece muito provável que o Concestral 26 tenha sido algum tipo de verme. Mas isso quer dizer apenas uma coisa comprida, bilateralmente simétrica, com lados direito, esquerdo, dorsal e ventral, e duas extremidades, com uma cabeça na anterior. De fato, alguns cientistas denominam *Bilateria* todos os animais descendentes do Concestral 26, e usarei esse termo. Por que esse padrão, a forma de verme, é tão comum? Os membros mais primitivos de todos os três subgrupos de protostômios, assim como os deuterostômios mais primitivos, têm todos a forma que devemos, de um modo geral, chamar de vermiforme. Vejamos, então, um conto sobre o que significa ser um verme.

Eu queria pôr o conto do verme na boca cinzenta e lodosa da arenícola.* Infelizmente, a arenícola passa a maior parte do tempo numa toca em forma de U, coisa de que o conto menos precisa, como logo se evidenciará. Necessitamos de um verme mais típico, que ativamente rasteje ou nade para a frente: um verme

* *A lugworm, with its grey and muddy mouth/ sang that somewhere to north or west or south/ There dwelt a gay, exulting, gentle race...* [Uma arenícola de boca cinzenta e lodosa/ Cantava que em algum lugar a norte, oeste ou sul/ Habitava uma raça alegre, exultante, gentil...]. W. B. Yeats (1865-1939).

para quem frente e trás, esquerda e direita, para cima e para baixo, tenham um significado claro. Por isso, o primo chegado da arenícola, o nereis, ganhará o papel. Um artigo de uma revista de pesca de 1884 disse: "A isca usada é o tipo úmido de centopeia chamado nereis". É óbvio que não se trata de uma centopeia, mas de um verme poliqueta. Ele vive no mar, onde normalmente rasteja no fundo, mas é capaz de nadar quando necessário.

O CONTO DO NEREIS

Qualquer animal que se move, no sentido de deslocar-se de A até B, em vez de apenas manter-se num mesmo lugar e agitar os braços ou bombear água através do corpo, provavelmente precisa possuir uma extremidade dianteira especializada. Convém dar um nome a essa parte, portanto vamos chamá-la de cabeça. A cabeça chega primeiro às novidades. Faz sentido ingerir o alimento pela extremidade que o encontra primeiro, e também concentrar nela os órgãos dos sentidos — olhos, talvez, algum tipo de antena, órgãos do paladar e do olfato. Com isso, é bom que a principal concentração de tecido nervoso — o cérebro — situe-se próximo aos órgãos dos sentidos e perto da ação na extremidade frontal, onde está localizado o equipamento para pegar comida. Assim, podemos definir a extremidade da cabeça como a extremidade condutora, a que contém a boca, os principais órgãos dos sentidos e o cérebro, quando houver um. Outra boa ideia é excretar o material não aproveitado através de alguma parte nas vizinhanças da extremidade posterior, distante da boca, a fim de evitar a reabsorção do que acabou de ser evacuado. A propósito, embora tudo isso faça sentido se pensarmos em um verme, devo lembrar ao leitor que esse argumento não se aplica evidentemente a animais radialmente simétricos como a estrela-do-mar. Intriga-me muitíssimo que as estrelas-do-mar e seus parentes tenham optado por não se encaixar nesse argumento, sendo essa uma das razões por que me refiro a eles como "marcianos".

Voltemos ao nosso verme primordial. Já tratamos da assimetria das partes dianteira e traseira, mas e quanto à assimetria dorsoventral? Por que existe um lado dorsal e um lado ventral? O argumento é semelhante, e nesse caso aplica-se tanto às estrelas-do-mar como aos vermes. Sendo a gravidade o que é, existem muitas diferenças inevitáveis entre em cima e embaixo. Embaixo é onde se encontra o fundo do mar e onde está o atrito, em cima é de onde vem a luz do sol e é a direção de onde as coisas caem em cima de nós. Não é provável que perigos ameacem igualmente por baixo e por cima e, de qualquer modo, tais perigos serão quantitativamente diferentes. Assim, nosso verme primitivo deveria possuir um lado de cima, ou "dorsal", especializado e um lado de baixo, ou "ventral" também especializado, em vez de simplesmente não ligar para que lado está virado para o fundo do mar e que lado vê o céu.

Juntemos a assimetria dianteira-traseira com a assimetria dorsal-ventral e teremos automaticamente definido um lado esquerdo e um direito. Mas, ao contrário do que ocorre com os outros dois eixos, não temos nenhuma razão geral para distinguir o lado esquerdo do direito — nenhuma razão de eles serem algo além de imagens invertidas. Não há maior probabilidade de os perigos ameaçarem mais pela esquerda do que pela direita, ou vice-versa. Não é mais provável aparecer alimento à esquerda do que à direita, embora seja bem mais provável ele estar em cima ou embaixo. Não importa qual o melhor jeito para o lado esquerdo ser, não há razão geral para esperarmos qualquer diferença para o lado direito. Membros ou músculos que não fossem imagens invertidas de esquerda e direita teriam o desastroso efeito de impelir o animal em círculo em vez de movê-lo diretamente na direção de algum objetivo.

Talvez seja revelador que a melhor exceção que me vem à mente seja fictícia. Diz uma lenda escocesa (provavelmente inventada para entreter turistas, muitos dos quais, segundo dizem, acreditam nela) que o *haggis* é um animal selvagem que vive nas Highlands. Ele tem pernas curtas de um lado e compridas do outro devido ao seu hábito de correr de um único lado ao redor das íngremes encostas das Highlands. O exemplo mais bonito da vida real que consegui encontrar foi o da lula da família *Histioteuthidae*, que vive em águas da Austrália e tem o olho esquerdo muito maior do que o direito. Ela nada em um ângulo de 45 graus, e seu olho esquerdo, maior e telescópico, olha para cima procurando comida enquanto o direito, menor, olha para baixo, atento aos predadores. O *Anarhynchus frontalis* [*wrybill*], uma espécie de narceja de bico curvo encontrada na Nova Zelândia, tem o bico marcadamente arqueado para a direita. A ave usa-o para jogar pedregulhos para o lado e expor presas. Nos caranguejos ucas encontramos uma acentuada "destreza", pois eles possuem uma garra muitíssimo maior para lutar ou, mais precisamente, para exibir sua capacidade de lutar. Mas talvez a mais fascinante história de assimetria no reino animal foi a que Sam Turvey me contou. Muitos fósseis trilobitos apresentam marcas de mordidas, indicando que escaparam por um triz de predadores. O mais intrigante é que cerca de 70% dessas mordidas situam-se do lado direito. Ou os trilobitos tinham uma percepção assimétrica dos predadores, como a lula *Histioteuthidae*, ou seus predadores privilegiavam o lado direito em sua estratégia de ataque.

Mas todas essas são exceções, mencionadas pelo valor que têm como curiosidades, com o objetivo de produzir um contraste revelador com o mundo simétrico do nosso verme primitivo e seus descendentes. Nosso arquétipo rastejante possui lado esquerdo e direito que são imagens invertidas um do outro. Órgãos surgem geralmente aos pares e, onde há exceções, como a da lula *Histioteuthidae*, nós a notamos e comentamos sobre ela.

E quanto aos olhos? Teriam existido no primeiro bilatério? Não basta dizer que todos os descendentes modernos do Concestral 26 têm olhos. Não basta, porque os vários tipos de olho são muito diversos — tanto assim que já se estimou que "o olho" evoluiu independentemente mais de quarenta vezes em várias partes do reino animal.* Como conciliar isso com a afirmação de que o Concestral 26 era dotado de olhos?

Para mexer um pouco com a intuição, direi em primeiro lugar que aquilo que se afirma ter evoluído independentemente quarenta vezes não é a sensibilidade à luz em si, mas a óptica formadora de imagens. A óptica do olho-câmera dos vertebrados e a do olho composto dos crustáceos evoluíram (com base em princípios muito distintos) independentemente uma da outra. Mas esses dois olhos descendem de um órgão presente no ancestral comum (o Concestral 26), que provavelmente era dotado de algum tipo de olho.

A prova é genética e persuasiva. Na mosca-das-frutas *Drosophila* existe um gene chamado *eyeless* [sem olhos]. Os geneticistas têm o perverso hábito de batizar os genes com base no que sai errado quando eles sofrem mutação. O gene *eyeless* normalmente nega seu nome produzindo olhos. Quando esse gene sofre mutação e não causa seu efeito normal no desenvolvimento, a mosca nasce sem olhos, e eis a razão do nome. É uma convenção absurda e desnorteante. Para evitá-la, não farei referência ao gene *eyeless*; usarei a inteligível abreviação *ey*. O gene *ey* normalmente produz olhos, e sabemos disso porque quando ele falha a

* Discorri pormenorizadamente sobre essa questão em *A escalada do Monte Improvável*, no capítulo sobre o "caminho quadragesimal para a iluminação", e retomarei o assunto no fim deste livro.

mosca não tem olhos. Agora a história começa a ficar interessante. Existe um gene muito semelhante nos mamíferos, chamado *Pax6*, também conhecido como *small eye* [olho pequeno] nos camundongos e *aniridia* (sem íris) nos humanos (novamente, nomeado em função do efeito negativo de sua forma mutante).

A sequência de DNA do gene *aniridia* humano é mais semelhante à do gene *ey* da mosca-das-frutas do que à dos outros genes humanos. Decerto, esses dois genes foram herdados do ancestral comum — que era, obviamente, o Concestral 26. Vou chamá-lo mais uma vez de *ey*. Walter Gehring e seus colegas na Suíça fizeram um experimento fascinante. Introduziram o equivalente nos camundongos do gene *ey* em embriões de mosca-das-frutas e obtiveram resultados assombrosos. Quando introduzido na parte do embrião de mosca-das-frutas destinada a produzir uma perna, o gene fez nascer na perna da mosca adulta um olho extra, ectópico. A propósito, era um olho de mosca: um olho composto, e não um olho de camundongo. Não vejo como poderia haver indícios de que a mosca enxergasse com ele, mas o olho apresentava as inconfundíveis propriedades de um olho que se preze. Parece que a instrução dada pelo gene *ey* vem a ser: "produza um olho aqui, do tipo que você normalmente produz". O fato de o gene não só ser semelhante nos camundongos e nas moscas, mas também induzir o desenvolvimento de olhos em ambos os animais, é um poderosíssimo indicador de que esse gene estava presente no Concestral 26, e um indicador moderadamente forte de que o Concestral 26 podia ver, mesmo que se tratasse apenas de distinguir a presença ou ausência de luz. Talvez, quando forem investigados mais genes, esse mesmo argumento possa ser generalizado dos olhos para outras partes do corpo. Na verdade, em certo sentido isso já foi feito, e abordaremos essa questão em "O conto da mosca-das-frutas".

O cérebro, situado na extremidade frontal pelas razões que já examinamos, precisa fazer contato nervoso com o resto do corpo. Em um animal vermiforme, é sensato que esse contato seja feito por meio de um cabo principal, um tronco nervoso que percorre todo o corpo no sentido longitudinal, provavelmente com ramos laterais em intervalos ao longo do corpo para exercer controle local e captar informações locais. Em um animal bilateralmente simétrico como um nereis ou um peixe, o tronco nervoso deve situar-se em posição dorsal ou ventral em relação ao trato digestivo, e aqui deparamos com uma das principais diferenças entre nós, deuterostômios, e os protostômios, que se juntaram a nós em massa. Nos deuterostômios o cordão nervoso espinhal situa-se na região dorsal. Em um protostômio típico como o nereis ou a centopeia, ele se encontra do lado ventral do trato digestivo.

Se o Concestral 26 foi de fato um tipo de verme, presumivelmente se encaixava no padrão dorsal ou ventral do tronco nervoso. Não posso chamá-los de padrões deuterostômio ou protostômio porque as duas separações não coincidem exatamente. Os enteropneustos (aqueles obscuros deuterostômios que chegaram com os equinodermos no Encontro 25) são difíceis de interpretar, mas ao menos segundo algumas opiniões eles possuem um cordão nervoso ventral como um protostômio, embora por outras razões sejam classificados como deuterostômios. Dividamos, então, o reino animal em dorsocordados e ventricordados. Todos os dorsocordados são deuterostômios. A maioria dos ventricordados são protostômios, e os demais são deuterostômios muito antigos que incluem, talvez, os enteropneustos. Os equinodermos, com sua notável reversão à simetria radial, não se encaixam absolutamente nessa classificação. É provável que os deuterostômios, segundo essa minha visão, tenham sido ventricordados até algum tempo depois do Concestral 26.

A diferença entre dorsocordados e ventricordados estende-se a outras coisas além da posição do nervo principal que percorre o corpo. Os dorsocordados têm coração ventral, enquanto os ventricordados têm coração dorsal, bombeando o sangue para frente através de uma artéria dorsal principal. Esses e outros detalhes sugeriram ao grande zoólogo francês Geoffroy St Hilaire, em 1820, que um vertebrado poderia ser considerado um artrópode, ou uma minhoca, de cabeça para baixo. Depois de Darwin e da aceitação da evolução, os zoólogos de tempos em tempos aventaram que o plano corporal dos vertebrados realmente evoluíra através de um ancestral vermiforme que se virara mesmo de cabeça para baixo.

Essa é a teoria que desejo defender aqui, tudo sopesado e com alguma cautela. A alternativa — um ancestral vermiforme teria gradualmente rearranjado sua anatomia interna enquanto se mantinha do mesmo modo de cabeça para cima — parece-me menos plausível porque isso teria envolvido uma quantidade maior de comoções internas. Acredito que ocorreu primeiro uma mudança de comportamento — subitamente, pelos padrões evolutivos — e que ela foi seguida por todo um conjunto de mudanças evolutivas consequentes. Como é bem comum, existem equivalentes modernos para deixar vívida essa ideia para nós hoje. A artêmia é um exemplo, e ouviremos seu conto a seguir.

O artêmia (do gênero *Artemia*) e suas primas chegadas, as brachonetas, são crustáceos que nadam de costas e, portanto, têm o cordão nervoso (o "verdadeiro" lado ventral zoológico) do lado que agora é virado para o céu. O peixe-gato invertido negro, *Synodontis nigriventris*, é um deuterostômio que faz a mesma coisa do jeito inverso. Ele é um peixe que nada de costas e, assim, tem seu tronco nervoso principal do lado que vive voltado para o fundo do rio — o "verdadeiro" lado dorsal zoológico. Não sei por que as artêmias fazem isso, mas o peixe-gato nada de cabeça para baixo porque apanha seu alimento na superfície da água ou na parte inferior de folhas flutuantes. Presumivelmente, certos peixes descobriram que essa era uma boa fonte de alimento e aprenderam a virar-se de costas. Minha conjectura* é que, com o passar das gerações, a seleção natural favoreceu os indivíduos que aprenderam a realizar melhor o truque, seus genes "acompanharam" o aprendizado e agora eles nunca nadam do outro jeito.

A inversão da artêmia é uma reencenação recente de algo que, a meu ver, ocorreu há mais de meio bilhão de anos. Um animal, perdido em tempos imemoriais, algum tipo de verme com um cordão nervoso ventral e um coração dorsal como qualquer protostômio, virou-se do outro lado e nadou, ou rastejou, em posição invertida como uma artêmia. Se um zoólogo estivesse presente naquele momento, preferiria morrer a renomear o principal tronco nervoso chamando-o de dorsal só porque ele agora se situava no lado do corpo virado para o céu. "Obviamente", ele diria baseado em toda a sua formação zoológica, ali estava ainda um cordão nervoso ventral, correspondendo a todos os outros órgãos e características que esperamos ver na superfície ventral de um protostômio. Igualmente "óbvio" para esse zoólogo Pré-Cambriano seria que o coração do nosso verme invertido era, no sentido mais essencial, um coração "dorsal", muito embora ele agora batesse sob a pele mais próxima do fundo do mar.

Mas depois de um tempo suficiente — suficientes milhões de anos nadando ou rastejando "invertidamente" — a seleção natural teria remodelado todos os

* Baseada na ideia teórica conhecida como Efeito Baldwin. Superficialmente, ela se parece com a evolução lamarckiana e a herança de características adquiridas. Mas não é. O aprendizado não fica impresso nos genes. O que ocorre é que a seleção natural favorece as propensões genéticas a aprender determinadas coisas. Após gerações desse tipo de seleção, os descendentes que evoluíram aprendem tão depressa que o comportamento passa a ser "instintivo".

órgãos e estruturas do corpo de modo a ajustá-los ao hábito de deslocar-se na posição invertida. Por fim, ao contrário da nossa artêmia moderna, que só recentemente se virou para o outro lado, os vestígios das homologias dorsais / ventrais desapareceriam. Gerações posteriores de paleozoólogos que encontrassem os descendentes desse dissidente primitivo, depois de dezenas de milhões de anos do hábito de inverter-se, começariam a redefinir seus conceitos de dorsal e ventral. Isso porque um número muito grande de detalhes anatômicos teria mudado no decorrer do tempo evolutivo.

Entre outros animais que nadam de costas estão as lontras-marinhas (em especial quando se dedicam a seu espantoso hábito de esmagar mariscos com uma pedra sobre o ventre) e os apropriadamente chamados notonectídeos ("que nadam de costas"). Os notonectídeos são insetos hemípteros, conhecidos em alguns lugares como barqueiros, que remam na água com as pernas. Seus parentes, os corixídeos, também usam as pernas desse modo, só que nadam na posição inversa, com o ventre para baixo.

Imagine se os descendentes dos nossos notonectídeos ou artêmias modernos e os descendentes do nosso peixe-gato moderno vierem a manter seu hábito de nadar com o ventre para cima por 100 milhões de anos a partir de agora. Não será totalmente provável que cada um origine todo um novo sub-reino, com os planos corporais tão radicalmente remodelados pelo hábito do nado invertido que os zoólogos desconhecedores da história definirão os descendentes das artêmias como possuidores de um cordão nervoso "dorsal" e os descendentes do peixe-gato como dotados de um cordão nervoso "ventral"?

Como vimos em "O conto do nereis", o mundo apresenta importantes diferenças práticas entre "em cima" e "embaixo", e elas começariam a imprimir-se, pela seleção natural, respectivamente no lado voltado para o céu e no lado voltado para o chão. O que outrora fora o lado zoologicamente ventral passaria a parecer cada vez mais um lado zoologicamente dorsal, e vice-versa. Creio ter sido isso que ocorreu em algum ponto ao longo da linha conducente aos vertebrados e que é essa a razão de hoje possuirmos um cordão nervoso dorsal e um coração ventral. A embriologia molecular moderna nos fornece alguns indícios que corroboram essa ideia através dos modos como os genes que definem o eixo dorsoventral se expressam — genes um tanto semelhantes aos genes Hox que mencionaremos em "O conto da mosca-das-frutas" —, mas os detalhes estão fora do nosso escopo aqui.

VIRE O PEIXE DE CABEÇA PARA BAIXO. O peixe-gato invertido (*Synodontis nigriventris*) em pose característica.

O peixe-gato invertido, por mais recente que indubitavelmente seja seu hábito de nadar de costas, já deu um passinho revelador nessa direção evolutiva.* Seu nome latino é *Synodontis nigriventris*. *Nigriventris* significa "ventre negro", o que introduz uma fascinante vinheta no final de "O conto da artêmia". Uma das principais diferenças entre "em cima" e "embaixo" no mundo é a direção predominante da luz. Os raios do sol, embora não necessariamente vindos de cima em linha reta, em geral provêm de cima e não de baixo. Erga seu punho e verá, mesmo sob um céu nublado, que a superfície superior é mais bem iluminada do que a inferior. Esse fato fornece um modo fundamental para nós e muitos outros animais podermos reconhecer objetos sólidos tridimensionais. Um objeto curvo uniformemente colorido, como um verme ou um peixe, parece mais claro na parte superior e mais escuro na inferior. Não estou falando da sombra densa produzida pelo corpo. Trata-se de um efeito mais sutil do que esse. Um gradiente de sombra, do mais claro em cima para o mais escuro embaixo, trai suavemente a curvatura do corpo.

Funciona ao contrário. A fotografia das crateras da Lua (página seguinte) está impressa de cabeça para baixo. Se o seu olho (bem, para ser mais preciso, o seu cérebro) funcionar do mesmo modo que o meu, você verá as crateras como morros. Vire o livro ao contrário de modo que a luz pareça provir de outra direção, e os morros se transformarão nas crateras que realmente são.

* O mesmo fez o molusco nudibrânquio (lesma-do-mar) *Glaucus atlanticus*. Essa bela criatura flutua de barriga para cima, alimentando-se de águas-vivas, e, como o peixe-gato, tem o "contrassombreado invertido".

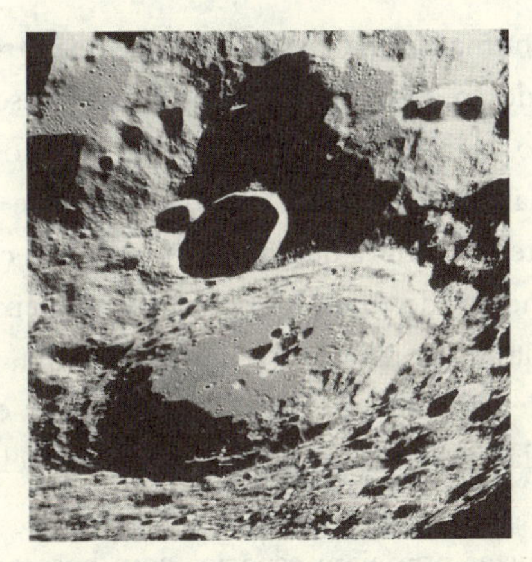

VIRE O LIVRO DE CABEÇA PARA BAIXO. Crateras do lado escuro da Lua.

Quando eu era estudante de pós-graduação, um dos meus primeiros experimentos demonstrou que pintinhos recém-nascidos parecem ver a mesma ilusão logo ao saírem do ovo. Eles dão bicadas em fotografias de grãos, e demonstram forte preferência por eles se forem iluminados por cima. Virando a foto ao contrário, os pintinhos a evitam. Isso parece mostrar que os pintinhos "sabem" que a luz em seu mundo normalmente vem de cima. Mas, se eles acabaram de sair do ovo, como é que sabem? Teriam aprendido durante seus três primeiros dias de vida? É perfeitamente possível, mas testei isso experimentalmente e descobri que tal coisa não ocorre. Criei pintinhos e fiz testes com eles em uma gaiola especial na qual a única luz que viam vinha de baixo. Na melhor das hipóteses, a experiência de bicar grãos naquele mundo de cabeça para baixo ensinaria minhas cobaias a preferir as fotografias invertidas de grãos sólidos. No entanto, eles se comportaram tal como os pintinhos normais criados no mundo real, onde a luz vem de cima. Aparentemente por causa de uma programação genética, todos os pintinhos preferem bicar fotografias de objetos sólidos iluminadas por cima. A ilusão da solidez (e portanto, se eu estiver certo, o "conhecimento" da direção predominante da luz no mundo real) parece ser geneticamente programada nos pintinhos — o que costumávamos chamar de "inato" — em vez de ser aprendida, como (estou supondo) provavelmente ocorre conosco.

Seja aprendida ou desaprendida, não há dúvida de que a ilusão de solidez dada pelo sombreamento da superfície é poderosa. Ela provocou uma forma sutil de camuflagem chamada contrassombreamento. Observe qualquer peixe típico fora d'água ou numa lâmina e você verá que o ventre tem uma cor muito mais clara do que o dorso. O dorso pode ser marrom-escuro ou cinza, mas o ventre será cinza-claro, beirando o branco em alguns casos. E por que isso? Parece não haver dúvida de que se trata de uma forma de disfarce, baseada em neutralizar o gradiente de sombra que normalmente trai coisas sólidas e curvas como os peixes. No melhor dos mundos possíveis, um peixe contrassombreado, quando visto sob uma luz normal proveniente de cima, parecerá totalmente achatado. O gradiente esperado, de claro em cima para escuro embaixo, será exatamente contrabalançado pelo gradiente na cor do peixe, de claro embaixo para escuro em cima.

Muitos taxonomistas nomeiam espécies com base em espécimes mortos em museus.* Presumivelmente isso explica o termo *nigriventris* em vez de *invertus*, ou seja lá qual for a palavra latina para "de cabeça para baixo". Se examinarmos o peixe-gato invertido numa lâmina, veremos que ele tem um contrassombreamento *invertido*. Seu ventre, que fica virado para o céu, é mais escuro que seu dorso, voltado para o fundo do mar. O contrassombreamento invertido é uma das maravilhosamente elegantes exceções que provam a regra. O primeiro peixe-gato que nadou de cabeça para baixo teria sido horrivelmente conspícuo. A coloração de sua pele teria conspirado com o sombreamento natural dado pela luz vinda de cima para fazer o peixe parecer extraordinariamente sólido. Não admira que a mudança de hábito tenha sido seguida, no tempo evolutivo, por uma inversão do gradiente de cores da pele usual.

Os peixes não são os únicos animais que empregam o contrassombreamento como truque para disfarçar-se. Meu velho mestre Niko Tinbergen, antes de trocar a Holanda por Oxford, teve um aluno chamado Leen de Ruiter, a quem ele propôs pesquisar sobre o contrassombreamento em lagartas. Muitas espécies de lagarta realizam exatamente o mesmo truque dos peixes contra seus predadores (nesse caso, aves). Essas lagartas possuem um lindo contrassombreado, e o resultado é que elas parecem achatadas quando vistas sob uma luz normal. De Ruiter pegou os gravetos onde as lagartas estavam e virou-os de cabeça para baixo. Imediatamente elas se tornaram mais chamativas porque passaram a parecer bem mais sólidas. E as aves pegaram um maior número delas.

* Embora eu deva admitir que os hábitos do peixe-gato invertido sejam conhecidos de longa data. Ele é retratado em sua habitual posição em gravuras e pinturas de paredes no Egito Antigo.

Se aparecesse um De Ruiter e forçasse o peixe-gato a virar-se e nadar com seu lado zoologicamente dorsal voltado para cima, como qualquer peixe normal, ele de imediato se tornaria muito mais visivelmente sólido.* O contrassombreamento no peixe-gato invertido é um exemplo isolado de uma mudança consequente que se seguiu, no tempo evolutivo, à mudança de hábito desse peixe. Em mais uma centena de milhões de anos, pense em quantas mudanças abrangentes poderão ocorrer em todo o corpo desse animal! Não há nada de sacrossanto no "dorsal" e "ventral". Eles podem inverter-se, e acredito que de fato se inverteram nos ancestrais mais remotos dos dorsocordados atuais. Minha aposta é que o Concestral 26 tinha seu principal tronco nervoso ao longo do lado ventral do corpo, como qualquer protostômio. Somos vermes modificados que nadam de costas, descendentes de um equivalente primordial de uma artêmia que, por alguma razão há muito tempo esquecida, virou-se de cabeça para baixo.

A moral mais geral de "O conto da artêmia" é: transições fundamentais na evolução podem ter começado como mudanças em hábitos de comportamento, talvez até mesmo mudanças de hábitos aprendidos, não genéticos, que só mais tarde foram seguidas por evolução genética. Imagino que seria possível narrar um conto comparável para o primeiro ancestral das aves que voou, o primeiro peixe que subiu para terra firme e o primeiro ancestral das baleias que voltou para a água (como especulou Darwin com seu urso pegador de moscas). Uma mudança de hábito por um indivíduo aventureiro é depois seguida por um longo emparelhamento e arrumação evolutiva. Essa é a lição de mais longo alcance de "O conto da artêmia".

O CONTO DA SAÚVA

Assim como fez a humanidade na época da nossa Revolução Agrícola, as formigas inventaram independentemente a cidade. Um único ninho de saúvas,

* O leitor talvez se pergunte como é que um pesquisador poderia forçar um peixe-gato a virar-se, contrariando sua preferência natural. Não sei. Mas, para acrescentar só mais uma pequenina vinheta, eu *sei* fazer uma artêmia nadar, como qualquer crustáceo normal, com seu lado zoologicamente dorsal voltado para cima. Basta acender uma luz artificial por baixo da artêmia, e ela se virará no mesmo instante. Evidentemente, as artêmias usam a luz como um indicador de qual é o lado de cima. Ignoro se o peixe-gato usa esse mesmo indicador. Ele poderia igualmente usar a gravidade.

formigas do gênero *Atta*, pode exceder a população da Grande Londres. Ele consiste em uma complexa câmara subterrânea com até 6 m de comprimento e 20 de circunferência, encimada por uma cúpula um pouco menor na superfície. Essa colossal cidade de formigas, dividida em centenas ou até milhares de câmaras separadas e ligadas por redes de túneis, é sustentada, em última análise, por folhas que as operárias cortam em pedaços convenientes e transportam até o ninho em farfalhantes rios verdes (ver Ilustração 32). Mas as folhas não são comidas diretamente, seja pelas próprias formigas (embora elas suguem um pouco da seiva), seja pelas larvas. O que as formigas fazem é preparar cuidadosamente com as folhas em decomposição um composto para suas culturas subterrâneas de fungos. São as pequenas protuberâncias dos fungos, chamadas "gongilídeos", que as formigas comem e, em especial, servem às larvas como alimento. O fungo mordido pelas formigas em geral não consegue formar partes com esporos (o equivalente dos cogumelos que comemos). Isso priva os especialistas em fungos das pistas que eles costumam usar para identificar as espécies, e significa que os próprios fungos ficam na dependência das formigas para propagar-se. Eles aparentemente evoluíram de um modo que agora só prosperam no ambiente cultivado do ninho das formigas, sendo um verdadeiro exemplo de domesticação por uma espécie agricultora distinta da nossa.

Quando uma jovem rainha abandona voando o ninho a fim de formar outra colônia, leva consigo uma carga preciosa: uma pequena cultura de fungos, com a qual dará início à primeira plantação em seu novo ninho. Isso me lembra a história da penicilina, talvez o mais importante de todos os fungos. Quando Florey, Chain e seus colegas de Oxford estavam desenvolvendo a penicilina, no auge da Segunda Guerra Mundial, não conseguiram despertar o interesse de companhias britânicas pela produção do remédio (coisa comum de acontecer), e por isso foram para os Estados Unidos, onde (também coisa comum de acontecer) tiveram êxito. Como uma formiga-rainha, eles levaram consigo uma cultura do precioso fungo. Em uma ocasião anterior, estava prevista uma invasão alemã da Grã-Bretanha. Florey e seu colega novato, Heatley, infectaram deliberadamente as próprias roupas com o mofo, como o melhor modo de preservar a cultura.

A energia para cultivar a colônia de fungos das formigas provém, essencialmente, da luz solar captada pelas folhas que elas usam na produção do composto — uma área total de folhas medida em hectares no caso de uma grande colônia de *Atta*. Um fato fascinante é que os cupins, esse outro bem-sucedido grupo de insetos criadores de cidades, também descobriram o cultivo de fungos. No caso deles, o composto é feito de madeira mastigada. Como ocorre com as formigas e seu fungo, a espécie de fungo dos cupins só é encontrada em ninhos desses insetos e parece ter sido "domesticada". Nas ocasiões em que se permitiu que um fungo de cupim (*Termitomyces*) produzisse um corpo germinador, ele brotou do lado do monte do cupinzeiro. Dizem que é delicioso e que é vendido como iguaria nos mercados de Bangkok. Uma espécie do oeste da África, *Termitomyces titanicus*, cujo chapéu chega a ter 1 m de diâmetro, figura no *Guiness* como o maior cogumelo do mundo.

Em vários grupos de formigas, evoluiu independentemente o hábito de manter afídeos como "animais de criação". Ao contrário de outros insetos simbióticos que vivem no interior de ninhos de formigas e não as beneficiam, os afídeos são criados ao ar livre, sugando seiva de plantas como normalmente fazem. Como ocorre com o gado mamífero, os afídeos fornecem elevada proporção de alimento, absorvendo apenas uma pequena quantidade de nutrientes de cada porção que ingerem. O resíduo que emerge da extremidade posterior de um afídio é uma substância açucarada, chamada em inglês de *honeydew* e em português de melada, só um pouco menos nutritiva que a seiva da planta que entra pela extremidade dianteira. A melada não comida pelas formigas cai de árvores infestadas de afídios. Acredita-se, plausivelmente, que essa seja a origem do "maná" do Livro do Êxodo. Não deve surpreender o fato de as formigas coletarem esse suco, pela mesma razão que levou os seguidores de Moisés a fazer o mesmo. Mas algumas formigas vão além: prendem afídios em currais, dando-lhes proteção em troca de "ordenhá-los", processo que consiste em cutucar-lhes a extremidade posterior para fazê-los secretar o caldo adocicado, que elas comem diretamente do ânus dos afídeos.

Pelo menos algumas espécies de afídeo evoluíram em resposta à sua existência doméstica. Perderam parte de suas reações de defesa e, segundo uma fascinante sugestão, alguns modificaram sua extremidade posterior para assemelhar-se à face de uma formiga. As formigas têm o hábito de passar alimento líquido umas para as outras, de boca para boca, e supõe-se que os afídeos individuais adquiriram essa imitação de face no traseiro para facilitar a "ordenha" e, com isso, ganhar das formigas a proteção contra predadores.

"O conto da saúva" fala de gratificação postergada como a base da agricultura. Os caçadores-coletores colhem e comem o que apanham. Os agricultores não comem os grãos da semeadura: enterram-nos e esperam meses pela volta. Não comem o composto com o qual fertilizam o solo e não bebem a água usada para irrigação. Também isso é feito em troca de uma recompensa posterior. E a saúva chegou a isso primeiro. Reflitamos e aprendamos com ela.

O CONTO DO GAFANHOTO

"O conto do gafanhoto" lida com o espinhoso e muito debatido tema da raça.

Existem duas espécies de gafanhoto europeu, *Chorthippus brunneus* e *C. biguttulus*, tão parecidas que até entomologistas especializados não conseguem distingui-las. No entanto, elas nunca se intercruzam na natureza, embora se encontrem de vez em quando. Isso as define como "boas espécies". Mas experimentos mostraram que basta permitir que uma fêmea ouça o chamado de acasalamento de um macho de sua própria espécie preso nas proximidades para que ela se acasale despreocupadamente com um macho da espécie errada, "pensando", somos tentados a dizer, que o estranho é o cantor. Quando isso ocorre, o resultado são híbridos sadios e férteis. Tal coisa não ocorre normalmente na natureza porque, em geral, uma fêmea não se encontra próxima, de um macho cantor de sua própria espécie, mas sem condições de alcançá-lo, ao mesmo tempo em que um macho da espécie errada a está cortejando.

Foram feitos experimentos comparáveis com grilos, usando a temperatura como variável experimental. Diferentes espécies de grilo cantam em frequências distintas, mas a frequência do canto também depende da temperatura. Quem conhece seus grilos pode usá-los como um termômetro razoavelmente preciso. Por sorte, não só a frequência do canto do macho depende da temperatura: isso também ocorre com a percepção da fêmea. Ambas as coisas variam *pari passu*, o que normalmente impede a miscigenação. Em um experimento, uma fêmea a quem se oferece uma escolha de machos cantando em duas temperaturas diferentes escolhe o que estiver na mesma temperatura que ela. O macho que canta na temperatura diferente é tratado como se pertencesse a uma espécie errada. Quando se aquece uma fêmea, sua preferência muda para uma canção mais "quente", mesmo se isso a levar a preferir um macho bem-cantante da espécie errada. De novo, isso não ocorre normalmente na natureza. Quando uma fêmea consegue ouvir um macho, ele não pode estar muito longe e, portanto, é provável que esteja na mesma temperatura que ela.

A canção do gafanhoto apresenta esse mesmo tipo de dependência da temperatura. Usando gafanhotos de um mesmo gênero, *Chorthippus*, que mencionamos de início (embora espécies diferentes desse gênero), cientistas alemães realizaram experimentos tecnicamente engenhosos. Conseguiram afixar nos insetos minúsculos termômetros (termopares) e pequenos aquecedores elétricos. Esses dispositivos eram tão diminutos que os pesquisadores podiam aquecer a cabeça do gafanhoto sem esquentar o tórax, e vice-versa. Isso feito, testaram a preferência das fêmeas por canções produzidas por machos estridulando em várias temperaturas.* Constataram que o que importa para a preferência das fêmeas por uma canção é a temperatura da cabeça. Mas é a temperatura do tórax que determina o ritmo da estridulação. É claro que na natureza, onde felizmente não existem pesquisadores com miniaquecedores elétricos, a cabeça e o tórax costumam estar na mesma temperatura, assim como o macho e a fêmea. Desse modo, o sistema funciona, e a hibridização não ocorre.

É muito comum encontrarmos pares de espécies aparentadas que nunca se intercruzam em condições naturais, mas que podem fazê-lo se humanos interferirem. O caso do *Chorthippus brunneus* e *C. biguttulus* é apenas um dos exemplos. "O conto do ciclídeo" falou-nos sobre um caso comparável em peixes, no qual a luz monocromática abolia a discriminação entre uma espécie avermelhada e outra azulada. E isso ocorre em zoológicos. Normalmente os biólogos classificam os animais que se acasalam em condições artificiais mas se recusam a fazê-lo na natureza como espécies separadas, como ocorre com os gafanhotos. Porém, diferentemente dos leões e dos tigres, por exemplo, que podem hibridizar-se em zoológicos e produzir "leigres" e "tigreões" (estéreis), esses gafanhotos são idênticos na aparência. A única diferença perceptível são as suas canções. E é isso, tão so-

* A estridulação é o modo como gafanhotos e grilos produzem som. Os gafanhotos raspam as pernas contra a cobertura das asas. Os grilos raspam as coberturas das duas asas uma na outra. Ambos soam parecidos, mas o som dos gafanhotos lembra mais um zumbido, e o dos grilos é mais musical. Há quem diga, referindo-se a um certo grilo arborícola noturno, que, se fosse possível ouvir o luar, o som seria como o desse grilo. As cigarras são diferentes. Como se fechassem uma tampa de lata, elas fecham uma parte do tórax repetidamente e em alta velocidade, e isso soa como um zumbido contínuo, em geral muito alto e às vezes em padrões muito complexos característicos da espécie.

mente, que os impede de intercruzar-se e, portanto, nos leva a reconhecê-los como espécies distintas. Os seres humanos são o contrário. É preciso um feito quase sobre-humano de empenho político para desconsiderar as conspícuas diferenças entre nossas populações ou raças locais. No entanto, as raças humanas intercruzam-se e são inequívoca e inquestionavelmente definidas como pertencentes à mesma espécie. "O conto do gafanhoto" fala de raças e espécies, das dificuldades de definir ambas e de tudo o que isso tem a dizer a respeito das raças humanas.

"Raça" não é uma palavra claramente definida. Já "espécie", como vimos, é diferente. Existe de fato um modo consensual de decidir se dois animais pertencem a uma mesma espécie: eles podem intercruzar-se? Obviamente, não podem se pertencerem ao mesmo sexo, ou se forem jovens ou velhos demais, ou ainda se por acaso um deles for estéril. Mas essas são filigranas, minúcias fáceis de contornar. Também no caso dos fósseis, que evidentemente não podem intercruzar-se, aplicamos o critério do intercruzamento em nossa imaginação. Achamos *provável* que, se esses dois animais não fossem fósseis, mas estivessem vivos, fossem férteis e do sexo oposto, eles seriam capazes de intercruzar-se?

O critério do intercruzamento confere a uma espécie um status único na hierarquia dos níveis taxonômicos. Acima do nível da espécie, o gênero é apenas um grupo de espécies bem semelhantes umas às outras. Não existe nenhum critério objetivo para decidir *quanto* elas têm de ser semelhantes, e o mesmo se aplica a todos os níveis superiores: família, ordem, classe, filo e os vários nomes com "sub-" ou "super-" que entremeiam essas categorias. Abaixo do nível das espécies, "raça" e "subespécie" são classificações usadas de modo mais ou menos permutável, e também nesse caso inexistem critérios objetivos que nos permitam decidir se duas pessoas devem ou não ser consideradas membros de uma mesma raça e que nos digam quantas raças existem. E temos ainda, obviamente, a complicação adicional, ausente acima do nível das espécies, de que as raças se intercruzam; por isso existem muitas pessoas de raça mista.

Presume-se que as espécies, em sua trajetória para se tornarem suficientemente separadas a ponto de não poder intercruzar-se, passam em geral por um estágio intermediário no qual são raças separadas. Raças distintas poderiam ser consideradas espécies em formação, exceto pelo fato de que não existe necessariamente a expectativa de que o processo continue até seu final — a especiação.

O critério do intercruzamento funciona muito bem, e nos dá um veredicto inequívoco sobre os humanos e suas supostas raças. Todas as raças humanas vivas intercruzam-se. Somos todos membros da mesma espécie, e nenhum biólogo que se preze diria coisa diferente. Mas chamo agora a atenção do leitor para um fato interessante, e talvez até mesmo perturbador. Enquanto despreocupadamente nos intercruzamos, produzindo um espectro contínuo de inter-raças, estranhamente relutamos em abrir mão de nossa divisiva linguagem racial. Não seria de esperar que, como todos os intermediários estão sempre à vista, a ânsia de classificar as pessoas como pertencentes a um ou outro extremo arrefecesse, sufocada pelo absurdo dessa tentativa manifestada continuamente por onde quer que olhemos? Infelizmente, não é o que ocorre, e talvez o fato seja revelador.

Pessoas que são universalmente consideradas por todos os norte-americanos como "negras" podem ter menos de um oitavo de sua linhagem proveniente da África, e muitas delas têm pele de cor clara, totalmente dentro da variação normal para as pessoas que todos concordam ser "brancas". No retrato de quatro políticos dos Estados Unidos (ver Ilustração 33), dois são descritos em todos os jornais como negros, e os outros dois, como brancos. Um marciano, ignorante das nossas convenções, mas capaz de perceber matizes de cores, não os dividiria provavelmente em três contra um? Com certeza. Mas em nossa cultura, quase todos "veriam" imediatamente Colin Powell como "negro", até mesmo nessa fotografia específica, que por acaso o mostra com um tom de pele possivelmente mais claro que os de Bush e Rumsfeld.

AO LADO DE UM GENUÍNO NEGRO. Colin Powel com Daniel arap Moi.

Um exercício interessante é pegar uma fotografia, como a da Ilustração 33, que mostra Colin Powel ao lado de alguns representantes dos homens "brancos" (eles devem estar próximos, para que as condições de iluminação sejam as mesmas). Corte um pequeno retângulo uniforme de cada rosto, por exemplo, da testa, e coloque os pedaços lado a lado. Verá que existe pouquíssima diferença entre Powel e os "brancos" que estão em sua companhia. Ele pode ser mais claro ou mais escuro, dependendo do caso específico. Mas agora saia do "zoom" e torne a examinar a fotografia inteira. Imediatamente Powell parecerá "negro". Que indicadores estamos usando?

Para reforçar o argumento, faça o mesmo exercício do "retalho de testa" com Powell ao lado de um genuíno negro como Daniel arap Moi, presidente do Quênia (ver página anterior). Agora os retalhos de testa diferirão notavelmente. Mas quando saímos do "zoom" e olhamos os rostos inteiros, novamente vemos Powell como "negro". A reportagem em que figurava essa fotografia de Powell visitando Moi em 2001 indica que as mesmas convenções são compreendidas na África: "Como primeiro secretário de Estado afro-americano, Powell recebeu um tratamento quase messiânico na África. E talvez por ele ser negro, sua dura crítica teve profundas repercussões [...]".

Por que as pessoas engolem tão prontamente a aparente contradição — e há numerosos exemplos semelhantes — entre a afirmação verbal "ele é negro" e a imagem que a acompanha? O que ocorre? Várias coisas. Primeiro, somos curiosamente ansiosos por adotar a classificação racial, mesmo quando se trata de indivíduos cuja ascendência mista parece tornar isso sem sentido, e mesmo quando (como nesse caso) a questão é irrelevante para qualquer fim importante.

Segundo, tendemos a não descrever pessoas como sendo de raça mista. Em vez disso, nos precipitamos a inseri-las em uma raça ou em outra. Alguns cidadãos americanos têm descendência africana pura, e alguns, descendência europeia pura (abstraindo-se o fato de que, num prazo mais longo, todos nós descendemos de africanos). Talvez convenha, para alguns propósitos, chamá-los respectivamente de negros e brancos, e não estou propondo nenhuma objeção a esses nomes por princípio. Mas muitas pessoas — provavelmente mais numerosas do que a maioria de nós pensa — têm ancestrais negros e brancos. Se formos usar a terminologia de cores, muitos de nós presumivelmente nos encontraremos em algum lugar intermediário. No entanto, a sociedade insiste em nos chamar de uma coisa ou de outra. Esse é um exemplo da "tirania da mente descontínua", que foi o tema de "O conto da salamandra". É comum pedir-se aos americanos, ao preencherem formulários, que assinalem uma entre cinco alternativas: caucasiano (seja lá o que for que isso signifique — certamente não quer dizer proveniente do Cáucaso), afro-americano, hispânico (seja lá o que for que isso signifique — certamente não significa, como parece sugerir a palavra, espanhol), nativo norte-americano ou outro. Não há alternativa para meio a meio. Mas a própria ideia de assinalar uma alternativa é incompatível com a verdade, pois muitas pessoas, se não a maioria, são uma complicada mistura das categorias ali oferecidas junto com outras. Minha inclinação é me recusar, irritado, a marcar qualquer alternativa, ou acrescentar a minha própria: "humano". Especialmente quando a questão usa o eufemismo hipócrita "etnia".

Terceiro, no caso particular dos "afro-americanos", existe algo culturalmente equivalente à dominância genética em nosso uso da linguagem. Quando Mendel cruzou ervilhas rugosas com ervilhas lisas, toda a primeira geração de descendentes foi lisa. Liso é "dominante", rugoso é "recessivo". Toda a primeira geração de descendentes possuía um alelo liso e um rugoso, mas as ervilhas propriamente ditas eram indistinguíveis de outras ervilhas sem genes rugosos. Quando um indivíduo inglês se casa com um africano, a cor da pele e a maioria das outras características dos filhos são intermediárias. Isso difere da situação das ervilhas. Mas todos nós sabemos como a sociedade vai chamar esses filhos: "negros", sempre. A negritude não é um verdadeiro dominante genético, como a lisura nas ervilhas. Mas a *percepção* social da negritude comporta-se como um dominante. É um dominante cultural ou memético. O perspicaz antropólogo Lionel Tiger atribuiu isso a uma "metáfora de contaminação" racista na cultura branca. E sem dúvida há também uma forte e compreensível vontade por parte dos descendentes de escravos de identificar-se com suas raízes africanas. Já comentei sobre isso em "O conto de Eva" — referindo-me ao documentário para a televisão no qual imigrantes jamaicanos na Grã-Bretanha foram emocionalmente reunidos à sua pretensa "família" na África Ocidental.

Em quarto lugar, nas classificações raciais norte-americanas, o consenso entre os observadores é elevado. Um homem como Colin Powell, de raça mista e características físicas intermediárias, não é descrito como branco por alguns observadores e como negro por outros. Uma diminuta minoria o descreveria como mestiço. Todos os demais, sem exceção, classificariam Powell como negro — e o mesmo vale para quem quer que apresente o *menor vestígio* de descendência africana, mesmo que sua porcentagem de ancestrais europeus seja esmagadora. Ninguém caracterizará Colin Powell como branco, a menos que esteja tentando defender um argumento político recorrendo ao próprio fato de esse termo colidir com as expectativas dos ouvintes.

Uma técnica útil chamada "correlação interobservador" é uma medida usada frequentemente pela ciência a fim de estabelecer a existência de uma base confiável para a avaliação, mesmo que ninguém seja capaz de apontar com precisão qual é essa base. Para o caso que estamos analisando, o fundamento lógico é: podemos não saber como as pessoas decidem se uma pessoa é "negra" ou "branca" (e espero ter demonstrado que isso não ocorre porque elas sejam negras ou brancas!), mas tem de haver *algum* tipo de critério confiável espreitando por trás disso, já que quaisquer dois juízes escolhidos ao acaso chegariam à mesma decisão.

O fato de que a correlação interobservador permanece elevada mesmo em um enorme espectro de inter-raças é um testemunho marcante de algo suficientemente arraigado na psicologia humana. Quando isso se sustenta transculturalmente, lembra o que os antropólogos descobriram sobre a percepção das cores. Os físicos nos dizem que o arco-íris, do vermelho para o laranja, amarelo, verde, azul e violeta, é um simples *continuum* de comprimentos de onda. É a biologia e/ou a psicologia, e não a física, que destaca determinados comprimentos de onda referenciais ao longo do espectro físico para tratamento e nomeação especiais. O azul tem um nome. O verde tem um nome. O azul-verde, não. A interessante descoberta dos experimentos dos antropólogos (aliás, contradizendo algumas influentes teorias antropológicas) é que existe uma substancial concordância quanto a esses nomes em diferentes culturas. Parece que temos o mesmo tipo de concordância quanto às avaliações de raça. E ela pode revelar-se ainda mais forte e mais clara do que para o arco-íris.

Como eu já disse, os zoólogos definem espécie como um grupo cujos membros se intercruzam em condições naturais — livres na natureza. Não vale se eles se cruzarem em zoológicos, se for preciso fazer inseminação artificial ou se enganarmos fêmeas de gafanhoto com machos que cantam numa gaiola, mesmo se a prole resultante for fértil. Poderíamos até questionar se essa é de fato a única definição bem fundamentada de espécie, mas é a que a maioria dos biólogos usa.

No entanto, se quisermos aplicar essa definição aos humanos, existe uma dificuldade singular: como distinguir as condições naturais das artificiais para o intercruzamento? Essa não é uma questão fácil de responder. Hoje, todos os humanos sobreviventes são indubitavelmente classificados na mesma espécie, e de fato eles se intercruzam sem problemas. No entanto, lembremos, o critério é se eles escolhem fazê-lo sob condições naturais. Quais são as condições naturais para os humanos? Será que elas ainda existem? Se em tempos remotos, assim como agora, duas tribos vizinhas tinham religiões distintas, línguas diferentes, hábitos alimentares díspares, tradições culturais discrepantes e viviam em guerra uma com a outra; se em cada tribo as pessoas eram criadas para acreditar que os da outra tribo eram "animais" sub-humanos (como até hoje acontece); se suas religiões ensinavam que qualquer possível pretendente da outra tribo era "tabu" ou impuro, não poderia haver intercruzamento. Contudo, anatomicamente, assim como geneticamente, eles poderiam ser iguais uns aos outros. E bastaria apenas uma mudança de religião ou de outros costumes para romper as barreiras ao intercruzamento. Como, então, alguém poderia tentar aplicar o critério do intercruzamento aos humanos? Se o *Chorthippus brunneus* e o *C. biguttulus* são separados como duas espécies distintas de gafanhoto porque preferem não se cruzar embora fisicamente pudessem fazê-lo, poderiam os humanos, ao menos nos tempos remotos da exclusividade tribal, ter sido então separados dessa mesma forma? O *Chorthippus brunneus* e o *C. biguttulus*, lembremos, são idênticos em todos os aspectos detectáveis com exceção dos cantos, e quando são (facilmente) persuadidos a hibridizar, a prole resultante é fértil.

Não importa o que possamos pensar como observadores de aparências superficiais, a espécie humana é hoje, para um geneticista, especialmente uniforme. Considerando a variação genética que a população humana possui, podemos medir a fração que está associada aos agrupamentos regionais que denominamos raças. E constatamos que essa fração é uma porcentagem pequena do total: entre 6 e 15%, dependendo de como ela é medida — muito menor do que em muitas outras espécies nas quais foram distinguidas raças. Assim, os geneticistas concluem que a raça não é um aspecto importante de uma pessoa. Há outros modos de dizer isso. Se todos os humanos fossem exterminados com exceção de uma única raça situada em uma região específica, a grande maioria da variação genética na espécie humana seria preservada. Isso não é intuitivamente óbvio, e pode surpreender algumas pessoas. Se as afirmações relacionadas às raças fossem tão informativas quanto pensava a maioria dos vitorianos, por exemplo, sem dúvida seria preciso preservar uma boa amostra de todas as diversas raças para preservar a maior parte das variações na espécie humana. Mas isso não ocorre.

Essa constatação certamente surpreenderia os biólogos vitorianos que, com raras exceções, viam a humanidade por um prisma racial. Suas atitudes persistiram no século XX. Hitler não foi nada original quando adquiriu o poder de transformar ideias racistas em política de governo. Muitos outros, não só na Alemanha, tiveram as mesmas ideias, mas faltou-lhes o poder. Já citei a visão de H. G. Wells sobre sua Nova República (*Anticipations*, 1902), e torno a fazê-lo porque ela é um salutar lembrete de como, apenas um século atrás, um eminente intelectual britânico, considerado em sua época um homem progressista e de tendências esquerdistas, poderia dizer coisas tão chocantes e mal ser notado por isso.

> E como a Nova República tratará as raças inferiores? Como irá lidar com os negros? [...] os amarelos? [...] os judeus? Os enxames de negros, pardos, brancos maculados e amarelos que não se coadunam com as novas necessidades de eficiência? Bem, o mundo é o mundo, e não uma instituição de caridade, e suponho que eles terão de desaparecer [...]. E o sistema ético desses homens da Nova República, o sistema ético que dominará o estado mundial, será moldado primariamente para favorecer a procriação do que é bom e eficiente e belo na humanidade — corpos belos e fortes, mentes lúcidas e poderosas [...] e o método que a natureza seguiu até agora na moldagem do mundo, impedindo que fraqueza propague fraqueza [...] é a morte [...] os homens da Nova República [...] terão um ideal que fará valer a pena a mortandade.

Suponho que devemos nos alentar com a mudança operada em nossas atitudes durante o século decorrido desde então. Talvez, em um sentido negativo, possamos dar a Hitler algum crédito por isso, já que ninguém quer ser pego dizendo o mesmo que ele disse. Mas eu me pergunto se os nossos sucessores, no século XXII, não citarão horrorizados aquilo que hoje dizemos? Algo relacionado ao tratamento que dispensamos às outras espécies, talvez?

Mas isso foi uma digressão. Estávamos tratando do nível incomumente alto de uniformidade genética na espécie humana, apesar das aparências superficiais. Se compararmos moléculas de proteínas do sangue, ou se sequenciarmos os próprios genes, constataremos que existe menos diferença entre dois humanos quaisquer vivendo em qualquer parte do mundo do que a encontrada entre dois chimpanzés africanos. Podemos explicar essa uniformidade humana supondo que nossos ancestrais, mas não os dos chimpanzés, passaram por um gargalo genético não muito tempo atrás. A população ficou reduzida a um pequeno número, beirou a extinção, mas recobrou-se por um triz. Há indícios de um tremendo gargalo — talvez uma queda na população para 15 mil pessoas há cerca de 70 mil anos — causado por um "inverno vulcânico" de seis anos, seguido por uma época glacial milenar. Como os filhos do Noé no mito, nós todos descendemos dessa diminuta população, e é por isso que somos tão geneticamente uniformes. Indícios semelhantes, de uma uniformidade genética ainda maior, sugerem que os guepardos passaram por um gargalo ainda mais estreito em tempos mais recentes, por volta da última Idade do Gelo.

Há quem possa achar insatisfatória a prova da genética bioquímica porque ela parece não se encaixar na experiência cotidiana. Ao contrário dos guepardos, nós não parecemos "uniformes".* Noruegueses, japoneses e zulus parecem tremendamente diferentes entre si. Mesmo com a maior boa vontade do mundo, é difícil acreditar intuitivamente no que, de fato, é a verdade: eles são "realmente" mais parecidos do que três chimpanzés que, aos nossos olhos, se afiguram muito mais semelhantes.

Trata-se, obviamente, de uma questão politicamente delicada, e foi satirizada por um pesquisador médico da África Ocidental em um encontro de cerca de vinte cientistas do qual participei. No início da conferência, o presidente pediu que cada um de nós se apresentasse. O africano, que era o único negro à mesa — e ele era negro mesmo, ao contrário de muitos "afro-americanos" —, estava de gravata vermelha, e concluiu sua apresentação com um gracejo: "Será fácil vocês se lembrarem de mim. Sou o da gravata vermelha". Esse foi seu jeito bem-humorado de zombar do modo como as pessoas fazem de tudo para fingir que não notam as diferenças raciais. Se não me engano, o grupo Monty Python tem um quadro cômico mais ou menos nessa linha. Contudo, não podemos desconsiderar as diferenças genéticas indicadoras de que, apesar das aparências em contrário, nós de fato somos uma espécie incomumente uniforme. Qual será a resolução para o evidente conflito entre aparência e realidade medida?

Está provado que, se medirmos a variação total na espécie humana e então dividirmos essa variação em um componente inter-racial e um componente intrarracial, o inter-racial será uma fração muito pequena do total. A maior parte da variação entre os humanos encontra-se no âmbito de cada raça, tanto quanto

* Um aparte: os guepardos também não parecem. Mas as "panteras-negras", outrora consideradas uma espécie distinta, diferem dos leopardos pintalgados em um único lócus genético.

entre uma raça e outra. Apenas uma pequena mistura de variação extra distingue as raças umas das outras. Tudo isso é correto. O que não é correto é a inferência de que, portanto, raça é um conceito sem sentido. Esse argumento foi claramente comprovado pelo ilustre geneticista A. W. F. Edwards, de Cambridge, em um artigo recente intitulado "Human genetic diversity: Lewontin's fallacy". Lewontin é um geneticista igualmente ilustre de Cambridge (Massachusetts), conhecido pela força de suas convicções políticas e por sua fraqueza de querer impingi-las à ciência em todas as oportunidades possíveis. As ideias de Lewontin sobre raça tornaram-se uma ortodoxia quase universal nos círculos científicos. Em um célebre artigo de 1972, ele escreveu:

> Está claro que nossa percepção de diferenças relativamente grandes entre raças e subgrupos humanos, comparadas à variação dentro desses grupos, é com efeito uma percepção tendenciosa e que, com base em diferenças genéticas aleatoriamente escolhidas, as raças e populações humanas são extraordinariamente semelhantes umas às outras, sendo a maior parte da variação humana devida às diferenças entre os indivíduos.

Esse é o argumento que aceitei acima, o que não surpreende, já que o que escrevi baseia-se muito em Lewontin. Mas vejamos como ele prossegue:

> A classificação racial humana não tem valor social e é inegavelmente destrutiva para as relações sociais e humanas. Como agora se considera que essa classificação racial praticamente não tem significância genética ou taxonômica, nenhuma justificativa pode ser dada em favor de sua continuidade.

Todos nós podemos concordar tranquilamente em que a classificação racial dos humanos não tem valor social e é inegavelmente destrutiva para as relações sociais e humanas. Essa é uma das razões da minha objeção a assinalar alternativas em formulários e à discriminação nas seleções de emprego. Mas isso não significa que raça "praticamente não tem significância genética ou taxonômica". É isso que Edwards está querendo dizer, e sua argumentação é que, por menor que seja a parcela racial na variação total, se as características raciais que existem forem altamente correlacionadas com outras características raciais, elas são, por definição, informativas e, portanto, têm significância taxonômica.

"Informativas" tem aqui uma acepção bem precisa. Uma afirmação informativa é aquela que nos diz algo que desconhecíamos. O teor de informação existente em uma afirmação é medido pelo quanto ela reduz a incerteza prévia. Por sua vez, a redução na incerteza prévia é medida com base na mudança das probabilidades. Isso nos dá um modo de tornar matematicamente preciso o conteúdo informativo de uma mensagem, mas não precisamos nos incomodar com isso.* Se eu disser que João é do sexo masculino, você saberá de imediato uma porção de coisas sobre ele. Sua incerteza prévia quanto à forma da genitália de João será reduzida (embora não eliminada). Você saberá fatos que antes desconhecia a respeito dos cromossomos, dos hormônios e de outros aspectos da bioquímica desse indivíduo, e haverá uma redução quantitativa em sua incerteza prévia quanto ao tom de voz e à distribuição dos pelos faciais, da gordura corporal e da musculatura de João. Contrariando os preconceitos vitorianos, sua incerteza prévia a respeito da inteligência geral de João ou sua capacidade de aprender continuará inalterada pela informação a respeito de seu sexo. Sua incerteza prévia sobre a capacidade de levantar pesos ou destacar-se na maioria dos esportes será quantitativamente reduzida, mas apenas quantitativamente. Muitas mulheres podem suplantar homens em qualquer esporte, embora normalmente os melhores homens vençam as melhores mulheres. Sua capacidade de apostar na velocidade de João ao correr, ou na força de seu saque no tênis, será ligeiramente aumentada pela minha revelação sobre o sexo dele, mas não chegará à certeza.

Agora, a questão da raça. E se eu disser que Suzana é chinesa, em quanto a sua certeza prévia se reduzirá? Agora você apostará que ela tem cabelos lisos e pretos (ou que um dia foram pretos), uma prega de pele epicântica na extremidade interna das sobrancelhas e mais algumas outras características. Se eu disser que José é "negro", isso não lhe dirá, como vimos, que ele é negro. Mas não deixará de ser informativo. A elevada correlação interobservador sugere que existe uma constelação de características que a maioria das pessoas reconhece, e por isso a afirmação "José é negro" reduz, sim, a incerteza prévia com respeito a José. Em certo grau, isso funciona pela via inversa. Se eu disser que Carlos é um

* O próprio Lewontin, a propósito, foi um dos primeiros biólogos a usar a teoria da informação, e ele o fez em seu artigo sobre as raças, mas com um propósito diferente. Ele a usou como uma estatística conveniente para medir a diversidade.

velocista campeão olímpico, sua incerteza prévia quanto à raça dele, por uma questão estatística, será reduzida. Na verdade, você poderá apostar com um bom grau de confiança que ele é "negro".*

Entramos nessa discussão porque nos perguntamos se o conceito de raça foi, ou teria sido alguma vez, um modo acentuadamente informativo de classificar as pessoas. Como poderíamos aplicar o critério da correlação interobservador para julgar a questão? Bem, suponhamos que temos fotografias do rosto de 120 nativos aleatoriamente escolhidos de cada um dos seguintes países: Japão, Uganda, Islândia, Sri Lanka, Papua-Nova Guiné e Egito. Se mostrássemos às 120 pessoas todas as 120 fotografias, suponho que cada uma delas teria 100% de acerto ao classificá-las em seis categorias. E mais: se lhes disséssemos os nomes dos seis países, todos os 120 participantes, se tivessem um razoável grau de instrução, atribuiriam corretamente todas as 120 fotografias aos países corretos. Não fiz esse experimento, mas confio em que o leitor concordará comigo no resultado que seria obtido. Pode parecer pouco científico de minha parte não me dar ao trabalho de fazer o experimento. Mas minha confiança em que você, sendo humano, concordará mesmo sem o experimento ter sido feito é exatamente a ideia que estou querendo provar aqui.

Se o experimento fosse feito, acho que Lewontin não esperaria um resultado diferente do que previ. No entanto, uma previsão oposta parece decorrer de sua afirmação de que a classificação racial praticamente não tem significância taxonômica ou genética. Se não há significância taxonômica ou genética, o único outro modo de se obter uma elevada correlação interobservador seria uma semelhança de viés cultural no mundo inteiro — e acho que Lewontin também não iria querer predizer tal coisa. Em suma, a meu ver Edwards está certo e Lewontin, não pela primeira vez, está errado. Obviamente, Lewontin não errou em sua soma: ele é um brilhante geneticista matemático. A proporção da variação total na espécie humana que representa a parcela racial da variação é mesmo baixa. Mas, devido à variação entre raças, por menor que seja a porcentagem da variação total, se ela for *correlacionada*, será informativa, de modos que certamente serão demonstrados medindo-se a concordância interobservador na avaliação.

* Por nenhuma boa razão que eu consiga discernir, exceto a sensibilidade à flor da pele nas pessoas quando o assunto é raça, Sir Roger Bannister meteu-se num tremendo vespeiro anos atrás por ter afirmado coisa parecida.

Devo agora reiterar minha forte objeção a ter de assinalar uma alternativa ao preencher formulários indicando minha "raça" ou "etnia", e expressar todo o meu apoio à afirmação de Lewontin de que a classificação racial pode ser ativamente prejudicial às relações sociais e humanas — especialmente quando as pessoas usam a classificação racial como um modo de tratar as pessoas de modo diferente, com discriminação negativa ou positiva. Afixar um rótulo racial a alguém é informativo no sentido de que isso nos diz mais de uma coisa a respeito da pessoa. Pode reduzir nossa incerteza quanto à cor da pele, à lisura dos cabelos, o formato dos olhos e do nariz e a altura desse indivíduo. Mas não há razão para supor que isso nos diz alguma coisa sobre quanto ele é qualificado para um emprego. E mesmo na improvável eventualidade de isso reduzir nossa incerteza estatística sobre sua provável adequação a um determinado trabalho, *ainda assim* seria uma perversidade usar rótulos raciais como base para discriminação ao contratar pessoas. Escolha com base na habilidade e se, com isso, acabar tendo um time de velocistas inteiramente negro, tudo bem. Você não exerceu discriminação racial por chegar a essa conclusão.

Um grande regente, quando selecionava músicos para sua orquestra, sempre requeria, na audição, que eles tocassem atrás de uma cortina. Os músicos recebiam ordem de não falar e até de tirar os sapatos para que o som de suas passadas não traísse o sexo do candidato. Mesmo sendo estatisticamente um fato que as mulheres tendem a ser melhores harpistas do que os homens, por exemplo, isso não *significa* que se deve discriminar ativamente os homens que escolhem ser harpistas. A discriminação contra indivíduos baseada puramente no grupo ao qual pertencem, a meu ver, é sempre um mal. Hoje em dia é quase universalmente aceito que as leis do *apartheid* na África do Sul foram perversas. A discriminação em favor de estudantes "de minoria" nas universidades norte-americanas pode, na minha opinião, ser justamente criticada segundo os mesmos fundamentos da censura ao *apartheid*. Ambas tratam pessoas como representantes de grupos e não como indivíduos com mérito próprio. Às vezes, a discriminação positiva justifica-se como uma reparação por séculos de injustiça. Mas como pode ser justo recompensar um único indivíduo hoje pelas iniquidades cometidas contra membros mortos há muito tempo do grupo plural ao qual ele pertence?

Um fato interessante é que esse tipo de confusão entre singular e plural se revela no modo de falar que diagnostica infalivelmente os preconceituosos: "O judeu...", em vez de "Judeus...", ou em: "Seu Mulato é um excelente lutador, mas não consegue distinguir esquerda de direita. Já o seu Alemão...".

Pessoas são indivíduos, e individualmente são diferentes. Diferem muito mais de outros membros de seu grupo do que este difere dos outros grupos. Nisso Lewontin estava indubitavelmente certo.

A concordância interobservador indica que a classificação racial não deixa de ser informativa, mas *sobre o que* ela informa? Não mais do que as características usadas pelos observadores quando concordam: coisas como o formato dos olhos e a lisura dos cabelos — nada mais, a menos que nos deem outras razões para crer. Por algum motivo, parecem ser as características externas, superficiais e triviais as que são correlacionadas com a raça — talvez em especial as características faciais. Mas por que as raças humanas são tão diferentes apenas nessas características superficialmente conspícuas? Ou será que nós, como observadores, somos predispostos a notá-las? Por que outras espécies nos parecem comparativamente uniformes enquanto os humanos apresentam diferenças que, se as encontrássemos em outra parte do reino animal, nos levariam a suspeitar que estávamos lidando com espécies separadas?

A explicação politicamente mais aceitável é que membros de qualquer espécie têm sensibilidade intensificada para as diferenças entre seus semelhantes. Por esse prisma, ocorre apenas que *notamos* as diferenças humanas mais prontamente do que as existentes entre membros das outras espécies. Os chimpanzés que achamos quase idênticos parecem tão diferentes, aos olhos dos chimpanzés, quanto, para nós, um massai de um holandês. Tentando confirmar esse tipo de teoria no âmbito intrarracial, o eminente psicólogo americano H. L. Teuber, especialista nos mecanismos cerebrais de reconhecimento facial, pediu a um estudante de pós-graduação chinês que estudasse a seguinte questão: "Por que os ocidentais acham que os chineses são mais parecidos entre si do que os ocidentais?". Após três anos de estudos intensivos, o estudante chinês informou sua conclusão: "Os chineses são realmente muito mais parecidos entre si do que os ocidentais!". Teuber contou essa história com muitas piscadelas e franzir de sobrancelhas, sinal inequívoco de que uma piada estava a caminho, por isso não sei quanto há de verdade nesse caso. Mas não me é difícil acreditar na história, e a meu ver ela não deve aborrecer ninguém.

Nossa diáspora mundial (relativamente recente) a partir da África levou-nos a uma extraordinária variedade de habitats, climas e modos de vida. É plausível que as diferentes condições tenham exercido fortes pressões seletivas, em especial sobre as partes externas visíveis, como a pele, que suporta mais intensamente o sol e o frio. É difícil pensar em alguma outra espécie que prospere tão bem dos trópicos ao Ártico, do nível do mar aos altiplanos andinos, dos desertos ressequidos às selvas encharcadas e em todas as regiões intermediárias. Condições tão diferentes haveriam fatalmente de exercer diferentes pressões de seleção natural, e seria muito surpreendente se as populações locais não divergissem em consequência disso. Os caçadores das florestas no coração da África, América do Sul e Sudeste Asiático independentemente se tornaram baixos, quase com certeza porque a estatura elevada é uma desvantagem na vegetação cerrada. As pessoas das latitudes elevadas que, deduziu-se, precisam de toda a luz solar que puderem obter para produzir vitamina D, tendem a ter pele mais clara do que os indivíduos com o problema oposto, os raios carcinogênicos do Sol tropical. É plausível que essa seleção regional tenha afetado especialmente características superficiais como a cor da pele, deixando intacta e uniforme boa parte do genoma.

Em teoria, essa poderia ser toda a explicação para nossa variedade superficial e visível que encobre a semelhança essencial. Mas não me parece suficiente. No mínimo, acho que ela talvez tenha sido ajudada por um fator adicional, que sugerirei provisoriamente. Parto da nossa discussão anterior sobre as barreiras culturais ao intercruzamento. Somos de fato uma espécie muito uniforme se considerarmos a totalidade dos genes ou se pegarmos uma amostra verdadeiramente aleatória de genes; mas talvez haja razões especiais para uma quantidade desproporcional de variação justamente naqueles genes que nos facilitam *notar* a variação e distinguir os nossos dos outros. Isso incluiria a responsabilidade dos genes pelos "rótulos" externamente visíveis, como a cor da pele. Torno a repetir: quero sugerir que essa capacidade discriminativa intensificada evoluiu por seleção sexual, especificamente nos humanos, por sermos uma espécie tão vinculada à cultura. Como nossas decisões de acasalamento são muitíssimo influenciadas pela tradição cultural, e como nossas culturas, e às vezes nossas religiões, encorajam-nos a discriminar os de fora, em especial na escolha de parceiros sexuais, as diferenças superficiais que ajudaram nossos ancestrais a preferir membros do próprio grupo aos de fora intensificaram-se de forma desproporcional em relação às diferenças genéticas reais entre nós. Um pensador do quilate de Jared Diamond defendeu ideia semelhante em *The rise and fall of the third chimpanzee*. E o próprio Darwin invocou de modo mais geral a seleção sexual para explicar diferenças raciais.

Vejamos duas versões dessa teoria: uma forte e uma fraca. A verdade poderia ser qualquer combinação das duas. A teoria forte supõe que a cor da pele, assim como outras insígnias genéticas conspícuas, evoluiu ativamente como discriminante na escolha de parceiros. A teoria fraca, que podemos considerar conducente à versão forte, atribui a diferenças culturais, como linguagem e religião, o mesmo papel da separação geográfica nos estágios incipientes da especiação. Assim que as diferenças culturais operam a separação inicial, com a consequência de eliminar o fluxo genético que os manteria juntos, os grupos passariam então a evoluir geneticamente de modo separado, como se estivessem apartados geograficamente.

Lembremos, de "O conto do ciclídeo", que uma população ancestral pode separar-se em duas populações geneticamente distintas apenas se uma separação acidental, geralmente geográfica, como se supõe, der a largada no processo. Uma barreira como uma cadeia de montanhas reduz o fluxo de genes entre as populações de dois vales. Assim, os reservatórios gênicos nos dois vales ficam livres para distanciar-se. A separação será normalmente favorecida por diferentes pressões seletivas; um vale pode ser mais úmido do que seu vizinho do outro lado das montanhas, por exemplo. Mas a separação acidental inicial, que até aqui supus ser geográfica, é necessária.

Ninguém está dizendo que a separação geográfica tem algum caráter deliberado. Não é isso que significa "necessário". "Necessário" significa apenas que, se por acaso não houvesse uma separação geográfica (ou equivalente) inicial, as várias partes da população seriam geneticamente ligadas pela mistura sexual entre elas. Não poderia ocorrer especiação sem uma barreira inicial. Depois de as duas supostas espécies, inicialmente raças, começarem a afastar-se, geneticamente falando, podem apartar-se ainda mais — mesmo se depois a barreira geográfica desaparecer.

Esse ponto é polêmico. Alguns acham que a separação inicial tem de ser geográfica, enquanto outros, em especial os entomologistas, dão mais peso à chamada especiação simpátrica. Muitos insetos herbívoros comem apenas uma espécie de planta. Encontram seus parceiros e põem seus ovos nas plantas preferidas. Suas larvas, então, adquirem aparentemente a "impressão" da planta que comeram durante seu crescimento e, quando adultas, escolhem a mesma espécie de planta para botar seus ovos.* Assim, se uma fêmea adulta se enganasse e

* Impressão é o processo, cuja descoberta muitos atribuem a Konrad Lorenz, pelo qual animais jovens — por exemplo, gansinhos — tiram uma espécie de fotografia mental de um objeto que

botasse ovos na espécie errada de planta, sua filha poderia adquirir a impressão daquela planta errada e, chegada a hora, botar seus ovos na mesma espécie errada. As larvas dessa fêmea, por sua vez, adquiririam a impressão dessa mesma planta, permaneceriam perto dela quando adultas, se acasalariam com outros que estivessem próximos da planta e por fim botariam seus ovos na mesma planta "errada".

No caso desses insetos, podemos ver que, em uma única geração, o fluxo gênico com o tipo parental poderia ser abruptamente interrompido. Uma nova espécie está teoricamente livre para surgir sem a necessidade de isolamento geográfico. Ou — outro modo de expor a questão — a diferença entre dois tipos de planta alimentícia, para esses insetos, equivale a uma cordilheira ou a um rio para outros animais. Afirmou-se que esse tipo de especiação simpátrica é mais comum entre insetos do que a "verdadeira" especiação geográfica, e nesse caso, uma vez que a maioria das espécies são insetos, poderia até mesmo ser verdade que a maioria dos eventos de especiação são simpátricos. Seja como for, estou supondo que a cultura humana fornece um modo especial de bloquear o fluxo gênico, um modo que é um tanto análogo ao cenário dos insetos que descrevi acima.

No caso dos insetos, as preferências por plantas são transmitidas do genitor para a prole pela dupla circunstância de as larvas fixarem-se na planta que as alimenta e os adultos se acasalarem e botarem ovos nessa mesma planta. Na prática, linhagens estabelecem "tradições" que se propagam longitudinalmente pelas gerações. As tradições humanas são semelhantes, ainda que mais elaboradas. Como exemplo temos as línguas, as religiões e as maneiras ou convenções sociais. Em geral, as crianças adotam a língua e a religião de seus pais, embora, assim como ocorre com os insetos e as plantas que os alimentam, ocorram "erros" suficientes para tornar a vida interessante. Assim como os insetos acasalam-se nas vizinhanças de sua planta alimentícia preferida, as pessoas tendem a casar-se com quem fale a mesma língua e reze para os mesmos deuses. Portanto, diferentes línguas e religiões podem desempenhar o papel das plantas alimentícias, ou das cadeias de montanhas na especiação geográfica tradicional. Diferen-

---

veem durante um período crítico da vida e o seguem durante a juventude. Esse objeto é, em geral, um genitor, mas poderia ser as botas de Konrad Lorenz. Em etapas posteriores da vida desses animais, a "fotografia mental" influencia sua escolha de parceiros sexuais; isso normalmente significa um membro da própria espécie, mas os gansos também poderiam querer acasalar-se com as botas de Lorenz. A história dos gansinhos não é tão simples assim, mas a analogia com o caso dos insetos deve estar clara.

tes línguas, religiões e costumes sociais podem servir como barreiras ao fluxo gênico. A partir dessas barreiras, segundo a forma fraca da nossa teoria, diferenças genéticas aleatórias simplesmente se acumulam nos lados opostos de uma barreira idiomática ou religiosa, exatamente como poderiam acumular-se dos dois lados de uma cordilheira. Posteriormente, segundo a visão forte da teoria, as diferenças genéticas acumuladas são reforçadas pelo fato de as pessoas usarem as diferenças conspícuas de aparência como rótulos adicionais de discriminação na escolha de parceiros, suplementando as barreiras culturais que ensejaram a separação original.*

Não estou afirmando que devemos considerar os humanos mais de uma espécie. Muito pelo contrário. Estou dizendo que a cultura humana — o fato de nos afastarmos tão pronunciadamente do acasalamento aleatório em direções determinadas pela língua, religião e outros discriminantes culturais — fez coisas muito estranhas com a nossa genética no passado. Muito embora sejamos uma espécie muito uniforme se levarmos em conta a totalidade dos genes, somos espantosamente variáveis nas características superficiais, as quais, embora triviais, são chamativas — combustível para a discriminação. Essa pode aplicar-se não só à escolha de parceiro, mas à de inimigos e vítimas de preconceito xenofóbico ou religioso.

O CONTO DA MOSCA-DAS-FRUTAS

Em 1894, o geneticista pioneiro William Bateson publicou um livro intitulado *Materials fot the study of variation, treated with especial regard to discontinuity in the origin of species* [Elementos para o estudo da variação, analisados com ênfase na descontinuidade na origem das espécies]. Ele coligiu uma lista fascinante e quase macabra de anomalias genéticas e ponderou sobre como elas poderiam lançar luz sobre a evolução. Na lista havia cavalos com casco fendido, antílopes com um único chifre no meio da cabeça, pessoas com uma mão extra e besouros

* Um possível problema, que demandaria resolução caso se quisesse desenvolver essa ideia, é que a teoria da genética matemática sugere, para a separação geográfica e também, por implicação, para essa hipótese cultural, que a separação tem de ser absoluta para que a diferenciação genética se mantenha.

com cinco pernas de um lado. Em seu livro, Bateson cunhou o termo "homeose". *Hómoios*, em grego, significa "semelhante", e uma mutação homeótica (como hoje a chamamos, embora o termo "mutação" ainda não houvesse sido cunhado na época de Bateson) é aquela que leva uma parte do corpo a aparecer em alguma parte diferente.

Entre os exemplos de Bateson havia um vespão com uma perna no lugar onde deveria haver uma antena. Quem fica sabendo sobre essa notável anormalidade logo poderia suspeitar, como Bateson, que aí deve haver uma pista importante sobre como os animais se desenvolvem normalmente. E acertaria, como acertou Bateson. Esse é o tema do nosso conto. Essa homeose específica — perna no lugar de antena — foi depois descoberta na drosófila, a mosca-das-frutas, e batizada de antenapedia. A drosófila ("amiga do orvalho") há muito tempo é um dos animais favoritos dos geneticistas. Nunca se deve confundir embriologia com genética, mas recentemente a drosófila assumiu um papel de destaque tanto em uma como na outra, e este conto é sobre embriologia.

O desenvolvimento embriônico é controlado por genes, mas há dois modos bem distintos de como isso pode ocorrer teoricamente. "O conto do camundongo" apresentou-os como a analogia com o "gabarito" e a "receita". Um pedreiro faz uma casa dispondo os tijolos segundo as posições especificadas no projeto. Quando um cozinheiro faz um bolo, não põe migalhas e passas em posições determinadas; ele mistura os ingredientes segundo procedimentos específicos, como peneirar, mexer, bater e aquecer.* Os livros didáticos de biologia erram ao descrever o DNA como um gabarito. Embriões não fazem nada sequer remotamente parecido com obedecer a um gabarito. O DNA não é uma descrição, em alguma linguagem, de como deve ficar o corpo concluído. Talvez em algum outro planeta seres vivos se desenvolvam segundo uma embriologia de gabarito, mas para mim é difícil imaginar como isso funcionaria. Teria de ser um tipo de vida muito diferente. Neste nosso planeta, os embriões seguem receitas. Ou, mudando para outra analogia igualmente contrastante com a do gabarito, uma analogia que, em certos aspectos, é mais adequada que a da receita: os embriões constroem-se seguindo uma sequência de instruções como as das dobraduras de origami.

* Essa analogia foi usada pela primeira vez por meu amigo Sir Patrick Bateson, que, aliás, é parente de Sir William.

A analogia com o origami é mais apropriada à etapa inicial da embriologia do que à final. A principal organização do corpo é estabelecida primeiramente por uma série de dobras e invaginações de camadas celulares. Assim que o principal plano do corpo está montado com segurança, os estágios posteriores do desenvolvimento consistem, em grande medida, no crescimento, como se o embrião se inflasse em todas as partes, como um balão. Só que ele é um tipo especialíssimo de balão, pois as diferentes partes do corpo inflam a taxas distintas, que são cuidadosamente controladas. Esse importante fenômeno chama-se alometria. "O conto da mosca-das-frutas" trata sobretudo da primeira fase de desenvolvimento, a do origami, e não da segunda, a inflacionária.

As células não se dispõem como os tijolos num projeto de construção, mas é o comportamento das células que determina o desenvolvimento embriônico. Células atraem ou repelem outras células. Mudam de forma em vários aspectos. Secretam substâncias químicas que podem difundir-se para o exterior da célula e influenciar outras células, inclusive a certa distância. Às vezes, morrem seletivamente, esculpindo formas por subtração, como se um escultor ali trabalhasse. Do mesmo modo que os cupins cooperam para construir um ninho, as células "sabem" o que fazer tomando como referência as células vizinhas com quem mantêm contato e reagindo a substâncias químicas em gradientes de concentração. Todas as células do embrião contêm os mesmos genes, portanto não podem ser os genes que distinguem o comportamento de uma célula do de outra. O que distingue de fato uma célula é quais genes são ativados, coisa que geralmente se reflete nos produtos de genes — proteínas — que ela contém.

Bem no começo do desenvolvimento do embrião, uma célula precisa "saber" onde ela se situa em duas principais dimensões: ântero-posterior e dorsal/ventral. O que significa "saber"? De início, significa que o comportamento de uma célula é determinado por sua posição ao longo de gradientes químicos em cada um dos dois eixos. Esses gradientes principiam necessariamente no próprio ovo e estão, portanto, sob o controle dos genes maternos, e não dos genes nucleares do próprio ovo. Por exemplo, existe um gene chamado bicoide no genótipo materno da drosófila que se expressa nas células "nutridoras" [*nurse cells*] que compõem seus ovos. A proteína produzida pelo gene bicoide é despachada para o interior do ovo, onde se concentra numa das extremidades e desaparece gradualmente na outra. O gradiente de concentração resultante (e outros como ele) qualifica o eixo ântero-posterior. Mecanismos comparáveis em ângulos retos qualificam o eixo dorsoventral.

Essas concentrações qualificadoras persistem na substância das células que são produzidas quando o ovo se divide subsequentemente. As primeiras divisões ocorrem sem adição de novo material, e são divisões incompletas: numerosos núcleos separados são produzidos, mas eles não estão completamente separados por partições celulares. Essa "célula" multinucleada chama-se sincício. Depois formam-se partições, e o embrião torna-se propriamente celular. No decorrer de tudo isso, como mencionei, os gradientes químicos originais persistem. Disso resulta que núcleos celulares em diferentes partes do embrião serão banhados em diferentes concentrações de substâncias fundamentais, correspondendo aos gradientes bidimensionais originais, e isso fará com que diferentes genes sejam transformados em diferentes células (agora, obviamente, estamos falando dos genes do próprio embrião, e não mais dos genes da mãe). É assim que começa a diferenciação das células, e projeções desse princípio levam a mais diferenciação em estágios posteriores do desenvolvimento. Os gradientes originais estabelecidos pelos genes maternos dão lugar a novos e mais complexos gradientes estabelecidos pelos genes do próprio embrião. Bifurcações consequentes nas linhagens de células embriônicas geram recursivamente novas diferenciações.

Nos artrópodes há uma partição do corpo em maior escala, não em células, mas em segmentos. Eles dispõem-se em linha, da frente da cabeça até a ponta do abdome. Os insetos têm seis segmentos da cabeça, estando as antenas no segmento 2, seguida por outros segmentos na área das mandíbulas e em outras partes da boca. Os segmentos da cabeça nos adultos comprimem-se em um pequeno espaço, e por isso seu alinhamento ântero-posterior não está claro, mas pode ser visto no embrião. Os três segmentos torácicos (T1, T2 e T3) são mais obviamente alinhados, e cada qual tem um par de pernas. Normalmente, T2 e T3 têm asas, mas nas drosófilas e em outras moscas somente há asas em T2.* O segundo par de "asas" modificou-se e se transformou em balancins, pequenos órgãos em forma de halteres em T3, que vibram e servem como giroscópios minúsculos para guiar a mosca. Alguns fósseis de insetos muito antigos possuem três pares de asas, um em cada segmento torácico. Atrás dos segmentos torácicos existem numerosos segmentos abdominais (onze em alguns insetos, oito na

* Alguns outros insetos, como baratas e besouros, voam apenas com asas existentes em T3, já que as asas de T2 se modificaram, tornando-se invólucros protetores duros chamados élitros. Os grilos e os gafanhotos, como já dissemos, modificaram ainda mais os élitros, transformando-os em órgãos produtores de som.

drosófila, dependendo de como contamos os genitais na extremidade posterior). As células "sabem" (no sentido já explicado) em qual segmento se encontram, e se comportam de acordo. Cada célula fica sabendo em que segmento ela está graças à mediação de genes de controle especiais chamados genes Hox, que se ativam no interior da célula. "O conto da mosca-das-frutas" é principalmente um conto sobre os genes Hox.

Ficaria tudo bem-arrumado e fácil de explicar se eu pudesse dizer agora que existe um gene Hox para cada segmento, e que em cada célula de um dado segmento apenas seu gene Hox numerado é ativado. E mais arrumado ainda seria se os genes Hox se dispusessem ao longo do cromossomo na mesma ordem dos segmentos que eles influenciam. Bem, a coisa não é *tão* arrumadinha assim, mas é quase. Os genes Hox realmente se dispõem na ordem certa ao longo de um cromossomo, e isso é esplêndido — não sei como, tendo em vista o que sabemos sobre como os genes funcionam. Mas não há genes Hox o bastante para os segmentos — eles são apenas oito. E temos uma complicação mais perturbadora que preciso tirar do nosso caminho. Os segmentos do adulto não correspondem exatamente aos chamados *para*ssegmentos da larva. Não me pergunte por quê (talvez o Grande Projetista tenha tirado folga nesse dia), mas o fato é que cada segmento adulto se compõe da metade posterior de um parassegmento larval mais a metade anterior do seguinte. Salvo menção em contrário, usarei o termo segmento para me referir a um (para-) segmento larval. Quanto à questão de como oito genes Hox enfileirados se encarregam de cerca de dezessete segmentos enfileirados, isso é feito, em parte, recorrendo-se mais uma vez ao truque do gradiente químico. Cada gene Hox expressa-se principalmente em um segmento, mas também se expressa, em concentrações descrescentes, em segmentos mais posteriores. Uma célula sabe em que segmento está comparando as informações químicas de mais de um gene Hox dos segmentos acima dela. É um pouco mais complicado do que isso, mas não precisamos entrar em tantos detalhes aqui.

Os oito genes Hox estão dispostos em dois complexos de genes separados fisicamente ao longo do mesmo cromossomo: o Complexo Antenapedia e o Complexo Bitorax. São nomes duplamente infelizes. Um complexo de genes é nomeado segundo um único membro do complexo, membro esse que não é mais importante do que os demais. E o pior é que os próprios genes são, em geral, nomeados segundo o que acontece quando eles erram, e não quando seu funcionamento é normal. Seria melhor chamá-los, por exemplo, de Complexo Hox

Anterior e Complexo Hox Posterior. Mas somos obrigados a lidar com os nomes existentes.

O Complexo Bitorax compõe-se dos três últimos genes Hox, que se chamam, por razões históricas que não nos interessam aqui, *Ultrabitorax*, *Abdominal-A* e *Abdominal-B*. Eles afetam a extremidade posterior do animal como explicado a seguir. O *Ultrabitorax* expressa-se a partir do segmento 8 até a extremidade posterior. O *Abdominal-A* expressa-se a partir do segmento 10 até a extremidade, e o *Abdominal-B*, do segmento 13 à extremidade. Os produtos desses genes ocorrem em um gradiente de concentração decrescente à medida que seguimos em direção à extremidade posterior do animal, a contar de seus vários pontos de partida. Assim, comparando as concentrações dos produtos desses três genes Hox, uma célula na parte posterior de uma larva pode saber em que segmento ela se encontra e agir de acordo com essa informação. É semelhante a história para a parte anterior da larva, que é regida pelos cinco genes Hox do Complexo Antenapedia.

Um gene Hox é, portanto, um gene cuja missão na vida é saber sua localização no corpo e informar outros genes da mesma célula. Agora estamos equipados para entender as mutações homeóticas. Quando algo sai errado para um gene Hox, as células em um segmento são informadas erroneamente sobre o segmento em que se situam, e então produzem o segmento no qual "pensam" estar. Assim, por exemplo, é que vemos uma perna crescer no segmento que normalmente produziria uma antena. Isso faz sentido, sem dúvida. As células em qualquer segmento são perfeitamente capazes de montar a anatomia de qualquer outro segmento. Por que não seriam? As instruções para produzir qualquer segmento espreitam nas células de cada segmento. São os genes Hox, em condições normais, que convocam as instruções "corretas" para fazer a anatomia apropriada a cada segmento. Como William Bateson suspeitou acertadamente, a anormalidade homeótica abre uma reveladora janela mostrando como o sistema normalmente funciona.

Lembremos que as moscas, coisa rara entre os insetos, possuem apenas um par de asas, mais um par de halteres giroscópicos. A mutação homeótica *Ultrabitorax* engana células no terceiro segmento torácico levando-as a "pensar" que se encontram no segundo segmento. Assim, elas colaboram para fazer um par adicional de asas, em vez de um par de balancins (ver Ilustração 34). Existe um besouro mutante que vive na farinha, o *Tribolium*, no qual todos os quinze segmentos ganham antenas, presumivelmente porque todas as células "pensam" estar no segmento 2.

Isso nos leva à parte mais fascinante de "O conto da mosca-das-frutas". Depois de serem descobertos na drosófila, os genes Hox começaram a aparecer por toda parte: não só em outros insetos, como os besouros, mas em quase todos os outros animais que foram investigados, inclusive nos seres humanos. E acontece — o que é quase bom demais para ser verdade — que eles muito frequentemente fazem o mesmo tipo de coisa, inclusive no detalhe de informar às células em que segmento se encontram e (melhor ainda) de se disporem na mesma ordem ao longo dos cromossomos. Passemos agora à história dos mamíferos, investigada mais pormenorizadamente no camundongo de laboratório — a drosófila do mundo mamífero.

Os mamíferos, como os insetos, têm um plano corporal segmentado, ou pelo menos um plano modular repetido, que afeta a espinha dorsal e estruturas associadas. Cada vértebra pode ser concebida como correspondente a um segmento, mas não são apenas ossos que se repetem ritmicamente à medida que seguimos da cabeça para a cauda. Vasos sanguíneos, nervos, blocos musculares, discos cartilaginosos e costelas, quando presentes, seguem todos o plano modular repetitivo. Como na drosófila, os módulos, embora seguindo o mesmo plano geral uns dos outros, diferem em detalhes. E como na divisão do inseto em cabeça, tórax e abdome, as vértebras agrupam-se em cervicais (pescoço), torácicas (as dorsais superiores com costelas), lombares (as dorsais inferiores sem costelas) e caudais (a cauda). Como na drosófila, as células, sejam elas ósseas, musculares, cartilaginosas ou qualquer outra coisa, precisam saber em que segmento estão. E como na drosófila, elas o sabem graças aos genes Hox — que reconhecivelmente correspondem a genes Hox de drosófila específicos —, embora eles estejam longe de ser idênticos, o que não surpreende, considerando a imensidão do tempo decorrido desde o Concestral 26. Novamente como na drosófila, os genes Hox dispõem-se na ordem certa no cromossomo. A modularidade dos vertebrados é bem diferente da dos insetos, e não há razão para pensarmos que seu ancestral comum, no Encontro 26, tenha sido um animal segmentado. Não obstante, a evidência dos genes Hox sugere, no mínimo, que existe algum tipo de profunda semelhança entre os planos corporais dos insetos e dos vertebrados, a qual também estava presente no Concestral 26. E, aliás, em outros planos corporais, inclusive os que não são segmentados.

No camundongo não existe apenas uma série de genes Hox em um cromossomo: existem quatro séries separadas. A série *a* fica no cromossomo 6, a *b* no cromossomo 11, a *c* no cromossomo 15 e a *d* no cromossomo 2. As semelhanças entre elas mostram que essas séries surgiram por duplicação durante a evolução: *a4* condiz com *b4*, que condiz com *c4*, que condiz com *d4*. Ocorreram também algumas deleções, pois faltam certos *slots* em cada uma das quatro séries: *a4* e *b7* são semelhantes, mas nem a série *c* nem a *d* possuem um representante no "*slot*" 7. Quando duas, três ou quatro versões de um gene Hox ocupam um segmento, seus efeitos combinam-se. E, como na drosófila, todos os genes Hox de camundongo exercem seu efeito mais poderoso no primeiro segmento (o mais anterior) em sua área de influência, com um gradiente de expressão decrescente à medida que passamos para segmentos posteriores.

E fica melhor. Com exceções pouco importantes, cada gene do conjunto de oito genes Hox da drosófila é mais parecido com seu correspondente na série do camundongo do que com os outros sete genes do conjunto da drosófila. E eles estão na mesma ordem ao longo de seus respectivos cromossomos. Cada um dos oito genes de drosófila tem pelo menos um representante na série de 13 do camundongo. A detalhada coincidência gene a gene entre as drosófilas e os camundongos só pode indicar uma herança em comum — do Concestral 26, o grande progenitor de todos os protostômios e deuterostômios. Isso significa que a imensa maioria dos animais descende de um ancestral que possuía genes Hox dispostos na mesma ordem linear que vemos nas drosófilas e vertebrados modernos. Já pensou? O Concestral 26 possuía genes Hox, e na mesma ordem que os nossos!

Como mencionei, isso não implica que o corpo do Concestral 26 se dividisse em segmentos distintos. Na verdade, é provável que não fosse assim. Mas sem dúvida existia algum tipo de gradiente ântero-posterior da cabeça à cauda mediado pela série homóloga de genes Hox dispostos na ordem certa ao longo de um cromossomo. Como os Concestrais estão mortos e fora do alcance dos biólogos moleculares, agora se torna extremamente interessante procurar genes Hox em seus descendentes modernos. O Concestral 23 é o descendente que temos em comum com os anfioxos. Dado que a drosófila, parente mais distante, possui a mesma série ântero-posterior que os mamíferos, seria muito preocupante se o anfioxos não a tivessem também. Meu colega Peter Holland, com seu grupo de pesquisa, estudou o assunto, e seus resultados são gratificantes. Sim, o plano corporal modular dos anfioxos é mediado por (14) genes Hox e, sim, eles estão na ordem certa no cromossomo. Diferentemente do camundongo, mas como a drosófila, eles têm apenas uma série, e não quatro séries paralelas. Supõe-se que todo o grupo foi duplicado quatro vezes em algum ponto da linha que leva do Concestral 23 aos mamíferos modernos, ocorrendo depois algumas perdas esporádicas de genes específicos.

E quanto a outros animais, estrategicamente escolhidos pelo que podem nos dizer sobre seus concestrais particulares? Já foram encontrados genes Hox em todos os animais examinados, exceto ctenóforos e esponjas (ver Encontros 29 e 31, respectivamente), inclusive em ouriços-do-mar, no límulo, em camarões, moluscos, vermes anelídeos, enteropneustos, ascídias, vermes nematódeos e platelmintos. Isso nós poderíamos ter pressuposto, pois sabemos que todos esses animais descendem do Concestral 26 e que já temos boas razões para supor que o Concestral 26 tinha genes Hox, como seus descendentes drosófila e camundongo.

Os cnidários, como a *Hydra* (que só deverão juntar-se a nós no Encontro 28), são radialmente simétricos: não têm eixo ântero-posterior nem dorsoventral. Seu eixo é oral-aboral (boca/oposto à boca). O que corresponde ao seu eixo longitudinal, se é que existe algo que corresponda a ele, não é algo óbvio; sendo assim, o que poderíamos esperar que fizessem os genes Hox dos cnidários? Bem conveniente seria se eles usassem esses genes para definir o eixo oral/aboral, mas até agora não está claro se isso de fato ocorre. Seja como for, a maioria dos cnidários possui apenas dois genes Hox a serem comparados com os oito da drosófila e os catorze do anfioxo. Pode-se concordar que um desses dois genes se assemelha ao complexo anterior da drosófila e o outro se parece com o complexo posterior. O Concestral 28, que temos em comum com eles, presumivelmente possuía o mesmo. Um desses dois, então, duplicou-se várias vezes no decorrer da evolução e produziu o Complexo Antenapedia, enquanto o outro duplicou-se na mesma linhagem animal e produziu o Complexo Bitorax. É exatamente esse o tipo de processo pelo qual genes aumentam no genoma (ver "O conto da lampreia"). Mas precisamos de mais estudos para saber o que esses dois genes fazem, se é que fazem alguma coisa, para o plano corporal dos cnidários.

Os equinodermos têm simetria radial, como os cnidários, porém secundariamente. O Concestral 25, que eles têm em comum conosco, os vertebrados, era bilateralmente simétrico, como um verme. Os equinodermos possuem um número variável de genes Hox: dez, no caso dos ouriços-do-mar. O que fazem esses genes? Será que uma relíquia do eixo ântero-posterior ancestral se esconde no corpo de uma estrela-do-mar? Ou que os genes Hox exercem sua influência sucessivamente ao longo de cada um dos cinco braços? Isso pode parecer lógico. Sabemos que os genes Hox se expressam nos braços e pernas dos mamíferos. Não estou dizendo que as séries de genes Hox de 1 a 13 se expressam em ordem, do ombro às pontas dos dedos. É mais complexo do que isso. E ainda bem que é assim, pois o membro dos vertebrados não se organiza em módulos que se sucedem na longitudinal. Em vez disso, há primeiro um osso (o úmero no braço, o fêmur na perna), depois dois (rádio e ulna no braço, tíbia e fíbula na perna) e em seguida numerosos ossinhos, culminando nos dedos das mãos e dos pés. Esse arranjo em leque, herdado do mais óbvio leque das nadadeiras de nossos ancestrais peixes, não se presta à linearidade direta dos genes Hox. Mesmo assim, genes Hox participam do desenvolvimento dos membros dos vertebrados.

Por analogia, não seria uma surpresa se genes Hox também se expressassem nos braços da estrela-do-mar ou dos ofiuroides (e até mesmo os ouriços-do-mar podem ser concebidos como estrelas-do-mar que enrolaram seus braços em um arco de cinco pontas ligadas entre si nas extremidades e grudadas pelas laterais). Além disso, os braços das estrelas-do-mar, ao contrário dos nossos braços e pernas, são serialmente modulares no sentido longitudinal. Os pés tubulares, com todo o seu encanamento hidráulico associado, são unidades que se repetem em duas fileiras paralelas ao longo de cada braço: o ideal para a expressão do gene Hox! Os braços dos ofiuroides, inclusive, se parecem e se comportam como cinco vermes.

T. H. Huxley disse que "grande tragédia da ciência é uma bela hipótese ser morta por um fato feio". Os verdadeiros fatos sobre os genes Hox dos equinodermos podem não ser feios, mas não obedecem ao padrão bonitinho que acabei de descrever. Algo mais ocorre, e possui sua própria e muito surpreendente beleza. As larvas dos equinodermos são minúsculas, bilateralmente simétricas e nadam no plâncton. O adulto com simetria radial em cinco direções radicado no fundo do mar não se desenvolve como uma transformação da larva. Ele começa como uma miniatura do adulto *dentro* do corpo da larva, que cresce até por fim o resto da larva ser descartado. Genes Hox expressam-se na ordem linear correta, mas não ao longo de cada braço. Em vez disso, a ordem de expressão segue uma rota aproximadamente circular *ao redor* do adulto-bebê. Se imaginarmos o eixo Hox como um "verme", não há cinco "vermes", um para cada braço. Existe um único "verme" enrolado em círculo dentro da larva. Na extremidade anterior do "verme" brota o braço número 1, na posterior, o braço número 5. Portanto, poderíamos supor que mutações homeóticas em estrelas-do-mar produzissem braços a mais. E, de fato, há casos de estrelas-do-mar mutantes com seis braços, registradas no livro de Bateson. Existem também algumas espécies de estrela-do-mar que possuem um número muito maior de braços, e essas presumivelmente evoluíram de ancestrais que foram mutantes homeóticos.

Não foram encontrados genes Hox em plantas, nem em fungos e tampouco nos organismos unicelulares que chamávamos de protozoários. Mas agora deparamos com uma complicação terminológica, e precisamos tratar dela antes de prosseguir. "Hox" foi um termo cunhado como contração de "homeobox", mas genes Hox não são sinônimos de genes homeobox: eles são um subconjunto. Plantas e fungos têm genes homeobox, mas não genes Hox. Devem possuir sistemas de genes controladores e gradientes químicos para poderem crescer na forma correta. Genes "MADS box" determinam a embriologia das flores e podem produzir mutações homeóticas em flores do mesmo modo que os genes Hox fazem para os animais.

"Homeo" provém da "homeose" de Bateson, e "box" refere-se a um "box" de 180 letras codificadoras que todos os genes conhecidos como genes homeobox possuem em alguma parte da sua série. O homeobox propriamente dito é essa sequência diagnóstica de 180 letras codificadoras, e um "gene homeobox" é um gene que contém a sequência homeobox em alguma parte de sua série. O nome Hox não é usado para todos os genes homeobox, mas apenas para as séries lineares de genes que determinam a posição ao longo do corpo de um animal e que se mostraram homólogas em quase todos os animais.

A família Hox de genes homeobox foi a primeira a ser descoberta, mas hoje conhecemos muitas famílias aparentadas. Existe, por exemplo, uma família de genes chamada ParaHox definida claramente pela primeira vez em anfioxos, mas que também é encontrada em todos os animais, exceto (até agora) nos ctenóforos e nas esponjas. Parece que os genes ParaHox são "primos" dos genes Hox no aspecto de terem com eles uma correspondência e de estarem dispostos na mesma ordem. Esses genes certamente surgiram por duplicação a partir do mesmo conjunto de genes ancestrais dos genes Hox. Outros genes homeobox têm parentesco mais distante com os Hox e os ParaHox, mas formam suas próprias famílias. A família *Pax* é encontrada em todos os animais. Um membro particularmente notável dessa família é o *Pax6*, que corresponde ao gene conhecido como *ey* na drosófila. Já mencionei que o *Pax6* é responsável por dizer às células que produzam olhos. Os mesmos genes produzem olhos em animais tão díspares quanto a drosófila e o camundongo, embora os olhos produzidos sejam radicalmente diferentes nos dois animais. De modo semelhante aos genes Hox, o *Pax6* não diz às células *como* produzir um olho. Diz-lhes apenas onde é o *lugar* de fazer um olho.

Um exemplo acentuadamente paralelo é a pequena família de genes denominada *tinman*. Também eles estão presentes na drosófila e no camundongo. Na drosófila, os genes *tinman* são responsáveis por dizer às células que façam um coração, e eles normalmente se expressam apenas no lugar certo onde deve haver um coração de drosófila. Como a essa altura já aprendemos a esperar, os genes *tinman* também se dedicam a dizer a células de camundongo para produzirem um coração no lugar certo para um coração de camundongo.

O conjunto completo de genes homeobox é numerosíssimo e se divide em famílias e subfamílias, exatamente como os próprios animais se dividem em famílias e subfamílias. É como o caso da hemoglobina, que examinamos em "O conto da lampreia". Nele aprendemos que a alfaglobina humana é prima mais próxima da alfaglobina do lagarto, por exemplo, do que da betaglobina humana — que por sua vez é prima mais próxima da betaglobina do lagarto. Analogamente, o gene *tinman* humano é primo mais chegado do *tinman* da mosca-das-frutas do que do *Pax6* humano. É possível construir uma árvore genealógica bem numerosa de genes homeobox que exista lado a lado com a árvore genealógica dos animais que os possuem. Ambas as árvores são igualmente válidas. Ambas são verdadeiras árvores de descendência, formadas por eventos de separação que ocorreram em momentos específicos na história geológica. No caso das árvores genealógicas de animais, os eventos de separação são as especiações. No caso das árvores genealógicas de genes homeobox (ou de genes globina), os eventos de separação são as duplicações gênicas nos genomas.

A árvore de genes homeobox de animais divide-se em duas grandes classes, AntP e PRD. Não explicarei o significado dessas abreviações porque ambas são perversamente desnorteantes. A classe PRD inclui os genes *Pax* e várias outras subclasses. A classe AntP contém os Hox e ParaHox e também várias outras subclasses. Além dessas duas grandes classes de genes homeobox de animais há vários outros genes homeobox de parentesco mais distante que são (enganosamente) chamados "divergentes". Esses são encontrados não só em animais, mas também em plantas, fungos e "protozoários".

Só animais possuem verdadeiros genes Hox, que são sempre usados do mesmo jeito: para especificar informações sobre posição no corpo, seja ou não o corpo dividido nitidamente em segmentos distintos. Embora ainda não tenham sido encontrados genes Hox em ctenóforos e esponjas, isso não significa que não serão encontrados. Não seria de surpreender se descobríssemos que todos os animais os possuem. Isso seria um alento para meus colegas Jonathan Slack, Peter Holland e Christopher Graham, todos de Oxford, que na época propuseram uma nova definição para a palavra "animal". Até então, definiam-se os animais em oposição às plantas, um modo negativo extremamente insatisfatório. Slack, Holland e Graham sugeriram um critério específico positivo que tem o efeito de unir todos os animais e excluir todos os não animais, como plantas e protozoários. A história dos Hox mostra que os animais não são uma miscelânia variadíssima e desaparentada de filos, cada qual com seu plano corporal fundamental adquirido e mantido em solitário isolamento. Se esquecermos a morfologia e olharmos apenas os genes, ficará claro que todos os animais são variações menores de um tema bem específico. Como é fascinante ser zoólogo numa época destas!

O CONTO DO ROTÍFERO

Atribui-se ao brilhante físico teórico Richard Feynman a frase: "Se você acha que entende a teoria quântica, você não entende a teoria quântica". Sinto--me tentado a propor um equivalente dos evolucionistas: "Se você acha que entende o sexo, você não entende o sexo". Os três darwinianos modernos com os quais, na minha opinião, temos mais a aprender — John Maynard Smith, W. D. Hamilton e George C. Williams — dedicaram parte substancial de suas longas carreiras à luta para desvendar o sexo. Williams começou seu livro *Sex and evolution*, de 1975, fazendo a si mesmo um desafio: "Este livro foi escrito com a convicção de que a prevalência da reprodução sexuada nas plantas e nos animais superiores é inconsistente com a atual teoria evolutiva [...] um tipo de crise está em curso na biologia evolutiva [...]". Maynard Smith e Hamilton disseram coisas semelhantes. Foi para resolver essa crise que trabalharam os três heróis darwinianos, junto com outros da geração emergente. Não tentarei relatar seus esforços, e certamente não tenho uma solução rival a oferecer. Em vez disso, "O conto do rotífero" mostra uma *consequência* pouco estudada da reprodução sexuada para a nossa visão de evolução.

Bdelloidea é uma classe numerosa do filo *Rotifera* (ver página 447). A existência dos rotíferos bdeloídios é um escândalo evolutivo (ver Ilustração 35). O *bon mot* não é meu — tem o inconfundível tom de John Maynard Smith. Muitos rotíferos reproduzem-se sem sexo. Nesse respeito, lembram os afídeos, o bicho-pau, vários besouros e alguns poucos lagartos, e não são particularmente escandalosos. O que ficou atravessado na garganta de Maynard foi o fato de que os bdeloídios *como um todo* só se reproduzem assexuadamente — cada um deles, é claro, descendente de um ancestral bdeloídio comum que deve ter vivido em um passado suficientemente remoto para ser o ancestral de dezoito gêneros e 360 espécies. Restos em âmbar indicam que essa matriarca avessa a machos viveu há pelo menos 40 milhões de anos, e muito provavelmente antes disso. Os bdeloídios são um grupo muito bem-sucedido de animais, assombrosamente numerosos, que formam uma parte dominante das faunas de água doce do mundo. Nunca foi encontrado um macho sequer.*

O que há de tão escandaloso nisso? Bem, suponhamos que temos uma árvore genealógica de todo o reino animal. As extremidades dos ramos, em toda a superfície da árvore, representam as espécies. Os galhos principais representam classes ou filos. Existem milhões de espécies, o que significa que a árvore evolutiva é muito mais intricada em suas ramificações do que qualquer árvore da floresta que jamais veremos. Existem apenas algumas dezenas de filos, e as classes não são muito mais numerosas do que isso. O filo *Rotifera* é um ramo da árvore, e se divide em quatro sub-ramos, dos quais a classe *Bdelloidea* é um. Esse ramo

* Para ser escrupulosamente correto, em quase trezentos anos de investigação científica, houve um único relato sobre um rotífero bdeloídio macho, feito pelo zoólogo dinamarquês C. Wesenberg-Lud (1866-1955). "Com grande hesitação arrisco-me a observar que por duas vezes vi entre os milhares de *Philodinidae* (*Rotifer vulgaris*) uma criaturinha, inquestionavelmente um rotífero macho [...] mas nas duas ocasiões não consegui isolá-lo. Ele se move em meio às numerosas fêmeas com extrema rapidez" (compreensivelmente, sem dúvida). Mesmo antes dos dados concretos de Mark Welch e Meselson (ver página 494), os zoólogos não se mostraram inclinados a aceitar a observação nunca repetida de Wesenberg-Lund como prova suficiente da existência de bdeloídios machos.

da classe subdivide-se, torna a se subdividir, até por fim produzir 360 raminhos, cada um representando uma espécie. O mesmo tipo de coisa está ocorrendo com todos os outros filos, cada qual com suas próprias classes etc. Os raminhos externos da árvore representam o presente; a zona um pouco mais para o interior dessa fachada de raminhos representa uma curta distância em direção ao passado, e assim por diante até o tronco principal que representa, digamos, 1 bilhão de anos atrás.

Isso posto, pegamos tinta, vamos até a nossa cinzenta árvore invernal e colorimos as extremidades de certos raminhos com a finalidade de rotular características específicas. Poderíamos pintar de vermelho todos os raminhos que representam animais voadores — os que voam pela força dos músculos, e não os que apenas planam, que são bem mais comuns. Se, agora, dermos um passo para trás e contemplarmos toda a árvore, notaremos grandes áreas em vermelho separadas por áreas ainda maiores de cinza, estas últimas representando grandes grupos inteiros de animais que não voam. A maioria dos raminhos de insetos, de aves e de morcegos é vermelha e é vizinha de outros raminhos vermelhos. Isso não ocorre com nenhum dos outros raminhos. Com poucas exceções, como a pulga e o avestruz, três classes inteiras são compostas de animais voadores. O vermelho distribui-se em amplos trechos de vermelho uniforme, contrastando com o cinza uniforme.

Pense no que isso significa para a evolução. Os três trechos vermelhos decerto começaram há muito tempo com três animais ancestrais, um inseto, uma ave e um morcego primitivos, que descobriram como voar. Voar, obviamente, revelou-se uma esplêndida ideia assim que foi descoberto, já que persistiu e se difundiu por todos os ramos descendentes conforme as três espécies foram originando as três grandes coleções de espécies descendentes, quase todas conservando a capacidade de voar de sua ancestral: a classe *Insecta*, a classe *Aves* e a ordem *Chiroptera*.

Mas agora fazemos a mesma coisa não para o voo, e sim para a reprodução assexuada, sem machos. (Nunca sem fêmeas, a propósito. Ao contrário dos óvulos, os espermatozoides são pequenos demais para fazer o trabalho sozinhos. Reprodução assexuada em animais significa dispensar os machos.) Na nossa árvore da vida, pintamos de azul todos os raminhos das espécies de reprodução assexuada. Notamos então um padrão totalmente diverso. Enquanto o voo expressava-se em grandes trechos vermelhos, a reprodução assexuada revela-se em minúsculos pontinhos azuis esparsos. Uma espécie assexuada de besouro aparece como um raminho azul totalmente rodeado de cinza. Talvez um grupo de três espécies em um gênero seja azul, mas os gêneros vizinhos são cinzentos. O leitor percebe o que isso significa? A reprodução assexuada emerge de quando em quando, mas extingue-se rapidamente, antes que tenha tempo de crescer e se transformar em um galho robusto com muitas ramificações azuis. Ao contrário de voar, o hábito de reproduzir-se assexuadamente não persiste por tempo suficiente para dar origem a toda uma família, ordem ou classe de criaturas assexuadas.

Com uma escandalosa exceção! Ao contrário de todos os outros pontinhos azuis, os rotíferos bdeloídios são um alentado trecho ininterrupto de azul: uma minoria estridente. Na evolução, isso parece significar que um bdeloídio ancestral descobriu a reprodução assexuada, exatamente como os raros besouros que mencionamos. Mas enquanto os besouros assexuados e centenas de outras espécies assexuadas que aparecem como pontinhos esporádicos na árvore extinguem-se muito antes de poderem evoluir para um agrupamento maior como uma família ou uma ordem, e muito menos para uma classe, os bdeloídios parecem ter se dado bem com a assexualidade e prosperado com ela durante um tempo evolutivo suficiente para gerar toda uma classe assexuada, hoje composta de 360 espécies. Para os rotíferos bdeloídios, mas não, convincentemente, para qualquer outro tipo de animal, a reprodução assexuada é como o voo. Parece ser uma inovação conveniente e bem-sucedida para os bdeloídios, enquanto em todas as outras partes da árvore constitui um caminho rápido para a extinção.

A afirmação de que existem 360 espécies gera um problema. A definição biológica de espécie é um grupo de indivíduos que se intercruzam e não se cruzam com outros. Mas os bdeloídios, sendo assexuados, não se intercruzam com ninguém; cada espécime é uma fêmea isolada, cujos descendentes seguem o doce exemplo dela, em isolamento genético de todos os outros indivíduos. Por isso, quando dizemos que existem 360 espécies, só podemos estar afirmando que são 360 tipos, que nós, humanos, reconhecemos como suficientemente diferentes uns dos outros para que esperássemos, caso a reprodução deles fosse sexuada, que eles evitassem os outros tipos como parceiros sexuais.

Nem todos aceitaram que os rotíferos bdeloídios são mesmo assexuados. Existe uma grande lacuna na lógica entre a afirmação negativa de que nunca se viu nenhum macho e a conclusão positiva de que não existem machos. Como relata Olivia Judson em sua refinada comédia zoológica *Consultório sexual da dra.*

Tatiana para toda a criação, os naturalistas já tropeçaram nesse tipo de questão antes. Muitas espécies aparentemente assexuadas revelaram ter machos ocultos. Os machos de um certo diabo-marinho, uma espécie de peixe, são anões minúsculos que pegam carona como parasitas no corpo das fêmeas. Se fossem ainda menores, teriam passado totalmente despercebidos para nós, como quase aconteceu no caso de certas cochonilhas cujos machos são, nas palavras de meu colega Laurence Hurst, "umas coisinhas diminutas que grudam nas pernas das fêmeas". Hurst citou o astuto comentário de seu mentor, Bill Hamilton: "Com que frequência você vê humanos fazendo sexo? Se você fosse um observador marciano, teria certeza que somos assexuados".

Seria bom, portanto, apresentar alguma prova mais positiva de que os rotíferos bdeloídios realmente são assexuados há muito tempo. Os geneticistas estão cada vez mais engenhosos na arte de ler os padrões de distribuição gênica em animais modernos e fazer inferências sobre sua história evolutiva. Em "O conto de Eva", examinamos o método de Alan Templeton para reconstituir migrações humanas remotas detectando "sinais" nos genes de pessoas vivas. A lógica não é dedutiva. Não deduzimos, com base em genes modernos, que o curso da história deve ter sido de tal e tal modo. Em vez disso, dizemos: se o curso da história foi tal e tal, deveríamos esperar ver um padrão tal e tal de distribuição gênica hoje. Foi isso que Templeton fez para as migrações humanas. David Mark Welch e Matthew Meselson, da Universidade Harvard, fizeram coisa parecida para os rotíferos bdeloídios. Eles usaram sinais genéticos para fazer inferências não sobre migrações, mas sobre reprodução assexuada. Novamente, a forma de sua lógica não é dedutiva. Em vez disso, eles ponderaram que, se os bdeloídios têm sido puramente assexuados por muitos milhões de anos, deveríamos esperar que os genes de bdeloídios vivos mostrem um determinado padrão.

Que padrão? O raciocínio de Mark Welch e Meselson foi muito sagaz. Primeiro, é preciso entender que os rotíferos bdeloídios, embora sejam assexuados, são diploides. Ou seja, eles são como todos os animais de reprodução sexuada na característica de possuírem duas cópias de cada cromossomo. A diferença é que o resto de nós se reproduz produzindo óvulos ou espermatozoides com apenas uma cópia de cada cromossomo. Os bdeloídios produzem ovos com ambas as cópias de cada cromossomo. Portanto, a célula-ovo de um bdeloídio é como qualquer outra das suas células, e uma filha é gêmea idêntica da mãe, excetuando-se ocasionais mutações. Foram essas mutações ocasionais que, no decorrer de milhões de anos, formaram gradualmente linhas divergentes, presume-se que por seleção natural, produzindo as 360 espécies hoje encontradas.

Uma fêmea ancestral, que chamarei de ginarca, sofreu uma mutação com a qual deixou de precisar de machos e da meiose, passando a mitose a ser seu método de produzir ovos.* A partir de então, ao longo de toda a população clonada de fêmeas, o fato de os cromossomos serem originalmente emparelhados tornou-se irrelevante. Em vez de cinco pares de cromossomos (ou qualquer que tenha sido o número — o equivalente aos nossos 23), passou a haver dez cromossomos — cada qual ligado a seu antigo parceiro apenas por uma espécie de memória retrógrada. Cromossomos parceiros antes se encontravam e trocavam genes toda vez que um rotífero produzia óvulos ou espermatozoides. Mas durante os milhões de anos desde que a ginarca expulsou os machos e fundou a ginodinastia bdeloídia, cada cromossomo tem se afastado geneticamente de seu antigo parceiro, pois os genes de ambos têm mutado independentemente. E isso tem ocorrido apesar de eles compartilharem células do mesmo corpo todo o tempo. Nos bons e velhos tempos dos machos e do sexo, isso não acontecia. Em cada geração, cada cromossomo emparelhava-se com seu correspondente e trocava genes antes de produzir óvulos ou espermatozoides. Isso mantinha os pares de cromossomos numa espécie de abraço intermitente, impedindo que divergissem gradualmente no conteúdo gênico.

Você e eu temos 23 pares de cromossomos. Temos dois cromossomos 1, dois cromossomos 5, dois cromossomos 17 etc. Com exceção dos cromossomos sexuais X e Y, não há diferença consistente entre os membros de um par. Como eles trocam genes a cada geração, os dois cromossomos 17 são apenas cromossomos 17, e não há por que chamá-los, digamos, de cromossomo 17 esquerdo e cromossomo 17 direito. Mas a partir do momento que a ginarca rotífera congelou seu genoma, tudo isso mudou. Seu cromossomo 5 esquerdo foi transmitido intacto a todas as filhas dela, e o mesmo se deu com seu cromossomo 5 direito, e nunca mais os dois se encontraram por mais de 40 milhões de anos. Suas descendentes da centésima geração ainda possuíam um cromossomo 5 esquerdo e um cromossomo 5 direito. Embora a essa altura eles já houvessem sofrido algu-

* A meiose é a forma especial de divisão celular que divide na metade o número de cromossomos para produzir células sexuais. A mitose é a forma comum de divisão celular usada para produzir células do corpo que duplica todos os cromossomos de uma célula.

mas mutações, todos os cromossomos esquerdos seriam identificáveis pela semelhança uns com os outros, herdada do cromossomo esquerdo 5 da ginarca.

Existem hoje 360 espécies de bdeloídios, todos descendentes da ginarca e dela separados exatamente pelo mesmo espaço de tempo. Todos os indivíduos de todas as espécies ainda possuem uma cópia esquerda e direita de cada cromossomo, herdadas com bastante mudança mutacional no decorrer das gerações, mas sem trocas de genes entre esquerdo e direito. Cada par esquerdo e direito em cada indivíduo agora será muito mais diferente entre si do que esperaríamos se houvesse ocorrido qualquer tipo de atividade sexual, em qualquer momento de sua linhagem desde o tempo da ginarca. Eles podem até estar se aproximando do tempo em que não poderemos mais reconhecer que originalmente foram emparelhados.

Mas agora suponhamos que estamos comparando duas espécies modernas de rotíferos bdeloídios, por exemplo, *Philodina roseola* e *Macrotrachela quadricornifera*. Ambas pertencem ao mesmo subgrupo de bdeloídios, os *Philodinidae*, e têm com certeza um ancestral comum que viveu muito mais recentemente do que a ginarca. Na ausência de sexo, houve exatamente o mesmo tempo para que os cromossomos "esquerdo" e "direito" em cada indivíduo de cada uma dessas duas espécies divergissem — o tempo decorrido desde a época da ginarca. O esquerdo será muito diferente do direito em cada indivíduo. Mas se compararmos, digamos, o cromossomo esquerdo 5 da *Philodina roseola* com o cromossomo esquerdo 5 da *Macrotrachela quadricornifera*, devemos constatar que são bem semelhantes, pois não tiveram muito tempo para sofrer mutações independentes. E direito comparado com direito também apresentará poucas diferenças. Chegamos à notável previsão de que uma comparação de cromossomos outrora emparelhados *dentro* de cada indivíduo deve mostrar uma diferença maior do que uma comparação entre espécies — de "esquerdo" com "esquerdo" ou "direito" com "direito". Quanto mais tempo houver decorrido desde a ginarca, maior será a diferença. Se houvesse sexo, a previsão seria exatamente oposta, porque não existe uma identidade "esquerda" e "direita" entre as espécies, e há muita troca gênica entre os cromossomos emparelhados dentro de cada espécie.

Mark Welch e Meselson usaram essas predições opostas para testar a teoria de que os bdeloídios realmente têm sido assexuados e sem machos por um tempo muito longo — com estrondoso sucesso. Eles examinaram bdeloídios modernos para verificar se era mesmo verdade que cromossomos emparelhados (ou que outrora haviam sido emparelhados) eram muito mais diferentes uns dos outros do que "deveriam" ser, gene por gene, caso a recombinação sexual os tivesse mantido juntos. Para comparação, usaram como controle outros rotíferos, não bdeloídios que têm reprodução sexuada. E a resposta foi sim. Os cromossomos dos bdeloídios são muito mais diferentes de seus pares do que "deveriam" ser, em uma magnitude compatível com a teoria de que eles abriram mão do sexo não apenas há 40 milhões de anos, que é a idade do mais antigo âmbar onde foram encontrados bdeloídios, mas há cerca de 80 milhões de anos. Mark Welch e Meselson escrupulosamente se desdobraram para contemplar possíveis interpretações alternativas para seus resultados, mas elas são forçadas, e a meu ver eles estão certos em concluir que os rotíferos bdeloídios são realmente assexuados há muito tempo, de um modo contínuo, universal e bem-sucedido. São de fato um escândalo evolutivo. Por talvez 80 milhões de anos eles têm prosperado fazendo algo que nenhum outro grupo de animais pode fazer, exceto por períodos brevíssimos, sem extinguir-se.

Por que esperaríamos normalmente que a reprodução assexuada conduzisse à extinção? Bem, essa é uma questão e tanto, pois equivale a indagar o que há de bom no sexo — uma questão à qual cientistas melhores do que eu dedicaram livros e livros sem conseguir responder. Salientarei, apenas, que os rotíferos bdeloídios são um paradoxo dentro de um paradoxo. Em um aspecto, eles são como o soldado que marchava no pelotão quando sua mãe exclamou: "Lá está o meu filho — ele é o único com o passo certo". Maynard Smith chamou-os de escândalo evolutivo, mas foi ele o principal responsável por ressaltar que, pensando bem, o sexo é que é o escândalo evolutivo. Ao menos uma visão ingênua da teoria darwiniana prediria que o sexo deveria ser fortemente desfavorecido pela seleção natural, perdendo de dois a um para a reprodução assexuada. Nesse sentido, os bdeloídios, longe de ser um escândalo, parecem ser o único soldado a acertar o passo. Vejamos por quê.

O problema é o que Maynard Smith chamou de o duplo custo do sexo. O darwinismo, em sua forma moderna, supõe que cada indivíduo se empenhará para transmitir o máximo possível dos seus genes. Sendo assim, não seria uma sandice ele jogar fora metade dos seus genes com cada óvulo ou espermatozoide que produz, a fim de misturar a outra metade com os genes de outro indivíduo? Uma fêmea mutante que se comportasse como um rotífero bdeloídio e transmitisse 100% de seus genes a cada filho, em vez de 50%, não seria duas vezes mais bem-sucedida?

Maynard Smith acrescentou que o raciocínio falha se o parceiro macho trabalhar duro ou contribuir com bens econômicos de maneira que um casal possa criar o dobro de filhos em comparação com um indivíduo solitário assexuado. Nesse caso, o duplo custo do sexo é compensado por uma duplicação no número de filhos. Em uma espécie como o pinguim-imperador, na qual os genitores macho e fêmea contribuem com quantidades aproximadamente iguais de trabalho e outros custos para criar a prole, o duplo custo do sexo é abolido, ou pelo menos mitigado. Em espécies nas quais as contribuições econômicas e de trabalho são desiguais, é quase sempre o pai quem se esquiva, devotando suas energias, em vez disso, a lutar com outros machos. Isso magnifica o custo do sexo até atingir a dupla penalidade do raciocínio original. Por isso é que o nome alternativo proposto por Maynard, o duplo custo dos machos, é preferível. Sob esse prisma — que o próprio Maynard Smith foi, em grande parte, responsável por mostrar —, não são os rotíferos bdeloídios o escândalo evolutivo, mas todos os demais. Para ser mais pertinente, o sexo masculino é um escândalo evolutivo. Só que ele existe e é quase universal no reino animal. O que ocorre? Como escreveu Maynard Smith, "ficamos com a impressão de que estamos deixando de notar alguma característica essencial da situação".

O duplo custo é o ponto de partida para muita teorização de Maynard Smith, Williams, Hamilton e muitos colegas mais jovens. A existência disseminada de machos que não ganham seu sustento como pais tem de significar que existem realmente benefícios darwinianos muito substanciais para a própria recombinação sexual. Não é tão difícil imaginar quais poderiam ser eles em termos qualitativos, e foram propostos numerosos benefícios possíveis, alguns óbvios, alguns esotéricos. O problema é atinar com algum benefício de suficiente *magnitude* quantitativa para compensar o pesado duplo custo.

Fazer justiça a todos requereria um livro — e já ocupou vários, entre eles as influentes obras de Williams e Maynard Smith que já mencionei e o elegante *tour de force* de Graham Bell, *The masterpiece of nature*. Mas não emergiu veredicto algum. Um bom livro destinado ao público leigo é *The Red Queen*, de Matt Ridley. Embora favoreça primariamente uma das teorias propostas, a de W. D. Hamilton, segundo a qual o sexo é arma em uma incessante corrida armamentista contra parasitas, Ridley não se furta a explicar o problema em si e as outras respostas dadas a ele. Quanto a mim, recomendo de uma vez o livro de Ridley e outros e passo logo ao principal objetivo deste conto, que é chamar a atenção para uma pouco apreciada *consequência* da invenção evolutiva do sexo. O sexo originou o reservatório gênico, tornou as espécies significativas e mudou totalmente o próprio jogo da evolução.

Imaginemos como a evolução deve ser para um rotífero bdeloídio. Que diferente do padrão normal da evolução deve ter sido a história evolutiva para essas 360 espécies! Retratamos o sexo como gerador de diversidade, e de fato, em certo sentido, isso é verdade: essa é a base de grande parte das teorias sobre como o sexo compensa seu duplo custo. Mas, paradoxalmente, ele também tem um efeito que parece ser oposto. O sexo atua normalmente como uma espécie de barreira para a divergência evolutiva. O estudo de Mark Welch e Meselson foi, inclusive, baseado em um caso especial desse tipo de barreira. Em uma população de camundongos, por exemplo, qualquer tendência a lançar-se em alguma nova direção evolutiva arrojada é tolhida pelo efeito assoberbante da mistura sexual. Os genes do empreendedor divergente são arrastados para a conformidade pela massa inerte do resto do reservatório gênico. Por isso é que o isolamento geográfico tem tanta importância para a especiação. É preciso uma cadeia de montanhas ou uma difícil travessia marítima para permitir que uma linhagem recém-inovadora evolua a seu próprio modo sem ser tragada de volta à norma inercial.

Imagine como a evolução deve ter sido diferente para os rotíferos bdeloídios. Longe de serem assoberbados por um reservatório gênico que os arraste para a normalidade, eles nem sequer *possuem* um reservatório gênico. A própria ideia de reservatório gênico não tem sentido na ausência de sexo.* "Reservatório gênico" é uma metáfora persuasiva, pois os genes de uma população sexuada são continuamente misturados e difundidos, como em um líquido. Se introduzirmos na metáfora a dimensão temporal, o reservatório torna-se um rio que flui através do tempo geológico — uma imagem que explorei em *O rio que saía do Éden*. É o efeito aglutinante do sexo que dá ao rio suas margens limitadoras, canalizando as espécies em algum tipo de direção evolutiva. Sem sexo não haveria um fluxo coerentemente canalizado, mas uma difusão informe para fora: em vez de um rio, algo mais parecido com um odor evolando-se em todas as direções a partir de um ponto de origem.

* Há quem se confunda e diga "reservatório gênico" quando quer dizer "genoma". O genoma é o conjunto de genes em um indivíduo. O reservatório gênico é o conjunto de todos os genes em todos os genomas da população sexualmente reprodutiva.

Presumivelmente, ocorre seleção natural entre os bdeloídios, mas deve ser um tipo de seleção natural muito diferente daquela à qual o resto do reino animal é afeito. Quando existe mistura sexual de genes, a entidade esculpida pela seleção natural é o reservatório gênico. Bons genes tendem estatisticamente a ajudar a sobreviver os corpos individuais nos quais eles se encontram. Genes ruins tendem a fazê-los morrer. Em animais de reprodução sexuada, são as mortes e as reproduções dos indivíduos que constituem os eventos seletivos imediatos, mas a consequência de longo prazo é uma mudança no perfil estatístico dos genes no reservatório gênico. Portanto, é o reservatório gênico, como eu disse, o objeto da atenção da escultora darwiniana.

Além disso, os genes são favorecidos por sua capacidade de cooperar com outros genes na construção dos corpos. Por isso é que os corpos são máquinas de sobrevivência tão harmoniosas. O modo correto de ver essa questão, havendo sexo, é que os genes são continuamente experimentados em diferentes "ambientes" genéticos. Em cada geração, um gene troca de posição e passa para um novo time de companheiros, ou seja, os outros genes com os quais ele compartilha um corpo em uma dada ocasião. Genes que costumam ser bons companheiros, ajustando-se bem aos outros e cooperando bem com eles, tendem a estar em times vencedores: corpos individuais bem-sucedidos, que transmitem esses genes a seus descendentes. Os genes que não cooperam bem tendem a transformar em perdedores os times em que se encontram: corpos malsucedidos que morrem antes de se reproduzir.

O conjunto proximal de genes com os quais um gene tem de cooperar é aquele com o qual ele compartilha um corpo — este corpo. Mas, a longo prazo, o conjunto de genes com o qual ele tem de cooperar é o de todos os genes do reservatório gênico, pois são esses que ele encontra repetidamente conforme pula de corpo em corpo no decorrer das gerações. Por isso afirmo que o reservatório gênico de uma espécie é a entidade esculpida pelo cinzel da seleção natural. Do ponto de vista proximal, seleção natural é a sobrevivência e reprodução diferencial de indivíduos inteiros — os indivíduos que o reservatório gênico produz como amostras do que ele pode fazer. Repetindo: nada disso pode ser dito para o caso dos rotíferos bdeloídios. Não ocorre nada parecido com esculpir um reservatório gênico, pois não há reservatório gênico a esculpir. Um rotífero bdeloídio possui apenas um grande gene.

Isso que acabo de salientar é uma consequência do sexo, e não uma teoria sobre o benefício do sexo, nem uma teoria sobre por que o sexo surgiu. Mas se eu porventura me aventurasse a formular uma teoria sobre o benefício do sexo, se ensaiasse um decidido ataque à "característica essencial da situação que estamos deixando de notar", seria por aí que eu começaria. E procuraria ouvir muitas vezes "O conto do rotífero". Esses minúsculos e obscuros habitantes de poças e charcos musguentos podem ter a chave para esse irresoluto paradoxo da evolução. O que há de errado com a reprodução assexuada se os rotíferos bdeloídios têm prosperado com ela há tanto tempo? Ou, se dá certo para eles, por que o resto de nós não a adota e assim poupa o oneroso duplo custo do sexo?

O CONTO DA CRACA

Quando eu estava no internato, às vezes chegávamos atrasados para o jantar e precisávamos dar explicações ao prefeito. Dizíamos: "desculpe o atraso: ensaio de orquestra", ou dávamos qualquer outra justificativa cabível. Para as ocasiões em que não tínhamos nenhuma boa desculpa e queríamos esconder alguma coisa, adquirimos o hábito de murmurar: "Desculpe o atraso: cracas". O prefeito sempre aceitava compreensivo a desculpa, e não sei se ele alguma vez se perguntou que diabos seria essa misteriosa atividade extracurricular. É possível que nos inspirássemos no exemplo de Darwin, que dedicou anos da sua vida às cracas, com tal obsessão que seus filhos, ao visitarem a casa de uns amigos, indagaram com inocente perplexidade: "Mas onde é que [o seu pai] põe as cracas dele?". Não tenho certeza se conhecíamos essa anedota sobre Darwin naquela época, e desconfio que inventamos tal desculpa porque existe alguma coisa nas cracas que parece implausível demais para ser um blefe. As cracas não são o que parecem. Isso se aplica também a outros animais. E esse é o tema de "O conto da craca".*

* O grande cientista J. B. S. Haldane apresentou um conto da craca totalmente diferente: uma parábola na qual cracas filósofas contemplam seu mundo. A realidade, concluem, é tudo o que elas podem alcançar com seus braços filtrantes. Elas percebem "visões" muito vagamente, de cuja realidade física duvidam, porém, porque as cracas de diferentes partes da rocha discordam quanto à distância e à forma daquilo que percebem. Essa sagaz alegoria sobre as limitações do pensamento humano e o crescimento da superstição religiosa é o conto de Haldane, e não o meu, e me limito a recomendá-lo e prosseguir com meu tema. O texto encontra-se no ensaio epônimo de *Possible words*.

Contrariando as aparências, as cracas são crustáceos. As cracas comuns, ou bolotas-do-mar, que incrustam as rochas como minúsculas lapas, ajudam quem está calçado a não escorregar e ferem os pés de quem está descalço, são por dentro totalmente diferentes das lapas. No interior da carapaça, elas são camarões deformados, que vivem esperneando deitados de costas. Seus pés contêm pentes ou cestos penugentos com os quais elas filtram partículas de alimento na água. As cracas "ganso" [*Lepadomorpha*] fazem a mesma coisa, mas, em vez de se abrigarem sob uma carapaça cônica como as bolotas, assentam-se na extremidade de um robusto pedúnculo. Devem seu nome a mais um equívoco quanto à verdadeira natureza das cracas. Suas "plumas" molhadas filtrantes lembram uma avezinha ainda no ovo. No tempo em que as pessoas acreditavam em geração espontânea, difundiu-se uma crença popular de que as cracas ganso, depois de chocadas, se transformavam em gansos, especificamente o da espécie *Branta leucopsis*, cujo nome vulgar em inglês é *barnacle goose*, ou "ganso-craca".

As mais desnorteantes de todas — e quem sabe até as recordistas entre os animais que não se parecem nem remotamente com aquilo que diz sua verdadeira classificação zoológica — são as cracas parasitas como a *Sacculina*. A *Sacculina* não é nem de longe o que parece. Os zoólogos nunca teriam percebido que na verdade ela é uma craca se não fosse por sua larva. O adulto é um saco macio que adere à parte inferior de um caranguejo e lhe penetra o corpo com raízes longas e ramificadas como as de uma planta para absorver nutrientes dos tecidos do caranguejo. O parasita não só não parece uma craca como também não se assemelha a nenhum tipo de crustáceo. Ele perdeu completamente todos os vestígios de uma couraça blindada e de segmentação do corpo encontrados em quase todos os demais artrópodes. Poderia muito bem ser uma planta ou um fungo parasita. No entanto, no que diz respeito ao seu parentesco evolutivo, ela é um crustáceo, e não só um crustáceo, mas especificamente uma craca. De fato, as cracas não são o que parecem.

Um fato fascinante: o desenvolvimento embriológico do corpo da *Sacculina*, tão extraordinariamente dessemelhante ao de um crustáceo, começa a ser compreendido com base no tipo de genes Hox que foram o tema de "O conto da mosca-das-frutas". O gene chamado *Abdominal-A*, que normalmente supervisiona o desenvolvimento de um abdome crustáceo típico, não se expressa na *Sacculina*. Pelo jeito, é possível transformar um animal nadador, pernudo e esperneante em um fungoide amorfo apenas suprimindo genes Hox.

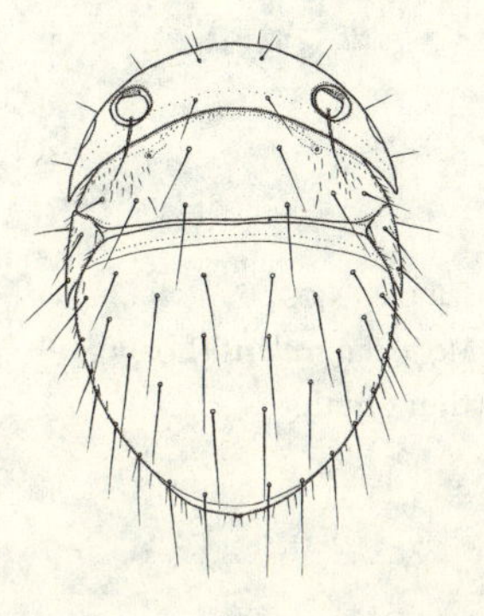

UMA CRIATURA FANTÁSTICA? UM BAUPLAN INÉDITO? *Thaumatoxena andreinii* fêmea. Desenho de Henry Disney.

A propósito, o sistema de raízes ramificadas da *Sacculina* não invade indiscriminadamente os tecidos do caranguejo. Ele mira primeiro os órgãos reprodutivos do hospedeiro, e o efeito disso é a castração do caranguejo. Isso é apenas um subproduto acidental? Provavelmente não. A castração não se limita a esterilizar o caranguejo. Como um boi gordo, o caranguejo castrado, em vez de se concentrar em ser uma máquina reprodutora enxuta e dura, desvia recursos para o aumento de seu tamanho — mais comida para o parasita.*

Para conduzir ao conto final deste grupo, eis uma pequena fábula que se passa no futuro. Meio bilhão de anos depois que a vida dos vertebrados e artrópodes pereceu totalmente na esteira da mãe de todas as colisões de cometas, por fim tornou a evoluir vida inteligente em descendentes remotos de polvos. Os paleontólogos octópodes encontram um rico sítio fossilífero datado do século XXI d.C. Essa rica jazida xistosa, embora não seja perfeitamente representativa da vida contemporânea, ainda assim impressiona os paleontólgos por sua variedade e diversidade. Pesando cuidadosamente os fósseis com a criteriosa avaliação de seus oito braços e sugando com perícia os detalhes, um douto polvo chega a aventar que a vida, durante aquela era pré-catástrofe, era muito mais pródiga em diversidade do que jamais tornaria a ser, pois em alegre experimentação produzia novos e fascinantes planos corporais. Podemos perceber o que ele quer dizer se pensarmos nos animais nossos contemporâneos e imaginarmos que uma pequena amostra deles se fossiliza. Imagine a tarefa hercúlea que se apresenta ao nosso paleontólogo do futuro e tente entender as dificuldades dele ao procurar

* Discorri prodigamente sobre casos de parasitas que sutilmente manipulam a fisiologia íntima de seus hospedeiros no capítulo sobre parasitas de *The extended phenotype*.

COMO DEVERIA SER UMA MOSCA?
Mosca forídea *Megaselia scalaris* (Loew).
Desenho de Arthur Smith.

discernir as afinidades de seus espécimes com base em vestígios fósseis imperfeitos e esparsos.

Só para dar um exemplo: como é que se pode classificar o animal da página anterior? Evidentemente uma nova "criatura fantástica", que provavelmente merece que se cunhe em sua honra um filo antes sem nome? Um *Bauplan** inédito, até então desconhecido da zoologia?

Pois não é. Voltemos da fantasia futurista para o presente. Na verdade, essa criatura fantástica é uma mosca, *Thaumatoxena andreinii*. E tem mais: é uma mosca pertencente à perfeitamente respeitável família *Phoridade*. Um membro mais típico dos *Phoridae* é mostrado acima: a *Megaselia scalaris*.

O que ocorreu com a *Thaumatoxena*, a "criatura fantástica", foi que ela fixou residência em um ninho de cupins. As exigências da vida naquele mundo enclausurado são tão diferentes que ela perdeu, provavelmente em pouquíssimo tempo, todo o aspecto de mosca. Sua extremidade frontal em forma de bumerangue é o que resta da cabeça. Em seguida vem o tórax, e podemos ver os vestígios de asas aninhados entre o tórax e o abdome, a parte peluda posterior.

A moral, novamente, é a mesma da craca. Mas a parábola do paleontólogo do futuro e sua sedução pela retórica das criações estrambóticas da natureza em seus alegres desvarios criativos no morfoespaço não foi contada à toa. Ela se destina a abrir caminho para o próximo conto, todo ele dedicado à Explosão Cambriana.

* Plano ou planta do corpo. (N. T.)

Se a zoologia moderna admite qualquer coisa parecida com um mito de origem completo, é a Explosão Cambriana. O Cambriano é o primeiro período do Éon Fanerozoico, os últimos 545 milhões de anos, durante o qual a vida animal e vegetal como a conhecemos subitamente se manifesta em fósseis. Antes do Cambriano, os fósseis eram ou ínfimos vestígios ou enigmáticos mistérios. A partir do Cambriano, temos uma clamorosa coleção de vida multicelular, que pressagia de forma mais ou menos plausível a nossa. É o caráter inopinado do surgimento de fósseis multicelulares na base do Cambriano que inspira a metáfora da explosão.

Os criacionistas adoram a Explosão Cambriana porque ela dá a impressão, para a imaginação cuidadosamente empobrecida dessas pessoas, de conjurar uma espécie de orfanato paleontológico habitado por filos sem pais: animais sem antecedentes, que parecem ter se materializado da noite para o dia do nada, completos, sem faltar sequer os buracos das meias.* No outro extremo, zoólogos romanticamente exaltados adoram a Explosão Cambriana por sua aura de sonho arcadiano, uma era da inocência zoológica na qual a vida dançava a um ritmo evolutivo frenético e radicalmente diferente: um bacanal pré-lapsariano de improvisações em saltos bruscos antes da queda no compenetrado utilitarismo que vem prevalecendo desde então. Em *Desvendando o arco-íris*, citei as seguintes palavras de um eminente biólogo que, a essa altura, talvez já não pense desse modo:

> Logo depois da invenção de formas multicelulares, um grande surto de novidade evolutiva deu um arranco. Quase podemos sentir a vida multicelular alegremente experimentando todas as ramificações possíveis, numa espécie de dança selvagem de exploração despreocupada.

Se existe um animal que, mais do que qualquer outro, retrata essa febril visão do Cambriano é o *Hallucigenia*. Alucinações à parte, poderíamos suspeitar que uma criatura tão improvável nunca ficou de pé na vida. E acertaríamos. Ao que parece, o *Hallucigenia* — e Simon Conway Morris escolheu esse nome ponderadamente — foi de início reconstituído de cabeça para baixo. É por isso que

* Bertrand Russell, obviamente.

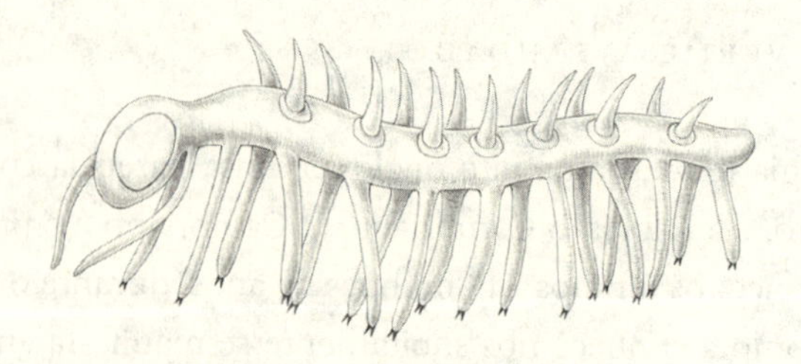

HALLUCIGENIA — reconstituição moderna.

o vemos em pé, sustentado por inviáveis toquinhos pontudos. Mas, segundo uma interpretação contrária mais recente, a fileira única de "tentáculos" nas costas eram pernas. Uma fileira única de pernas? Será que ele se equilibrava como em uma corda-bamba? Não. Novas descobertas fósseis na China sugerem uma segunda fileira, e as reconstituições modernas parecem capazes de ficar à vontade no mundo real (ver acima). O *Hallucigenia* não é mais considerado uma criatura fantástica de parentescos incertos e provavelmente desaparecidos há muito tempo. Agora, junto com muitos outros fósseis do Cambriano, ele está provisoriamente classificado no filo *Lobopodia*, que tem representantes modernos na forma do *Peripatus* e outros "onicóforos" ou "vermes aveludados" que participam do Encontro 26.

No tempo em que se pensava que os vermes anelídeos eram parentes próximos dos artrópodes, muitos apregoavam os onicóforos como "intermediários" — a ponte entre os dois filos, embora esse não seja um conceito muito útil se refletirmos atentamente sobre como a evolução funciona. Hoje os anelídeos são classificados nos *Lophotrochozoa*, enquanto os *Onychophora* são ecdisozoários, junto com os artrópodes. O *Peripatus*, com seus parentescos remotos, está bem situado entre os peregrinos modernos para narrar a história da Explosão Cambriana.

Os onicóforos modernos (ver Ilustração 36) distribuem-se amplamente pelos trópicos, em especial no Hemisfério Sul. O *Peripatus*, *o Peripatopsis* e todos os onicóforos modernos vivem em terra firme, em lugares úmidos e em folhas em decomposição, onde caçam lesmas, vermes, insetos e outras presas pequenas. No Cambriano, evidentemente, o *Hallucigenia* e os antepassados remotos do *Peripatus* e do *Peripatopsis* viviam no mar, como todo mundo.

A relação entre os onicóforos modernos e o *Hallucigenia* ainda é controversa, e devemos lembrar que há muita imaginação de permeio quando se tem de um lado um fóssil esmagado e indistinto numa rocha e de outro uma reconsti-

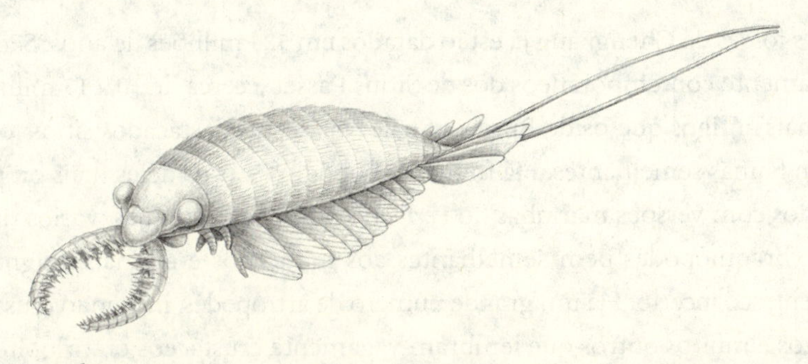

Anomalocaris saron.

tuição finalmente desenhada, às vezes em cores arrojadas, numa página. Já se aventou, inclusive, que o *Hallucigenia* talvez não seja um animal inteiro, mas uma parte de algum animal desconhecido. Não seria a primeira vez que um erro desse tipo ocorre. Algumas reconstituições de cenas do Cambriano feitas por artistas mais antigos incluem uma criatura nadadora semelhante às águas-vivas, aparentemente inspirada em fatias de abacaxi enlatado, que depois se descobriu serem parte do aparelho mandibular do misterioso animal predador *Anomalocaris* (ver acima). Outros fósseis do Cambriano, por exemplo o *Aysheaia*, parecem versões marinhas do *Peripatus*, o que reforça o direito do *Peripatus* a narrar este conto sobre o Cambriano.

A maioria dos fósseis, em qualquer era, é composta por restos de partes duras de animais: ossos de vertebrados, carapaças de artrópodes ou conchas de moluscos ou braquiópodes. Mas existem três sítios fossilíferos do Cambriano, um no Canadá, um na Groenlândia e um na China, onde, com sorte quase milagrosa para nós, condições anormais preservaram também partes moles. São os sítios de Burgess Shale em British Columbia, Sirius Passet no norte da Groenlândia e Chengjiang, no sul da China.* O sítio de Burgess Shale foi descoberto em 1909 e celebrizado oitenta anos depois por Stephen Gould em *Vida maravilhosa*. O sítio de Sirius Passet, no norte da Groenlândia, foi encontrado em 1984, mas até agora é o menos estudado dos três. No mesmo ano, os fósseis de Chengjiang foram achados por Hou Xian-guang. O Dr. Hou é um dos que colaboraram em uma monografia primorosamente ilustrada, *The Cambrian fossils of Chengjiang, China*, publicada em 2004 — felizmente para mim, antes de este livro ir para o prelo.

* Um quarto sítio, Orsten (pedra do fedor), na Suécia, preserva corpos moles de outro modo.

Os fósses de Chengjiang já estão datados em 525 milhões de anos. São aproximadamente contemporâneos dos de Sirius Passet e cerca de 10 a 15 milhões de anos mais antigos que os de Burgess Shale, mas esses destacados sítios fossilíferos têm faunas semelhantes. Há muitos lobopódios, vários deles mais ou menos parecidos com versões marinhas do *Peripatus*. Há algas, esponjas, vários tipos de verme, braquiópodes bem semelhantes aos modernos e animais enigmáticos de parentesco incerto. Há um grande número de artrópodes, incluindo crustáceos, trilobitos e muitos outros que lembram vagamente crustáceos ou trilobitos mas podem ter pertencido a grupos próprios, bem separados. O grande (alguns espécimes com mais de um metro) e aparentemente predador *Anomalocaris* e sua parentela foram encontrados em Chengjiang e em Burgess Shale. Ninguém sabe ao certo o que eles eram — provavelmente parentes distantes dos artrópodes —, mas devem ter sido espetaculares. Nem todas as "criaturas fantásticas" de Burgess Shale foram encontradas em Chengjiang, como é o caso do *Opabinia* e seus famosos cinco olhos.

A fauna de Sirius Passet, na Groenlândia, inclui uma bela criatura chamada *Halkieria*. Pensou-se que se tratava de um molusco antigo, mas Simon Conway Morris, que descreveu muitas das estranhas criaturas do Cambriano, supõe que ela tem afinidades com três grandes filos: moluscos, braquiópodes e vermes anelídeos. Isso alegra meu coração, pois ajuda a dissipar a reverência quase mística dos zoólogos pelos grandes filos (ver Ilustração 37). Se levamos a sério a nossa evolução, tem de ser verdade que, conforme retrocedemos no tempo e nos aproximamos de seus pontos de encontro, eles se tornarão cada vez mais parecidos uns com os outros, cada vez mais proximamente aparentados. Independentemente de a *Halkieria* prestar-se ou não ao papel, seria preocupante se *não* existisse um animal antigo que unisse anelídeos, braquiópodes e moluscos. Repare nas conchas, uma em cada extremidade, na Ilustração 37.

Como vimos no Encontro 22, Chengjiang contém fósseis que parecem ser de verdadeiros vertebrados, anteriores ao *Pikaia* de Burgess Shale, que lembra um anfioxo, e a outros cordados do Cambriano. A sabedoria zoológica tradicional nunca supôs que vertebrados houvessem surgido há tanto tempo. Contudo, o *Myllokunmingia*, com mais de quinhentos espécimes descobertos em Chengjiang, é muito parecido com um peixe sem mandíbulas, daqueles que se supunha ter surgido 50 milhões de anos depois, no meio do Ordoviciano. De início foram descritos dois gêneros: *Myllokunmingia*, apresentado como relativamente

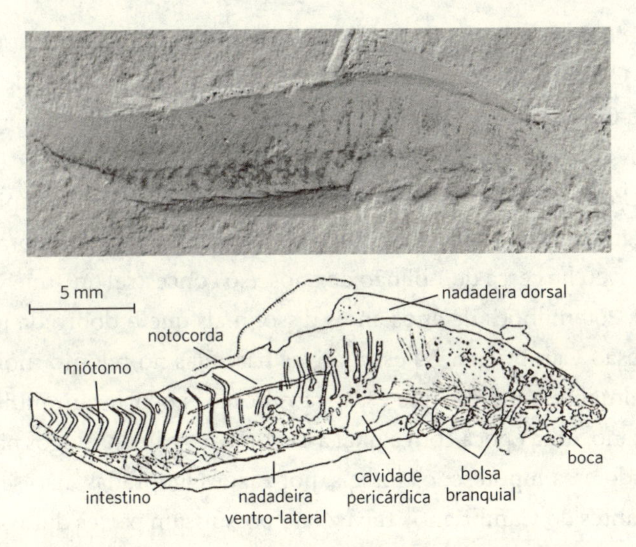

PENSAVA-SE QUE NÃO HAVIA VERTEBRADOS TÃO ANTIGOS. Fóssil de *Myllokunmingia fengjiaoa*, Chengjiang. Em D-G SHU *et al.* (ver página 724).

próximo das lampreias, e *Haikouichthys* (nome que, lamento dizer, não tem nenhuma relação com o *haikai* japonês), que supostamente tinha afinidades com o peixe-bruxa. Hoje alguns taxonomistas revisionistas classificam os dois em uma só espécie, *Myllokunmingia fengjiaoa*. Essa polêmica atualização do status do *Haikouichthys* mostra com eloquência quanto é difícil discernir os detalhes de fósseis muito antigos. Acima vemos uma fotografia de um fóssil individual de *Myllokunmingia* e um desenho do animal feito com uma câmara lúcida. Não me canso de admirar a paciência necessária para reconstituir animais tão antigos como esses.

A datação de vertebrados empurrada mais para o passado até meados do Cambriano só reforça a ideia da explosão súbita que é a base do mito. De fato, parece que a maioria dos grandes filos animais do nosso tempo aparece primeiro como fósseis em um breve espaço de tempo durante o Cambriano. Isso não significa que não houve representantes desses filos antes do Cambriano. Mas a maioria não se fossilizou. Como interpretar isso? Podemos distinguir várias combinações de três hipóteses principais, bem semelhantes às três hipóteses para a explosão dos mamíferos após a extinção dos dinossauros.

1. NÃO HOUVE UMA VERDADEIRA EXPLOSÃO. Segundo essa hipótese, o que houve não foi um surto de evolução propriamente dita, mas apenas uma explosão

da capacidade de fossilização. Os filos na verdade remontam a um tempo bem anterior ao Cambriano, com concestrais espalhados por centenas de milhões de anos no Pré-Cambriano. Essa ideia é defendida por alguns biólogos moleculares que fizeram a datação de concestrais importantes usando a técnica do relógio molecular. Por exemplo, G. A. Wray, J. S. Levington e L. H. Shapiro, em um célebre artigo de 1996, estimaram que o concestral que une vertebrados e equinodermos viveu há cerca de 1 bilhão de anos, e o concestral que une vertebrados e moluscos, 200 milhões de anos antes disso: mais que o dobro da idade da suposta Explosão Cambriana. As estimativas baseadas no relógio molecular tenderam geralmente a indicar que essas ramificações ocorreram muito antes no Pré-Cambriano, uma época com a qual a maioria dos paleontólogos não fica nada feliz. Segundo essa hipótese, os fósseis, por razões ignoradas, não se formavam facilmente antes do Cambriano. Talvez não possuíssem partes duras, como conchas, carapaças e ossos, que se fossilizassem com rapidez. Afinal, os sítios fossilíferos de Burgess Shale e Chengjiang são extremamente incomuns, entre todas as camadas geológicas, na característica de conterem partes moles fossilizadas. Talvez os animais do Pré-Cambriano, embora existissem de longa data em uma ampla variedade de planos corporais complexos, fossem simplesmente pequenos demais para fossilizar-se. Corrobora essa ideia a existência de alguns filos de animais pequenos que não deixaram fóssil nenhum depois do Cambriano e aparecem hoje como "órfãos" vivos. Por que, então, deveríamos nos sentir no direito de esperar fósseis antes do Cambriano? Seja como for, alguns dos fósseis do Pré-Cambriano que foram encontrados, incluindo a fauna ediacarana (ver página 517) e vestígios fossilizados de rastros e tocas, indicam a presença de verdadeiros metazoários nesse período.

2. EXPLOSÃO NO MEIO DO ESTOPIM. De fato, os concestrais que unem os vários filos viveram razoavelmente próximos uns aos outros no tempo, mas ainda assim distribuíram-se por várias dezenas de milhões de anos antes da observada explosão dos fósseis. Da imensa distância até o presente, Chengjiang, há 525 milhões de anos, parece à primeira vista muito próximo de um suposto concestral que tenha vivido, digamos, há 590 milhões de anos. No entanto, nada menos do que 65 milhões de anos os separam, o mesmo tempo decorrido desde a extinção dos dinossauros até hoje — todo o tempo que os mamíferos modernos tiveram para irradiar-se e tornar a se irradiar até produzirem as espetaculares variedades que vemos agora. Até mesmo 10 milhões de anos é um longo tempo à luz

dos extremamente rápidos surtos evolutivos descritos em "O conto do tentilhão das Galápagos" e em "O conto do ciclídeo". Analisando retrospectivamente, é muito fácil pensar que, se reconhecemos dois fósseis muito antigos como pertencentes a filos modernos distintos, é porque esses dois fósseis devem ter sido tão diferentes um do outro quanto são hoje os atuais representantes dos dois filos. É fácil esquecer que os representantes modernos tiveram meio bilhão de anos para divergir. Não há uma boa razão para supormos que um taxonomista do Cambriano, abençoadamente livre de 500 milhões de anos de panorama zoológico passado para basear sua análise, teria classificado os dois fósseis em filos separados. Talvez ele os colocasse apenas em ordens distintas, não obstante o fato, naquele momento impossível de ser conhecido, de que os descendentes daqueles animais estavam destinados a finalmente divergir a ponto de merecerem ser classificados em filos diferentes.

3. EXPLOSÃO ABRUPTA. Essa terceira escola de pensamento, na minha opinião, é doida. Ou, para usar uma linguagem mais polida: desvairada e irresponsavelmente irrealista. Mas preciso gastar com ela algum tempo, pois tal ideia ganhou popularidade em tempos recentes graças à retórica que atribuí aos zoólogos romanticamente exaltados.

A terceira escola acredita que novos filos surgiram da noite para o dia, em um único salto macromutacional. Eis algumas citações, que já usei em *Desvendando o arco-íris*, de cientistas afora isso respeitáveis.

> Foi como se a facilidade para dar saltos evolutivos geradores de grandes novidades funcionais — a base de novos filos — inexplicavelmente desaparecesse quando o período Cambriano terminou. Foi como se a mola mestra da evolução perdesse parte da força [...]. Portanto, a evolução nos organismos do Cambriano pôde dar grandes saltos, inclusive no nível dos filos, e posteriormente viria a ser mais restrita, apenas com saltos modestos, no nível das classes.

Ou esta, do mesmo ilustre cientista mencionado no início do conto:

> No início do processo de ramificação encontramos uma variedade de mutações em longos saltos que diferem marcantemente do tronco e umas das outras. Essas espécies têm diferenças morfológicas suficientes para serem categorizadas como fundadoras de filos distintos. Essas fundadoras também se ramificam, mas por meio

de variantes de longos saltos ligeiramente mais próximos, gerando ramos a partir de cada fundadora de um filo até espécies-filhas dessemelhantes, as fundadoras de classes. Conforme o processo continua, variantes mais aptas são encontradas em vizinhanças progressivamente mais próximas, e assim fundadoras de ordens, famílias e gêneros emergem em sucessão.

Essas citações absurdas instigaram-me a replicar que era como se um jardineiro olhasse para um velho carvalho e, intrigado, exclamasse: "Não é estranho que há muitos anos não apareçam galhos novos nesta árvore? Atualmente parece que só nascem novas ramificações nos galhinhos das pontas!".

Eis outra citação, mas desta vez mencionarei a fonte, pois foi publicada depois de *Desvendando o arco-íris* e por isso nunca a usei antes. Andrew Parker, em *In the blink of an eye*, ocupa-se, sobretudo, em defender sua interessante e original teoria de que a Explosão Cambriana foi desencadeada pela súbita descoberta dos olhos pelos animais. Mas antes de chegar à sua teoria propriamente dita, Parker começa aceitando sem reservas a versão "desvairada e irresponsável" do mito da Explosão Cambriana. Primeiro, ele expõe o próprio mito na versão mais francamente "explosiva" que já li: "Há 554 milhões de anos existiam realmente três filos animais com sua variedade de formas externas, mas há 538 milhões de anos existiam 38, o mesmo número hoje encontrado".

Ele prossegue tentando deixar claro que não está falando em uma evolução gradualista extremamente rápida comprimida num período de 6 milhões de anos, o que seria uma versão extrema da Hipótese 2, aceitável apenas com muito boa vontade. Tampouco está afirmando, como eu faria, que próximo à divergência inicial daquilo que se destinava futuramente a ser dois filos, esses não seriam muito diferentes. De fato, eles teriam passado por sucessivos estágios: serem duas espécies, depois serem gêneros, e assim por diante, até por fim sua separação merecer o reconhecimento no nível dos filos. Não — Parker dá toda a impressão de considerar seus 38 filos, há 538 milhões de anos, como filos que brotaram totalmente formados da noite para o dia, num piscar de olhos macromutacional: "Evoluíram na Terra 38 filos animais. Portanto, ocorreram apenas 38 eventos genéticos monumentais que resultaram em 38 organizações internas diferentes".

Eventos genéticos monumentais não estão totalmente fora de questão. Genes controladores das várias famílias Hox que vimos em "O conto da mosca-das-frutas" certamente podem sofrer drásticas mutações. Mas há o monumental e o monumental. Uma mosca-das-frutas com um par de pernas onde deveria haver antenas é monumental o bastante, e mesmo assim temos um grande ponto de interrogação no quesito da sobrevivência dela. Existe uma fortíssima razão geral para isso, que explicarei em poucas palavras.

Um animal mutante tem certa probabilidade de estar em vantagem graças à sua nova mutação. "Em vantagem" significa estar em melhores condições se comparado a um tipo parental pré-mutação. O genitor tem de ter sido no mínimo bom o bastante para sobreviver e se reproduzir, ou não seria um genitor. É fácil ver que, quanto menor a mutação, mais provável será que ela seja uma melhora. "É fácil ver" era uma frase predileta do grande estatístico e biólogo R. A. Fisher, e ele às vezes a usava quando para os meros mortais não era fácil ver coisa nenhuma. Mas nesse caso específico acho que é fácil acompanhar o argumento de Fisher para o caso de uma simples característica métrica — por exemplo, o comprimento de uma coxa, que varia em uma dimensão: alguns milímetros que podem torná-la maior ou menor.

Imagine um conjunto de mutações de magnitude crescente. Em um extremo, uma mutação de magnitude zero é, por definição, exatamente tão boa quanto a cópia do gene do genitor, o qual, como vimos, tem de ter sido no mínimo bom o suficiente para sobreviver à infância e se reproduzir. Agora, imagine uma mutação aleatória de pequena magnitude: a perna, digamos, cresce um milímetro a mais ou a menos. Supondo que o gene parental não é perfeito, uma mutação com uma diferença infinitesimal em relação à versão parental tem 50% de chance de ser melhor e 50% de ser pior: será melhor se for um passo na direção certa, e pior se for na direção oposta, relativamente à condição do genitor. Mas uma mutação muito grande será provavelmente pior do que a versão parental, *mesmo se ela for um passo na direção certa*, pois pecará pelo excesso. Em um exemplo extremo, pense em um homem, normal em outros aspectos, com pernas de dois metros de comprimento.

O argumento de Fisher era mais geral do que isso. Quando falamos em saltos macromutacionais em território de um novo filo, não estamos mais lidando com características métricas simples como o comprimento das pernas. Precisamos de outra versão do argumento. A principal questão, como já mencionei, é que há muito mais modos de estar morto do que de estar vivo. Imagine uma paisagem matemática de todos os animais possíveis. Tenho de chamá-la de matemática porque é uma paisagem em centenas de dimensões e inclui uma variedade quase infinita de monstruosidades concebíveis, além do (relativamente) pequeno número de animais que de fato já viveram. O que Parker denomina um "evento genético monumental" equivaleria a uma macromutação de efeito colossal, não só em uma dimensão, como em nosso exemplo da coxa, mas em centenas de dimensões simultaneamente. É dessa escala de mudança que estamos falando se imaginarmos, como Parker parece fazer, uma mudança abrupta e imediata de um filo para outro.

Na paisagem multidimensional de todos os animais possíveis, as criaturas vivas são ilhas de viabilidade, separadas de outras ilhas por gigantescos oceanos de deformidades grotescas. A partir de qualquer ilha, pode-se evoluir um passo por vez, ora com um pequeno crescimento das pernas, ora com um afinamento de um chifre ou o escurecimento de uma pena. A evolução é uma trajetória no espaço multidimensional na qual cada passo do caminho tem de representar um corpo capaz de sobreviver e se reproduzir aproximadamente tão bem quanto o tipo parental alcançado no passo precedente da trajetória. Dado um tempo suficiente, uma trajetória longa o bastante conduz de um ponto de partida viável a um ponto de chegada viável tão remoto que o reconhecemos como um filo diferente: moluscos, por exemplo. E uma outra trajetória passo a passo que tenha o mesmo ponto de partida pode levar, através de intermediários continuamente viáveis, a outro ponto de chegada viável, o qual reconhecemos como outro filo — anelídeos, digamos. Sem dúvida algo assim ocorreu com cada uma das ramificações que conduziram a cada par de filos animais a partir de seus respectivos concestrais.

O que estou querendo dizer com isso é: uma mudança aleatória de magnitude suficiente para iniciar um novo filo de uma assentada será tão vasta, em centenas de dimensões ao mesmo tempo, que precisará de uma sorte absurdamente grande para atracar em outra ilha de viabilidade. É quase inevitável que uma megamutação de tal magnitude venha a soçobrar no meio do oceano da inviabilidade, provavelmente irreconhecível como um animal.

Os criacionistas cometem a tolice de comparar a seleção natural darwiniana com um furacão que se abate sobre um ferro-velho e tem a sorte de montar ali um Boeing 747. Estão errados, é claro, pois estão desconsiderando totalmente o caráter gradual e cumulativo da seleção natural. Mas essa metáfora do ferro-velho presta-se bem à hipotética invenção instantânea de um novo filo. Um passo evolutivo da mesma magnitude que, digamos, a transição da noite para o dia da minhoca para o caracol precisaria ter tanta sorte quanto um furacão no ferro-velho.

Portanto, podemos rejeitar com total confiança a última das nossas três hipóteses, a doida. Restam as outras duas, ou algum meio-termo entre elas, e diante disso vejo-me agnóstico, ávido por mais dados. Como veremos no epílogo deste conto, parece ser cada vez mais aceito que as primeiras estimativas do relógio molecular exageraram quando empurraram o ramo principal centenas de milhões de anos para o passado, nos idos do Pré-Cambriano. Por outro lado, o mero fato da escassez ou mesmo inexistência de fósseis da maioria dos filos animais antes do Cambriano não deve ser razão para que desembestemos a supor que esses filos devem ter se desenvolvido com extrema rapidez. O argumento do furacão no ferro-velho nos diz que todos aqueles fósseis do Cambriano sem dúvida tiveram antecedentes em contínua evolução. Esses antecedentes tinham de estar lá; acontece apenas que não foram descobertos. Seja qual for a razão e a escala temporal, eles não se fossilizaram, mas sem dúvida existiram. À primeira vista, é mais difícil acreditar que todo um conjunto de animais poderia ser mais invisível por 100 milhões de anos do que por apenas 10 milhões. Isso induz algumas pessoas a preferir a teoria do estopim curto para a Explosão Cambriana. Por outro lado, quanto mais curto for o estopim, mais difícil é acreditar que toda a diversificação poderia ser espremida no tempo disponível. Desse modo, esse argumento tem suas vantagens e desvantagens, e não nos permite escolher decisivamente entre nossas duas hipóteses sobreviventes.

O registro fóssil não é totalmente desprovido de vida metazoária anterior a Chengjiang e Sirius Passet. Por volta de 20 milhões de anos antes, quase em cima da fronteira do Cambriano com o Pré-Cambriano, começa a aparecer uma variedade de fósseis microscópicos bem semelhantes a minúsculas conchas; juntos, eles são conhecidos como a "pequena fauna conquícola". A maioria dos paleontólogos surpreendeu-se quando alguns desses fósseis foram identificados como couraça de lobopódios — parentes dos vermes aveludados. Isso significa que as divergências entre diferentes grupos de protostômios *têm de* ter ocorrido no Pré-Cambriano, antes da "explosão" visível.

E há insinuações de uma diversidade animal mais antiga. Vinte milhões de anos antes de começar o Cambriano, no Período Ediacarano de fins do Pré-Cambriano, ocorreu um florescimento mundial de um misterioso grupo de animais chamado de fauna ediacarana, nome proveniente dos montes Ediacara no sul da Austrália, onde esses animais foram encontrados pela primeira vez. É difícil saber ao certo como definir a maioria deles, mas foram alguns dos primeiros animais grandes a fossilizar-se; alguns são provavelmente esponjas. Outros se parecem um pouco com águas-vivas. Outros ainda lembram anêmonas-do-mar ou penas-do-mar (parentes das primeiras, parecidas com plumas). Há os que lembram vermes ou lesmas e poderiam, concebivelmente, representar verdadeiros *Bilateria*. E existem aqueles que são pura e simplesmente misteriosos. O que dizer da criatura *Dickinsonia* (ver Ilustração 38)? É um coral? Um verme? Um fungo? Ou algo totalmente diferente de qualquer vivente moderno? Existe inclusive um fóssil parecido com um girino da Austrália, ainda não descrito formalmente, que se suspeita ser um cordado (esse é o filo, lembremos, ao qual pertencem os vertebrados). Será muito empolgante se descobrirmos que isso é verdade. Mas precisamos esperar para ver. Apesar de tantas pistas tentadoras, o consenso entre os zoólogos é que, de um jeito ou de outro, a fauna ediacarana, embora fascinante, não nos ajuda muito na reconstituição da descendência da maioria dos animais modernos.

Também existem marcas de fósseis que parecem ser trilhas ou tocas de animais Pré-Cambrianos. Esses vestígios nos dizem que houve naqueles tempos remotos animais rastejantes com tamanho suficiente para deixar rastros assim. Infelizmente, não revelam muita coisa sobre a aparência desses animais. Há também alguns até mais antigos, a maioria fósseis microscópicos encontrados em Doushantuo, na China. Parecem ser embriões, embora não esteja claro que tipo de animal eles poderiam ser ao crescer. Ainda mais antigas são algumas pequenas impressões discoides do noroeste do Canadá, datadas aproximadamente entre 600 e 610 milhões de anos atrás — mas esses animais são até mais enigmáticos que as formas ediacaranas.

Este livro baseia-se em uma série de 39 pontos de encontro, e me pareceu conveniente fazer alguma suposição quanto à data de cada um. Hoje, a maioria dos pontos de encontro pode ser datada com alguma confiança, usando uma combinação de fósseis datáveis e relógios moleculares calibrados por fósseis datáveis. Como seria de esperar, os fósseis começam a nos desamparar quando chegamos aos pontos de encontro mais antigos. Isso significa que os métodos moleculares já não podem ser calibrados de modo confiável, e assim entramos numa vastidão inexplorada impossível de datar. Em nome da completude, forcei-me a atribuir alguma espécie de data a esses concestrais da vastidão inexplorada, aproximadamente os Concestrais 23 a 39. Parece-me que os dados mais recentemente disponíveis favorecem, mesmo que apenas ligeiramente, uma hipótese mais próxima da explosão no meio do estopim. Isso contraria minha inclinação anterior para a inexistência de uma verdadeira explosão. Quando obtivermos mais dados, o que espero que aconteça, não me surpreenderei nem um pouco se nos virmos novamente empurrados para o outro lado, nas profundezas do Pré-Cambriano, em nossa busca pelos concestrais dos filos de animais modernos. Ou quem sabe seremos empurrados para o passado até uma explosão notavelmente breve na qual os concestrais da maioria dos grandes filos animais comprimem-se em um período de 20 ou até 10 milhões de anos próximo ao começo do Cambriano. Nesse caso, eu teria uma forte expectativa de que, mesmo se classificarmos corretamente dois animais do Cambriano em diferentes filos com base em sua semelhança com animais modernos, lá no Cambriano eles teriam sido muito mais parecidos um com o outro do que os descendentes modernos de um se parecem com os descendentes modernos do outro. Os zoólogos do Cambriano não os teriam classificado em filos diferentes, mas apenas, digamos, em subclasses distintas.

Não me surpreenderia ver confirmada qualquer uma das duas primeiras hipóteses. Não arrisco nenhum palpite. Mas quero ser um mico de circo se for encontrada qualquer prova em favor da Hipótese Três. Temos todas as razões para supor que a evolução no Cambriano foi essencialmente o mesmo tipo de processo visto na evolução atual. Toda a retórica exaltada sobre a mola mestra da evolução perder a força após o Cambriano, toda a gritaria eufórica sobre danças alucinadas e descuidadas de invenção extravagante, com novos filos brotando numa jubilosa aurora de irresponsabilidade zoológica, tudo isso é algo contra o qual aposto todas as minhas fichas: não passa de uma grande maluquice.

Apresso-me em dizer que não tenho nada contra descrever o Cambriano em prosa-poesia. Mas deem-me a versão de Richard Fortey, na página 120 de seu belo livro *Life: an unauthorised biography*:

> Posso imaginar-me numa praia no Cambriano à noite, exatamente como quando, na praia em Spitsberger, pela primeira vez me pus a cismar sobre a biografia da vida. O mar marulhando aos meus pés seria bem como eu o vi e senti então. Onde o mar encontra a terra há um trecho almofadado de estromatólitos arredondados, um tanto viscosos, sobreviventes dos vastos bosques do Pré-Cambriano. Atrás de mim silva o vento nas planícies vermelhas onde nada visível vive, e sinto as ferroadas da areia que ele atira em minhas pernas. Mas na areia lodosa em que piso vejo

moldes de vermes, pequeninas impressões coleantes que me parecem familiares. Vejo trilhas de furinhos, rastros deixados por animais semelhantes a crustáceos [...]. Afora o assobio da brisa e os fragores e sorvos da arrebentação, o silêncio é total, e o vento não traz nenhum grito [...]

EPÍLOGO DO CONTO DO VERME AVELUDADO

Em coautoria com Yan Wong

Por boa parte deste livro fui atribuindo datas de encontro despreocupadamente, chegando mesmo à audácia de, ao apresentar muitos dos concestrais, apontar um número específico de gerações de "avós". Minhas datas basearam-se, sobretudo, em fósseis que, como veremos em "O conto da sequoia", podem ser datados com uma precisão comensurável com as vastas escalas temporais envolvidas. Mas os fósseis nunca são de grande ajuda para reconstituir a linhagem de animais de corpo mole como os platelmintos. Os celacantos estiveram ausentes do registro nos últimos 70 milhões de anos, daí a razão de a descoberta de um deles, vivo, ter sido uma surpresa emocionante em 1938. O registro fóssil, mesmo na melhor época, pode ser uma testemunha volúvel. E agora, chegando ao Período Cambriano, vemo-nos lamentavelmente sem fósseis. Qualquer que seja a interpretação que dermos para "explosão", todos concordam que quase todos os predecessores da grande fauna do Cambriano, por razões incertas, não se fossilizaram. Quando procuramos concestrais anteriores ao Cambriano, não encontramos mais ajuda nas rochas. Felizmente, os fósseis não são nosso único recurso. Em "O conto do pássaro-elefante", "O conto do peixe pulmonado" e em outros textos, recorremos à engenhosa técnica conhecida como relógio molecular. Chegou a hora de explicá-la devidamente.

Não seria esplêndido se mudanças evolutivas mensuráveis, ou contáveis, ocorressem a um ritmo fixo? Poderíamos então usar a evolução como seu próprio relógio. E isso não precisa envolver um raciocínio circular, pois calibraríamos o relógio evolutivo com base em partes da evolução nas quais o registro fóssil é bom e depois extrapolaríamos para as partes onde ele é ruim. Mas como medir a marcha da evolução? E, mesmo se pudéssemos medi-la, por que haveríamos de supor que qualquer aspecto da mudança evolutiva deveria marchar a um ritmo fixo, como um relógio?

Não existe a menor esperança de que o comprimento das pernas, o tamanho do cérebro ou o número de fios do bigode evoluam a um ritmo fixo. Essas características são importantes para a sobrevivência, e sem dúvida as taxas de sua evolução serão abominavelmente inconstantes. Tal como os relógios, estão condenadas pelo próprio princípio de sua evolução. De qualquer modo, é difícil imaginar um critério aceito para medir taxas de evolução visível. Deve-se medir a evolução do comprimento das pernas em milímetros por milhão de anos, como mudança percentual por milhão de anos ou o quê? J. B. S. Haldane propôs uma unidade de taxa evolutiva, o darwin, baseada na mudança proporcional por geração. Toda vez que ela é usada em fósseis reais, os resultados variam de milidarwins a quilodarwins e megadarwins, e ninguém se espanta.

A mudança molecular parece um relógio muito mais promissor. Primeiro, porque é óbvio o que se deve medir. Como o DNA é informação textual escrita em um alfabeto de quatro letras, existe um modo totalmente natural de medir sua taxa de evolução. Basta contar as diferenças de letras. Ou, se preferirmos, examinar os produtos de proteínas do código do DNA e contar a substituição de aminoácidos.* Há razões para esperarmos que a maior parte das mudanças evolutivas no nível molecular seja neutra, e não conduzida pela seleção natural. Neutra não quer dizer inútil ou sem função — significa apenas que diferentes versões do gene são igualmente boas, portanto a mudança de uma para outra não é notada pela seleção natural. Isso é bom para o relógio.

Contradizendo minha absurda reputação de "ultradarwinista" (uma calúnia contra a qual eu protestaria com mais veemência se o nome soasse menos elogioso do que soa), não acho que a maior parte das mudanças evolutivas no nível molecular seja favorecida pela seleção natural. Ao contrário, sempre gostei da chamada teoria neutra associada ao grande geneticista japonês Motoo Kimura, ou sua extensão, a teoria "quase neutra", de sua colaboradora Tomoko Ohta. É claro que o mundo real não se interessa pelas preferências humanas, mas o fato é que eu decididamente *desejo* que essas teorias sejam verdadeiras. Isso porque elas nos fornecem uma crônica da evolução separada, independente, desvinculada das características visíveis das criaturas que nos cercam, e acenam com a esperança de que algum tipo de relógio molecular possa funcionar de fato.

* Quando o relógio molecular foi proposto pela primeira vez, por Emile Zuckerkandl e o grande Linus Pauling, esse era o único método disponível.

Só para prevenir qualquer mal-entendido, devo ressaltar que a teoria neutra não desmerece, de modo algum, a importância da seleção na natureza. A seleção natural é todo-poderosa no que diz respeito às mudanças visíveis que afetam a sobrevivência e a reprodução. A seleção natural é a única explicação que conhecemos para a beleza funcional e a complexidade aparentemente "projetada" dos seres vivos. Mas, se existem mudanças sem efeitos visíveis — mudanças que passam despercebidas pelo radar da seleção natural —, elas podem acumular-se impunemente no reservatório gênico e nos fornecer o que precisamos para um relógio evolutivo.

Como sempre, Charles Darwin esteve à frente de seu tempo na questão das mudanças neutras. Na primeira edição de *Origem das espécies*, na parte inicial do capítulo 4, ele escreveu:

> Chamo de seleção natural a preservação de variações favoráveis e a rejeição de variações prejudiciais. Variações que não sejam úteis nem prejudiciais não serão afetadas pela seleção natural, e serão deixadas como um elemento flutuante, talvez como o que vemos nas espécies chamadas polimórficas.

Na sexta e sétima edições, a segunda sentença traz uma adição que soa ainda mais atual: "talvez como o que vemos em certas espécies polimórficas, ou por fim se tornam fixas [...]".

"Fixas" é um termo técnico genético, e Darwin certamente não o usou no sentido atual, mas isso me fornece um ótimo gancho para o próximo argumento. Afirma-se que uma nova mutação, cuja frequência na população começa próximo do zero por definição, torna-se "fixa" quando atinge 100% da população. A taxa de evolução que procuramos medir, para os propósitos do relógio molecular, é aquela na qual uma sucessão de mutações do mesmo lócus genético torna-se fixa na população. O modo óbvio de ocorrer a fixação é a seleção natural favorecer a nova mutação em detrimento do alelo anterior do "tipo selvagem", e assim a impelir para a fixação — ela se torna a norma, "o padrão". Mas uma nova mutação também pode chegar à fixação mesmo se for exatamente tão boa quanto sua predecessora — a verdadeira neutralidade. Isso não tem relação nenhuma com a seleção: ocorre por puro acaso. Podemos simular o processo jogando uma moeda e calculando a taxa à qual ela ocorre. Assim que uma mutação neutra chega nesse lento processo aos 100%, torna-se a norma, o chamado "tipo selvagem" naquele lócus, até que outra mutação tenha a sorte de lentamente chegar à fixação.

Se existir um forte componente de neutralidade, poderíamos potencialmente ter um relógio maravilhoso. O próprio Kimura não estava estudando a ideia do relógio molecular em particular. Mas acreditava — com razão, agora nos parece — que a maioria das mutações no DNA é realmente neutra, "nem útil nem prejudicial". E ele calculou, em uma operação algébrica muito elegante e simples que não reproduzirei aqui, que, se isso for verdade, a taxa à qual genes genuinamente neutros "por fim se tornam fixos" é exatamente igual à taxa à qual as variações são geradas originalmente: a taxa de mutação.

Vejam como isso é perfeito para quem quiser datar os pontos de bifurcação ("encontros") usando um relógio molecular. Contanto que a taxa de mutação em um lócus genético neutro permaneça constante ao longo do tempo, a taxa de fixação também será constante. Podemos agora comparar o mesmo gene em dois animais diferentes, por exemplo, um pangolim e uma estrela-do-mar, cujo ancestral comum mais recente foi o Concestral 25. Calculamos o número de letras em que o gene da estrela-do-mar difere do gene do pangolim. Supomos que metade das diferenças se acumularam na linha conducente do ancestral à estrela-do-mar e a outra metade na linha que vai do concestral ao pangolim. Isso nos dá o número de tique-taques do relógio desde o Encontro 25.

Mas não é tão simples assim, e as complicações são interessantes. Primeiro, se você ouvir o tique-taque do relógio molecular, ele não será regular como o de um relógio de pêndulo ou de mola; soará como um contador Geiger próximo a uma fonte radioativa: totalmente a esmo! Cada tique-taque é a fixação de mais uma mutação. Segundo a teoria neutra, o intervalo entre tique-taques sucessivos poderia ser longo ou curto, aleatoriamente: a "deriva genética". Em um contador Geiger, o momento do próximo tique-taque é imprevisível. Mas — e isto é muito importante — o intervalo *médio* de um grande número de tique-taques é altamente previsível. A esperança é que o relógio molecular seja previsível do mesmo modo que um contador Geiger, e em geral isso é verdade.

Segundo, a taxa dos tique-taques varia de gene para gene em um genoma. Isso foi notado logo de início, quando os geneticistas podiam apenas examinar os produtos de proteína do DNA e não o próprio DNA. O citocromo-c evolui à sua taxa característica, mais rápida do que a das histonas porém mais lenta que a das globinas, a qual, por sua vez, é mais lenta do que a dos fibrinopeptídeos. Do mesmo modo, quando um contador Geiger é exposto a uma fonte radioativa muito fraca como um pedaço de granito, em comparação com uma fonte altamente radioativa como um pedaço de rádio, o momento do próximo tique-taque é sempre imprevisível, mas pode-se prever que a taxa média dos tique-taques é muito diferente quando se passa do granito para o rádio. As histonas são como o granito: tiquetaqueiam a uma taxa lentíssima; os fibrinopeptídeos são como o rádio, e zumbem aleatoriamente como uma abelha doida. Outras proteínas, como o citocromo-c (ou melhor, os genes que as produzem), são intermediárias. Existe um espectro de relógios gênicos; cada um anda à sua própria velocidade e é útil para um determinado propósito nas datações, além de servir para comparações com os demais.

Por que genes diferentes têm velocidades distintas? O que diferencia os genes do "granito" dos genes do "rádio"? Lembremos: neutro não significa inútil, e sim igualmente bom. Genes de granito e genes de rádio são ambos úteis. Ocorre apenas que os genes do granito podem mudar em muitos lugares ao longo de sua extensão e ainda assim serem úteis. Devido ao modo como um gene funciona, porções de sua extensão podem mudar com impunidade sem afetar o funcionamento do gene. Outras porções do mesmo gene são muito sensíveis a mutações, e seu funcionamento é arruinado se uma mutação as atingir. Talvez todos os genes possuam sua porção granito, a qual não pode mudar muito, pois do contrário o gene deixa de funcionar, e sua porção rádio, que pode mudar livremente contanto que a porção granito não seja afetada. Talvez o gene do citocromo-c tenha uma mistura de pedaços de granito e pedaços de rádio, os genes de fibrinopeptídeo tenham uma proporção maior de pedaços de rádio, e os da histona, uma proporção maior de pedaços de granito. Há alguns problemas, ou pelo menos complicações, nessa ideia como explicação para as diferenças nas taxas de tique-taque entre os genes. Mas o que importa para nós é que as taxas de tique-taque variam entre os genes, enquanto a taxa para qualquer gene dado é bem constante mesmo em espécies amplamente separadas.

Mas não completamente constante, o que nos leva ao nosso próximo e sério problema. As taxas de tique-taque não são apenas vagas e desordenadas. Para qualquer dado gene, elas podem ser sistematicamente maiores em alguns tipos de criaturas do que em outras, e isso introduz um viés. As bactérias possuem um sistema de reparo do DNA muito menos eficaz do que a nossa apurada "revisão", e por isso seus genes mutam a uma taxa maior e seu relógio molecular anda mais depressa. Os roedores também possuem enzimas de reparo um tanto relaxadas, o que talvez explique por que a evolução molecular é mais rápida em roedores do que em outros mamíferos. Grandes mudanças na evolução, como a passagem para o "sangue quente", têm o potencial de alterar a taxa de mutação, o que poderia fazer um estrago em nossas estimativas de datas de ramificação baseadas no relógio. Métodos complexos vêm sendo desenvolvidos a fim de levar em conta as alterações nas taxas de mutação em diferentes linhagens, mas ainda estão engatinhando.

Mais preocupante ainda é o fato de que o tempo de reprodução parece dar o máximo de oportunidades para a mutação. Assim, espécies com ciclos de vida breves, como a mosca-das-frutas, sofrerão mutações a uma taxa por milhão de anos mais elevada do que, digamos, os elefantes, com seus longos intervalos entre as gerações. Poderíamos, com isso, pensar que o relógio molecular talvez compute o tempo em gerações e não segundo o tempo real. Mas na verdade, quando os biólogos moleculares examinaram as taxas de mudança em sequências, usando linhagens que por acaso têm um bom registro fóssil para calibragem, não foi isso que encontraram. Ficou a impressão de que há de fato um relógio molecular que mede o tempo em anos, e não em gerações.

Uma sugestão foi que, embora a velocidade reprodutiva dos elefantes seja lenta em comparação com a da mosca-das-frutas, durante todos os anos decorridos entre eventos reprodutivos os genes de elefante estão sujeitos tanto quanto os genes da mosca-das-frutas ao mesmo bombardeio de raios cósmicos e outros fatores que podem ocasionar mutação. A verdade é que genes de mosca-das-frutas pulam para uma nova mosca a cada quinzena, mas por que os raios cósmicos se importariam com isso? Bem, genes instalados em um elefante por dez anos são atingidos pelo mesmo número de raios cósmicos que genes que, durante esse mesmo período, passam por uma sucessão de 250 moscas-das-frutas. Pode ser que essa teoria tenha algo de válido, mas provavelmente ela não é explicação suficiente. É um fato que a maioria das mutações ocorre quando uma nova geração está sendo feita, por isso parece que precisamos de outra explicação para a aparente capacidade do relógio molecular de marcar o tempo em anos e não em gerações.

Nesse ponto a colega de Kimura, Tomoko Ohta, dá uma contribuição brilhante: sua teoria *quase* neutra. Kimura, como já mencionei, calculou com base em sua teoria totalmente neutra que a taxa de fixação de genes neutros deveria ser igual à taxa de mutação. Essa conclusão notavelmente simples dependia de uma elegante operação algébrica de "cancelamento". E a quantidade cancelada era o tamanho da população, que entra na equação, mas, como aparece em cima e embaixo da linha, desaparece convenientemente num passe de mágica matemático, e a taxa de fixação emerge como igual à taxa de mutação. Mas *apenas* se os genes em questão forem completamente neutros. Ohta retomou a álgebra de Kimura, mas permitiu que suas mutações fossem quase neutras em vez de totalmente neutras. E isso fez toda a diferença. O tamanho da população não pôde mais ser cancelado no cálculo.

Isso porque — como há tempos os geneticistas matemáticos calcularam — numa população grande, genes ligeiramente prejudiciais têm maior probabilidade de ser eliminados pela seleção natural antes de terem a chance de derivar até chegarem à fixação. Em uma população pequena, maior é a probabilidade de que a sorte leve à fixação um gene ligeiramente prejudicial antes de ele ser "notado" pela seleção natural. Em um exemplo extremo, imagine uma população quase totalmente aniquilada por alguma catástrofe, restando apenas meia dúzia de indivíduos. Não seria muito surpreendente se, por acaso, todos os seis possuíssem o gene ligeiramente nocivo. Nesse caso, temos a fixação: 100% da população. Esse é um extremo, mas a matemática mostra o mesmo efeito de modo mais geral. Populações pequenas favorecem a deriva para a fixação de genes que, em uma população grande, seriam eliminados.

Portanto, como ressalta Ohta, o tamanho da população não é mais cancelado no cálculo algébrico. Pelo contrário: ele se mantém justamente no lugar que beneficia a teoria do relógio molecular. Voltemos agora aos nossos elefantes e moscas-das-frutas. Animais grandes com ciclo de vida longo, como os elefantes, também tendem a viver em populações pequenas. Já os animais pequenos com ciclo de vida breve costumam viver em populações grandes. Isso não é apenas um efeito vago; ele tem grande regularidade, por razões que não são difíceis de imaginar. Assim, mesmo que a mosca-das-frutas tenha um tempo de geração breve, que tenderia a acelerar o relógio, ela também vive em uma população grande, o que desacelera o relógio. O elefante pode ter um relógio lento no que tange às mutações, mas sua pequena população acelera o relógio no departamento da fixação.

A professora Ohta tem dados mostrando que mutações verdadeiramente neutras, como no DNA-lixo ou em substituições "sinônimas",* parecem tiquetaquear

* Se o código do DNA for "degenerado", qualquer aminoácido pode ser especificado por mais de uma mutação "sinônima". Uma mudança mutacional que resulte em um sinônimo exato não faz diferença alguma para o resultado final.

em tempo geracional e não em tempo real: criaturas com tempo de geração breve aceleram a evolução do DNA quando se mede em tempo real. Inversamente, mutações que podem alterar alguma coisa, e portanto, se chocam com a seleção natural, tiquetaqueiam em tempo real a um ritmo mais ou menos constante.

Seja qual for a razão teórica, parece de fato que, na prática, com as conhecidas exceções que geralmente podemos admitir (escolhendo cuidadosamente nossos genes-relógio e evitando espécies como os roedores, que têm taxas de mutação excepcionais), o relógio molecular revelou-se um instrumento viável. Para usá-lo, precisamos desenhar a árvore evolutiva que relaciona o conjunto das espécies nas quais estamos interessados e estimar a quantidade de mudança evolutiva em cada linhagem. Isso não é tão simples como apenas contar as diferenças entre os genes de duas espécies modernas e dividir por dois. Temos de usar as avançadas técnicas de máxima verossimilhança e filogênese bayesiana vistas em "O conto do gibão" para elaborar a árvore. Apoiados em algumas datas conhecidas de fósseis para a calibragem, podemos então fazer uma boa suposição sobre as datas dos pontos de encontro na árvore.

Empregado criteriosamente desse modo, o relógio molecular produziu alguns resultados assombrosos. As datações do ancestral comum de humanos e chimpanzés pelo relógio molecular giram em torno de 6 milhões de anos, com margem de erro de 1 milhão de anos a mais ou a menos. Essa data, quando foi anunciada pela primeira vez, causou quase a indignação entre os paleoantropólogos, que haviam datado a separação em cerca de 20 milhões de anos. Hoje quase todo mundo aceita a data molecular recente. A maior história de sucesso do relógio talvez seja a datação da irradiação dos mamíferos placentários, descrita na Grande Catástrofe do Cretáceo. Após excluir os roedores devido às suas taxas de mutação anormais, constatamos que várias estimativas baseadas no relógio molecular concordam em situar o concestral de todos os mamíferos nos idos do Cretáceo. Um estudo de relógio molecular com DNA de mamíferos placentários modernos, por exemplo, situou o concestral em mais de 100 milhões de anos atrás, bem no auge da hegemonia dos dinossauros. Quando essas datas foram divulgadas pela primeira vez, colidiram com provas fósseis, que pareciam indicar uma "explosão" dos mamíferos muito posterior e uma escassez de fósseis de mamíferos anteriores. Mas as datas do relógio molecular foram agora corroboradas por descobertas recentes de mamíferos fósseis de 125 milhões de anos atrás, e as datas mais antigas vêm ganhando cada vez mais aceitação. Histórias de sucesso são abundantes e contribuíram para as datas usadas em todo este livro.

Alerta de presunção! Estão soando os sinos de alarme.

Os relógios moleculares dependem, em última análise, de calibragem por fósseis. Datas radiometricamente calculadas para fósseis são aceitas com o respeito que a biologia tem pela física (ver "O conto da sequoia"). Um fóssil estrategicamente localizado que, com confiança, estabeleça um limite inferior na datação de um importante ponto de ramificação evolutiva pode ser usado para calibrar todo um conjunto de relógios moleculares espalhados em torno dos genomas de um conjunto de animais dispersos pelos filos. Mas, quando voltamos ao território Pré-Cambriano onde o suprimento de fósseis se esgota, temos de depender de fósseis relativamente jovens para calibrar tetravôs-relógios que são então usados para estimar datas muito mais antigas. E isso gera problemas.

A data que os fósseis sugerem para o Encontro 16, o ponto em que se reúnem mamíferos e sauropsídeos (aves, crocodilos, cobras etc.), é 310 milhões de anos atrás. Essa data fornece a principal calibragem para muitas datações por relógio molecular de pontos de ramificação bem mais antigos. Mas qualquer estimativa de data encerra certa margem de erro, e os ci entistas, em seus textos especializados, procuram lembrar-se de indicar as "barras de erro" em cada uma das suas estimativas. Citam uma data com, por exemplo, 10 milhões de anos a mais ou a menos. Não há problema algum quando as datas que procuramos com o relógio molecular estão na mesma faixa de possibilidade que a das datas dos fósseis usadas para calibrá-las. Quando há grande disparidade entre as faixas de possibilidade, as barras de erro podem ser alarmantemente vastas. A implicação de uma larga barra de erro é que, se modificarmos um pouquinho uma suposição qualquer ou alterarmos um pouco qualquer numerozinho usado no cálculo, o impacto no resultado final pode ser tremendo. Não mais ou menos 10 milhões de anos, e sim mais ou menos meio bilhão de anos, digamos. Largas barras de erro significam que a data estimada não tem robustez contra erros de mensuração.

Em "O conto do verme aveludado" vimos várias estimativas por relógio molecular que situavam importantes pontos de ramificação nos idos do Pré-Cambriano: por exemplo, 1,2 bilhão de anos para a separação entre vertebrados e moluscos. Estudos mais recentes, usando técnicas complexas que levam em conta possíveis variações em taxas de mutação, reduzem as estimativas para datas na faixa dos 600 milhões de anos — uma diminuição colossal — encaixadas nas barras de erro da estimativa original. Mas isso não é um grande consolo.

Embora eu seja em quase tudo um ferrenho defensor da ideia do relógio molecular, acho que suas estimativas de pontos de ramificação muito antigos precisam ser vistas com cautela. Extrapolar em direção ao passado a partir da calibragem por um fóssil de 310 milhões de anos até chegar a um ponto de encontro com mais que o dobro da idade encerra um risco formidável. Por exemplo, é possível que a taxa de evolução molecular dos vertebrados (que entra em nosso cálculo de calibragem) não seja típica do resto dos seres vivos. Supõe-se que eles tiveram duas rodadas de duplicação de todo o genoma. A súbita criação de grandes números de genes duplicados pode afetar a pressão seletiva sobre as mutações quase neutras. Alguns cientistas (não sou um deles, como já deixei claro) acreditam que o Cambriano marcou uma grande mudança em todo o processo da evolução. Se eles estiverem certos, o relógio molecular precisaria de uma recalibragem radical antes de ser usado no Pré-Cambriano.

De modo geral, à medida que retrocedemos no tempo e o suprimento de fósseis vai rareando, adentramos um reino de quase total conjectura. Ainda assim, tenho esperanças em futuros estudos. Os fascinantes fósseis de Chengjiang e formações semelhantes podem estender bastante a faixa dos pontos de calibragem para regiões do reino animal até agora fora dos limites.

Enquanto isso, reconhecendo que estamos vagueando por uma antiquíssima vastidão de conjecturas, Yan Wong e eu adotamos uma estratégia imprecisa em nossas tentativas de estimar datas daqui por diante na peregrinação. Provisoriamente, aceitamos 1,1 bilhão de anos para o Encontro 34, a junção de animais e fungos. Essa é uma data comumente usada na literatura científica, e é compatível com a mais antiga planta fóssil, uma alga vermelha de 1,2 bilhão de anos atrás. Isso feito, distribuímos os Concestrais 27 a 34 aproximadamente segundo as taxas indicadas por estudos de relógio molecular. No entanto, se nos equivocamos demais quanto ao Encontro 34, nossas datas daí por diante na peregrinação poderão ser superestimativas de muitas dezenas ou até centenas de milhões de anos. Queira o leitor ter sempre isso em mente ao entrarmos nessa vastidão inexplorada e avessa à datação. Minha falta de confiança nas datas desses ermos é tanta que doravante deixarei de lado o já esquisito conceito de estimar o número de gerações de "avós". Esse número logo chegará a bilhões. A ordem das junções nos sucessivos pontos de encontro é mais certa, porém mesmo ela poderá estar equivocada.

Encontro 27

Vermes chatos acelomorfos

Quando tratamos dos protostômios, descendentes do Concestral 26, agrupei firmemente com eles os vermes chatos, ou platelmintos. Mas agora deparamos com uma complicaçãozinha interessante. Dados recentes indicam com veemência que os platelmintos são uma ficção. Obviamente, não estou dizendo que os vermes chatos não existem. Mas se trata de uma coleção heterogênea de vermes que não deveriam ser agrupados sob um mesmo nome. A maioria deles é de verdadeiros protostômios, e nos reunimos a eles no Encontro 26. Mas alguns são bem separados e só vêm juntar-se a nós agora, no Encontro 27. Datamos esse encontro em 630 milhões de anos atrás, embora nessas regiões remotas do tempo geológico as datações sejam cada vez mais incertas.

A data de 630 milhões de anos atrás é bem mais remota do que a de 590 milhões de anos que adotamos para o Encontro 26. Talvez a longa lacuna possa ser explicada pelo episódio da "Terra Bola de Neve" que, segundo uma imaginativa teoria, precedeu o Cambriano. A ideia é que, por razões obscuras, mas que talvez estejam relacionadas à muito em voga e talvez superestimada teoria matemática do caos, toda a Terra enfrentou uma idade do gelo global que durou de aproximadamente 620 milhões de anos até cerca de 590 milhões de anos atrás, o que preenche perfeitamente a grande distância entre o Encontro 27 e o 26. Houve glaciação de sobra. Mas se as glaciações engolfaram ou não todo o planeta é uma questão polêmica na qual não entrarei.

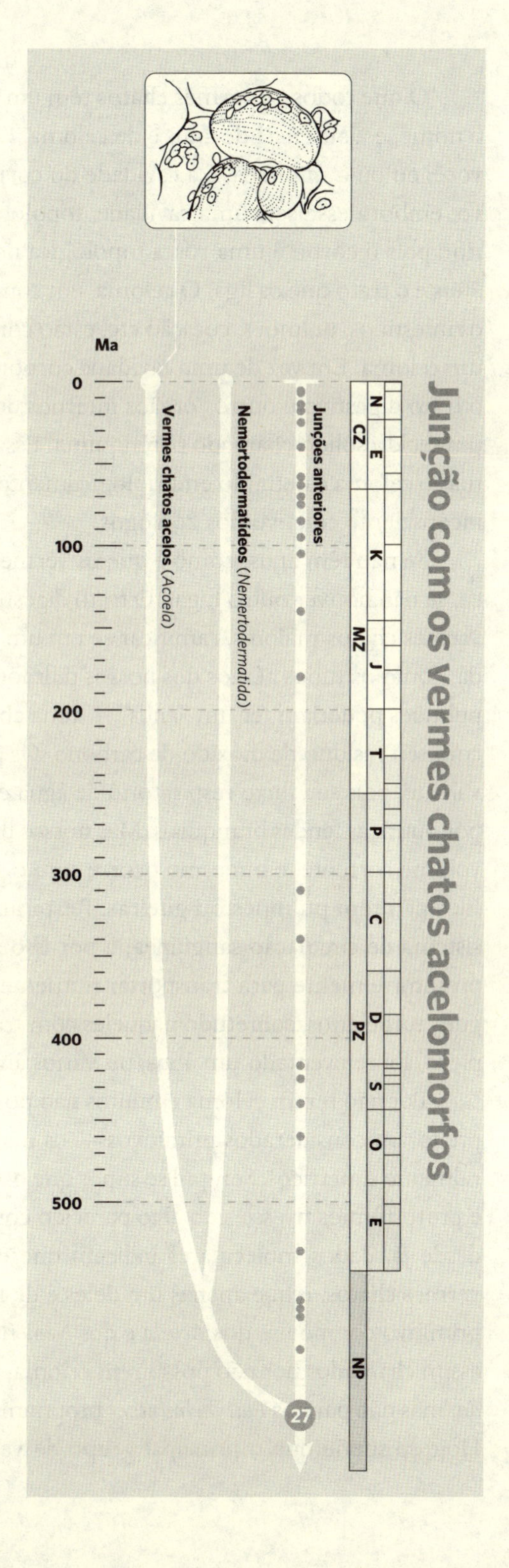

JUNÇÃO COM OS VERMES CHATOS ACELOMORFOS. Os protostômios e os deuterostômios compõem a imensa maioria dos animais bilateralmente simétricos. Mas dados moleculares recentes separaram dessas classificações dois grupos de vermes chatos, indicando que provêm de linhagens ramificadas anteriormente: as classes *Acoela* (cerca de 320 espécies descritas) e *Nemertodermatida* (dez espécies descritas), que em conjunto são conhecidas como vermes chatos acelomorfos. Provavelmente os taxonomistas não tardarão a aceitar essa classificação. Dados atuais indicam que os *Acoela* e os *Nemertodermatida* são grupos irmãos, como mostrado aqui.

IMAGEM: vermes acelos desconhecidos em coral bolha.

O que todos os vermes chatos têm em comum, além da forma que lhes dá o nome, é a ausência de ânus e de celoma. O celoma de um animal típico, como você, eu ou a minhoca, é a cavidade do corpo. Isso não significa o trato digestivo; embora esse seja uma cavidade, topologicamente faz parte do mundo exterior, pois o corpo é uma rosca topológica no qual o buraco do meio é a boca, o ânus e o trato que os liga. O celoma, em contraste, é a cavidade do corpo na qual os intestinos, pulmões, coração etc. estão contidos. Os platelmintos não possuem um celoma. Em vez de uma cavidade corporal na qual as entranhas se espalham, o trato digestivo e outros órgãos internos dos vermes chatos são embutidos em um tecido sólido chamado parênquima. Essa pode parecer uma distinção trivial, mas o celoma é definido embriologicamente e está profundamente arraigado no inconsciente coletivo dos zoólogos.

Se não têm anus, como é que os vermes chatos excretam resíduos? Pela boca, se não houver outro lugar. O trato digestivo pode ser um simples saco ou, em vermes chatos maiores, ramificar-se em um complexo sistema de becos sem saída, como os tubos aéreos dos nossos pulmões. Teoricamente, também os nossos pulmões poderiam ter um "ânus" — uma abertura separada para deixar sair o ar com seu resíduo de dióxido de carbono. Os peixes fazem mais ou menos o equivalente, pois seu fluxo respiratório de água entra por uma abertura, a boca, e sai por outra, as fendas branquiais. Mas nossos pulmões funcionam com base em um volume corrente, e o mesmo ocorre com o sistema digestivo dos vermes chatos. Eles não têm pulmões ou guelras. Respiram pela pele. Também não possuem sistema de circulação sanguínea, e por isso seu trato digestivo ramificado serve presumivelmente para transportar nutrientes a todas as partes do corpo. Em alguns turbelários, sobretudo naqueles com trato digestivo ramificado muito complexo, foi reinventado um ânus, ou vários ânus, depois de uma longa ausência.

Por não terem celoma e muitos não possuírem ânus, os vermes chatos sempre foram considerados primitivos — os mais primitivos entre os animais bilateralmente simétricos. Sempre se supôs que o ancestral de todos os deuterostômios e protostômios tivesse sido algo parecido com um verme chato. Mas agora, digo desde já, dados moleculares indicam que existem dois tipos desvinculados de vermes chatos, e que apenas um deles é de fato primitivo. O tipo genuinamente primitivo compõe-se dos *Acoela* e dos *Nemertodermatida*. Os *Acoela*, ou acelos, são assim chamados por não possuírem celoma, o que, para eles e os *Nemertodermatida*, mas não para os *Platyhelminthes* propriamente ditos, é uma ausência primitiva. Hoje se supõe que o principal grupo de vermes chatos propriamente ditos, as fascíolas, tênias e turbelários, perdeu o ânus e o celoma secundariamente. Esses vermes passaram por um estágio no qual foram mais parecidos com lofotrocozoários normais, depois reverteram à semelhança com seus ancestrais sem ânus e sem celoma. Juntaram-se à nossa peregrinação no Encontro 26, em companhia de todos os demais protostômios. Não entrarei nos detalhes das provas, mas aceitarei a conclusão de que os *Acoela* e os *Nemertodermatida* são diferentes e que se juntam a nós como um pequenino afluxo de peregrinos aqui, no Encontro 27.

Devo agora descrever esses minúsculos vermes que se juntam a nós, mas infelizmente sou obrigado a dizer que, pelo menos em comparação com a maioria dos prodígios que vimos, não há muito a ser descrito. Eles vivem no mar, e não são apenas desprovidos de celoma, mas também de um trato digestivo digno do nome — uma situação viável apenas em animais muito pequenos, coisa que eles são.

Alguns deles suplementam sua dieta abrigando plantas e, assim, beneficiam-se indiretamente da fotossíntese. Membros do gênero *Waminoa* têm dinoflagelados simbióticos (algas unicelulares) de cuja fotossíntese vivem. Outro acelo, *Convoluta*, tem uma relação semelhante com uma alga verde unicelular, *Tetraselmis convolutae*. Presumivelmente, algas simbióticas possibilitam a esses pequenos vermes serem menos diminutos. Os vermes parecem tomar providências para facilitar a vida dessas algas, e portanto para si mesmos, aglomerando-se na superfície a fim de dar a elas o máximo de luz possível. O professor Peter Holland escreveu-me sobre os *Convoluta roscoffensis*:

> São animais fascinantes de se ver em seu habitat natural. Parecem um "limo" esverdeado em certas praias da Bretanha, só que o limo, na verdade, é composto por milhares de acelos com suas algas endossimbióticas. E quando nos aproximamos furtivamente do "limo", ele se esconde (desaparece na areia)! Uma cena estranhíssima.

Os acelos ainda estão conosco, portanto devem ser tratados como animais modernos. Mas sua forma e simplicidade sugerem que eles talvez não tenham mudado muito desde a época do Concestral 27. Os vermes acelos modernos poderiam ser uma aproximação razoável do ancestral de todos os animais bilateralmente simétricos.

Nossos peregrinos reunidos agora incluem todos os filos reconhecidos como *Bilateria*, ou seja, a imensa maioria do reino animal. Esse nome refere-se à sua simetria bilateral, e tem por fim excluir os dois principais filos com simetria radial, agrupados juntos como *Radiata*, que estão prestes a entrar na peregrinação: os cnidários (anêmonas-do-mar, corais, águas-vivas etc.) e os ctenóforos. Infelizmente, para essa terminologia simples, as estrelas-do-mar e seus parentes, que os zoólogos têm certeza de que descendem de bilatérios, também têm simetria radial, pelo menos na fase adulta. Supõe-se que os equinodermos se tornaram secundariamente radiais quando passaram a viver no fundo do mar. Eles têm larvas bilateralmente simétricas e não são parentes próximos dos "verdadeiros" animais radiados como as águas-vivas. Refletindo bem, nem todos os cnidários (anêmonas-do-mar e seus parentes) têm exatamente uma simetria radial, e alguns zoólogos acham que esses animais também tiveram ancestrais bilateralmente simétricos.

Tudo computado, *Bilateria* é um nome impróprio para unir os descendentes do Concestral 27 e separá-los dos peregrinos que ainda estão por vir. Outro possível critério é a "triblastia" (três camadas de células) contraposta a "diblastia" (duas). Em um estágio crucial de sua embriologia, cnidários e ctenóforos constroem o corpo com duas principais camadas de células ("ectoderma" e "endoderma"), e os bilatérios, com três (acrescentam uma no meio, o "mesoderma"). Mas até isso é alvo de polêmica. Alguns zoólogos acham que os radiados também têm células mesodérmicas. Minha opinião é que é mais sensato não nos preocuparmos com ser ou não ser apropriado usar os termos bilatério, radiado, diblasto e triblasto, e nos concentrarmos em quem serão os próximos peregrinos que virão juntar-se a nós.

Mas até mesmo essa questão é controversa. Ninguém duvida que os cnidários são um grupo unitário de peregrinos que se juntam uns aos outros "antes" de se juntarem a quaisquer dos demais. E ninguém duvida que o mesmo se aplica aos ctenóforos. A questão é: em que ordem eles se juntam uns aos outros e a nós? Todas as três possibilidades lógicas foram defendidas. Para piorar as coisas, existe um minúsculo filo, o *Placozoa*, que contém um único gênero, *Trichoplax*, e ninguém sabe onde pôr o *Trichoplax*. Seguirei a escola de pensamento segundo a qual os cnidários são os primeiros a juntar-se a nós no Encontro 28, vindo em seguida os ctenóforos no Encontro 29 e por fim os *Trichoplax*, no Encontro 30. Tudo isso se resolverá definitivamente quando houver mais dados moleculares disponíveis. Isso ocorrerá logo, mas receio que não tão logo para este livro. Esteja o leitor alertado de que os Encontros 28 e 29, assim como o 30 e o 31, poderão revelar-se em ordem equivocada.

Encontro 28
Cnidários

Nosso bando de peregrinos composto por vermes e seus descendentes agora inchou para números imensos, e retrocedemos todos até chegar ao Encontro 28, quando se juntam a nós os cnidários. Eles incluem as hidras de água doce e os mais conhecidos anêmonas-do-mar, corais e águas-vivas, todos muito diferentes dos vermes. Em contraste com os bilatérios, eles têm simetria radial em torno de uma boca central. Não possuem uma cabeça evidente, partes anterior e posterior, nem esquerda e direita. Têm apenas a parte de cima e a parte de baixo.

Qual a data desse encontro? Boa pergunta! Para desenhar os pontos de encontro em posições proporcionais nos diagramas que os acompanham, é preciso estabelecer uma data. Mas aqui, no tempo profundo, é tão grande a incerteza que pouco podemos fazer além de espaçar nossas datas até os 50 ou mesmo 100 milhões de anos mais próximos. Qualquer coisa menor poderia dar uma falsa impressão de precisão. Alguns especialistas discordam por centenas de milhões de anos.

Há quem considere os cnidários muito primitivos porque eles estão entre nossos primos animais mais distantes (alguns chegaram a ser confundidos com plantas). Obviamente isso não procede, pois eles tiveram o mesmo tempo que nós para evoluir desde o Concestral 28. Mas é verdade que lhes faltam muitas das características que consideramos avançadas em um animal. Não possuem órgãos dos sentidos de longa distância, seu sistema nervoso é uma rede difusa, não urbanizada em cérebro, gânglios ou troncos nervosos principais, e seu órgão digestivo é uma cavidade única, geralmente simples com uma só abertura, a boca, que também faz as vezes de ânus.

Por outro lado, não existem muitos animais que podem afirmar ter redesenhado o mapa do mundo. Os cnidários fazem ilhas: ilhas onde podemos viver, grandes o bastante para precisar de um aeroporto e comportar um. A Grande Barreira de Coral tem mais de 2 mil km de comprimento. Foi o próprio Charles Darwin quem descobriu como se formam esses recifes de coral, como veremos em "O conto do polipífero". Os cnidários também incluem os animais venenosos mais perigosos do mundo, cujo exemplo extremo é a vespa-do-mar, que obriga os banhistas australianos prudentes a nadar de meia-calça de náilon. A arma usada pelos cnidários é notável por várias razões além de seu poder formidável. Em contraste com as presas das cobras, ou o ferrão do escorpião ou da vespa, o ferrão da água-viva emerge de dentro de uma célula como um arpão em miniatura. Bem, na verdade, ele emerge em milhares de células chamadas cnidócitos (ou às vezes nematocistos, que são, estritamente falando, apenas uma variedade de cnidócito), cada qual com seu arpão do tamanho de uma célula, chamado cnida. Cnida em grego é urtiga, e é o que dá o nome aos cnidários. Nem todos são tão perigosos para nós quanto a vespa-do-mar, e muitos nem sequer causam dor. Quando tocamos os tentáculos de uma anêmona-do-mar, a sensação "grudenta" nos dedos é causada pelo contato com centenas de minúsculos arpões, cada qual na ponta de sua própria linhazinha que o liga à anêmona.

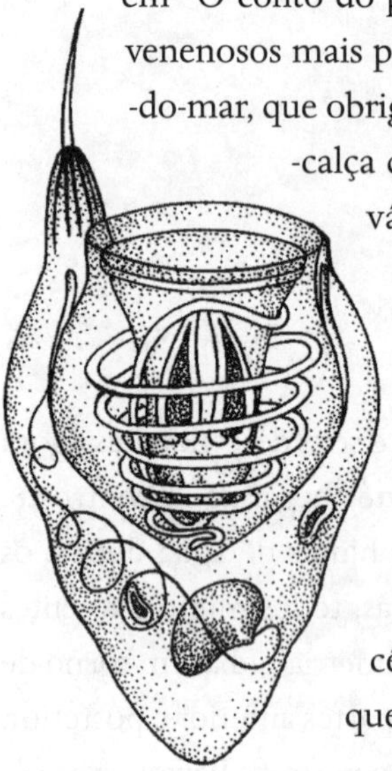

PROVAVELMENTE A PEÇA MAIS COMPLEXA DE UM MECANISMO NO INTERIOR DE UMA CÉLULA. Corte transversal do arpão de um cnidário.

O arpão dos cnidários é provavelmente o mais complexo mecanismo no interior de uma célula em qualquer animal ou vegetal. Em estado de repouso, aguardando para ser lançado, o arpão é um tubo espiralado sob pressão dentro da célula (pressão osmótica, para quem gosta de detalhes), pronto para ser liberado. O gatilho sensível é uma cerda minúscula, o cnidocílio, que se projeta para fora da célula. Quando disparada, a célula abre-se subitamente, e a pressão ejeta com grande força todo o mecanismo espiralado, que penetra no corpo da vítima

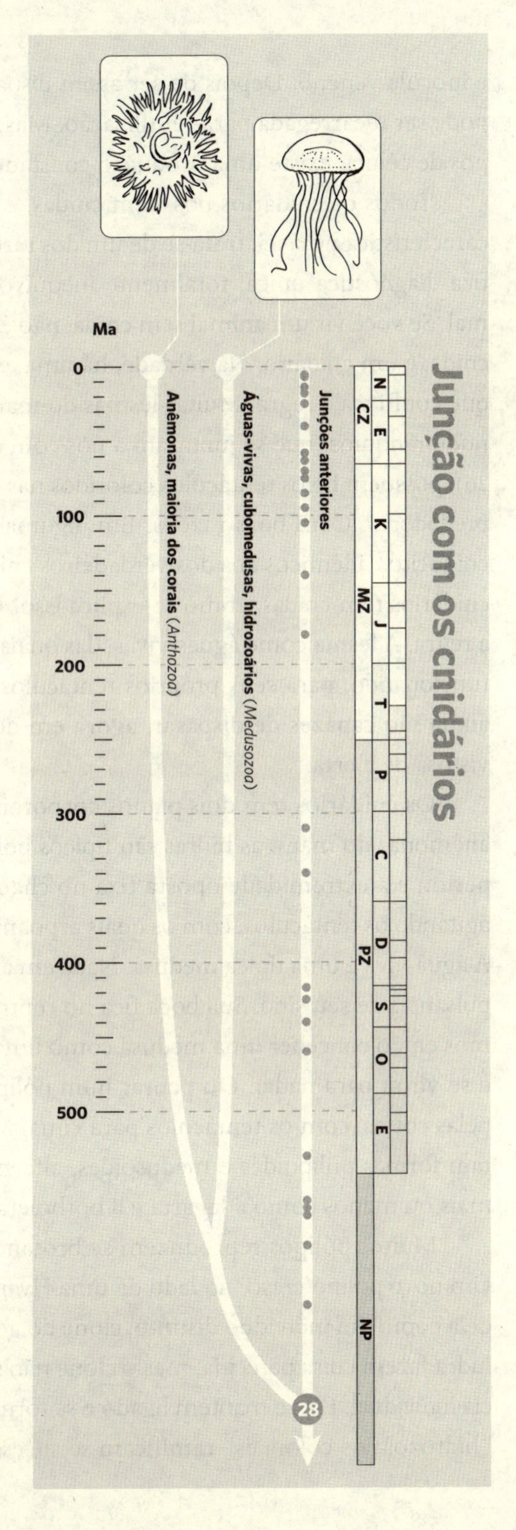

JUNÇÃO COM OS CNIDÁRIOS. A ordem de ramificação dos cnidários (águas-vivas, corais, anêmonas-do-mar e afins) e ctenóforos não está definida. A maioria dos autores aponta um grupo ou o outro (ou às vezes ambos) como os mais próximos parentes vivos dos animais bilateralmente simétricos. Certos dados moleculares levam a crer que os cnidários talvez ocupem essa posição. Infelizmente, a forma e a ramificação de subgrupos nas cerca de 9 mil espécies de cnidários também são polêmicas, mas é amplamente aceita a divisão fundamental entre linhagens, com ou sem um estágio de medusa evoluindo em seu ciclo de vida (ver texto).

IMAGENS, DA ESQUEDA PARA A DIREITA: anêmona-vermelha-do-norte (*Urticina lofotensis*); leptomedusa (*Aequorea sp.*).

e inocula veneno. Depois de ser assim disparada, a célula-arpão esgota-se. Não pode ser recarregada para reutilização. Mas, como ocorre com a maioria dos tipos de célula, existe uma produção constante de células novas.

Todos os cnidários possuem cnidas, e só eles as têm. Essa é sua próxima característica notável: trata-se de um dos raríssimos exemplos de uma característica diagnóstica única, totalmente inequívoca, de qualquer grande grupo animal. Se você vir um animal sem cnida, não é um cnidário. Se vir um animal com cnida, é um cnidário. Na verdade, há uma exceção, um caso perfeito da exceção que confirma a regra. Muitas lesmas-do-mar, do grupo dos moluscos chamados nudibrânquios (que se juntaram a nós com quase todos os outros, no Encontro 26), possuem belos tentáculos coloridos nas costas, com o tipo de cor que repele predadores. Com boas razões. Em algumas espécies, esses tentáculos contêm cnidócitos, idênticos aos dos verdadeiros cnidários. Mas se, supostamente, só os cnidários têm cnidas, como se explica isso? Como eu disse, a exceção confirma a regra. A lesma come águas-vivas, das quais absorve cnidócitos, intactos e ainda funcionando, para seus próprios tentáculos. Mesmo sendo armas confiscadas, ainda são capazes de disparar, agora em defesa da lesma-do-mar — daí a cor vistosa de alerta.

Os cnidários têm dois planos corporais alternativos: pólipo e medusa. As anêmonas-do-mar e as hidras são típicos pólipos: sedentárias, boca na parte superior, e a extremidade oposta fixa no chão, como uma planta. Alimentam-se agitando os tentáculos, com os quais arpoam presas pequenas e as levam à boca. A água-viva é uma típica medusa. Nada em alto-mar com contrações musculares pulsantes de seu sino. Sua boca fica no centro, na parte inferior do corpo. Podemos então conceber uma medusa como um pólipo que se desprendeu do fundo e se virou para nadar. Ou pensar num pólipo como uma medusa que se fixou pelas costas, com os tentáculos para cima. Muitas espécies de cnidário apresentam formas polipoides e medusoides, alternando-as ao longo do ciclo de vida, mais ou menos como a lagarta e a borboleta.

Muitos pólipos reproduzem-se brotando vegetativamente, como plantas. Um novo pólipo cresce ao lado de uma *Hydra* de água doce, até desmembrar-se dela como um indivíduo distinto, clone do genitor. Muitos parentes marinhos da hidra fazem coisa parecida, mas o clone não se separa para assumir uma existência individual. Ele se mantém ligado e se torna um ramo, como nas plantas. Esses "hidrozoários coloniais" ramificam-se sucessivamente, e com isso fica fácil entendermos por que eles eram confundidos com plantas. Às vezes, mais de um tipo de pólipo cresce na mesma árvore poliposa, e eles se especializam em diferentes papéis, como alimentação, defesa ou reprodução. Podemos concebê-los como uma colônia de pólipos, mas há um sentido no qual todos são parte de um indivíduo, pois a árvore é um clone: todos os pólipos têm os mesmos genes. O alimento apanhado por um pólipo pode ser usado por outros, pois suas cavidades gástricas são contínuas. Os ramos da árvore e seu tronco principal são tubos ocos que podemos imaginar como um estômago compartilhado, ou talvez como um tipo de sistema circulatório fazendo o trabalho que em nós fica a cargo dos vasos sanguíneos. Em alguns dos pólipos brotam minúsculas medusas, que saem nadando como águas-vivas em miniatura para reproduzir-se sexuadamente e dispersar os genes da árvore poliposa sua genitora em lugares distantes.

Um grupo de cnidários chamado sifonóforos levou ao extremo o hábito colonial. Podemos concebê-los como árvores poliposas que, em vez de se fixarem a uma rocha ou a um trecho de algas marinhas, penduram-se em uma medusa natante ou em um aglomerado delas (que são, obviamente, membros do clone) ou ainda em uma massa flutuante na superfície. A caravela *Physalia* possui um flutuador cheio de gás com uma vela vertical no topo. Embaixo dela pendura-se uma complexa colônia de pólipos e tentáculos. A caravela não nada, mas desloca-se soprada pelo vento. A *Velella*, de menor porte, é uma jangada oval achatada com uma vela vertical na diagonal. Ela também usa o vento para dispersar-se, e em inglês é conhecida como *Jack-sails-by-the wind* ou *by-the-wind-sailor* [algo como "João velejador" ou "marinheiro velejador"]. É comum encontrarmos essas pequenas jangadas desidratadas na praia, onde geralmente perdem a coloração azul e parecem feitas de plástico esbranquiçado. A *Velella* é parecida com a caravela na característica de ser impelida pelo vento. Mas a *Velella* e sua parente *Porpitta* não são colônias de sifonóforos, e sim pólipos unitários e acentuadamente modificados que flutuam com os tentáculos pendentes em vez de se fixarem a uma rocha (ver Ilustração 39).

Muitos sifonóforos podem ajustar sua profundidade na água, lembrando muito um peixe ósseo com bexigas natatórias. Para isso, secretam ou liberam gás no flutuador. Alguns possuem uma combinação de flutuadores e medusas natantes, e todos têm pólipos e tentáculos pendentes. E. O. Wilson, o fundador da ciência da sociobiologia, considera os sifonóforos um dos quatro pináculos da evolução social (os outros são os insetos sociais, os mamíferos sociais e os humanos). Eis, pois, mais um superlativo que podemos associar aos cnidários. Com a ressalva de que, como os membros de uma colônia são clones, geneticamente idênticos entre si, não é possível termos certeza de que devemos considerá-los uma colônia em vez de um único indivíduo.

Para os hidrozoários, a medusa é um modo pelo qual seus genes ocasionalmente passam de um lugar de morada estável para outro. Pode-se dizer que as águas-vivas levam muito a sério a forma medusoide como seu principal meio de vida. Já os corais levam a vida sedentária ao extremo de construir uma casa sólida e dura, destinada a manter-se no mesmo lugar por milhares de anos. Seguem-se, respectivamente, os seus contos.

O CONTO DA ÁGUA-VIVA

As águas-vivas navegam pelas correntes oceânicas como velejadoras. Não perseguem suas presas, como a barracuda ou a lula. Em vez disso, arrastam atrás de si seus longos tentáculos armados para capturar criaturas planctônicas que tiverem a desventura de topar com eles. As águas-vivas nadam, na verdade, com as lânguidas pulsações de seu sino, mas não seguem nenhuma direção específica quando se deslocam, ou pelo menos não do modo como concebemos uma direção. Mas a nossa concepção é limitada por nossas duas peias dimensionais: rastejamos na superfície da terra firme e, mesmo quando decolamos na terceira dimensão, é só para nos arrastar um pouco mais rápido nas outras duas. No mar, porém, a terceira dimensão é a mais destacada. É a dimensão na qual o deslocamento tem mais eficácia. Em adição ao íngreme gradiente de pressão ligado à profundidade, existe um gradiente de luz, complicado por um gradiente de equilíbrio de cores. Mas a luz desaparece, de qualquer modo, quando o dia dá lugar à noite. Como veremos, a profundidade preferida por um animal planctônico muda drasticamente no ciclo de 24 horas.

Durante a Segunda Guerra Mundial, operadores de sonar que procuravam submarinos ficaram intrigados com o que lhes pareceu ser um falso fundo do mar que toda noite subia à superfície e voltava a descer na manhã seguinte. Era, descobriu-se, a massa de plâncton, milhões de minúsculos crustáceos e outras criaturas que quando anoitecia iam à superfície para alimentar-se e pela manhã tornavam a afundar. Por que fariam isso? A melhor hipótese parece ser que, à luz do dia, eles são vulneráveis a caçadores-predadores como peixes e lulas, e por isso buscam a segurança da escuridão das profundezeas nessas horas. Por que, então, ir à superfície à noite, numa longa jornada que deve consumir muita energia? Um estudioso do plâncton comparou-os a um humano que andasse 40 km de ida e volta só para tomar o café da manhã.

A razão para visitar a superfície é que, em última análise, o alimento provém do Sol, por intermédio das plantas. As camadas superficiais do mar são pradarias verdes contínuas, com microscópicas algas unicelulares no papel da grama ondulante. A superfície é onde está a comida, no final das contas, e é lá que quem pasta, quem se alimenta dos que pastam e quem por sua vez comerá esses últimos tem de estar. Mas se é seguro estar lá apenas à noite, por causa dos predadores que caçam, baseados na visão, quem vai pastar, assim como os seus pequenos predadores, tem de empreender justamente uma migração diurna. E, aparentemente, o fazem. A "pradaria" propriamente dita não migra. Se houvesse algum sentido em fazê-lo, ela deveria nadar de modo a se afastar da maré animal, pois toda a sua *raison d'être* é captar a luz solar na superfície durante o dia e evitar ser comida.

Seja qual for a razão, a maioria dos animais do plâncton migra para o fundo de dia e para a superfície à noite. As águas-vivas, ou muitas delas, seguem os rebanhos, como leões e hienas que acompanham os gnus nas planícies de Mara e Serengeti. As águas-vivas, ao contrário dos leões e hienas, não visam a presas individualmente, mas até mesmo tentáculos que se arrastam cegamente pela água se beneficiarão acompanhando os rebanhos, sendo esta uma das razões por que as águas-vivas nadam. Algumas espécies aumentam sua capacidade de captura ziguezagueando pela água, e mesmo essas não têm por alvo nenhuma presa em particular; o objetivo é abranger uma área maior varrida pelos tentátulos com suas baterias de arpões letais. Há também as que migram para cima e para baixo.

Um tipo diferente de migração foi descrito para as massas de águas-vivas do "Lago das Águas-Vivas" em Mercherchar, umas das ilhas Palau (colônia norte-americana no oeste do Pacífico). O lago, que se comunica com o mar pelo subsolo e, portanto, é salgado, foi assim batizado em alusão à sua colossal população de águas-vivas. Há vários tipos, mas as dominantes são as *Mastigias*. Estima-se que existam 20 milhões delas em um lago com 2,5 km de comprimento e 1,5 km de largura. Todas as águas-vivas passam a noite próximo à margem oeste do lago. Quando o Sol nasce, a leste, todas nadam na direção da luz e, portanto, para a orla oriental. Param antes de chegar à margem, por uma razão simples e interessante. As árvores que margeiam o lago projetam uma sombra profunda, barrando a tal ponto a luz solar que o piloto automático buscador de Sol das águas-vivas começa a impeli-las na direção do agora mais claro oeste. Mas assim que saem da sombra das árvores, elas se viram de novo para o leste.

Esse conflito interno encurrala as águas-vivas ao redor da linha da sombra, com a consequência (que não ouso supor ser mais do que coincidência) de mantê-las a uma distância segura das anêmonas-do-mar, perigosas predadoras que ladeiam a costa. À tarde, as águas-vivas acompanham o Sol, voltam para o extremo oeste do lago, onde toda a armada mais uma vez fica encurralada na linha sombreada das árvores (ver Ilustração 40). Quando escurece, elas nadam verticalmente para cima e para baixo no extremo oeste do lago, até que o nascer do Sol atrai seu sistema de orientação automática de volta ao leste. Não sei o que elas podem ganhar com essa notável migração duas vezes por dia. A explicação publicada não me satisfaz o suficiente para que eu a repita aqui. Por ora, a lição deste conto tem de ser que o mundo vivo oferece muitas coisas que não compreendemos *ainda*, coisas fascinantes em si mesmas.

O CONTO DO POLIPÍFERO

Todas as criaturas que evoluem acompanham mudanças no mundo: mudanças no clima, na temperatura, nas chuvas e — algo mais complexo porque tem relação com o tempo evolutivo — mudanças em outras linhagens que também estão em evolução, como predadores e presas. Algumas criaturas em evolução alteram, por sua própria presença, o mundo em que vivem e ao qual têm de adaptar-se. O oxigênio que respiramos não estava aqui antes de as plantas colocarem-no onde ele está. De início venenoso, ele forneceu condições radicalmente alteradas que a maioria das linhagens animais foi forçada primeiro a tolerar, e depois a depender delas. Em uma escala de tempo mais curta, as árvores em uma floresta madura habitam um mundo que elas próprias criaram, ao longo de centenas de anos: o tempo necessário para transformar simples areia em uma floresta clímax. Evidentemente, uma floresta clímax também é um ambiente rico e complexo ao qual diversas outras espécies vegetais e animais adaptaram-se.

Uma vez que a palavra "coral" designa tanto o organismo como o material duro que ele constrói, cederei a um capricho e adotarei, de Darwin, o termo mais antigo, "polipífero", para designar o organismo coralino que narra este conto. Os organismos coralinos, ou polipíferos, transformam seu mundo no decorrer de milhares de anos construindo sobre esqueletos mortos de suas gerações passadas, formando assim imensas montanhas subaquáticas: barreiras resistentes à água. Antes de morrerem, os corais combinam-se a incontáveis outros corais e condicionam o mundo no qual futuros corais viverão. E não só os futuros corais, mas futuras gerações de uma imensa e complexa comunidade de animais e plantas. A ideia de comunidade será a principal mensagem deste conto.

A imagem reproduzida na Ilustração 41 mostra a ilha Heron, a única que visitei (duas vezes) na Grande Barreira de Coral. As casas que pontilham a orla esquerda da ilha dão uma ideia da escala. A imensa área clara ao redor da ilha é o recife, do qual a ilha é apenas a ponta mais alta, coberta de areia feita de coral esmagado (boa parte dele passado pelo trato digestivo de peixes), na qual cresce uma vegetação de variedade limitada, sustentando uma fauna também limitada de animais terrícolas. Para objetos totalmente feitos por seres vivos, os recifes de coral são grandes. Sondagens mostraram que alguns têm muitas centenas de metros de profundidade. A ilha Heron é apenas uma das mais de mil ilhas e quase 3 mil recifes que compõem a Grande Barreira de Coral, que contorna em arco o noroeste da Austrália por quase 2 mil km. Muitos dizem — ignoro com que veracidade — que a Grande Barreira de Coral é o único indício de vida em nosso planeta grande o suficiente para ser visível do espaço. Afirma-se também que ela é o lar de 30% das criaturas marinhas do planeta, mas mais uma vez não tenho certeza do que isso significa — o que está sendo contado? Seja como for, a Grande Barreira de Coral é um objeto absolutamente extraordinário, e foi todo construído pelos pequenos animais parecidos com anêmonas-do-mar chamados corais ou polipíferos. Os polipíferos vivos ocupam apenas as camadas superficiais de um recife de coral. Debaixo deles, até uma profundidade de centenas de metros em alguns atóis oceânicos, estão os esqueletos de seus predecessores, compactados, formando calcário.

Hoje, só corais controem recifes, mas em eras geológicas anteriores eles não tiveram esse monopólio. Em vários momentos, recifes também foram construídos por algas, esponjas, moluscos e vermes tubulares. O grande sucesso dos organismos coralinos parece nascer de sua associação com algas microscópicas que vivem no interior das células desses organismos e realizam a fotossíntese nos baixios iluminados pelo Sol, beneficiando, em última instância, os corais. Essas algas, chamadas zooxantelas, possuem uma variedade de pigmentos coloridos para captar luz, o que explica a aparência vividamente fotogênica dos recifes de coral. Não é de admirar que se pensasse outrora que os corais fossem plantas. Eles obtêm boa parte do seu alimento do mesmo modo que as plantas, e competem por luz como elas fazem. Só se poderia mesmo esperar que assumissem formas semelhantes. Ademais, suas lutas para fazer sombra e não ficar à sombra levam toda a comunidade de corais a adquirir uma aparência que lembra uma cobertura florestal. E, como qualquer floresta, um recife de coral também é lar de uma grande comunidade de outras criaturas.

Os recifes de coral aumentam imensamente o "ecoespaço" de uma área. Como disse meu colega Richard Southwood em seu livro *The story of life*: "Onde sem ele haveria apenas uma superfície de rocha ou areia encimada por uma coluna de água, o recife fornece uma complexa estrutura tridimensional com grande quantidade de superfícies adicionais dotadas de muitas fendas e pequenas cavernas".

As florestas fazem coisa parecida: inflam a área efetiva da superfície disponível para atividade biológica e colonização. Aumento do ecoespaço é o tipo de coisa que se espera encontrar em comunidades ecológicas complexas. Os recifes de coral abrigam uma imensa variedade de animais de todo tipo, que se aninham em todos os cantos e refúgios do prodigioso ecoespaço oferecido.

Algo semelhante ocorre nos órgãos de um corpo. O cérebro humano aumenta sua área efetiva, e, portanto, sua capacidade funcional, com elaboradas dobras. Talvez não seja por acidente que o "coral cérebro" se pareça tanto com o nosso órgão do pensamento.

O próprio Darwin foi o primeiro a compreender como se formavam os recifes de coral. Seu primeiro livro científico (depois de seu livro de viagens, *A viagem do Beagle*) era um tratado, *Coral reefs*, que ele publicou quando tinha apenas 33 anos. Analisemos o problema de Darwin como o vemos hoje. Darwin não teve acesso à maior parte das informações importantes para elaborar a questão ou resolvê-la. Na verdade, ele foi espantosamente presciente em sua teoria sobre os recifes de coral, tanto quanto o seria em suas mais famosas teorias sobre a seleção natural e a seleção sexual.

25. AS FORMAS ANIMAIS SÃO MALEÁVEIS COMO MASSA DE MODELAR

A variedade de formas de teleósteos. Em sentido horário, a contar de cima à esquerda: Enguia "bico de galinhola" (*Avocettina infans*); pancinha (*Chiasmodon niger*) depois de uma refeição; solha (*Pleuronectes platessa*); peixe-lua (*Mola mola*); enguia-pelicano (*Eurypharynx pelecanoides*) (ver páginas 390-92).

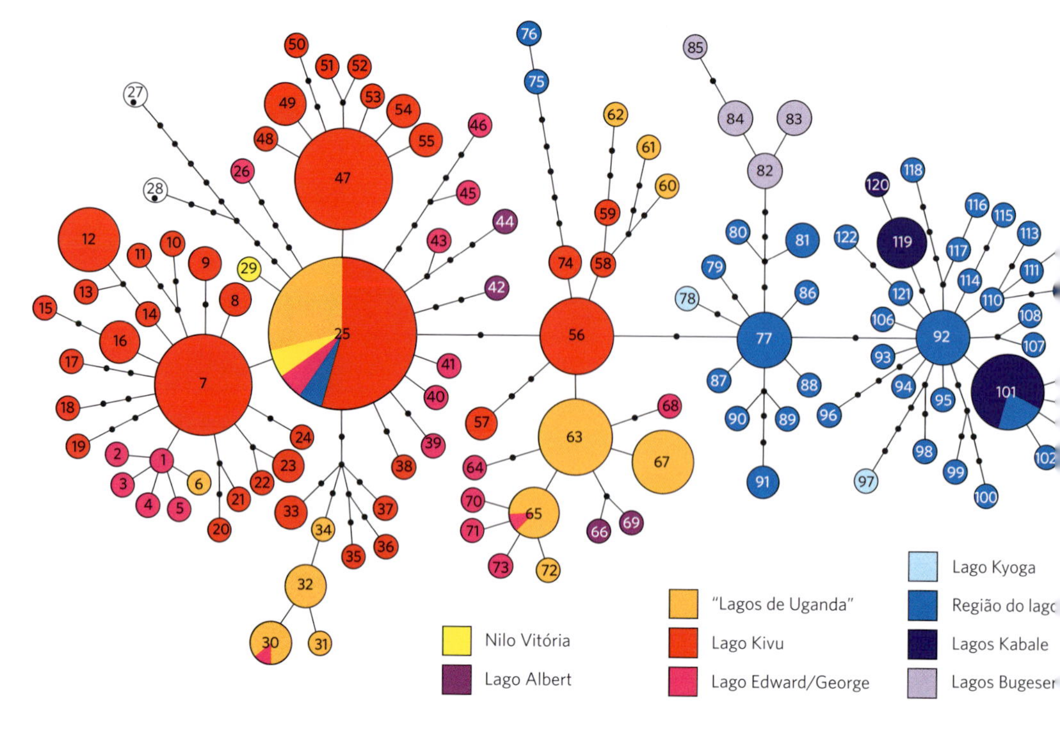

26. Rede de haplótipos desenraizada
De verheyen *et al.* (p. 726) (ver página 403).

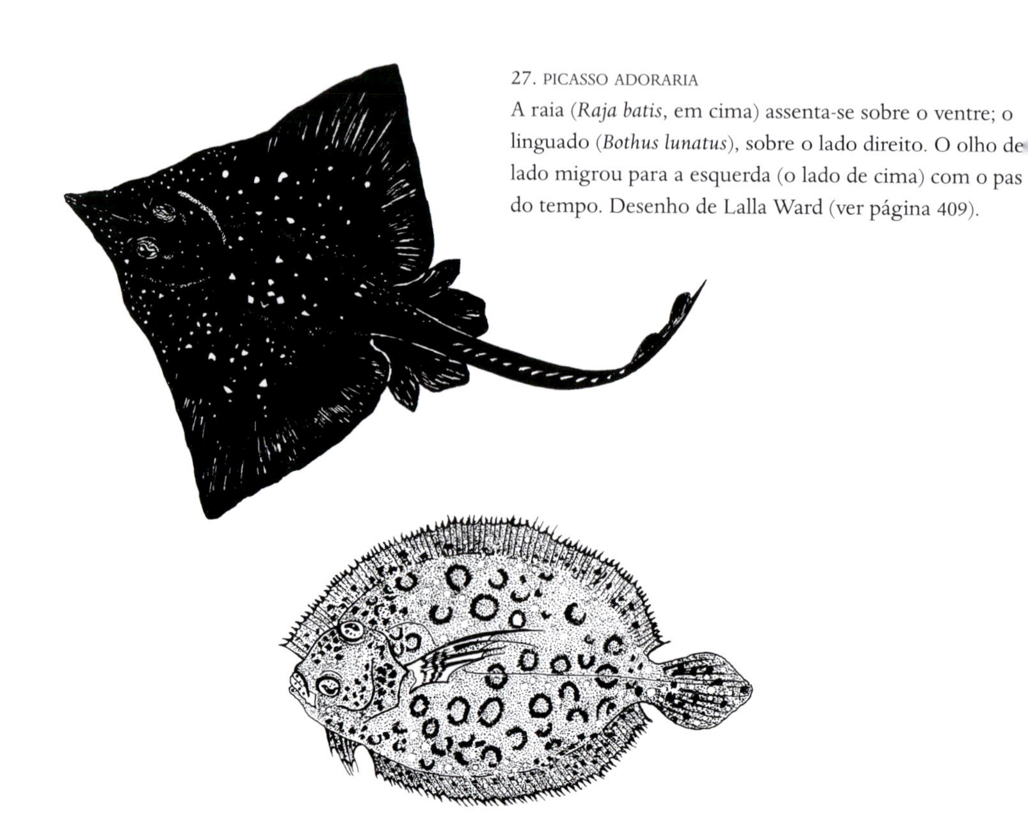

27. picasso adoraria
A raia (*Raja batis*, em cima) assenta-se sobre o ventre; o linguado (*Bothus lunatus*), sobre o lado direito. O olho de lado migrou para a esquerda (o lado de cima) com o pas do tempo. Desenho de Lalla Ward (ver página 409).

28. DESENHADOS POR UM ARTISTA DOPADO?
À direita: grande-tubarão-martelo (*Sphyrna mocarran*); abaixo: peixe-serra de água doce (*Pristis microdon*) (ver página 412).

29. APARÊNCIA FANTASMAGÓRICA
Peixe-elefante (*Callorhynchus milii*), com a cabeça grande e as nadadeiras peitorais adejantes características das quimeras (ver página 413).

30. O CONCESTRAL 23
Supõe-se que esse concestral era dotado de uma notocorda (um rígido bastão cartilaginoso) ao longo da parte inferior do corpo, partindo de seu cérebro rudimentar. Como o anfioxo moderno, ele teria grossos miômeros (blocos musculares em forma de V), e filtraria alimento pelas guelras. Reconstrução artística de Malcolm Godwin (ver página 426).

31. COMO UM PROFESSOR UNIVERSITÁRIO DEPOIS DE EFETIVADO?
Ascídia-azul adulta (*Rhopalaea crassa*) (ver página 429).

32. TRANSPORTE POR OPERÁRIAS EM FARFALHANTES RIOS VERDES.
Saúvas (*Atta sp.*) levam pedaços de folhas para o ninho. Repare na pequenina operária que pega carona na folha (ver página 460).

33. UM MARCIANO NÃO OS DIVIDIRIA EM TRÊS CONTRA UM? (ver página 465).

34. CÉLULAS "PENSAM" QUE ESTÃO NO SEGMENTO ERRADO.
Mosca-das-frutas mutante homeótica (ver página 485).

35. UM ESCÂNDALO EVOLUTIVO
Micrografia de luz de um rotífero bdeloídio (*Philodina gregaria*) encontrado na Antártida (ver página 493).

36. VERME AVELUDADO
O onicóforo moderno, *Peripatopsis moseleyi* (ver página 508).

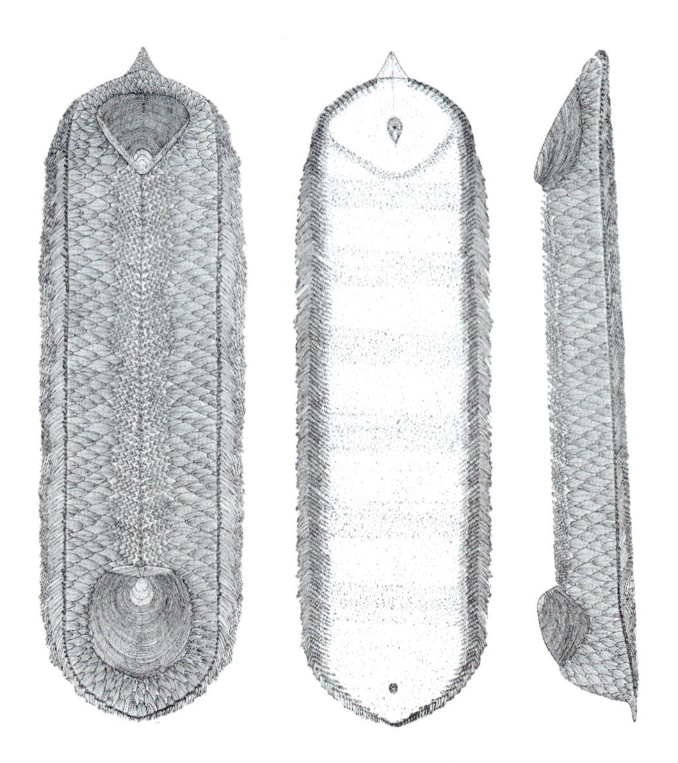

37. UM GOLPE NA REVERÊNCIA MÍSTICA PELOS GRANDES FILOS
Halkieria evangelista, de Sirius Passet, Groenlândia, datada do Cambriano Inferior. Desenho de Simon Conway Morris (ver página 510).

38. COMO INTERPRETAR ISSO?
Dickinsoniana costata, parte da fauna ediacarana (ver página 518).

39. NAVEGAR COM O VENTO
A água-viva azul *Porpita* tem um flutuador central gasoso cercado por tentáculos. Hoje se supõe que a *Porpita*, como sua parente próxima *Velella*, seja um pólipo altamente modificado e não uma colônia (ver página 539).

40. ARMADA DE ÁGUAS-VIVAS
Águas-vivas *Mastigias* reúnem-se na superfície em Palau, oeste do Pacífico (ver página 542).

41. POUCOS ANIMAIS PODEM DIZER QUE REDESENHARAM O MAPA DO MUNDO
Ilha Heron, na Grande Barreira de Coral (ver página 543).

42. CONFIANÇA NA BARBEARIA DO MAR
Peixe limpador (*Labroides dimidiatus*) trabalhando em um salmonete (*Parupeneus rubescens*), Mar Vermelho (ver página 547).

43. DIGNA DE UMA DEUSA
Cinto-de-vênus (*Cestum veneris*) (ver página 552).

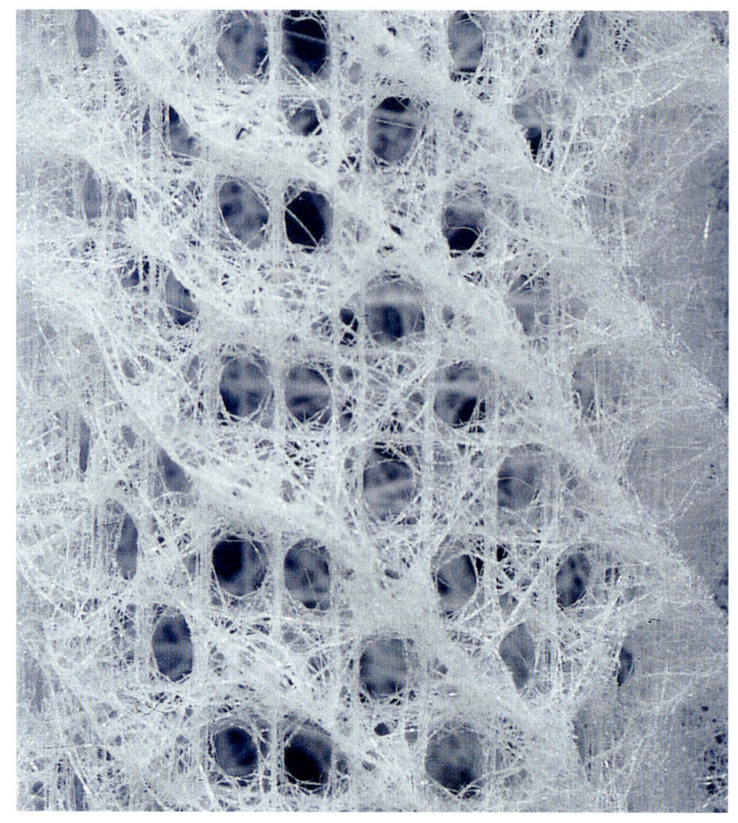

44. CESTO DE FLORES DE VÊNUS
Detalhe do esqueleto espiculado da esponja-de-vidro *Euplectella aspergillum* (ver página 560).

45. ORGIA DE COGUMELOS
Cogumelo *Phallus impudicus*, um basidiomiceto (ver página 575).

46. CONCESTRAL 26
O eucariota unicelular mostra um núcleo na parte inferior direita envolto em camadas de retículo endoplasmático. A estrutura da célula é mantida por um citoesqueleto (a rede de filamentos brancos). O concestral provavelmente se movia usando seus flagelos parecidos com chicotes e também espichando partes do corpo. Reconstituição artística de Malcolm Godwin (ver página 586).

47. QUEM JÁ VIU UMA...
Sequioadendron giganteum,
Parque Nacional das Sequoias,
Califórnia (ver página 591).

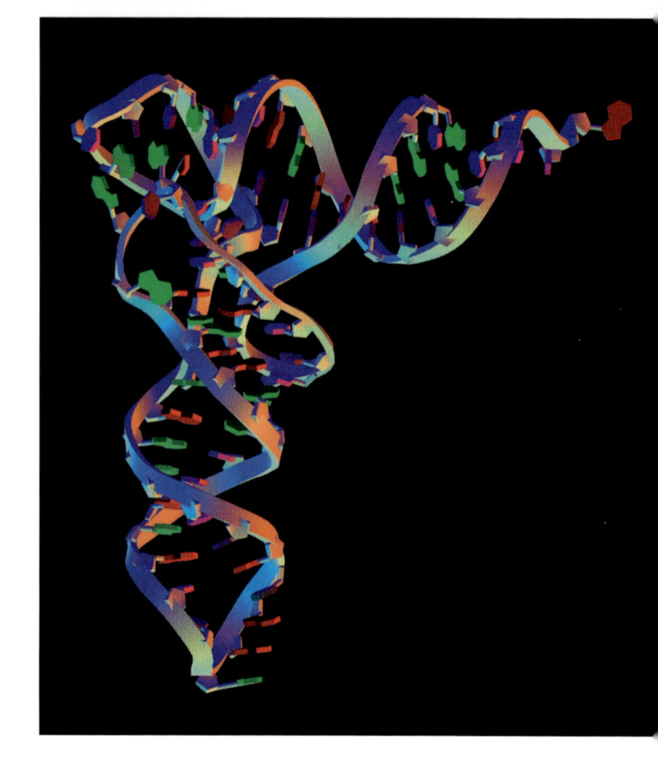

48. LIVRE PARA DAR NÓS
Representação gerada por computador do RNA de transferência, emparelhado para produzir uma minúscula dupla-hélice (ver página 660).

49. RESSURGIMENTO DOS ICTIOSSAUROS

Esta charge de Henry de la Beche satirizou a hipótese de Charles Liell de que as mudanças periódicas no clima da Terra e na fauna correspondente poderiam conduzir a um mundo futuro no qual os iguanodontes voltariam a vagar pelas florestas e os ictiossauros reapareceriam no mar (ver página 673).

50. OLHOS EVOLUEM COM UMA SOFREGUIDÃO QUASE INDECENTE
Alguns exemplos de olhos. Sentido horário, a partir do alto: *Nautilus pompilius* (olho *pinhole*); fóssil de trilobito (*Phacops*, olho composto de lentes de calcita — algumas delas podem ser vistas em posição na parte superior do olho); mosquito negro (*Simulium damnosum*, olho composto); bodião (*Sparisoma viride*, olho de peixe); mocho-orelhudo (*Bubo virginianus*, olho córneo) (ver página 674).

Os corais só podem viver em águas rasas. Dependem das algas em suas células, e essas, obviamente, precisam de luz. As águas rasas também são boas para as presas planctônicas com as quais os corais suplementam sua dieta. Os corais são residentes dos litorais, e podemos encontrar "recifes de franja" rasos acompanhando as costas tropicais. No entanto, o intrigante é que também podemos ver corais cercados por águas muito profundas. As ilhas oceânicas de coral são cumes de altas montanhas submersas construídas por gerações de corais mortos. Os recifes de barreira são uma categoria intermediária, que acompanha a linha da costa, porém mais distantes do que os recifes de franja e separados da terra firme por águas mais profundas. Mesmo no caso de remotas ilhas de coral totalmente isoladas em alto-mar, os corais vivos estão sempre em águas rasas, próximos da luz onde eles e suas algas podem florescer. Mas a água só é rasa por cortesia das gerações anteriores de corais nos quais eles se assentam.

Darwin, como mencionei, não tinha todas as informações necessárias para apreender toda a extensão do problema. Foi preciso que se fizessem sondagens em recifes, revelando a existência de coral compactado em grandes profundidades, para que hoje soubéssemos que os atóis de coral são topos de imensas montanhas submarinas feitas de corais muito antigos. Na época de Darwin, a teoria prevalecente era que os atóis eram incrustações superficiais de corais nos topos de vulcões submersos que jaziam só um pouco abaixo da superfície. Com essa teoria, não havia nenhum problema a resolver. Os corais só cresciam em águas rasas, e eram os vulcões que lhes davam a sustentação necessária para encontrar essas águas. Mas Darwin não acreditou nessa hipótese, apesar de não ter como saber que o coral era tão profundo.

A segunda façanha presciente de Darwin foi sua teoria. Ele supôs que o fundo do mar baixava continuamente nas vizinhanças do atol (embora se elevasse em outras partes, como percebeu ao encontrar fósseis marinhos nos cumes andinos). Isso, evidentemente, foi muito tempo antes da teoria da tectônica de placas. Darwin inspirou-se em seu mentor, o geólogo Charles Lyell, que acreditava que partes da crosta terrestre subiam e desciam relativamente umas às outras. Darwin supôs que, quando o fundo do mar baixava, afundava com ele a montanha de coral. Corais cresciam no topo da montanha submersa que baixava, acompanhando o ritmo da descida de modo que o cume ficasse sempre próximo à superfície do mar, na zona de luz e prosperidade. A montanha propriamente dita era apenas um amontoado de camadas de corais mortos que outrora haviam vivido ao Sol. É provável que os corais mais antigos, na base da montanha submersa, tenham começado como um recife de franja em algum pedaço de terra firme esquecido ou em algum vulcão extinto há muito tempo. Quando a terra submergiu gradualmente, os corais tornaram-se um recife de barreira, a uma distância cada vez maior da costa. Baixando ainda mais o nível do mar, a terra firme original acabava por desaparecer de todo, e o recife de barreira tornava-se a base para uma prolongada extensão da montanha submarina pelo tempo que continuasse a baixar o fundo do mar. Remotas ilhas oceânicas de coral começavam encarapitadas no topo de vulcões, cuja base baixava devagar desse mesmo modo. A ideia de Darwin ainda é substancialmente defendida hoje, com a adição da tectônica de placas para explicar o afundamento.

Um recife de coral é um exemplo didático de uma comunidade de clímax, e esse será o clímax de "O conto do polipífero". Uma comunidade é uma coleção de espécies que evoluíram de modo a prosperar na presença umas das outras. Uma floresta pluvial é uma comunidade. Um pântano também. E um recife de coral. Às vezes o mesmo tipo de comunidade brota paralelamente em diferentes partes do mundo onde o clima a favorece. Comunidades "mediterrâneas" surgiram não só ao redor do mar Mediterrâneo, mas nas costas da Califórnia, Chile, Sudoeste da Austrália e região do Cabo, na África do Sul. As espécies de plantas específicas encontradas nessas cinco regiões são diferentes, mas as comunidades vegetais são tão caracteristicamente "mediterrâneas" quanto, digamos, Tóquio e Los Angeles são "megalópoles". E uma fauna igualmente característica acompanha a vegetação mediterrânea.

As comunidades de recifes tropicais são assim. Variam nos detalhes, mas são iguais no essencial, não importa se falamos do sul do Pacífico, do oceano Índico, do Mar Vermelho ou do Caribe. Também existem recifes de zona temperada, que são um tanto diferentes, mas uma coisa muito específica que os os tipos de comunidades têm em comum é o notável fenômeno do peixe limpador — um prodígio que encarna o tipo de sutil intimidade capaz de surgir em uma comunidade ecológica de clímax.

Várias espécies de peixes pequenos, assim como alguns camarões, vivem do próspero negócio de colher nutritivos parasitas ou muco de superfícies de peixes maiores. Em alguns casos, chegam a entrar-lhes na boca para limpar os dentes, saindo depois pelas guelras. Isso fala em favor de um espantoso nível de "confiança",* mas meu interesse aqui concentra-se mais no peixe limpador como exemplo de um "papel" em uma comunidade. Cada limpador costuma ter uma chamada "estação de limpeza", à qual peixes graúdos vão em busca do serviço. A vantagem disso, para ambas as partes, é presumivelmente economizar um tempo que, de outro modo, os peixes gastariam procurando um limpador, ou este gastaria procurando fregueses. Aferrar-se a um local também permite encontros repetidos entre cada limpador e sua clientela, e isso possibilita que se instale a tão importante "confiança". As estações de limpeza foram comparadas a barbearias (ver Ilustração 42). Já se afirmou, embora as provas tenham sido contestadas mais recentemente, que se todos os limpadores fossem removidos de um recife, a saúde geral dos peixes locais sofreria uma abrupta deterioração.

Em diferentes partes do mundo, limpadores evoluíram independentemente e se originaram de diferentes grupos de peixes. Nos recifes do Caribe, o nicho da limpeza é ocupado sobretudo por membros da família dos gobiídeos, que formam pequenos grupos de limpadores. Já no Pacífico, o limpador mais conhecido é um labro, *Labroides*. O *L. dimidiatus* abre sua "barbearia" durante o dia, enquanto o *L. bicolor*, disse-me meu colega de Berkeley, George Barlow, atende a guilda noturna de peixes que se refugiam em cavernas durante o dia. Essa divisão da freguesia por espécies é típica de uma comunidade ecológica madura. O livro do professor Barlow, *The chichlid fishes*, apresenta exemplos de espécies de água doce nos grandes lagos africanos que deram passos convergentes na direção do hábito da limpeza.

Em recifes de coral tropicais, os níveis quase fantásticos de cooperação atingidos entre peixe limpador e "cliente" é simbólico do modo como uma comunidade ecológica pode, às vezes, simular a intricada harmonia de um organismo individual. De fato, a semelhança é sedutora — sedutora demais. Herbívoros dependem de plantas; carnívoros, de herbívoros; sem predação, o tamanho das populações aumentaria descontroladamente, com resultados desastrosos para todos; sem os carniceiros, como besouros necrófagos e bactérias, o mundo ficaria saturado de cadáveres, e o esterco nunca seria reciclado pelas plantas. Sem "espécies-chave", cuja identidade às vezes é muito surpreendente, toda a comunidade "soçobraria". É tentador ver cada espécie como um órgão do superorganismo que é a comunidade.

* Os problemas da evolução da "confiança" são interessantes, mas já tratei desse assunto em *O gene egoísta*, por isso devo evitar repetir-me aqui.

Descrever as florestas como os "pulmões" do planeta não faz mal, e pode fazer algum bem se incentivar as pessoas a preservá-las. Mas a retórica da harmonia holística pode degenerar em uma espécie de misticismo simplório *à la* príncipe Charles. De fato, a ideia de um "equilíbrio místico" da natureza costuma agradar ao tipo de gente simplória que procura charlatães para "equilibrar os campos energéticos". Mas há profundas diferenças entre o modo como os órgãos de um corpo e as espécies de uma comunidade interagem em seus respectivos domínios para produzir uma aparência de todo harmoniosa.

O paralelo deve ser visto com grande cautela. Mas não é totalmente infundado. Existe uma ecologia no organismo individual, uma comunidade de genes no reservatório gênico de uma espécie. As forças que produzem harmonia entre as partes do corpo do organismo não são completamente diferentes das forças que produzem a ilusão de harmonia nas espécies de um recife de coral. Há equilíbrio numa floresta pluvial, estrutura em uma comunidade recifal, um elegante entrelaçamento de partes que lembra a coadaptação em um corpo animal. Em nenhum dos casos a unidade equilibrada é favorecida *como unidade* pela seleção darwiniana. Em ambos os casos o equilíbrio é atingido através de seleção em um nível inferior. A seleção não favorece um todo harmonioso. Em vez disso, partes harmoniosas prosperam na presença umas das outras, e a ilusão do todo harmonioso emerge.

Carnívoros prosperam na presença de herbívoros, e esses, na presença de plantas. Mas e o inverso? As plantas florescem na presença de herbívoros? Os herbívoros na presença de carnívoros? Para prosperar, os animais e as plantas precisam de inimigos que os comam? Não do modo direto sugerido pela retórica de alguns ecomilitantes. Normalmente, nenhuma criatura se beneficia por ser comida. Mas a grama que pode suportar ser cortada mais do que plantas rivais realmente prospera na presença de animais que a comem, seguindo o princípio do "inimigo do meu inimigo é meu amigo". E uma história mais ou menos parecida pode ser contada em se tratando das vítimas de parasitas, e também de predadores, embora neste último caso a questão seja mais complicada. Ainda assim, é enganoso afirmar que uma comunidade "precisa" de parasitas e predadores como o urso-polar precisa de seu fígado ou dentes. Mas o princípio do "inimigo do meu inimigo" conduz a algo parecido com esse mesmo resultado. Pode ser correto ver uma comunidade de espécies, como um recife de coral, como um tipo de entidade equilibrada potencialmente ameaçada pela remoção de suas partes.

Essa ideia de comunidade composta por unidades de nível inferior que prosperam da presença umas das outras permeia toda a vida. Até para uma única célula esse princípio se aplica. A maioria das células animais abriga comunidades de bactérias integradas de modo tão abrangente no funcionamento harmônico da célula que suas origens bacterianas só recentemente foram compreendidas. As mitocôndrias, outrora bactérias de vida livre, são tão essenciais para o funcionamento das nossas células quanto essas para as mitocôndrias. Seus genes prosperaram na presença dos nossos, assim como os nossos prosperaram na presença dos delas. As células das plantas propriamente ditas são incapazes de realizar fotossíntese. Essa mágica química é feita por trabalhadores convidados, originalmente bactérias que hoje são rebatizadas como cloroplastos. Animais comedores de plantas, como os ruminantes e os cupins, são praticamente incapazes de digerir a celulose por si mesmos. Mas são bons em encontrar e mascar plantas (ver "O conto do *Mixotricha*"). O nicho de mercado oferecido por seu trato digestivo abarrotado de plantas é explorado por microrganismos simbióticos que possuem o *know-how* bioquímico para digerir com eficácia a matéria vegetal. Criaturas com habilidades complementares prosperam na presença uma das outras.

O que desejo acrescentar a essa argumentação bem conhecida é que o processo é imitado no nível dos genes "próprios" de cada espécie. Todo o genoma de um urso-polar ou de um pinguim, de um jacaré ou de um guanaco, é uma comunidade ecológica de genes que prosperam na presença uns dos outros. A arena imediata dessa prosperidade é o interior das células de um indivíduo. Mas a arena de longo prazo é o reservatório gênico da espécie. Dada a reprodução sexuada, o reservatório gênico é o habitat de cada gene enquanto ele é recopiado e recombinado ao longo das gerações.

Encontro 29

Ctenóforos

Os ctenóforos, que se juntam a nós no Encontro 29, estão entre os mais belos de todos os peregrinos animais. Uma semelhança superficial levou-os a ser classificados como águas-vivas. Eram agrupados no mesmo filo, conhecido como *Coelenterata*, em razão da característica que têm em comum: a principal cavidade do corpo também é a câmara digestiva. Eles também possuem uma rede nervosa simples, como os cnidários, e (questionavelmente) seu corpo também é feito de apenas duas camadas de tecido. A análise das evidências atuais indica, porém, que os cnidários são primos mais próximos de nós do que dos ctenóforos: outro modo de dizer que os cnidários se juntaram à peregrinação "antes" dos ctenóforos. Mas não me sinto confiante o suficiente quanto a essa questão para atribuir uma data ao evento.

Ctenóforo em grego significa "que leva um pente". Os "pentes" são proeminentes carreiras de cílios piliformes, cujos batimentos permitem a locomoção dessas delicadas criaturas em vez dos músculos pulsáteis que fazem o mesmo para as superficialmente semelhantes águas-vivas. Não é um sistema de propulsão rápido, mas presume-se que lhes serve a contento, não para perseguirem as presas, e sim para obterem o mesmo tipo de melhora indireta na taxa de captura conseguida pelas águas-vivas. Em razão de sua semelhança com as águas-vivas e de sua delicada consistência gelatinosa, os ctenóforos são conhecidos em inglês

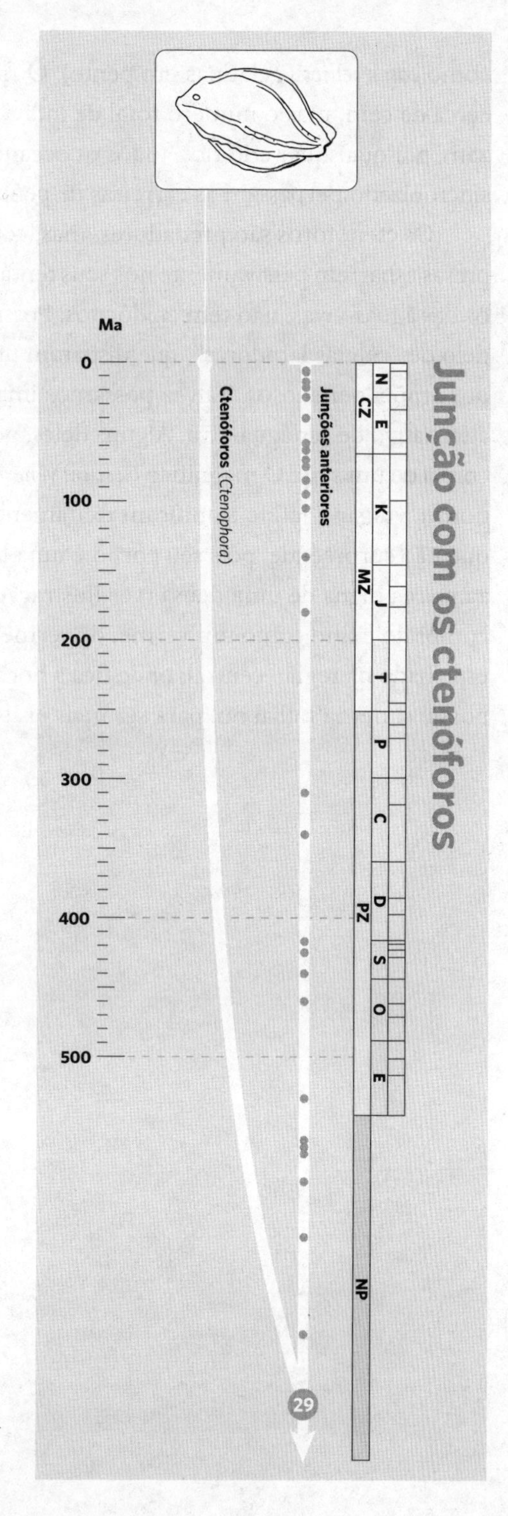

JUNÇÃO COM OS CTENÓFOROS. Os animais bilateralmente simétricos, juntamente com os cnidários e ctenóforos, às vezes são chamados de "eumetazoários". Com base em alguns estudos moleculares, as cem espécies conhecidas de ctenóforos são classificadas aqui como os parentes mais distantes dos demais. Essa posição, contudo, não é definitiva.

IMAGEM: *Beroe sp*.

como *comb jellies* [gelatinas em pente]. O filo não tem muitas espécies, apenas cerca de cem, mas o número total de indivíduos não é pequeno, e eles embelezam, por quaisquer critérios, todos os oceanos do mundo. Ondas de movimento sincronizado perpassam as carreiras de pentes em deslumbrante iridescência.

Os ctenóforos são predadores, mas, como as águas-vivas, precisam que as presas esbarrem passivamente nos seus tentáculos, que, embora se pareçam com os das águas-vivas, não têm cnidócitos. Possuem, em vez disso, seu próprio modelo de "células laçadoras", que disparam uma espécie de cola no lugar de afiados arpões venenosos. Talvez possamos imaginar os ctenóforos como um jeito alternativo de ser água-viva. Alguns deles, porém, não têm forma nada parecida com a de um sino. O magnífico *Cestum veneris* é um daqueles raros animais cujos nomes vulgar e latino significam exatamente a mesma coisa: cinto-de-vênus, o que não surpreende, pois seu corpo é uma longa fita bruxuleante, de uma beleza etérea digna de uma deusa (ver Ilustração 43). Embora o cinto-de-vênus seja comprido e fino como um verme, o "verme" não tem cabeça nem cauda, mas é espelhado na região central, onde fica a boca — a "fivela" do cinto. Ainda assim, possui simetria radial ou, para ser mais exato, birradial.

Encontro 30
Placozoários

Eis um animalzinho enigmático: o *Trichoplax adhaerens*, a única espécie conhecida de todo o seu filo, *Placozoa* — o que não significa necessariamente que seja a única existente, é claro. Devo mencionar que em 1896 foi descrito um segundo placozoário visto no golfo de Nápoles, batizado de *Treptoplax reptans*. Mas ele nunca mais foi encontrado, e a maioria dos especialistas supõe que esse espécime específico tenha sido na verdade um *Trichoplax*. Dados moleculares talvez possam revelar outra espécie em breve.

O *Trichoplax* vive no mar e não se parece muito com coisa alguma. Não tem simetria em nenhuma direção; lembra ligeiramente uma ameba, só que é composto por muitas células em vez de apenas uma. Também se assemelha um pouquinho a um verme chato bem pequeno, porém sem extremidade frontal ou posterior óbvias, tampouco direita e esquerda. O *Trichoplax* é um minúsculo capacho de formato irregular, com talvez três milímetros na transversal, e se arrasta na superfície num pequeno carpete de cílios que se agitam virados para cima. Alimenta-se de criaturas unicelulares, sobretudo algas, menores até do que ele próprio, as quais ele digere através de sua superfície inferior sem introduzi-las no corpo.

O *Trichoplax* não tem muita coisa em sua anatomia que o relacione a qualquer outro tipo de animal. Possui duas principais camadas de células, como um cnidário ou um ctenóforo. Entre essas duas camadas principais existem algumas

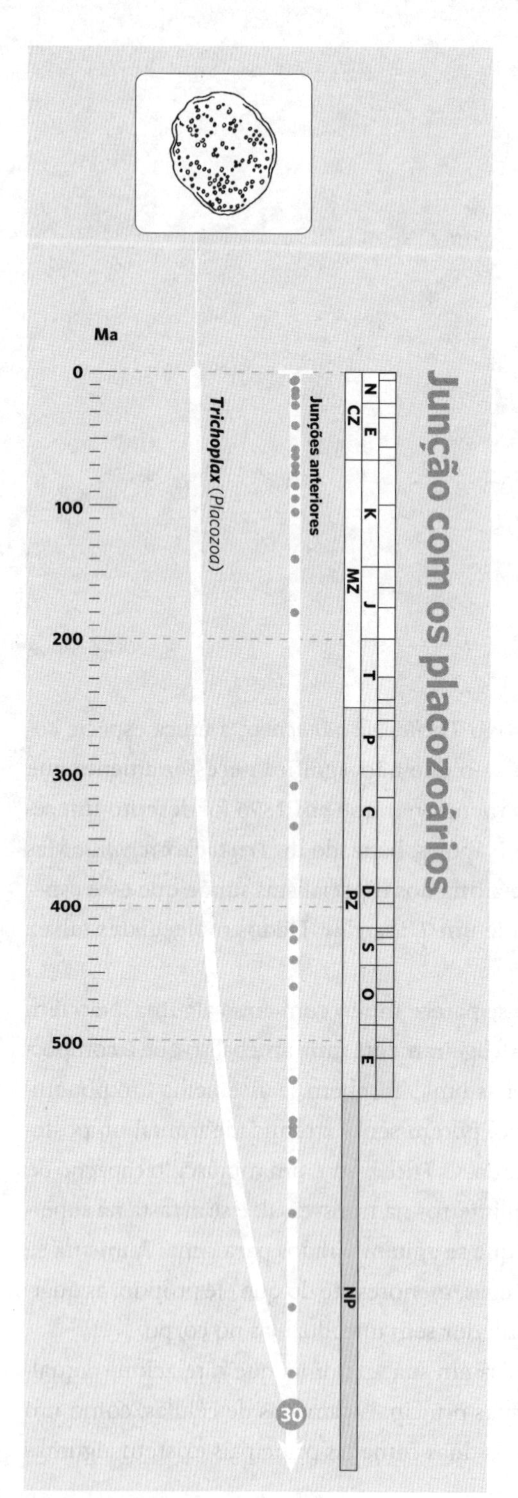

JUNÇÃO COM OS PLACOZOÁRIOS. Como nos Encontros 28 e 29, a ordem dos Encontros 30 e 31 está muito indefinida. O Encontro 30 poderia ser com os placozoários (representados por sua única espécie, *Trichoplax*), ou com as esponjas. No presente, essa ordem é essencialmente arbitrária. Não seria uma total surpresa se os Encontros 30 e 31 acabassem por trocar de posição.

IMAGEM: *Trichoplax adhaerens*.

células contráteis que funcionam como o que nele mais se assemelha a músculos. O animal encurta esses filamentos para alterar sua forma. Estritamente falando, as duas principais camadas celulares provavelmente não devem ser chamadas de dorsal e ventral. A camada superior às vezes é chamada de protetora, e a inferior, de digestiva. Alguns autores afirmam que a camada digestiva apresenta uma invaginação para formar uma cavidade temporária destinada à digestão, mas nem todos os observadores verificaram isso, e talvez não seja verdade.

O *Trichoplax* tem uma história um tanto confusa na literatura zoológica, como nos contaram T. Syed e B. Schierwater em um ensaio recente. Quando foi descrito pela primeira vez, em 1883, foi considerado muito primitivo; agora recuperou essa honrosa posição. Infelizmente, ele tem uma semelhança superficial com a chamada plânula, a larva de alguns cnidários. Em 1907, um zoólogo alemão, Thilo Krumbach, julgou ter visto *Trichoplax* onde antes vira plânulas, e achou que as criaturinhas eram plânulas modificadas. Isso não teria tido grande importância, não fosse pela morte, em 1922, de W. Kukenthal, o editor da influente obra em vários volumes *Handbuch der zoologie*. Para azar do *Trichoplax*, o suplente de Kukenthal na função de editor era justamente Thilo Krumbach. Foi assim que o *Trichoplax* acabou classificado como cnidário por Kukenthal e Krumbach, e tal classificação foi copiada no equivalente francês, *Traité de zoologie*. O editor dessa publicação francesa, P. P. Grassé, aliás, conservou suas inclinações antidarwinianas por muito tempo depois de não ser mais sensato fazê-lo. A classificação do *Handbuch* também foi adotada por Libbie Henrietta Hyman, autora dos seis volumes da renomada obra *Invertebrates*.

Com todo esse peso de autoridades multivolumes contra ele, que chance teria o pobrezinho do *Trichoplax*, ainda mais considerando-se que ninguém olhava para o animal havia mais de meio século? Lá ficou ele, relegado à condição de suposta larva de cnidário por longo tempo, até que a revolução molecular trouxe a possibilidade de descobrir seus verdadeiros parentescos. Independentemente do que mais ele seja, com certeza não é um cnidário. Indicações preliminares de estudos de rRNA (ver "O conto da Taq") sugerem que o *Trichoplax* é mais distante do resto do reino animal do que qualquer outro grupo exceto as esponjas, e talvez até as esponjas sejam mais próximas de nós do que o *Trichoplax*. Ele possui o menor genoma e a mais simples organização corporal de todos os animais multicelulares. Em seu corpo existem apenas quatro tipos de células, em contraste com mais de duzentos no nosso. E, ao que parece, tem um único gene Hox.

Evidências genéticas moleculares indicam provisoriamente que esse pequeno peregrino solitário se reúne a nós no Encontro 30, talvez há 780 milhões de anos, "antes" das esponjas. Mas, na verdade, isso é só uma suposição. Pode ser que os Encontros 30 e 31 (esponjas) venham a ser invertidos, e nesse caso o *Trichoplax* será o nosso primo mais distante entre os verdadeiros animais. Compreensivelmente, existe hoje um forte *lobby* para que o *Trichoplax* venha a juntar-se à seleta companhia de organismos cujo genoma foi totalmente sequenciado. Creio que isso ocorrerá, e então logo saberemos o que essa estranha criaturinha é de fato.

Encontro 31

Esponjas

As esponjas são os últimos peregrinos dos metazoários, os animais verdadeiramente multicelulares, a juntar-se a nós. Elas nem sempre foram dignificadas como metazoários; antes as depreciavam com a classificação de "parazoários", nome dado a um tipo de cidadão de segunda classe do reino animal. Hoje a mesma distinção de classe é promovida quando se classificam as esponjas como metazoários, porém cunhando-se o termo eumetazoários para englobar todos *exceto* as esponjas (alguns autores também excluem o *Trichoplax*, o animalzinho que vimos no Encontro 30).

Alguns se surpreendem ao saber que as esponjas não são plantas, e sim animais. Como as plantas, elas não se movem. Bem, na verdade, não movem o corpo todo. Plantas e esponjas não têm músculos. Existe movimento no nível das células, mas isso também ocorre com as plantas. As esponjas sustentam-se passando diretamente pelo corpo uma corrente incessante de água da qual filtram partículas de alimento. Em consequência, são cheias de orifícios, e por isso tão boas para reter a água do banho.

Mas as esponjas de banho não dão uma boa ideia da típica forma corporal, que é a de um jarro oco dotado de uma grande abertura no topo e muitos orifícios menores espalhados pelas laterais. É fácil perceber, pondo-se tinta na água do lado de fora do jarro de uma esponja viva, que a água é sugada pelos peque-

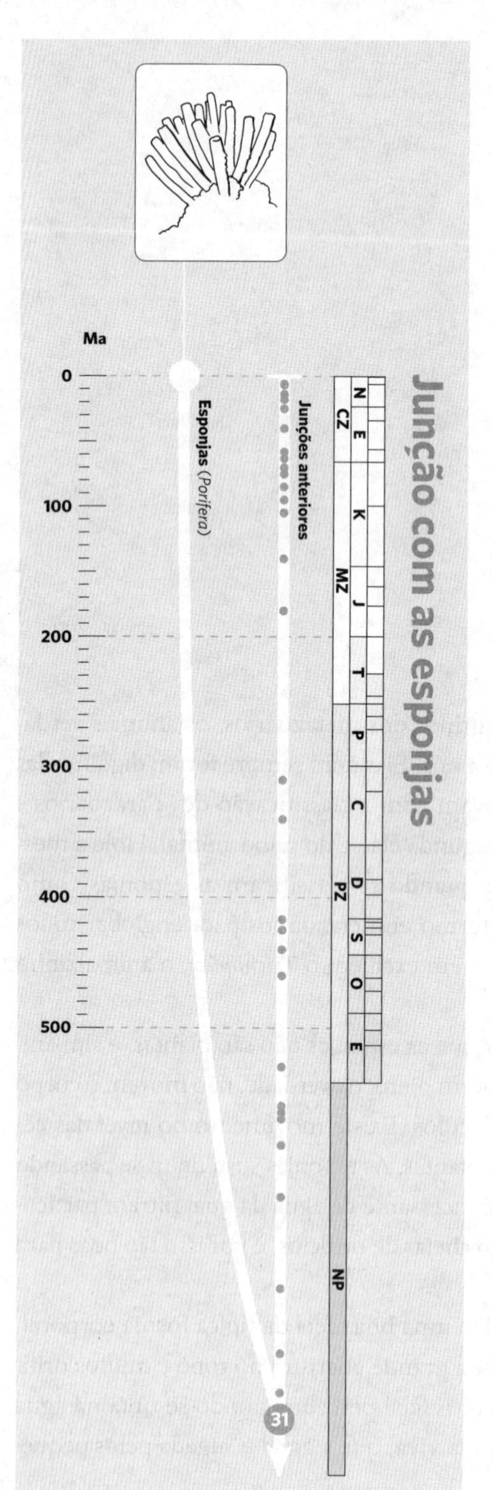

JUNÇÃO COM AS ESPONJAS. Desde a época de Lineu, os animais ("metazoários") foram classificados como um dos reinos da natureza. As cerca de 10 mil espécies descritas de esponja são geralmente consideradas um ramo que divergiu muito cedo, e dados moleculares confirmaram essa opinião (embora o *Trichoplax* possa ter divergido antes ainda). Uma minoria de taxonomistas moleculares supõe que existem duas linhagens de esponjas, uma mais proximamente aparentada com o resto dos metazoários do que a outra. Isso implica que os primeiros metazoários eram realmente parecidos com esponjas, e teriam sido classificados como tais. Mas essa hipótese é muito polêmica.

IMAGEM: esponja tubular fulva (*Aplysina fistularis*).

nos orifícios existentes nas laterais e liberada na cavidade interna principal, da qual sai depois pela abertura principal do jarro. A água é impelida por células especiais chamadas coanócitos, que revestem as câmaras e os canais das paredes da esponja. Cada coanócito possui um flagelo que se agita (como um cílio, só que maior), cercado por um profundo colar. Tornaremos a encontrar os coanócitos, pois eles são importantes para nossa história evolutiva.

As esponjas têm uma estrutura interna simples e não possuem sistema nervoso. Embora sejam dotadas de vários tipos de células, essas não se organizam em tecidos e órgãos como as nossas. As células das esponjas são "totipotentes", ou seja, cada célula é capaz de se tornar qualquer um dos tipos de célula do repertório da esponja. Isso não ocorre com as nossas. Uma célula do fígado não pode originar uma célula de rim ou uma célula nervosa. Mas as da esponja são tão flexíveis que qualquer célula isolada é capaz de originar uma nova esponja inteira (e mais, como veremos em "O conto da esponja").

Não surpreende, pois, que as esponjas não façam distinção entre "linha germinal" e "soma". Nos eumetazoários, as células de linha germinal são aquelas capazes de originar células reprodutivas; por isso, em princípio, seus genes são imortais. A linha germinal é uma pequena minoria de células residente nos ovários ou testículos e isoladas da necessidade de fazer qualquer outra coisa além de reproduzir-se. Soma é a parte do corpo que não é linha germinal. As células somáticas estão destinadas a não transmitir seus genes indefinidamente. Em um eumetazoário como um mamífero, um subconjunto de células é posto de parte como linha germinal ao ter início o desenvolvimento embriônico. O restante das células, as células do soma, pode dividir-se algumas vezes para produzir o fígado ou os rins, os ossos ou os músculos, mas então sua carreira divisional chega ao fim.

As células cancerosas são a sinistra exceção. Por algum motivo, elas perderam a capacidade de parar de se dividir. Mas, como salientam Randolph Nesse e George C. Williams, autores de *The science of darwinian medicine*, isso não nos deve surpreender. Na verdade, o surpreendente no câncer é ele não ser mais comum do que é. Afinal de contas, cada célula do corpo descende de uma linhagem ininterrupta de bilhões de gerações de células de linha germinal que não pararam de se dividir. Ser de repente solicitada a tornar-se uma célula somática, como uma célula do fígado, e aprender a arte de *não* se dividir é coisa que nunca aconteceu em toda a história dos ancestrais dessa célula! Não façamos confusão: é claro que os corpos que abrigaram os ancestrais da célula tinham fígado. Mas as células de linha germinal, por definição, não descendem de células do fígado.

Todas as células das esponjas são de linha germinal: todas potencialmente imortais. São vários tipos distintos de células, porém usadas no desenvolvimento de um modo diferente do da maioria dos animais multicelulares. Os embriões eumetazoários formam camadas celulares com dobras e invaginações em complexos padrões de "origami" para constituir o corpo. As esponjas não têm esse tipo de desenvolvimento embriológico. Em vez disso, elas se autoagrupam. Cada uma de suas células totipotentes tem uma afinidade para ligar-se a outras células, como se fossem protozoários autônomos com tendências sociáveis. Ainda assim, os zoólogos modernos incluem as esponjas entre os metazoários, e eu estou seguindo essa linha. Elas são provavelmente o mais primitivo grupo vivo de animais multicelulares e, melhor do que qualquer outro animal moderno, nos dão uma ideia dos primeiros metazoários.

Como ocorre com outros animais, cada espécie de esponja tem forma e cor características. O jarro oco é apenas uma das muitas formas. Outras são variantes dessa, sistemas de cavidades ligadas umas às outras. As esponjas endurecem suas estruturas com fibras de colágeno (o que torna esponjosas as esponjas de banho) e com espículos minerais: cristais de sílica ou carbonato de cálcio, cuja forma costuma ser o mais confiável diagnóstico da espécie. Alguns esqueletos de espículos podem ser intrincados e belos, como na esponja-de-vidro *Euplectella* (ver Ilustração 44). A data do Encontro 31 é supostamente 800 milhões de anos, segundo o diagrama filogenético, mas aplicam-se aqui os habituais alertas desesperançosos contra datações tão remotas. A evolução das esponjas multicelulares a partir de protozoários unicelulares é um dos marcos da evolução — a origem dos metazoários — e iremos examiná-los nos próximos dois contos.

O CONTO DA ESPONJA

A edição de 1907 do *Journal of Experimental Zoology* traz um artigo sobre esponjas escrito por H. V. Wilson, da Universidade da Carolina do Norte. Trata-se de um estudo clássico, e o artigo faz lembrar uma era de ouro na qual os textos científicos eram escritos em estilo discursivo que se podia compreender e eram extensos a ponto de nos permitir visualizar uma pessoa real fazendo experimentos reais em um laboratório real.

Wilson pegou uma esponja viva e separou suas células passando-as por uma peneira fina de tecido. Transferiu então as células separadas para um pires com água marinha salgada, e ali elas formaram uma nuvem avermelhada composta sobretudo por células isoladas. A nuvem sedimentou-se no fundo do pires, e Wilson observou-as ao microscópio. As células comportaram-se como amebas individuais, rastejando pelo fundo do pires. Quando uma rastejadora ameboide encontrava outras de seu tipo, juntavam-se e formavam aglomerações crescentes de células. Por fim, como Wilson e outros mostraram em uma série de artigos, esses aglomerados cresciam e se tornavam novas esponjas inteiras. Wilson também tentou triturar esponjas de duas espécies e misturar as duas suspensões. As duas espécies tinham cores diferentes, e assim ele pôde ver facilmente o que aconteceu. As células escolheram aglomerar-se com as de sua própria espécie e não com as da outra. Curiosamente, Wilson relatou esse resultado como "um fracasso", pois ele previa, por razões que não compreendo e que talvez reflitam as diferentes concepções teóricas prévias de um zoólogo de quase um século atrás, que elas formariam uma esponja composta de duas espécies diferentes.

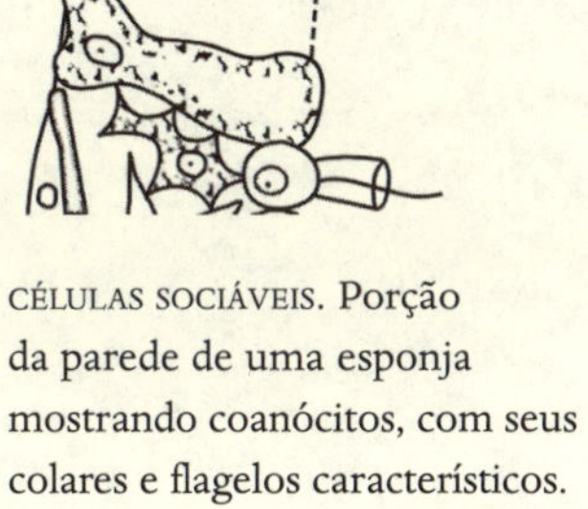

CÉLULAS SOCIÁVEIS. Porção da parede de uma esponja mostrando coanócitos, com seus colares e flagelos característicos.

O comportamento "sociável" das células das esponjas mostrado nesses experimentos talvez lance uma luz sobre o desenvolvimento embriônico normal das esponjas individualmente. Será que isso também nos dá alguma pista de como os primeiros animais multicelulares (metazoários) *evoluíram* de ancestrais unicelulares (protozoários)? O corpo de um metazoário é chamado muitas vezes de colônia de células. Seguindo o padrão deste livro de usar alguns contos como reencenações modernas de eventos evolutivos, poderia "O conto da esponja" nos dizer algo sobre o passado evolutivo remoto? Poderia o comportamento das células que rastejaram e se aglomeraram nos experimentos de Wilson representar algum tipo de reencenação do surgimento das primeiras esponjas como uma colônia de protozoários?

Quase certamente, nos detalhes, não foi a mesma coisa. Mas eis uma dica. As células mais características das esponjas são os coanócitos, que elas usam para gerar correntes de água. A figura mostra uma porção da parede de uma esponja, com o lado interno da cavidade à direita. Os coanócitos são as células que revestem a cavidade da esponja. "Coano" vem do grego e significa "funil". Podemos ver os pequenos funis ou colares compostos de muitos filamentos conhecidos como microvilos. Cada coanócito possui um flagelo que se agita e faz a água atravessar a esponja, enquanto o colar captura partículas de nutrientes na corrente. Dê uma boa olhada nesses coanócitos, pois veremos algo muito parecido com eles no próximo encontro. E então, à luz dessas informações, o conto seguinte completará nossa especulação sobre a origem da pluricelularidade.

Encontro 32
Coanoflagelados

Os coanoflagelados são os primeiros protozoários que se juntam à nossa peregrinação. Eles vêm ter conosco no Encontro 32, que datamos, com alto grau de incerteza e baseados em dados moleculares com extrapolações preocupantemente grandes, em 900 milhões de anos. Veja a figura abaixo. As pequenas células flageladas lembram alguma coisa? Sim: elas são muito semelhantes aos coanócitos que revestem os canais de água das esponjas. Há tempos se suspeita que eles representem um remanescente de uma esponja ancestral ou que sejam descendentes evolutivos de esponjas que degeneraram para células únicas ou pouquíssimas células. Indícios genéticos moleculares apontam para a primeira hipótese, sendo essa a razão por que eu os estou considerando como peregrinos separados que se juntam à nossa peregrinação aqui.

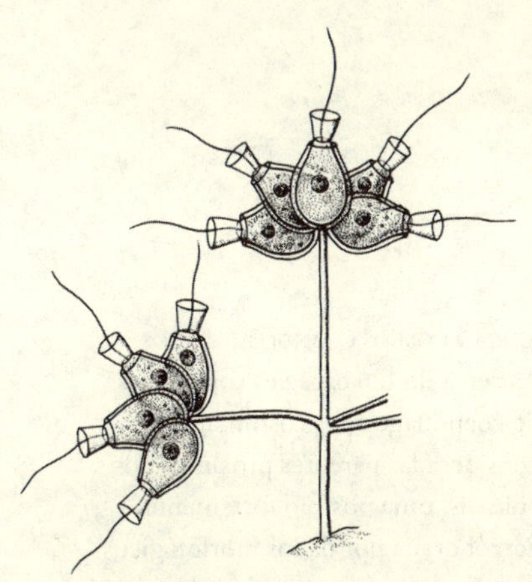

TERIA SIDO ASSIM? Uma colônia de coanoflagelados.

Existem cerca de 140 espécies de coanoflagelados. Algumas são livre-natantes e se propelem com o flagelo. Outras são fixas a um pedúnculo, às vezes várias juntas em

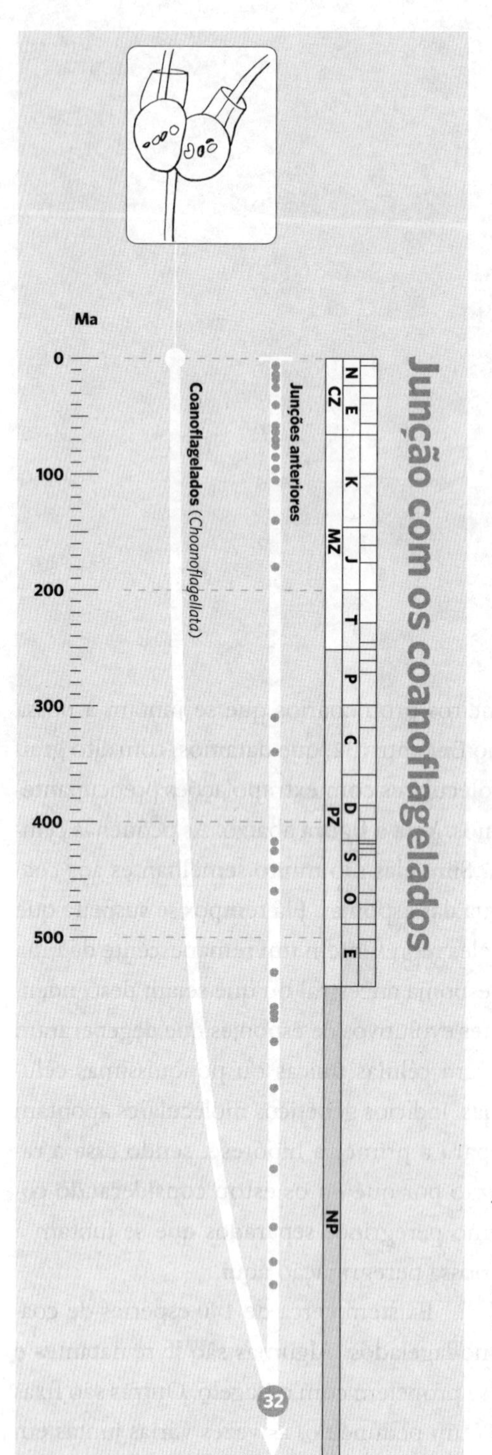

JUNÇÃO COM OS COANOFLAGELADOS. As cerca de 120 espécies conhecidas de coanoflagelados costumam ser consideradas parentes próximos dos animais, uma posição fortemente corroborada por dados morfológicos e moleculares.

IMAGEM: *Codosiga gracilis.*

uma colônia, como na figura. Usam o flagelo para impelir água para dentro do funil, onde partículas de alimento, como bactérias, são capturadas e engolfadas. Nesse aspecto, diferem dos coanócitos das esponjas. Em uma esponja, cada flagelo é usado não para introduzir alimento no funil individual do coanócito, mas em cooperação com outros coanócitos, para passar uma corrente de água através de orifícios nas paredes da esponja e fazê-la sair pela abertura principal. Mas, anatomicamente, cada coanoflagelado individual, esteja ou não em uma colônia, tem uma semelhança suspeita com um coanócito de esponja. Esse fato ganhará relevo em "O conto do coanoflagelado", que retoma o tema iniciado em "O conto da esponja": a origem de esponjas multicelulares.

O CONTO DO COANOFLAGELADO

Há tempos os zoólogos se comprazem em especular sobre como a multicelularidade teria evoluído de ancestrais protozoários. No século XIX, o grande zoólogo alemão Ernst Haeckel foi um dos introdutores da teoria da origem dos metazoários, e ainda hoje uma versão de sua teoria continua em voga: o primeiro metazoário teria sido uma colônia de protozoários flagelados.

Já encontramos Haeckel em "O conto do hipopótamo", quando mencionamos sua presciente associação dos hipopótamos com as baleias. Darwinista fervoroso, ele fez uma peregrinação à casa de Darwin (que muito irritou o grande homem). Também foi um artista brilhante, ateu militante (sarcasticamente, chamava Deus de "vertebrado gasoso") e um entusiasta da hoje ultrapassada teoria da recapitulação: "a ontogênese recapitula a filogênese" ou "o embrião em desenvolvimento ascende em sua própria árvore genealógica".

Pode-se perceber a atração exercida pela ideia da recapitulação. A história de vida de cada animal jovem é uma reencenação telescópica de sua linhagem (adulta). Todos começamos como uma única célula: isso representa um protozoário. O próximo estágio do desenvolvimento é uma bola oca de células, a blástula. Haeckel aventou que isso representa um estágio ancestral, e o denominou *blastaea*. A seguir, no desenvolvimento embriônico, a blástula invagina-se como uma bola que levasse um soco e ganhasse uma depressão em um lado; forma-se ali uma taça revestida por duas camadas de células, a gástrula. Haeckel imaginou um ancestral no estágio de gástrula, e o denominou *gastraea*. Um cnidário, como a hidra ou a anêmona-do-mar, possui duas camadas de células, como a *gastraea* de Haeckel. Na hipótese de recapitulação de Hackel, os cnidários param de ascender em sua árvore genealógica quando atingem o estágio de gástrula, mas nós continuamos subindo. Os estágios subsequentes do nosso desenvolvimento embriônico lembram um peixe com fendas branquiais e cauda. Mais à frente, perdemos a cauda. E assim por diante. Cada embrião para de subir em sua árvore genealógica quando atinge seu próprio estágio evolutivo.

Por mais atraente que seja, a teoria da recapitulação caiu em desuso. Ou melhor, hoje é considerada uma pequena parte de algo que é verdade em certos casos, porém não em todos. Toda essa questão é examinada detalhadamente no livro *Ontogeny and phylogeny*, de Stephen Gould. Temos de parar por aqui nessa discussão, mas ela é importante para vermos de onde Haeckel estava partindo. Do ponto de vista da origem dos metazoários, o estágio interessante na teoria de Haeckel é a *blastaea*: a bola oca de células que ele supunha ser o estágio ancestral agora reprisado no desenvolvimento embriônico como blástula. Que criatura moderna podemos encontrar semelhante a uma blástula? Onde achar uma criatura adulta que seja uma bola oca de células?

À parte o fato de serem verdes e realizarem fotossíntese, o grupo de algas coloniais chamadas Volvocales pareceu quase bom demais para ser verdade. O membro epônimo do grupo é o maior deles: o vólvox. Haeckel não poderia desejar melhor modelo de *blastaea* do que o vólvox. Essa alga é uma perfeita esfera, oca como uma blástula, com uma camada única de células, e cada célula semelhante a um flagelado unicelular (que por acaso é verde).

A teoria de Haeckel não teve a arena só para si. Em meados do século XX, um zoólogo húngaro, Jovan Hadzi, propôs que o primeiro metazoário não era redondo, e sim alongado como um verme chato. Seu modelo contemporâneo para o primeiro metazoário era um verme acelomorfo do tipo que vimos no Encontro 27. Hadzi derivou-o de um protozoário ciliado (que conheceremos no Encontro 37) com muitos núcleos (que alguns deles possuem até hoje). A criatura rastejava pelo fundo com seu cílio, como alguns vermes chatos atuais. Paredes celulares surgiram entre os núcleos, transformando um protozoário alongado com uma célula, mas muitos núcleos (um "sincício") em um verme rastejante com muitas células, cada qual com seu núcleo: o primeiro metazoário. Pela teoria de Hadzi, os metazoários redondos como os cnidários e ctenóforos perderam secundariamente seus contornos vermiformes alongados e se tornaram radialmente simétricos, enquanto a maior parte do reino animal continuou a expandir-se com base na forma vermiforme bilateral dos modos que vemos à nossa volta.

Portanto, a ordenação de Hadzi para os pontos de encontro teria sido bem diferente da nossa. O encontro com os cnidários e ctenóforos ocorreria mais cedo na peregrinação do que o encontro com os vermes chatos acelomorfos. Infelizmente, os dados moleculares modernos contradizem a ordenação de Hadzi. Hoje, a maioria dos zoólogos defende alguma versão da teoria dos "flagelados coloniais" de Haeckel contra a dos "ciliados sinciciais" de Hadzi. Mas a atenção desviou-se dos Volvocales, elegantes como são, para o grupo que protagoniza este conto, os coanoflagelados.

Um tipo de coanoflagelado colonial é tão parecido com uma esponja que chega a ser chamado de *Proterospongia*. Os coanoflagelados individuais (ou será que devemos nos arriscar e chamá-los de coanócitos?) estão incrustados em uma matriz gelatinosa. A colônia não é uma bola, coisa que não agradaria a Haeckel, embora seus fascinantes desenhos mostrem que ele apreciava a beleza dos coanoflagelados. A *Proterospongia* é uma colônia de células de um tipo quase indistinguível das que dominam o interior de uma esponja. Os coanoflagelados têm marginalmente o meu voto como os mais plausíveis candidatos para uma recente reencenação da origem das esponjas, e em última análise de todo o grupo dos metazoários.

Os coanoflagelados teriam sido agrupados antigamente com todos os organismos restantes que ainda não se juntaram à nossa peregrinação como protozoários. *Protozoa* já não vale mais como nome para um filo. Há muitos modos distintos de ser um organismo unicelular (ou, como preferem alguns, acelular, dotado de um corpo não dividido em células constituintes). Membros diversos do grupo outrora conhecido como protozoários agora se juntarão à nossa peregrinação, separados por importantes contingentes de criaturas multicelulares como fungos e plantas. Continuarei a usar o nome protozoário como uma designação informal para um eucariota unicelular.

Encontro 33
DRIPs

Existe um pequeno grupo de parasitas unicelulares, conhecidos alternativamente como *Mesomycetozoea* e *Ichthyosporea*, que são principalmente parasitas de peixes e de outros animais de água doce. O nome *Mesomycetozoea* sugere uma associação tanto com fungos como com animais e, de fato, seu encontro conosco, animais, é o último antes de todos nos juntarmos aos fungos. Esse fato está hoje comprovado por estudos de genética molecular, que unem o que até então fora uma grande miscelânea de parasitas unicelulares uns aos outros e aos animais e fungos.*

Tanto *Mesomycetozoea* como *Ichthyosporea* são nomes difíceis de lembrar, e existe discordância quanto à preferência por um ou por outro. Talvez por isso tenha surgido a prática de usar o apelido DRIPs, o acrônimo das iniciais dos quatro gêneros conhecidos pelos descobridores do grupo. Os gêneros *Dermocystidium*, *Ichthyophonus* e *Psorospermium* respondem pelo D, I e P. O R é uma certa trapaça, pois não é o nome em latim. Ele representa *"Rosette agent"*, um parasita do sal-

* Gera confusão (e isso é dizer pouco) o fato de o nome *Mesomycetozoa* ser usado para designar um grupo mais inclusivo do que *Mesomycetozoea* (dá para ver a diferença?). Parece coisa feita de propósito para confundir, como *Hominoidea*, *Hominidae*, *Homininae*, *Homimini*, o complexo de nomes usados para nossos parentes. Prefiro boicotar todos eles.

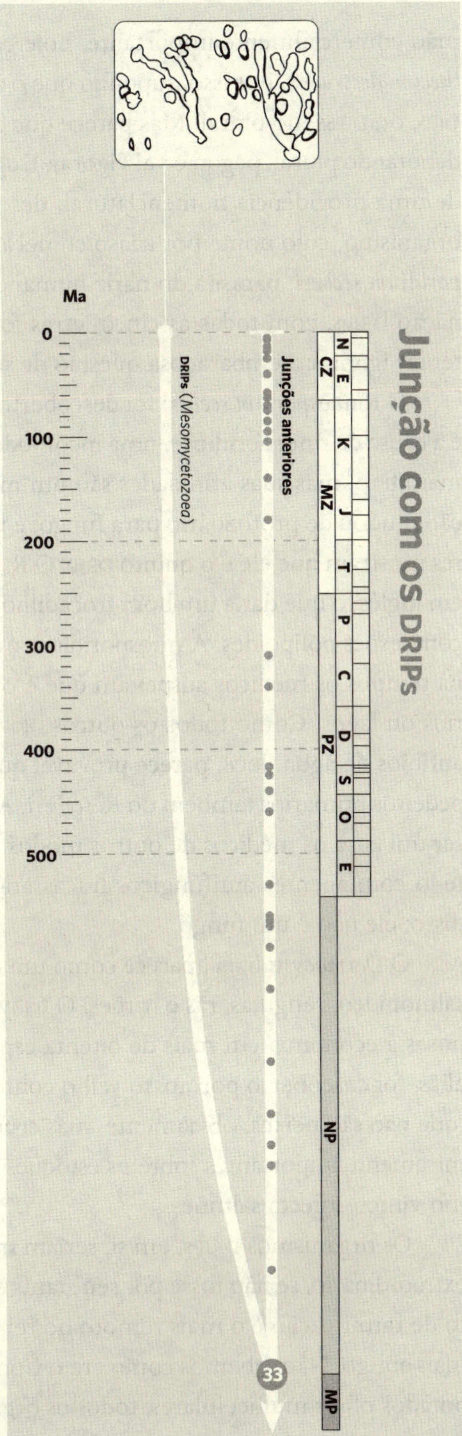

JUNÇÃO COM OS DRIPS: Os mais próximos parentes unicelulares dos animais são os coanoflagelados e os DRIPs. Atualmente, não se tem certeza se esses dois grupos são os parentes mais próximos um do outro (o que uniria os Encontros 32 e 33 em um só) ou se as trinta e tantas espécies de DRIPs descritas são as parentes mais distantes de todas as demais. O estudo molecular mais minucioso até o presente corrobora essa última ideia, e portanto a seguiremos.

IMAGEM: *Icthyiphonus hoferi*.

mão comercialmente importante, hoje conhecido formalmente como *Sphaerothecum destruens*. Por isso, suponho que o acrônimo deveria ser reformulado para DIPS, ou DIPSS, no plural. Mas parece que a designação DRIPS, com o s minúsculo denotando plural, pegou e vai vigorar. E agora, dando até a impressão de ser obra de uma providência nomenclatural, descobriu-se recentemente que um outro organismo, cujo nome por acaso começa com R, também é um DRIP: o *Rhinosporidium seeberi*, parasita do nariz humano. Assim, podemos reformular a designação DRIPS, com todas as cinco letras formando um acrônimo conveniente, e tentar ignorar a embaraçosa questão de se o termo é singular ou plural.

O *Rhinosporium seeberi* foi descoberto em 1890, e há tempos se sabe que ele é a causa da rinosporidiose, uma incômoda doença do nariz humano, ou melhor, mamífero, mas suas afinidades são um mistério. Por várias vezes sua classificação mudou de protozoário para fungo, e vice-versa, mas hoje estudos moleculares mostram que ele é o quinto DRIP. O *R. seeberi* não faz o nariz escorrer (*to drip*, em inglês, o que daria um bom trocadilho). Ao contrário: ele bloqueia as narinas com lesões polipoides. A rinosporidiose é sobretudo uma doença dos trópicos, e há tempos os médicos suspeitam que é contraída quando alguém se banha em rios ou lagos. Como todos os outros DRIPS são parasitas de peixes, lagostins ou anfíbios de água doce, parece provável que animais de água doce sejam os hospedeiros primários também do *R. seeberi*. A descoberta de que ele é um DRIP pode ser útil para os médicos de outros modos. Por exemplo, as tentativas de combatê-lo com agentes antifúngicos fracassaram, e agora podemos saber o motivo disso: ele não é um fungo.

O *Dermocystidium* aparece como um cisto na pele ou nas guelras de carpas, salmonídeos, enguias, rãs e tritões. O *Icthyophonus* causa infecções sistêmicas danosas à economia em mais de oitenta espécies de peixe. O *Psorospermium*, que, aliás, foi descoberto por nosso velho conhecido Ernst Haeckel, infecta lagostins (que não são peixes, obviamente, mas crustáceos) e também tem efeitos economicamente importantes sobre os estoques desses animais. E o *Sphaerothecum*, como vimos, infecta salmões.

Os organismos DRIPS, em si, seriam menosprezados por não terem nada de extraordinário, se não fosse por seu status evolutivo aristocrático; afinal, seu ponto de ramificação é o mais remoto no reino animal, e seu encontro conosco, o mais antigo. Não sabemos como era o Concestral 33, exceto que, aos nossos embotados olhos multicelulares, todos os organismos unicelulares se parecem muito. Ele não foi um parasita como um DRIP — não de peixes, anfíbios, crustáceos ou humanos, com certeza, pois todos ainda estavam em um futuro inimaginavelmente distante.

O único adjetivo sempre aplicado aos DRIPS é "enigmático", e quem sou eu para romper essa tradição? Se um DRIP fosse narrar seu enigmático conto, desconfio que discorreria sobre como, agora que atingimos pontos de encontro tão antigos, é quase arbitrário quais dos nossos primos unicelulares por acaso sobreviveram. Não por acidente, também é bem arbitrária a escolha dos cientistas em relação a quais organismos unicelulares examinar no nível da genética molecular. Há quem examine os DRIPS porque alguns deles são parasitas comercialmente importantes de peixes, e outros, como agora sabemos, porque entopem nosso nariz. Pode haver organismos unicelulares que sejam tão centrais na árvore genealógica da vida, mas que ninguém se incomodou de analisar porque são parasitas, digamos, de dragões-de-komodo e não de salmões ou de gente.

Mas ninguém pode desconsiderar os fungos. Estamos prestes a saudá-los.

Encontro 34
Fungos

No Encontro 34 vem reunir-se a nós, animais, o segundo dos três grandes reinos multicelulares, os fungos. O terceiro é o das plantas. Poderia surpreender, a princípio, que os fungos, tão parecidos com plantas, sejam parentes mais próximos dos animais do que dos vegetais, mas comparações moleculares não deixam dúvidas. E talvez isso não seja assim tão surpreendente. As plantas importam energia do sol para a biosfera. Os animais e os fungos, cada um a seu modo, são parasitas do mundo vegetal.

Os fungos são um afluxo imenso e importante de peregrinos, com 69 mil espécies descritas até agora, de um total estimado em 1,5 milhão. Os cogumelos, comestíveis ou venenosos, dão uma impressão errada. Essas conspícuas estrutu-

Página ao lado: JUNÇÃO COM OS FUNGOS. A taxonomia molecular revela que os fungos são mais próximos dos animais do que das plantas. Os dois maiores grupos, os *Ascomycota* (cerca de 40 mil espécies descritas) e os *Basidiomycota* (cerca de 22 mil), são geralmente considerados parentes mais próximos, e estudos recentes constataram que os 160 fungos micorrízicos arbusculares são um grupo-irmão dos dois grupos principais. Os agrupamentos e a ordem de ramificação dos cerca de 3 mil fungos restantes não estão bem estabelecidos, em particular o número de ramos separados antes agrupados juntos na categoria "Zygomycota" e a posição dos microsporídios.

IMAGENS, DA ESQUERDA PARA A DIREITA: morel comum (*Morchella esculenta*); cogumelo *Phallus impudicus*; fungo micorrízico arbuscular (*Glomus sp.*) de raiz de *Hyacinthoides nonscripta*; mucor (*Mucor sp.*); *Rhizoclostamium sp.*; *Enterocytozoon bieneusi*.

Junção com os fungos

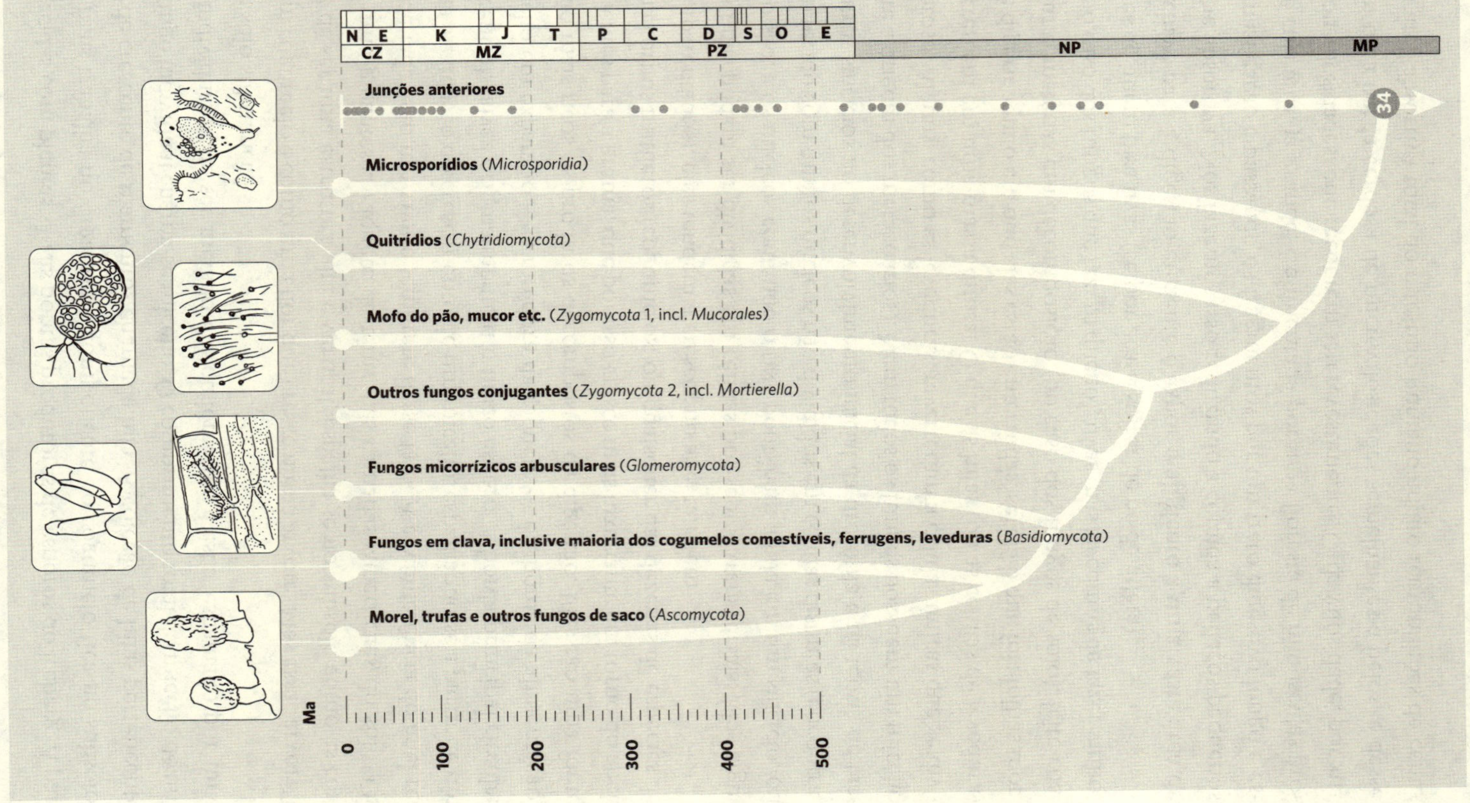

ras parecidas com plantas são as pontas produtoras de esporos do iceberg. A parte que mais trabalha no organismo componente do cogumelo fica no subsolo: uma rede crescente de filamentos chamada hifa. A coleção de hifas pertencente a um fungo individual chama-se micélio. O comprimento total do micélio de um fungo individual pode ser medido em quilômetros e estar espalhado por uma área de solo substancial.

Um cogumelo é como uma flor que cresce numa árvore. Mas essa "árvore", em vez de ser uma estrutura alta e vertical, espalha-se no subsolo como as cordas de uma gigantesca raquete de tênis, nas camadas superficiais do solo. Os "anéis de fada" são um vívido lembrete desse fato. A circunferência do anel representa a extensão do crescimento de um micélio, espalhando-se a partir de um ponto central, talvez originalmente um único esporo. A borda principal circular do micélio em expansão — a moldura da raquete — é a borda da alimentação, onde são mais ricos os produtos decompostos da digestão. Eles são uma fonte de nutrientes para a grama, que por isso cresce mais luxuriante em torno do anel. Onde há corpos frutíferos (cogumelos, ou quaisquer das dezenas de espécies de fungos aparentados), eles tendem a crescer no anel também.

As hifas podem ser divididas em células por septos transversais. Mas algumas não são, e os núcleos contendo o DNA pontilham a hifa em um sincício, ou seja, um tecido com muitos núcleos não divididos em células distintas (encontramos outros sincícios no desenvolvimento inicial da drosófila e na teoria de Hadzi sobre a origem dos metazoários). Nem todos os fungos possuem um micélio filamentoso. Alguns, como as leveduras, reverteram a células únicas que se dividem e crescem em uma massa difusa. O que as hifas (ou as células de levedura) fazem é digerir aquilo em que elas estão enterradas, seja lá o que for: folhas mortas e outras matérias em decomposição (no caso dos fungos de solo), leite coalhado (no caso dos fungos que fazem queijo), uvas (nas leveduras de fazer vinho) ou os pés de quem pisa uvas (se por acaso sofrer de pé-de-atleta).

A chave para a digestão eficiente é expor o alimento a uma vasta área de superfície absortiva. Nós fazemos isso reduzindo a comida a pedaços pequenos com a mastigação e passando os fragmentos por um trato digestivo longo e espiralado cuja área, já grande, é aumentada por uma floresta de minúsculas projeções, ou vilosidades, que recobrem seu revestimento. Cada vilosidade, por sua vez, tem uma borda cerdosa de microvilosidades semelhantes a pelos, e desse modo a área absortiva total do intestino humano adulto tem milhões de centímetros quadrados. Um fungo como o apropriadamente chamado *Phallus* (ver Ilustração 45) ou o cogumento *Agaricus campestris*, espalha seu micélio por uma área semelhante de solo, secretando enzimas digestivas e digerindo o material do terreno onde ele se encontra. O fungo não anda por aí devorando alimentos e digerindo-os dentro do corpo como fazem os porcos ou os ratos. Em vez disso, ele espalha seus "intestinos", na forma do filamentoso micélio, direto pelo alimento e o digere no local. De quando em quando, hifas juntam-se e constituem uma estrutura sólida única com forma reconhecível: um *champignon* (ou um fungo *Amanita* venenoso, ou um urupês). Essa estrutura produz esporos que o vento levanta e carrega para longe, espalhando assim os genes que produzirão novos micélios e, por fim, novos cogumelos.

Como se poderia esperar de um novo afluxo de 100 mil peregrinos, eles já se juntaram uns aos outros em grandes subcontingentes "antes" de se reunirem a nós no Encontro 34. Todos os principais subgrupos de fungos terminam em "miceto", que em grego significa cogumelo; em alguns casos se usa *mycota*. Já deparamos com "micetos" em *Mesomycetozoea*, o nome para os DRIPS que indica um tipo de condição intermediária entre animal e fungo. Os dois maiores e mais importantes desses subcontingentes dos peregrinos fungos são os ascomicetos (*Ascomycota*) e os basidiomycetos (*Basidiomycota*).

Os ascomicetos incluem alguns fungos famosos e importantes, como o *Penicillium*, o mofo a partir do qual Fleming descobriu acidentalmente o primeiro antibiótico e quase o ignorou, até que Florey, Chain e seus colegas o redescobriram treze anos mais tarde. A propósito: é uma pena que o nome antibiótico tenha vigorado. Esses agentes atacam bactérias, e não vírus, e se tivessem sido chamados de antibacterianos em vez de antibióticos, quem sabe os pacientes parassem de exigir que os médicos os prescrevessem contra viroses, uma medida inútil e contraproducente. Outro ascomiceto ganhador do Prêmio Nobel é o *Neurospora crassa*, o bolor com o qual Beadle e Tatum formularam a hipótese "um gene, uma enzima". E há também as leveduras benéficas aos humanos, com as quais fazemos pão, vinho e cerveja, e a danosa *Candida*, que provoca doenças incômodas como a vaginite (candidíase). Os cogumelos comestíveis do gênero *Morchella* e afins e as caríssimas trufas são ascomicetos. As trufas são tradicionalmente localizadas com a ajuda de porcas, fortemente atraídas pelo cheiro do que parece ser alfa-androstenol, um feromônio masculino secretado pelos machos suínos. Não está claro por que as trufas produzem essa pista letal, mas talvez, de algum modo interessante ainda por descobrir, isso explique o motivo da atração gastronômica que elas exercem sobre nós.

A maioria dos fungos comestíveis e dos famigerados fungos venenosos ou alucinógenos é de basidiomicetos: *champignons*, cantarelos, boletos, shiitakes, *Coprinus comatus*, "chapéus-da-morte" (*Amanitas phalloides*), os do gênero *Phallales*, os urupês, os chapéus-de-cobra, os licoperdos. Alguns dos corpos produtores de esporos desses fungos podem atingir tamanhos impressionantes. Os basidiomicetos também têm importância econômica como causa de doenças de plantas conhecidas como ferrugem-dos-vegetais e ferrugem-dos-cereais. Alguns basidiomicetos e ascomicetos, assim como todos os membros de um grupo especializado chamado glomeromicetos, colaboram com plantas para suplementar os filamentos das raízes vegetais com a micorriza, uma história notável que contarei em poucas palavras.

Vimos que as vilosidades dos nossos intestinos e os filamentos do micélio de um fungo são delgados para aumentar a área da superfície usada na digestão e absorção. Exatamente do mesmo modo, as plantas possuem numerosos filamentos nas raízes para aumentar a área da superfície responsável pela absorção da água e dos nutrientes do solo. Mas o fato assombroso é que a maior parte do que parece ser filamentos da raiz não pertence à planta propriamente dita. São, na verdade, partes de fungos simbióticos, cujo micélio é parecido com raízes e funciona como tais. São as micorrizas, e um exame atento revela que existem vários modos pelos quais o princípio micorrízico foi implementado, modos esses que se desenvolveram independentemente. Uma parcela considerável da vida vegetal em nosso planeta depende totalmente de micorrizas.

Em uma proeza ainda mais impressionante de cooperação simbiótica, basidiomicetos e ascomicetos, também em evolução independente, formam associações com algas ou cianobactérias para criar liquens, fascinantes confederações que podem realizar muito mais do que cada parceiro por si só, bem como produzir formas corporais incrivelmente diferentes da forma corporal de qualquer um dos parceiros. Há quem confunda liquens com plantas, o que não está tão longe da verdade — pois também as plantas, como veremos em "o grande encontro histórico", fizeram originalmente um pacto com microrganismos fotossintéticos para produzirem seu alimento. De forma imprecisa, podemos conceber os liquens como plantas "em processo", forjadas a partir de dois organismos. Quase poderíamos dizer que os fungos "cultivam" culturas capturadas de fotossintetizadores. A metáfora beneficia-se do fato de que, em alguns liquens, a parceria é, em grande medida, cooperativa, e em outros o fungo é mais explorador. A teoria evolutiva prediz que os liquens nos quais a reprodução do fungo e a do fotossintetizador andam lado a lado formam, em geral, relações cooperativas. Liquens nos quais o fungo apenas captura organismos fotossintéticos disponíveis do ambiente previsivelmente têm mais relações explorativas. E parece que isso ocorre na prática.

O que me fascina especialmente nos liquens é que seus fenótipos (ver "O conto do castor") não se parecem nem um pouco com um fungo — aliás, nem com uma alga. Constituem um tipo muito especial de "fenótipo estendido", criado a partir da colaboração de dois conjuntos de produtos gênicos. Na minha visão da vida, explicada em outros livros, tal colaboração, em princípio, não difere da colaboração dos genes "próprios" de um dado organismo. Somos todos colônias simbióticas de genes — genes que cooperam para tecer fenótipos ao redor de si.

Encontro 35
Amebozoários

Junta-se a nós no Encontro 35 uma criaturinha que já usufruiu a distinção de ser, na imaginação popular e até na científica, a mais primitiva de todas, pouco mais do que um "protoplasma" nu: a *Amoeba proteus*. Dessa perspectiva, o Encontro 35 seria o último encontro da nossa longa peregrinação. No entanto, ainda temos um bom caminho a percorrer, e a *Amoeba*, se comparada às bactérias, possui uma estrutura muito avançada e elaborada. Além disso, ela é surpreendentemente grande, visível a olho nu. A ameba gigante *Pelomyxa palustris* pode chegar a meio centímetro na transversal.

As amebas são famosas por não terem uma forma fixa, e a esse fato deve-se o nome *proteus*, o deus grego capaz de mudar de forma. Elas se deslocam com ondulações de seu interior semilíquido, seja como uma única bolha mais ou menos coerente, seja projetando pseudópodes. Às vezes, andam com essas "pernas" temporariamente protraídas. Para alimentar-se, engolfam a presa com pseudópodes, cercando-a em uma bolha esférica de água. Ser engolfado por uma ameba seria uma experiência de pesadelo, se a presa não fosse pequena demais para ter pesadelos. A bolha esférica, ou vacúolo, pode ser vista como parte do mundo exterior, revestida por uma parte da parede "externa" da ameba. Uma vez no vacúolo, o alimento é digerido.

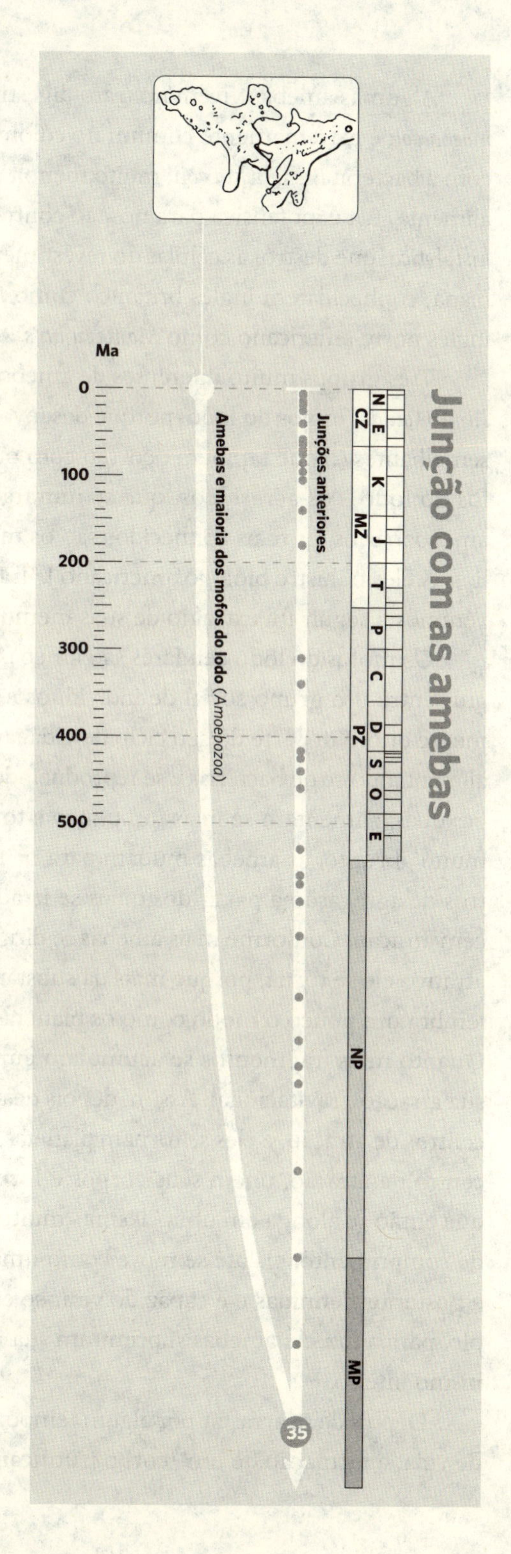

JUNÇÃO COM AS AMEBAS. A palabra "ameba" é uma descrição, e não uma classificação, pois muitos eucariotas não aparentados têm forma ameboide. Os *Amoebozoa* incluem as clássicas amebas, como a *Amoeba proteus* aqui mostrada, além da maioria dos mofos do lodo — um total aproximado de 5 mil espécies conhecidas.

IMAGEM: *Amoeba proteus*.

Algumas amebas vivem no trato digestivo de animais. Por exemplo, a *Entamoeba coli* é extremamente comum no cólon humano. Não devemos confundi-la com a bactéria *Escherichia coli*, muito menor, da qual a primeira provavelmente se alimenta. Ela é inofensiva para nós, ao contrário de sua quase parente *Entamoeba histolytica*, que destrói as células do revestimento do cólon e causa disenteria amebiana, conhecida em inglês britânico como *Delhi Belly* [Barriga de Delhi] ou em inglês norte-americano como *Montezuma's Revenge* [Vingança de Montezuma].

Três grupos muito diferentes de amebozoários são chamados em inglês de *slime moulds* [mofos do lodo] porque desenvolveram independentemente hábitos semelhantes (o que também ocorreu com outro grupo não-aparentado de "mofos do lodo", os acrasídeos, que se juntarão a nós no Encontro 37). Entre os amebozoários, os mais conhecidos são os mofos do lodo celulares, ou dictiostélios. A eles o ilustre biólogo americano J. T. Bonner dedicou toda a vida, e o que veremos a seguir foi extraído de suas memórias científicas, *Life cycles*.

Os mofos do lodo celulares são amebas sociais. Com eles, fica difícil distinguir entre um grupo social de indivíduos e um indivíduo multicelular propriamente dito. Em parte do seu ciclo de vida, amebas separadas rastejam pelo solo, alimentando-se de bactérias e se reproduzindo como fazem as amebas: dividem-se em duas, alimentam-se mais um pouco e tornam a se dividir. E então, de modo muito abrupto, as amebas mudam para o "modo social". Convergem para centros de agregação a partir dos quais se irradiam substâncias químicas que exercem atração. Conforme mais amebas se dirigem para um centro de atração, mais atrativo ele se torna, porque mais da substância química atrativa é liberada. Isso lembra um pouco o modo como os planetas se formam agregando fragmentos. Quanto mais fragmentos se acumulam em um dado centro de atração, maior sua atração gravitacional. Assim, depois de algum tempo, sobram apenas alguns centros de atração, e eles se tornam planetas. Por fim, as amebas, em cada grande centro de atração, unem seus corpos e formam uma massa multicelular única, que então se alonga em uma "lesma" multicelular. Com cerca de um milímetro de comprimento, ela até se move como uma lesma, possui extremidades frontal e posterior definidas e é capaz de virar-se em uma direção coerente, por exemplo, para a luz. As amebas suprimiram sua individualidade para forjar um organismo inteiro.

Depois de se arrastar por algum tempo, a lesma inicia a fase final de seu ciclo de vida, a formação de um "corpo frutificante" semelhante a um cogumelo. Ela inicia o processo "plantando bananeira": fixa-se de cabeça para baixo (a "cabeça" é a extremidade frontal definida pela direção em que ela rasteja) e se torna o "caule" do minúsculo cogumelo. O cerne do caule transforma-se num tubo oco feito de carcaças celulósicas inchadas de células mortas. Agora células ao redor do topo do tubo derramam-se no interior dele, como, na comparação de Bonner, uma fonte que fluísse ao contrário. O resultado é que a ponta do caule se ergue no ar, com a extremidade que originalmente era a posterior no topo. Cada uma das amebas na extremidade que originalmente era a posterior agora se transforma em um esporo envolvido por um grosso revestimento protetor. Como os esporos de um cogumelo, eles então se desprendem, cada qual se libertando de seu revestimento como uma ameba de vida livre, devoradora de bactérias, e o ciclo de vida recomeça.

Bonner fornece uma lista muito reveladora de micróbios sociais desse tipo — bactérias multicelulares, ciliados multicelulares, flagelados multicelulares e amebas multicelulares, incluindo seus queridos mofos do lodo. Essas criaturas podem representar instrutivas reencenações (ou pré-encenações) de nosso tipo de multicelularidade metazoária. Mas desconfio que são todas completamente diferentes, e por isso mesmo mais fascinantes.

Encontro 36
Plantas

O Encontro 36 é onde nos reunimos às verdadeiras senhoras da vida, as plantas. A vida poderia continuar sem animais e sem fungos. Mas, abolidas as plantas, a vida cessaria rapidamente. As plantas são a base indispensável — os alicerces mesmo — de quase toda cadeia alimentar. Elas são as criaturas mais notáveis do nosso planeta, os primeiros seres vivos em que qualquer marciano em visita repararia. Os maiores organismos singulares que já viveram são plantas, e uma impressionante porcentagem da biomassa do planeta encerra-se em vegetais. Isso não ocorre por acaso. Parte dessa elevada proporção decorre necessariamente do fato de que, em última análise, quase* toda a biomassa provém do Sol, por intermédio da fotossíntese que, em sua maior parte, ocorre em plantas verdes, e a transação em cada elo da cadeia alimentar tem uma eficiência aproximada de apenas 10%. A superfície da Terra é verde por causa das plantas, e a superfície do mar também o seria se o seu tapete flutuante de fotossintetizadores fosse formado de plantas macroscópicas em vez de microrganismos pequenos demais para refletir quantidades perceptíveis de luz verde. É como se as plantas fizessem todo o possível para cobrir cada centímetro quadrado de verde, sem deixar nada descoberto. E é bem isso que elas fazem, por uma razão muito sensata.

* A razão dessa pequena ressalva emergirá quando chegarmos a Cantuária.

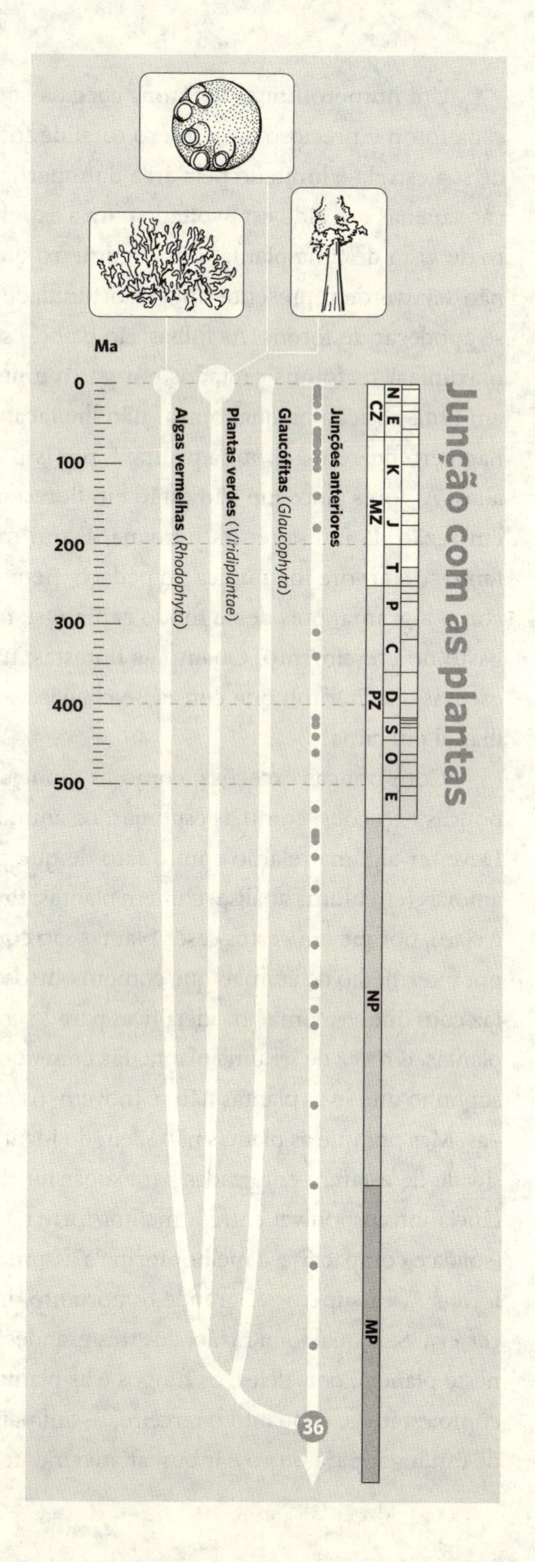

JUNÇÃO COM AS PLANTAS. As plantas abrangem cerca de treze espécies de glaucófitas (algas unicelulares, com cloroplastos cuja morfologia é muito semelhante à das cianobactérias de vida livre), aproximadamente 5 mil espécies de algas vermelhas e 30 mil espécies de "plantas verdes". As plantas verdes incluem muitas algas verdes unicelulares e coloniais, como a *Volvox*, bem como os mais conhecidos musgos, samambaias, coníferas, plantas floríferas e afins. A ordem de ramificação desses três grupos está razoavelmente bem estabelecida, mas a posição das plantas na filogênese eucariótica em geral é discutida (ver Encontro 37).

IMAGENS, DA ESQUERDA PARA A DIREITA: dulce (*Rhodymenia palmata*); vólvox (*Volvox aurelia*); sequóia gigante (*Sequoiadendron giganteum*).

Um número finito de fótons chega à superfície do planeta vindo do Sol, e cada fóton é precioso. O número total de fótons que um planeta pode guardar de sua estrela é limitado pela área da superfície do planeta, com uma complicação: apenas um lado está voltado para a estrela em um dado momento. Do ponto de vista de uma planta, um centímetro quadrado da superfície terrestre que não seja verde representa uma oportunidade negligentemente desperdiçada de se apoderar de fótons. As folhas são painéis solares, o mais planas possível para maximizar os fótons captados por gasto unitário. É vantajoso colocar as folhas em uma posição na qual outras não lhe façam sombra, em especial se as outras não pertencerem à própria planta. É por isso que as árvores das florestas são tão altas. Árvores altas que não estão em florestas ficam deslocadas, provavelmente em razão da interferência humana. É um total desperdício de esforço crescer tanto se a árvore for a única no pedaço. Bem melhor é espalhar-se lateralmente, como a grama, pois desse modo captam-se mais fótons por unidade de esforço gasto no crescimento. Quanto às florestas, não é por acidente que elas são tão escuras. Cada fóton que consegue chegar ao chão representa uma falha das folhas lá em cima.

Com poucas exceções, como as dioneias, as plantas não se movem. Com poucas exceções, como as esponjas, os animais movem-se. Por que a diferença? Deve ter alguma relação com o fato de que plantas comem fótons enquanto os animais (em última análise) comem plantas. Precisamos desse "em última análise", é claro, porque em certos casos plantas são comidas em segunda ou terceira mão, por intermédio de animais que comem outros animais. Mas por que comer fótons faz com que seja uma boa ideia ficar parado com as raízes no solo? Por que comer plantas, em vez de *ser* uma planta, faz com que mover-se seja uma boa ideia? Bem, suponho que se as plantas não se movem, os animais têm de mover-se para comê-las. Mas por que as plantas não saem do lugar? Talvez tenha relação com a necessidade de estarem enraizadas para sugar nutrientes do solo. Talvez haja uma distância intransponível entre a melhor forma a assumir para quem quer mover-se (sólida e compacta) e a melhor forma a assumir para quem quer expor-se a muitos fótons (área superficial grande, e portanto, irregular e desalinhada). Não tenho certeza. Seja qual for a razão, dos três grandes grupos de megavida que evoluíram neste planeta, dois deles, os fungos e as plantas, permanecem sobretudo imóveis como estátuas, enquanto o terceiro, os animais, faz o grosso do trabalho de andar de um lugar para outro e ir buscar ativamente o que é preciso. As plantas, inclusi-

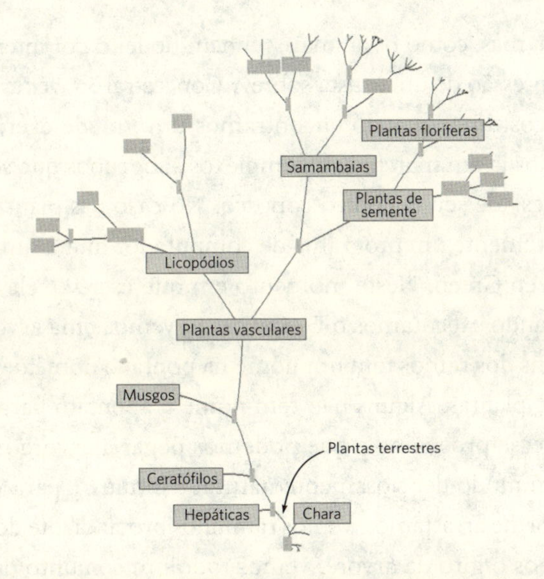

SE DARWIN E HOOKER TIVESSEM COMPUTADOR. Uma árvore de plantas verdes, do programa Deep Green, <http://ucjeps.berkeley.edu/map2.html.>. O programa roda em Mac ou em PC compatível com vírus (habilite o Java em seu navegador). A raiz da árvore está na base da figura.

ve, usam animais para irem de um lugar para outro por elas, e as flores, com suas belas cores, formas e aromas, são os instrumentos dessa manipulação.*

Nem todos os peregrinos a quem nos reunimos neste Encontro 36 são verdes. A mais profunda divisão** entre eles é a que separa as algas vermelhas e as plantas verdes (que incluem as algas verdes). As algas vermelhas são comuns no litoral. E o mesmo se dá com vários tipos de algas verdes. Além disso, em água doce também existem algas verdes em abundância. Mas as algas marinhas mais conhecidas são as pardas, parentes mais distantes, pois só se juntarão a nós no Encontro 37. Das que vêm reunir-se a nós neste encontro, as mais conhecidas e mais notáveis são as plantas verdes. As plantas conquistaram a terra firme antes dos animais. Isso é quase óbvio, pois sem plantas para comer, de que adiantaria um animal ir para lá? É provável que as plantas não tenham passado diretamente do

* Eu incluiria um conto sobre esse fato se não o tivesse feito em dois capítulos de *A escalada do monte improvável*: "Grãos de pólen e balas mágicas" e "Um jardim murado".

** Além das insignificantes treze espécies de glaucófitas unicelulares, que parecem ser o extragrupo.

mar para a terra, mas, como os animais, tenham-no feito por intermédio de água doce. Para a impressão de um artista sobre o Concestral 36, ver a Ilustração 46.

Como de costume, quando encontramos um grande exército de peregrinos, nós os vemos já em marcha em complexos subgrupos que se juntaram uns aos outros "antes" de seu encontro conosco. No caso das plantas verdes, recomendo veementemente um programa de computador muitíssimo bem elaborado chamado Deep Green. Neste momento em que escrevo, ele está disponível na internet. Quando executamos o Deep Green, vemos uma árvore filogenética enraizada. Alguns dos ramos têm um nome na ponta: o nome de uma planta ou de um grupo de plantas. Alguns não têm nome e apontam para "fora da página". A beleza desse programa é que podemos pegar a árvore com o mouse e arrastá-la, de um modo deliciosamente natural e intuitivo, para ver mais partes da árvore. Conforme arrastamos, vemos raminhos brotar diante dos nossos olhos, e quando fazemos o giro da árvore, vemos todo um conjunto de novos nomes aparecer na tela, juntamente com muitos ramos novos sem nome. Exploramos a árvore até onde desejarmos; ela parece não ter fim, o que nos revela a colossal diversidade de plantas verdes que evoluiu. À medida que ascendemos nos ramos, palmo a palmo, como um macaco darwiniano num paraíso arbóreo evolutivo, temos de lembrar que cada bifurcação encontrada representa um verdadeiro ponto de encontro exatamente no sentido usado neste livro. Seria esplêndido se houvesse também uma versão para os animais.

Concluí um conto anterior salientando que é fascinante ser zoólogo em uma época como esta. Eu poderia dizer a mesma coisa sobre ser botânico. Que prazer seria demonstrar o Deep Green a Joseph Hooker — na companhia de seu grande amigo Charles Darwin. Quase choro ao pensar nisso.

O CONTO DA COUVE-FLOR

Em coautoria com Yan Wong

Os contos deste livro destinam-se a abordar mais do que interesses privados do narrador. Como os de Chaucer, eles devem refletir sobre a vida em geral — a vida humana, no livro de Chaucer; a vida, no nosso. O que a couve-flor tem a dizer à imensa congregação de peregrinos na grande reunião após o Encontro 36, quando as plantas se juntam aos animais? Um importante princípio que se aplica

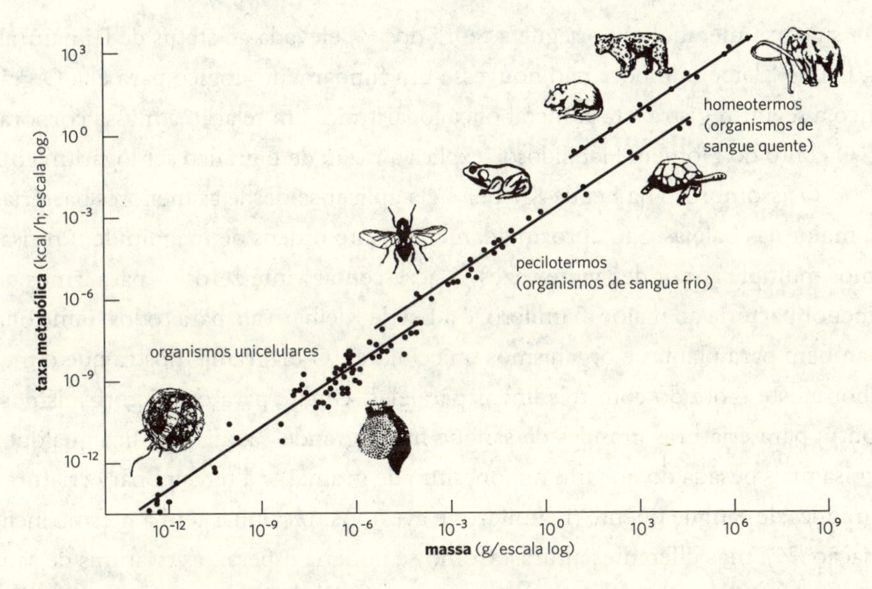

A LEI APLICA-SE A VINTE ORDENS DE MAGNITUDE. Gráfico para a Lei de Kleiber, adaptado de WEST, BROWN e ENQUIST (ver página 726).

a toda planta e a todo animal. Ele pode ser visto como a continuação de "O conto do Homem Habilidoso".

"O conto do Homem Habilidoso" versou sobre o tamanho do cérebro e fez bom uso dos gráficos logarítmicos do tipo *scatter plot* para comparar espécies distintas. Os animais grandes parecem possuir cérebro proporcionalmente menor que o dos animais pequenos. De modo mais específico, a inclinação de um gráfico log-log relacionando a massa corporal à massa cerebral é quase exatamente ¾. Isso, como o leitor deve lembrar, incidia entre duas inclinações intuitivamente compreensíveis: ⅟₁ (massa cerebral simplesmente proporcional à massa corporal) e ⅔ (área cerebral proporcional à massa corporal). A inclinação observada para o log da massa cerebral em relação ao log da massa corporal revelou-se não apenas vagamente maior do que ⅔ e menor do que ⅟₁. Foi exatamente ¾. Tal precisão de dados parece requerer igual precisão da teoria. Podemos descobrir algum fundamento lógico para a inclinação ¾? Não é fácil.

Para aumentar o problema, ou talvez nos dar uma pista, há tempos os biólogos notaram que muitas outras coisas além do tamanho do cérebro seguem essa precisa relação de ¾. Em especial, o uso de energia de vários organismos

— sua taxa metabólica — segue a regra dos ¾, elevada ao status de lei natural, a Lei de Kleiber, embora não houvesse um fundamento lógico para ela. O gráfico a seguir registra a taxa metabólica logarítmica em relação à massa corporal ("O conto do Homem Habilidoso" explica a razão de o gráfico ser logarítmico).

O assombroso na Lei de Kleiber é ela aplicar-se desde as menores bactérias à maior das baleias. São aproximadamente vinte ordens de magnitude. Precisamos multiplicar por dez vinte vezes — acrescentar vinte zeros — para irmos da menor bactéria ao maior mamífero, e a Lei de Kleiber vale para todos. Funciona também para plantas e organismos unicelulares. O diagrama mostra que o melhor ajuste é obtido com três linhas paralelas. Uma é para os microrganismos, outra para criaturas grandes de sangue frio ("grande", aqui, significa qualquer coisa mais pesada do que um milionésimo de grama!) e a terceira para criaturas grandes de sangue quente (mamíferos e aves). As três linhas têm a mesma inclinação (¾), mas diferentes alturas. Como se poderia esperar, as criaturas de sangue quente têm taxa metabólica mais alta, considerando seu tamanho, que a das criaturas de sangue frio.

Por anos ninguém conseguiu atinar com uma razão realmente convincente para a Lei de Kleber, até a realização de um brilhante trabalho colaborativo entre um físico, Geoffrey West, e dois biólogos, James Brown e Brian Enquist. A derivação da precisa lei dos ¾ desse trabalho é uma obra de magia matemática difícil de traduzir em palavras, mas tão engenhosa e importante que vale a pena o esforço.

A teoria de West, Enquist e Brown, doravante chamada de WEB, parte do fato de que os tecidos de organismos grandes têm um problema de suprimento. É para isso que servem os sistemas sanguíneos dos animais e os condutos vasculares das plantas: transportar "coisas" de e para tecidos. Os organismos pequenos não enfrentam esse problema no mesmo grau. Um organismo muito diminuto possui uma área superficial tão grande comparada ao seu volume que pode obter todo o oxigênio de que precisa através da parede de seu corpo. Mesmo se ele for multicelular, nenhuma de suas células está muito distante da parede externa do corpo. Mas um organismo grande tem um problema de transporte, pois a maioria de suas células está longe dos suprimentos de que necessita. Elas precisam canalizar material de um lugar para outro. Os insetos canalizam ar para seus tecidos em uma rede ramificada de tubos chamada traqueia. Nós também possuímos canais de ar ricamente ramificados, mas estão confinados a órgãos especiais, os pulmões, os quais têm uma rede sanguínea também ricamen-

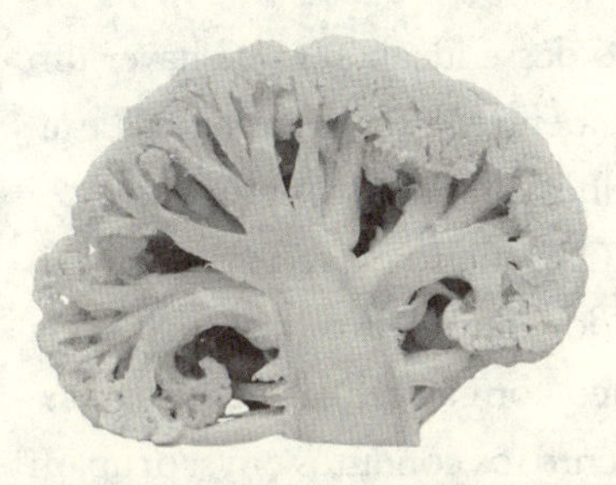

OS TECIDOS TÊM UM PROBLEMA DE SUPRIMENTO. O complexo sistema de suprimento de uma couve-flor.

te ramificada para levar o oxigênio dos pulmões ao resto do corpo. Os peixes fazem coisa parecida com as guelras, que são órgãos de área intensiva destinados a aumentar a superfície de contato entre água e sangue. A placenta faz o mesmo tipo de coisa para o sangue materno e fetal. As árvores usam seus galhos profusamente ramificados para suprir suas folhas de água extraída do solo e bombear açúcares das folhas para o tronco.

A couve-flor acima, comprada fresquinha na quitanda do bairro e cortada ao meio, mostra como é um típico sistema de transporte. Podemos ver quanto esforço a couve-flor emprega para dar uma rede de suprimento à sua cobertura externa de "botões de flor".*

Ora, podemos imaginar que essas redes de suprimento — tubos de ar, canos de sangue ou solução de açúcar, ou seja lá o que for — poderiam perfeitamente compensar o tamanho corporal maior. Se o fizessem, uma típica célula de uma modesta couve-flor seria exatamente tão bem suprida quanto uma típica célula de uma sequoia gigante, e a taxa metabólica das duas células seria a mesma. Como o número de células em um organismo é proporcional à sua massa, a curva de um gráfico do tipo *scatter plot* relacionando a taxa metabólica total à massa corporal, com os dois eixos em escala logarítmica, incidiria numa linha com inclinação 1. No entanto, o que observamos é uma inclinação de ¾. Organismos pequenos têm taxa metabólica mais elevada do que "deveriam" ter, por sua massa, em comparação com organismos maiores. O que isso significa é que a taxa metabólica de uma célula de couve-flor é maior do que a taxa metabólica de uma célula equivalente de uma sequoia, e a de um camundongo é maior que a de uma baleia.

À primeira vista, isso parece estranho. Uma célula é uma célula, e poderíamos pensar que existe uma taxa metabólica ideal que seria a mesma para uma couve-flor e uma sequoia, para um camundongo ou uma baleia. Talvez exista. Mas aparentemente o que ocorre é que a dificuldade de entregar água, sangue, ar

* Botões que, nesse caso, foram grotescamente modificados por seleção artificial sob domesticação, mas o princípio ainda se aplica.

ou seja lá o que for impõe um limite à realização desse ideal. Tem de haver um ajuste. A teoria WEB explica o ajuste e a razão de a entrega ser representada exatamente pela inclinação de ¾. E faz isso em detalhes quantitativos precisos.

A teoria consiste em dois pontos principais. O primeiro é que a árvore ramificada de condutos, que leva material para um dado volume de células, ocupa ela própria o mesmo volume, competindo por espaço com as células que ela abastece. Próximo às extremidades da rede de suprimento, os condutos em si ocupam um espaço substancial. E se duplicarmos o número de células que precisam ser abastecidas, o volume da rede mais que duplica, pois são necessários mais tubos para ligar a rede ao sistema principal, tubos que também ocupam espaço. Se quiséssemos duplicar o número de células a serem abastecidas enquanto apenas duplicássemos o espaço ocupado pelos condutos, precisaríamos de uma rede de encanamento com uma distribuição mais esparsa. O segundo ponto importante é que, seja em um camundongo, seja em uma baleia, o mais eficiente sistema de transporte — aquele que desperdiça menos energia no transporte de material — é o que requer uma porcentagem fixa do volume do corpo. É assim que a matemática funciona, além de ser um fato observado empiricamente.* Por exemplo, os mamíferos, sejam ratos, homens ou baleias, têm um volume de sangue (isto é, o tamanho do sistema de transporte) que ocupa entre 6% e 7% do corpo.

Considerando esses dois pontos juntos, se quisermos duplicar o volume de células a serem abastecidas mas ainda manter o mais eficiente sistema de transporte, precisaremos de uma rede de abastecimento com uma distribuição mais esparsa. E uma rede mais esparsa significa que menos material é suprido por célula, ou seja, a taxa metabólica tem de diminuir. Mas quanto, precisamente, ele deve diminuir?

WEB calcularam a resposta a essa questão. Em um resultado fascinante, a matemática prediz uma linha reta com inclinação exata de ¾ para o gráfico logarítmico da taxa metabólica em relação ao tamanho do corpo! Um trabalho mais recente desenvolveu essa teoria inicial, mas os aspectos essenciais dela permanecem. A Lei de Kleiber, seja para plantas, animais ou até mesmo no nível do transporte dentro de uma única célula, encontrou finalmente sua base racional. Ela pode ser derivada da física e geometria das redes de suprimento.

* A porcentagem real pode diferir um pouco dependendo, digamos, de o animal ser de sangue frio ou quente.

O CONTO DA SEQUOIA

As pessoas costumam discutir sobre qual lugar do mundo não se pode deixar de visitar antes de morrer. Meu candidato é Muir Woods, um bosque logo ao norte da Golden Gate, em San Francisco. Mas se você esperar demais para ir, não consigo imaginar lugar melhor para ser enterrado (embora eu duvide que seja permitido, e não deveria ser mesmo). Essa catedral de verdes, marrons e silêncio tem sua nave majestosamente emoldurada pelas maiores árvores do mundo, *Sequoia sempervirens*, as sequoias da costa do Pacífico, cuja casca almofadada abafa os ecos que reverberariam numa catedral feita por mãos humanas. A espécie aparentada, *Sequoiadendron giganteum* (ver Ilustração 47), encontrada no interior da América do Norte, no sopé de Sierra Nevada, é tipicamente mais baixa, porém mais atarracada. O maior indivíduo vivo do mundo, a árvore conhecida como General Sherman, é uma *giganteum* com mais de 30 m de circunferência e 80 m de altura, cujo peso foi estimado em 1260 toneladas. Sua idade exata é desconhecida, mas sabe-se que a espécie sobrevive por mais de 3 mil anos. A idade da General Sherman poderia ser determinada com margem de erro menor do que um ano se ela fosse cortada — o que seria um trabalho hercúleo, pois só a casca tem cerca de um metro de espessura.* Fiquemos na torcida para que isso jamais aconteça, apesar da famigerada opinião de Ronald Reagan quando era governador da Califórnia: "Quem viu uma viu todas".

Como descobrir a idade de uma grande árvore, até mesmo de uma tão antiga quanto a General Sherman, com a exatidão de anos? Contando-se os anéis do cepo. A contagem dos anéis, sob uma forma mais refinada, originou a elegante técnica da dendrocronologia, pela qual os arqueólogos que trabalham em uma escala temporal de séculos podem datar com precisão um artefato de madeira.

Deixei para este conto a tarefa de explicar como, ao longo de toda a nossa peregrinação, fomos capazes de datar espécimes históricos em uma escala de tempo absoluta. Os anéis das árvores são bem precisos, mas apenas para as fases mais recentes do registro histórico. Os fósseis são datados por outros métodos, a maioria usando a desintegração radioativa, e trataremos deles, juntamente com outras técnicas, no decorrer do conto.

* Na verdade, não precisamos cortá-la. Uma amostra de seu cerne já bastaria.

Os anéis anuais de uma árvore resultam de um fato nada surpreendente: ela cresce mais em algumas estações do que em outras. Mas, analogamente, seja no inverno, seja no verão, as árvores crescem mais nos anos bons do que nos anos ruins. Anos bons ocorrem às pencas, assim como anos ruins, por isso um anel de árvore não serve para identificar um ano específico. Mas uma sequência de anos tem um padrão *fingerprint* [de impressão digital] de anéis largos e estreitos que rotulam essa sequência em diferentes árvores em uma grande área. Os dendrocronologistas compilam catálogos desses padrões de assinatura rotulados. E assim, um fragmento de madeira, talvez de um navio viking enterrado no lodo, pode ser datado comparando-se o padrão de seus anéis com compilações de assinaturas previamente registradas.

Usa-se o mesmo princípio em dicionários de melodias. Suponha que você tem uma música na sua cabeça e não consegue lembrar o nome dela. Como poderia procurá-la? Existem vários princípios, dos quais o mais simples é código de Parsons. Transforme sua melodia em uma série de subidas [*ups*] e descidas [*downs*]. A primeira nota é desconsiderada porque, obviamente, não pode ser uma subida nem uma descida. Eis, por exemplo, o padrão de uma canção irlandesa muito popular chamada "Londonderry Air", ou "Air from County Derry", que acabei de digitar na busca do site Melodyhound:

UUUDUUDDDDUUUUUDDDUD

O Melodyhound farejou corretamente minha melodia (intitulando-a "Danny Boy", o nome pelo qual os norte-americanos a conhecem, por causa de alguns versos adicionados à canção no século XX). A princípio, parece surpreendente que uma melodia possa ser identificada por uma breve sequência de símbolos indicando apenas a direção do movimento, mas não a distância, e sem definir a duração das notas. Mas funciona mesmo. Pelo mesmo tipo de razão, um padrão consecutivo razoavelmente breve de anéis de árvores basta para identificar uma sequência específica de anéis de crescimento anuais.

Em uma árvore recém-cortada, o anel externo representa o presente. O passado pode ser calculado exatamente contando-se de fora para dentro. Assim, datas absolutas podem ser atribuídas a assinaturas-padrão dos anéis em árvores recentes cuja data de corte é registrada. Procurando coincidências — padrões de assinatura próximos do centro de uma árvore jovem que correspondam ao padrão das camadas mais externas de uma árvore mais antiga —, podemos atribuir datas absolutas a padrões de anéis em árvores mais antigas também. Ligando em cascata as coincidências, das mais recentes às mais antigas, é possível, em princípio, atribuir datas absolutas à madeira antiquíssima — até mesmo para a Floresta Petrificada do Arizona, se existisse uma série contínua de intermediárias petrificadas. Quem me dera! Por essa técnica de sobreposição de quebra-cabeças, bibliotecas de padrões de *fingerprint* podem ser montadas e consultadas, possibilitando o reconhecimento de madeira que é mais antiga do que a mais antiga árvore viva já vista. As diferentes espessuras dos anéis das árvores, aliás, também podem ser usadas não só para datar madeira, mas para reconstituir ano a ano os padrões climáticos e ecológicos de épocas muito anteriores aos registros meteorológicos.

A dendrocronologia limita-se aos domínios temporais relativamente recentes habitados pelos arqueólogos. Mas o crescimento das árvores não é o único processo que acelera e desacelera em um ciclo anual ou em algum outro ciclo regular, ou mesmo irregular. Qualquer processo desse tipo pode, em princípio, ser usado para a datação, ajudado pelo mesmo truque engenhoso de ligar em cascata os padrões que coincidem. E algumas dessas técnicas funcionam para um período mais longo do que o coberto pela própria dendrocronologia. Os sedimentos depositam-se no fundo do mar a uma taxa irregular, e em faixas que podemos conceber como um equivalente dos anéis das árvores. Essas faixas podem ser contadas, e as assinaturas reconhecidas, em amostras chamadas testemunhos de sondagem, extraídas por profundas sondas cilíndricas.

Outro exemplo, que encontramos no epílogo de "O conto do pássaro-elefante", é a datação paleomagnética. Como vimos naquele conto, o campo magnético terrestre inverte-se de tempos em tempos. O que é o norte magnético subitamente se torna o sul magnético por alguns milhares de anos, e depois ocorre a virada para situação anterior. Isso ocorreu 282 vezes nos últimos 10 milhões de anos. Embora eu diga "virada" e "subitamente", o processo é súbito apenas pelos padrões geológicos. Por mais que pudesse ser curioso se hoje uma reversão polar fizesse os aviões e navios dar meia-volta, não é assim que a coisa funciona. A virada leva milhares de anos, e é muito mais complicada do que o termo sugere. Seja como for, é raro o Polo Norte magnético coincidir exatamente com o verdadeiro Polo Norte geográfico (em torno do qual a Terra gira). Ele vagueia pela região polar no decorrer dos anos. Atualmente, o Polo Norte magnético situa-se perto da ilha Bathurst, no norte do Canadá, a cerca de 1600 km do verdadeiro Polo Norte. Durante uma "virada", ocorre um interregno de confusão magnética, com grandes e complexas variações na força e direção do campo, às vezes envolvendo o surgimento temporário de mais de um norte magnético e mais de um sul magnético. Por fim a confusão dá lugar novamente à estabilização e, ao baixar a poeira, pode acontecer de o norte magnético anterior agora estar próximo do verdadeiro Polo Sul, e vice-versa. A estabilidade, com derivação, volta a existir por talvez 1 milhão de anos, até a próxima virada.

Mil anos da perspectiva geológica é apenas um entardecer. O tempo passado na "virada" é negligível se comparado ao tempo passado na vizinhança aproximada do verdadeiro Polo Norte ou Sul. A natureza, como já vimos, mantém um registro automático desses eventos. Numa rocha vulcânica derretida, certos minerais comportam-se como pequenas agulhas de bússola. Quando a rocha fundida se solidifica, essas agulhas minerais constituem um registro "congelado" do campo magnético terrestre no momento da solidificação (por um processo bem diferente, o paleomagnetismo pode ser observado também em rochas sedimentares). Após uma "virada", as minúsculas agulhas de bússola nas rochas apontam para a direção oposta àquela de antes da virada. É como nos anéis de árvores, exceto pelo fato de que as faixas não estão separadas por um ano, mas por milhões. Novamente, os padrões de faixas podem ser comparados com outros padrões, e uma cronologia contínua de viradas magnéticas pode ser encadeada. Datas absolutas não podem ser calculadas com a contagem das faixas porque, ao contrário dos anéis das árvores, as faixas representam durações desiguais. Não obstante, o mesmo padrão de assinatura de faixas pode ser encontrado em diferentes lugares. Isso significa que se algum outro método de datação absoluta (ver páginas 596-601) estiver disponível para um dos lugares, os padrões de faixas magnéticas, como o código Parsons para uma melodia, podem ser usados para reconhecer a mesma zona temporal em outros lugares. Como ocorre com os anéis de árvores e outros métodos de datação, o quadro completo é montado a partir de fragmentos obtidos em diferentes lugares.

Os anéis de árvore são bons para datar relíquias recentes com precisão de anos. Para datas mais antigas, inevitavelmente com menos precisão, exploramos a bem compreendida física da desintegração radioativa. Para explicar esse recurso, começaremos com uma digressão.

Toda matéria é feita de *átomos*. Existem mais de cem tipos deles, correspondentes ao mesmo número de *elementos*. Exemplos de elementos são: ferro, oxigênio, cálcio, cloro, carbono, sódio e hidrogênio. A maior parte da matéria consiste não em elementos puros, mas *compostos*: dois ou mais átomos de vários elementos ligam-se, como no carbonato de cálcio, cloreto de sódio, monóxido de carbono. A ligação de átomos formando compostos é mediada por *elétrons*, minúsculas partículas que orbitam (uma metáfora para nos ajudar a entender seu comportamento real, que é muito mais estranho) em torno do *núcleo* central de cada átomo. Um núcleo é enorme em comparação com um elétron, mas muito pequeno se comparado à órbita do elétron. Nossa mão, que consiste sobretudo em espaço vazio, encontra forte resistência quando golpeia um bloco de ferro, o qual também consiste sobretudo em espaço vazio, porque forças associadas aos átomos nos dois sólidos interagem de modo a impedi-los de atravessar uns aos outros. Em consequência, o ferro e a pedra nos parecem sólidos porque nosso cérebro, muito convenientemente, nos beneficia construindo uma ilusão de solidez.

Há tempos se sabe que um composto pode ser separado em suas partes componentes e recombinado para produzir o mesmo composto ou algum outro mediante a emissão ou o consumo de energia. Essas interações impermanentes entre átomos constituem a química. Mas até o século XX, julgava-se que o átomo em si era inviolável. Ele era a menor partícula possível de um elemento. Um átomo de ouro era uma microscópica partícula de ouro, qualitativamente diferente de um átomo de cobre, o qual era uma microscópica partícula de cobre. A visão atual é mais elegante. Átomos de ouro, átomos de cobre, átomos de hidrogênio etc. são apenas diferentes arranjos das mesmas partículas fundamentais, assim como os genes do cavalo, os genes da alface, dos humanos ou das bactérias não possuem um "sabor" essencial de cavalo, alface, gente ou bactéria, mas são apenas diferentes combinações das mesmas quatro letras de DNA. Do mesmo modo que compostos químicos são, como se sabe há muito tempo, arranjos criados a partir de um repertório finito de cento e tantos átomos, cada núcleo atômico é um arranjo de duas partículas fundamentais, os *prótons* e os *nêutrons*. Um núcleo de ouro não é "feito de ouro". Como todos os outros núcleos, ele se compõe de prótons e nêutrons. Um núcleo de ferro difere de um núcleo de ouro não porque seja feito de um tipo de matéria qualitativamente diferente chamada ferro, mas simplesmente porque ele contém 26 prótons (e 30 nêutrons) em vez dos 79 prótons (e 118 nêutrons) do ouro. No âmbito de um único átomo não existe "material" dotado das propriedades do ouro ou do ferro. Há somente diferentes combinações de prótons, nêutrons e elétrons. Os físicos vão além e nos dizem que os próprios prótons e nêutrons são compostos de partículas ainda mais fundamentais, os quarks, mas não iremos acompanhá-los a tais profundezas.

Prótons e nêutrons são quase do mesmo tamanho e muito maiores do que elétrons. Em contraste com o nêutron, que é eletricamente neutro, cada próton tem uma unidade de carga elétrica (arbitrariamente designada como positiva), que contrabalança exatamente a carga negativa de um elétron "em órbita" ao redor do núcleo. Um próton pode ser transformado em nêutron se absorver um elétron, cuja carga negativa neutraliza a carga positiva do próton. Inversamente, um nêutron pode transformar-se em um próton expelindo uma unidade de carga negativa — um elétron. Essas transformações são exemplos de reações nucleares, em contraste com as reações químicas, que deixam o núcleo intacto. As nucleares alteram-no. Em geral, elas envolvem trocas muito maiores de energia do que as reações químicas, razão pela qual as armas nucleares são tão mais devastadoras, peso por peso, do que os explosivos convencionais (isto é, químicos). A tentativa dos alquimistas de transformar um elemento metálico em outro falhava só porque eles procuravam fazê-lo por meios químicos em vez de nucleares.

Cada elemento tem um número característico de prótons em seu núcleo atômico e o mesmo número de elétrons "orbitando" o núcleo: um para o hidrogênio, dois para o hélio, seis para o carbono, onze para o sódio, 26 para o ferro, 82 para o chumbo e 92 para o urânio. É esse número, o chamado número atômico, que (atuando por via dos elétrons) determina, em grande medida, o comportamento químico do elemento. Os nêutrons pouco influenciam as propriedades químicas de um elemento, mas afetam sua massa e suas reações nucleares.

Em geral, um núcleo tem aproximadamente tantos nêutrons quanto prótons, ou um pouco mais. Ao contrário da contagem de prótons, fixa para um dado elemento, a contagem de nêutrons varia. O carbono normal tem seis prótons e seis nêutrons, resultando em um "número de massa" doze (pois a massa dos elétrons é ínfima e um nêutrons pesa aproximadamente o mesmo que um próton). Por isso, ele é chamado de carbono 12. O carbono 13 possui um nêutron adicional. E o carbono 14, dois nêutrons a mais, mas todos eles têm seis prótons. Essas "versões" diferentes de um elemento são chamadas de "isótopos". A razão de os três isótopos terem todos o mesmo nome, carbono, é possuírem o mesmo número atômico, 6, e portanto todos possuem as mesmas propriedades químicas. Se as reações nucleares houvessem sido descobertas antes das reações químicas, talvez os isótopos tivessem recebido nomes diferentes. Em alguns casos, os isótopos diferenciam-se o bastante para merecer nomes distintos. O hidrogênio normal não tem nêutrons. O hidrogênio 2 (um próton e um nêutron) é chamado de deutério. O hidrogênio 3 (um próton e dois nêutrons) chama-se trítio. Todos se comportam quimicamente como hidrogênio. Por exemplo, o deutério combina-se com oxigênio e produz a chamada água pesada, famosa por seu uso na fabricação de bombas de hidrogênio.

Os isótopos, portanto, diferem apenas no número de nêutrons que possuem junto com o número fixo de prótons que caracterizam o elemento. Entre os isótopos de um elemento, alguns podem ter um núcleo instável, o que significa que têm uma tendência ocasional a mudar num instante imprevisível, embora com previsível probabilidade, para um tipo diferente de núcleo. Outros isótopos são estáveis: sua probabilidade de mudar é zero. Outra palavra para instável é radioativo. O chumbo tem quatro isótopos estáveis e 25 instáveis conhecidos. Todos os isótopos do urânio, um metal pesadíssimo, são instáveis — todos são radioativos. A radioatividade é a chave para a datação absoluta de rochas e seus fósseis, daí a necessidade dessa digressão para explicá-la.

O que realmente ocorre quando um elemento instável, radioativo, muda para um elemento diferente? Isso pode acontecer de vários modos, mas os dois mais conhecidos chamam-se desintegração alfa e desintegração beta. Na primeira, o núcleo original perde uma "partícula alfa", que é uma pelota composta por dois prótons e dois nêutrons juntos. O número de massa, portanto, reduz-se em quatro unidades, mas o número atômico diminui em apenas duas unidades (correspondentes aos dois prótons perdidos). Assim, o elemento muda, quimicamente falando, para qualquer que seja o elemento com dois prótons a menos. O urânio 238 (com 92 prótons e 146 nêutrons) desintegra-se para o tório 234 (com 90 prótons e 144 nêutrons).

A desintegração beta é diferente. Um nêutron do núcleo original transforma-se num próton, e faz isso ejetando uma partícula beta, que é uma unidade de carga negativa ou um elétron. O número de massa do núcleo permanece igual, pois o número total de prótons mais nêutrons não muda e os elétrons são pequenos demais para ser considerados. Mas o número atômico aumenta em 1 porque agora existe um próton a mais do que antes. O sódio 24 transforma-se, pela desintegração beta, em magnésio 24. O número de massa permaneceu o mesmo, 24. O número atômico aumentou de 11, que é exclusivo do sódio, para 12, que é exclusivo do magnésio.

Um terceiro tipo de transformação é a substituição de próton por nêutron. Um nêutron desgarrado atinge um núcleo e ali desaloja um próton, tomando seu lugar. Assim como na desintegração beta, não há alteração no número de massa. Mas nesse caso o número atômico diminuiu em um, devido à perda de um próton. Lembremos que o número atômico é simplesmente o número de prótons no núcleo. Um quarto modo de um elemento transformar-se em outro, com o mesmo efeito sobre o número atômico e o número de massa, é a captura de elétrons. Esse é um tipo de inversão da desintegração beta. Enquanto nessa um nêutron transforma-se num próton e expele um elétron, a captura de elétrons transforma um próton em um nêutron neutralizando sua carga. Assim, o número atômico diminui em um, enquanto o número de massa permanece o mesmo. O potássio 40 (número atômico 19) desintegra-se para argônio 40 (número atômico 18) dessa maneira. E há vários outros modos como núcleos podem transformar-se radioativamente em outros núcleos.

Um dos princípios fundamentais da mecânica quântica diz que é impossível predizer com exatidão quando um núcleo específico de um elemento instável se desintegrará. Mas podemos medir a probabilidade estatística disso acontecer. Essa probabilidade medida, descobriu-se, é totalmente característica de um dado isótopo. A medida preferida é a meia-vida. Para medir a meia-vida de um isótopo radioativo, pega-se um pedaço da matéria e conta-se quanto tempo demora para exatamente metade dela desintegrar-se em alguma outra coisa. A meia-vida do estrôncio 90 é de 28 anos. Se tivermos 100 gramas de estrôncio 90, após 28 anos teremos apenas 50 gramas. O resto estará transformado em ítrio 90 (que, aliás, se transformará por sua vez em zircônio 90). Isso significa que depois de outros 28 anos não teremos mais estrôncio? De jeito nenhum. Teremos 25 gramas. Depois de mais 28 anos, a quantidade de estrôncio terá sido reduzida à metade novamente, para 12,5 gramas. Teoricamente, nunca chega a zero, mas apenas se aproxima, com sucessivas reduções à metade. Essa é a razão por que temos de falar em meia-vida e não em "vida" de um isótopo radioativo.

A meia-vida do carbono 15 é 2,4 segundos. Após 2,4 segundos ficaremos com metade da nossa amostra original. Mais 2,4 segundos e teremos apenas um quarto daquela amostra. Outros 2,4 segundos e ficamos com um oitavo e assim por diante. A meia-vida do urânio 238 é quase 4,5 bilhões de anos. Essa é aproximadamente a idade do sistema solar. Portanto, de todo o urânio 238 que estava presente na Terra quando ela se formou, cerca de metade ainda existe. Um fato maravilhoso e utilíssimo da radioatividade é que as meias-vidas de diferentes elementos têm essa colossal variação, de frações de segundos a bilhões de anos.

Aproximamo-nos da razão de ser de toda essa digressão. O fato de cada isótopo radioativo ter uma determinada meia-vida oferece uma oportunidade para datarmos as rochas. Muitas rochas vulcânicas contêm isótopos radioativos, como o potássio 40, que se desintegra para o argônio 40 com uma meia-vida de 1,3 bilhão de anos. Eis, potencialmente, um relógio preciso. Mas de nada serve medir a quantidade de potássio 40 numa rocha. Não sabemos quanto havia de início! O que precisamos é da razão entre potássio 40 e argônio 40. Felizmente, quando o potássio 40 de uma rocha se desintegra, o argônio 40 (um gás) permanece preso no cristal. Se existem quantidades iguais de potássio 40 e argônio 40 na substância do cristal, sabemos que metade do potássio 40 original se desintegrou. Portanto, passaram-se 1,3 bilhão de anos desde que o cristal se formou. Se há, digamos, três vezes mais argônio 40 do que potássio 40, apenas um quarto (metade da metade) do potássio 40 original permanece, portanto a idade do cristal é duas meias-vidas, ou 2,6 bilhões de anos.

O momento da cristalização, que no caso das rochas vulcânicas é aquele em que a lava derretida se solidifica, é o momento em que o relógio foi zerado. Dali por diante, o isótopo-pai desintegra-se constantemente e o isótopo-filho permanece preso no cristal. Tudo o que temos a fazer é medir a razão entre as duas quantidades, consultar um livro de física para saber qual é a meia-vida do isótopo-pai e calcular com facilidade a idade do cristal. Como já mencionei, os fósseis são geralmente encontrados em rochas sedimentares, enquanto cristais datáveis costumam estar em rochas vulcânicas, por isso os fósseis têm de ser datados indiretamente, examinando-se as rochas vulcânicas que permeiam seus estratos.

Uma complicação é o fato de que, com frequência, o primeiro produto da desintegração é, ele próprio, outro isótopo instável. O argônio 40, o primeiro produto da desintegração do potássio 40, por acaso é estável. Mas quando o urânio 238 se desintegra, passa por uma cascata de nada menos que catorze estágios intermediários instáveis, incluindo nove desintegrações alfa e sete beta, antes de finalmente acomodar-se como o isótopo estável chumbo 206. A meia-vida mais longa da cascata (4,5 bilhões de anos) pertence à primeira transição, do urânio 238 para tório 234. Um passo intermediário na cascata, do bismuto 214 para o tálio 210, tem uma meia-vida de apenas 20 minutos, e mesmo essa não é a mais rápida (isto é, a mais provável). As últimas transições levam um tempo ínfimo se comparadas à primeira, por isso a razão observada entre o urânio 238 e o finalmente estável chumbo 206 pode ser comparada a uma meia-vida de 4,5 bilhões de anos para calcular a idade de uma dada rocha.

O método do urânio/chumbo e o método do potássio/argônio, com suas meias-vidas medidas em bilhões de anos, são úteis para datar fósseis muito antigos. Mas são demasiado rudimentares para a datação de rochas mais recentes. Para essas, precisamos de isótopos com meias-vidas mais curtas. Felizmente, dispomos de um conjunto de relógios com uma ampla seleção de meias-vidas isotópicas. Escolhemos a meia-vida que nos dê a melhor resolução para as rochas com que estamos trabalhando. Melhor ainda: os diferentes relógios podem ser usados para aferir uns aos outros.

O mais rápido relógio radioativo comumente usado é do carbono 14, o que nos leva de volta ao narrador deste conto, pois a madeira é um dos principais materiais submetidos à datação de carbono pelos arqueólogos. O carbono 14 desintegra-se em nitrogênio 14 com meia-vida de 5730 anos. O relógio do carbono 14 é singular porque é usado para datar os próprios tecidos mortos, e não as rochas vulcânicas que os envolvem. A datação do carbono 14 é tão importante para a história relativamente recente — muito mais jovem do que a maioria dos fósseis e abrangendo o período que normalmente é da alçada da arqueologia — que merece consideração especial.

A maior parte do carbono do mundo consiste no isótopo estável carbono 12. Aproximadamente a trilionésima parte de todo o carbono do mundo consiste no isótopo instável carbono 14. Com meia-vida medida apenas em milhares de anos, todo o carbono 14 da Terra teria se desintegrado há muito tempo em nitrogênio 14 se não estivesse sendo renovado. Por sorte, alguns átomos de nitrogênio 14, o gás mais abundante na atmosfera, estão continuamente sendo transformados, por bombardeio de raios cósmicos, em carbono 14. A taxa de criação de carbono 14 é aproximadamente constante. A maior parte do carbono na atmosfera, seja carbono 14, seja o mais comum carbono 12, está quimicamente combinada ao oxigênio na forma de dióxido de carbono. Esse gás é absorvido pelas plantas e os átomos de carbono são usados para construir os tecidos vegetais. Para as plantas, o carbono 14 e o carbono 12 parecem a mesma coisa (as plantas só estão "interessadas" na química e não nas propriedades nucleares dos átomos). As duas variedades de dióxido de carbono são absorvidas aproximadamente em proporção à sua disponibilidade. As plantas são comidas por animais, que podem ser comidos por outros animais, portanto o carbono 14 dispersa-se numa proporção conhecida em relação ao carbono 12 por toda a cadeia alimentar durante um tempo que é breve se comparado à meia-vida do carbono 14. Os dois isótopos existem em todos os tecidos vivos aproximadamente na mesma proporção em que são encontrados na atmosfera, uma parte em 1 trilhão. Sem dúvida, eles se desintegram às vezes para átomos de nitrogênio 14. Mas essa taxa constante é compensada por sua contínua troca, através dos elos da cadeia alimentar, com o sempre renovado dióxido de carbono da atmosfera.

Tudo isso muda no momento da morte. Um predador morto está fora da cadeia alimentar. Uma planta morta não absorve novos suprimentos de dióxido de carbono da atmosfera. Um herbívoro morto não come mais plantas vivas. O carbono 14 em um animal ou planta morto continua a desintegrar-se para nitrogênio 14. Mas não é reabastecido com suprimentos novos da atmosfera. Com isso, a razão entre o carbono 14 e o carbono 12 nos tecidos mortos passa a diminuir. E essa redução ocorre com uma meia-vida de 5730 anos. A consequência disso é que podemos determinar quando um animal ou planta morreu medindo a razão entre o carbono 14 e o carbono 12. Desse modo, comprovou-se que o Sudário de Turim não pode ter pertencido a Jesus: sua data é medieval. A datação do carbono 14 é uma prodigiosa ferramenta para datar as relíquias da história relativamente recente. Não serve para datações mais antigas porque quase todo o carbono 14 já terá se desintegrado para nitrogênio 14, e o resíduo será pequeno demais para uma mensuração acurada.

Existem mais métodos de datação absoluta, e outros vêm sendo inventados continuamente. A beleza de ter tantos métodos está, em parte, no fato de que, juntos, eles abrangem um enorme conjunto de escalas temporais. E também têm a vantagem de poderem ser usados para aferir uns aos outros. É extremamente difícil contestar datações corroboradas por diferentes métodos.

Encontro 37

Incerto

> O Micróbio é tão pequenino
> Que de jeito nenhum o descortino,
> Otimistas há, porém,
> Que ao microscópio esperam vê-lo bem.
> Por cima da língua articulada
> Cem filas de dentes guardam-lhe a queixada;
> Sete caudas em tufos singelos
> Sarapintam-se de azuis e amarelos
> E cada qual com seu padrão de listas
> Em mais de quarenta cores mistas
> Sobrancelhas de um verde primaveril
> Tudo é coisa que ainda ninguém viu
> Mas os Cientistas, donos do saber,
> Nos garantem que assim tem de ser...
> Oh! Nunca, nunca devemos duvidar
> De algo que não se pode provar.*
>
> Hilaire Belloc (1870-1953)
> Em *More beasts for worse children* (1897)

* *The Microbe is so very small/ You cannot make him out at all,/ But many sanguine people hope/ To see him through a microscope./ His jointed tongue that lies beneath/ A hundred curious rows of teeth;/ His*

Hilaire Belloc era um brilhante versejador, mas um homem preconceituoso. Se existe um elemento de preconceito anticientífico acima, aproveitemo-lo. Muitas são as incertezas que temos na ciência. Onde ela sai ganhando de visões de mundo alternativas é no fato de que conhecemos nossa incerteza, frequentemente podemos medir sua magnitude e trabalhamos com otimismo para reduzi-la.

No Encontro 37 entramos num mundo de micróbios e também em um reino de incerteza: não tanto quanto aos micróbios propriamente ditos, mas quanto à ordem em que devemos nos reunir a eles. Pensei em fazer uma suposição e ater-me a ela, mas seria injusto para com os outros pontos de encontro, sobre os quais podemos ter ao menos um pouco mais de certeza. Se a publicação deste livro fosse postergada por um ou dois anos, as chances de resolução seriam boas. Mas, por ora, tratemos os versos de Belloc como um "conto de advertência para cientistas". Sabemos quem se reunirá a nós nos próximos pontos de encontro, porém desconhecemos em que ordem e quantos pontos de encontro separados existem.

Essa incerteza aplica-se a todos os "eucariotas" que ainda não se juntaram à peregrinação. Esse importante termo será explicado em "o grande encontro histórico". Por enquanto, basta saber que um dos mais conclusivos eventos da história da vida foi a formação da célula eucariótica. As células eucarióticas são grandes e complexas, dotadas de mitocôndrias e de núcleos limitados por membranas, e compõem o corpo de todos os animais, plantas e demais peregrinos que já se juntaram a nós. Ou seja, todos os seres vivos, exceto as verdadeiras bactérias e as arqueias, antes chamadas de bactérias. Esses "procariotas" constituirão os dois últimos pontos de encontro, e quanto a eles nossa certeza é maior. Numerarei arbitrariamente esses dois últimos como 38 e 39. Isso significa que os eucariotas restantes se juntarão a nós todos ao mesmo tempo no encontro 37, sendo essa uma das possíveis teorias no presente. Mas peço ao leitor para ter sempre em mente que há incerteza e que nosso encontro final, com as verdadeiras bactérias, poderá ser qualquer coisa entre 39 e 42.

---

seven tufted tails with lots/ Of lovely pink and purple spots,/ On each of which a pattern stands,/ Composed of forty separate bands;/ His eyebrows of a tender green;/ All these have never yet been seen — / But Scientists, who ought to know,/ Assure us that they must be so.../ Oh! Let us never, never doubt/ What nobody is sure about.

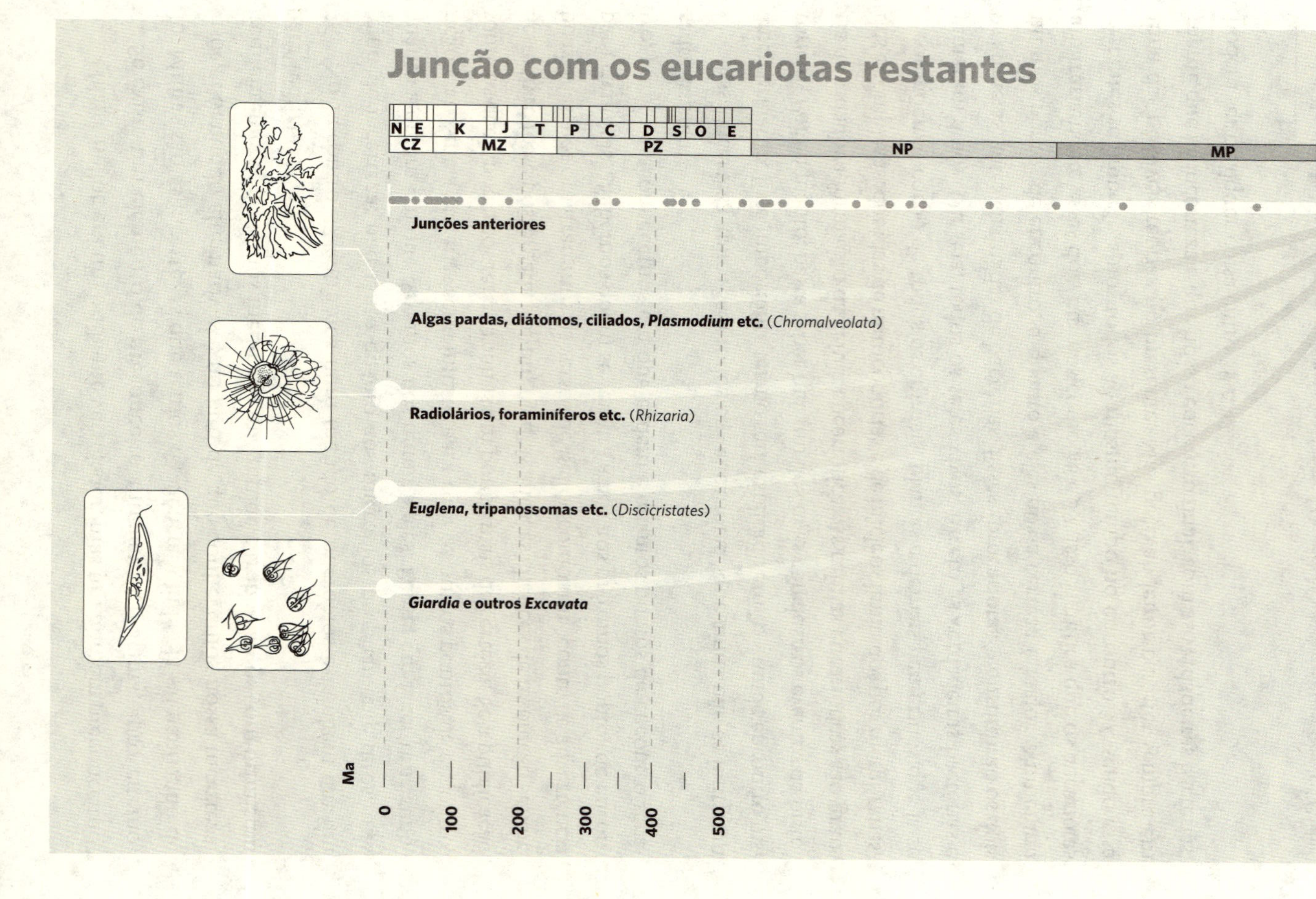
Junção com os eucariotas restantes
N
E
K
J
T
P
C
D
S
O
E
CZ
MZ
PZ
NP
MP
Junções anteriores
37
Algas pardas, diátomos, ciliados, Plasmodium etc. (Chromalveolata)
Radiolários, foraminíferos etc. (Rhizaria)
Euglena, tripanossomas etc. (Discicristates)
Giardia e outros Excavata
Ma
0
100
200
300
400
500

Parte do problema é o enraizamento. Vimos essa questão em "O conto do gibão". Um diagrama em estrela como o que se encontra na página seguinte é compatível com muitas árvores evolutivas diferentes, e isso significa que há muitos modos diferentes de organizar nossos encontros.

Antes de passarmos ao ponto principal, reparemos, com a devida humildade, na minúscula linha rotulada como "animais". Se o leitor não consegue encontrá-la, procure o ramo intitulado "opistocontes" na parte inferior à esquerda, onde nos encontrará como grupo-irmão dos coanoflagelados. Lá é o nosso lugar, junto com toda a massa de peregrinos que se juntou a nós até o Encontro 31 (inclusive).

Há muitos lugares onde poderíamos pendurar a raiz. O fato de as duas hipóteses mais defendidas (indicadas pelas setas pontilhadas) estarem em dois extremos tão remotamente separados contribuiu para abalar minha confiança. Mas a coisa fica pior. O posicionamento da raiz é apenas o primeiro dos nossos problemas. O segundo é que cinco das linhas encontram-se em um único ponto no meio. Isso não significa que todo mundo pensa que todos os cinco grupos irromperam de um único ancestral no mesmo momento e são todos primos igualmente próximos uns dos outros. Significa tão somente ainda mais incerteza. Não sabemos quais dos cinco são primos mais próximos uns dos outros, e por isso, em vez de nos comprometermos com o que pode ser um erro e ficarmos, justificadamente, à mercê das sátiras de um Belloc atual, desenhamos todas irradiando-se de um só ponto. O ponto onde as cinco linhas se encontram deverá, por fim, decompor-se em uma série de linhas bifurcadas. Cada uma dessas linhas é potencialmente um lugar onde poderíamos colocar nossa raiz.

A essa altura, estará clara a razão por que evitei comprometer-me com os detalhes dos próximos pontos de encontro. Na verdade, olhando o diagrama, o leitor notará que até fui um tanto ousado apontando o Encontro 36 como aque-

Página ao lado: JUNÇÃO COM OS EUCARIOTAS RESTANTES. A filogênese de alto nível das cerca de 50 mil espécies restantes de eucariotas não está determinada atualmente (ver texto). As linhas descoradas indicam o alto nível atual de incerteza. Muitos dividem o ramo dos *Chromalveolata* em *Chromista* (heterocontos) e *Alveolata*.

IMAGENS, DA ESQUERDA PARA A DIREITA: *Giardia lamblia*; *Euglena acus*; foraminífero (*Globigerina sp.*); alga (*Ecklonia radiata*).

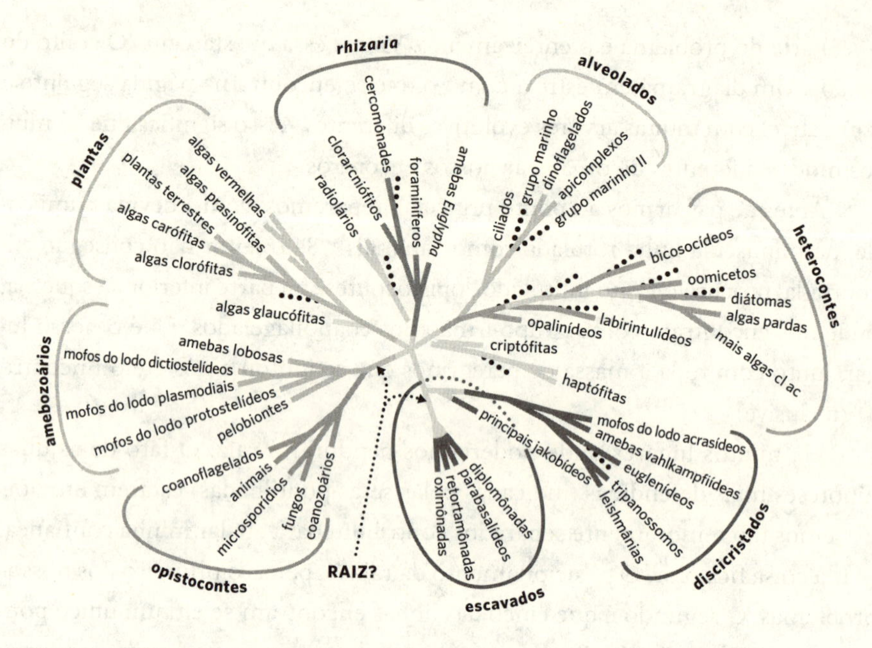

NOTE, COM A DEVIDA HUMILDADE, ONDE VOCÊ E EU NOS INSERIMOS. Filograma desenraizado ou diagrama em estrela de toda a vida, baseado no consenso dos estudos moleculares e outros atualmente disponíveis. Adaptado de BALDAULF (ver página 714).

le onde as plantas se juntam a nós. A linha das plantas é uma das cinco que se irradiam do centro da estrela. Como as decisões nessas redondezas são tão arbitrárias, decidi tratar as plantas como se elas tivessem um encontro separado conosco, mas só porque elas formam um grupo tão imenso e importante que parecem merecer um grupo de peregrinos só delas. O que fiz, de fato, foi puxar uma linha do meio do diagrama em estrela. Poderíamos tomar uma decisão igualmente arbitrária para resolver a tricotomia remanescente, mas minha coragem finalmente me abandona. Deixarei que ela fique enterrada junto com a incerteza do Encontro 37, o encontro às cegas.

Em vez de me comprometer com a ordem em que eles se juntam a nós, simplesmente discorrerei sobre os grupos restantes de eucariotas, fazendo uma breve descrição de cada um. Os *Rhizaria* incluem vários grupos de eucariotas unicelulares, alguns verdes e fotossintetizadores, outros não. Entre eles estão os foraminíferos e os radiolários, notáveis por sua beleza, cujo melhor retrato está nos desenhos de Ernst Haeckel, o ilustre zoólogo alemão que parece estar sempre aparecendo neste livro. Os alveolados incluem algumas outras belas criaturas, entre elas os ciliados e os dinoflagelados. Pertence aos ciliados, ou pelo menos assim parece, o *Mixotricha paradoxa*, cujo conto ouviremos em breve. O "assim parece" e o *paradoxa* dão substância ao conto, cujo impacto não hei de estragar aqui.

Os heterocontes são outro grupo misto. Eles incluem ainda outras belas criaturas unicelulares, como as diátomas, novamente ilustradas com primor por Haeckel. Mas esse grupo também descobriu independentemente a multicelularidade, na forma das algas pardas. Elas são as maiores e mais destacadas algas marinhas, com espécimes gigantescos que atingem cem metros de comprimento. Fazem parte das algas pardas as do gênero *Fucus*, cujas várias espécies são lançadas à praia e segregam-se em estratos na areia, cada qual mais apropriada a uma determinada zona do ciclo da maré. O gênero *Fucus* pode muito bem ter servido de modelo para o dragão-marinho (ver seu conto).

Os discicristados incluem flagelados fotossintéticos, como a verde *Euglena*, e parasíticos, como o *Trypanosoma*, que causa a doença do sono. Há também os mofos do lodo acrasídeos, que não são parentes próximos dos mofos do lodo dictiostelídeos vistos no Encontro 35. Como tantas vezes nesta longa peregrinação, maravilhamo-nos com a capacidade da vida para reinventar formas corporais semelhantes para modos de vida parecidos. "Mofos do lodo" aparecem em dois ou até três grupos de peregrinos, e o mesmo se pode dizer dos "flagelados" e "amebas". Provavelmente, deveríamos conceber "a ameba" como um modo de vida, como "a árvore". "Árvores", no sentido de plantas muito grandes enrijecidas com madeira, aparecem em muitas famílias vegetais distintas. O mesmo ocorre aparentemente com "amebas" e "flagelados". Sem dúvida, isso se aplica à multicelularidade, que surgiu em animais, fungos, plantas, algas pardas e vários outros, como os mofos do lodo.

O último grande grupo da nossa estrela irresolúvel é o dos escavados. Eles são criaturas unicelulares que outrora teriam sido chamadas de flagelados e classificadas junto com o *Trypanosoma*, o organismo causador da doença do sono. Hoje separados, os escavados incluem o lesivo parasita intestinal *Giardia*, o nocivo parasita vaginal sexualmente transmitido *Trichomonas* e várias criaturas unicelulares fascinantemente complexas encontradas apenas no trato digestivo de cupins. E essa é a deixa para o conto.

Mixotricha paradoxa significa "combinação inesperada de pelos" e logo veremos por quê. Trata-se de um microrganismo que vive no trato digestivo de um cupim australiano, o "cupim de Darwin", *Mastotermes darwiniensis*. É interessante notar, embora os habitantes humanos não necessariamente gostem do fato, que um dos principais lugares onde esse cupim prospera é a cidade de Darwin, no norte da Austrália.

Os cupins abarcam os trópicos como um difuso colosso. Nas savanas e nas florestas tropicais, a densidade populacional dos cupins chega a 10 mil por metro quadrado, e calcula-se que eles consumam até um terço da produção total anual de madeira morta, folhas e capim. Sua biomassa por unidade de área é o dobro da correspondente às manadas migrantes de gnus nos ecossistemas do Serengeti e Masai Mara, no leste africano, mas há cupins espalhados por todas as partes dos trópicos.

Quem quiser inteirar-se do porquê desse tão alarmante sucesso dos cupins, saiba que há duas razões. A primeira é que eles podem comer madeira, na qual há celulose, lignina e outras matérias que normalmente os tratos digestivos de animais não são capazes de digerir. Retornarei a esse ponto. A segunda razão é que eles são acentuadamente sociais e obtêm enormes economias com a divisão do trabalho entre especialistas. Um cupinzeiro possui muitos dos atributos de um único organismo grande e voraz, com sua própria anatomia, fisiologia e órgãos moldados em lama, que incluem um engenhoso sistema de ventilação e refrigeração. O cupinzeiro propriamente dito não sai do lugar, mas tem uma infinidade de bocas e seis infinidades de pernas, as quais se deslocam por uma área de alimentação que pode ter o tamanho de um campo de futebol.

Os lendários feitos de cooperação dos cupins somente são possíveis, num mundo darwiniano, porque a maioria dos indivíduos é estéril, mas tem parentesco próximo com uma minoria extraordinariamente fértil. Os operários estéreis agem em relação aos seus irmãos mais novos como pais, e assim deixam a rainha livre para tornar-se uma fábrica de ovos especializada, grotescamente eficiente. Os genes do comportamento de operário são transmitidos às futuras gerações por intermédio da minoria dos irmãos dos operários que se destinam à reprodução (ajudados pela maioria de seus irmãos, destinados a ser estéreis). O leitor compreenderá que esse sistema só funciona porque a decisão quanto a um jovem cupim tornar-se operário ou reprodutor é estritamente não genética. Todos os jovens cupins possuem um bilhete genético para participar de uma loteria ambiental que decide se eles se tornarão reprodutores ou operários. Se existissem genes para um cupim ser incondicionalmente estéril, obviamente não seriam transmitidos. Em vez disso, há genes *condicionalmente* ativados. Transmitem-se quando se encontram em rainhas ou reis porque cópias dos mesmos genes fazem os operários trabalhar para esse fim e abrir mão de se reproduzir.

Com frequência se faz uma analogia da colônia de insetos com o corpo humano, e não sem razão. A maioria das nossas células subjuga sua individualidade, devotando-se a assistir a reprodução da minoria capaz de se reproduzir: as células da "linha germinal" nos testículos ou ovários, cujos genes destinam-se a viajar ao futuro distante, por via dos espermatozoides ou óvulos. Mas o parentesco genético não é a única base para subjugar a individualidade em uma frutífera divisão do trabalho. Qualquer tipo de assistência mútua, na qual cada lado corrige uma deficiência do outro, pode ser favorecido pela seleção natural por ambos os lados. Para ver um exemplo extremo, mergulhemos no trato digestivo de um cupim: o fervilhante e, suponho, barulhento quimiostato que é o mundo do *Mixotricha*.

Os cupins, como vimos, têm uma vantagem adicional sobre as abelhas, vespas e formigas: suas prodigiosas proezas digestivas. Não existe quase nada que os cupins não possam comer; eles devoram casas, bolas de bilhar e inestimáveis primeiras edições de Shakespeare, por exemplo. A madeira é potencialmente uma rica fonte alimentar, mas é inacessível à maioria dos animais porque a celulose e a lignina são muito indigestas. Os cupins e certas baratas são a notável exceção. Aliás, os cupins são parentes das baratas, e o cupim de Darwin, como outros chamados cupins "inferiores", é uma espécie de fóssil vivo. Podemos imaginá-lo a meio caminho entre as baratas e os cupins avançados.

A digestão da celulose requer enzimas chamadas celulases. A maioria dos animais não produz celulase, mas alguns microrganismos o fazem. Como "O conto da Taq" explicará, as bactérias e arqueias são bioquimicamente mais versáteis do que todo o resto dos reinos vivos juntos. Animais e plantas realizam uma fração do conjunto de truques biológicos disponíveis às bactérias. Para digerir celulose, todos os mamíferos herbívoros dependem de micróbios em seu trato digestivo. Ao longo do tempo evolutivo eles formaram uma parceria na qual aproveitam substâncias químicas como o ácido acético que, para os micróbios, são excreções. Os micróbios, por sua vez, ganham um abrigo seguro com abundante matéria-prima para seus processos bioquímicos, matéria-prima que já vem pré-processada e fragmentada em pedaços pequenos prontos para uso. Todos os mamíferos herbívoros têm bactérias na porção inferior do trato digestivo, aonde o alimento chega depois de os sucos digestivos do próprio animal já terem feito uma tentativa de processá-lo. Preguiças, cangurus, cólobos e especialmente os ruminantes desenvolveram pela evolução o truque de também manter bactérias na porção superior do trato digestivo, que precede os principais esforços digestivos do animal.

Os cupins, em contraste com os mamíferos, são capazes de fabricar sua própria celulase, ou pelo menos os chamados cupins "superiores" o são. Mas até um terço do peso líquido de um cupim mais primitivo (isto é, mais parecido com uma barata), como o cupim de Darwin, consiste na rica fauna de micróbios que ele possui no trato digestivo, a qual inclui protozoários eucariotas e bactérias. Os cupins localizam e mastigam madeira em lascas pequenas e trabalháveis. Os micróbios vivem nas lascas de madeira, digerindo-as com enzimas inexistentes no kit de ferramentas bioquímicas dos cupins. Ou poderíamos dizer que os micróbios se tornaram ferramentas do kit bioquímico dos cupins. Como no caso dos bovídeos, é da matéria excretada pelos micróbios que vivem os cupins. Podemos dizer, suponho, que o cupim de Darwin e os outros cupins primitivos cultivam microrganismos em seu trato digestivo.* E isso nos leva, por fim, ao *Mixotricha*, o narrador deste conto.

O *Mixotricha paradoxa* não é uma bactéria. Como muitos dos micróbios existentes no trato digestivo de cupins, ele é um protozoário grande, com meio milímetro de comprimento ou mais, e seu tamanho permite-lhe manter centenas de milhares de bactérias em seu interior, como veremos. Ele vive exclusivamente no trato digestivo do cupim de Darwin, onde é membro da comunidade

* Há dois processos principais pelos quais a energia é extraída do combustível alimentar: o anaeróbico (sem oxigênio) e o aeróbico (com oxigênio). Ambos são sequências químicas nas quais o combustível, em vez de ser queimado, é "persuadido" a liberar energia de modo a possibilitar seu uso de forma eficiente. A sequência anaeróbica mais comum tem como principal produto o piruviato, e esse é o ponto de partida da cascata aeróbica mais comum. Os cupins desdobram-se para privar seu trato digestivo de oxigênio livre, e assim forçar seus micróbios a usar apenas o processo anaeróbico, empregando o combustível da madeira para produzir piruviato que os cupins podem então aproveitar para a liberação de energia aeróbica.

mista de micróbios que prosperam nas lascas de madeira trituradas pelas mandíbulas do cupim. A população de microrganismos no trato digestivo dos cupins é tão imensa quanto a população de cupins do cupinzeiro e o número de cupinzeiros na savana. Se o ninho é uma cidade de cupins, cada trato digestivo de cupim é uma cidade de microrganismos. Temos aqui uma comunidade em dois níveis. Mas — e agora chegamos ao ponto crucial do conto — existe um terceiro nível, cujos detalhes são extraordinários. O próprio *Mixotricha* é uma cidade. A história completa foi revelada pelo trabalho de L. R. Cleveland e A. V. Grimstone, mas foi especialmente a bióloga americana Lynn Margulis quem nos apontou a importância do *Mixotricha* para a evolução.

Quando J. L. Sutherland examinou pela primeira vez o *Mixotricha*, no início da década de 1930, viu dois tipos de "pelos" agitando-se em sua superfície, a qual era quase totalmente coberta por milhares de minúsculos filamentos que oscilavam para a frente e para trás. Sutherland viu também algumas estruturas muito longas e finas, parecidas com um chicote, na extremidade frontal. Ambas lhe pareceram familiares; as pequenas lembravam "cílios", as grandes, "flagelos". Os cílios são comuns em células animais, como em nossas passagens nasais, por exemplo, e cobrem a superfície dos protozoários chamados, não surpreendentemente, de "ciliados". Outro grupo reconhecido de protozoários, os flagelados, possuem "flagelos", que são estruturas muitos mais longas, parecidas com chicotes (e, em contraste com os cílios, costumam ser únicos). Cílios e flagelos têm uma ultraestrutura idêntica. Ambos são como cabos de múltiplos filamentos, e estes têm exatamente o mesmo padrão de assinatura: nove pares em anel ao redor de um par central.

Os cílios, portanto, podem ser vistos como apenas menores e mais numerosos que os flagelos, e Lynn Margulis chega a abandonar os nomes distintos e chamá-los de "ondulipódios", reservando o termo "flagelo" para os apêndices das bactérias, que são estruturas muito diferentes. Não obstante, segundo a taxonomia da época de Sutherland, os protozoários deveriam possuir ou cílios ou flagelos, mas não ambos.

Esse foi o contexto que levou Sutherland a batizar o *Mixotricha paradoxa*: "combinação inesperada de pelos". O *Mixotricha* tinha cílios *e* flagelos, ou pelo menos assim pareceu a Sutherland. A criatura viola o protocolo protozoário. Possui quatro grandes flagelos na extremidade frontal, três apontando para a frente e um para trás, de um modo que é característico de um grupo específico de flagelados, então já conhecido, chamado *Parabasalia*. Mas também tem um denso revestimento de cílios oscilantes. Ou parecia ter.

Descobriu-se que os "cílios" do *Mixotricha* eram ainda mais inesperados do que pensava Sutherland, e que não violavam precedentes do modo como temia a cientista. É uma pena que ela não tenha tido a chance de ver o *Mixotricha* vivo, em vez de fixo numa lâmina. O *Mixotricha* nada de um modo suave demais para estar usando apenas seu único ondulipódio. Nas palavras de Cleveland e Grimstone, os flagelados normalmente "nadam em várias velocidades, viram-se de um lado para outro, mudam de direção e às vezes descansam". O mesmo se aplica aos ciliados. O *Mixotricha* desliza com suavidade, geralmente em linha reta, e só para se for fisicamente bloqueado. Cleveland e Grimstone concluíram que o movimento deslizante suave é causado pela ondulação dos "cílios", mas — e essa é uma conclusão muito mais fascinante — demonstraram com o microscópio eletrônico que não se trata de cílios. São bactérias. Cada uma das centenas de milhares de minúsculos filamentos é uma única espiroqueta — uma bactéria cujo corpo todo é um longo filamento espiralado. Algumas doenças importantes, como a sífilis, são causadas por espiroquetas. Em geral, elas nadam livremente, mas as espiroquetas do *Mixotricha* são presas à parede do seu corpo, exatamente como se fossem cílios.

No entanto, elas não se movem como cílios, e sim como espiroquetas. Os movimentos dos cílios compõem-se de "remadas" propulsivas, seguidas por movimentos de recuperação nos quais os cílios se dobram para oferecer menos resistência à água. As espiroquetas ondulam de maneira totalmente diferente, muito característica, e é exatamente isso que fazem os "pelos" do *Mixotricha*. Eles parecem espantosamente coordenados uns com os outros, movendo-se em ondas que começam na extremidade frontal do corpo e seguem em direção à extremidade posterior. Cleveland e Grimstone mediram o comprimento de onda (a distância entre as cristas de onda): cerca de um centésimo de milímetro. Isso sugere que as espiroquetas, de algum modo, estão "em contato" umas com as outras. É provável que estejam, de fato, em contato, respondendo diretamente ao movimento das vizinhas, com um atraso que determina o comprimento de onda. Acho que não se sabe por que as ondas passam da frente para trás.

O que se sabe é que as espiroquetas não estão incrustadas ao acaso na pele do *Mixotricha*. Ao contrário, em um padrão repetido por toda a sua superfície, ele possui um complexo aparato para reter espiroquetas e, ainda por cima, apontá-las

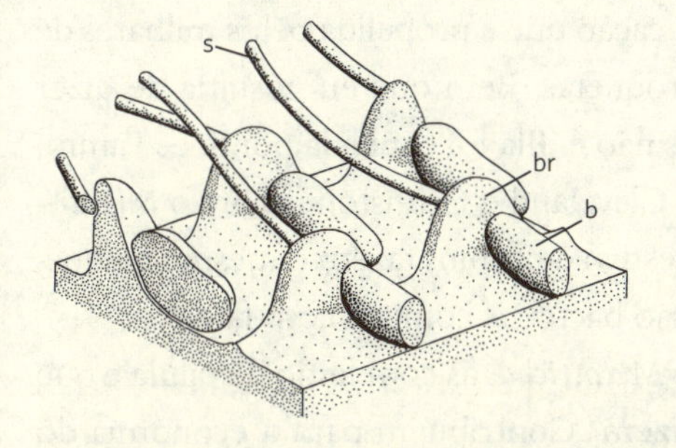

DISPOSIÇÃO DE BACTÉRIAS COM FORMATO DE PÍLULA (b), *BRACKETS* (br) E ESPIROQUETAS (s) NA SUPERFICIE DO *MIXOTRICHA*. De CLEVELAND e GRIMSTONE (ver página 715).

em uma direção posterior de modo que os movimentos ondulantes delas impulsionem o *Mixotricha* para a frente. Se essas espiroquetas são parasitas, é difícil pensar em um exemplo mais notável de um hospedeiro "amigo" de seus parasitas. Cada espiroqueta tem seu próprio lugar, que Cleveland e Grimstone chamam de "*bracket*" [suporte]. Cada *bracket* é feito sob medida para segurar uma espiroqueta, ou em alguns casos mais de uma. Nenhum cílio poderia querer mais. Torna-se dificílimo fazer uma distinção entre o próprio corpo e um corpo alheio nesses casos. E essa, já vou adiantando, é uma das principais mensagens deste conto.

A semelhança com cílios vai além. Se examinarmos com um microscópio potente a própria estrutura de um protozoário ciliado, como o *Paramecium*, por exemplo, veremos que cada cílio possui uma estrutura chamada corpo basal em sua raiz. Pois, espantosamente, embora os "cílios" do *Mixotricha* não sejam cílios, eles parecem ter corpos basais. Cada *bracket* ligado a uma espiroqueta tem em sua base um corpo basal, cujo formato lembra uma pílula de vitamina. Só que... bem, como o leitor já aprendeu sobre o modo idiossincrático como o *Mixotricha* faz as coisas, adivinhe o que são na verdade esses "corpos basais"? Sim! Também são bactérias. Um tipo de bactéria totalmente diferente — não espiroquetas, mas bactérias ovais, em formato de pílula.

Em grandes partes da parede do corpo existe uma relação unívoca entre *bracket*, espiroqueta e bactéria basal. Cada *bracket* tem uma espiroqueta grudada nele e uma bactéria em forma de pílula em sua base. Olhando dessa maneira, é fácil entender por que Sutherland viu "cílios". Ela naturalmente esperava ver corpos basais onde quer que houvesse cílios... e quando olhou, pronto, lá estavam os "corpos basais". Mal sabia ela que tanto os "cílios" como os "corpos basais" eram bactérias pegando carona. Quanto aos quatro "flagelos", os únicos verdadeiros ondulipódios que o *Mixotricha* possui, parecem ser usados não para propulsão, mas como lemes para direcionar a embarcação que é propelida pelos milhares de "galés", os escravos remadores das espiroquetas. Bem que eu gostaria de dizer que essa frase tão evocativa é minha, mas não é. Ela foi cunhada por S. L. Tamm, que descobriu, com base no trabalho de Cleveland e Grimstone sobre o *Mixotricha*, que outros protozoários do trato digestivo de cupins fazem o mesmo truque, mas em vez de espiroquetas, seus galés são bactérias comuns com flagelos.

Mas e quanto às outras bactérias do *Mixotricha*, as com feitio de pílula e que lembram corpos basais — o que elas fazem? Contribuem para a economia do seu hospedeiro? Obtêm algo dessa relação? Provavelmente sim, mas isso não foi comprovado definitivamente. Elas podem muito bem produzir celulases que digerem madeira. Porque evidentemente os *Mixotricha* subsistem com as minúsculas lascas de madeira no trato digestivo do cupim, originalmente fragmentadas pelas poderosas mandíbulas do hospedeiro. Temos aqui uma tripla dependência, que lembra os versos de Jonathan Swift:

Eis que a pulga, observam os naturalistas,
Tem pulgas menores a comê-la;
Comidas a seu turno por outras menores ainda;
E assim por diante, ad infinitum.
Assim cada poeta à sua maneira
*É mordido pelo que lhe vem na rabeira.**

A propósito, a escansão de Swift nos versos do meio é (surpreendentemente) tão deselegante que podemos entender a razão de Augustus de Morgan vir na rabeira para mais uma mordida, reformulando os versos:

Pulgas grandes têm nas costas a mordê-las pulguinhas,
Que por sua vez, ad infinitum, têm outras mais pequeninhas.
E as grandes têm outras maiores para seguir adiante
*Que têm as suas maiores ainda, numa série incessante.***

* *So, naturalists observe, a flea/ Has smaller fleas that on him prey;/ And these have smaller still to bite 'em;/ And so proceed ad infinitum./ Thus every poet, in his kind,/ Is bit by him that comes behind.*

** *Great fleas have little fleas upon their backs to bite 'em,/ And little fleas have lesser fleas, and so ad infinitum./ And the great fleas themselves, in turn, have greater fleas to go on;/ While these again have greater still, and greater still, and so on.*

E finalmente chegamos à parte mais estranha de "O conto do *Mixotricha*", o clímax ao qual se dirigiu toda a narrativa. Toda essa história de química terceirizada, o empréstimo, por criaturas maiores, de talentos bioquímicos de outras menores dentro delas, é carregada de *déjà vu* evolutivo. A mensagem do *Mixotricha* ao resto dos peregrinos é: *Tudo isso já aconteceu antes*. Chegamos a "o grande encontro histórico".

O grande encontro histórico

O termo "Encontro", neste livro, tem um significado especial, seguindo a metáfora central de uma peregrinação retrocessiva. Mas existe um evento cataclísmico, quem sabe o mais decisivo acontecimento na história da vida, que foi um encontro de fato, literalmente um encontro histórico que ocorreu na verdadeira direção da história, a progressiva. Refiro-me à origem da célula eucariótica (nucleada): a máquina *high-tech* em miniatura que é a microfundação de toda a vida em larga escala e complexa deste planeta. Para distingui-lo de todos os outros pontos de encontro retrocessivos metafóricos, chamarei este de "o grande encontro histórico". A palavra "histórico" tem aqui duplo significado: "de maior importância" e "cronologia progressiva", em contraste com retrocessiva.

Referi-me ao Grande Encontro Histórico como um evento devido ao que hoje parece ser sua única consequência fundamental, a evolução da célula eucariótica, com seu núcleo para conter os cromossomos, sua complexa ultraestrutura de membranas e suas minúsculas organelas autorreprodutoras como as mitocôndrias e (nas plantas) os cloroplastos. Mas, na realidade, os eventos foram dois ou três, talvez muito separados no tempo. Cada um desses eventos de encontro histórico foi uma fusão com células bacterianas formando uma célula maior. "O conto do *Mixotricha*", como uma reencenação recente, preparou-nos para entender o tipo de coisa que aconteceu.

Talvez há 2 bilhões de anos, um imemorial organismo unicelular, algum tipo de protoprotozoário, tenha estabelecido uma estranha relação com uma bactéria: uma relação semelhante àquela entre o *Mixotricha* e as bactérias dele. Como no caso do *Mixotricha*, a mesma coisa ocorreu mais de uma vez, com diferentes bactérias, sendo os eventos possivelmente separados por centenas de milhões de anos. Todas as nossas células são como *Mixotricha* individuais, recheadas de bactérias que a tal ponto se transformaram por gerações de cooperação com a célula hospedeira que suas origens bacterianas quase se perderam de vista. Como ocorreu com o *Mixotricha*, só que mais acentuadamente, as bactérias entrelaçaram-se em tão alto grau na vida da célula eucariótica que foi um colossal triunfo científico detectar o que elas eram. Gosto da imagem do sorriso do Gato de Alice, usada por Sir David Smith, um dos principais especialistas em simbiose, para descrever a vida conjunta cooperativa de elementos antes distintos em células.

> No habitat da célula, um organismo invasor pode perder progressivamente pedaços de si mesmo, mesclando-se aos poucos ao ambiente geral, sendo sua existência anterior traída apenas por alguma relíquia. Isso até nos faz pensar no encontro de Alice com o Gato de Cheshire no País das Maravilhas. Aos olhos da menina, "ele desapareceu bem devagarzinho, começando pela cauda e terminando pelo sorriso, que permaneceu por algum tempo depois que o resto havia sumido". Existem na célula vários objetos como o sorriso do Gato de Alice. Para quem tenta identificar-lhes a origem, o sorriso é desafiador e verdadeiramente enigmático.

Quais são os truques bioquímicos que essas bactérias outrora livres trouxeram para nossa vida, truques que elas executam até hoje, sem os quais a vida cessaria instantaneamente? Os dois mais importantes são a fotossíntese, que usa a energia solar para sintetizar compostos orgânicos e, como subproduto, oxigena o ar, e o metabolismo oxidativo, que usa oxigênio (proveniente, em última instância, das plantas) para queimar lentamente compostos orgânicos e reutilizar a energia originalmente vinda do Sol.* Essas tecnologias químicas foram desenvolvidas antes do Grande Encontro Histórico por bactérias distintas e, em

* As bactérias (incluindo as arqueias) também têm o monopólio (junto com a queda de raios e os químicos industriais humanos) da fixação do nitrogênio.

certo sentido, as bactérias ainda hoje têm a exclusividade. Mudou tão somente o fato de que agora elas praticam suas artes bioquímicas nas fábricas construídas para essas finalidades: as células eucarióticas.

As bactérias fotossintéticas antes eram chamadas de algas verde-azuladas, um nome terrível, pois a maioria delas não é verde-azulada e nenhuma é alga. A maioria é verde, e o melhor é chamá-las de "bactérias verdes", ainda que algumas sejam avermelhadas, amareladas, pardacentas, pretas e, sim, em alguns casos, verde-azuladas. "Verde" também é usado às vezes como indicativo de fotossintético, e também nesse sentido o nome "bactérias verdes" é conveniente. Seu nome científico é cianobactéria. Elas são bactérias verdadeiras e não arqueias, e parecem formar um bom grupo monofilético. Em outras palavras, todas elas (e ninguém mais) descendem de um único ancestral que seria, ele próprio, classificado como cianobactéria.

A cor verde das algas, assim como das couves, dos pinheiros e da grama, provém de pequenos corpos verdes chamados cloroplastos no interior de suas células. Os cloroplastos são descendentes distantes de bactérias que outrora tinham vida livre. Eles ainda têm seu próprio DNA e ainda se reproduzem por divisão assexuada, formando uma população substancial dentro de cada célula hospedeira. Do ponto de vista de um cloroplasto, ele é membro de uma população reprodutiva de bactérias verdes. O mundo no qual ele vive e se reproduz é o interior de uma célula vegetal. De quando em quando esse mundo sofre uma pequena comoção, quando a célula vegetal se divide em duas células-filhas. Cerca de metade dos cloroplastos vai para cada uma das células-filhas, e eles logo retomam sua existência normal: reproduzir-se para povoar seu novo mundo com cloroplastos. O tempo todo os cloroplastos usam seu pigmento verde para captar fótons do Sol e canalizar a energia solar em uma direção útil, a sintetização de compostos orgânicos a partir do dióxido de carbono e da água fornecidos pela planta hospedeira. Os resíduos de oxigênio são parcialmente usados pelas plantas e parcialmente exalados na atmosfera através de orifícios nas folhas chamados estomas. Os compostos orgânicos sintetizados pelos cloroplastos são, depois de tudo, postos à disposição da planta hospedeira.

Um interessante paralelo com "O conto do *Mixotricha*" é o fato de que alguns cloroplastos evidenciam ter entrado indiretamente em células vegetais, pegando carona dentro de outras células eucarióticas, as quais presumivelmente seriam chamadas de algas. A prova é que alguns cloroplastos possuem uma dupla membrana. Supõe-se que a membrana interna seja a parede da bactéria original, e a externa, a parede da alga. Como no caso do *Mixotricha*, podemos ver reencenações recentes nos muitos exemplos de algas verdes unicelulares que se incorporam a células ou tecidos de fungos e animais, como ocorre com algas que habitam os corais. Esses cloroplastos têm uma só membrana, a qual se presume ter entrado indiretamente, e não de carona em algas.

Todo o oxigênio livre na atmosfera provém de bactérias verdes, sejam elas de vida livre, sejam na forma de cloroplastos. E, como já mencionado, quando apareceu pela primeira vez na atmosfera, o oxigênio era um veneno. Curiosamente, alguns dizem que ele ainda é, motivo pelo qual os médicos nos aconselham a ingerir "antioxidantes". Na evolução, foi um brilhante golpe químico descobrir como usar oxigênio para extrair energia (originalmente solar) de compostos orgânicos. Essa descoberta, que pode ser vista como uma espécie de fotossíntese invertida, foi feita inteiramente por bactérias, mas bactérias de um tipo diferente. Como na própria fotossíntese, as bactérias ainda têm o monopólio da tecnologia, só que, também como na fotossíntese, células eucarióticas como as nossas dão abrigo a essas bactérias aficionadas do oxigênio, que agora viajam com o nome de mitocôndrias. Tornamo-nos tão dependentes do oxigênio, graças à mágica bioquímica das mitocôndrias, que a afirmação de que ele é um veneno só faz sentido quando feita em tom de constrangido paradoxo. O monóxido de carbono, veneno letal dos escapamentos de veículos, mata-nos, competindo com o oxigênio pelos favores das nossas moléculas de hemoglobina transportadoras de oxigênio. Privar alguém de oxigênio é um modo de matá-lo rapidamente. E, no entanto, nossas células, sem ajuda, não saberiam o que fazer com o oxigênio. Só as mitocôndrias e suas primas bactérias é que sabem.

Como ocorre com os cloroplastos, a comparação molecular nos diz de que grupo específico de bactérias essas mitocôndrias são extraídas. As mitocôndrias originaram-se das chamadas alfa-proteobactérias e são, portanto, parentes das riquétsias que causam tifo e outras doenças abomináveis. As próprias mitocôndrias perderam boa parte do seu genoma original e se tornaram totalmente adaptadas à vida no interior das células eucarióticas. Mas, como os cloroplastos, elas ainda se reproduzem autonomamente por divisão, formando populações dentro de cada célula eucariótica. Embora as mitocôndrias tenham perdido boa parte de seus genes, não perderam todos, o que é uma sorte para os geneticistas moleculares, como temos visto ao longo de todo este livro.

Lynn Margulis, a grande responsável por promover a ideia, hoje de aceitação praticamente universal, de que as mitocôndrias e os cloroplastos são bactérias simbióticas, tentou fazer o mesmo com os cílios. Inspirada em possível reencenações como as que vimos em "O conto do *Mixotricha*", ela supõe que os cílios tiveram origem em bactérias espiroquetas. Infelizmente, dada a beleza e o poder persuasivo do paralelo do *Mixotricha*, a prova de que os cílios (ondulipódios) sejam bactérias simbióticas não é persuasiva na opinião de quase todos os que se convenceram com os dados de Margulis sobre as mitocôndrias e os cloroplastos.

Como o Grande Encontro Histórico é um verdadeiro encontro na direção histórica progressiva, nossa peregrinação deveria ser doravante uma peregrinação dividida. Deveríamos seguir as peregrinações retrocessivas separadas dos vários participantes do pacto eucariótico até que eles finalmente se reunissem no passado remoto, mas a meu ver isso tornaria a jornada inutilmente complicada. Tanto cloroplastos como mitocôndrias têm suas afinidades com as eubactérias, e não com o outro grupo procariota, as arqueias. Mas nossos genes nucleares são ligeiramente mais próximos das arqueias, e o próximo encontro em nossa história retrocessiva será com elas.

Encontro 38

Arqueias

Depois da incerteza quanto ao que aconteceu no Encontro 37, e até quanto ao número de encontros escondidos atrás da folha de parreira que é esse título, é um alívio voltar a um encontro acerca do qual a maioria hoje concorda. Todos os peregrinos eucariotas — ou pelo menos seus genes nucleares — serão agora reunidos às arqueias, antes chamadas arqueobactérias. Se este é o Encontro 38, 39, 40 ou 41, é uma questão em aberto, à espera de ser estudada nos próximos anos. Mas concorda-se que os procariotas ou, como alguns ainda os chamam, as bactérias, são de dois tipos bem diferentes: as eubactérias e as arqueias. E a visão predominante é que as arqueias são primas mais próximas de nós do que das eubactérias, sendo essa a razão da ordem que dei aos dois encontros. Mas cabe lembrar que, devido às singulares circunstâncias do Grande Encontro Histórico, pedacinhos das nossas células são mais próximos das eubactérias, mesmo que nossos núcleos sejam mais próximos das arqueias.

Tom Cavalier-Smith, meu colega de Oxford cuja visão da evolução inicial da vida tem respaldo em seu grande conhecimento da diversidade microbiana, cunhou o nome *Neomura* para abranger as arqueias e eucariotas e excluir as eubactérias. Ele também usa "bactéria" para abranger as eubactérias e as arqueias mas *não* os eucariotas. Portanto, para ele bactéria é nome de um "grado",

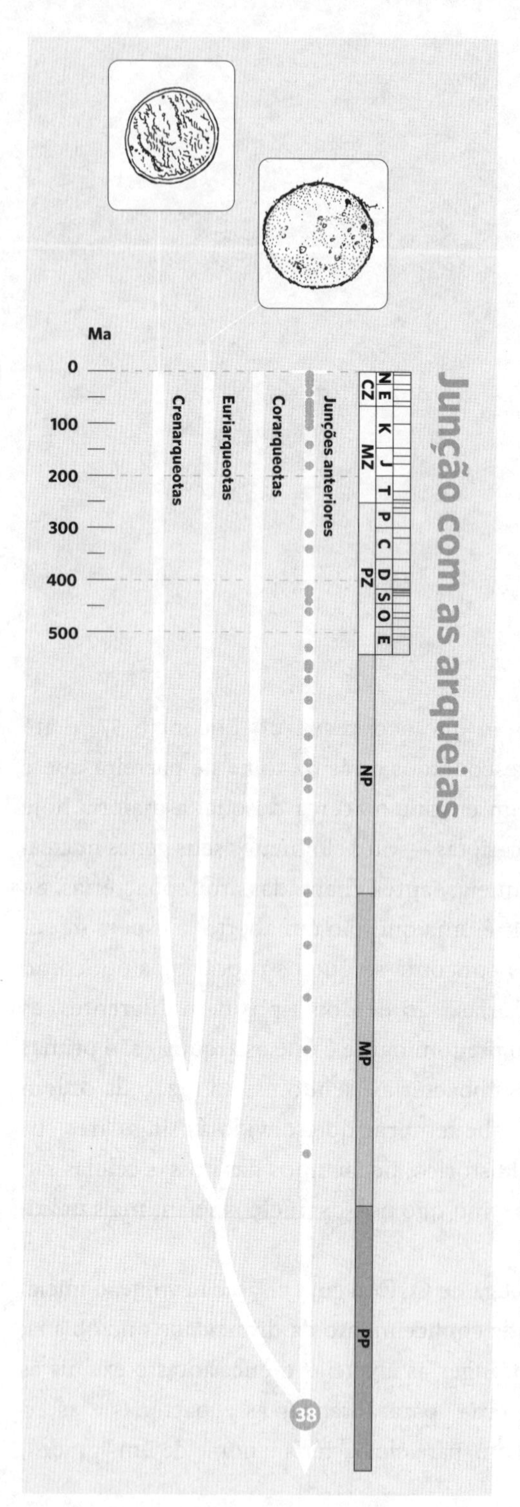

JUNÇÃO COM AS ARQUEIAS. A maioria dos especialistas supõe que as arqueias são o grupo-irmão dos eucariotas, com base no DNA nuclear, bem como em certos detalhes da bioquímica e da morfologia celular. Entretanto, se fosse usado o DNA mitocondrial, os parentes mais próximos seriam as α-proteobactérias, pois isso é o que foram outrora as próprias mitocôndrias (ver "o grande encontro histórico"). Em geral, se reconhece que as arqueias se classificam em dois grupos: os crenarqueotas e os euriarqueotas. Sequências de DNA de fontes termais sugerem outro ramo que divergiu inicialmente, os corarqueotas, mas nenhum foi visto de fato. Não há número determinado de espécies: não está claro o que "espécie" significa em organismos assexuados.

IMAGENS, DA ESQUERDA PARA A DIREITA: *Desulfurococcus mobilis*; *Methanococcoides burtonii*.

enquanto Neomura é um clado. O clado ao qual as eubactérias pertencem é simplesmente a vida, pois inclui as arqueias e os eucariotas.

Cavalier-Smith acredita que os Neomura surgiram há apenas 850 milhões de anos, uma data mais recente do que ousei contemplar. A seu ver, as singulares características bioquímicas que, nas bactérias, são exclusivas das arqueias evoluíram como uma adaptação à termofilia. Esta palavra provém do grego e significa "amigo do calor", o que na prática significa geralmente viver em fontes termais. Cavalier-Smith supõe que essas bactérias amigas do calor — "termófilas" — se dividiram, então, em duas. Algumas tornaram-se hipertermófilas e originaram as modernas arqueias. Outras deixaram as fontes termais e, em condições mais frias, passaram a ser os eucariotas, absorvendo outros procariotas e usando-os da maneira descrita em "O conto do *Mixotricha*". Se ele estiver certo, sabemos as condições em que o Encontro 38 ocorreu: numa fonte termal, ou talvez em um afloramento vulcânico no fundo do mar. Mas obviamente Cavalier-Smith pode estar errado, e é preciso dizer que sua visão está longe do consenso.

Foi o grande microbiologista norte-americano Carl Woese, da Universidade de Illinois, quem descobriu e definiu as arqueias (então chamadas de arqueobactérias), em fins da década de 1970. A grande separação de outras bactérias foi controvertida a princípio, pois diferia muito das ideias precedentes. Mas hoje ela é amplamente aceita, e Woese foi, com toda justiça, reconhecido com prêmios e medalhas, entre eles o prestigioso Prêmio Crafoord e a Medalha Leeuwenhoek.

As arqueias incluem espécies que prosperam em diferentes tipos de condições extremas, sejam elas temperaturas altíssimas, sejam águas muito ácidas, alcalinas ou salgadas. As arqueias enquanto grupo parecem "ultrapassar os limites" do que a vida é capaz de tolerar. Ninguém sabe se o Concestral 38 foi um desses extremófilos, mas tal possibilidade é fascinante.

Encontro 39

Eubactérias

Quando a peregrinação começou, nossa máquina do tempo partiu em marcha lenta, e pensávamos em milhares de anos. Fomos mudando as marchas, ajustando nossa imaginação para lidar com milhões, e depois centenas de milhões de anos à medida que acelerávamos em direção ao Cambriano, apanhando peregrinos animais pelo caminho. Mas o Cambriano é assustadoramente recente. Durante a maior parte de sua carreira neste planeta, a vida nada mais foi do que vida procariótica. Nós, animais, somos um subproduto recente. Na reta final para Cantuária, nossa máquina do tempo tem de engatar a hipervelocidade, salvando assim o livro de uma delonga tediosa e intolerável. Com uma pressa

Página ao lado: JUNÇÃO COM AS EUBACTÉRIAS. Uma árvore desenraizada (ver "O conto do gibão"), com cruzes marcando duas posições supostas para a verdadeira árvore. A ponta de cada ramo representa o presente. As eubactérias costumam ser consideradas o grupo-irmão do resto dos seres vivos, o que equivale a pendurar a raiz no Concestral 39 (cruz A). Contudo, como não há extragrupos, não temos dados sólidos para confirmar essa hipótese. Outra possibilidade é a raiz estar nas eubactérias (por exemplo, cruz B), o que significaria mais pontos de encontro. Entre as eubactérias, as relações filogenéticas são muito polêmicas. Os grupos aqui usados são aceitos em geral; suas inter-relações, não. Isso se aplica particularmente às cianobactérias.

IMAGENS, EM SENTIDO HORÁRIO, A PARTIR DE CIMA: *Escherichia coli* 0111; *Chlamydia sp.*; *Leptospira interrogans*; cloroplasto de planta desconhecida; *Thermus aquaticus*; *Staphylococcus aureus*.

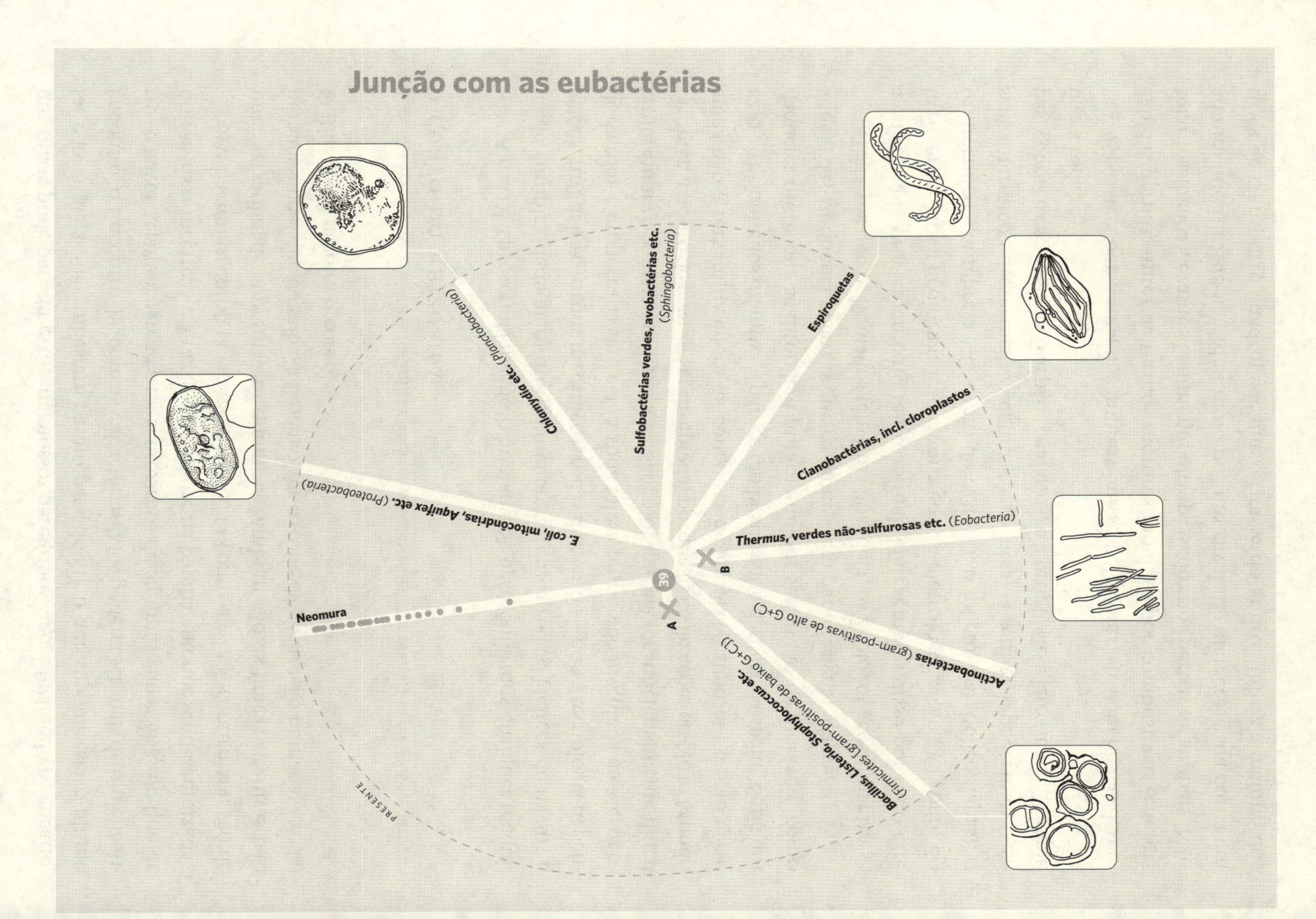
Junção com as eubactérias
Neomura
E. coli, mitocôndrias, Aquifex etc. (Proteobacteria)
Chlamydia etc. (Planctobacteria)
Sulfobactérias verdes, avobactérias etc. (Sphingobacteria)
Espiroquetas
Cianobactérias, incl. cloroplastos
Thermus, verdes não-sulfurosas etc. (Eobacteria)
Actinobactérias (gram-positivas de alto G+C)
Bacillus, Listeria, Staphylococcus etc. (Firmicutes [gram-positivas de baixo G+C])
39
A
B
PRESENTE

que quase pode parecer grosseria, nossos peregrinos, agora incluindo os eucariotas e as arqueias, desembestam para o passado até o que suponho ser o último encontro: o Encontro 39, com as eubactérias. Mas poderia ser mais de um encontro, e talvez sejamos parentes mais próximos de algumas eubactérias do que de outras. Essa incerteza é a razão de a árvore na página anterior ser desenraizada.

As bactérias, como já vimos, e como "O conto da Taq" confirmará, são de uma versatilidade suprema em química. Também são as únicas criaturas não humanas, pelo que eu saiba, a desenvolver o ícone da civilização humana, a roda. O *Rhizobium* narrará o conto.

O CONTO DO *RHIZOBIUM*

A roda é a proverbial invenção humana. Se desmontarmos qualquer máquina de complexidade além do rudimentar, teremos rodas. Hélices de navios e aviões, furadeiras, tornos mecânicos, rodas de oleiro — nossa tecnologia depende da roda e emperraria sem ela. A roda talvez tenha sido inventada na Mesopotâmia durante o quarto milênio a.C. Sabemos que ela foi suficientemente difícil de obter, a ponto de *precisar* ser inventada, porque as civilizações do Novo Mundo ainda não a tinham na época da conquista espanhola. A suposta exceção nesse caso — brinquedos infantis — parece tão bizarra que desperta suspeita. Seria um daqueles mitos que se difundem puramente por serem tão memoráveis, como aquele das cinquenta palavras que os inuítes têm para designar a neve?

Toda vez que os humanos têm uma boa ideia, os zoólogos acostumaram-se a encontrá-la previamente no reino animal. Há exemplos disso por todo este livro, entre eles a ecolocalização (morcegos), a eletrolocalização ("O conto do ornitorrinco"), a represa ("O conto do castor"), o refletor parabólico (lapas), o sensor térmico infravermelho (algumas serpentes), a seringa hipodérmica (vespas, cobras e escorpiões), o arpão (cnidários) e a propulsão a jato (lulas). Por que não a roda?

É possível que a roda nos impressione só pelo contraste com nossas desenxabidas pernas. Antes de termos motores movidos por combustíveis (energia solar fossilizada), éramos facilmente ultrapassados por pernas de animais. Não admira que Ricardo III ("Meu reino por um cavalo!") oferecesse sua coroa em troca de transporte quadrúpede que o tirasse do apuro. Talvez a maioria dos animais não se beneficiasse com rodas porque já consegue correr depressa com as pernas. Afinal, até bem recentemente, todos os nossos veículos de rodas eram puxados pelo poder de pernas. Desenvolvemos a roda não para andar mais rápido do que um cavalo, mas para permitir ao cavalo transportar-nos à sua velocidade, ou um pouco menos. Para o cavalo, a roda retarda.

Eis mais um modo de nos arriscarmos a superestimar a roda. Ela depende, para máxima eficiência, de uma invenção anterior: a estrada (ou outra superfície lisa e dura). O potente motor de um carro permite-lhe correr mais rápido do que um cavalo, um cão ou um guepardo numa rua plana e dura. Mas se a corrida for em um terreno não cultivado ou em um campo arado, talvez com sebes e valas pelo caminho, será um fiasco: o cavalo deixará o carro na poeira.

Bem, talvez devamos mudar nossa questão. Por que os animais não desenvolveram a estrada? Não há grande dificuldade técnica. A estrada deveria ser brincadeira de criança se comparada à represa do castor ou à arena ornamentada do pássaro-caramancheiro. Existem até vespas escavadeiras que socam o solo para endurecê-lo, usando uma pedra como ferramenta. Presumivelmente, as mesmas habilidades poderiam ser usadas por animais maiores para aplainar um caminho.

Mas isso suscita um problema inesperado. Mesmo que a construção de estrada seja viável do ponto de vista técnico, é uma atividade perigosamente *altruísta*. Se eu, como indivíduo, construir uma estrada de A para B, você poderá beneficiar-se dela tanto quanto eu. Por que isso deveria ter importância? Porque o darwinismo é um jogo egoísta. Construir uma estrada que ajude outros é algo punido pela seleção natural. Um indivíduo rival beneficia-se da minha estrada tanto quanto eu, mas não arca com os custos da construção. Os aproveitadores, que usam minha estrada e não se dão ao trabalho de construir as suas, ficarão livres para concentrar suas energias em reproduzirem-se mais do que eu, enquanto eu me esfalfo construindo a estrada. A menos que se tomem medidas especiais, as tendências genéticas em favor da exploração preguiçosa e egoísta prosperarão em detrimento da construção diligente de estradas. Assim, não se constroem estradas. Com antevisão, podemos perceber que todo mundo sairá perdendo. Mas a seleção natural, ao contrário de nós, humanos, com nosso grande cérebro recém-evoluído, não tem antevisão.

O que nós, humanos, temos de tão especial que conseguimos vencer nossos instintos antissociais e construir estradas que todos compartilhamos? Ah, muita coisa! Nenhuma outra espécie chega remotamente perto de ter estado assistencialista, entidades que cuidam de velhos, doentes e órfãos, doações beneficentes. À primeira vista, tais coisas apresentam um desafio ao darwinismo, mas este não é o lugar para discutir essa questão. Temos governos, polícia, tributação, obras públicas para os quais todos contribuímos, queiramos ou não. O indivíduo que escrevesse "Prezados Senhores, agradeço a gentileza, mas prefiro não participar do Sistema Tributário" com certeza seria interpelado pela Receita Federal. Infelizmente, nenhuma outra espécie inventou os impostos. Mas inventaram a cerca (virtual). Um indivíduo pode assegurar seu uso exclusivo de um recurso se o defender ativamente contra rivais.

Muitas espécies de animais são territoriais, não apenas aves e mamíferos, mas também peixes e insetos. Defendem uma área contra rivais da mesma espécie, frequentemente para garantir uma área de alimentação, nidificação ou corte particular. Um animal com um território grande poderia beneficiar-se construindo uma rede de boas estradas planas através de seu território, da qual os rivais fossem excluídos. Isso não é impossível, mas essas estradas animais seriam demasiado restritas às vizinhanças e não permitiriam deslocamentos velozes de longa distância. Estradas de qualquer qualidade seriam limitadas a uma pequena área que o indivíduo pudesse defender de rivais genéticos. Um começo nada auspicioso para a evolução da roda.

Mas agora, finalmente, chegamos ao narrador deste conto. Há uma reveladora exceção à minha premissa. A roda, no mais amplo sentido da palavra, *evoluiu* em algumas criaturas muito pequenas. Talvez até tenha sido o primeiro expediente locomotor que já evoluiu, considerando que pela maior parte de seus primeiros 2 bilhões de anos, a vida existiu tão somente na forma de bactérias. Muitas bactérias, das quais o *Rhizobium* é um típico representante, nadam usando propulsores espiralados filamentosos, cada qual impelido por seu próprio eixo rotativo. Pensava-se antes que esses "flagelos" fossem agitados como caudas, com a aparência de rotação em espiral resultando de uma onda de movimento que percorria o flagelo, como em uma serpente coleante. A verdade é muito mais notável. O flagelo* bacteriano liga-se a um eixo que gira livre e indefinidamente

* A estrutura do flagelo das bactérias, como vimos, é totalmente diferente do flagelo dos eucariotas (ou protozoários), ou "ondulipódio", que vimos em "O conto do *Mixotricha*". Em contraste com a disposição eucariótica de 9 + 2 microtúbulos, o flagelo bacteriano é um tubo oco feito da proteína flagelina.

em um orifício na parede da célula. Esse é um verdadeiro eixo de livre rotação. Move-se graças a um minúsculo motor molecular que usa os mesmos princípios biofísicos de um músculo. Mas um músculo é um motor de movimento alternado que, depois de se contrair, tem de esticar-se novamente a fim de preparar-se para um novo golpe de força. O motor bacteriano apenas segue sempre na mesma direção: uma turbina molecular.

O fato de a roda ter evoluído somente em criaturas muito pequenas sugere uma explicação que pode ser a mais plausível para que essa evolução não tenha ocorrido em criaturas maiores. É uma razão muito corriqueira, prática, mas ainda assim importante. Uma criatura grande precisaria de rodas grandes, as quais, diferentemente das rodas feitas pelo homem, precisariam crescer *in situ* em vez de ser feitas separadamente com matérias mortas e depois instaladas. Para um órgão vivo grande, crescer *in situ* requer sangue ou algo equivalente, e provavelmente também algo equivalente a nervos. O problema de suprir um órgão de livre rotação com vasos sanguíneos (para não falar de nervos) que não se enredem uns nos outros é óbvio demais para precisar de explicação. Pode haver uma solução, mas não nos devemos surpreender por ela não ter sido encontrada.

Os engenheiros humanos talvez sugerissem a instalação de dutos concêntricos para transportar sangue pelo meio do eixo até o meio da roda. Mas qual seria a aparência dos intermediários evolutivos? A melhora evolutiva é como a subida de uma montanha. Não podemos pular da base de um penhasco para o topo de uma só vez. A mudança acentuada súbita é uma opção para os engenheiros, mas na natureza o cume da montanha evolutiva só pode ser atingido por uma rampa gradual que ascenda a partir do ponto inicial. A roda talvez seja um dos casos em

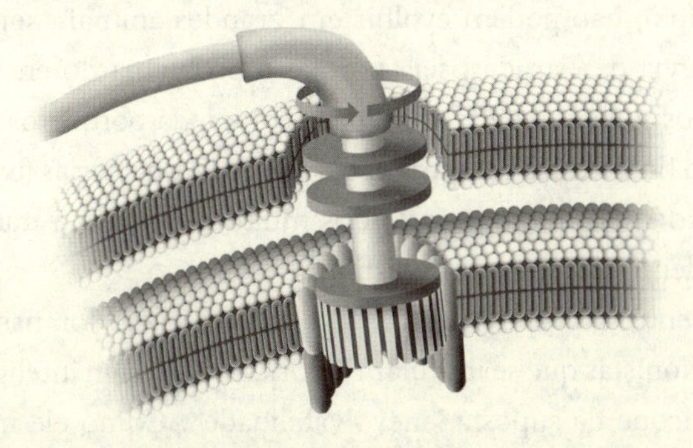

UM VERDADEIRO EIXO DE LIVRE ROTAÇÃO... IMPELIDO POR UM MINÚSCULO MOTOR MOLECULAR.

que a solução de engenharia pode ser vista de imediato, mas inatingível para a evolução porque está do outro lado de um vale profundo: impossível de evoluir em animais grandes, mas ao alcance de bactérias porque são pequenas.

Com muita criatividade, Philip Pulman, em seu épico de ficção infantil *Fronteiras do universo*, resolve o problema para animais grandes de um modo totalmente inesperado, mas coerente com a biologia. Ele inventa uma espécie de animal benevolente e trombudo, o mulefa, que evoluiu em simbiose com uma espécie de árvore gigante, a qual desprende vagens duras e circulares em feitio de roda. Os pés do mulefa têm um esporão córneo polido que se encaixa num orifício no centro de uma dessas vagens, a qual passa a funcionar como uma roda. As árvores beneficiam-se com esse arranjo, pois toda vez que uma roda se desgasta, como tem de ocorrer por fim, e precisa ser descartada, o mulefa dispersa as sementes do interior da vagem. As árvores evoluíram de modo a retribuir o favor, produzindo vagens perfeitamente circulares, com um orifício apropriado para o eixo do mulefa encaixar-se bem no centro, no qual elas secretam um óleo lubrificante de alta qualidade. As quatro pernas do mulefa dispõem-se em losango. A pata dianteira e a traseira situam-se na linha média do corpo, e nelas encaixam-se as rodas. As outras duas pernas, nas laterais do corpo, a meio caminho entre o pescoço e a cauda, não têm rodas e são usadas para impelir o animal, como nas antigas bicicletas sem pedais. Pullman salienta que todo esse sistema só é possível graças a uma singularidade geológica do mundo em que vivem essas criaturas. Aconteceu de a savana ter longas formações basálticas afiladas, que servem de estradas duras naturais.

Faltando-nos a engenhosa simbiose de Pullman, podemos aceitar provisoriamente a roda como uma daquelas invenções que, mesmo se fosse uma boa ideia em princípio, não podem evoluir em grandes animais, seja por causa da necessidade prévia de estradas, seja porque o problema do enovelamento dos vasos sanguíneos nunca poderia ser sanado, ou ainda porque os intermediários de uma solução final nunca prestariam para nada. As bactérias foram capazes de desenvolver a roda porque o mundo dos muito pequenos é muito diferente e apresenta problemas técnicos bem distintos.

Recentemente, o próprio motor flagelar bacteriano foi, nas mãos de uma espécie de criacionistas que se intitulam "teóricos do design inteligente", elevado à categoria de ícone da suposta "inevolvabilidade". Como ele manifestamente existe, a conclusão do argumento desses criacionistas é diferente. Enquanto eu proponho a inevolvabilidade como explicação para o fato de não terem evoluído rodas em animais grandes como os mamíferos, os criacionistas apelaram para a roda flagelar bacteriana como algo que não pode existir, e no entanto, existe — portanto, só pode ter surgido por meios sobrenaturais!

Trata-se do velho "Argumento do Design", também chamado "Argumento do Relojoeiro de Paley", ou "Argumento da Complexidade Irredutível". Menos generosamente, apelidei-o de "Argumento da Incredulidade Pessoal", pois sempre vem na forma: "eu, pessoalmente, não consigo imaginar uma sequência natural de eventos pela qual X poderia ter surgido. Portanto, X há de ter surgido por meios sobrenaturais". Vezes sem conta, cientistas retorquiram que, se alguém apresenta tal argumento, está revelando menos sobre a natureza do que sobre a pobreza da própria imaginação. O "Argumento da Incredulidade Pessoal" nos levaria a invocar o sobrenatural toda vez que víssemos um mágico fazer truques que não conseguíssemos descobrir.

É perfeitamente legítimo propor o Argumento da Complexidade Irredutível como uma explicação possível para a ausência de algo, como fiz para a inexistência de mamíferos com rodas. Isso é muito diferente de esquivar-se da responsabilidade da ciência para explicar algo que *existe*, como as bactérias com rodas. Não obstante, para ser justo, é possível imaginar de um modo válido o uso de alguma versão do Argumento do Design, ou Argumento da Complexidade Irredutível. Futuros visitantes do espaço que fizerem escavações arqueológicas em nosso planeta certamente descobrirão modos de distinguir máquinas projetadas, como aviões e microfones, de máquinas evoluídas, como asas e orelhas de morcego. É um exercício interessante pensar em como eles farão a distinção. Eles podem deparar com algumas avaliações difíceis na confusa sobreposição entre evolução natural e projeto humano. Se os cientistas extraterrestres puderem estudar espécimes vivos, e não apenas relíquias arqueológicas, como interpretarão os delicados e irrequietos cavalos de corrida e cães *greyhound*, os buldogues fungadores que mal respiram e não nascem sem uma intervenção cesariana, os pequineses com cara de bebê e olhos enevoados, os úberes ambulantes que são as vacas frísias, os toucinhos ambulantes que são os porcos de Landrace, os saltadores lanudos que são os carneiros merinos? Máquinas moleculares — nanotecnologia —, criadas para beneficiar humanos na mesma escala que o motor flagelar bacteriano, podem oferecer ainda mais problemas para os cientistas extraterrestres.

Francis Crick foi mais longe em *Life itself* e especulou meio a sério que talvez as bactérias não tenham se originado neste planeta, e sim em outros lugares. Na fantasia de Crick, elas foram trazidas na ogiva de um foguete por seres alienígenas que queriam propagar sua forma de vida, mas não quiseram enfrentar o problema de transportar a si mesmos. Por isso, delegaram à evolução natural a conclusão da tarefa assim que a infecção bacteriana fincasse suas raízes. Crick e seu colega Leslie Orgel, que originalmente sugeriu essa ideia junto com ele, supuseram que as bactérias evoluíram de início por processos naturais no planeta de origem, mas poderiam muito bem, nesse clima de ficção científica, ter adicionado um toque de artifício nanotecnológico à mistura, talvez uma roda de transmissão molecular, como o motor flagelar que vemos no *Rhizobium* e em muitas outras bactérias.

O próprio Crick — não sei se com pesar ou com alívio — não encontra bons indícios que corroborem sua teoria da Panspermia Direta. Mas o território entre ciência e ficção científica constitui um útil ginásio mental para lutarmos com uma questão genuinamente importante. Dado que a ilusão do design invocada pela seleção natural darwiniana é tão assombrosamente poderosa, como, na prática, distinguir seus produtos dos artefatos deliberadamente projetados? Outro grande biólogo molecular, Jacques Monod, começou seu livro *O acaso e a necessidade* em bases semelhantes. Poderia haver na natureza exemplos verdadeiramente persuasivos de complexidade irredutível: organização complexa feita de muitas partes, de modo que a perda de uma seria fatal para o todo? Em caso positivo, isso poderia sugerir um genuíno projeto de uma inteligência superior, digamos, de uma civilização de outro planeta mais antiga e mais superiormente evoluída?

É possível que algum exemplo de algo assim acabe sendo descoberto. Mas o motor flagelar bacteriano, infelizmente, não é esse exemplo. Como tantas alegações anteriores de complexidade irredutível, a começar pelo olho, o flagelo bacteriano mostra-se eminentemente redutível. Kenneth Miller, da Universidade Brown, aborda toda essa questão em um *tour de force* de clareza explicativa. Como mostra Miller, a alegação de que as partes componentes do motor flagelar não têm outras funções é absolutamente falsa. Por exemplo, muitas bactérias parasíticas possuem um mecanismo para injetar substâncias químicas em células hospedeiras chamado TTSS (de *Type Three Secretory System* [Sistema Secretório do Tipo III]). O TTSS serve-se de um subconjunto das mesmas proteínas usadas no motor flagelar. Nesse caso, elas são empregadas não para permitir o movimento rotatório de um eixo circular, mas para abrir um orifício arredondado na parede da célula hospedeira. Miller assim resume:

> Falando em termos claros, o TTSS faz seu trabalho sujo usando um punhado de proteínas da base do flagelo. Do ponto de vista evolutivo, essa relação não surpreende. Na verdade, é esperado que o oportunismo de processos evolutivos misture e case proteínas para produzir funções novas e inéditas. Mas, segundo a doutrina da complexidade irredutível, isso não deveria ser possível. Se o flagelo fosse, de fato, irredutivelmente complexo, remover apenas uma parte, sem falar de dez ou quinze, deveria tornar o que resta "por definição não-funcional". Contudo, o TTSS é totalmente funcional, muito embora lhe falte a maioria das partes do flagelo. O TTSS pode ser má notícia para nós, mas para as bactérias que o possuem, trata-se de uma máquina bioquímica valiosíssima.
>
> A existência do TTSS em uma grande variedade de bactérias demonstra que uma pequena porção do flagelo "irredutivelmente complexo" pode mesmo executar uma importante função biológica. Como tal função é claramente favorecida pela seleção natural, a afirmação de que o flagelo tem de estar estruturado por completo antes de que qualquer uma de suas partes possa ser útil é obviamente incorreta. Isso significa que o argumento do design inteligente do flagelo fracassou.

A indignação de Miller diante da "Teoria do Design Inteligente" é reforçada por um fator interessante: suas profundas convicções religiosas, que estão expressas de forma mais complexa em *Finding Darwin's God*. O Deus de Miller (se não o de Darwin) revela-se, ou define-se, no governo da natureza, por leis. O esforço criacionista para demonstrar Deus por meio da rota negativa do Argumento da Incredulidade Pessoal acaba, como demonstra Miller, por supor que Deus caprichosamente *viola* as leis que ele mesmo criou. E isso, para quem, como Miller, tem inclinações religiosas ponderadas, é um sacrilégio barato e aviltante.

Eu, mesmo não sendo religioso, posso reforçar o argumento de Miller com um paralelo de minha autoria. Se não sacrílego, o estilo de argumento do design inteligente baseado na incredulidade pessoal é *preguiçoso*. Satirizei-o numa conversa imaginária entre Sir Andrew Huxley e Sir Alan Hodgkin, ambos ex-presidentes da Royal Society laureados conjuntamente com o Prêmio Nobel pela descoberta da biofísica molecular do impulso nervoso:

— Puxa vida, Huxley, esse problema é terrivelmente difícil. Não consigo entender como funciona o impulso nervoso. E você?

— Não, eu também não, Hodgkin, e essas equações diferenciais são uma dureza infernal de resolver. Que tal simplesmente desistir e dizer que o impulso nervoso se propaga por energia nervosa?

— Excelente ideia, Huxley, vamos agora mesmo escrever uma carta para a *Nature*: uma linha será suficiente, e depois poderemos nos ocupar de algo mais fácil.

O irmão mais velho de Andrew Huxley, Julian, argumentou de modo semelhante tempos atrás, quando satirizou o vitalismo, na época habitualmente personificado pelo nome de elã vital dado por Henri Bergson. Huxley disse que essa ideia equivalia a explicar que o motor de um trem era impelido pelo elã locomotivo.* O que eu acuso como preguiça e Miller como sacrilégio não se aplica à hipótese da panspermia direta. Crick falava de um design sobre-humano, e não sobrenatural. A diferença é fundamental. Na visão de mundo de Crick, os projetistas sobre-humanos das bactérias, ou dos meios de semear com elas a Terra, teriam eles próprios evoluído originalmente por algum equivalente local da seleção darwiniana no planeta deles. Crucialmente, Crick sempre procurava o que Daniel Dennet chama de *crane* [guindaste], e nunca apelava, como fez Bergson, para um *skyhook* [gancho imaginário suspenso do céu].

A principal objeção ao argumento da complexidade irredutível equivale a demonstrar que a pretensa entidade irredutivelmente complexa — o motor flagelar, a cascata da coagulação do sangue, o ciclo de Krebs ou seja lá o que for — na verdade é redutível. A incredulidade pessoal é simplesmente errada. A isso acrescentamos o lembrete de que, mesmo se não conseguimos *ainda* pensar em um caminho passo a passo pelo qual a complexidade possa ter evoluído, o sôfrego escorregão de supor que, portanto, ela é sobrenatural ou é sacrilégio ou é preguiça fica a gosto.

Mas existe outra objeção que precisa ser mencionada: a do "arco e andaime" de Graham Cairns-Smith. Esse autor escreveu em um contexto diferente, mas sua argumentação funciona aqui também. Um arco é irredutível no sentido de que, se removermos parte dele, o todo desaba. No entanto, é possível cons-

* É deprimente pensar que Henri Bergson — um vitalista — representa o mais próximo de um cientista em toda a lista dos cem ganhadores do Prêmio Nobel de Literatura. O competidor mais próximo é Bertrand Russell, mas ele foi laureado por seus escritos humanitários.

truí-lo gradualmente, usando um andaime. A subsequente remoção do andaime, que deixa de aparecer no quadro visível, não nos dá o direito da atribuição mistificadora e obscurantista de poderes sobrenaturais aos pedreiros.

O motor flagelar é comum entre bactérias. O *Rhizobium* foi escolhido para narrar o conto por causa de uma segunda razão para nos impressionar com a versatilidade das bactérias. Na maioria dos bons sistemas de rotação de culturas, os agricultores semeiam plantas da família das ervilhas, *Leguminosae*, por uma razão muito boa. As leguminosas podem usar nitrogênio bruto diretamente do ar (ele é, de longe, o mais abundante gás na nossa atmosfera), em vez de precisarem sugar compostos de nitrogênio do solo. Mas não são as próprias plantas que fixam o nitrogênio da atmosfera e o transformam em compostos utilizáveis. São bactérias simbióticas, especificamente o *Rhizobium*, abrigadas para esse fim em nódulos especiais a elas fornecidos, com todas as indicações de uma solicitude inadvertida, nas raízes das plantas.

Essa terceirização de engenhosos truques químicos, deixando-os a cargo de bactérias quimicamente muito mais versáteis, é um padrão muitíssimo comum no reino vegetal e animal. Essa é a principal mensagem de "O conto da Taq".

O CONTO DA TAQ

Em coautoria com Yan Wong

Chegados que somos ao nosso mais antigo encontro, tendo reunido em nossa peregrinação todas as formas de vida que conhecemos, estamos em condições de examinar sua diversidade. No nível mais profundo, a diversidade da vida é química. Os ofícios de que se ocupam nossos companheiros peregrinos abrangem uma gama de habilidades nas artes da química. E, como vimos, são as bactérias, incluindo as arqueias, que exibem a maior variedade de habilidades químicas. As bactérias são as mestras da química em nosso planeta. Até mesmo a química das nossas células é, em grande medida, tomada de empréstimo a bactérias que são nossas trabalhadoras convidadas, e representa só uma fração do que as bactérias são capazes de fazer. Quimicamente, somos mais semelhantes a certas bactérias do que algumas bactérias são semelhantes a outras. Pelo menos na visão de um químico, se eliminássemos todas as formas de vida com exceção das bactérias, ainda restaria a maior parte da coleção de seres vivos.

A bactéria específica que escolhi para protagonizar este conto é a *Thermus aquaticus*, carinhosamente conhecida pelos biólogos moleculares como Taq. As diversas bactérias parecem-nos estranhas cada qual por suas razões. A *Thermus aquaticus*, como sugere seu nome, gosta de estar em água quente. *Muito* quente. Como vimos no Encontro 38, muitas das arqueias são termófilas e hipertermófilas, mas as arqueias não têm o monopólio desse modo de vida. Termófilas e hipertermófilas não são categorias taxonômicas. São mais como corporações ou guildas, como o Pároco, o Moleiro e o Médico de Chaucer. Ganham a vida em lugares onde ninguém mais consegue viver: as escaldantes fontes termais de Rotorua e do Parque Yellowstone, ou as chaminés vulcânicas das dorsais meso-oceânicas. A *Thermus* é uma eubactéria hipertermófila. Pode sobreviver sem grandes problemas em água quase fervente, embora prefira a mais refrescante faixa dos 70°C. Ela não detém o recorde mundial de altas temperaturas, pertencente às arqueias de mar profundo, que prosperam a temperaturas que podem chegar aos 115°C, muito acima do ponto normal de ebulição da água.*

A *Thermus* é famosa nos círculos dos biólogos moleculares por ser a fonte da enzima da duplicação do DNA conhecida como Taq polimerase. Obviamente todos os organismos têm enzimas para duplicar o DNA, mas a *Thermus* precisou adquirir pela evolução uma que pudesse suportar temperaturas próximas do ponto de ebulição da água. Isso é útil para os biólogos moleculares porque o jeito mais fácil de deixar o DNA pronto para a duplicação é fervê-lo, separando-o em duas fitas componentes. A fervura e o resfriamento repetidos de uma solução contendo DNA e Taq polimerase duplica — ou "amplifica" — até as mais ínfimas quantidades de DNA original. Esse método é chamado "reação em cadeia da polimerase" (abreviado como PCR) e é de uma engenhosidade brilhante.

A fama da *Thermus* como maga do laboratório bioquímico é justificativa suficiente para deixá-la narrar seu conto. Mas, na verdade, pode haver outra razão para a *Thermus* ser particularmente tão adequada para apresentar a instrutivamente exótica perspectiva das bactérias. A *Thermus* pertence ao pequeno grupo de bactérias conhecido como hadobactérias. Em seu esquema taxonômico, mencionado no Encontro 39, Tom Cavalier-Smith aventou que as hadobactérias, juntamente com suas primas, as bactérias verdes não sulfurosas, talvez sejam o gru-

* Novamente, se parece surpreendente ser possível encontrar água tão acima de seu ponto de ebulição normal, lembremos que a água ferve a temperaturas mais altas sob pressão elevada.

po bacteriano que primeiro se ramificou. Se isso for verdade, seu grupo é o primo mais distante possível do resto dos seres vivos.

Segundo essa ideia, a *Thermus* e suas parentes estão em um limbo. Todas as demais bactérias têm um ancestral em comum umas com as outras e com o restante dos seres vivos, exceto com a *Thermus*. A verdade dessa hipótese teria as consequências que exponho a seguir. Assim como qualquer bactéria poderia agrupar o "resto dos seres vivos" em um "ramo caçula" da família dos seres vivos, entre as bactérias a *Thermus* poderia agrupar o "resto das bactérias" em um ramo das bactérias. Isso, juntamente com sua inclinação a ser fervida, foi minha razão para escolhê-la para narrar um conto sobre a diversidade da vida. Mas, embora as evidências de que a *Thermus* tem mesmo um status especial não sejam particularmente seguras, não há dúvida de que a grande maioria da diversidade da vida no nível fundamental da química é microbiana, e uma maioria substancial é bacteriana. O conto sobre a diversidade da vida, visto que ela é, sobretudo, uma diversidade química, é de direito contado por uma bactéria, e ela pode muito bem ser a Taq.

Por tradição, e compreensivelmente, o conto foi narrado do ponto de vista de animais grandes: nós. Dividiu-se a vida em reino animal e reino vegetal, e a diferença pareceu bem clara. Os fungos figuraram como plantas porque os mais conhecidos entre eles são fixos no lugar e não saem andando quando tentamos estudá-los. Nós nem sequer sabíamos que existiam bactérias antes do século XIX, e quando foram vistas pela primeira vez com potentes microscópios, não se soube onde encaixá-las no esquema das coisas. Ouve quem as julgasse plantas em miniatura; outros, animais em miniatura. Outros ainda classificaram as bactérias que captam a luz como plantas ("algas verde-azuladas") e as demais, entre os animais. Coisa parecida foi feita com os "protistas" — eucariotas unicelulares que não são bactérias e são muito maiores do que elas. Os verdes foram chamados de protófitos, e os demais, de protozoários. Um exemplo bem conhecido de protozoário é a ameba, que outrora se pensava ser próxima do mais antigo ancestral de todos os seres vivos. Como estávamos enganados, pois uma ameba mal se distingue de um humano se vista pelos "olhos" das bactérias!

Tudo isso foi no tempo em que os organismos vivos eram classificados por sua anatomia visível, e, nesse sentido, as bactérias são muito menos diversas do que os animais e as plantas, sendo então perdoável tomá-las por animais ou plantas primitivos. A situação foi bem outra quando começamos a classificar os seres

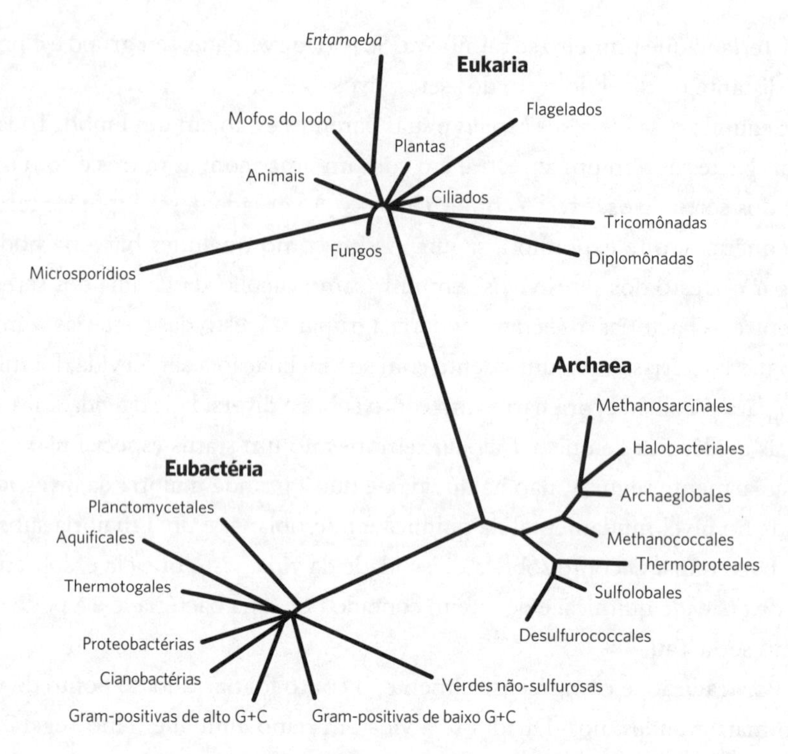

AS MAIS PROFUNDAS DIVISÕES ENTRE OS SERES VIVOS. Árvore da vida, mostrando a divisão em três principais reinos, baseada em estudos moleculares recentes. Adaptado de GRIBALDO e PHILIPPE (ver página 718).

vivos usando as informações muito mais ricas fornecidas por suas moléculas e quando examinamos a gama de "ofícios" químicos executados por micróbios. Eis aproximadamente como as coisas parecem ser hoje.

Se animais e plantas são tratados como um par de reinos, por critérios iguais existem dezenas de "reinos" microbianos, cuja singularidade lhes dá direito ao mesmo status dos animais e plantas. O diagrama acima mostra a ponta do *iceberg*. Não só foram omitidos alguns ramos de raízes profundas, mas também mostrei apenas aqueles que vivem em lugares acessíveis e podem ser cultivados em laboratório. Aliás, simplesmente agregar novas localizações para o DNA sem dar-se ao trabalho de indagar de que organismos elas provêm pode revelar reinos microbianos inteiramente novos. O sempre engenhoso Craig Venter e sua equipe dizem ter encontrado no mínimo 1800 novas espécies de micróbio com uma análise por *shotgun* de DNA que flutuava no mar de Sargaços. Animais, plantas e fungos constituem apenas três pequenos ramos da árvore da vida. O que distingue esses três reinos mais familiares dos outros é que os organismos que eles contêm são grandes, compostos por muitas células. Os demais reinos são quase inteiramente microbianos. Por que não os unimos em um reino microbiano, no mesmo nível com os três grandes reinos multicelulares? Uma razão, muito sensata, é que, no nível bioquímico, muitos dos reinos microbianos são tão diferentes entre si e da grande árvore quanto os três reinos mais familiares são diferentes uns dos outros.

De nada adiantaria ficar debatendo em detalhes se eles "realmente" são, digamos, vinte reinos nessa escala de diferença, ou 25 ou cem. O que está claro no diagrama é que essas dúzias se encaixam em três principais super-reinos — "domínios", na terminologia de Carl Woese, o já mencionado introdutor dessa nova visão sobre os seres vivos. Os três domínios são: primeiro, o nosso, os eucariotas, em cuja companhia fizemos boa parte da nossa jornada; segundo, as arqueias, os micróbios que vimos no Encontro 38 e que, na antiga visão da vida, seriam agrupadas no terceiro domínio, o das verdadeiras bactérias (ou eubactérias). São os membros desse terceiro domínio, o eubacteriano, que se juntaram a nós na reta final da nossa peregrinação. É um privilégio partilhar esses passos finais com as mais ubíquas e eficientes propagadoras de DNA já existentes.

O diagrama em estrela, evidentemente, não se baseia nos tipos de características que podemos ver e tocar. Quem quer comparar organismos tem de escolher características que todos tenham aproximadamente em comum. Não podemos comparar pernas se a maioria das espécies não as possuir. Pernas, cabeças, folhas, clavículas, raízes, corações, mitocôndrias — cada qual se restringe a um subconjunto de criaturas. Mas o DNA é universal, e existe um punhado de genes específicos que todos os seres vivos têm em comum, apenas com diferenças secundárias e contáveis. São esses que temos de usar para a comparação em grande escala. Talvez o melhor exemplo seja fornecido pelos códigos necessários para produzir ribossomos.

Ribossomos são máquinas celulares que leem mensagens de RNA (transcritas de genes de DNA) e produzem proteínas. Os ribossomos são vitais para todas as células, e universalmente presentes. Eles próprios são, em grande medida, feitos de RNA — chamado rRNA e totalmente separados das "fitas" de mensagem de RNA que os ribossomos leem e traduzem em proteínas. O rRNA é originalmente especificado por genes de DNA. A sequência de rRNA pode ser lida diretamente ou como os genes de DNA que a codificam: rDNA. Em ambos os casos, eu o chamarei de rDNA. O rDNA é particularmente útil para a comparação direta entre qualquer criatura e alguma outra porque todas o possuem. O rRNA é usado não só porque é onipresente. É também importante o fato de que ele apresenta a quantidade certa de variação genética, suficientemente semelhante entre todas as espécies vivas para que haja algo a comparar, mas não tão extremamente semelhante que não deixe diferenças que possam ser contadas. Recorrendo aos métodos de "O conto do gibão", podemos usar rRNA para montar toda a árvore da vida e calcular as distâncias evolutivas dentro de cada grande domínio e até mesmo entre os domínios. É preciso cautela. O rRNA é totalmente vulnerável à "atração de ramo longo" e outras armadilhas do gênero. Mas com o auxílio de outros genes e o uso de raras mudanças genômicas — inserções e deleções de grandes pedaços de DNA —, podemos desenhar uma árvore provisória. É o que temos na página 636. Certamente, alguns ramos nessa árvore provisória são incertos, em particular no domínio das eubactérias, e isso pode refletir sua tendência de trocar DNA umas com as outras (problema que não encontramos nos eucariotas). Mesmo assim, os pesquisadores descobriram um grupo central de genes bacterianos que raramente são trocados, por isso é concebível que possamos um dia chegar a um consenso quanto a uma irrefutável ordem de ramificação na árvore da vida. Anseio por isso.

A distância taxonômica, medida pela comparação de genomas, é um modo de examinar a diversidade. Outro é avaliar o conjunto de modos de vida, o conjunto de "ofícios" a que se dedicam nossos peregrinos. À primeira vista, diferentes bactérias podem parecer mais semelhantes neste aspecto do que, digamos, um leão e um búfalo, ou uma toupeira e um coala. Para animais grandes como nós, enterrar-se no solo em busca de vermes parece muito diferente, como modo de vida, de mascar folhas de eucalipto. Mas, do ponto de vista químico da nossa narradora bacteriana, todas as toupeiras, coalas, leões e búfalos estão fazendo coisa muito similar. Todos estão extraindo sua energia decompondo moléculas complexas que, em última análise, se formaram graças à energia solar captada pelas plantas. Os coalas e os búfalos comem as plantas diretamente; os leões e as toupeiras obtêm sua energia solar com mais um passo: comendo outros animais, que (em última análise) comem plantas.

A fonte primária da energia externa é o Sol. Por intermédio das bactérias verdes simbióticas no interior das células vegetais, ele é o único gerador de energia para todas as formas de vida que podemos ver a olho nu. Sua energia é captada por painéis solares verdes (as folhas) e usada para impelir a síntese de compostos orgânicos, como o açúcar e o amido nas plantas. Em uma série de reações químicas que envolvem liberação e consumo de energia, o resto dos seres vivos é abastecido pela energia originalmente captada do Sol pelas plantas. A energia flui pela economia da vida, do Sol para as plantas, delas para os herbívoros, carnívoros e animais que se alimentam de carniça. A cada passo do caminho, não só entre as criaturas mas dentro delas, cada transação na economia da energia é dispendiosa. Inevitavelmente, parte da energia dissipa-se em forma de calor e nunca é recuperada. Sem o colossal afluxo de energia do Sol, a vida cessaria, ou pelo menos assim diziam os livros didáticos.

Isso ainda é verdade, em grande medida. Mas esses livros didáticos não levavam em conta as bactérias e arqueias. Um químico suficientemente engenhoso é capaz de conceber esquemas alternativos de fluxo de energia neste planeta que não comecem com a energia solar. E se um truque químico útil pode ser engendrado, há chances de que uma bactéria o tenha inventado antes: talvez até mesmo antes de descobrirem o truque da energia solar, coisa que ocorreu há mais de 3 bilhões de anos. Tem de haver algum tipo de fonte externa de energia, mas não precisa ser o Sol. Existe energia química encerrada em muitas substâncias, energia que pode ser liberada pelas reações químicas certas. Entre as fontes que os seres vivos poderiam explorar economicamente estão o hidrogênio, o sulfeto de hidrogênio e alguns compostos do ferro. Retomaremos em "Cantuária" o modo de vida da exploração.

Embora de modo geral nossos contos não sejam narrados na primeira pessoa, vamos abrir uma exceção para a última palavra de todos os nossos contos, a qual daremos à *Thermus aquaticus*:

> Olhem a vida da nossa perspectiva e vocês, eucariotas, logo deixarão de lado toda a empáfia. Seus primatas bípedes, bando de tupaias cotós, peixes de nadadeiras lobadas dessecados! Seus vermes vertebrados, esponjas turbinadas com genes Hox, emergentes, eucariotas, congregações quase indistinguíveis de uma paróquia monotonamente restrita! Vocês quase nada são além de uma espuma extravagante na superfície da vida bacteriana. Ora, as próprias células de que vocês são construídos são colônias de bactérias, e reproduzem os mesmos velhos truques que nós, bactérias, descobrimos há 1 bilhão de anos. Nós estávamos aqui antes de vocês chegarem, e aqui estaremos depois que vocês se forem.

Cantuária

Como condiz com o destino de uma peregrinação de 4 bilhões de anos, nossa Cantuária tem uma aura de mistério. Ela é a singularidade conhecida como a origem da vida, mas melhor faríamos se a chamássemos de origem da hereditariedade. A vida propriamente dita não é definida de forma clara, um fato que contradiz a intuição e a sabedoria tradicional. Em "Ezequiel", capítulo 37, o profeta, mandado para um vale de ossos, identifica a vida com a respiração. Não resisto a citar a passagem ("cada osso ao seu osso" — que esplêndida economia de linguagem).

> Então profetizei segundo me fora ordenado; enquanto eu profetizava houve um ruído, um barulho de ossos que batiam contra ossos e se ajuntavam, cada osso ao seu osso.
>
> Olhei, e eis que havia tendões sobre eles, e cresceram as carnes e se estendeu a pele sobre eles; mas não havia neles o espírito.
>
> Então ele me disse:
>
> — Profetiza ao espírito, profetiza, ó filho do homem, e dize-lhe: Assim diz o SENHOR DEUS: Vem dos quatro ventos, ó espírito, e assopra sobre esses mortos, para que vivam.

E, obviamente, os ventos obedeceram. Um grande exército respirou e se ergueu. O espírito, ou respiração, para Ezequiel define a diferença entre morto e vivo. O próprio Darwin insinuou isso mesmo em uma de suas mais eloquentes passagens, as palavras que concluem *A origem das espécies* (grifo meu):

> Assim, da guerra da natureza, da fome e da morte, surge diretamente o mais excelso objeto que somos capazes de conceber, qual seja, a produção dos animais superiores. Há grandeza nessa visão da vida, com seus vários poderes, *insuflada que foi originalmente* pelo Criador em algumas formas ou em uma, e no fato de que, enquanto este planeta prossegue em seu giro de conformidade com a imutável lei da gravidade, de um começo tão simples evoluíram e continuam a evoluir infindáveis formas as mais belas e fascinantes.

Darwin inverteu corretamente a ordem dos acontecimentos de Ezequiel. O sopro da vida veio primeiro e criou as condições para que ossos e tendões, carne e pele por fim evoluíssem. A propósito, a expressão "pelo Criador" não está presente na primeira edição de *Origem*. Foi adicionada na segunda, provavelmente para apaziguar o lóbi religioso. Darwin arrependeu-se depois desse acréscimo em carta para seu amigo Hooker:

> Há tempos me arrependo de ter me intimidado com a opinião pública e usado o termo criação do Pentateuco, com o qual, na verdade, eu queria dizer "apareceu" por algum processo totalmente desconhecido. É mera bobagem pensar neste momento sobre a origem da vida; poderíamos muito bem pensar sobre a origem da matéria.

É provável que Darwin visse (na minha opinião, com acerto) a origem da vida primitiva como um problema relativamente fácil (e friso o "relativamente") em comparação com o que ele solucionara: como a vida, uma vez tendo começado, desenvolveu sua assombrosa diversidade, complexidade e poderosa ilusão de um projeto bem feito. Mais tarde, porém, Darwin (em outra carta a Hooker) arriscou conjecturar sobre o "processo totalmente desconhecido" que teria iniciado tudo. Foi levado a isso refletindo sobre por que não vemos a vida originando-se repetidamente.

> Muitos dizem que existem hoje todas as condições para a primeira produção de um organismo que poderiam estar presentes desde sempre. Mas se (e oh! que enorme se!) pudéssemos conceber que, em alguma lagoa morna contendo todo tipo de sais de amônia e fósforo, luz, calor, eletricidade etc., um composto de proteínas quimicamente formado está pronto para passar por mudanças mais complexas, tal questão seria no presente compreendida de imediato, coisa que não ocorreria antes de existirem seres vivos.

A doutrina da geração espontânea só foi refutada recentemente pelas experiências de Pasteur. Acreditou-se por muito tempo que a carne em putrefação gerava vermes de modo espontâneo, que as cracas-ganso geravam espontaneamente gansinhos e até que roupa suja misturada com trigo gerasse camundongos. Perversamente, a teoria da geração espontânea foi apoiada pela Igreja (que nisso, como em tantas outras coisas, seguiu Aristóteles). Digo perversamente porque, pelo menos da perspectiva que temos hoje, a geração espontânea, tanto quanto a evolução jamais seria, era um desafio direto à criação divina. A ideia de que moscas ou camundongos poderiam brotar espontaneamente para a vida subestima a estupenda façanha que seria a criação de moscas e camundongos: um insulto ao Criador, alguém poderia pensar. Mas uma mentalidade sem ciência não consegue compreender quanto a mosca e o camundongo são complexos e inerentemente improváveis. Darwin talvez tenha sido o primeiro a aquilatar toda a magnitude desse erro.

Em 1872, em carta a Wallace, o codescobridor da seleção natural, ele ainda achava necessário expressar ceticismo quanto a "Rotíferos e Tardígrados gerando-se espontaneamente", coisa que fora sugerida em um livro, *The beginnings of life*, que em outros aspectos Darwin admirava. Seu ceticismo, como sempre, acertou em cheio. Rotíferos e tardígrados são formas de vida complexas, que se encaixam à perfeição em seus respectivos modos de vida. Se fossem gerados espontaneamente, isso implicaria que se tornam aptos e complexos "por um feliz acidente, e nisso não posso crer", disse Darwin. Felizes acidentes de tal magnitude eram anátema para Darwin, e deveriam ter sido também para a Igreja, por uma razão diferente. Todo o fundamento da teoria de Darwin era, e é, que a complexidade adaptativa advém lenta e gradualmente, passo a passo, e nenhum passo isolado exige inexoravelmente o acaso cego como explicação. A teoria darwiniana, ao reservar o acaso apenas aos pequenos passos necessários para fornecer variedade à seleção, nos dá a única *saída* realista para não termos de explicar a vida como mera sorte. Se fosse possível rotíferos brotarem para a vida dessa maneira simples, toda a obra de Darwin seria desnecessária.

Mas, sem dúvida, a própria seleção natural teve um começo. Somente nesse sentido algum tipo de geração espontânea tem de ter acontecido, mesmo que apenas uma vez. A beleza da contribuição de Darwin está em que a única geração espontânea que devemos postular não precisou sintetizar nada complexo, como um verme ou um camundongo. Foi preciso apenas… bem, agora estamos perto do cerne do problema. Se não foi a respiração, então qual teria sido o ingrediente vital que permitiu dar a partida no processo da seleção natural que por fim conduziria, após épicos de evolução cumulativa, aos vermes, ratos e homens?

Os detalhes jazem enterrados, talvez irrecuperavelmente, em nossa imemorial Cantuária, mas podemos dar ao ingrediente-chave um nome minimalista que expresse o *tipo* de coisa que ele deve ter sido. Esse nome é hereditariedade. Não deveríamos estar procurando a origem da vida, que é vaga e indefinida, mas a origem da hereditariedade — a verdadeira hereditariedade, e isso significa algo muito preciso. Já invoquei anteriormente o fogo para explicá-la.

O fogo rivaliza com a respiração como representação da vida. Quando morremos, o fogo da vida se extingue. É provável que nossos ancestrais que o domesticaram pela primeira vez tenham pensado que o fogo fosse um ser vivo, talvez até um deus. Fitando suas chamas ou brasas, especialmente à noite quando a fogueira do acampamento os aquecia e protegia, teriam eles comungado em imaginação com uma alma dançante e incandescente? O fogo mantém-se vivo enquanto for alimentado. O fogo respira ar; podemos sufocá-lo cortando seu suprimento de oxigênio, podemos afogá-lo com água. O fogo descontrolado devora a floresta, impelindo presas animais diante de si com a velocidade e a impiedade de uma alcateia de lobos em caçada. Como faziam com lobos, nossos ancestrais podiam capturar um filhote de fogo e domesticá-lo como um útil animal de estimação, alimentá-lo regularmente e limpar suas excreções de cinza. Antes de ser descoberta a arte de fazer fogo, a sociedade há de ter valorizado muito a arte menor de cuidar de um fogo capturado. Talvez um rebento vivo do fogo doméstico tenha sido transportado num pote para ser trocado com um desafortunado grupo vizinho cujo fogo morrera.

Teria sido observado que um incêndio gerava fogos-filhotes quando cuspia fagulhas e brasas vivas ao vento, como penugens de dente-de-leão que, ao caírem ao longe, semeavam o mato seco. Será que os filósofos ergastos teorizavam que o fogo não pode gerar-se espontaneamente, precisando sempre nascer de um fogo-genitor, fosse ele selvagem nas pradarias ou um fogo doméstico aprisionado entre pedras? E será que ao se produzir fogo pela primeira vez esfregando-se gravetos uma visão de vida foi extinta?

Nossos ancestrais talvez tenham até imaginado uma população de fogos selvagens reproduzindo-se, ou uma linhagem de fogos domésticos originada por um ancestral esbraseado trazido de um distante clã e trocado com outros. Mas ainda assim não havia a verdadeira hereditariedade. Por que não? Como se pode ter reprodução e linhagem, mas não hereditariedade? Essa é a lição que o fogo tem a nos dar aqui.

A verdadeira hereditariedade significaria a herança não do fogo em si, mas das *variações* entre os fogos. Alguns são mais amarelados, outros mais avermelhados. Alguns rugem, outros crepitam, outros ainda sibilam, soltam fumaça, cospem. Há os que possuem laivos de azul ou verde nas chamas. Nossos ancestrais, caso tenham estudado seus lobos domesticados, hão de ter notado uma diferença reveladora entre linhagens de cães e linhagens de fogos. Nos cães, semelhante gera semelhante. Pelo menos parte do que distingue um cão de outro é transmitida por seus pais. É óbvio que existem também as influências externas: alimentação, doenças, acidentes. No caso do fogo, todas as variações provêm do meio, nenhuma descende de uma fagulha progenitora. As variações resultam da qualidade e umidade do combustível, da direção e força do vento, da tiragem da lareira, do solo, de vestígios de cobre e potássio que adicionam toques verde-azulados e lilases à chama amarela do sódio. Em contraste com o cão, nada na qualidade de um fogo adulto chega por intermédio da fagulha que o originou. Fogos azuis não geram fogos azuis. Fogos crepitantes não herdam a crepitação do fogo-pai que cuspiu sua fagulha iniciadora. Os fogos apresentam reprodução sem hereditariedade.

A origem da vida foi a origem da verdadeira hereditariedade; poderíamos até dizer a origem do primeiro gene. Apresso-me a esclarecer que, quando digo primeiro gene, não me refiro à primeira molécula de DNA. Ninguém sabe se o primeiro gene era feito de DNA, e eu aposto que não era. Com primeiro gene quero dizer primeiro replicador. Um replicador é uma entidade, por exemplo, uma molécula, que forma linhagens de cópias de si mesmo. Sempre haverá erros de cópia, e assim a população adquirirá variedade. A chave da verdadeira hereditariedade é que cada replicador se parece com aquele do qual foi copiado mais do que se parece com um membro aleatoriamente escolhido da população. A origem do primeiro replicador desse tipo não foi um evento provável, mas só teve de ocorrer uma vez. Dali por diante, suas consequências foram automaticamente autossustentáveis, e eles por fim originaram, pela evolução darwiniana, todas as formas de vida.

Uma molécula de DNA, ou, em certas condições, a molécula de RNA associada, é um verdadeiro replicador. Um vírus de computador também é. Outro exemplo são as cartas do tipo "corrente". Mas todos esses replicadores requerem uma complexa estrutura para auxiliá-los. O DNA precisa de uma célula ricamente equipada com maquinário bioquímico preexistente, altamente adaptado para ler e copiar o código de DNA. Um vírus de computador necessita de um computador com algum tipo de ligação de dados com outros computadores, tudo projetado por engenheiros humanos para obedecer a instruções codificadas. Uma carta do tipo corrente exige um bom estoque de idiotas, com cérebros evoluídos que foram educados no mínimo o suficiente para ler. O que é único no primeiro replicador, aquele que desencadeou a vida, é o fato de que ele não tinha nenhum suprimento pronto de coisa alguma que tivesse evoluído, sido projetada ou educada. O primeiro replicador funcionou ineditamente, *ab initio*, sem precedentes e sem outra ajuda que não as leis comuns da química.

Uma poderosa fonte de ajuda para uma reação química é um catalisador, e seguramente alguma forma de catálise esteve presente na origem da replicação. Um catalisador é um agente que acelera uma reação química sem ser consumido por ela. Toda a química biológica consiste em reações catalisadas, nas quais os catalisadores são, em geral, grandes moléculas de proteína chamadas enzimas. Uma enzima típica oferece as cavidades existentes em sua forma tridimensional como receptáculos para os ingredientes de uma reação química. Ela os alinha reciprocamente, entra em uma ligação química temporária com eles e os casa com uma precisão que eles provavelmente não descobririam se estivessem difusos em um meio.

Os catalisadores, por definição, não são consumidos na reação química que promovem, mas podem ser produzidos. Uma reação autocatalítica é a que fabrica seu próprio catalisador. Como você pode imaginar, uma reação autocatalítica não começa facilmente, mas, uma vez iniciada, desenvolve-se por conta própria — bem como o fogo, pois esse possui algumas propriedades das reações autocatalíticas. O fogo não é estritamente um catalisador, mas é autogerador. Quimicamente, ele é um processo de oxidação que emite calor e que, para ter início, precisa de calor que o empurre além de um limiar. Uma vez começado, ele prossegue e se espalha como uma reação em cadeia porque gera o calor de que precisa para se reiniciar. Outra famosa reação em cadeia é a explosão atômica, nesse caso não uma reação química, mas nuclear. A hereditariedade principiou como uma iniciação fortuita de um processo autocatalisador, ou de algum processo de que se autorregenerava de alguma outra forma. Ela imediatamente se ativou e se disseminou como o fogo, levando por fim à seleção natural — e a tudo o que se seguiu.

Nós também oxidamos combustível carbonáceo para gerar calor, mas não nos incendiamos porque realizamos nossa oxidação de modo controlado, passo a passo, vertendo a energia por canais úteis em vez de dissipá-la na forma de calor indisciplinado. Essa química controlada, ou metabolismo, é uma característica da vida tão universal quanto a hereditariedade. As teorias sobre a origem da vida precisam explicar tanto a hereditariedade como o metabolismo, mas alguns autores equivocaram-se quanto à prioridade. Procuraram uma teoria sobre a origem espontânea do metabolismo e, por alguma razão, esperaram que a hereditariedade viesse depois, como outros expedientes importantes. Mas a hereditariedade, como veremos, não deve ser vista como um bom expediente. Ela tem de ser a primeira a entrar em cena porque, antes da hereditariedade, a própria utilidade não tinha sentido. Sem hereditariedade, e portanto sem seleção natural, não existiria coisa alguma para a qual fosse possível algo ser útil. A própria ideia de utilidade não pode começar sem que tenha início a seleção natural das informações hereditárias.

As mais antigas teorias sobre a origem da vida hoje levadas a sério são as de A. I. Oparin, da Rússia, e J. B. S. Haldane, da Inglaterra, que escreveram na década de 1920 sem saber um do outro. Ambos deram ênfase ao metabolismo e não à hereditariedade. Ambos depararam-se com o importante fato de que a atmosfera da Terra antes da vida teria de ser "redutora" para que a vida surgisse. Esse termo técnico que não facilita nossa explicação significa que faltava oxigênio livre à atmosfera. Compostos orgânicos (compostos de carbono), quando há oxigênio livre por perto, são vulneráveis a queimar-se ou oxidar-se de algum outro modo, formando dióxido de carbono. Parece estranho para nós, que morremos em minutos se privados de oxigênio, mas a vida não poderia originar-se em nenhum planeta com oxigênio livre em sua atmosfera. Como já expliquei, o oxigênio teria sido um veneno letal para nossos primeiros ancestrais. Tudo que sabemos sobre outras plantas nos dá quase a certeza de que a atmosfera original da Terra foi redutora. O oxigênio livre veio depois. Era um resíduo poluidor de bactérias verdes, que de início nadavam livremente e depois se incorporaram a células vegetais. Em algum momento, evoluiu em nossos ancestrais a capacidade de lidar com o oxigênio; depois, passaram a depender dele.

A propósito, depois de dizer que o oxigênio é produzido por plantas verdes e algas, é uma simplificação excessiva ficar nisso. É verdade que as plantas emitem oxigênio. Mas quando uma planta morre, sua decomposição, em reações químicas equivalentes a queimar todo o seu material carbonáceo, consumiria uma quantidade de oxigênio igual a todo o oxigênio liberado pela planta ao longo da vida. Portanto, não haveria ganho líquido em oxigênio na atmosfera se não fosse por uma coisa. Nem todas as plantas mortas se decompõem. Algumas depositam-se como carvão (ou equivalentes) sendo removidas de circulação. Se todos os combustíveis fósseis do mundo fossem queimados pela humanidade, boa parte do oxigênio na atmosfera seria substituída por dióxido de carbono, restaurando o *status quo* dos primeiros tempos. É improvável que isso ocorra em futuro próximo. Mas não devemos esquecer que a única razão de termos oxigênio para respirar é que a maior parte do carbono do mundo está presa no subsolo. Nós o queimamos por nossa própria conta e risco.

Átomos de oxigênio sempre estiveram presentes naquela atmosfera primeva, mas não eram livres como gás oxigênio. Estavam presos em compostos como dióxido de carbono e água. Hoje o carbono encontra-se, sobretudo, preso em corpos vivos ou — uma proporção muito maior — em rochas como greda, calcário e carvão, provenientes de restos de corpos que já viveram. Nos tempos de Cantuária, esses mesmos átomos de carbono estariam principalmente na atmosfera em forma de gases compostos, como dióxido de carbono e metano. O nitrogênio, hoje o principal gás atmosférico, em uma atmosfera redutora estaria composto junto com o hidrogênio em amônia.

Oparin e Haldane concluíram que uma atmosfera redutora teria favorecido a síntese espontânea de compostos orgânicos simples. Eis as palavras de Haldane, que cito para marcar a célebre frase com que ele concluiu sua argumentação:

> Pois bem, quando a luz ultravioleta age sobre uma mistura de água, dióxido de carbono e amônia, produz-se uma imensa variedade de substâncias orgânicas, entre elas açúcares e aparentemente alguns dos elementos de que são feitas as proteínas. Esse fato foi demonstrado em laboratório por Baly de Liverpool e seus colegas. No mundo presente, tais substâncias, se deixadas à solta, entram em decomposição — ou seja, são destruídas por microrganismos.* Mas antes de originar-se a vida elas devem ter se acumulado até que os oceanos primitivos atingissem a consistência de uma rala sopa quente.

Isso foi escrito em 1929, mais de vinte anos antes do muito citado experimento de Miller e Urey, o qual, considerando-se o relato de Haldane, teria sido uma espécie de repetição do de Baly. Mas E. C. C. Baly não estava preocupado com a origem da vida. Estava interessado na fotossíntese, e seu feito foi sintetizar açúcares direcionando raios ultravioleta para água contendo dióxido de carbono dissolvido na presença de um catalisador, como ferro ou níquel. Foi Haldane, e não Baly, que com seu característico brilhantismo** previu algo notavelmente parecido com o experimento de Miller-Urey e fez a associação com o trabalho de Baly.

O que Miller fez, orientado por Urey, foi ligar dois frascos, um acima do outro, por dois tubos. O frasco inferior continha água aquecida para representar o oceano primevo. O superior continha uma imitação da atmosfera primordial (metano, amônia, vapor de água e hidrogênio). Através de um dos tubos, o vapor subia da superfície do "oceano" quente no frasco inferior e passava para o topo da "atmosfera" no frasco de cima. O outro tubo fazia o retorno para baixo, da "atmosfera" para o "oceano". No caminho, atravessava uma câmara com faíscas ("relâmpagos") e uma câmara de resfriamento, onde o vapor se condensava para formar "chuva", a qual reabastecia o "oceano".

Depois de apenas uma semana dessa simulação reciclável, o oceano adquirira uma coloração pardacenta, e Miller analisou seu conteúdo. Como Haldane teria predito, o oceano tornara-se uma sopa de compostos orgânicos, incluindo nada menos do que sete aminoácidos, os tijolos essenciais para a construção de

* Era a isso que Darwin se referia em sua carta sobre o "pequeno lago morno".

** Sir Peter Medawar, ele próprio nada incompetente, descreveu Haldane como o homem mais inteligente que conhecia.

proteínas. Entre os sete aminoácidos havia três — glicina, ácido aspártico e alanina — da lista dos vinte encontrados em seres vivos. Experimentos posteriores baseados no de Miller, mas substituindo dióxido de carbono ou monóxido de carbono por metano, obtiveram resultados semelhantes. Podemos extrair a sólida conclusão de que moléculas pequenas biologicamente importantes, incluindo aminoácidos, açúcares e, o que é significativo, os tijolos construtores DNA e RNA, formam-se espontaneamente quando várias versões da Terra primitiva de Oparin/Haldane são simuladas em laboratório.

Antes de Oparin e Haldane, teóricos da origem da vida haviam suposto que os primeiros organismos decerto teriam sido plantas de algum tipo, talvez bactérias verdes. As pessoas estavam habituadas à ideia de que a vida depende da fotossíntese, a fábrica de compostos orgânicos movida a luz solar, acompanhada por uma liberação de oxigênio. Oparin e Haldane, com sua atmosfera redutora, concluíram que as plantas chegaram à cena depois. A vida surgiu em um mar de compostos orgânicos preexistentes. Havia sopa para tomar e a fotossíntese era desnecessária — pelo menos até a sopa acabar.

Para Oparin, o passo vital foi a origem da primeira célula. E, com certeza, as células, como os organismos, têm a importante propriedade de nunca surgir espontaneamente, mas sempre de outras células. Era perdoável ver a origem da primeira "célula" (metabolizadora) como sinônimo de origem da vida, em vez do primeiro "gene" (replicador), como eu faria. Entre teóricos mais modernos com esse mesmo viés, o eminente físico Freeman Dyson é consciente disso e defende a ideia. A maioria dos teóricos recentes, entre eles Leslie Orgel, da Califórnia, Manfred Eigen e seus colegas da Alemanha e Graham Cairn-Smith, da Escócia — que está mais para um dissidente solitário, mas sem dúvida não deve ser desconsiderado —, dá prioridade à autorreplicação, tanto cronologicamente como em termos de centralidade. E com acerto, na minha opinião.

Como seria a hereditariedade sem uma célula? Não estamos diante de um problema como o do ovo e da galinha? Sim, com certeza, se supusermos que a hereditariedade requer DNA, pois este não pode replicar-se sem um grande elenco coadjuvante de moléculas, incluindo proteínas que só podem ser produzidas por informações codificadas por DNA. Mas só porque o DNA é a principal molécula autorreplicante que conhecemos, isso não significa que seja a única que somos capazes de imaginar ou a única que já existiu na natureza. Graham Cairns-Smith argumentou convincentemente que os replicadores originais foram cristais minerais inorgânicos, e que o DNA foi um usurpador posterior, que assumiu o papel principal quando a vida evoluíra a ponto de possibilitar um *Genetic Takeover* [usurpação genética]. Não discorrerei sobre esse caso aqui, em parte porque já o expus o melhor que pude em *O relojoeiro cego*, mas também por uma razão maior. Cairns-Smith tem a melhor argumentação que já li mostrando que a replicação veio primeiro e que o DNA tem de ter tido um precursor de algum tipo cuja natureza desconhecemos, sabendo-se apenas que ele apresentava a verdadeira hereditariedade. A meu ver, será uma pena se essa parte irrefutável de sua argumentação enredar-se na mente das pessoas com sua ideia mais polêmica e especulativa acerca dos cristais minerais como o precursor.

Nada tenho contra a teoria dos cristais minerais, motivo pelo qual já a expus antes, mas o que realmente quero salientar aqui é a primazia da replicação e a alta probabilidade de o DNA ter posteriormente usurpado o lugar de algum precursor. Cumprirei mais a contento esse objetivo se discorrer, neste livro, acerca de uma teoria *específica* diferente sobre qual poderia ter sido esse precursor. Sejam quais forem, em última análise, seus méritos como o replicador original, o RNA é certamente um melhor candidato que o DNA, e foi escolhido como precursor por vários teóricos em seu assim chamado "Mundo de RNA". Para introduzir a teoria do Mundo de RNA, preciso fazer uma digressão sobre as enzimas. Se o replicador é a estrela do show da vida, a enzima é coestrela, mais do que apenas uma atriz coadjuvante.

A vida depende totalmente da virtuosa habilidade das enzimas para catalisar reações bioquímicas de um jeito muito meticuloso. Quando aprendi sobre enzimas na escola, imperava a ideia (a meu ver, errada) de que a ciência devia ser ensinada com exemplos triviais; por exemplo, os alunos deviam cuspir na água para demonstrar a capacidade da enzima da saliva, amilase, de digerir amido e produzir açúcar. Com isso, adquiríamos a impressão de que uma enzima era como um ácido corrosivo. Os sabões em pó biológicos, que usam enzimas para digerir a sujeira das roupas, dão essa mesma impressão. Mas essas são enzimas destrutivas, que trabalham para desmembrar moléculas grandes em componentes menores. Enzimas construtivas estão envolvidas na síntese de grandes moléculas a partir de ingredientes menores, e o fazem comportando-se como "casamenteiras robóticas", o que explicarei a seguir.

O interior de uma célula contém uma solução de milhares de moléculas, átomos e íons de muitos tipos. Pares deles poderiam combinar-se uns aos outros de maneiras quase infinitamente variadas, mas em geral não o fazem. Por isso, existe um imenso repertório de química em potencial esperando para realizar-se dentro de uma célula, porém boa parte dele não se concretiza. Mantenhamos isso em mente enquanto refletimos sobre o que direi a seguir. Um laboratório químico tem centenas de frascos nas prateleiras, todos hermeticamente fechados para que seus conteúdos não encontrem outros a menos que o químico o deseje, quando então, uma amostra de um frasco é adicionada a uma amostra de outro. Poderíamos dizer que as prateleiras de um laboratório químico também abrigam um enorme repertório de química em potencial esperando para acontecer. E também aqui a maior parte não acontece.

Mas imagine que tiramos todos os frascos das prateleiras e despejamos os conteúdos em um único tanque cheio de água. Seria um absurdo ato de vandalismo científico, mas um tanque assim ficaria bem parecido com o que é uma célula viva, embora nela, uma porção de membranas compliquem o quadro. As centenas de ingredientes de milhares de potenciais reações químicas não são mantidas em frascos separados até requerer-se que ajam juntas. Em vez disso, eles ficam todos misturados no mesmo espaço comum, o tempo todo. Ainda assim, aguardam, em grande medida, não-reativos, até que se requeira que reajam; é como se estivessem separados em frascos virtuais. Não há frascos virtuais, mas há enzimas trabalhando como casamenteiras robóticas, ou até poderíamos chamá-las de assistentes robóticas de laboratório. As enzimas discriminam, de um modo muito parecido como um sintonizador de rádio quando põe um aparelho em contato com uma emissora específica, enquanto desconsidera todos os outros sinais que bombardeiam simultaneamente sua antena com uma babel de frequências de suporte.

Suponhamos que existe uma importante reação química na qual o ingrediente A combina-se ao ingrediente B para gerar o produto Z. Em um laboratório de química, obtemos esse resultado pegando de uma prateleira o frasco rotulado como A e de outra o frasco rotulado como B, misturando seus conteúdos num frasco limpo e fornecendo outras condições necessárias, como calor ou agitamento. Obtemos a reação específica que desejamos pegando apenas dois frascos da prateleira. Na célula viva, numerosas moléculas de A e numerosas moléculas de B estão em meio a uma enorme variedade de moléculas flutuando na água, onde podem encontrar-se, mas mesmo que o façam raramente se combinam. De qualquer modo, o encontro delas não é mais provável que o de outros milhares de combinações possíveis. Agora introduzimos uma enzima chamada abzase, especificamente moldada para catalisar a reação A + B = Z. Existem milhões de moléculas de abzase na célula, e cada qual age como uma assistente robótica de laboratório. Cada abzase assistente de laboratório pega uma molécula A, não de uma prateleira, mas na célula onde ela está flutuando livremente. Em seguida, pega uma molécula B que passa por ali. Segura A firmemente, de modo que a molécula fique virada em uma direção específica. E segura B também com firmeza, de modo que B fique em contato com A na posição e orientação exatas para que seja feita a ligação de A com B, produzindo Z. A enzima pode fazer outras coisas também: o equivalente do assistente de laboratório humano que segura o agitador ou acende o bico de Bunsen. Ela pode formar uma aliança química temporária com A ou B, trocando átomos ou íons que serão por fim devolvidos, de modo que a enzima acaba como começou, o que a qualifica como um catalisador. O resultado de tudo isso é que uma nova molécula de Z forma-se no entalhe "pegador" da molécula de enzima. A assistente de laboratório então libera Z na água e fica à espera de que outra A passe para ser pega, reiniciando-se o ciclo.

Na ausência da assistente robótica de laboratório, uma A que estivesse flutuando toparia ocasionalmente com uma B de passagem nas condições certas para ligarem-se. Mas essa feliz ocorrência seria rara, não mais comum do que os ocasionais encontros fortuitos que A ou B poderiam ter com numerosas outras parceiras em potencial. A poderia topar com C e produzir Y. Ou B poderia topar com D e produzir X. Pequenas quantidades de Y e X estão sendo feitas o tempo todo por uma deriva fortuita como essa. Mas é a presença da assistente de laboratório enzima abzase que faz toda a diferença. Na presença da abzase, Z é produzido em quantidades industriais (do ponto de vista da célula): uma enzima costuma multiplicar a taxa de reação espontânea por um fator que varia entre 1 milhão e 1 trilhão. Se uma enzima diferente, a acyase, fosse introduzida, A seria combinada a C em vez de B, novamente em uma esteira rolante veloz na linha de produção, produzindo um generoso suprimento de Y. É das mesmíssimas moléculas de A que estamos falando, não confinadas em um frasco, mas livres para combinar-se com B ou C, dependendo de que enzima está presente para pegá-las.

Portanto, as taxas de produção de Z e Y dependem, entre outras coisas, das respectivas quantidades de assistentes de laboratório rivais, abzase e acyase, que estão flutuando na célula. E *isso* depende de qual entre dois genes no núcleo da célula é ativado. Mas a coisa é um pouco mais complicada: mesmo que uma molécula de abzase esteja presente, ela pode estar desativada. Um modo como isso pode ocorrer é outra molécula chegar e se encaixar na "cavidade" ativa da enzima. É como se os braços robóticos da assistente de laboratório fossem temporariamente algemados. As algemas lembram-me, a propósito, de dar o aviso ritual: como sempre, em se tratando de metáforas, há o risco de alguém equivocar-se por causa da imagem da "assistente de laboratório robótica". Uma molécula de enzima não tem braços de verdade para estender e agarrar ingredientes como A, e muito menos para ser algemada. Em vez disso, possui zonas especiais em sua superfície para as quais A, digamos, tem uma afinidade, seja em razão de um acolhedor encaixe físico no formato reentrante de uma cavidade, seja por causa de alguma propriedade química mais recôndita. E essa afinidade pode ser temporariamente negada de modos que lembram o desligamento calculado de um comutador.

A maioria das moléculas de enzima são máquinas com propósitos especiais que geram apenas um produto: um açúcar, digamos, ou uma gordura, uma purina ou uma pirimidina (tijolos construtores de DNA e RNA), ou um aminoácido (vinte deles são os tijolos construtores de proteínas naturais). Mas algumas enzimas parecem-se mais como máquinas operatrizes programáveis que executam instruções contidas em uma fita de papel com perfurações. Entre elas, destaca-se o ribossomo, brevemente explicado em "O conto da Taq": uma máquina operatriz grande e complexa construída de proteína e RNA, que produz proteína ela própria. Aminoácidos, os tijolos construtores das proteínas, já foram fabricados por enzimas de propósito especial e estão flutuando pela célula, disponíveis para serem apanhados pelo ribossomo. A fita de papel perfurado é o RNA, especificamente o "RNA mensageiro" (mRNA). A fita mensageira, que por sua vez copiou sua mensagem de DNA no genoma, entra no ribossomo e, quando passa pelo "cabeça de leitura", os aminoácidos apropriados são montados em uma cadeia proteica na ordem especificada pela fita usando o código genético.

O modo de funcionamento dessa especificação é conhecido, e indizivelmente fascinante. Existe um conjunto de pequenos RNAs de transferência (tRNA), cada qual com cerca de setenta tijolos construtores. Cada tRNA liga-se seletivamente a um, e apenas um, dos vinte tipos de aminoácidos naturais. Na outra ponta da molécula de tRNA existe um "anticódon", uma trinca que complementa precisamente a curta sequência de mRNA (códon) que especifica o aminoácido certo de acordo com o código genético. Quando a fita de mRNA se move através da cabeça de leitura do ribossomo, cada códon do mRNA liga-se a um tRNA com o anticódon certo. Isso faz o aminoácido pendurado na outra ponta do tRNA alinhar-se, na posição de "casamento", para ligar-se à ponta em crescimento da proteína em formação. Assim que o aminoácido se liga, o tRNA destaca-se e sai em busca de uma nova molécula de aminoácido de seu tipo preferido, enquanto a fita de mRNA avança mais um entalhe. Assim continua o processo, e a cadeia de proteína é expelida passo a passo. Uma fita física de mRNA pode lidar com vários ribossomos de uma só vez. Cada um desses ribossomos move sua cabeça de leitura ao longo de uma diferente porção do comprimento da fita, e cada qual destaca sua própria cópia da recém-cunhada cadeia de proteína.

Assim que cada nova cadeia de proteína é concluída, quando o mRNA que alimenta seu ribossomo atravessou por completo a cabeça de leitura, a proteína desprende-se. Ela se enrola em uma complexa estrutura tridimensional cuja forma é determinada, segundo as leis da química, pela sequência de aminoácidos na cadeia proteica. Essa sequência foi determinada pela ordem de símbolos codificadores ao longo do mRNA. E essa ordem, por sua vez, foi determinada pela sequência complementar de símbolos ao longo do DNA, que constitui o banco de dados-mestre da célula.

A sequência codificada de DNA, portanto, controla o que ocorre na célula. Ela especifica a sequência de aminoácidos de cada proteína, o que determina a forma tridimensional da proteína, e isso, por sua vez, dá a essa proteína suas propriedades enzimáticas específicas. É importante observar que o controle pode ser indireto, no sentido de que, como vimos em "O conto do camundongo", genes determinam quais outros genes serão ativados e quando isso ocorrerá. A maioria dos genes em uma dada célula não é ativada. É por isso que, de todas as reações que poderiam ocorrer no "tanque cheio de ingredientes misturados", apenas uma ou duas acontecem de fato em qualquer dado momento: aquelas cujas respectivas "assistentes de laboratório" estão ativas na célula.

Depois dessa digressão sobre catálise e enzimas, passaremos agora da catálise comum para o caso especial da autocatálise, que, em alguma versão, teve provavelmente um papel fundamental na origem da vida. Lembremos nosso hipotético exemplo das moléculas A e B que se combinam para produzir Z sob a influência da enzima abzase. E se Z fosse a sua própria abzase? Quero dizer, e se por acaso a molécula Z tivesse justamente a forma e as propriedades químicas certas para pegar uma A e uma B, juntá-las na posição certa e combiná-las para produzir uma nova Z igualzinha a si mesma? Em nosso exemplo prévio, poderíamos dizer que a quantidade de abzase na solução influenciaria a quantidade de Z produzida. Mas agora, se Z e abzase são a mesma molécula, só precisamos de uma molécula de Z para produzir uma reação em cadeia. A primeira Z pega As e Bs, combina-as e produz mais Zs. Essas novas Zs então pegam mais As e Bs, produzem ainda mais Zs e assim por diante. Isso é autocatálise. Nas condições certas, a população de moléculas Z crescerá exponencialmente — explosivamente. Esse é o tipo de coisa que soa promissora como ingrediente da origem da vida.

Mas é tudo hipotético. Julius Rebek e colegas do Instituto Scripps, na Califórnia, tornaram-no realidade. Eles exploraram alguns fascinantes exemplos de autocatálise na química real. Em um de seus exemplos, Z era o éster triácido de aminoadenosina (ETAA), A era a aminoadenosina e B o éster pentafluorfenil, e a reação ocorreu não em água, mas em clorofórmio. Nem é preciso dizer que nenhum desses detalhes químicos específicos, e certamente não os nomes compridos, precisam ser lembrados. O que importa é que o produto da reação química é seu próprio catalisador. A primeira molécula de ETAA é difícil de formar-se, mas, uma vez formada, põe imediatamente em marcha uma reação em cadeia, à medida que cada vez mais o ETAA se sintetiza servindo como seu próprio catalisador. Como se não bastasse, essa brilhante série de experimentos foi além e demonstrou a verdadeira hereditariedade no sentido aqui definido. Rebek e sua equipe encontraram um sistema no qual existia mais de uma variante da substância autocatalisada. Cada variante catalisou a síntese de si mesma usando sua variante preferida de um dos ingredientes. Isso criou a possibilidade de uma verdadeira competição em uma população de entidades, mostrando verdadeira hereditariedade e uma forma instrutivamente rudimentar de seleção darwiniana.

A química de Rebek é bastante artificial. Não obstante, sua história ilustra primorosamente o princípio da autocatálise, segundo o qual o produto de uma reação química serve como seu próprio catalisador. É de algo parecido com a autocatálise que precisamos para a origem da vida. Poderia o RNA, ou algo parecido com o RNA nas condições da Terra primitiva, ter autocatalisado sua própria síntese em linhas semelhantes às do experimento de Rebek, e na água em vez de em clorofórmio?

Trata-se de um problema formidável, como explica o alemão Manfred Eigen, Prêmio Nobel de Química. Ele ressaltou que qualquer processo de autorreplicação está sujeito a degradação por erro de cópia — mutação. Imagine uma população de entidades replicadoras na qual existe alta possibilidade de erro em cada evento de cópia. Se uma mensagem codificada tem de manter-se diante dos estragos da mutação, pelo menos um membro da população em qualquer dada geração precisa ser idêntico ao seu genitor. Se há dez unidades codificadoras ("letras") numa cadeia de RNA, por exemplo, a taxa média de erro por letra tem de ser menor do que um em dez: então podemos esperar que pelo menos alguns membros da geração-filha terá o conjunto inteiro das dez letras codificadoras certas. Mas se a taxa de erro for maior, haverá uma incansável degradação com o passar das gerações, simplesmente por causa da mutação, não importa quão forte seja a pressão da seleção. A isso dá-se o nome de catástrofe do erro. Catástrofes do erro em genomas avançados são o principal tema do provocativo livro de Mark Ridley, *Mendel's demon*,* mas aqui estamos interessados na catástrofe do erro que ameaçou a própria origem da vida.

Cadeias curtas de RNA e, também, de DNA podem replicar-se espontaneamente sem uma enzima. Mas a taxa de erro por letra é muito maior do que quando uma enzima está presente. E isso significa que, bem antes de ser possível construir-se uma extensão de gene suficiente para produzir a proteína para uma enzima funcional, o gene incipiente teria sido destruído por mutação. Esse é o nó cego da origem da vida. Um gene grande o suficiente para especificar uma enzima seria grande demais para replicar-se com exatidão sem a ajuda de uma enzima justamente do tipo que ele está tentando especificar. Assim, aparentemente, o sistema não pode dar a partida.

A solução que Eigen oferece para o nó cego é a teoria do hiperciclo. Ela usa o velho princípio do dividir para reinar. As informações codificadas subdividem-

* Esse excelente livro sofreu o comum destino de ser reintitulado ao cruzar o Atlântico. Quem quiser encontrá-lo nos Estados Unidos deve procurar pelo título *The cooperative gene*. Mas *por que* as editoras fazem isso? Causa muita confusão. Apresso-me a dizer que nada tenho contra "o gene cooperativo" como título. Os genes são certamente cooperativos (ver *O gene egoísta*). "O demônio de Mendel" também é um bom título, embora "Meltdown genético" (referência aos desastres com reatores nucleares — N. T.) talvez fosse até mais apropriado à mensagem do livro. Matt Ridley (nenhum parentesco com Mark, exceto o estabelecido pela análise do cromossomo Y) disse-me que, embora a edição em capa dura de seu *Nature via nurture* já tenha esse título nos Estados Unidos, a brochura será rebatizada como — prepare-se — *O gene ágil*.

-se em unidades pequenas o bastante para estarem abaixo do limiar de uma catástrofe do erro. Cada subunidade é ela própria um minirreplicador, e é suficientemente pequena para que pelo menos uma cópia sobreviva em cada geração. Todas as subunidades cooperam em alguma importante função maior — grande o bastante para sofrer uma catástrofe do erro caso seja catalisada por uma única substância grande em vez de subdividir-se.

Do modo como até agora descrevi a teoria, existe o perigo de que todo o sistema seja instável porque algumas subunidades se replicariam mais depressa do que outras. É aqui que entra a parte engenhosa da teoria. Cada subunidade prospera na presença das outras. Mais especificamente, a produção de cada uma é catalisada pela presença de outra, de maneira que elas formam um ciclo de dependência: um "hiperciclo". Isso impede automaticamente que qualquer elemento dispare na frente. Ele não pode fazer isso porque depende de seu predecessor no hiperciclo.

John Maynard Smith salientou a semelhança de um hiperciclo com um ecossistema. O número de peixes depende da população de *Daphnia* (pulgas-d'água) que lhes serve de alimento. Por sua vez, o número de peixes afeta a população de aves que se alimentam de peixes. As aves fornecem o guano, que auxilia o florescimento das algas, das quais as *Daphnia* precisam para prosperar. Todo esse ciclo de dependência é um hiperciclo. Eigen e seu colega Peter Schuster aventam que algum tipo de hiperciclo molecular é a solução para desatar o nó cego da origem da vida.

Deixarei neste ponto a teoria do hiperciclo e retornarei à sugestão, totalmente compatível com ela, de que o RNA, nos idos em que a vida estava apenas começando e as proteínas ainda não existiam, poderia ter servido como seu próprio catalisador. Essa é a teoria do Mundo de RNA. Para avaliar quanto ela é plausível, precisamos saber por que as proteínas são boas para ser enzimas, porém ruins para ser replicadoras, por que o DNA é bom em replicar-se, mas ruim como enzima, e, finalmente, por que o RNA poderia ser bom o bastante em ambos os papéis para desatar o nó-cego.

A forma tridimensional é, em grande medida, o que importa para a atividade da enzima. As proteínas são boas como enzimas porque podem assumir quase qualquer forma imaginável nas três dimensões, como uma consequência automática de sua sequência de aminoácidos unidimensional. São as afinidades químicas de aminoácidos com outros aminoácidos em diferentes partes da cadeia que determinam o nó específico no qual a cadeira de proteínas se amarra. Assim, a forma tridimensional de uma molécula de proteína é especificada pela sequência unidimensional de aminoácidos, que por sua vez é especificada pela sequência unidimensional de letras codificadoras em um gene. Em princípio (na prática é outra coisa, e muitíssimo difícil), deveria ser possível registrar uma sequência de aminoácidos que espontaneamente se espiralasse e assumisse quase qualquer forma que desejássemos: não só formas que fazem boas enzimas, mas qualquer forma arbitrária que decidíssemos especificar.* Esse é um talento versátil que qualifica as proteínas para atuarem como enzimas. Existe uma proteína capaz de selecionar qualquer uma das centenas de potenciais reações químicas que poderiam ocorrer numa célula abarrotada de ingredientes misturados.

As proteínas, portanto, são esplêndidas como enzimas, capazes de ligar-se em nós de qualquer forma desejada (ver Ilustração 48). Mas como replicadoras são uma lástima. Ao contrário do DNA e do RNA, cujos elementos componentes têm regras de pareamento específicas (as "regras de pareamento de Watson-Crick", descobertas por esses dois jovens inspirados), os aminoácidos não possuem tais regras. O DNA, em contraste, é um esplêndido replicador, mas péssimo candidato para o papel de enzima na vida. Isso porque, ao contrário das proteínas com sua quase infinita variedade de formas tridimensionais, o DNA só tem uma forma, a famosa dupla-hélice. Ela é idealmente adequada para replicação, pois os dois lados da escada desprendem-se com facilidade um do outro, cada qual ficando, então, exposto como um gabarito para que novas letras se unam segundo as regras de pareamento de Watson-Crick. Afora isso, em praticamente mais nada o DNA é bom.

O RNA tem algumas das virtudes do DNA como replicador e algumas das virtudes das proteínas como um versátil moldador de enzimas. As quatro letras do RNA são suficientemente semelhantes às quatro letras do DNA para que um possa servir de gabarito ao outro. No entanto, o RNA não forma facilmente uma dupla hélice, o que significa que ele é um tanto inferior ao DNA como replicador. Isso ocorre, em parte, porque o sistema de dupla-hélice se presta à correção.

* De fato, existem numerosas sequências diferentes de aminoácidos que produziriam a mesma forma, sendo essa uma razão para duvidarmos de cálculos ingênuos sobre a astronômica "improbabilidade" de uma cadeia de proteína específica, obtida elevando-se o seu comprimento à vigésima potência.

Quando a dupla-hélice do DNA se divide e cada hélice serve imediatamente de gabarito para a sua complementar, os erros podem ser logo detectados e corrigidos. Cada cadeia-filha permanece ligada à sua "mãe", e a comparação entre as duas permite detectar o erro de imediato. A correção baseada nesse princípio reduz as taxas de mutação à ordem de uma em 1 bilhão, e é isso que viabiliza genomas grandes como o nosso. O RNA, como não conta com esse tipo de correção, tem taxas de mutação milhares de vezes maiores que as do DNA. Isso significa que apenas organismos simples com genomas pequenos, como alguns vírus, podem usar RNA como seu principal replicador.

Mas a ausência de uma estrutura de dupla-hélice também tem seu lado bom. Como não passa todo o tempo emparelhada com sua cadeia complementar, separando-se de seu complemento assim que ele se forma, a cadeia de RNA fica livre para atar-se em nós, como uma proteína. Assim como a proteína faz isso graças a afinidades químicas de aminoácidos com outros aminoácidos em diferentes partes da mesma cadeia, o RNA usa, para o mesmo efeito, as regras de pareamento de Watson-Crik, aquelas mesmas usadas para fazer cópias de RNA. Em outras palavras, não dispondo de uma cadeia parceira para fazer o pareamento em dupla-hélice como o DNA, o RNA está livre para "parear-se" com pedaços sortidos de si mesmo. O RNA encontra pequenos trechos de si mesmo com os quais pode fazer o pareamento, seja em uma dupla-hélice em miniatura, seja em alguma outra forma. As regras de pareamento exigem que esses trechos estejam indo em direções opostas. Portanto, uma cadeia de RNA tem a tendência de virar-se em uma série de curvas fechadas.

O repertório de formas tridimensionais que a molécula de RNA é capaz de assumir pode não ser tão grande quanto o de moléculas grandes de proteína. Mas é grande o bastante para encorajar a ideia de que o RNA poderia fornecer um versátil arsenal de enzimas. E, de fato, foram descobertas muitas enzimas de RNA, chamadas ribozimas. A conclusão é que o RNA tem algumas das virtudes replicadoras do DNA e algumas das virtudes enzimáticas das proteínas. Talvez, antes do advento do DNA, o arquirreplicador, e antes do advento das proteínas, as arquicatalisadoras, existisse um mundo no qual só o RNA possuísse o bastante de ambas as virtudes para fazer o papel dos dois especialistas. Talvez um fogo de RNA tenha se acendido no mundo original, e depois começasse a produzir proteínas que se viravam e ajudavam a sintetizar RNA, e posteriormente também DNA, o qual, então, assumiu seu lugar de principal replicador. Essa é a esperança da teoria do Mundo de RNA. Ela recebe um apoio indireto de uma bela série de experimentos iniciada por Sol Spiegelman, da Universidade Columbia, e repetida de várias formas por outros cientistas ao longo dos anos. Os experimentos de Spiegelman usam uma enzima proteica, o que poderia ser considerado uma trapaça, mas produzem resultados tão espetaculares, esclarecendo elos tão importantes na teoria, que não podemos evitar a sensação de que ainda assim valem a pena.

Primeiro, o contexto. Existe um vírus chamado Qβ. É um vírus de RNA, o que significa que, em vez de DNA, seus genes são totalmente feitos de RNA. Ele usa uma enzima para replicar seu RNA, chamada Qβ replicase. Em estado natural, Qβ é um bacteriófago — um parasita de bactéria, especificamente da bactéria *Escheria coli*, do trato digestivo. A célula bacteriana "pensa" que o Qβ RNA é um pedaço de seu próprio RNA mensageiro, e seus ribossomos processam-no exatamente como se o fosse, mas as proteínas que ele fabrica são boas para ele, vírus, e não para a bactéria hospedeira. Existem quatro dessas proteínas: uma proteína-capa para proteger o vírus, uma proteína-cola para grudá-lo na célula bacteriana, um chamado fator de replicação, que voltarei a mencionar num momento, e uma proteína-bomba para destruir a célula bacteriana quando o vírus terminar de replicar-se, liberando assim dezenas de milhares de vírus, cada qual destinado a viajar em sua capinha de proteína até topar com outra célula bacteriana e renovar o ciclo. Eu disse que retornaria ao fator de replicação. O leitor poderia pensar que se deve tratar da enzima Qβ replicase, mas na verdade ele é menor e mais simples. Tudo o que o pequenino gene viral faz é produzir uma proteína que costura juntas três outras proteínas que estão sendo produzidas pela bactéria para seu próprio uso (totalmente distinto). Quando elas são costuradas pela proteína do vírus, o composto formado é a Qβ replicase.

Spiegelman conseguiu isolar desse sistema apenas dois componentes, Qβ replicase e Qβ RNA. Juntou os dois em água com algumas matérias-primas de pequenas moléculas — os tijolos construtores do RNA — e observou o que aconteceu. O RNA pegou pequenas moléculas e construiu cópias de si mesmo usando as regras de pareamento de Watson-Crick. Realizou essa proeza sem nenhuma bactéria hospedeira, e sem a capa de proteína ou qualquer outra parte do vírus. Isso, em si, já foi um belo resultado. Ressalto que a síntese proteica, que é parte da ação normal desse RNA na natureza, foi completamente removida do circuito. Temos um sistema de replicação de RNA despojado, fazendo cópias de si mesmo sem se dar ao trabalho de produzir proteína.

Spiegelman fez então uma coisa fascinante. Pôs em andamento uma forma de evolução nesse mundo de tubo de ensaio totalmente artificial, sem nenhuma célula envolvida. Imagine sua estrutura como uma longa fileira de tubos de ensaio, cada qual contendo Qβ replicase e tijolos construtores brutos, mas não RNA. Ele semeou o primeiro tubo com uma pequena quantidade de Qβ RNA, que devidamente se replicou, produzindo numerosas cópias de si mesmo. Isso feito, Spiegelman extraiu uma pequena amostra do líquido e pôs uma gota no segundo tubo. Esse RNA semeador passou a replicar-se no segundo tubo, e quando isso já ocorrera por algum tempo, Spiegelman extraiu uma gota do segundo tubo e semeou o terceiro tubo virgem. E assim por diante. Isso equivale à fagulha do nosso fogo semeando um novo fogo no mato seco, e esse novo fogo semeando um terceiro etc., numa cadeia de semeaduras. Só que o resultado foi bem diferente. Enquanto o fogo não herda da semente nenhuma de suas qualidades, as moléculas de RNA de Spiegelman herdaram. E a consequência foi... evolução por seleção natural em sua forma mais básica e despojada.

Spiegelman foi extraindo amostras de RNA de seus tubos à medida que as "gerações" se desenvolviam e monitorou suas propriedades, incluindo sua potência para infectar bactéria. O que ele descobriu é fascinante. O RNA em evolução tornou-se fisicamente cada vez menor e, ao mesmo tempo, cada vez menos infectante quando foram oferecidas bactérias às suas amostras. Após 74 gerações,* a típica molécula de RNA em um tubo evoluíra para uma pequena fração do tamanho de sua "ancestral selvagem". O RNA selvagem fora um colar com cerca de 3600 "contas". Após 74 gerações de seleção natural, o habitante médio do tubo de ensaio reduzira-se a meras 550 "contas": nada bom para infectar bactérias, mas brilhante em infectar tubos de ensaio. O que tinha acontecido estava claro. Mutações espontâneas no RNA haviam ocorrido ao longo de toda a linha, e os mutantes que sobreviveram estavam bem adaptados para sobreviver no mundo do tubo de ensaio, em contraste com o mundo natural de bactérias prontas para serem parasitadas. A principal diferença foi, presumivelmente, que o RNA no mundo do tubo de ensaio podia dispensar toda a codificação dedicada a produzir as quatro proteínas necessárias para formar a capa, a bomba e os outros requisitos de sobrevivência do vírus selvagem como um parasita atuante de bactéria. O que sobrou foi o

* São gerações de tubo de ensaio, é claro: o número de gerações de RNA seria maior, pois as moléculas de RNA replicam-se muitas vezes em cada geração de tubo de ensaio.

mínimo necessário para replicar-se no mundo facilitado dos tubos de ensaios cheios de Qβ replicase e matérias-primas.

Esse sobrevivente despojado ao mínimo essencial, menos de um décimo do tamanho de seu ancestral selvagem, tornou-se conhecido como o Monstro de Spiegelman. Sendo menor, a variante otimizada reproduz-se mais rapidamente do que suas competidoras e, portanto, a seleção natural aumenta gradualmente sua representação na população (e população, a propósito, é exatamente a palavra, muito embora estejamos falando em moléculas flutuando livremente, e não em vírus ou organismos de nenhum tipo).

É assombroso relatar que quase o mesmo monstro de Spiegelman torna a evoluir quando o experimento é realizado várias vezes. Além disso, Spiegelman e Leslie Orgel, uma das principais figuras nas pesquisas sobre a origem da vida, fizeram mais experimentos nos quais adicionaram à solução uma substância nociva, como brometo de etídio. Nessas condições, evolui um tipo diferente de monstro, resistente ao brometo de etídio. Diferentes percursos de obstáculos químicos promovem a evolução de diferentes monstros especialistas.

Os experimentos de Spiegelman usaram Qβ RNA do tipo "selvagem" natural como ponto de partida. M. Sumper e R. Luce, trabalhando no laboratório de Manfred Eigen, obtiveram um resultado verdadeiramente espantoso. Sob certas condições, um tubo de ensaio *sem nenhum* RNA, contendo apenas as matérias-primas para produzir RNA mais a enzima Qβ replicase, podem gerar espontaneamente RNA autorreplicante que, sob as circunstâncias certas, evoluirá e se tornará semelhante ao monstro de Spiegelman. Isso, aliás, é o fim dos receios dos criacionistas (ou esperança, melhor dizendo) de que moléculas grandes sejam demasiado "improváveis" para terem evoluído. Tal é o simples poder da seleção natural cumulativa (tão longe está a seleção natural de ser um processo de cego acaso) que o Monstro de Spiegelman leva apenas alguns dias para construir-se quase do nada.

Esses experimentos ainda não são testes diretos da hipótese Mundo de RNA para a origem da vida, Em particular, ainda temos a "trapaça" da Qβ replicase que esteve presente em todo o processo. A hipótese Mundo de RNA deposita suas esperanças nos poderes catalíticos do próprio RNA. Se o RNA pode catalisar outras reações, como sabemos que ele faz, não poderia catalisar sua própria síntese? O experimento de Sumper e Luce dispensou o RNA, mas forneceu a Qβ replicase. O que precisamos é de um novo experimento que dispense também a Qβ replicase. As pesquisas continuam, e torço por resultados empolgantes. Mas agora quero passar para uma linha de pensamento ora em voga, totalmente compatível com o Mundo de RNA e com muitas outras teorias correntes sobre a origem da vida. A novidade é a localização sugerida na qual os eventos cruciais teriam ocorrido pela primeira vez. Não uma "pequena lagoa morna", mas uma "rocha quente nas profundezas" — uma eletrizante teoria que, em resumo, diz o seguinte: nossos peregrinos, para completar sua jornada e localizar sua Cantuária, terão agora de ser levados para as profundezes do subsolo, na rocha primordial. O principal inspirador dessa teoria é outro dissidente, Thomas Gold, originalmente um astrônomo, mas versátil o bastante para merecer a hoje rara distinção de "cientista geral" e ilustre o bastante para ter sido eleito membro da Royal Society de Londres e da American National Academy of Sciences.

Para Gold, nossa ênfase no Sol como principal impulsionador energético da vida pode ser um equívoco. Talvez tenhamos sido mais uma vez desencaminhados por algo que parece familiar, atribuindo novamente a nós mesmos e ao nosso tipo de vida uma centralidade no esquema das coisas que não merecemos. Houve um tempo em que os livros didáticos afirmavam que todas as formas de vida dependiam, em última análise, da luz solar. Em 1977, porém, ocorreu a espantosa descoberta de que as chaminés vulcânicas no assoalho de oceanos profundos sustentam uma estranha comunidade de criaturas que vivem sem o benefício da luz do Sol. O calor da lava incandescente eleva a temperatura da água a mais de 100°C, ainda muito abaixo do ponto de ebulição nas colossais pressões dessas profundezas. A água circundante é muito fria, e o gradiente de temperatura comanda vários tipos de metabolismo bacteriano. Essas bactérias termófilas, entre as quais está a sulfobactéria que usa sulfeto de hidrogênio saído das chaminés vulcânicas, constituem a base de elaboradas cadeias alimentares, que incluem, entre seus elos superiores, vermes tubulares cor de sangue com até três metros de comprimento, lapas, mexilhões, estrelas-do-mar, cracas, caranguejos-brancos, pitus, peixes e outros vermes anelídeos capazes de prosperar a 80°C. Existem bactérias, como vimos, que podem suportar facilmente essas temperaturas infernais, mas nenhum outro animal conhecido pode fazer o mesmo, e esses vermes poliquetas foram, por isso, apelidados de vermes de Pompeia. Algumas das sulfobactérias são abrigadas por animais, por exemplo mexilhões, e pelos enormes vermes tubulares, que adotam procedimentos bioquímicos especiais usando hemoglobina (daí sua cor de sangue) para fornecer sulfeto a suas próprias bactérias. Essas colônias de vida, baseadas em extração bacteriana de energia de chaminés vulcânicas, assombraram a todos, primeiro por existirem, depois por sua imensa riqueza, que contrasta drasticamente com as condições quase desérticas do fundo do mar circundante.

Apesar dessa descoberta sensacional, a maioria dos biólogos continua a acreditar que a vida depende do Sol. Muitos de nós supõem que as criaturas das comunidades das chaminés marinhas, por mais fascinantes que possam ser, são uma aberração rara e não representativa. Para Gold, é o contrário. Ele acha que as profundezas quentes e escuras são o lugar fundamental da vida e onde ela se originou. Não necessariamente no mar, mas talvez em rochas, profundamente no subsolo. Nós, que vivemos na luz e no ar fresco da superfície, é que somos as aberrações, as anomalias! Ele ressalta que moléculas orgânicas chamadas "hopanoides", produzidas na parede de células bacterianas, são ubíquas em rochas, e cita uma estimativa bem fundamentada para o número de hopanoides nas rochas do mundo: entre 10 trilhões e 100 trilhões de toneladas. Isso excede confortavelmente os cerca de trilhões de toneladas de carbono orgânico presente nos seres vivos da superfície.

Gold observa que as rochas são sulcadas de fendas e rachaduras que, embora sejam pequenas aos nossos olhos, fornecem mais de um 10^{21} cc de espaço quente e úmido para a vida na escala de existência bacteriana. A energia do calor e as substâncias químicas das próprias rochas seriam suficientes para sustentar números imensos de bactérias. Gold frisa que muitas bactérias prosperam a temperaturas superiores a 110ºC, e isso lhes permitiria viver em profundidades entre 5 e 10 km, uma distância que elas demorariam menos de mil anos para percorrer. É impossível comprovar essa estimativa, mas ele supõe que a biomassa de bactérias nas rochas quentes e profundas pode exceder a biomassa dos seres vivos da superfície, a vida dependente do Sol que nos é familiar.

Ao examinar a questão da origem da vida, Gold e outros salientaram que a termofilia — o gosto por altas temperaturas — não é uma raridade entre bactérias e arqueias. É coisa comum, tão comum e tão amplamente distribuída entre as linhagens bacterianas que poderia muito bem ser o estado primitivo do qual evoluíram as formas de vida frias que nos são familiares. Com respeito à química e à temperatura, as condições da superfície na Terra primitiva, que alguns cientistas chamam de Era Hadeana, eram mais parecidas com a das rochas profundas de Gold do que com as da superfície em nossos dias. É possível argumentar muito persuasivamente que, quando cavamos nas rochas em direção às profundezas, estamos cavando em direção ao passado e redescobrindo algo parecido com as condições da escaldante Cantuária da vida.

A defesa dessa ideia recebeu reforços recentes do físico anglo-australiano Paul Davies, cujo livro *O quinto milagre* resume novos fatos descobertos desde o artigo de Gold, publicado em 1992. Com escrupulosas precauções contra a contaminação da superfície, extraíram-se amostras com sonda, e várias continham bactérias hipertermófilas vivas que estavam se reproduzindo. Algumas dessas bactérias foram cultivadas com êxito... numa panela de pressão modificada! Davies, como Gold, acredita que a vida pode ter se originado nas profundezas do subsolo e que nas bactérias que ainda vivem pode haver relíquias relativamente inalteradas dos nossos ancestrais remotos. Essa ideia é especialmente atraente para nossa peregrinação, pois oferece a esperança de encontrarmos algo como a primeira bactéria, em vez das bactérias mais familiares, modificadas em função das atuais condições de luz, frio e oxigênio. Ridicularizada no início, agora a teoria da origem da vida em rochas quentes e profundas é séria candidata a entrar positivamente na moda. Se vai ou não se revelar correta é coisa que depende de mais estudo, mas confesso torcer para que ela esteja certa.

Há muitas outras teorias que deixei de analisar. Talvez um dia cheguemos a algum tipo de consenso definitivo sobre a origem da vida. Se isso ocorrer, duvido que seja fundamentado em provas diretas, pois imagino que tenham sido todas obliteradas. Em vez disso, ela será aceita porque alguém produzirá uma teoria tão elegante que, como disse em outro contexto o grande físico americano John Archibald Wheeler: "Entenderemos a ideia central de tudo isso como algo tão simples, tão belo, tão convincente que diremos uns aos outros: 'Oh, como poderia ter sido de outro modo! Como pudemos ter sido todos tão cegos por tanto tempo!'".

Se não for assim que finalmente nos daremos conta de ter a resposta para o enigma da origem da vida, acho que jamais a teremos.

O regresso do Albergueiro

O jovial albergueiro, depois de guiar Chaucer e os outros peregrinos de Londres até Cantuária e mediar seus contos, fez meia-volta e os levou direto de regresso a Londres. Eu, se agora retorno ao presente, devo ir sozinho, pois supor que a evolução seguiria duas vezes um mesmo caminho seria negar o fundamento lógico da nossa jornada retrocessiva. A evolução nunca mirou um ponto final específico. Nossa peregrinação ao passado foi uma série de fusões crescentes. Fomos tragados por grupos cada vez mais abrangentes: os grandes primatas, os primatas, os mamíferos, os vertebrados, os deuterostômios, os animais, e assim por diante, até o mais remoto ancestral de todos os seres vivos. Se agora dermos meia-volta e nos pusermos de novo a caminho, não poderemos refazer nossos passos. Isso implicaria que a evolução, se viesse a ser reencenada, seguiria o mesmo curso, pondo as mesmas fusões em marcha à ré na forma de ramificações. O fluxo da vida se ramificaria em todos os lugares "certos". A fotossíntese e o metabolismo baseado em oxigênio seriam redescobertos, a célula eucariótica se reconstituiria, células se juntariam em corpos neometazoários. Ocorreria uma nova divisão entre plantas, de um lado, e animais e fungos de outro; uma nova divisão entre protostômios e deuterostômios; a espinha dorsal seria redescoberta, assim como os olhos, orelhas, membros, sistemas nervosos... Por fim, emergiria um bípede de cérebro avantajado, com mãos hábeis guiadas por olhos voltados para a frente, culminando na proverbial seleção inglesa de críquete para derrotar os australianos.

Meu repúdio à evolução com alvo condiz com minha escolha original de contar a história do presente para o passado. No entanto, nas primeiras páginas do livro, confessei-me em busca de uma rima que me levasse a um cauteloso flerte com padrões recorrentes, com uma evolução que obedecesse a leis e seguisse uma direção à frente. Por isso, embora meu retorno como albergueiro não vá ser uma reconstituição de passos, refletirei em público sobre a possibilidade de ser apropriado fazer algo ligeiramente parecido com uma reconstituição.

A EVOLUÇÃO EM REPRISE

O biólogo teórico norte-americano Stuart Kauffman enunciou bem a questão em um artigo de 1985:

> Um modo de ressaltar nossa atual ignorância é indagar: se a evolução tornasse a ocorrer a partir do Pré-Cambriano, quando as primeiras células eucarióticas já estavam formadas, como poderiam ser os organismos dali a 1 ou 2 bilhões de anos? E se o experimento se repetisse uma infinidade de vezes, que propriedades dos organismos haveriam de surgir repetidamente, que propriedades seriam raras, que propriedades seriam fáceis para a evolução encontrar, quais seriam difíceis? Uma falha fundamental em nosso atual pensamento sobre a evolução é que ele não nos leva a fazer tais perguntas, embora as respostas possam trazer efetivamente boas intuições sobre o caráter esperado dos organismos.

Gosto especialmente da cláusula estatística de Kauffman. Ele imagina não um único experimento mental, mas uma amostra estatística de experimentos mentais em busca de leis gerais da vida, em contraste com manifestações locais de formas de vida específicas. A questão de Kauffman equivale à questão da ficção científica de como poderia ser a vida em outros planetas — exceto pelo fato de que em outros planetas as condições iniciais e prevalecentes difeririam. Em um planeta maior, a gravidade imporia todo um novo conjunto de pressões seletivas. Animais do tamanho de uma aranha não poderiam ter membros aracnídeos (que se quebrariam sob seu peso) e precisariam do apoio de fortes colunas verticais, como os troncos de árvore sobre os quais nossos elefantes se sustentam. Inversamente, em um planeta menor, animais do tamanho de um elefante, mas de constituição diáfana, poderiam deslizar e saltar sobre superfícies, como aranhas voadoras. Tais expectativas quanto à estrutura corporal se aplicariam a toda a amostra estatística de mundos de alta gravidade e a toda a amostra estatística dos mundos de baixa gravidade.

A gravidade é uma condição dada em um planeta, e a vida não pode influenciá-la. O mesmo vale para a distância do planeta à sua estrela central. E para a velocidade da rotação, que determina a duração do dia. E para a inclinação de seu eixo, a qual, em um planeta como o nosso, com órbita quase circular, é o principal determinante das estações. Em um planeta com uma órbita nada circular, como Plutão, a distância da estrela central muda drasticamente e seria um determinante muito mais significativo da sazonalidade. A presença, a distância, a massa e a órbita de uma lua ou luas exercem uma influência sutil, mas forte, sobre a vida por intermédio das marés. Todos esses fatores são dados, não influenciáveis pela vida e, portanto, devem ser tratados como constantes em sucessivas reprises do experimento mental de Kauffman.

Gerações anteriores de cientistas teriam considerado o clima e a composição química da atmosfera também como dados. Hoje sabemos que a atmosfera, especialmente seu alto teor de oxigênio e baixo teor de carbono, é condicionada pela vida. Portanto, nosso experimento mental deve admitir a possibilidade de que, em sucessivas reprises da evolução, a atmosfera possa variar sob a influência de quaisquer formas de vida que venham a evoluir. A vida poderia, desse modo, influenciar o clima e até mesmo importantes episódios climáticos, como eras glaciais e secas. Meu saudoso colega W. D. Hamilton, que acertou muitas vezes para que alguém ria dele, sugeriu que nuvens e chuva são adaptações fabricadas por microrganismos para sua própria dispersão.

Pelo que sabemos, o funcionamento íntimo da Terra não é afetado pela espuma de vida em sua superfície. Mas os experimentos mentais de reprisar a evolução deveriam admitir possíveis diferenças no curso dos eventos tectônicos e, em consequência, nas histórias das posições dos continentes. Uma questão interessante é se deveríamos supor que episódios de vulcanismo e terremotos, assim como de bombardeios do espaço, seriam os mesmos em sucessivas reprises de Kauffman. É provavelmente correto tratar a tectônica e as colisões celestes como variáveis importantes que, em média, podem ser desconsideradas se imaginarmos uma amostra estatística suficientemente grande de reprises.

Como começar a responder à questão de Kauffman? Como seria a vida se a "fita" fosse reprisada um número estatístico de vezes? Podemos reconhecer de imediato toda uma família de questões, com dificuldades sempre crescentes. Kauffman escolheu zerar o relógio no momento em que a célula eucariótica foi montada com seus componentes básicos. Mas poderíamos imaginar o processo reiniciando-se dois ou três éons antes, com a própria origem da vida. Ou, no outro extremo, poderíamos reiniciar o relógio bem mais tarde, no Concestral 1, por exemplo, nossa separação dos chimpanzés, e perguntar se nos hominídeos, em um número estatisticamente significante de reprises considerando que a vida atingira o Concestral 1, teriam evoluído o bipedalismo, o aumento do cérebro, a linguagem, a civilização e o beisebol. De permeio, temos uma questão para a origem dos mamíferos, uma para a origem dos vertebrados e um sem-número de outras questões suscitadas por Kauffman.

Afora a pura especulação, será que a história da vida, como ela realmente ocorreu, fornece alguma coisa que se assemelhe a um experimento de Kauffman para nos guiar? Sim, fornece. Encontramos vários experimentos naturais ao longo de toda a nossa peregrinação. Por acidentes felizes de prolongado isolamento geográfico, Austrália, Nova Zelândia, Madagascar, América do Sul e até a África nos dão reprises aproximadas de episódios fundamentais da evolução.

Essas massas terrestres estiveram isoladas umas das outras e do resto do mundo por partes significativas do período posterior ao desaparecimento dos dinossauros, quando o grupo dos mamíferos exibiu o máximo de sua criatividade evolutiva. O isolamento não foi total, mas bastou para favorecer os lêmures de Madagascar e as antigas e diversas irradiações de afrotérios na África. No caso da América do Sul, distinguimos três principais fundações de mamíferos, permeadas por longos períodos de isolamento. A Australiné fornece as mais perfeitas condições para esse tipo de experimento natural: seu isolamento foi quase total por boa parte do período em questão, e começou com um pequenino, e talvez único, inóculo de marsupiais. A Nova Zelândia é uma exceção, pois, única entre esses reveladores experimentos naturais, não teve mamíferos durante o período em questão.

Quando examino esses experimentos naturais, o que mais me impressiona é a similaridade com que a evolução ocorre quando lhe é permitido acontecer duas vezes. Vimos como o *Thylacinus* se parece com um cão, o *Notoryctes* com uma toupeira, o *Petaurus* com um esquilo voador, o *Thylacosmilus* com os tigres-

-dentes-de-sabre (e com vários "falsos tigres-dentes-de-sabre" entre os carnívoros placentários). As diferenças também são instrutivas. Os cangurus são substitutos saltitantes dos antílopes. O salto bípede, quando aperfeiçoado no final de uma linha de progressão evolutiva, pode ser tão veloz quanto o galope quadrúpede. Mas esses dois modos de locomoção diferem radicalmente um do outro, de tal modo que ocasionaram importantes mudanças em toda a anatomia. Presumivelmente, em alguma ramificação ancestral, qualquer uma das duas "linhagens" experimentais poderia ter seguido a rota de aperfeiçoar o salto bípede, e qualquer uma delas poderia ter aperfeiçoado o galope quadrúpede. Aconteceu — possivelmente por razões quase acidentais no início — que os cangurus se puseram a saltar de um lado, e os antílopes a galopar do outro. Hoje nos fascinamos com as divergências mostradas nos produtos finais.

Todos os mamíferos passaram por suas diferentes irradiações evolutivas aproximadamente na mesma época, em diferentes massas terrestres. Libertou-os para isso o vácuo deixado pelos dinossauros. Mas os dinossauros, em seu tempo, tiveram irradiações semelhantes, embora com notáveis omissões — por exemplo, não consigo descobrir por que aparentemente não existiram "toupeiras-dinossauros". E, antes dos dinossauros, houve ainda outros múltiplos paralelos, notavelmente entre os répteis mamaliformes, e estes também culminaram em conjuntos semelhantes de tipos.

Em minhas palestras, sempre tento responder a perguntas no final. A mais comum é: "Como poderá ser a evolução humana daqui para a frente?". É comovedor ver como meu interlocutor sempre parece imaginar que é uma questão inédita, original, e toda vez me deprimo. Pois trata-se de uma questão da qual todo evolucionista prudente se esquivará. Não se pode predizer em detalhes a evolução futura de qualquer espécie, exceto para afirmar que, estatisticamente, a maioria das espécies se extinguiu. Mas, embora não possamos prever o futuro de qualquer espécie daqui a, digamos, 20 milhões de anos, podemos predizer o conjunto geral de tipos ecológicos que existirão. Haverá herbívoros e carnívoros, comedores de folhas e comedores de grama, comedores de carne, comedores de peixes e comedores de insetos. Essas previsões de dieta pressupõem que em 20 milhões de anos ainda existirão alimentos correspondentes a tais definições. Comedores de folhas pressupõem a contínua existência de árvores. Insetívoros pressupõem insetos ou quaisquer animais invertebrados pequenos com pernas — *doodoos*, no útil termo técnico emprestado da África. Em cada categoria, herbívoros, carnívoros etc., haverá um conjunto de tamanhos. Haverá corredores, voadores, nadadores, trepadores e cavadores. As espécies não serão exatamente como as que vemos hoje, ou como as paralelas que evoluíram na Austrália ou América do Sul, ou equivalentes dos dinossauros, ou dos répteis mamaliformes. Mas haverá um conjunto semelhante de tipos, que subsistirão segundo um conjunto semelhante de modos de vida.

Se, durante os próximos 20 milhões de anos, ocorrer uma grande catástrofe e uma extinção em massa comparável à do fim dos dinossauros, podemos prever que o conjunto de ecotipos será extraído de novos pontos de partida ancestrais, e — não obstante as minhas conjecturas sobre os roedores no Encontro 10 — talvez seja dificílimo supor quais dos animais do presente fornecerão esses pontos de partida. Uma charge vitoriana (ver Ilustração 49) mostra o Professor Ictiossauro discorrendo sobre um crânio humano de algum remoto passado reciclado. Se, na época dos dinossauros, o Professor Ictiossauro houvesse discorrido sobre o catastrófico fim que os esperava, teria sido dificílimo para ele predizer que seu lugar seria ocupado pelos descendentes dos mamíferos, que na época eram pequenos e insignificantes insetívoros noturnos.

A verdade é que tudo isso diz respeito à evolução muito recente, e não a uma reprise tão prolongada como a que Kauffman imaginou. Mas decerto essas reprises recentes podem ensinar algumas lições sobre a reprodutibilidade inerente da evolução. Se a evolução inicial segue linhas semelhantes à evolução posterior, essas lições podem equivaler a princípios gerais. Meu palpite é que os princípios que aprendemos com a evolução recente desde o desaparecimento dos dinossauros valem provavelmente, em direção ao passado, pelo menos até o Cambriano, e provavelmente até a origem da célula eucariótica. Desconfio que o paralelismo das irradiações de mamíferos na Austrália, Madagascar, América do Sul, África e Ásia pode fornecer uma espécie de gabarito para respondermos às questões suscitadas por Kauffman para pontos de partida muito mais antigos, como o que ele escolheu, a origem da célula eucariótica. Mas para épocas anteriores a esse evento fundamental, a confiança evapora. Meu colega Mark Ridley, em *Mendel's demon*, conjectura que a origem da complexidade eucariótica foi um evento imensamente improvável, talvez ainda mais improvável que a própria origem da vida. Influenciada por Ridley, minha aposta é que a maioria dos experimentos mentais de reprise que começarem com a origem da vida não chegará à eucariocracia.

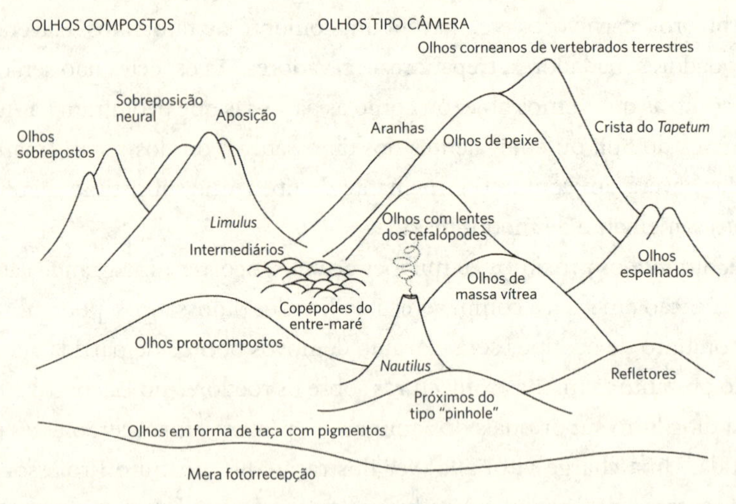

O CAMINHO QUADRAGESIMAL PARA A ILUMINAÇÃO. Paisagem da evolução do olho, por Michael Land.

Não precisamos depender da separação geográfica, como no experimento natural da Austrália, para estudar a convergência. Podemos pensar no experimento da evolução sendo reprisada não do mesmo ponto de partida em diferentes áreas geográficas, mas de pontos de partida diferentes — muito possivelmente na mesma área geográfica: convergência em animais tão desaparentados que o que nos dizem não tem relação nenhuma com separação geográfica. Estimou-se que "o olho" evoluiu independentemente entre quarenta e sessenta vezes no reino animal. Isso inspirou meu capítulo sobre o caminho quadragesimal para a iluminação em *A escalada do Monte Improvável*, e por isso não me repetirei aqui, exceto para dizer que o professor Michael Land, da Universidade de Sussex, nosso principal especialista em zoologia comparada dos olhos, reconhece nove princípios independentes de mecanismo óptico, cada qual tendo evoluído mais de uma vez. O professor fez a gentileza de elaborar para esse livro a paisagem reproduzida acima, na qual picos separados representam evoluções independentes de olhos.

Ao que parece, a vida, ao menos como a conhecemos neste planeta, é quase indecentemente sôfrega para fazer evoluir olhos (ver Ilustração 50). Podemos predizer com confiança que uma amostra estatística das reprises de Kauffman culminaria em olhos. E não apenas olhos, mas olhos compostos como os de um inseto, um lagostim ou um trilobito, e olhos tipo câmera como os nossos ou os da lula, com visão em cores e mecanismos para ajustar o foco e a abertura. E também, muito provavelmente, olhos refletores parabólicos como os da lapa, e olhos do tipo "pinhole" como os do náutilo, o temporão molusco semelhante às amonites com sua concha espiralada flutuante, que vimos no Encontro 26. E se existir vida em outros planetas pelo universo afora, uma boa aposta será a de que também haverá olhos, baseados no mesmo conjunto de princípios da óptica que conhecemos na Terra. Existe um certo número de modos de produzir um olho, e a vida como a conhecemos pode muito bem ter descoberto todos eles.

Podemos fazer o mesmo tipo de contagem para outras adaptações. A ecolocalização — o truque de emitir pulsos sonoros e orientar-se pela cronometragem dos ecos — evoluiu no mínimo quatro vezes: nos morcegos, nas baleias dentadas, nos guácharos e nos andorinhões-das-cavernas. Não tantas vezes quanto o olho, mas ainda assim com suficientes repetições para nos fazer pensar que não é tão improvável, se as condições forem certas, que essa faculdade evolua. Muito provavelmente também reprises da evolução redescobririam os mesmos princípios específicos: os mesmos truques para lidar com dificuldades. Também aqui não repetirei a exposição já feita em outro livro,* e me limitarei a resumir o que poderíamos predizer para reprises da evolução. A ecolocalização evoluiria repetidamente usando gritos em tons extremamente agudos (para melhor resolução dos detalhes do que a permitida pelos graves). Os gritos, pelo menos em algumas espécies, tendem a ser de frequência modulada, aumentando ou baixando de tom no decorrer de cada grito (a precisão melhora, pois as partes iniciais do eco são distinguíveis das partes finais por seu tom). O equipamento computacional usado para analisar os ecos pode muito bem fazer cálculos (subconscientes) baseados em mudanças na frequência dos ecos segundo o efeito Doppler, pois este sem dúvida é universalmente presente em qualquer planeta onde exista som, e os morcegos fazem uso dele com grande refinamento.

Mas como saber se algo parecido com a ecolocalização evoluiu independentemente? Examinando a árvore genealógica. Parentes dos guácharos e dos andorinhões-das-cavernas não usam ecolocalização. Os guácharos e os andorinhões-das-cavernas adotaram cada qual por si a vida espeleológica. Sabemos que neles a tecnologia evoluiu independentemente dos morcegos e baleias, pois em nenhuma outra parte da árvore genealógica em suas vizinhanças aparece a eco-

* *O relojoeiro cego*, neste caso.

localização. Diferentes grupos de morcegos podem ter desenvolvido a ecolocalização mais de uma vez de modo independente. Não sabemos quantas vezes mais a ecolocalização evoluiu. Alguns musaranhos e focas possuem uma forma rudimentar dessa capacidade (e alguns humanos cegos aprenderam-na). Será que os pterodáctilos a usavam? Como voar à noite é um bom modo de encontrar alimento, e como não existiam morcegos naquela época, isso não é improvável. O mesmo se aplica aos ictiossauros. Eles eram bem parecidos com golfinhos e supõe-se que tinham um modo de vida semelhante. Como os golfinhos usam intensivamente a ecolocalização, é razoável conjecturar que talvez os ictiossauros tenham feito o mesmo em tempos anteriores ao dos golfinhos. Não há indícios diretos, e devemos permanecer receptivos à ideia. Um fator contra: os ictiossauros tinham olhos extraordinariamente grandes — uma de suas características mais destacadas —, o que pode sugerir que dependiam da visão e não da ecolocalização. Os golfinhos têm olhos relativamente pequenos, e uma de suas mais notáveis características, a protuberância arredondada, ou "melão", acima do bico, atua como uma "lente" acústica, concentrando o som em um estreito feixe projetado diante do animal, como um holofote.

Eu, como qualquer zoólogo, posso vasculhar meu banco de dados mental do reino animal e dar uma resposta estimada a perguntas do tipo: "Quantas vezes X evoluiu independentemente?". Daria um bom projeto de pesquisa fazer essas contagens de forma mais sistemática. Podemos presumir que alguns X terão a resposta "muitas vezes", como no caso do olho, ou "algumas vezes", como no da ecolocalicação. Para outros, a resposta será "só uma vez" ou "nunca", embora eu deva dizer que destes últimos é surpreendentemente difícil encontrar exemplos. E as diferenças poderiam ser interessantes. Desconfio que encontraríamos certos caminhos evolutivos potenciais que a vida é "ávida" por seguir. Outros caminhos têm mais "resistência". Em *A escalada do Monte Improvável*, apresentei a analogia de um imenso museu que expõe todas as formas de vida, tanto reais como concebíveis, com corredores que partem em muitas dimensões representando a mudança evolutiva também real e concebível. Alguns desses corredores seriam muito abertos, quase atrativos. Outros seriam bloqueados por barreiras difíceis ou impossíveis de transpor. A evolução dispara pelos corredores fáceis, e apenas ocasionalmente, de modo inesperado, salta por sobre uma das barreiras difíceis. Retornarei à ideia da "avidez" e "relutância" quando analisarmos a "evolução da evolvabilidade".

Vejamos agora rapidamente mais alguns exemplos para os quais pode valer a pena fazer uma contagem sistemática de quantas vezes X evoluiu. O ferrão venenoso (que injeta veneno hipodermicamente através de um tubo de ponta afiada) evoluiu no mínimo dez vezes independentemente: nas águas-vivas e seus parentes, nas aranhas, escorpiões, centopeias, insetos,* moluscos (conídeos), cobras, no grupo dos tubarões (arraia-lixa), nos peixes ósseos (peixe-pedra), mamíferos (ornitorrinco macho) e plantas (urtigão). É bom apostar que o veneno, incluindo a injeção hipodérmica, evoluirá em reprises.

A produção de som para finalidades sociais evoluiu independentemente em aves, mamíferos, grilos e gafanhotos, cigarras, peixes e rãs. A eletrolocalização, o uso de campos elétricos fracos para orientação, evoluiu várias vezes, como vimos em "O conto do ornitorrinco". O mesmo vale para o uso provavelmente posterior de correntes elétricas como arma. A física da eletricidade é a mesma em todos os mundos, e poderíamos apostar com alguma confiança na evolução repetida de criaturas que exploram a eletricidade com propósitos de orientação e ofensiva.

O verdadeiro voo com bater de asas, que difere de simplesmente planar ou usar o corpo como paraquedas, parece ter evoluído quatro vezes: em insetos, pterossauros, morcegos e aves. Vários tipos de deslocamento do tipo paraquedas ou planador evoluíram independentemente muitas vezes, talvez centenas, e podem muito bem ter sido precursores do verdadeiro voo. Entre os exemplos temos lagartos, rãs, cobras, peixes "voadores", lulas, colugos, marsupiais e roedores (duas vezes). Eu apostaria um bom dinheiro no surgimento de planadores em reprises de Kauffman, e uma quantia razoável em verdadeiros voadores que batam as asas.

A propulsão a jato pode ter evoluído duas vezes. Moluscos cefalópodes usam-na, em alta velocidade no caso das lulas. O outro exemplo que me vem à mente também é um molusco, mas não veloz. As vieiras vivem principalmente no fundo do mar, mas nadam ocasionalmente. Abrem e fecham ritmicamente suas duas conchas, como castanholas. Poderíamos pensar (eu, pelo menos, pensaria) que isso as impeliria "para trás", na direção oposta à do fechamento das conchas. Na verdade, elas se movem "para frente", como se mordessem a água para avançar. Como pode ser? A resposta é que os movimentos de estalar as con-

* Nas abelhas, vespas e formigas, o ferrão é um tubo ovipositor modificado, e só as fêmeas picam.

chas bombeiam água através de duas aberturas *atrás* da articulação. Esses dois jatos impelem o animal "para a frente". É um efeito tão contrário à intuição que quase chega a ser cômico.

E quanto a coisas que evoluíram apenas uma vez, ou nunca? Como aprendemos em "O conto do *Rhizobium*", a roda, com um verdadeiro mancal de rotação livre, parece ter evoluído uma única vez, em bactérias, antes de finalmente ser inventada pela tecnologia humana. Também a linguagem parece ter evoluído só em nós — ou seja, com frequência pelo menos quarenta vezes menor do que o olho. É muito difícil pensar em "boas ideias" que tenham evoluído apenas uma vez.

Fiz esse desafio a um colega de Oxford, o entomologista e naturalista George McGavin, e ele produziu uma boa lista, mas ainda assim breve em comparação com a lista de coisas que evoluíram muitas vezes. Os besouros-bombardeiros do gênero *Brachinus* são únicos, pelo que sabe o Dr. McGavin, na capacidade de misturar substâncias químicas para gerar uma explosão. Os ingredientes são produzidos e mantidos em glândulas separadas (obviamente!). Diante de uma ameaça, eles são injetados numa câmara próxima da extremidade posterior do besouro e ali explodem, expulsando um líquido lesivo (cáustico e escaldante) através de um bocal na direção do inimigo. Esse caso é bem conhecido pelos criacionistas, que adoram citá-lo. Eles pensam que é impossível que algo assim tenha evoluído gradualmente porque os estágios intermediários explodiriam todos. Foi uma satisfação para mim demonstrar o erro desse argumento nas Conferências de Natal da Royal Institution para Crianças, que a BBC transmitiu pela televisão em 1991. Botei um capacete da Segunda Guerra Mundial, convidei os temerosos a se retirarem do recinto, e então misturei hidroquinona e peróxido de hidrogênio, os dois ingredientes da explosão do bombardeiro. Nada aconteceu. Nem morna a mistura ficou. Acontece que a explosão requer um catalisador. Elevei gradualmente a concentração do catalisador, e isso foi aumentando pouco a pouco o fervilhamento até um clímax satisfatório. Na natureza, o besouro fornece o catalisador, e ele não teria tido dificuldade alguma de aumentar a dose gradualmente e com segurança ao longo do tempo evolutivo.

O próximo da lista de McGavin é o peixe-arqueiro, da família dos toxotídeos, que talvez seja o único a disparar um míssil para derrubar presas à distância. Ele sobe à superfície e cospe água em um inseto que está pousado nas proximidades, derruba-o na água e o come. O outro possível candidato a predador "derrubador" pode ser a formiga-leão. Ela é a larva de um inseto da ordem dos neurópteros. Como muitas larvas, não se parece nem um pouco com o inseto adulto. Tem mandíbulas colossais, boas para figurar em filmes de terror. Cada formiga-leão espreita logo abaixo da superfície da areia, na base de uma armadilha cônica: um buraco onde ela se enterra. Ela cava jogando vigorosamente a areia para fora, a partir do centro — causando minideslizamentos de terra pelos lados de seu fosso; as leis da física fazem o resto do trabalho, moldando direitinho o cone. Presas, geralmente formigas, despencam no fosso e escorregam pelas laterais íngremes, caindo direto nas mandíbulas da formiga-leão. A possível semelhança com o peixe-arqueiro está no fato de as presas não caírem só passivamente. Algumas são derrubadas no fosso pelas partículas de areia. Mas não são alvejadas com a precisão da cusparada do peixe-arqueiro, a qual é guiada, com devastadora pontaria, por olhos de foco binocular.

A aranha-cuspideira, da família *Scytodidae*, também é um tanto diferente. Como não tem a ligeireza da aranha-lobo nem a teia de uma aranha tecedeira, ela lança um visgo venenoso a uma certa distância na direção da presa, que fica grudada no chão até a aranha alcançá-la e matá-la a mordidas. Essa técnica difere da usada pelo peixe-arqueiro, que derruba e nocauteia as presas. Vários animais, como as cobras que cospem veneno, cospem para defender-se e não para capturar presas. A aranha-boleadeira, *Mastophora*, é outra que difere e provavelmente constitui mais um caso único. Poderíamos dizer que ela lança um míssil contra a presa (mariposas, atraídas pelo falso odor sexual de mariposas-fêmeas, sintetizado pela aranha). Mas o míssil, uma bola de seda, fica ligado a um fio de seda que a aranha enrola como um laço (ou boleadeira), trazendo a presa para si. Os camaleões, poderíamos afirmar, cospem mísseis nas presas. O míssil é um pesado espessamento na ponta da língua, que de resto é muito mais fina e lembra mais ou menos uma corda de puxar arpão. A ponta da língua é tecnicamente balística, ou seja, é projetada livremente, ao contrário da ponta da nossa língua. Mas nesse aspecto os camaleões não são únicos. Algumas salamandras também lançam a ponta da língua na direção das presas, e seu míssil (mas não o do camaleão) contém parte do esqueleto. Ela é disparada como uma semente de melão quando apertada entre os dedos.

O próximo candidato de McGavin à exclusividade evolutiva é uma beldade: a aranha-mergulhadora, *Argyroneta aquatica*. Ela vive e caça totalmente submersa, mas, como os golfinhos, dugongos, tartarugas, lesmas de água doce e outros animais terrestres que voltaram para a água, a *Argyroneta* precisa respirar ar. Só que, ao contrário desses outros exilados, ela constrói seu próprio sino de mergulhador. Tece-o com seda (material que é a solução universal para qualquer problema aracnídeo) ligada a uma planta subaquática. A aranha sobe à superfície para coletar ar, transportando-o, como fazem algumas baratas-d'água, numa camada que fica presa entre os pelos de seu corpo. Mas ao contrário das baratas-d'água, que se limitam a carregar o ar como um cilindro de mergulho por onde quer que andem, a aranha leva-o para seu sino e lá o descarrega para reabastecer o estoque. A aranha fica no sino à espera de presas e, quando as apanha, armazena-as e as come no próprio sino.

Mas o exemplo campeão de ineditismo apontado por George McGavin é a larva de uma mutuca chamada *Tabanus*. As poças d'água na qual essas larvas vivem e se alimentam, previsivelmente na África, acabam secando por completo. Cada larva enterra-se na lama e se transforma em pupa. A mutuca adulta emerge da lama crestada e sai voando para alimentar-se de sangue, até por fim completar o ciclo pondo ovos em poças de água quando voltam as chuvas. A larva enterrada fica vulnerável a um perigo provável: a lama rachar-se ao secar, e a rachadura passar justamente por seu refúgio. Ela poderia, teoricamente, salvar-se caso conseguisse dar um jeito para que qualquer rachadura que se aproximasse fosse desviada. E é isso mesmo que ela faz, de um modo fascinante e provavelmente único. Antes de se enterrar em sua câmara de pupa, a larva abre caminho em espiral na lama. Depois volta à superfície espiralando-se na direção oposta. Por fim, ela mergulha na lama diretamente através do centro entre as duas espirais, e esse será seu local de descanso durante os tempos difíceis, até o regresso das águas. E então, o leitor percebe o que isso significa? A larva fica envolta num cilindro de lama cuja fronteira circular foi enfraquecida de antemão pelo enterramento em espiral. Isso significa que quando uma rachadura serpenteia pela lama seca, se por acaso atingir a borda da coluna cilíndrica, em vez de cortá-la pelo meio a rachadura a contornará em curva, acompanhando a borda do cilindro, e a larva será poupada. É o mesmo efeito das perfurações de um selo, que nos impedem de rasgá-lo pelo meio. O Dr. McGavin supõe que esse engenhoso truque é exclusivo desse gênero de mutuca.*

Será que existem boas ideias que *nunca* evoluíram por seleção natural? Pelo que eu saiba, nunca evoluiu em animal algum deste planeta um órgão de trans-

* Esse hábito foi descrito pela primeira vez por W. A. Lambourn (ver página 720).

missão ou recepção de ondas de rádio para comunicação de longa distância. O uso do fogo é outro exemplo. A experiência humana demonstra a imensa utilidade que ele pode ter. Existem algumas plantas cujas sementes precisam de fogo para germinar, mas a meu ver isso não é usar no mesmo sentido que, por exemplo, a enguia elétrica usa eletricidade. O uso de metal para fins esqueléticos é outro exemplo de uma boa ideia que nunca evoluiu exceto em artefatos humanos. Presumivelmente, é difícil obtê-lo sem fogo.

Esse tipo de exercício comparativo, contar as coisas que evoluem com frequência e as que evoluem raramente, quando o fazemos junto com as comparações geográficas já mencionadas, poderia permitir-nos predizer coisas a respeito da vida fora deste planeta, e também fazer suposições sobre o resultado provável de experimentos mentais como os de Kauffman em reprises da evolução. Sem dúvida, esperamos que olhos, orelhas, asas e órgão elétricos evoluam, mas não, talvez, explosões como as do besouro-bombardeiro ou as balas aquáticas do peixe-arqueiro.

Os biólogos que poderíamos considerar seguidores do falecido Stephen Jay Gould acham que toda a evolução, inclusive a pós-cambriana, é imensamente contingente — fortuita, de repetição improvável numa reprise de Kauffman. Descrevendo-o como "voltar a fita da evolução", Gould desenvolveu independentemente o experimento mental de Kauffman. A chance de qualquer coisa remotamente parecida com humanos surgir em uma reprise é amplamente vista como ínfima, quase nula, e Gould defendeu esse argumento de forma persuasiva em *Vida maravilhosa*. Foi essa ortodoxia que me levou a estabelecer a cautelosa regra do comedimento expressa em meu capítulo de abertura; aliás, que me levou a fazer a peregrinação retrocessiva, e que agora me leva a abandonar meus companheiros peregrinos em Cantuária e voltar sozinho. Ainda assim... há tempos me pergunto se a intimidante ortodoxia da contingência não terá ido longe demais. Minha resenha de *Full House*, de Gould (reproduzida em *O capelão do diabo*), defendeu a ideia impopular do progresso na evolução: não progresso em direção à humanidade — Darwin me livre! —, mas progresso em direções que sejam pelo menos previsíveis o suficiente para justificar o termo. Como procurarei mostrar logo adiante, o conjunto cumulativo de adaptações complexas, como olhos, por exemplo, sugere fortemente uma versão de progresso, em especial quando associado, em imaginação, a alguns dos fascinantes produtos da evolução convergente.

A evolução convergente também inspirou o geólogo de Cambridge Simon Conway Morris, cujo provocativo livro, *Life's solution: inevitable humans in a lonely universe*, defende exatamente o argumento oposto ao da "contingência" de Gould. O subtítulo de Conway, "humanos inevitáveis em um universo solitário", tem um sentido que não está longe do literal. Conway realmente acha que uma reprise da evolução resultaria numa segunda vinda do homem, ou em algo extremamente parecido com um ser humano. E, para uma tese assim impopular, ele monta uma argumentação desafiadoramente corajosa. As duas testemunhas que ele convoca várias vezes são a convergência e a restrição.

A convergência nós já encontramos vezes sem conta ao longo deste livro, inclusive neste capítulo. Problemas semelhantes requerem soluções semelhantes, não apenas duas ou três vezes, mas, em muitos casos, dezenas de vezes. Eu me achava extremista em meu entusiasmo pela evolução convergente, mas encontrei um bom páreo em Conway Morris, que apresenta uma espantosa série de exemplos, muitos dos quais eu nunca encontrara antes. Contudo, enquanto costuma explicar a convergência invocando pressões seletivas semelhantes, Conway Morris acrescenta o depoimento de sua segunda testemunha, a restrição. As matérias-primas da vida e os processos de desenvolvimento embriônico permitem apenas um conjunto limitado de soluções para determinado problema. Dada qualquer situação inicial evolutiva específica, existe um número limitado de soluções criativas. Assim, se duas reprises de um experimento Kauffman deparam com pressões seletivas semelhantes, as restrições ao desenvolvimento intensificarão a tendência a chegar à mesma solução.

Já se vê como um advogado hábil poderia usar essas duas testemunhas em defesa da ousada crença de que uma reprise da evolução teria decididamente boa probabilidade de convergir para um bípede de cérebro grande com um par de mãos jeitosas, olhos tipo câmera apontados para a frente e outras características humanas. Infelizmente isso aconteceu uma única vez neste planeta, mas suponho que tenha de haver uma primeira vez. Admito que me impressionei com o argumento paralelo de Conway Morris em favor da evolução de insetos.

Entre as características definidoras dos insetos, temos: exoesqueleto articulado, olhos compostos, andar característico sobre seis pernas, com três delas sempre no chão, definindo um triângulo (duas de um lado, uma do outro), o que mantém o animal estável, tubos respiratórios conhecidos como traqueias que servem para levar oxigênio ao interior do animal por aberturas especiais (espiráculos) ao longo das laterais do corpo e, para completar a lista de características evolutivas, a repetida evolução (onze vezes, independentemente!) de complexas colônias eussociais, como no caso das abelhas. Todas muito estranhas? Todas exclusividades na grande loteria da vida? Pelo contrário: são todas convergentes.

Conway Morris analisa essa lista, mostrando que cada item evoluiu mais de uma vez em diferentes partes do reino animal, em muitos casos diversas vezes, inclusive várias delas independentemente em insetos. Se para a natureza é tão fácil fazer evoluir separadamente as partes componentes do que constitui um inseto, não é implausível que toda a coleção evoluísse duas vezes. Sou tentado pela suposição de Conway Morris de que devemos parar de considerar a evolução convergente uma raridade pitoresca a ser notada e admirada quando a encontramos. Talvez devamos passar a vê-la como a regra, cujas exceções causem surpresa. Por exemplo, a verdadeira linguagem sintática parece ser exclusiva de uma espécie, a nossa. Talvez — e voltarei a esse ponto — se trate de uma coisa que estaria ausente em um bípede com cérebro grande que reevoluísse?

No primeiro capítulo, "A arrogância da interpretação *a posteriori*", mencionei os alertas contra a busca de padrões, rimas ou razões na evolução, mas disse que flertaria cautelosamente com essas coisas. "O regresso do Albergueiro" me dá a oportunidade de fazer um apanhado de todo o curso da evolução na direção progressiva e ver que padrões podemos discernir. A ideia de que toda a evolução se destinava a produzir o *Homo sapiens* certamente foi bem rejeitada, e nada do que vimos em nossa jornada retrocessiva a reabilita. Até Conway Morris afirma apenas que alguma coisa *aproximadamente* semelhante ao nosso *tipo* de animal seria um dos vários resultados — entre os outros estão os insetos, por exemplo — que esperaríamos ver repetir-se caso a evolução fosse reprisada várias vezes.

PROGRESSO LIVRE DE VALOR E CARREGADO DE VALOR

Que outros padrões ou rimas discernimos ao examinar nossa longa peregrinação? A evolução é progressiva? Existe pelo menos uma definição razoável de progresso segundo a qual eu defenderia essa ideia. Preciso elaborar o que acabo de dizer. Para começar, progresso pode ser definido, de um modo fraco, minimalista e sem juízo de valor, como a continuação previsível no futuro de tendências do passado. O crescimento de uma criança é progressivo no sentido de que quaisquer tendências que observemos na altura, peso e outras medidas ao longo de um ano continuam no ano seguinte. Não há juízo de valor nessa definição fraca de progresso. O crescimento de um câncer é progressivo exatamente nesse sentido fraco. O mesmo vale para a redução de um câncer mediante terapia. O que, então, *não seria* progressivo no sentido fraco? A flutuação aleatória, a esmo: o tumor cresce um pouco, reduz-se um tanto, aumenta muito, encolhe um pouquinho, cresce um pouco, reduz-se muito, e assim por diante. Uma tendência progressiva é aquela na qual não ocorrem reversões ou, caso ocorram, elas são superadas em número e importância por movimento na direção dominante. Em uma sequência de fósseis datados, progresso nesse sentido neutro em valor significaria simplesmente que qualquer tendência anatômica que vemos ao passar dos iniciais para os intermediários prossegue como tendência do intermediários para os posteriores.

Devo agora esclarecer a distinção entre progresso neutro em valor e progresso carregado de valor. O progresso no sentido fraco que acabei de definir é neutro em valor. Mas, para a maioria das pessoas, progresso é algo carregado de valor. O médico, quando traz a notícia de que o tumor regrediu com a quimioterapia, anuncia satisfeito: "Estamos progredindo". De modo geral, os médicos não olham a radiografia de um tumor que aumentou com várias metástases e anunciam que o tumor está progredindo, embora facilmente pudessem fazê-lo. Isso seria carregado de valor, mas de valor negativo. O termo "progressista", nos assuntos políticos ou sociais, costuma referir-se à tendência que o falante considera desejável. Examinamos a história humana e consideramos progressistas as seguintes tendências: abolição da escravidão, ampliação do direito de voto, redução da discriminação racial ou sexual, diminuição da pobreza e da doença, aumento do saneamento público, redução da poluição atmosférica, aumento da educação. Uma pessoa com certas ideias políticas poderia ver pelo menos algumas dessas tendências como carregadas de valor negativo e ter saudade do tempo em que as mulheres ainda não podiam votar nem entrar desacompanhadas no restaurante do clube. Mas ainda assim as tendências são progressistas em mais do que apenas o sentido fraco, minimalista e neutro em valor que definimos primeiro. Elas são progressistas segundo algum sistema de valores específico, mesmo se este não for compartilhado por mim ou pelo leitor.

É assombroso, mas faz apenas cem anos que os irmãos Wright conseguiram voar pela primeira vez numa máquina motorizada mais pesada do que o ar. A história da aviação desde 1903 tem sido inconfundivelmente progressista, e a uma velocidade espantosa. Apenas 42 anos depois, em 1945, Hans Guido Mutke, da Luftwaffe, rompeu a barreira do som em um jato de combate Messerschmitt.* Mais 24 anos, e o homem estava andando na Lua. O fato de que não se fazem mais caminhadas lunares, assim como o de que o único serviço supersônico de transporte de passageiros foi desativado, são reversões impostas pela economia em uma tendência geral que é inquestionavelmente progressiva. Os aviões voam cada vez mais rápido e estão progredindo nos mais variados aspectos ao mesmo tempo. Boa parte desse progresso não condiz com os valores de todos — por exemplo, com os desafortunados que vivem sob uma rota de voo. E boa parte do progresso na aviação é impulsionada por necessidades militares. Mas ninguém negaria a existência de um conjunto de valores coerentemente expressivo, que ao menos algumas pessoas de mente sã poderiam apoiar, segundo o qual até mesmo aviões de combate, bombardeiros e mísseis guiados melhoraram progressivamente ao longo de todo o século decorrido desde o voo dos irmãos Wright. O mesmo se pode dizer sobre todas as outras formas de transporte, aliás sobre outras formas de tecnologia, incluindo, sobretudo, os computadores.

Devo repetir que, quando chamo isso de progresso carregado de valor, não estou afirmando que os valores necessariamente têm sinal positivo, seja para o leitor, seja para mim. Como acabei de mencionar, boa parte do progresso tecnológico do qual estamos falando é impulsionada por fins militares, para os quais ele contribui. Poderíamos racionalmente concluir que o mundo era um lugar melhor antes dessas invenções virem à luz. Neste sentido, "progresso" é carregado de valor com sinal negativo. Mas ainda assim é carregado de valor num sentido importante, que vai além da minha primeira definição minimalista de progresso livre de valor, como qualquer tendência no futuro continuada do passado. O desenvolvimento de armas, da pedra para a lança, o arco e flecha, a espingarda de pederneira, o mosquete, o fuzil, a metralhadora, a granada, a bomba atômica até as bombas de hidrogênio de megatonelagem sempre crescente, representa progresso segundo o sistema de valores de *alguém*, mesmo que não seja o seu e o meu — do contrário, a pesquisa e o desenvolvimento para produzi-las não teria sido levada a cabo.

* O pioneirismo de Mutke é contestado. De qualquer modo, o primeiro a fazê-lo não foi o major Chuck Yeager, da Força Aérea dos Estados Unidos, em 1947, como se ensina aos patriotas norte-americanos. Um civil dos EUA, George Welch, realizou o feito duas semanas antes de Mutke.

A evolução mostra progresso não só no sentido fraco, livre de valor. Há episódios de progresso carregado de valor, segundo pelo menos alguns sistemas de valor totalmente plausíveis. Como estamos falando em armamentos, é um bom momento para ressaltar que os exemplos mais conhecidos provêm da corrida armamentista entre predadores e presas.

O primeiro uso do termo "corrida armamentista" listado no *Oxford English dicitionary* é de *Hansard*, em 1936 (ata da Câmara dos Comuns): "Esta Casa não pode concordar com uma política que, na prática, busca a segurança exclusivamente em armamentos nacionais e intensifica a ruinosa corrida armamentista entre as nações, conduzindo inevitavelmente à guerra".

O jornal *Daily Express*, em 1937, com o cabeçalho "Corrida armamentista preocupa", disse: "Todos se preocupavam com a corrida armamentista". Não demorou para que o tema encontrasse expressão na literatura da biologia evolutiva. Hugh Cott, em seu clássico *Adaptive coloration in animals*, publicado em 1940, em plena ebulição da Segunda Guerra Mundial, escreveu:

> Antes de afirmar que a aparência enganosa de um gafanhoto ou borboleta é desnecessariamente detalhada, primeiro devemos verificar quais são os poderes de percepção e discriminação dos inimigos naturais desses insetos. Não fazê-lo é como dizer que a blindagem de um cruzador é pesada demais ou que seu conjunto de canhões é demasiado grande,* sem investigar a natureza e eficácia do armamento do inimigo. O fato é que, na primeva luta da selva, assim como nos refinamentos da guerra civilizada, vemos em progresso uma grande corrida armamentista evolutiva — cujos resultados, para a defesa, manifestam-se em recursos como velocidade, estado de alerta, couraça, espinescência, hábitos subterrâneos, hábitos noturnos, secreções venenosas, gosto nauseante e coloração procríptica, aposemática e mimética; e, para o ataque, em atributos compensadores como velocidade, surpresa, emboscada, atração, acuidade visual, garras, dentes, ferrões, presas venenosas e coloração anticríptica e atrativa. Assim como a velocidade do perseguido desenvolveu-se em relação a um aumento na velocidade do perseguidor, ou uma couraça defensiva em relação a armas ofensivas, também a perfeição de recursos de disfarce evoluiu em resposta a poderes crescentes de percepção.

* Tom Lehrer, provavelmente o mais espirituoso compositor de canções cômicas de todos os tempos, incluiu a seguinte orientação musical no cabeçalho de uma de suas partituras para piano: "Um pouco rápido demais".

Meu colega de Oxford, John Krebs, e eu examinamos toda a questão da corrida armamentista evolutiva em um trabalho apresentado à Royal Society em 1979. Salientamos que os aperfeiçoamentos que podemos observar em uma corrida armamentista animal relacionam-se ao equipamento para sobreviver, e não a melhoras generalizadas na sobrevivência em si — e por uma razão interessante. Numa corrida armamentista entre ataque e defesa, pode haver episódios durante os quais um lado ou o outro obtém uma vantagem temporária. Em geral, porém, aperfeiçoamentos de um lado anulam aperfeiçoamentos do outro. Existe, inclusive, algo um tanto paradoxal nas corridas armamentistas. Elas são economicamente onerosas para ambos os lados, e, no entanto, não há benefício líquido nem para um nem para outro, porque os ganhos potenciais de um lado são neutralizados pelos ganhos do outro. De um ponto de vista econômico, seria mais vantajoso para ambos os lados chegar a um acordo e cancelar a corrida armamentista. Em um extremo absurdo, as espécies que são presas poderiam sacrificar uma fração do total de seus espécimes para que, em troca, o resto pudesse pastar com tranquilidade e segurança. Nem predadores nem presas precisariam desviar recursos valiosos para músculos que lhes permitissem correr velozmente, sistemas sensitivos para detecção de inimigos, vigilância e caçadas prolongadas que tomam tempo e são estressantes para ambos os lados. Tanto uns como outros se beneficiariam se um acordo sindical desse tipo pudesse ser firmado.

Infelizmente, a teoria darwiniana não conhece nenhuma rota que pudesse permitir tal coisa. Em vez disso, cada lado despeja recursos na competição interna entre seus membros para superarem-se uns aos outros, e nos dois lados os indivíduos são forçados a difíceis *trade-offs* econômicos em suas próprias economias corporais. Se não existissem predadores, os coelhos poderiam dedicar todos os seus recursos econômicos e todo o seu valioso tempo a alimentar-se e reproduzir-se, produzindo mais coelhos. Mas são obrigados a devotar um tempo substancial a manter-se alerta contra predadores, e consideráveis recursos econômicos a aperfeiçoar seu equipamento de fuga. Por sua vez, isso força os predadores a alterar o balanço de seu investimento econômico em detrimento do fundamental interesse reprodutivo e em favor do aperfeiçoamento de suas armas para capturar presas. As corridas armamentistas, tanto na evolução animal como na tecnologia humana, evidenciam-se não em um melhor desempenho, mas na crescente transferência de investimento econômico em aspectos alternativos da vida para os propósitos da própria corrida armamentista.

Krebs e eu reconhecemos assimetrias em corridas armamentistas que podem resultar em um lado transferindo mais recursos econômicos do que o outro para a corrida. Apelidamos um desses desequilíbrios de "Princípio da Vida/Jantar". Esse nome foi inspirado na fábula de Esopo na qual o coelho corre mais rápido do que a raposa porque precisa salvar a vida enquanto a raposa quer apenas obter seu jantar. Há uma assimetria no custo do fracasso. Na corrida armamentista entre os chupins e seus hospedeiros, cada chupim pode, com confiança, dizer-se herdeiro de uma linha ininterrupta de ancestrais que literalmente nunca fracassaram em ludibriar pais adotivos para sua prole. Um indivíduo da espécie hospedeira, por sua vez, pode ter muitos ancestrais que nunca viram um chupim e muitos que encontraram um e foram por ele logrados. Muitos genes para fracassar na detecção e eliminação de chupins foram transmitidos ao longo das gerações da espécie hospedeira. Mas genes que causam o fracasso dos cucos em enganar hospedeiros correm muito mais riscos ao longo das gerações. Essa assimetria de riscos favorece outra: a assimetria nos recursos dedicados à corrida armamentista em detrimento de outras partes da economia da vida. Reitero esse fato importante: o custo do fracasso é mais alto para os chupins do que para os hospedeiros. Isso leva a assimetrias no modo como os dois lados ajustam sua balança entre as demandas concorrentes de seu tempo e outros recursos econômicos.

As corridas armamentistas são inevitavelmente progressivas em um grau altíssimo não encontrado, por exemplo, na adaptação evolutiva ao clima. Para um indivíduo de qualquer geração, os predadores e parasitas simplesmente dificultam a vida, tanto quanto o clima adverso. Mas ao longo do tempo evolutivo há uma diferença crucial. Ao contrário do clima, que flutua aleatoriamente, predadores e parasitas (assim como presas e hospedeiros) estão, eles próprios, evoluindo numa direção sistemática — piorando sistematicamente, do ponto de vista de suas vítimas. Em contraste com o acompanhamento evolutivo de eras glaciais e secas, as tendências das corridas armamentistas do passado podem ser extrapoladas para o futuro, e elas são carregadas de valor no mesmo sentido dos aperfeiçoamentos tecnológicos em aviões e armas. Os olhos dos predadores ganham acuidade, embora não necessariamente se tornem mais eficazes, pois as presas tornam-se mais difíceis de ser enxergadas. A velocidade da corrida aumenta progressivamente em ambos os lados, embora os benefícios em geral sejam anulados por melhoras paralelas no outro lado. Os dentes de sabre tornam-se mais afiados e longos enquanto o couro fica mais resistente. Toxinas ganham nocividade à medida que os truques bioquímicos para neutralizá-las se sofisticam.

Com o passar do tempo evolutivo, a corrida armamentista progride. Todas as características da vida que um engenheiro humano admiraria como complexas e elegantes tornam-se mais complexas, mais elegantes e mais conducentes à ilusão do desígnio.* Em *A escalada do Monte Improvável*, distingui "design" de "designoide". Espetaculares façanhas de engenharia designoide, como o olho do bútio, a orelha do morcego, o aparelho musculoesquelético de um guepardo ou de uma gazela, são, todas, produtos culminantes de corridas armamentistas evolutivas entre predadores e presas. Corridas armamentistas entre parasitas e hospedeiros têm culminâncias designoides ainda mais refinadamente entrelaçadas e coadaptativas.

E agora vem um aspecto importante. A evolução de qualquer órgão designoide complexo em uma corrida armamentista tem de ter sido produzida por um grande número de passos de uma evolução progressiva. Essa evolução qualifica-se como progressiva pela nossa definição porque cada mudança tende a continuar na direção de suas antecessoras. Como saber se há muitos passos e não apenas um ou dois? Pela teoria elementar da probabilidade. As partes de uma máquina complexa, como a orelha do morcego, poderiam ser rearranjadas aleatoriamente de 1 milhão de maneiras antes se toparmos com outro arranjo capaz de ouvir tão bem quanto a orelha real. Isso é estatisticamente improvável, e não só no enfadonho sentido de que qualquer arranjo específico de partes é tão improvável quanto qualquer outro quando analisado retrospectivamente. Pouquíssimas permutações de átomos resultam em instrumentos auditivos de precisão. Uma orelha de morcego real é uma em 1 milhão. Ela funciona. Algo tão estatisticamente improvável não pode, sensatamente, ser explicado como resultado de um só golpe de sorte. Tem de ter sido construído por algum tipo de processo gerador de improbabilidades, movido, passo a passo, pelo que Daniel Dennett chama de "guindaste" (para contrastar com o gancho "suspenso do céu"). Os únicos guindastes que a ciência conhece (e que eu aposto serem os únicos que já existiram ou existirão no universo) são o design e a seleção. O design explica a eficiente complexidade dos microfones. A seleção natural explica a eficiente complexidade da orelha do morcego. Em última instância, a seleção explica também os micro-

* Palavras de Hume: "Todas essas várias máquinas, e até mesmo suas minúsculas peças, são ajustadas umas às outras com uma precisão que arrebata de admiração todo homem que alguma vez as contemplou".

fones e tudo que foi projetado, pois os projetistas dos microfones são, eles próprios, engenheiros que resultam de um processo de evolução por seleção natural. Em última análise o design não pode explicar coisa alguma, pois ocorre uma inevitável regressão ao problema da origem do "designer".

Design e seleção natural são, ambos, processos de aperfeiçoamento gradual, progressivo, passo a passo. A seleção natural, pelo menos, não poderia ser outra coisa. No caso do design, ele pode ou não ser uma questão de princípio, mas é um fato observado. Os irmãos Wright não tiveram um clarão inspirador e prontamente construíram um *Concorde* ou um bombardeiro *Stealth*. Construíram um caixote rangente que mal se ergueu do chão e logo despencou desastradamente num campo vizinho. De Kitty Hawk, a cidade onde eles fizeram seu primeiro voo, a Cabo Canaveral, sede do Centro Espacial da Nasa, cada passo do caminho foi construído com base em seus predecessores. O aperfeiçoamento é gradual, passo a passo na mesma direção contínua, de modo condizente com nossa definição de progressivo. Poderíamos, com dificuldade, imaginar um gênio vitoriano projetando um míssil Sidewinder totalmente formado em sua cabeça zeusiana de costeletas e suíças. Tal ideia desafia o senso comum e toda a história, mas não se exclui instantaneamente pelas leis da probabilidade como seria o caso da evolução espontânea de um morcego moderno voador e ecolocalizador.

Um único salto macromutacional de ancestral terrícola para morcego voador e ecolocalizador está fora de questão, assim como podemos confiantemente excluir o acaso quando um mágico adivinha a ordem completa de um maço de cartas embaralhadas. A sorte não é impossível em nenhum desses casos. Mas nenhum bom cientista poderia apresentar uma sorte assim prodigiosa como explicação. A proeza da adivinhação do baralho tem de ser um truque — todos nós já vimos truques que fazem pasmar os não iniciados. A natureza não se empenha em nos lograr, como faz um mágico. Mas ainda assim podemos excluir a sorte, e foi a genialidade de Darwin que decifrou a prestidigitação da natureza. O morcego ecolocalizador é resultado de uma série infinitesimal de pequenos aperfeiçoamentos, cada qual somando-se cumulativamente aos seus predecessores e impelindo a tendência evolutiva na mesma direção. Isso é progresso, por definição. O argumento aplica-se a todos os objetos biológicos complexos que projetam a ilusão de design e são, portanto, estatisticamente improváveis numa direção específica. Todos têm de ter evoluído progressivamente.

O albergueiro que regressa, agora imperturbavelmente sensível a temas fundamentais da evolução, toma nota do progresso como um deles. Mas o progresso desse tipo não é uma tendência uniforme e inexorável por todo o caminho, do começo da evolução até o presente. Na verdade, retomando aqui a citação inicial de Mark Twain sobre a história, ele rima. Notamos um episódio de progresso no decorrer de uma corrida armamentista. Mas essa corrida armamentista específica chega ao fim. Talvez um dos lados seja levado à extinção pelo outro. Ou ambos os lados se extingam, quem sabe em razão de uma catástrofe em massa, como a que abateu os dinossauros. E então todo o processo recomeça, não do zero, mas de alguma parte anterior discernível da corrida armamentista. O progresso na evolução não é uma escalada única, mas tem uma trajetória rítmica, mas parecida com os dentes de um serrote. Um serrote fez um corte profundo no fim do Cretáceo, quando o último dinossauro abruptamente deu lugar à nova e espetacular escalada de evolução progressiva dos mamíferos. Mas houve inúmeras serradelas menores durante o longo reinado dos dinossauros. E os mamíferos, desde sua imediata ascensão pós-dinossauros, também tiveram corridas armamentistas menores seguidas por extinções, que por sua vez foram seguidas por renovadas corridas armamentistas. Corridas armamentistas rimam com corridas armamentistas anteriores, em arrancadas periódicas de evolução progressiva em muitos passos.

EVOLVABILIDADE

Isso é tudo o que quero dizer sobre as corridas armamentistas como impulsionadoras do progresso. Que outras mensagens do passado traz o albergueiro em seu retorno ao presente? Bem, preciso mencionar a pretensa distinção entre macroevolução e microevolução. Digo "pretensa" porque sou de opinião que a macroevolução (a evolução na grande escala de milhões de anos) é simplesmente o que se obtém quando se permite à microevolução (a evolução na escala da duração de vidas individuais) prosseguir por milhões de anos. A visão contrária diz que a macroevolução é algo qualitativamente diferente da microevolução. Nenhuma dessas concepções é tola. Tampouco são necessariamente contraditórias. Como é muito comum, tudo depende do que se quer dizer.

Podemos usar mais uma vez a analogia com o crescimento de uma criança. Imagine uma discussão sobre uma pretensa distinção entre macrocrescimento e microcrescimento. Para estudar o macrocrescimento, pesamos a criança a cada poucos meses. Todo aniversário, encostamo-la na porta e traçamos a lápis uma linha para marcar sua altura. De forma mais científica, poderíamos medir várias partes do seu corpo, por exemplo, o diâmetro da cabeça, a largura dos ombros, o comprimento dos principais ossos dos membros, e plotar esses dados num gráfico, relacionando-os uns aos outros, talvez logaritmicamente transformados pelas razões expostas em "O conto do Homem Habilidoso". Registramos também eventos importantes no desenvolvimento, como o surgimento de pelos púbicos, ou os primeiros sinais de seios e menstruação nas meninas e de pelos faciais nos meninos. Essas são as mudanças que constituem o macrocrescimento, e nós as medimos em uma escala temporal de anos ou meses. Nossos instrumentos não são sensíveis o bastante para captar as mudanças diárias e horárias no corpo — o microcrescimento —, as quais, quando somadas depois de meses, constituem o macrocrescimento. Ou, curiosamente, eles podem ser sensíveis demais. Uma máquina de pesagem muito precisa poderia, teoricamente, registrar o crescimento horário, mas o delicado sinal é ofuscado por aumentos perturbadores no peso a cada refeição e por diminuições a cada ato de excreção. Os atos de microcrescimento propriamente ditos, que consistem, todos, em divisões celulares, não produzem nenhum impacto imediato no peso, e causam um impacto não detectável nas medidas brutas do corpo.

Quer dizer que o macrocrescimento é a soma dos numerosos pequenos episódios de microcrescimento? Sim. Mas também é verdade que as diferentes escalas temporais impõem métodos totalmente distintos de estudo e hábitos de pensamento. Microscópios que examinam células não são apropriados para estudar o desenvolvimento infantil no nível do corpo inteiro. E balanças e fitas métricas não se prestam ao estudo da multiplicação celular. As duas escalas temporais exigem, na prática, métodos de estudo e hábitos de pensamento radicalmente diferentes. Pode-se dizer o mesmo sobre a macro e a microevolução. Se os termos forem empregados para denotar diferenças no melhor modo de estudá-las, não vou brigar por causa de uma distinção prática entre microevolução e macroevolução. Mas brigarei com quem elevar essa distinção prática muito rotineira a uma importância quase — ou mais do que quase — mística. Há quem pense que a teoria darwiniana da evolução por seleção natural explica a microevolução, mas é, em princípio, impotente para explicar a macroevolução, a qual, consequentemente, demandaria um ingrediente extra — em casos extremos, um ingrediente extra *divino*!

Infelizmente, esse anseio por ganchos suspensos do céu recebe ajuda e conforto de cientistas de verdade, que fazem tal coisa involuntariamente. Discuti a teoria do "equilíbrio pontuado" em outros textos, com muita frequência e abrangência para repetir-me neste livro.* Por isso, acrescentarei apenas que seus defensores geralmente vão além e propõem um "desacoplamento" fundamental entre micro e macroevolução. Trata-se de uma inferência injustificada. Nenhum ingrediente extra precisa ser adicionado ao nível micro para explicar o nível macro. Na verdade, um nível extra de explicação *emerge* no nível macro *em consequência* de eventos no nível micro extrapolados ao longo de inimagináveis períodos de tempo.

A distinção prática entre micro e macroevolução é semelhante à que já encontramos em muitas outras situações. As mudanças no mapa do mundo ao longo do tempo geológico devem-se aos efeitos, somados no decorrer de milhões de anos, de eventos da tectônica de placas ocorridos em uma escala temporal de minutos, dias e anos. Porém, como no crescimento de uma criança, praticamente não existe coincidência entre os métodos de estudo relacionados a cada uma das escalas de tempo. A linguagem das flutuações de voltagem não serve para analisar como funciona um programa de computador como o Microsoft Excel. Nenhuma pessoa sensata negará que os programas de computador, por mais complexos que sejam, são inteiramente executados por padrões temporais e espaciais de mudanças entre duas voltagens. Mas nenhuma pessoa sensata fica pensando nesse fato enquanto escreve, depura ou usa um grande programa de computador.

Nunca vi nenhuma boa razão para duvidar da seguinte proposição: a macroevolução é constituída por muitas partezinhas de microevolução ligadas ponta a ponta ao longo do tempo geológico, e é detectada por fósseis em vez de por amostras genéticas. Não obstante, pode haver — e acredito que haja — eventos fundamentais na história evolutiva após os quais a própria natureza da evolução

* Minha opinião é que se trata de uma questão empírica interessante, a qual provavelmente terá uma resposta diferente em casos específicos distintos, e que não merece ser elevada ao status de um princípio fundamental.

muda. Pode-se dizer que a própria evolução evolui. Até agora, neste capítulo, progresso significou organismos individuais tornando-se melhores, no decorrer do tempo evolutivo, em fazer o que indivíduos fazem, ou seja, sobreviver e reproduzir-se. Mas também podemos admitir mudanças no próprio fenômeno da evolução. Poderia a evolução tornar-se melhor em realizar alguma coisa — que é o que a evolução faz — no decorrer da história? Será que a evolução mais recente é algum tipo de aperfeiçoamento da evolução inicial? Será que as criaturas evoluem melhorando não apenas sua capacidade de sobreviver e se reproduzir, mas também a capacidade de sua linhagem para evoluir? Existe evolução da evolvabilidade?

Cunhei a expressão "evolução da evolvabilidade" em um artigo publicado em *Proceedings of the 1987 Inaugural Conference on Artificial Life*. Vida artificial era uma fusão recém-inventada de outras disciplinas, com destaque para biologia, física e ciência da computação, fundada pelo visionário físico Christopher Langton, organizador da ata dessa conferência. Desde esse meu artigo, mas provavelmente não por causa dele, a evolução da evolvabilidade tornou-se uma questão muito debatida entre estudantes de biologia e da vida artificial. Muito antes de eu ter usado essa frase, outros já haviam proposto a ideia. Por exemplo, em 1973 o ictiologista norte-americano Karel F. Liem empregou o termo "adaptação prospectiva" para referir-se ao revolucionário aparelho mandibular dos peixes ciclídeos, que lhes permitiu, como descreve "O conto do ciclídeo", evoluir de modo tão súbito e explosivo em centenas de espécies em todos os grandes lagos africanos. Eu diria que a sugestão de Liem vai muito além da ideia de pré-adaptação. Uma pré-adaptação é algo que originalmente evolui para uma finalidade e é cooptada por outra. A adaptação prospectiva de Liem e a minha evolução da evolvabilidade encerram a ideia não só de cooptar uma nova função, mas de liberar um novo arranco de evolução divergente. Estou aventando uma tendência permanente e até mesmo progressiva a tornar-se melhor em evoluir.

Em 1987, a ideia de evolução da evolvabilidade era um tanto herética, especialmente para mim, o reputado "ultradarwinista". Vi-me na estranha situação de defender uma ideia ao mesmo tempo que me desculpava por ela a pessoas que não conseguiam perceber por que era preciso uma desculpa. Hoje esse é um tema muito analisado, e outros foram além do que eu imaginara, como, por exemplo, os especialistas em biologia celular Marc Kirschner e John Gerhart e a entomologista evolutiva Mary Jane West-Eberhard em seu magistral livro *Developmental plasticity and evolution*.

O que torna um organismo bom em evoluir além de bom em sobreviver e se reproduzir? Primeiro, um exemplo. Já examinamos a ideia de que os arquipélagos são oficinas de especiação. Se as ilhas forem próximas umas das outras o suficiente para permitir ocasionais imigrações, mas distantes o bastante para dar tempo à divergência evolutiva entre as imigrações, temos uma receita para a especiação, que é o primeiro passo em direção à irradiação evolutiva. Mas quanto é próximo o bastante? Quanto é suficientemente distante? Depende dos poderes de locomoção dos animais. Para os tatuzinhos, uma separação de metros equivale à separação de muitos quilômetros para uma ave ou um morcego voadores. As ilhas Galápagos têm as distâncias perfeitas para a evolução divergente de pequenas aves como os tentilhões de Darwin, mas não necessariamente para a evolução divergente em geral. Para esse propósito, a separação das ilhas deve ser medida não em unidades absolutas, mas em unidades de capacidade de deslocamento, calibradas segundo o tipo de animal em questão — como disse o barqueiro irlandês quando meus pais lhe perguntaram a distância até a ilha Great Blasket: "Umas três milhas com tempo bom".

Em consequência, um tentilhão das Galápagos que tenha diminuído *ou aumentado* seu alcance de voo na evolução poderia com isso *reduzir* sua evolvabilidade. Diminuir o alcance de voo reduz a chance de iniciar uma nova raça de descendentes em outra ilha. O inverso é fácil de entender. Aumentar o alcance de voo tem um efeito menos óbvio na mesma direção. Descendentes são semeados em novas ilhas tão frequentemente que não há tempo para uma evolução separada antes de chegarem novos imigrantes. Levando o exemplo ao extremo: as aves cujo alcance de voo é amplo o bastante para tornar corriqueira a distância entre ilhas já não veem as ilhas como separadas. Em relação ao fluxo gênico, todo o arquipélago conta como um continente. Assim, mais uma vez a especiação não é favorecida. Alta evolvabilidade, se escolhermos medir evolvabilidade como taxa de especiação, é uma consequência inadvertida de um alcance locomotor intermediário, no qual o que conta como intermediário, em contraste com muito curto ou muito longo, depende das distâncias entre as ilhas envolvidas. Obviamente, "ilha", nesse tipo de argumento, não precisa ser terra cercada por água. Como vimos em "O conto do ciclídeo", lagos são ilhas para animais aquáticos, e recifes podem ser ilhas dentro de lagos. Cumes de montanha são ilhas para animais terrícolas que não toleram facilmente baixas altitudes. Uma árvore pode ser uma ilha para um animal com curto alcance locomotor. Para o vírus da aids, todo homem é uma ilha.

Se um aumento ou diminuição da área de deslocamento resulta em um aumento da evolvabilidade, será que iríamos querer chamá-lo de uma "melhora" que evoluiu? Meus pelos ultradarwinistas começam a se arrepiar, e meu detector de heresias dá sinais de que vai disparar. Isso cheira inquietantemente a antevisão evolutiva. Nas aves, evolui um aumento ou uma diminuição do alcance de voo em razão da seleção natural para a sobrevivência individual. Futuros efeitos sobre a evolução são uma consequência irrelevante. Não obstante, poderíamos descobrir, analisando retrospectivamente, que as espécies que povoam o mundo tendem a descender de espécies ancestrais com talento para a evolução. Portanto, poderíamos dizer que existe uma espécie de seleção de alto nível entre linhagens em favor da evolvabilidade — um exemplo do que o grande evolucionista norte-americano George C. Williams chamou seleção de clado. A seleção darwiniana convencional conduz a organismos individuais bem sintonizados como máquinas de sobrevivência. Poderia ser verdade que, em consequência da seleção de clado, a própria vida tenha se tornado cada vez mais um conjunto de máquinas de evoluir bem sintonizadas? Se a resposta for positiva, poderíamos esperar que, em reprises kauffmanianas da evolução, pudessem ser redescobertas as mesmas melhoras progressivas na evolvabilidade.

Quando escrevi pela primeira vez sobre a evolução da evolvabilidade, propus que a evolução teve vários "eventos divisores de águas" após os quais a evolvabilidade melhorou subitamente. O exemplo mais promissor de um evento divisor de águas que encontrei foi a segmentação. Como o leitor há de lembrar-se, segmentação é a composição do corpo em módulos encadeados nos quais partes e sistemas se repetem em série. Ela parece ter sido inventada independentemente, em sua forma plena, nos artrópodes, vertebrados e vermes anelídeos (embora a universalidade dos genes Hox fale em favor de algum tipo de organização serial anterior e posterior como predecessora). A origem da segmentação é um daqueles eventos evolutivos que não podem ter sido graduais. Os peixes ósseos possuem tipicamente cerca de cinquenta vértebras, mas as enguias têm até duzentas. As cobras-cegas (anfíbios parecidos com vermes) variam entre 95 e 185 vértebras. As cobras diferem imensamente no número de vértebras: o recorde, pelo que eu saiba, é de uma serpente extinta: 565.

Cada vértebra de uma cobra representa um segmento com seu próprio par de costelas, seus blocos musculares, seus nervos que brotam da medula espinhal. Não pode existir um número fracionário de segmentos, e a evolução de números variáveis de segmentos tem de incluir numerosos casos nos quais uma cobra mutante diferiu de seus pais em algum número inteiro de segmentos: no mínimo um, possivelmente mais, de uma tacada. De modo semelhante, quando a segmentação se originou, tem de ter ocorrido uma transição mutacional direta de pais não segmentados para um filho com dois segmentos (no mínimo). É difícil imaginar uma anomalia dessas sobrevivendo, quanto mais encontrando um parceiro e se reproduzindo, mas evidentemente isso ocorreu, pois estamos rodeados de animais segmentados. Muito provavelmente a mutação envolveu genes Hox, como os de "O conto da mosca-das-frutas". Em meu artigo de 1987 sobre a evolvabilidade, especulei:

> [...] o êxito ou fracasso individual do primeiro animal segmentado durante sua vida é relativamente desimportante. Sem dúvida muitos outros novos mutantes foram mais bem-sucedidos como indivíduos. O importante no que diz respeito ao primeiro animal segmentado é que suas linhagens descendentes são exímias em *evolução*. Elas se irradiaram, especiaram-se, originaram novos filos. Quer tenha ou não sido uma adaptação vantajosa durante a vida individual do primeiro animal segmentado, a segmentação representou uma mudança na embriologia muito rica em potencial evolutivo.

A facilidade com que segmentos inteiros podem ser adicionados ao corpo ou dele subtraídos é uma das coisas que contribuem para a melhor evolvabilidade. Outra é a diferenciação entre segmentos. Em animais como os milípedes e as minhocas, os segmentos são, na maioria, iguais entre si. Mas existe uma tendência recorrente, sobretudo entre os artrópodes e os vertebrados, de certos segmentos especializarem-se para propósitos específicos, e assim diferir de outros segmentos (compare uma lagosta com uma centopeia). Uma linhagem que consegue evoluir adquirindo um plano corporal segmentado imediatamente se torna capaz de gerar pela evolução todo um conjunto de novos animais alterando módulos segmentares em todo o corpo.

A segmentação é um exemplo de modularidade, e essa, de modo geral, é um ingrediente básico do pensamento de autores que trataram mais recentemente da evolução da evolvabilidade. Das muitas acepções de módulo registradas no *Oxford English dicionary*, a relevante é: "Uma entre uma série de unidades de produção ou partes componentes que são padronizadas para facilitar a montagem ou a substituição, sendo geralmente pré-fabricadas como estruturas independentes".

Modular é o adjetivo que descreve um conjunto de módulos, e modularidade é o substantivo abstrato correspondente, a propriedade de ser modular. Entre outros exemplos de construção modular, temos muitas plantas (as folhas e flores são módulos). Mas talvez os melhores exemplos de modularidade sejam encontrados no nível celular e bioquímico. As próprias células são módulos por excelência, e dentro delas o mesmo podemos dizer das moléculas de proteínas e, obviamente, do próprio DNA.

Portanto, a invenção da multicelularidade é outro importante evento divisor de águas que quase certamente aumentou a evolvabilidade. Ela precedeu a segmentação em centenas de milhões de anos, e a própria segmentação é uma espécie de reencenação em grande escala da multicelularidade, outro salto em modularidade. Que outros divisores de água ocorreram? John Maynard Smith, a quem este livro foi dedicado, colaborou com seu colega húngaro Eörs Szathmàry em *The major transitions in evolution*. A maioria de suas "principais transições" pode encaixar-se em minha categoria de "eventos divisores de águas": melhoras fundamentais na evolvabilidade. Isso obviamente inclui a origem das moléculas replicadoras, pois sem elas não poderia haver evolução. Se, como aventaram Cairns-Smith e outros, o DNA usurpou o papel principal de replicador de algum predecessor menos proficiente, havendo estágios intermediários nessa transição, cada um desses estágios constituiria um salto à frente na evolvabilidade.

Se aceitarmos a teoria do Mundo de RNA, inferiremos que houve uma transição fundamental, um divisor de águas, quando um mundo de RNA que servia de replicador e enzima deu lugar a uma separação entre o DNA no papel de replicador e as proteínas no papel das enzimas. Ocorreu então a agremiação de entidades replicadoras ("genes") em células com paredes, as quais impediam os produtos gênicos de vazar e os mantinham juntos com os produtos de outros genes com os quais eles podiam colaborar na química celular. Uma transição importantíssima, e muito provavelmente um divisor de águas na evolvabilidade, foi o nascimento da célula eucariótica pela mescla de várias células procarióticas. Também essencial foi a origem da reprodução sexuada, que coincidiu com a própria origem das espécies, com seu próprio reservatório gênico e tudo o que isso implicou para a evolução futura. Maynard Smith e Szathmàry enumeram, ainda, a origem da multicelularidade, a origem de colônias como os formigueiros e cupinzeiros e a origem de sociedades humanas com linguagem. Há uma similaridade que rima entre, no mínimo, várias dessas grandes transições: muitas delas envolvem a reunião de unidades anteriormente independentes em um agrupamento maior num nível superior, com a concomitante perda de independência no nível inferior.

À lista de Maynard Smith e Szathmàry já acrescentei a segmentação, e destacaria outra, que chamo de gargalo. Trata-se de outro caso em que uma explicação pormenorizada seria repetir o que já expus em livros anteriores (em especial o último capítulo de *O fenótipo estendido*, sobre a redescoberta do organismo). Os gargalos relacionam-se a um tipo de história de vida de organismos multicelulares. Quando ocorre um gargalo, o ciclo de vida retorna a uma única célula, a partir da qual cresce um novo corpo multicelular. A alternativa a um ciclo de vida com gargalo poderia ser uma planta aquática hipotética que se espalha desordenadamente, reproduzindo-se pelo desprendimento de pequenas partes multicelulares. Elas se afastam levadas pela água, crescem e depois também se fragmentam em pedacinhos. O gargalo tem três consequências importantes, e todas certamente são boas candidatas a melhoras na evolvabilidade.

A primeira consequência é que as inovações evolutivas podem ser reinventadas de baixo para cima, e não como uma remoldagem de estruturas existentes, o que seria como malhar uma espada para transformá-la em relha de arado. Uma melhora no coração, por exemplo, tem mais chance de ser um inconfundível aperfeiçoamento se as mudanças genéticas puderem alterar todo o curso de desenvolvimento a partir de uma única célula. Imagine a alternativa: pegar o coração existente e modificá-lo por um crescimento diferencial de tecidos dentro de sua estrutura enquanto ele não para de bater. Essa remodelação em pleno galope prejudicaria o funcionamento do coração e comprometeria suas possibilidades de aperfeiçoamento.

Em segundo lugar, o gargalo, reiniciando continuamente em um ponto de partida consistente num ciclo de vida recorrente, fornece um "calendário" que permite marcar o tempo de eventos embriológicos. Genes podem ser ativados ou desativados em pontos-chave do ciclo de crescimento. Nossa hipotética planta extrusora de fragmentos não conta com um cronograma reconhecível para regular essas ativações e desativações.

A terceira consequência é que, sem o gargalo, diferentes mutações se acumulariam em diferentes partes da extrusora de fragmentos. O incentivo para que as células cooperassem umas com as outras diminuiria. Subpopulações de células seriam, inclusive, tentadas a comportar-se como o câncer para aumentar sua chance de contribuir com genes para os fragmentos extrudados. Com o gargalo, como cada geração começa como uma única célula, o corpo todo tem uma boa chance de ser composto por uma população genética uniforme de células que cooperam, todas descendentes daquela única célula. Sem o gargalo, as células de um corpo poderiam ter, de um ponto de vista genético, "lealdades divididas".

Relacionado ao gargalo temos outro evento fundamental na evolução, que pode muito bem ter contribuído para a evolvabilidade e que poderia ser redescoberto em reprises de Kauffman. Falo da separação entre a linha germinal e o soma, compreendida claramente pela primeira vez pelo grande biólogo alemão August Weismann. Como vimos no Encontro 31, o que ocorre no embrião em desenvolvimento é que uma porção das células é destacada para a reprodução (as células da linha germinal), enquanto o resto se destina à formação do corpo (células somáticas). Os genes da linha germinal são potencialmente imortais, com uma perspectiva de ter descendentes diretos milhões de anos no futuro. Os genes somáticos estão fadados a um número finito, embora nem sempre previsível, de divisões celulares para formar os tecidos do corpo, após o que sua linha chegará ao fim e o organismo morrerá. Muitas plantas violam essa separação, mais obviamente quando praticam a reprodução vegetativa. Isso poderia constituir uma importante diferença entre os modos como as plantas e os animais evoluem. Antes da invenção evolutiva do soma separado, todas as células vivas eram potencialmente ancestrais de uma linha indefinida de descendentes, como ainda hoje ocorre com as células de esponjas.

A invenção do sexo é um grande divisor de águas, superficialmente confundido com o gargalo e com a separação da linha germinal, porém logicamente distinto de ambos. Em sua forma mais geral, sexo é a mistura parcial de genomas. Conhecemos bem uma versão específica e altamente sistematizada, na qual cada indivíduo adquire 50% de seu genoma de cada um dos pais. Estamos acostumados com a ideia de que existem dois tipos de genitores, fêmea e macho, mas essa não é uma parte necessária da reprodução sexuada. A isogamia é um sistema no qual dois indivíduos, não distinguidos como macho e fêmea, combinam metade de seus genes para produzir um novo indivíduo. É melhor considerar a divisão macho/fêmea como mais um evento divisor de águas, ocorrido após a origem do sexo propriamente dito. O sexo sistematizado desse tipo é acompanhado, em cada geração, por uma "divisão redutora" na qual cada indivíduo doa 50% de seu genoma a cada filho. Sem essa redução, os genomas duplicariam de tamanho a cada geração.

As bactérias praticam uma forma aleatória de doação sexual que alguns designam como sexo, mas que, na realidade, é bem diferente e tem mais em comum com as funções recortar-colar ou copiar-colar de um programa de computador. Fragmentos de um genoma são copiados ou cortados de uma bactéria e colados em outra, que não precisa ser membro da mesma "espécie" (embora haja dúvidas quanto ao próprio significado de espécie para as bactérias). Como os genes são sub-rotinas de software que executam operações celulares, um gene "colado" pode imediatamente começar a trabalhar em seu novo ambiente, fazendo a mesma tarefa de antes.*

O que é que a bactéria doadora ganha com isso? Essa talvez seja a questão errada. A certa poderia ser: o que o gene doado ganha? E a resposta é que os genes que conseguem ser doados com êxito, e depois conseguem ajudar a bactéria receptora a sobreviver e transmiti-los, aumentam com isso o número de cópias deles próprios no mundo. Não está claro se nosso sexo eucariótico sistemático evoluiu do sexo tipo "recortar-colar" de bactérias ou se foi um evento divisor de águas totalmente novo. Ambas as coisas devem ter produzido um impacto monumental na evolução subsequente e são candidatas a debate na questão da evolução da evolvabilidade. O sexo sistemático, como vimos em "O conto do rotífero", tem um efeito colossal sobre a evolução futura porque possibilita a própria existência de espécies com seus reservatórios gênicos.

O título original deste livro, *The ancestor's tale* [O conto do ancestral], no singular, foi em parte estilístico, tenho de admitir. Ainda assim, através dos milhões — provavelmente bilhões — de ancestrais individuais cujas vidas tocamos em nossa Estrada dos Peregrinos, um herói singular foi recorrente em tom me-

* É por isso que a manipulação transgênica na agricultura moderna funciona, como por exemplo na célebre importação de genes "anticongelantes" de peixes árticos para tomates. Funciona pela mesma razão que uma sub-rotina de computador, se for copiada de um programa para outro, produzirá confiavelmente o mesmo resultado. O caso dos alimentos geneticamente modificados não é tão direto assim. Mas o exemplo serve para acalmar os receios quanto a ser "antinatural" importar, digamos, genes de peixes para tomates, como se isso implicasse introduzir também algum gosto de peixe no fruto. Uma sub-rotina é uma sub-rotina, e a linguagem de programação do DNA é idêntica em peixes e tomates.

nor, como um *leitmotif* wagneriano: o DNA. "O conto de Eva" mostrou que os genes, tanto quanto os indivíduos, têm ancestrais. "O conto do Neandertal" aplicou essa lição à questão de se essa caluniada espécie pereceu sem nenhum legado para amortizar o golpe. "O conto do gibão" animou-se com o tema dos "votos majoritários" entre genes que clamam por afirmar suas diferentes visões da história ancestral. "O conto da lampreia" identificou a analogia entre duplicação gênica e especiação, cada qual em seu próprio nível — uma analogia tão estreita que é possível traçar árvores genealógicas separadas para genes, árvores essas que têm paralelos, mas não coincidem, com as árvores genealógicas convencionais da filogênese. O *leitmotif* no campo da taxonomia ecoa o tema maior do "gene egoísta" na compreensão da seleção natural, só que em forma distinta.

A DESPEDIDA DO ALBERGUEIRO

Se, como o albergueiro que retorna, eu refletir sobre toda a peregrinação da qual penhoradamente fiz parte, minha reação é de um assombro arrebatador. Assombro não só com a prodigalidade de detalhes que vimos, mas também com o próprio fato de existirem tantos detalhes em um planeta. O universo poderia facilmente ter permanecido sem vida e simples — apenas física e química, apenas o pó disperso da explosão cósmica que originou o tempo e o espaço. O fato de isso não ter ocorrido — o fato de a vida ter evoluído a partir de quase nada, cerca de 10 bilhões de anos depois de o universo ter evoluído a partir de quase nada — é tão espantoso que eu seria louco se tentasse fazer-lhe justiça pondo-o em palavras. E nem mesmo isso é o fim da questão. Não só a evolução aconteceu, mas acabou conduzindo a seres capazes de compreender o processo, e até de compreender o processo pelo qual o compreendem.

Essa peregrinação foi uma viagem, não só no sentido literal, mas no sentido da contracultura que conheci quando jovem na Califórnia dos anos 1960. O mais potente alucinógeno à venda em Haight, Ashbury ou Telegraph Avenue seria fichinha em comparação com ela. Se é deslumbramento que você quer, o mundo real tem o máximo. Pense no cinto-de-vênus, nas águas-vivas migratórias e nos minúsculos arpões; pense no radar do ornitorrinco e no peixe elétrico, na larva da mutuca com aparente antevisão para prevenir-se contra rachaduras na lama; pense na sequoia, pense no pavão, na estrela-do-mar com sua força hidráulica encanada; pense nos ciclídeos do lago Vitória, evoluindo não sabemos *quantas* ordens de magnitude mais rápido que os *Lingula*, *Limulus* ou *Latimeria*. Não é orgulho por meu livro, mas reverência pela própria vida que me encoraja a dizer, se alguém quiser uma justificativa para tamanha exaltação: abra-o em qualquer página, aleatoriamente. E reflita sobre o fato de que, embora este livro tenha sido escrito do ponto de vista de um ser humano, outro poderia ter sido escrito paralelamente por qualquer dos 10 milhões de peregrinos que partiram. Não só a vida neste planeta é deslumbrante, e profundamente satisfatória, para todos aqueles cujos sentidos não foram embotados pela familiaridade, mas o próprio fato de que evoluiu em nós a capacidade cerebral para compreender nossa gênese evolutiva redobra o deslumbramento e intensifica a satisfação.

"Peregrinação" implica devoção e reverência. Não tive oportunidade de mencionar aqui minha impaciência com a devoção tradicional e meu desdém pela reverência quando o objeto é qualquer coisa sobrenatural. Mas não faço segredo delas. Não porque eu deseje limitar ou circunscrever a reverência, não porque eu queira reduzir ou depreciar a verdadeira reverência com que somos impelidos a celebrar o universo, assim que o compreendemos adequadamente. "Ao contrário" seria dizer pouco. Minha objeção a crenças sobrenaturais é justamente porque não fazem de forma alguma justiça à sublime grandiosidade do mundo real. Elas representam um estreitamento da realidade, um empobrecimento de tudo o que o mundo real tem a oferecer.

Desconfio que muitos dos que se intitulam religiosos acabariam concordando comigo. A eles, eu apenas citaria um comentário interessantíssimo que entreouvi numa conferência científica. Um ilustre veterano da minha área estava tendo uma longa discussão com um colega. Quando a altercação ia chegando ao fim, ele disse com uma piscadela: "Bem, na verdade, nós concordamos. Acontece que você *diz* do jeito errado!".

Sinto que retornei de uma verdadeira peregrinação.

Leituras adicionais

BARLOW, George. *The cichlid fishes: nature's grand experiment in evolution.* Cambridge: Perseus Publishing, 2002.

DIAMOND, Jared. *Guns, germs and steel: a short history of everybody for the last 13.000 years.* Londres: Chatto & Windus, 1997.

FORTEY, Richard. *Life: an unauthorised biography.* Londres: HarperCollins, 1997.

______. *The Earth: an intimate history.* Londres: HarperCollins, 2004.

LEAKEY, Richard. *The origin of humankind: unearthing our family tree.* Nova York: Science Masters series, Basic Books, 1994.

MAYNARD SMITH, John; SZATHMÀRY, Eörs. *The origins of life: from the birth of life to the origin of language.* Oxford: Oxford University Press, 1999. (ver também MAYNARD SMITH, J.; SZATHMÀRY, E., página 719).

QUAMMEN, David. *The song of the Dodo: island biogeography in an age of extinctions.* Oxford : Hutchinson, 1996.

RIDLEY, Mark. *Mendel's demon: gene justice and the complexity of life.* Londres: Weidenfeld & Nicolson, 2000.

RIDLEY, Matt. *Genome: the autobiography of a species in 23 chapters.* Londres: Fourth Estate, 1999.

SOUTHWOOD, Richard. *The story of life.* Oxford: Oxford University Press, 2003.

TUDGE, Colin. *The variety of life: a survey and a celebration of all the creatures that have ever lived.* Oxford: Oxford University Press, 2000.

WEINER, Jonathan. *The beak of the finch: a story of evolution in our time.* Londres: Jonathan Cape, 1994.

WILSON, E. O. *The diversity of life.* Cambridge: Harvard University Press, 1992.

LEITURAS AVANÇADAS

BRUSCA, Richard C.; BRUSCA, Gary J. *Invertebrates.* Sunderland: Sinauer Associates Inc., 2ª ed., 2002.
CARROLL, Robert L. *Vertebrate paleontology and evolution.* Nova York: W. H. Freeman, 1988.
MACDONALD, David. *The new encyclopedia of mammals.* Oxford: Oxford University Press, 2001.
RIDLEY, Mark. *Evolution.* Oxford: Blackwell, 3ª ed., 2004.

Notas sobre as filogêneses e reconstituições

Yan Wong

DIAGRAMAS DE FILOGÊNESE

As notas a seguir resumem as bases científicas das filogêneses apresentadas neste livro, particularmente em áreas de importante revisão taxonômica recente e debates correntes. Um bom levantamento filogenético relativamente recente encontra-se em Colin Tudge, *The variety of life*.

ENCONTRO 0 — As Américas são omitidas porque os dados indicam que humanos lá chegaram recentemente vindos da Ásia. O Concestral 0, pela lógica, tem de ser tão recente quanto qualquer gene ACMR (como o "Adão" do cromossomo Y), e até mesmo baixos níveis de intercruzamento bastam para resultar em um ACMR de todos os humanos, o que explica a data recente aqui usada.

ENCONTROS 1 E 2 — Filogêneses (como para as demais árvores, o "voto" majoritário entre genes — ver "O conto do gibão") baseadas na morfologia e em moléculas. As datas de divergência baseiam-se no relógio molecular.

ENCONTRO 3 — Filogênese e datas de divergência baseiam-se em dados morfológicos, fósseis e moleculares.

ENCONTRO 4 — A filogênese do Gibão é incerta: esta árvore baseia-se em dados de mtDNA, suplementados por datas do relógio molecular para o Concestral e os nodos de *Symphalangus/Hylobates.*

ENCONTRO 5 — Filogênese convencional. Datas de divergência baseadas em dados moleculares e fósseis.

ENCONTRO 6 — Filogênese e dados extraídos diretamente ou inferidos. A posição dos *Aotinae* não é certa e poderá mudar no futuro.

ENCONTRO 7 — Posição e datação da família dos társios condizem com dados moleculares e morfológicos.

ENCONTRO 8 — Entre os estrepsirrinos, as inter-relações dos lêmures são debatidas, embora muitos considerem o aiai como básico. A ordem e a datação das outras quatro famílias baseiam-se em moléculas cuja escala situa a divergência básica dos primatas em 63 Ma. Entretanto, outros cálculos situam essa divergência em 80 Ma, retardando em até 15 milhões de anos os Encontros 9, 10 e 11.

ENCONTRO 9 — A posição dos colugos e musaranhos arborícolas é muito polêmica (ver o conto respectivo); aqui ela se baseia em dados moleculares recentes. Os dados básicos, portanto, estão restritos por nodos circundantes a 63-75 Ma.

ENCONTRO 10 — Posição dos Glires baseada em sólidas evidências moleculares. Data do encontro restrita pela datação do Encontro 11 por relógio molecular, mas pode ser até 10 Ma ou antes. Posição dos Lagomorfos é inconteste. Filogênese dos Roedores é debatida; roedores histricognatos (*Histricidae, Phiomorpha, Caviomorpha*) amplamente aceitos. Em outros casos, quatro grupos frequentemente encontrados em estudos moleculares: *Muridae* + *Dipodidae*, *Aplodontidae* + *Sciuridae* + *Gliridae*, *Ctenodactylidae* + histricognatos, *Heteromyidae* + *Geomyidae*. Ordem de ramificação e datação aproximada desses grupos baseadas em mtDNA e rDNA, mas a ordem não é sólida.

ENCONTROS 11 E 12 — Filogênese e datação baseadas em revolucionários estudos moleculares recentes.

ENCONTRO 13 — Filogênese e datação baseadas em dados moleculares. Morfologia e algumas moléculas concordam sobre divisão elefantes/sirenídeos/hirax. Contudo, há incerteza quanto à posição do *aardvark*, e dados morfológicos ainda podem conflitar com a posição dos *Afrosoricida*.

ENCONTRO 14 — Encontro baseado em dados antigos e recentes. Divergência de placentários e marsupiais em 140 Ma condiz com fósseis e dados moleculares mais recentes. Estudos moleculares indicam didelfídeos e depois paucituberculados como irmãos dos outros marsupiais, condizente com morfologia. Outros ramos variavelmente baseados em dados moleculares: posição do monito-del-monte particularmente incerta, interpretado aqui como irmão dos *Diprodontia*. Datas de divergência baseadas em dados de relógio molecular, mas também restritas pela biogeografia de Gondwana.

ENCONTRO 15 — Filogênese e datação baseadas em dados moleculares, morfológicos e fósseis recentes.

ENCONTRO 16 — Estimativas de datas para o Encontro 16 em média aproximadamente 310 Ma, outras datas de ramificaçãoes iniciais baseadas em dados fósseis. Ramificação hoje convencional das cobras e lagartos. Ramificação de ordens de aves baseada em estudos genéticos com datas de hibridação de DNA: muitas ordens agrupadas como *Neoaves* devido a parentescos incertos.

ENCONTRO 17 — Embora debatidos por alguns paleontólogos, dados moleculares e morfológicos corroboram acentuadamente a monofilia dos lissanfíbios e sugerem a ordem de ramificação aqui mostrada. Dados básicos de evidências paleontológicas, outros de árvores de máxima probabilidade de mtDNA.

ENCONTROS 18 E 19 — Filogênese e datação baseadas em estudos moleculares e morfológicos/paleontológicos.

ENCONTRO 20 — Data do encontro amplamente aceita. Filogênese dos peixes de nadadeiras raiadas tem variado, embora a visão tradicional seguida aqui seja amplamente aceita. Datas de divergência baseadas em dados fósseis. Alguns grupos deliberadamente omitidos com vistas à simplicidade, já que a filogênese não é sólida.

ENCONTRO 21 — Filogênese baseada em dados morfológicos. Datas de divergência baseadas em dados fósseis.

ENCONTRO 22 — Agrupamento dos ágnatos baseado em dados genéticos que contradizem a maioria das filogêneses baseadas em fósseis (mas esses grupos especializados apresentam perda de caracteres secundários, dificultando o uso de dados morfológicos). Data do encontro fortemente restrita por dados fósseis. Tempo de divergência de lampreias e peixes-bruxas sugerido por árvores de máxima probabilidade molecular.

ENCONTRO 23 — Dados de relógio molecular situam a separação dos anfioxos próximo a divergências básicas dos deuterostômios aqui mencionadas, estimadas em 570 Ma segundo datação de estopim médio da Explosão Cambriana (ver "O conto do verme aveludado").

ENCONTRO 24 — Data do encontro restrita por nodos circundantes. Possivelmente mais próxima dos ambulacrários que dos anfioxos.

ENCONTRO 25 — Agrupamento dos ambulacrários e divergências básicas fundamentados em dados genéticos, supondo explosão cambriana de estopim médio. Estudos genéticos também indicam profunda ramificação dos *Xenoturbellida*, embora a posição exata não seja sólida. Filogênese e datação dos equinodermos baseadas em dados genéticos, morfológicos e fósseis.

ENCONTRO 26 — Data do encontro (por volta de 590 Ma) baseada em estudos de relógio molecular recentes, e amplamente condizente com dados fósseis. Filogênese dos protostômios recentemente revista: aqui seguiu-se um único esquema abrangente, baseado em genética e morfologia. Três ramos consistem em vários filos agrupados juntos: *Cephalorhyncha*, *Gnathifera* (incluindo *Acantocephala* e *Myzostomida*) e *Brachiozoa* (foronídios e braquiópodes). Filogênese dos ecdisozoários relativamente sólida: principais incertezas são o agrupamento de onicóforos/artrópodes e a inclusão na base dos *Chaetognatha*, aqui situados com base em dados morfológicos/genéticos. Muitas datas para ecdisozoários são restritas por fósseis onicóforos de "concha pequena" (ver "O conto do verme aveludado"). Ordem de ramificação dos *Lophotrochozoa* muito mais incerta: grupo anelídeos/moluscos/sipunculídeos sólido, nemertinos provavelmente irmãos desse, e ordem de ramificação dos demais incerta.

ENCONTRO 27 — Filogênese baseada em dados moleculares. Muitos destes fracamente corroborados por *Acoela* parafilético, mas dados morfológicos indicam fortemente a monofilia dos acelomorfos; portanto, data de divergência é arbitrária. Data do encontro baseada em estimativas de distância genética, supondo separação de protostômios/deuterostômios de 590 Ma e separação bilatérios/cnidários de 700 Ma.

ENCONTROS 28 E 29 — Ordem de ramificação de cnidários e ctenóforos ainda é incerta. Certos dados moleculares corroboram fracamente a ordem aqui usada. Na filogênese dos cnidários hoje convencional, datas de estudos genéticos calibradas para a escala temporal aqui empregada.

ENCONTRO 30 — Posição do *Trichoplax* incerta, mas possivelmente próxima da base dos metazoários [Peter Holland, comunicação pessoal.].

ENCONTRO 31 — Esponjas geralmente interpretadas como a base dos metazoários, embora ocasionalmente dados moleculares sugiram que podem ser parafiléticas. Data do encontro de

800 Ma baseada em dados de relógio molecular, recalibrada usando divergência de protostômios/deuterostômios de 590 Ma; isso conflita com ausência de espículas de esponja fossilizadas antes do Pré-Cambriano mais recente, embora elas possam representar um caractere derivado.

ENCONTROS 32 E 33 — Datas dos encontros aproximadamente estimadas com base em árvores moleculares, supondo Encontro 31 em 800 e Encontro 34 em 1100 Ma. Posição dos *Mesomycetozoea* (*Ichthyosporea*) baseada em sequências de mtDNA e não de rRNA (menos extensivas).

ENCONTRO 34 — Data do encontro de aproximadamente 1100 Ma comumente defendida (mas pode não ser sólida). Estudos moleculares revistos hoje situam os *Microsporidia* em Fungos, possivelmente na base. Morfologia e genética situam *Ascomycota* e *Basidiomycota* como parentes mais próximos, rRNA adicionalmente identifica *Glomeromycota* como irmão de ambos, com os *Zygomicota 2* em posição anterior (como mostrado aqui), ou mais ramos parafiléticos. Datas de divergência de relógio molecular reescalonadas para condizer com a data do encontro aqui adotada.

ENCONTRO 35 — Agrupamento da maioria das amebas e mofos-do-lodo como grupo irmão de Metazoários + Fungos tem substancial sustentação molecular, embora enraizamento não convencional da árvore eucariótica possa reunir os encontros 34, 35, 36 e 37 em um só encontro. Data de divergência situada arbitrariamente a meio caminho entre dois nodos circundantes.

ENCONTRO 36 — Dados de RNA ribossômico agrupando plantas com animais e fungos hoje são reconhecidos como incorretos. Como explicado no texto do Encontro 37, a posição das plantas na filogênese eucariótica é incerta, e o esquema aqui adotado é um tanto arbitrário. A data do encontro é restrita por fósseis de 1200 Ma: 1300 Ma amplamente consistente com estudos de relógio molecular. Entre as plantas, a filogênese e datas relativas baseiam-se em dados moleculares, embora alguns refutem a inclusão de algas vermelhas.

ENCONTRO 37 — Ordem de ramificação e datas de divergência de grandes grupos de eucariotas incertas (daí a politomia mostrada). Estudos de RNA ribossômico situam erroneamente diferentes grupos como linhagens ramificadas inicialmente devido a atração de ramo longo; árvores retificadas conseguiram apenas situar ramos eucarióticos longe das Arqueias, implicando divergência muito posterior à do Encontro 38: datas dos encontros 37-39 estimadas nos 500 Ma mais próximos.

ENCONTRO 38 — Data do encontro incerta; dados de relógio molecular sugerem aproximadamente 2 bilhões de anos atrás. Datas de divergência e filogênese (convencional) estimadas com base em estudos de rRNA.

ENCONTRO 39 — Árvore inerentemente difícil de enraizar porque não há extragrupo, e mudanças em taxa de mutação ao longo de diferentes linhagens obscurecem o "centro" da árvore. Muitos a enraízam entre as Arqueias e as Eubactérias (cruz A), mas há outras possibilidades (cruz B), e assim ela é apresentada sem raiz. Mudanças no enraizamento afetarão comprimentos gerais dos ramos, portanto estes não podem verdadeiramente representar o tempo, sendo então um tanto arbitrários. A filogênese das Eubactérias baseia-se em sólidas características bioquímicas (p. ex., glicoproteínas de parede celular) e eventos genômicos raros (p. ex., *indels*); árvores de rRNA podem ter problemas de atração de ramo longo, mas indicam que as divergências entre as bactérias são profundas. A permuta de DNA bacteriano é problemática para a construção de uma única árvore, a menos que exista um cerne de genes não permutados.

RECONSTITUIÇÕES DE CONCESTRAIS

por Malcolm Godwin

As reconstituições destinam-se a dar uma ideia geral da aparência e habitat prováveis de cada concestral, com base no conhecimento científico atual. Características não esqueléticas (por exemplo, cor da pelagem ou da pele) inevitavelmente dependem muito de conjecturas. Henry-Bennett-Clark, Tom Cavalier-Smith, Hugh Dickinson, William Hawthorne, Peter Holland, Tom Kemp, Anna Nekaris, Marcello Ruta, Mark Sutton e Keith Thomson fizeram várias recomendações para as reconstituições. No entanto, eles não são responsáveis pelas imagens finais: quaisquer erros de interpretação são de minha exclusiva responsabilidade.

Concestral 3 — Grande primata arborícola quadrúpede, de grande porte, que provavelmente viveu na Ásia. A face é menos protuberante que a dos orangotangos, com órbitas mais redondas e mais espaçadas (inferido com base no grande primata micênico *Ankarapithecus*). Os membros anteriores são suspensores, porém em menor grau que os dos orangotangos; locomoção semelhante ao do macaco-narigudo *Nasalis*. Notem-se ainda as arcadas superciliares, glabela proeminente, relativamente alto grau de encefalização, dieta predominantemente frugívora e (em comparação com os gibões e macacos do Novo Mundo) as maiores glândulas mamárias e osso rádio mais arqueado.

Concestral 18 — Baseado no ripidistiano *Styloichthys*, do Devoniano Inferior. Notem-se a lobação das nadadeiras, as placas que protegem a cabeça, a linha lateral e a cauda heterocercal.

Concestral 23 — Semelhante aos anfioxos, mas a notocorda não chega ao rostro, e não há um órgão ciliado especializado (*wheel organ*). Observem-se os olhos do tipo mancha pigmentada (*spot eye*), barras branquiais, notocorda, miômeros (blocos musculares em forma de V) e átrio (espaço fechado abaixo do corpo principal).

Concestral 31 — Julga-se que foi uma bola oca composta de coanócitos apontados para fora (semelhante a um embrião de esponja). Cílios usados para locomoção e para empurrar partículas de alimento através do "colarinho" de cianócitos. Note-se ainda a especialização celular: a reprodução celular dá-se por óvulos e espermatozoides livre-natantes. Concestral reconstituído com um estilo de vida pelágico, semelhante ao dos embriões de esponja.

Concestral 36 — Típico eucariota unicelular, portanto com um difuso citoesqueleto microtubular, cílio ("flagelo" eucariótico) associado a um centríolo (corpo bassal) atuando como centro organizador de microtúbulos, um núcleo com estrutura porosa cercado por membranas perfuradas de RE que se transforma gradualmente no citossol, e aparência granulosa causada por minúsculos ribossomos. Notem-se também as mitocôndrias com cristas tubulares, pequenos números de peroxissomos e outras vesículas celulares, e movimento dado por uma combinação de cílios e pseudópodes curtos. O Concestral é retratado engolfando uma partícula de alimento (note-se o desenvolvimento localizado do citoesqueleto).

Bibliografia

ADAMS, D. *Dirk Gently's Holistic Detective Agency.* Londres: William Heinemann, 1987.

ADAMS, D.; CARWARDINE, M. *Last chance to see.* Londres: Pan Books, 2ª ed., 1991.

AGUINALDO, A. M. A.; TURBEVILLE, J. M.; LINFORD, L. S. *et al.* "Evidence for a clade of nematodes, arthropods and other moulting animals". Em: *Nature*, nº 387, pp. 489-93, 1997.

AHLBERG, P. E.; MILNER, A. R. "The origin and early diversification of tetrapods". Em: GEE, H. (ed.). *Shaking the tree: readings from nature in the history of life.* Chicago: University of Chicago Press, 2000. (Publicado originalmente em *Nature*, nº 368, pp. 507-14, 1994)

ALEXANDER, R. D.; HOOGLAND, J. L.; HOWARD, R. D. *et al.* "Sexual dimorphisms and breeding systems in pinnipeds, ungulates, primates, and humans." Em: CHAGNON, N. A.; IRONS, W. (eds.). *Evolutionary biology and human social behavior: an anthropological perspective.* North Scituate: Duxbury Press, pp. 402-35, 1979.

Arabian nights, The. Tradução de BURTON, R. F. Benares: The Kamashastra Society, 1885.

ARCHIBALD, J. D. "Timing and biogeography of the eutherian radiation: fossils and molecules compared". Em: *Molecular Phylogenetics and Evolution*, nº 28, pp. 350-9, 2003.

ARIS-BROSOU, S.; YANG, Z. "Bayesian models of episodic evolution support a late Precambrian explosive diversification of the Metazoa". Em: *Molecular Biology and Evolution*, pp. 1947-54, 2003.

ARRESE, C. A.; HART, N. S.; THOMAS, N. *et al.* "Trichromacy in Australian marsupials". Em: *Current Biology*, nº 12, pp. 657-60, 2002.

AYALA, F. J.; RZHETSKY, A.; AYALA, F. J. "Origin of the metazoan phyla: molecular clocks confirm paleontological estimates". Em: *Proceedings of the National Academy of Sciences of the USA*, nº 95, pp. 606-11, 1998.

BADA, J. L.; LAZCANO, A. "Prebiotic soup — revisiting the Miller experiment". Em: *Science*, nº 300, pp. 745-6, 2003.

BAKKER, R. *The dinosaur heresies: a revolutionary view of dinosaurs.* Harlow: Longman Scientific and Technical, 1986.

BALDAUF, S. L. "The deep roots of eukaryotes". Em: *Science*, nº 300, pp. 1703-6, 2003.

BALDWIN, J. M. "A new factor in evolution". Em: *American Naturalist*, nº 30, pp. 441-51, 1896.

BARLOW, G. W. *The cichlid fishes: nature's grand experiment in evolution.* Cambridge: Perseus Publishing, 2002.

BARNS, S. M.; DELWICHE, C. F.; PALMER, J. D.; PACE, N. R. "Perspectives on archaeal diversity, thermophily and monophyly from environmental RRNA sequences". Em: *Proceedings of the National Academy of Sciences of the USA*, nº 93, pp. 9188-93, 1996.

BATESON, P. P. G. "Specificity and the origins of behavior". Em: ROSENBLATT, J.; HINDE, R. A.; BEER, C. (eds.). *Advances in the study of behavior*, v. 6, pp. 1-20. Nova York: Academic Press, 1976.

BATESON, W. *Materials for the study of variation treated with especial regard to discontinuity in the origin of species.* Londres: Macmillan and Co., 1894.

BAUER, M.; VON HALVERSEN, O. "Separate localization of sound recognizing and sound producing neural mechanisms in a grasshopper". Em: *Journal of Comparative Physiology A*, nº 161, pp. 95-101, 1987.

BEGUN, D. R. "Hominid family values: morphological and molecular data on relations among the great apes and humans". Em: PARKER, S. T.; MITCHELL, R. W.; MILES, H. L. (eds.), *The mentalities of gorillas and orangutans*, cap. 1, pp. 3-42. Cambridge: Cambridge University Press, 1999.

BELL, G. *The masterpiece of nature: the evolution and genetics of sexuality.* Londres: Croom Helm, 1982.

BELLOC, H. *Complete verse.* Londres: Random House Children's Books, 1999.

BETZIG, L. "Medieval monogamy". Em: *Journal of Family History*, nº 20, pp. 181-216, 1995.

BLACKMORE, S. *The Meme machine.* Oxford: Oxford University Press, 1999.

BLAIR, W. F. "Mating call and stage of speciation in the *Microhyla olivacea* — *M. carolinensis* complex". Em: *Evolution*, nº 9, pp. 469-80, 1955.

BLOCH, J. I.; BOYER, D. M. "Grasping primate origins". Em: *Science*, nº 298, pp. 1606-10, 2002.

BONNER, J. T. *Life cycles: reflections of an evolutionary biologist.* Princeton: Princeton University Press, 1993.

BOURLAT, S. J.; NIELSEN, C.; LOCKYER, A. E. *et al.* "*Xenoturbella* is a deuterostome that eats molluscs". Em: *Nature*, nº 424, pp. 925-8, 2003.

BRASIER, M. D.; GREEN, O. R.; JEPHCOAT, A. P. *et al.* "Questioning the evidence for earth's oldest fossils". Em: *Nature*, nº 416, pp. 76-81, 2002.

BRIGGS, D.; ERWIN, D.; COLLIER, F. *The fossils of the burgess shale.* Washington, D. C.: Smithsonian Institution Press, 1994.

BRIGGS, D. E. G.; FORTEY, R. A. "Wonderful strife — systematics, stem groups and the phylogenetic signal of the Cambrian radiation". Em: *Paleobiology* (no prelo).

BROMHAM, L.; DEGNAN, B. M. "Hemichordates and deuterostome evolution: robust molecular phylogenetic support for a hemichordate + echinoderm clade". Em: *Evolution and development*, nº 1, pp. 166-71, 1999.

BROMHAM, L.; PENNY, D. "The modern molecular clock". Em: *Nature Reviews Genetics*, nº 4, pp. 216-24, 2003.

BROMHAM, L.; WOOLFIT, M.; LEE, M. S. Y.; RAMBAUT A. "Testing the relationship between morphological and molecular rates of change along phylogenies". Em: *Evolution*, nº 56, pp. 1921-30, 2002.

BROOKE, N. M.; HOLLAND, P. W. H. "The evolution of multicellularity and early animal genomes". Em: *Current Opinion in Genetics & Development*, nº 13, pp. 599-603, 2003.

BRUNET, M.; GUY, F.; PILBEAM, D. *et al.* "A new hominid from the Upper Miocene of Chad, central Africa". Em: *Nature*, nº 418, pp. 145-51, 2002.

BUCHSBAUM, R. *Animals without backbones*. Chicago: University of Chicago Press, 3ª ed., 1987.

BUTTERFIELD, N. J. "Paleobiology of the late Mesoproterozoic (ca. 1200 Ma) Hunting Formation, Somerset Island, artic Canada". Em: *Precambrian Research*, nº 111, pp. 235-56, 2001.

CAIRNS-SMITH, A. G. *Seven clues to the origin of life*. Cambridge: Cambridge University Press, 1985.

CARROLL, R. L. *Vertebrate paleontology and evolution*. Nova York: W. H. Freeman, 1988.

CATANIA, K. C.; KAAS, J. H. "Somatosensory fovea in the starnosed mole: behavioral use of the star in relation to innervation patterns and cortical representation". Em: *Journal of Comparative Neurology*, nº 387, pp. 215-33, 1997.

CAVALIER-SMITH, T. "The neomuran origin of archaebacteria, the negibacterial root of the universal tree and bacterial megaclassification". Em: *International Journal of Systematic and Evolutionary Microbiology*, nº 52, pp. 7-76, 2002.

CAVALIER-SMITH, T.; CHAO, E. E. Y. "Phylogeny of Choanozoa, Apusozoa, and other Protozoa and early eukaryote megaevolution". Em: *Journal of Molecular Evolution*, nº 56, pp. 540-63, 2003.

CENSKY, E. J.; HODGE, K.; DUDLEY, J. "Overwater dispersal of lizards due to hurricanes". Em: *Nature*, nº 395, p. 556, 1998.

CHANG, J. T. "Recent common ancestors of all present-day individuals". Em: *Advances in Applied Probability*, nº 31, pp. 1002-26, 1999.

CHAUCER, G. *Chaucer: the general prologue on CD-ROM*. SOLOPOVA, E. (ed.). Cambridge: Cambridge University Press, 2000.

CLACK, J. *Gaining ground: the origin and evolution of tetrapods*. Bloomington: Indiana University Press, 2002.

CLARKE, R. J. "First ever discovery of a well-preserved skull and associated skeleton of *Australopithecus*". Em: *South African Journal of Science*, nº 94, pp. 460-3, 1998.

CLEVELAND, L. R.; GRIMSTONE, A. V. "The fine structure of the flagellate Mixotricha paradoxa and its associated micro-organisms". Em: *Proceedings of the Royal Society of London: Series B*, nº 159, pp. 668-6, 1964.

COLLINS, A. G. "Phylogeny of medusozoa and the evolution of cnidarian life cycles". Em: *Journal of Evolutionary Biology*, nº 15, pp. 418-32, 2002.

CONWAY-MORRIS, S. *The crucible of creation: the Burges Shale and the rise of animals*. Oxford: Oxford University Press, 1998.

______. *Life's solution: inevitable humans in a lonely universe*. Cambridge: Cambridge University Press, 2003.

COOPER, A.; FORTEY, R. "Evolutionary explosions and the phylogenetic fuse". Em: *Trends in Ecology and Evolution*, nº 13, pp. 151-6, 1998.

COPPENS, Y. "East Side story: the origin of humankind". Em: *Scientific American*, nº 271, pp. 88-95, maio 1994.

COTT, H. B. *Adaptive coloration in animals*. Londres: Methuen, 1940.

CRICK, F. H. C. *Life itself: its origin and nature*. Londres: Macdonald, 1981.

CROCKFORD, S. *Dog evolution: a role for thyroid hormone physiology in domestication changes*. Baltimore: John Hopkins University Press, 2002.

CRONIN, H. *The ant and the peacock: altruism and sexual selection from Darwin to today*. Cambridge: Cambridge University Press, 1991.

DARWIN, C. *On the origin of species by means of natural selection*. Londres: John Murray, 1860/1859.

______. *The geology of the voyage of HMS Beagle: the structure and distribution of coral reefs*. Nova York: New York University Press, 1987/1842.

______. *The voyage of the Beagle*. Nova York: Dover Publications, 2002/1839.

______. *The descent of man*. Londres: Gibson Square Books, 2003/1871.

DARWIN, F. (ed.). *The life and letters of Charles Darwin*. Londres: John Murray, 1888.

DAUBIN, V.; GOUY, M.; PERRIÈRE, G. "A phylogenomic approach to bacterial phylogeny: evidence for a core of genes sharing common history". Em: *Genome Research*, nº 12, pp. 1080-90, 2002.

DAVIES, P. *The fifth miracle: the search for the origin of life*. Londres: The Penguin Press, 1998.

DAWKINS, R. *The extended phenotype*. Oxford: W. H. Freeman, 1982.

______. *O relojoeiro cego*. São Paulo: Companhia das Letras, 2001.

______. (ed.). "The evolution of evolvability". Em: LANGTON, C. (ed.). *Artificial life*, pp. 201-20. Nova York: Addison-Wesley, 1989.

______. *O gene egoísta*. São Paulo: Companhia das Letras, 2007.

______. *River out of Eden*. Londres: Weidenfeld & Nicolson, 1995.

______. *A escalada do monte improvável*. São Paulo: Companhia das Letras, 1998.

______. *Desvendando o arco-íris*. São Paulo: Companhia das Letras, 2000.

______. *O capelão do Diabo*. São Paulo Companhia das Letras, 2005.

DAWKINS, R; KREBS, J. R. "Arms races between and within species". Em: *Proceedings of the Royal Society of London: Series B*, nº 205, pp. 489-511, 1979.

DE CARVALHO, M. R. "Higher-level elasmobranch phylogeny, basal squaleans, and paraphyly". Em: STIASSNY, M. L. J.; PARENTI, L. R.; JOHNSSON, G. D. (eds.), *Interrelationships of fishes*, pp. 35-62. San Diego: Academic Press, 1996.

DE MORGAN, A. *A budget of paradoxes*. Dorset: The Thoemmes Library, 2003/1866.

DE WAAL, F. "Bonobo sex and society". Em: *Scientific American*, nº 272, pp. 82-8, 1995.

______. *Bonobo: the forgotten ape*. Berkeley: University of California Press, 1997.

DENNETT, D. *Consciousness explained*. Boston: Little Brown, 1991.

______. *Darwin's dangerous idea: evolution and the meaning of life*. Nova York: Simon & Schuster, 1995.

DEUTSCH, D. *The fabric of reality*. Londres: The Penguin Press, 1997.

DIAMOND, J. *The rise and fall of the third chimpanzee*. Londres: Radius, 1991.

DIXON, D. *After man: a zoology of the future*. Londres: Granada, 1981.

DRAYTON, M. *The works of Michael Drayton*. Oxford: Blackwell, 1931-41.

DUDLEY, J. W.; LAMBERT, R. J. "Ninety generations of selection for oil and protein in maize". Em: *Maydica*, nº 37, pp. 96-119, 1992.

DULAI, K. S.; VON DORNUM, M.; MOLLON, J. D.; HUNT, D. M. "The evolution of trichromatic color vision by opsin gene duplication in New World and Old World primates". Em: *Genome Research*, nº 9, pp. 629-38, 1999.

DURHAM, W. H. *Coevolution: genes, culture and human diversity*. Stanford: Stanford University Press, 1991.

DYSON, F. J. *Origins of life*. Cambridge: Cambridge University Press, 2ª ed., 1999.

EDWARDS, A. W. F. "Human genetic diversity: Lewontin's fallacy". Em: *BioEssays*, nº 25, pp. 798-801, 2003.

EIGEN, M. *Steps towards life: a perspective on evolution*. Oxford: Oxford University Press, 1992.

FENG, D.-F.; CHO, G.; DOOLITTLE, R. F. "Determining divergence times with a protein clock: update and reevaluation". Em: *Proceedings of the National Academy of Sciences of the USA*, nº 94, pp. 13 028-33, 1997.

FERRIER, D. E. K.; HOLLAND, P. W. H. "Ancient origin of the Hox gene cluster". Em: *Nature Reviews Genetics*, nº 2, pp. 33-8, 2001.

FERRIER, D. E. K.; MINGUILLÓN, C.; HOLLAND, P. W. H.; GARCIA-FERNÀNDEZ, J. "The amphioxus Hox cluster: deuterostome posterior flexibility and Hox14". Em: *Evolution and Development*, nº 2, pp. 284-93, 2000.

FISHER, R. A. *The genetical theory of natural selection: a complete variorum edition*. Oxford: Oxford University Press, 1999/1930.

FOGLE, B. *101 questions your dog would ask its vet*. Londres: Michael Joseph, 1993.

FORTEY, R. *Life: an unauthorised biography: a natural history of the first four thousand million years of life on Earth*. Londres: HarperCollins, 1997.

FURLONG, R. F.; HOLLAND, P. W. H. "Bayesian phylogenetic analysis supports monophyly of Ambulacraia and of cyclostomes". Em: *Zoological Science*, nº 19, pp. 593-9, 2002.

FURNES, H.; BANERJEE, N. R.; MUEHLENBACHS, K. *et al.* "Early life recorded in Archean pillow larvas". Em: *Science*, nº 304, pp. 578-81, 2004.

GARSTANG, W. *Larval forms and other zoological verses by the late Walter Garstang*. Oxford: Blackwell, 1951.

GEISSMANN, T. "Taxonomy and evolution of gibbons". Em: *Evolutionary Anthropology*, nº 11, "suplemento 1", pp. 28-31, 2002.

GEORGY, S. T.; WIDDICOMBE, J. G.; YOUNG, V. "The pyrophysiology and sexuality of dragons". Em: *Respiratory Physiology & Neurobiology*, nº 133, pp. 3-10, 2002.

GIBBS, S.; COLLARD, M.; WOOD, B. "Soft-tissue anatomy of the extant hominoids: a review and phylogenetic analysis". Em: *Journal of Anatomy*, nº 200, pp. 3-49, 2002.

GIRIBET, G. "Current advances in the phylogenetic reconstruction of metazoan evolution. A new paradigm for the Cambrian explosion?". Em: *Molecular Phylogenetics and Evolution*, nº 24, pp. 345-57, 2002.

GOLD, T. "The deep, hot biosphere". Em: *Proceedings of the National Academy of Sciences of the USA*, nº 89, pp. 6045-9, 1992.

GOODMAN, M.; PORTER, C. A.; CZELUSNIAK, J. *et al.* "Toward a phylogenetic classification of primates based on DNA evidence complemented by fossil evidence". Em: *Molecular Phylogenetics and Evolution*, nº 9, pp. 583-98, 1998.

GOULD, S. J. *Ontogeny and phylogeny*. Cambridge: The Belknap Press of Harvard University Press, 1977.

_______. *The flamingo's smile: reflections in natural history*. Nova York: Norton, 1985.

GOULD, S. J. *Vida maravilhosa*. São Paulo: Companhia das Letras, 1990.

GOULD, S. J.; CALLOWAY, C. B. "Clams and brachiopods: ships that pass in the night". Em: *Paleobiology*, nº 6, pp. 383-96, 1980.

GRAFEN, A. "Sexual selection unhandicapped by the Fisher process". Em: *Journal of Theoretical Biology*, nº 144, pp. 473-516, 1990.

GRANT, P. R. *Ecology and evolution of Darwin's finches*. Princeton: Princeton University Press, edição revisada, 1999/1986.

GRAUR, D.; MARTIN, W. "Reading the entrails of chickens: molecular timescales of evolution and the illusion of precision". Em: *Trends in Genetics*, nº 20, pp. 80-6, 2004.

GRIBALDO, S; PHILIPPE, H. "Ancient phylogenetic relationships". Em: *Theoretical Population Biology*, nº 61, pp; 391-408, 2002.

GRIBBIN, J.; CHERFAS, J. *The monkey puzzle*. Londres: The bodley head, 1982.

______. *The first chimpanzee: in search of human origins*. Londres: Penguin, 2001.

GROVES, C. P. "Systematics of the great apes". Em: SWINDLER, D. R. ; ERWIN, J. (eds.), *Systematics, evolution, and anatomy, Comparative Primate Biology*, v. 1, pp. 186-217. Nova York: Alan R. Liss, 1986.

GUPTA, R. S.; GRIFFITHS, E. "Critical issues in bacterial phylogeny". Em: *Theoretical Population Biology*, nº 61, pp. 423-34, 2002.

HADZI, J. *The evolution of the Metazoa*. Oxford: Pergamon Press, 1963.

HAECKEL, E. *Generelle Morphologie der Organismen*. Berlim: Georg Reimer, 1866.

______. *Kunstformen der Natur*. 1899-1904.

HAIG, D. "Genetic conflicts in human pregnancy". Em: *The Quarterly Review of Biology*, nº 68, pp. 495-532, 1993.

HALDANE, J. B. S. "Introducing Douglas Spalding". Em: *British Journal for Animal Behaviour*, nº 2, p. 1, 1952.

______. *On being the right size and other essays*. MAYNARD SMITH, J. (ed.). Oxford: Oxford University Press, 1985.

HALDER, G.; CALLAERTS, P.; GEHRING, W. J. "Induction of ectopic eyes by targeted expression of the eyeless gene in *Drosophila*". Em: *Science*, nº 267, pp. 1788-92, 1995.

HALLAM, A.; WIGNALL, P. B. *Mass extinction and their aftermath*. Oxford: Oxford University Press, 1997.

HAMILTON, W. D. *Narrow roads of gene land*, v. 2. Oxford: Oxford University Press, 2001.

______. *Narrow roads of gene land*, v. 3. Oxford: Oxford University Press (no prelo).

HAMRICK, M. W. "Primate origins: evolutionary change in digital ray patterning and segmentation". Em: *Journal of Human Evolution*, nº 40, pp. 339-51, 2001.

HARCOURT, A. H.; HARVEY, P. H.; LARSON, S. G.; SHORT, R. V. "Testis weight, body weight and breeding system in primates". Em: *Nature*, nº 293, pp. 55-7, 1981.

HARDY, A. *The living stream*. Londres: Collins, 1965.

HARDY, A. C. "The escape from specialization". Em: HUXLEY, J.; HARDY, A. C.; FORD, E. B. (eds.). *Evolution as a process*. Londres: Allen and Unwin, 1954.

HARVEY, P. H.; PAGEL, M. D. *The comparative method in evolutionary biology*. Oxford: Oxford University Press, 1991.

HECKMAN, D. S.; GEISER, D. M.; EIDELL, B. R. *et al.* "Molecular evidence for the early colonization of land by fungi and plants". Em: *Science*, nº 293, pp. 1129-33, 2001.

HEESY, C. P.; ROSS, C. F. "Evolution of activity patterns and chromatic vision in primates: morphometrics, genetics and cladistics". Em: *Journal of Human Evolution*, nº 40, pp. 111-49, 2001.

HOME, E. "A description of the anatomy of the *Ornithorhyncus paradoxus*". Em: *Philosophical Transactions of the Royal Society of London*, nº 92, pp. 67-84, 1802.

HOU, X.-G.; ALDRIDGE, R. J.; BERGSTROM, J. *et al. The Cambrian fossils of Chengjiang, China: the flowering of early animal life*. Oxford: Blackwell Science, 2004.

HUCHON, D.; MADSEN, O.; SIBBALD, M. J. J. B. *et al.* "Rodent phylogeny and a timescale for the evolution of Glires: evidence from an extensive taxon sampling using three nuclear genes". Em: *Molecular Biology and Evolution*, nº 19, pp. 1053-65, 2002.

HUME, D. *The natural history of religion*. ROOT, H. E. (ed.). Stanford: Stanford University Press, 1957/1757.

HUXLEY, A. *After many a summer*. Londres: Chatto and Windus, 1939.

HUXLEY, T. H. *Man's place in nature*. Nova York: Random House, 2001/1836.

INOUE, J. G.; MASAKI, M.; TSUKAMOTO, K.; NISHIDA, M. "Basal actinopterygian relationships: a mitogenomic perspective on the phylogeny of the 'ancient fish'". Em: *Molecular Phylogenetics and Evolution*, nº 26, pp. 110-20, 2003.

JEFFERY, W. R.; MARTASIAN, D. P. "Evolution of eye regression in the cavefish *Astyanax*: apoptosis and the *Pax-6* gene". Em: *American Zoology*, nº 38, pp. 685-96, 1998.

JERISON, H. J. *Evolution of the brain and intelligence*. Nova York: Academic Press, 1973.

JI, Q.; LUO, Z.-X.; YUAN, C.-X. *et al.* "The earliest known Eutherian mammal". Em: *Nature*, nº 416, pp. 816-22, 2002.

JOHANSON, D. C.; EDEY, M. A. *Lucy: the beginnings of humankind*. Londres: Grenada, 1981.

JONES, S. *The language of the genes: biology, history, and the evolutionary future*. Londres: HarperCollins, 1993.

JUDSON, O. *Dr. Tatiana's sex advice to all creation*. Nova York: Metropolitan Books, 2002.

KAUFFMAN, S. A. "Self-organization, selective adaptation, and its limits". Em: DEPEW, D. J.; WEBER, B. H. (eds.). *Evolution at a crossroads*, pp. 169-207. Cambridge: MIT Press, 1985.

KEELING, P. J.; FAST, N. M. "Microsporidia: biology and evolution of highly reduced intracellular parasites". Em: *Annual Review of Microbiology*, nº 56, pp. 93-116, 2002.

KEMP, T. S. *Mammal-like reptiles and the origin of mammals*. Londres: Academic Press, 1982.

______. "The reptiles that became mammals". Em: *New Scientist*, nº 93, pp. 581-4, 1982.

KIMURA, M. *Population genetics, molecular evolution and the neutral theory*. Chicago: University of Chicago Press, 1994.

KINGDON, J. *Island Africa*. Londres: Collins, 1990.

______. *Lowly origin: where and why our ancestors first stood up*. Princeton/Oxford: Princeton University Press, 2003.

KINGSLEY, C. *The water babies*. Londres: Puffin, 1995/1863.

KIPLING, R. *Puck of Pook's Hill*. Londres: Penguin, 1995/1906.

KIRSCHNER, M.; GERHART, J. "Evolvability". Em: *Proceedings of the National Academy of Sciences of the USA*, nº 95, pp. 8420-7, 1998.

KITTLER, R.; KAYSER, M.; STONEKING, M. "Molecular evolution of *Pediculus humanus* and the origin of clothing". Em: *Current Biology*, nº 13, pp. 1414-7, 2003.

KLEIN, R. G. *The human career: human biological and cultural origins*. Chicago/Londres: Chicago University Press, 2ª ed., 1999.

KORTLANDT, A. *New perspectives on ape and human evolution*. Amsterdam: Stichting voor Psychobiologie, 1972.

KRINGS, M.; STONE, A.; SCHMITZ, R.W. *et al.* "Neanderthal DNA sequences and the origin of modern humans". Em: *Cell*, nº 90, pp. 19-30, 1997.

KRISTENSEN, R. M. "An introduction to Loricifera, Cycliophora, and Micrognathozoa". Em: *Integrative and Comparative Biology*, nº 42, pp. 641-51, 2002.

KRUUK, H. *Niko's nature*. Oxford: Oxford University Press, 2003.

LACK, D. *Darwin's finches*. Cambridge: Cambridge University Press, 1947.

LAMBOURN, W. A. "The remarkable adaptation by which a dipterous pupa (Tabanidae) is preserved from the dangers of fissures in drying mud". Em: *Proceedings of the Royal Society of London: Series B*, nº 106, pp. 83-7, 1930.

LANG, B. F.; O'KELLY, C.; NERAD, T. *et al.* "The closest unicellular relatives of animals". Em: *Current Biology*, nº 12, pp. 1773-8, 2002.

LASKEY, R. A.; GURDON, J. B. "Genetic content of adult somatic cells tested by nuclear transplantation from cultured cells". Em: *Nature*, nº 228, pp. 1332-4, 1970.

LEAKEY, M. "The hominid footprints: introduction". Em: LEAKEY, M. D.; HARRIS, J. M. (eds.). *Laetoli: a Pliocene site in northern Tanzania*, pp. 490-6, Oxford: Clarendon Press, 1987.

LEAKEY, M.; FEIBEL, C.; MCDOUGALL, I.; WALKER, A. "New four-million-year-old hominid species from Kanapoi and Allia Bay, Kenya". Em: *Nature*, nº 376, pp. 565-71, 1995.

LEAKEY, R. *The origin of humankind*. Nova York: Basic Books, 1994.

LEAKEY, R.; LEWIN, R. *Origins reconsidered: in search of what makes us human*. Londers: Little Brown, 1992.

______. *The sixth extinction: biodiversity and its survival*. Londres: Weidenfeld & Nicolson, 1996.

LEWIS-WILLIAMS, D. *The mind in the cave*. Londres: Thames and Hudson, 2002.

LEWONTIN, R. C. "The apportionment of human diversity". Em: *Evolutionary Biology*, nº 6, pp. 381-98, 1972.

LIEM, K. F. "Evolutionary strategies and morphological innovations: cichlid pharyngeal jaws". Em: *Systematic Zoology*, nº 22, pp. 425-41.

LITTLEWOOD, D. T. J.; SMITH, A. B.; CLOUGH, K. A.; EMSON, R. H. "The interrelationships of the echinoderm classes: morphological and molecular evidence". Em: *Biological Journal of the Linnean Society*, nº 61, pp. 409-38, 1997.

LIU, F. G. R.; MIYAMOTO, M. M.; FREIRE, N. P. *et al.* "Molecular and morphological supertrees for Eutherian (placental) mammals". Em: *Science*, nº 291, pp. 1786-9, 2001.

LORENZ, K. *Man meets dog*. Londres: Routledge, 2002.

LOVEJOY, C. O. "The origin of man". Em: *Science*, nº 211, pp. 341-50, 1981.

LUO, Z.-X.; CIFELLI, R. L.; KIELAN-JAWOROWSKA, Z. "Dual origin of tribosphenic mammals". Em: *Nature*, nº 409, pp. 53-7, 2001.

MANGER, P. R.; PETTIGREW, J. D. "Electroreception and feeding behaviour of the platypus (*Ornithorhyncus anatinus:* Monotrema: Mammalia). Em: *Philosophical Transactions of the Royal Society of London: Biological Sciences*, nº 347, pp. 359-81, 1995.

MARCUS, G. F.; FISHER, S. E. "FOXP2 in focus: what can genes tell us about speech and language?". Em: *Trends in Cognitive Sciences*, nº 7, pp. 257-62, 2003.

MARGULIS, L. *Symbiosis in cell evolution*. São francisco: W. H. Freeman, 1981.

MARK WELCH, D.; MESELSON, M. "Evidence for the evolution of bdelloid rotifers without sexual reproduction or genetic exchange". Em: *Science*, nº 288, pp. 1211-9, 2000.

MARTIN, R. D. "Relative brain size and basal metabolic rate in terrestrial vertebrates". Em: *Nature*, nº 293, pp. 57-60, 1981.

MASH, R. *How to keep dinosaurs*. Londres: Weidenfeld & Nicholson, 2003/1983.

MAYNARD SMITH, J. *The evolution of sex*. Cambridge: Cambridge University Press, 1978.

_______. "Evolution — contemplating life without sex". Em: *Nature*, nº 324, pp. 300-1, 1986.

MAYNARD SMITH, J.; SZATHMÀRY, E. *The major transitions in evolution*. Oxford: Oxford University Press, 1995.

MAYR, E. *The growth of biological thought*. Cambridge: Harvard University Press, 1985/1982.

MEDINA, M.; COLLINS, A. G.; SILBERMAN, J. D.; SOGIN, M. L. "Evaluating hypotheses of basal animal phylogeny using complete sequences of large and small subunit RRNA". Em: *Proceedings of the National Academy of Sciences of USA*, nº 98, pp. 9707-12, 2001.

MENOTTI-RAYMOND, M.; O'BRIEN, S. J. "Dating the genetic bottleneck of the African cheetah". Em: *Proceedings of the National Academy of Sciences of the USA*, nº 90, pp. 3172-6, 1993.

MILIUS, S. "Bdelloids: no sex for over 40 million years". Em: *Science News*, nº 157, p. 326, 2000.

MILLER, G. *The mating mind: how sexual choice shaped the evolution of human nature*. Londres: Heinemann, 2000.

MILLER, K. R. *Finding Darwin's God: a scientist's search for common ground between God and evolution*. Nova York: Cliff Street Books (HarperCollins), 1999.

_______. "The flagellum usnpun: the collapse of 'irreducible complexity'". Em: RUSE, M.; DEMBSKI, W. (eds.). *Debating design: from Darwin to DNA*. Cambridge: Cambridge University Press, 2004.

MILLS, D. R.; PETERSON, R. L.; SPIEGELMAN, S. "An extracellular Darwinian experiment with a self-duplicating nucleic acid molecule". Em: *Proceedings of the National Academy of Sciences of the USA*, nº 58, pp. 217-24, 1967.

MILNER, A. R.; SEQUEIRA, S. E. K. "The temnospondyl amphibians from the Viséan of East Kirkton". Em: *Transactions of the Royal Society of Edinburgh, Earth Sciences*, nº 84, pp. 331-61, 1994.

MIYA, M.; TAKESHIMA, H.; ENDO, H. *et al.* "Major patterns of higher teleostean phylogenies: a new perspective based on 100 complete mitochondrial DNA sequences". Em: *Molecular Phylogenetics and Evolution*, nº 26, pp. 121-38, 2003.

MOLLON, J. D.; BOWMAKER, J. K.; JACOBS, G. H. "Variations of colour vision in New World primate can be explained by polymorphism of retinal photopigments". Em: *Proceedings of the Royal Society of London: Series B*, nº 222, pp. 373-99, 1984.

MONOD, J. *Chance and necessity: essay on the natural philosophy of modern biology*. Londres: Collins, 1972.

MONTGELARD, C.; BENTZ, S.; TIRARD, C. *et al.* "Molecular systematics of Sciurognathi (Rodentia): the mitochondrial cytochrome b and 12S rRNA genes support the Anomaluroidea (Pedetidae and Anomaluridae)". Em: *Molecular Phylogenetics and Evolution*, nº 22, pp. 220-33, 2002.

MOREIRA, D.; LE GUYADER, H.; PHILIPPE, H. "The origin of red algae and the evolution of chloroplasts". Em: *Nature*, nº 405, pp. 32-3, 2000.

MORGAN, E. *The aquatic ape hypothesis*. Londres: Souvenir Press, 1997.

MURATA, Y.; NIKAIDO, M.; SASAKI, T. *et al.* "Afrotherian phylogeny as inferred from complete mitochondrial genomes". Em: *Molecular Phylogenetics and Evolution*, nº 28, pp. 253-60, 2003.

MURDOCK, G. P. *Ethnographic Atlas*. Pittsburgh: University of Pittsburgh Press, 1967.

MURPHY, W. J.; EIZIRIK, E.; O'BRIEN, S. J. *et al.* "Resolution of the early placental mammal radiation using Bayesian phylogenetics". Em: *Science*, nº 294, pp. 2348-51, 2001.

MUSSER, A. M. "Review of the monotreme fossil record and comparison of palaeontological and molecular data". Em: *Comparative Biochemistry and Physiology Part A*, nº 136, pp. 927-42, 2003.

NELSON, J. S. *Fishes of the world*. Nova York: John Wiley, 3ª ed., 1994.

NESSE, R. M.; WILLIAMS, G. C. *The science of Darwinian medicine*. Londres: Orion, 1994.

NIKOH, N.; IWABE, N.; KUMA, K-I. *et al.* "An estimate of divergence time of Parazoa and Eumetazoa and that of Cephalochordata and Vertebrata by aldolase and triose phosphate isomerase clocks". Em: *Journal of Molecular Evolution*, nº 45, pp. 97-106, 1997.

NILSSON, M. A.; GULLBERG, A.; SPOTORNO, A. E. *et al.* "Radiation of extant marsupials after the K/T boundary: evidence from complete mitochondrial genomes". Em: *Journal of Molecular Evolution*, nº 57, S3-S12, 2003.

NORMAN, D. *Dinosaur!*. Londres: Boxtree, 1991.

NOZAKI, H.; MATSUZAKI, M.; TAKAHARA, M. *et al.* "The phylogenetic position of red algae revealed by multiple nuclear genes from mitochondria-containing eukaryotes and an alternative hypothesis on the origin of plastids". Em: *Journal of Molecular Evolution*, nº 56, pp. 485-97, 2003.

OHTA, T. "The nearly neutral theory of molecular evolution". Em: *Annual Review of Ecology and Systematics*, nº 23, pp. 263-86, 1992.

OPARIN, A. I. *The origin of life*. Nova York: Macmillan, 1938.

ORGEL, L. E. "The origin of life — a review of facts and speculations". Em: *Trends in Biochemical Sciences*, nº 23, pp. 491-5, 1998.

PAGEL, M.; BODMER, W. "A naked ape would have fewer parasites". Em: *Proceedings of the Royal Society of London: Biological Sciences* (supl.), nº 270, S117-9, 2003.

PANCHEN, A. L. "Étienne Geoffroy St.-Hilaire: father of 'evodevo'?". Em: *Evolution and Development*, nº 3, pp. 41-6, 2001.

PARKER, A. *In the blink of an eye: the cause of the most dramatic event in the history of life*. Londres: Free Press, 2003.

PARTRIDGE, T. C.; GRANGER, D. E.; CAFFEE, M. W.; CLARKE, R. J. "Lower Pliocene hominid remains from Sterkfontein". Em: *Science*, nº 300, pp. 607-12, 2003.

PENFIELD, W.; RASMUSSEN, T. *The cerebral cortex of man: a clinical study of localization of function*. Nova York: Macmillan, 1950.

PERDECK, A. C. "The isolating value of specific song patterns in two sibling species of grasshoppers". Em: *Behaviour*, nº 12, pp. 1-75, 1957.

PETERSON, K. J.; EERNISSE, D. J. "Animal phylogeny and the ancestry of bilaterians: inferences from morphology and 18S rDNA gene sequences". Em: *Evolution and Development*, nº 3, pp. 170-205, 2001.

PETTIGREW, J. D.; MANGER, P. R.; FINE, S. L. B. "The sensory world of the platypus". *Philosophical Transactions of the Royal Society of London: Biological Sciences*, nº 353, pp. 1199-210, 1998.

PINKER, S. *O instinto da linguagem*. São Paulo: Martins Fontes, 2004.

______. *Como a mente funciona*. São Paulo: Companhia das Letras, 1998.

POUGH, F. H.; ANDREWS, R. M.; CADLE, J. E.; CRUMP, M. *Herpetology*. Upper Saddle River: Prentice Hall, 2ª ed., 2001.

PULLMAN, P. *His dark materials trilogy*. Londres: Scholastic Press, 2001.

PURVIS, A. "A composite estimate of primate phylogeny". Em: *Philosophical Transactions of the Royal Society: Biological Sciences*, nº 348, pp. 405-21, 1995.

RAGAN, M. A.; GOGGIN, C. L.; CAWTHORN, R. J. *et al*. "A novel clade of protistan parasites near the animal-fungal divergence". Em: *Proceedings of the National Academy of Sciences of the USA*, nº 93, pp. 11907-12, 1996.

READER, J. *Man on Earth*. Londres: Collins, 1988.

______. *Africa: a biography of the continent*. Londres: Penguin, 1998.

REBEK, J. "Synthetic self-replicating molecules". Em: *Scientific American*, nº 271, pp. 48-55, 1994.

REES, M. *Just six numbers*. Londres: Weidenfeld & Nicolson, 1999.

RENO, P. L.; MEINDL, R. S.; MCCOLLUM, M. A.; LOVEJOY, C. O. "Sexual dimorphism in Australopithecus afarensis was similar to that of modern humans". Em: *Proceedings of the National Academy of Sciences of the USA*, nº 100, pp. 9404-9, 2003.

RICHARDSON, M. K.; KEUCK, G. "Haeckel's ABC of evolution and development". Em: *Biological Reviews*, nº 77, pp. 495-528, 2002.

RICHMOND, B. G.; BEGUN, D. R.; STRAIT, D. S. "Origin of human bipedalism: the knuckle-walking hypothesis revisited". Em: *Yearbook of Physical Anthropology*, nº 44, pp. 70-105, 2001.

RIDLEY, Mark. *The explanation of organic diversity — the comparative method and adaptations for mating*. Oxford: Clarendon Press/Oxford University Press, 1983.

______. "Embryology and classical zoology in Great Britain". Em: HORDER, T. J.; WITKOWSKI, J.; WYLIE, C. C. (eds.). *A history of embryology: the Eight Symposium of the British Society for Developmental Biology*, pp. 35-67. Cambridge: Cambridge University Press, 1986.

______. *Mendel's demon: gene justice and the complexity of life*. Londres: Weidenfeld & Nicolson, 2000.

RIDLEY, Matt. *The red queen: sex and the evolution of human nature*. Londres: Viking, 1993.

______. *Nature via nature: genes, experience and what makes us human*. Londres: Fourth Estate, 2003.

RODRÍGUEZ-TRELLES, F.; TARRÍO, R.; AYALA, F. J. "A methodological bias toward overestimation of molecular evolutionary time scales". Em: *Proceedings of the National Academy of Sciences of the USA*, nº 99, pp. 8112-5, 2002.

ROKAS, A.; HOLLAND, P. W. H. "Rare genomic changes as a tool for phylogenetics". Em: *Trends in Ecology and Evolution*, nº 15, pp. 454-9, 2000.

ROOS, C.; GEISSMANN, T. "Molecular phylogeny of the major hylobatid divisions". Em: *Molecular Phylogenetics and Evolution*, nº 19, pp. 486-94, 2001.

RUIZ-TRILLO, I.; PAPS, J.; LOUKOTA, M. *et al.* "A phylogenetic analysis of myosin heavy chain are basal bilaterians". Em: *Proceedings of the National Academy of Sciences of the USA*, nº 99, pp. 11246-51, 2002.

RUPPERT, E. E.; BARNES, R. D. *Invertebrate Zoology*. Fort Worth: Saunders College Publishing, 6ª ed., 1994.

SACKS, O. *The island of the colour-blind and Cycad Island*. Londres: Picador, 1996.

SAFFHILL, R.; SCHNEIDER-BERNLOER, H.; ORGEL, L. E.; SPIEGELMAN, S. "*In vitro* selection of bacteriophage Q ribonucleic acid variants resistant to ethidium bromide". Em: *Journal of Molecular Biology*, nº 51, pp. 531-9, 1970.

SÀNCHEZ-VILLAGRA, M. R. "The phylogenetic relationships of argyrolagid marsupials". Em: *Zoological Journal of the Linnean Society*, nº 131, pp. 481-96, 2001.

SANSOM, I. J.; SMITH, M. M.; SMITH, M. P. "The Ordovician radiation of vertebrates". Em: AHLBERG, P. E. (ed.). *Major events in early vertebrate evolution*, cap. 10. Londres: Taylor and Francis, 2001.

SCHLUTER, D. *The ecology of adaptive radiation*. Oxford: Oxford University Press, 2000.

SCHMITZ, J.; OHME, M.; ZISCHLER, H. "SINE insertions in cladistic analyses and the phylogenetic affiliations of *Tarsius bancanus* to other primates". Em: *Genetics*, nº 157, pp. 777-84, 2001.

SCHOPF, J. W. *Cradle of life — the discovery of earth's earliest fossils*. Princeton: Princeton University Press, 1999.

SCHUSSLER, D.; SCHWARZOTT, C.; WALKER, A. "A new phylum, the Glomeromycota: phylogeny and evolution". Em: *Mycological Research*, nº 105, pp. 1413-21, 2001.

SCOTESE, C. R. *Atlas of Earth history*, v. 1, Palaeography. Arlington: PALEOMAP Project, 2001.

SEEHAUSEN, O.; VAN ALPHEN, J. J. M. "The effect of male coloration on female mate choice in closely related Lake Victoria cichlids (*Haplochromis nyererei* complex)". Em: *Behavioral Ecology and Sociobiology*, nº 42, pp. 1-8, 1998.

SENUT, B.; PICKFORD, M.; GOMMERY, D. *et al.* "First hominid from the Miocene (Lukeino Formation, Kenya)". Em: *Comptes Rendus de l'Academie des Sciences, Series IIA — Earth and Planetary Science*, nº 332, pp. 137-44, 2001.

SEPKOSKI, J. J. "Patterns of Phanerozoic extinction: a perspective from global databases". Em: WALLISER, O. H. (ed.). *Global events and event stratigraphy in the Phanerozoic*, pp. 35-51. Berlim: Springer-Verlag, 1996.

SHAPIRO, B.; SIBTHORPE, D.; RAMBAUT, A. *et al.* "Flight of the dodo". Em: *Science*, nº 295, p. 1683, 2002.

SHEETS-JOHNSTONE, M. *The roots of thinking*. Filadelfia: Temple University Press, 1990.

SHIRAI, S. "Phylogenetic interrelationships of neoselachians (Chondrichthyes: Euselachii)". Em: STIASSNY, M. L. J.; PARENTI, L. R. ; JOHNSSON, G. D. (eds.). *Interrelationships of fishes*, pp. 9-34. San Diego: Academic Press, 1996.

SHU, D-G; LUO, H.-L.; CONWAY-MORRIS, S. *et al.* "Lower Cambrian vertebrates from south China". Em: *Nature*, nº 402, pp. 42-6, 1999.

SIBLEY, C. G.; MONROE, B. L. *Distribution and taxonomy of birds of the world*. New Haven: Yale University Press, 1990.

SIMPSON, G. G. *Splendid isolation: the curious history of South American mammals*. New Haven: Yale University Press, 1980.

SLACK, J. M. W.; HOLLAND, P. W. H.; GRAHAM, C. F. "The zootype and the phylotypic stage". Em: *Nature*, nº 361, pp. 490-2, 1993.

SMITH, D. C. "From extracellular to intracellular: the establishment of a symbiosis". Em: RICHMOND, M. H.; SMITH, D. C. (eds.). *The cell as a habitat*. Londres: Royal Society of London, 1979.

SMOLIN, L. *The life of the cosmos*. Londres: Weidenfeld & Nicolson, 1997.

SOUTHWOOD, T. R. E. *The story of life*. Oxford: Oxford University Press, 2003.

SPRINGER, M. S.; MURPHY, W. J.; EIZIRIK, E.; O'BRIEN, S. J. "Placental mammal diversification and the Cretaceous-Tertiary boundary". Em: *Proceedings of the National Academy of Sciences of the USA*, nº 100, pp. 1056-61, 2003.

SPRINGER, M. S.; WESTERMAN, M.; KAVANAGH, J. R. *et al*. "The origin of the Australasian marsupial fauna and the phylogenetic affinities of the enigmatic monito-del-monte and marsupial mole". Em: *Proceedings of the Royal Society of London, Series B*, nº 265, pp. 2381-6, 1998.

STEWART, C. B.; DISOTELL, T. R. "Primate evolution — in and out of Africa". Em: *Current Biology*, nº 8, R582-R588, 1998.

STRINGER, C. "Human evolution — out of Ethiopia". Em: *Nature*, nº 423, pp. 692-5, 2003.

SUMPER, M.; LUCE, R. "Evidence for *de novo* production of self-replicating and environmentally adapted RNA structures by bacteriophage Qβ replicase". Em: *Proceedings of the National Academy of Sciences of the USA*, nº 72, pp. 162-6, 1975.

SUTHERLAND, J. L. "Protozoa from Australian termites". Em: *Quarterly Journal of Microscopic Science*, nº 76, pp. 145-73, 1933.

SWIFT, J. *Poetry, a rhapsody*, 1733.

SYED, T.; SCHIERWATER, B. "*Trichoplax adhaerens: discovered as a missing link, forgotten as a hydrozoan, rediscovered as a key to metazoan evolution*". Em: *Vie et Milieu*, nº 52, pp. 177-87, 2002.

TAKEZAKI, N.; FIGUEROA, F.; ZALESKA-RUTCZYSKA, Z.; KLEIN, J. "Molecular phylogeny of early vertebrates: monophyly of the agnathans as revealed by sequences of 35 genes". Em: *Molecular Biology and Evolution*, nº 20, pp. 287-92, 2003.

TAMM, S. L. "Flagellated endosymbiotic bacteria propel a eukaryotic cell". Em: *Journal of Cell Biology*, nº 94, pp. 697-709, 1982.

TAVARÉ, S.; MARSHALL, C. R.; WILL, O. *et al*. "Using the fossil record to estimate the age of the last common ancestor of extant primates". Em: *Nature*, nº 416, pp. 726-29, 2002.

TAYLOR, C. R.; ROWNTREE, V. J. "Running on two or four legs: which consumes more energy?". Em: *Science*, nº 179, pp. 186-7, 1973.

TELFORD, M. J.; LOCKYER, A. E.; CARTWRIGHT-FINCH, C.; LITTLEWOOD, D. T. J. "Combined large and small subunit ribosomal RNA phylogenies support a basal position of the acoelomorph flatworms". Em: *Proceedings of the Royal Society of London: Biological Sciences*, nº 270, pp. 1077-83, 2003.

TEMPLETON, A. R. "Out of Africa again and again". Em: *Nature*, nº 416, pp. 45-51, 2002.

THOMSON, K. S. *Living fossil: the story of the coelacanth*. Londres: Hutchinson Radius, 1991.

TRIVERS, R. L. "Parental investment and sexual selection". Em: CAMPBELL, B. (ed.). *Sexual and the descent of man*, pp. 136-79. Chicago: Aldine, 1972.

TRUT, L. N. "Early canid domestication: the farm-fox experiment". Em: *American Scientist*, nº 87, pp. 160-9, 1999.

TUDGE, C. *Neanderthals, bandits and farmers: how agriculture really began*. Londres: Weidenfeld & Nicolson, 1998.

TUDGE, C. *The variety of life*. Oxford: Oxford University Press, 2000.

TURBEVILLE, J. M. "Progress in nemertean biology: development and phylogeny". Em: *Integrative and Comparative Biology*, nº 42, pp. 692-703, 2002.

VALENTINE, J. W. "Prelude to the Cambrian explosion". Em: *Annual Review of Earth and Planetary Sciences*, nº 30, pp. 285-306, 2002.

VAN SCHAIK, C. P.; ANCRENAZ, M.; BORGEN, G. *et al*. "Orangutan cultures and the evolution of material culture". Em: *Science*, nº 299, pp. 102-5, 2003.

VAN TUINEN, M.; SIBLEY, C. G.; HEDGES, S. B. "The early history of modern birds inferred from DNA sequences of nuclear and mitochondrial genomes". Em: *Molecular Biology and Evolution*, nº 17, pp. 451-7, 2000.

VENKATESH, B.; ERDMANN, M. V.; BRENNER, S. "Molecular synapomorphies resolve evolutionary relationships of extant jawed vertebrates". Em: *Proceedings of the National Academy of Sciences of the USA*, nº 98, pp. 11 382-7, 2001.

VERHEYEN, E.; SALZBURGER, W.; SNOEKS, J.; MEYER, A. "Origin of the superflock of cichlid fishes from Lake Victoria, East Africa". Em: *Science*, nº 300, pp. 325-9, 2003.

VINE, F. J.; MATTHEWS, D. H. "Magnetic anomalies over oceanic ridges". Em: *Nature*, nº 199, pp. 947-9, 1963.

WADA, H.; SATOH, N. "Phylogenetic relationships among extant classes of echinoderms, as inferred from sequences of 18S rDNA, coincide with relationships deduced from the fossil record". Em: *Journal of Molecular Evolution*, nº 38, pp. 41-9, 1994.

WAKE, D. B. "Incipient species formation in salamanders of the *Ensatina* complex". Em: *Proceedings of the National Academy of Sciences of the USA*, nº 94, pp. 7761-7, 1997.

WALKER, G. *Snowball earth: the story of the great global catastrophe that spawned life as we know it*. Londres: Bloomsbury, 2003.

WARD, C. V.; WALKER, A.; TEAFORD, M. F. "*Proconsul* did not have a tail". Em: *Journal of Human Evolution*, nº 21, pp. 215-20, 1991.

WEINBERG, S. *Dreams of a final theory*. Londres: Hutchinson Radius, 1993.

WEINER, J. *The beak of the finch*. Londres: Jonathan Cape, 1994.

WESENBERG-LUND, C. "Contributions to the biology of the Rotifera. Part II. The periodicity and sexual periods". Em: *Det Kongelige Danske Videnskabers Selskabs Skrifter*, nº 9, v. II, pp. 1-230, 1930.

WEST, G. B.; BROWN, J. H.; ENQUIST, B. J. "The origin of universal scaling laws in biology". Em: BROWN, J. H.; WEST, G. B. (eds.). *Scaling in biology*. Oxford: Oxford University Press, 2000.

WEST-EBERHARD, M. J. *Developmental plasticity and evolution*. Oxford: Oxford University Press, 2003.

WESTOLL, T. S. "On the evolution of the Dipnoi". Em: JEPSEN, G. L.; MAYR, E.; SIMPSON, G. G. (eds.). *Genetics, paleontology and evolution*, pp. 121-88. Princeton: Princeton University Press, 1949.

WHEELER, J. A. "Information, physics, quantum: the search for links". Em: ZUREK, W. H. (ed.), *Complexity, entropy, and the physics of information*, pp. 3-28. Nova York: Addison-Wesley, 1990.

WHITE, T. D.; ASFAW, B.; DEGUSTA, D. *et al*. "Pleistocene Homo sapiens from Middle Awash, Ethiopia". Em: *Nature*, nº 423, pp. 742-7, 2003.

WHITE, T. D.; SUWA, G.; ASFAW, B. "*Australopithecus ramidus*, a new species of hominid from Aramis, Ethiopia". Em: *Nature*, nº 371, pp. 306-12, 1994.

WHITEN, A.; GOODALL, J; MACGREW, W. C. *et al.* "Cultures in chimpanzees". Em: *Nature*, nº 399, pp. 682-5, 1999.

WILLIAMS, G. C. *Sex and evolution*. Princeton: Princeton University Press, 1975.

______. *Natural selection: domains, levels and challenges*. Oxford: Oxford University Press, 1992.

WILSON, E. O. *Diversidade da vida*. São Paulo: Companhia das Letras, 1994.

WILSON, H. V. "On some phenomena of coalescence and regeneration in sponges". Em: *Journal of Experimental Zoology*, nº 5, pp. 245-58, 1907.

WINCHELL, C. J.; SULLIVAN, J.; CAMERON, C. B. *et al.* "Evaluating hypotheses of deuterostome phylogeny and chordate evolution with new LSU and SSU ribosomal DNA data". Em: *Molecular Biology and Evolution*, nº 19, pp. 762-76, 2002.

WOESE, C. R.; KANDLER, O.; WHEELIS, M. L. "Towards a natural system of organisms: proposal for the domains Archaea, Bacteria, and Eucarya". Em: *Proceedings of the National Academy of Sciences of the USA*, nº 87, pp. 4576-9, 1990.

WOLPERT, L. *The triumph of the embryo*. Oxford: Oxford University Press, 1991.

WOLPERT, L.; BEDDINGTON, R.; BROCKES, J. *et al. Principles of development*. Londres/Oxford: Current Biology/Oxford University Press, 1998.

WRAY, G. A.; LEVINTON, J. S.; SHAPIRO, L. H. "Molecular evidence for deep Precambrian divergences among metazoan phyla". *Science*, nº 274, pp. 568-73, 1996.

XIAO, S. H.; YUAN, X. L.; KNOLL, A. H. "Eumetazoan fossils in terminal Proterozoic phosphorites?". Em: *Proceedings of the National Academy of Sciences of the USA*, nº 97, pp. 13 684-9, 2000.

YEATS, W. B. *The poems*. FINNERAN, R. J. (ed.). Londres: Macmillan, 1984.

YODER, A. D.; YANG, Z. "Divergence dates for Malagasy lemurs estimated from multiple gene loci: geological and evolutionary context". Em: *Molecular Ecology*, nº 13, pp. 757-73, 2004.

ZAHAVI, A.; ZAHAVI, A. *The handicap principle*. Oxford: Oxford University Press, 1997.

ZARDOYA, R.; MEYER, A. "Mitochondrial evidence on the phylogenetic position of caecilians (Amphibia: Gymnophiona)". Em: *Genetics*, nº 155, pp. 765-75, 2000.

______. "On the origin of and phylogenetic relationships among living amphibians". Em: *Proceedings of the National Academy of Sciences of the USA*, nº 98, pp. 7380-3, 2001.

ZHU, M.; YU, X. "A primitive fish close to the common ancestor of tetrapods and lungfish". Em: *Nature*, nº 418, pp. 767-70, 2002.

ZUCKERKANDL, E.; PAULING, L. "Evolutionary divergence and convergence in proteins". Em: BRYSON, V.; VOGELS, H. J. (eds.). *Evolving genes and proteins*, pp. 97-166. Nova York: Academic Press, 1965.

Créditos das ilustrações

ILUSTRAÇÃO

1. Publicado com permissão da International Commission on Statigraphy.

2. *Pintura rupestre paleolítica de boi em Lascaux*, © Archivo Iconografico, S. A. / Corbis.

3. *Trilha de pegadas em Laetoli*, John Reader / Science Photo Library.

4. *Palaeoscolex Sinensis*, jazidas fósseis de Chengjiang. Fotografado com permissão do Dr. Derek J. Siveter, Museu de História Natural da Universidade de Oxford. [Hou et al., p. 717.]

5. *Concestral 3*, © Moonrunner Design.

6. *Baobás*, © Thomas Pakenham.

7. *Castor americano*, © John Shaw / NHPA.

8. *Hipopótamo*, © Kevin Schafer / NHPA.

9. *Árvore*, E. Haeckel [1866, p. 716.].

10. *Acasalamento de elefantes-marinhos do sul*, B. & C. Alexander / NHPA.

11. *Musaranho-elefante*, © Anthony Bannister, NHPA.

12. *Amebelodon, presas de pá*, © Michael Long, NHMPL.

13. *Homúnculo sensorial*, © Museu de História Natural, Londres.

14. *Ornitorrúnculo*, J. D. Pettygrew, P. R. Manger & S. L. B. Fine, fig. 7a [p. 721].

15. *Espátula*, © Norbert Wu / Minden Pictures.

16. *Diagrama dos répteis mamaliformes*, T. Kemp [p. 721].

17. *Gráfico de óleo de milho de Ridley, M., Evolution*, 3ª ed., Blackwell, 2003, fig. 9.7. Modificado de DUDLEY, J. W.; LAMBERT, R. L. [p. 714].

18. *Ave-do-paraíso-de-wilson*, Richard Kirby / naturepl.com.

19. *Mapa paleográfico de Christopher R. Scotese*, © 2003 Paleomap Project (www.scotese.com).

20. Mapas Paleográficos de Christopher R. Scotese, © 2003 Paleomap Project (www.scotese.com).

21. Fotografias de *ensatina* © Chuck Brown; Mapa de *A field guide to Western reptiles and amphibians*, 3ª ed., de Robert C. Stebbins. Copyright © 2003 de Robert C. Stebbins. Reproduzido com permissão de Houghton Mifflin Company. Todos os direitos reservados.

22. Concestral 18, © Moonrunner Design.

23. Peixe celacanto, Peter Scoones / Science Photo Library.

24. Dragão-marinho, Paul Zahl / Science Photo Library.

25. *Enguia "Bico de Galinhola"*, Peter Parks / imagequestmarine.com; Pancinha, Peter Herring / imagequestmarine.com; *Solha camuflado na areia*, © Linda Pitkin / NHPA; *Peixe-Lua*, Masa Ushioda / imagequestmarine.com; *Enguia-pelicano*, © Norbert Wu / Minden Pictures.

26. Rede de haplótipos desenraizada do superbando haplocrominos, de VERHEYEN *et al.* Reproduzido com permissão [p. 724], fig. 3c. Copyright 2003 AAAS.

27. *Dois modos de ser um peixe achatado*, por L. Ward, de R. Dawkins [1996, p. 714], fig. 4.7.

28. *Grande-tubarão-martelo*, James, D. Watt / imagequestmarine.com; *Peixe-serra-de-água-doce*, © Yves Lanceau / NHPA.

29. *Peixe-elefante ou quimera "nariz de arado"*, © ANT Photo Library / NHPA.

30. *Concestral 23*, © Moonrunner Design.

31. *Ascídias*, © B. Jones & M. Shimlock, NHPA.

32. *Saúvas*, © Michael & Patricia Fogden / Minden Pictures.

33. *Fotografias de Condoleeza Rice, Colin Powell, presidente Bush e donald h. Rumsfeld*, Associated Press.

34. *Drosophila Melanogaster*, de LAWRENCE, P. A., *The making of a fly*, Blackwell Science (1992), ilustração 5.1.

35. *Micrografia de luz de um rotífero*, John Walsh / Science Photo Library.

36. *Verme aveludado*, Dr. Morley Read / Science Photo Library.

37. *Halkieria*, reproduzido com permissão de Simon Conway-Morris, Universidade de Cambridge. DE CONWAY-MORRIS, S.; PEEL, J. S., "Articulated Halkieriids from the Lower Cambrian of North Greenland and their role in early protostome evolution". Londres: Phil. Trans. Roy. Soc., 1995, B 347, pp. 305-58, figs. 49a, b, c.

38. *Dickinsonia Costata*, todos os direitos reservados por J. G. Gehling, Museu do Sul da Austrália.

39. *Porpita Porpita*, Peter Parks / imagequestmarine.com.

40. *Massa de águas-marinhas mastigias na superfície em Palau, Ilhas do Pacífico Ocidental*, Michael Pitts, naturepl.com.

41. *Vista aérea da Ilha Heron (Ilha de Coral), Parque Marinho da Grande Barreira de Coral, Queensland, Austrália*, © Gerry Ellis / Minden Pictures.

42. *Labro limpador limpando salmonete-de-barba-longa*, Georgette Douwma / naturepl.com.

43. *Cinto-de-vênus, um tipo de ctenóforo*, Sinclair Stammers / Science Photo Library.

44. *Esponja-de-vidro*, © Londres, Museu de História Natural.

45. *Cogumelos Phallus impudicus*, Vaughan Flemming / Science Photo Library.

46. *Concestral 36*, © Moonrunner Design.

47. *Sequoia, Sequoia National Park*, Tony Cradock / Science Photo Library.

48. *Molécula de RNA de transferência, ilustração por computador*, Alfred Pasieka / Science Photo Library.

49. *Awful changes* © Department of Geology, Museu de História Natural de Wales.

50. Em sentido horário: *fotografia de um Nautilus pompilius em vista lateral*, mostrando o olho "pinhole", © The Natural History Museum, Londres; *Micrografia em cores de varredura eletrônica de fóssil de olho de trilobita*, VVG/Science Photo Library; *Imagem de microscópio de varredura eletrônica mostrando o olho composto de um mosquito negro simulium damnosum*, © The Natural History Museum, Londres; *Olho de bodião-comum* © B. Jones & M. Shimlock/NHPA; *Olho de um mocho-orelhudo*, Simon Frasier/Science Photo Library.

PÁGINA

59. Imagem de multidão reproduzida com permissão do professor Robert Winston.

71. Árvore genealógica da rainha Vitória, por Yan Wong.

83. Um novo modelo de evolução humana, de A. R. Templeton, fig. 1. Reproduzido com permissão de Nature Publishing Group.

105. Gráfico tipo *scatter plot* do peso (log) da massa cerebral e peso (log) da massa corporal, de MARTIN, R. D. *et al.* [p. 719], fig. 1. Reproduzido com permissão de Nature Publishing Group.

113. QE, ou "quociente de encefalidade", por Yan Wong.

126. Crânio de toumai, © M. P. F. T. (Mission Paléoanthropologique Franco-Tchadienne).

149. *Hipótese sintética da evolução dos primatas Catarrinos.* Reproduzido de STEWART, C. B. & DISOTELL, T. R. [p. 723], fig. 2. Copyright 1998, com permissão de Elsevier.

159-160. Árvores desenraizadas, por Yan Wong; Cladogramas enraizados, por Yan Wong.

166-167-169. Diagramas de Chaucer, por Yan Wong, baseados em dados de CHAUCER [p. 713].

170. *Diagrama de dados "não comunicantes"*, de GEISSMANN, T. [p. 715], fig. 1.6. Reproduzido sob permissão de Wilay-Liss, Inc., subsidiária de John Wiley & Sons, Inc.

171. *Árvore de máxima probabilidade desenraizada.* Reproduzido de ROOS, C. e GEISSMANN, T. [p. 722], fig. 2c. Copyright 2001, com permissão de Elsevier.

199. Esqueleto de társio, por Stephen D. Nash, de FLEAGLE, John G., *Primate adaptation and evolution*. San Diego: Academic Press, 2ª ed., 1999, fig. 4.25.

251. Gráfico baseado em dados de R. D. Alexander *et al.* [p. 711].

255. Comparação de massa de testículos e massa corporal, de P. H. Harvey e M. D. Pagel, [p. 716] fig. 1.3.

283. Henkelotherium, por Elke Gröning, de KREBS, B. "Das Skelt von Henkelotherium guimarotae gen. et. sp. nov (*Eupanthotheria*, *Mammalia*) aus dem Oberen Jura von Portugal". *Berliner Geowiss* (1991). Abh. A 133, pp. 1-110.

286. Diagrama do cérebro por Penfield [p. 720].

289. Linhas de isossensitividade do ornitorrinco, de P. R. Manger e J. D. Pettigrew [p.719], fig. 13e.

293. Toupeira-de-nariz-estrelado, Rod Planck/Science Photo Library.

295. Toupeirúnculo, de K. C. Catania e J. H. Kaas [p. 713]. Reproduzido sob permissão de Wiley-Liss, Inc., subsidiária de John Wiley & Sons, Inc.

300. Gráfico de taxas de extinção, de J. J. Sepkoski [p. 722].

334. Richard Owen, zoólogo britânico, com um moa gigante, George Bernard / Science Photo Library.

347. Esquema do espalhamento do assoalho oceânico, redesenhado por Ken Wilson.

364. Gráfico de curva normal e gráfico de distribuição, por Richard Dawkins.

382. Posição filogenética da cobra-cega, de R. Zardoya e A. Meyer, [2000, p. 725], fig. 4c.

448. *Braquiópode* © Londres, Museu de História Natural.

456-457. *Peixe-gato invertido*, © Slip Nicklin / Minden Pictures; *Imagem de crateras da Lua pela* Apollo 11, NASA / DvR / Science Photo Library.

465. Fotografia de Colin Powell e do presidente Arap Moi, Associated Press.

505. *Thaumatoxena Andreinii Silvestri*, de R. H. L. Disney e D. H. Kistner, "Revision of the termitophilus Thaumatoxeninae (Dipitera: Phoridade)". Em: *Journal of Natural History*, nº 26, pp. 953-91, 1992.

506. *Megaselia Scalaris* (*Loew*), por Arthur Smith, © Londres, Museu de História Natural.

508. Reconstituição de *Hallucigenia*, com permissão do Dr. Derek J. Siveter, Oxford, Museu de História Natural da Universidade de Oxford [HOU et al., p. 717].

509. Reconstituição de *animalocaris*, com permissão do Dr. Derek J. Siveter, Oxford, Museu de História Natural da Universidade de Oxford [HOU et al., p. 717].

511. Espécime e diagrama de *myllokunmingia*, de SHU, D-G Shu *et al.* [p. 722], figs. 2a e 3. Reproduzido com permissão de Nature Publishing Group.

536. Arpão de cnidário, cortesia de Biodidac (www.biodidac.bio.uottawa.ca).

561. Esquema de porção da parede de uma esponja, de BRUSCA, R. C. e BRUSCA, G. J., *Invertebrates*, Sinauer Associates, Inc., 2ª ed., 2003, Desenho baseado no original de Tim Brown.

563. Espécie de coanoflagelado pedunculado, de FARMER, J. N., *The Protozoa*, 1980. St. Louis: Universidade de Birmingham, C. V. Mosby Co., 1980.

585. Diagrama do deep green, reproduzido por cortesia de Brent Mishler, Departamento de Biologia Integrativa da Universidade da Califórnia em Berkeley.

587. Gráfico *scatter plot* da lei de klieber, de West, Brown e Enquist [p. 724], fig. 2. De diagrama em HEMMINGSEN, "Energy meta as related to body size". Copenhagen: *Rep. Steno. Mem. Hosp.*, pp. 1-110, 1960. Desenho baseado no original de Tim Brown.

589. Corte transversal de couve-flor, por Yan Wong.

606. *Filogênese consensual dos eucariotas* © S. L. Bauldauf. Atualizado do original em [p. 712] fig. 1.

613. Diagrama de *mixotricha*, de CLEVELAND, L. R; GRIMSTONE, A. V. [p. 713].

629. *Motor flagelar bacteriano*. De VOET, D.; VOET, J. G. *Biochemistry*. John Wiley & Sons, Inc., 1994, p. 1259. Desenho baseado no original de Tim Brown.

638. *Visão moderna da árvore da vida*. Modificado de S. Gribaldo e H. Philippe [GRIBALDO, S. *et al.*, p. 716], fig. 5. Copyright 2002, com permissão de Elsevier.

674. *Paisagem de olhos*, desenhada por L. Ward com base no original de M. F. Land, de R. Dawkins [1996, p. 714].

Índice remissivo

(Ilustração 1): ilustrações em cores

aardvark, 258, 264
Abd-al-Rahman, 332
Abdominal-A, 485, 504
Abdominal-B, 485
abduções por extraterrestres, 65
abelha, 186, 292, 371, 609, 677, 683
Acanthostega, 354
acaso, 644, 664
ACMR *ver* Ancestral Comum Mais Recente
Acoela, verme chato, 531, 532, 533; *ver também* verme chato acelomorfo
actinopterígios *ver* peixes de nadadeiras raiadas
Adams, Douglas, 205, 329, 331
Adão, cromossomo Y, 77, 84
adaptação, 123, 124, 234, 409, 432, 623, 688, 694, 697; à vida em cavernas, 405, 406
adzebill (*Aptornis*), 331
Aegyptopithecus, 113, 149, 175
Aepyornis *ver pássaro-elefante*
afídios, 461
África, 21, 25-7, 47, 52-3, 66-7, 70, 79-84, 88-92, 94, 102, 115-7, 123, 127, 131, 133-5, 138-9, 142, 143, 145-52, 154, 174-5, 179-80, 204, 206-9, 217, 223, 258, 260-7, 270-1, 276-7, 279-80, 282, 291, 302, 314, 319, 329, 335-46, 353, 378, 386, 402, 461, 465-7, 471, 475-7, 546, 671, 672, 673, 680
Afropithecus, 145, 149
afrotérios (*Afrotheria*), 209, 220, 259, 264, 267, 270, 280, 282, 671
agricultura *ver* domesticação; Revolução Agrícola
água-viva, 456, 509, 518, 534, 535, 536, 537, 538, 539, 540, 541, 542, 550, 552, 677, 702; cubomedusa (*Cubozoa*), 537; ferrão das, 536; *Mastigias*, 541; (Ilustração 40)
aiai (*Daubentonia madagascariensis*), 202, 204, 205, 209, 262, 270
álcool, intolerância ao, 54
alelo, 54, 70, 72, 73, 74, 189, 233, 467, 522
Alexander, Richard D., 251
Alexei da Rússia, tsarévitche, 73
"alga azul" *ver* cianobactéria
algas, 380, 390, 399, 401, 510, 533, 539, 541, 543, 544, 545, 553, 566, 576, 583, 585, 606, 607, 618, 619, 637, 649, 659; alga parda, 607; alga

verde, 533, 583, 585, 619; alga vermelha (*Rhodophyta*), 583, 585; dinoflagelados, 533, 607; *Fucus*, 390, 607; *Tetraselmis convolutae*, 533; *Volvox*, 583; zooxantelas, 544
aligátor, 305, 382
almiscareiro-fossa (*Fossa fossa*), 207
alometria, 482
alpaca (*Lama pacos*), 261
altaica, família linguística, 41
altruísmo, 122
alveolados, 606, 607
âmbar, preservação em, 31, 39, 493, 499
ambiente, 47, 227, 542
ambulacrarianos (*Ambulacraria*), 434, 436
amebas, 553, 561, 578, 579, 580, 581, 606, 607, 637
amebozoários, 580
América do Sul, 179, 180, 183, 209, 225, 258, 260, 261, 262, 274, 282, 291, 326, 335-46, 378, 477, 671, 673
âmia (amiiforme), 388, 389, 393
aminoácidos, 38, 96, 97, 421, 521, 650, 651, 655, 656, 659, 660, 661
amniotas, 304, 349, 350, 351, 352
amonites, 446, 675
ampolas de Lorenzini, 289
análise de probabilidade: filogênese bayesiana, 169, 527; máxima probabilidade, 169, 171
Ancestral Comum Mais Recente (ACMR), 73, 74, 77, 78, 85; cromossomo Y *ver* Adão, cromossomo Y; de gene, 70, 73; de genealogia (concestral), 62, 63; mitocondrial *ver* Eva mitocondrial
andorinhão-das-cavernas (*Collocalia linchi*), 675
Andrewsarchus, 238, 244
anéis de árvores *ver* dendrocronologia
anéis de fada, 574; *ver também* fungos
anemia falciforme, 191
anêmona-do-mar, 518, 534, 535, 536, 537, 538, 542, 543, 566
anfíbios, 22, 299, 300, 301, 349, 350, 351, 352, 354, 422, 570, 571, 696; pele permeável, 352; reprodução, 351, 352
anfioxo (*Branchiostoma*), 377, 424, 426, 427, 428, 429, 488, 510
animais, 186, 439, 529, 570, 584; comunicação, 235; domésticos *ver em* domesticação; noturnos, 183, 184, 197, 199, 204, 210, 463, 547; nova definição baseada em genes Hox, 311, 492; tamanho do cérebro, 103, 104, 105, 106, 107, 108, 110, 111, 112
animais eussociais, 683; cupim, 607, 608; formiga, 459, 460, 461; rato-toupeira-pelado, 224
animais extintos recentemente *ver* tilacino; pássaro-elefante; moa; dodô; preguiça terrestre gigante
animal com cascos *ver* ungulado; notoungulado
Aniridia ver *Pax*
Anomalocaris, 509, 510
anormalidade genética, 95, 480, 484, 485; *ver também* mutação
Antártida, 179, 271, 274, 275, 302, 336, 337, 338, 340, 341, 353
antenapedia, 481; *ver também* mutação: homeótica
antibiótico, 575
anticódon, 655, 656
anticongelante, 352
anticongelantes, 701
Antigo Arenito Vermelho, 33
Antigo Testamento, 37
antílope, 55, 133, 206, 238, 239, 241, 264, 267, 279, 480, 672
antracotérios, 243
"antrópica", noção, 18, 19
ânus, 282, 420, 424, 437, 441, 461, 532, 533, 536
aptidão, 67, 68, 191, 291, 317
aranha: aranha-cuspideira (*Scytodidae*), 679; boleadeira (*Mastophora*), 679; mergulhadora (*Argyroneta aquatica*), 679
aranhas, 238, 391, 395, 442, 443, 444, 670, 677
Archaea (arqueias), 603, 609, 617, 618, 620, 621, 622, 623, 626, 635, 636, 639, 641, 666
arcossauro, 306; *ver também* ave; pterodáctilo
Ardipithecus, 119, 126, 127
Argumento do Design, 631

Aristóteles, 644
Armagedom, 183, 225
Arqueano, Éon, 27; (Ilustração 1)
arqueocetos, 242, 243, 244
arraia: elétrica (*Torpedo*), 291; gigante (*Manta birostris*), 410, 411
arraia (*Rajidae*), 291
Arrese, Catherine, 185
artiodátilos, 240, 241, 244, 245, 246, 247, 248; *ver também* ungulados: dedos pares; cetartiodátilos
artrópodes, 290, 417, 438, 442, 443, 444, 445, 483, 504, 505, 508, 509, 510, 696, 697
Árvore da Vida, Projeto, 301
árvore desenraizada *ver* diagrama em estrela
Árvore evolutiva, 132, 163, 172, 248, 381, 421, 493, 527; (Ilustração 9); *ver também* árvore filogenética; cladograma; árvore de genes
árvore filogenética (filogênese), 168, 169, 586; (filogênese) *ver também* árvore evolutiva; diagrama em estrela
ascídia (*Ascidiacea*), 371, 377, 429, 430, 431, 432, 433, 434, 488; (Ilustração 31)
Ashmole, Elias, 328
atividade vulcânica, 210
atol, 545
atração de ramo longo, 167, 168, 640
Austrália, 21, 63, 64, 81, 84, 100, 209, 217, 260, 262, 266, 271-80, 282, 288, 298, 334, 335, 337, 338, 340, 341, 352, 353, 378, 445, 450, 517, 518, 543, 546, 608, 671, 673, 674
"Australiné", 274, 275, 277, 278, 671
australopitecinos (*Australopithecus*), 21, 87, 100, 103, 110, 112, 116, 117, 119, 126, 136, 149, 151, 152, 254, 356; *A. aethiopicus*, 116; *A. afarensis*, 87, 100, 113, 116, 117; *A. afarensis ver também* Lucy; *A. africanus*, 116; *A. anamensis*, 117; *A. bahrelghazali*, 136; *A. boisei*, 113, 116; *A. robustus*, 113, 116
australosfenídeos, 282
autorreplicação, 651, 658; *ver também* reação autocatalítica
autossomos, 189
ave-do-paraíso, 315, 316, 317; (Ilustração 18)
aves: formam bom clado, 299; parentesco com dinossauros, 304, 306; visão em cores nas, 185
aves que não voam, 329, 330, 331; *ver também* ratitas
avestruz, 333, 338, 341, 342, 353, 432
Axelrod, Robert, 122
axolotle *ver em* Salamandra
Aysheaia, 509

babuíno (*Papio*), 120, 135, 141, 149, 175, 177
Bach, família, 325
bactérias *ver Eubacteria*; *Archaea*
bacteriófago, 662
Bakker, Robert, 307
balancim, 483, 485
Baldwin, Efeito, 244, 326, 454
baleia, 237, 240-8, 269, 271, 278, 290, 351, 392, 413, 418, 459, 565, 588, 590, 675; azul (*Balenoptera musculus*), 106, 382; dentada (*Odontocetos*), 246; orca (*Orcinus orca*), 243
Baly, E. C. C., 650
Bannister, Roger, 474, 650
baobá (*Adansonia*), 207; (Ilustração 6)
barata, 226, 231, 483, 609, 680
Barlow, George, 390, 402, 547
Barnard, K. H., 386
Barrell, Joseph, 355
basal, corpo, 613
basalto, 344, 345
Basilosaurus, 243
bastonetes, 188
Bateson, Patrick, 481
Bateson, William, 480, 485
Beadle, George W., 575
Bell, Graham, 500
Belloc, Hilaire, 266, 328, 330, 602, 603, 605
Belyaev, D. K., 49, 50, 53
Beowulf, 41
Bergson, Henri, 634
Bering, capitão Vitus, 269
Beringe, Robert von, 143

besouro: bombardeiro (*Brachinus*), 678; d'água (*Gyrinidae*), 455; mutante da farinha (*Tribolium*), 485; mutante de Bateson, 480
Betzig, Laura, 255
bexiga natatória, 393, 394, 412
bichir (polipteriformes), 388, 389
bicho-pau (*Plasmathodea*), 493
bicoide, 482
Bilateria, 448, 518, 533, 534
biomassa, 582, 608, 666
bipedalismo, 119, 120, 121, 122, 123, 125, 126, 128, 315, 316, 319, 320, 322, 326, 671
bivalves, 436, 446, 447
Blackmore, Susan, 323, 324, 325
Blair, W. F., 370
Blakemore, Colin, 195
"blastaea" (Haeckel, 565, 566
blastóporo, 439, 441
blástula, 439, 565, 566
blocos musculares segmentados, 419, 424, 486, 696
boca, 417, 418, 438, 448, 488, 532, 535, 538, 552
Bodmer, Walter, 318, 319
bolachas-do-mar (*Clypeasteroida*), 437
bólido *ver* meteorito
Bonner, T. J., 580, 581
bonobo (*Pan paniscus*), 26, 27, 131, 133, 135, 136, 137, 139, 148, 255
Bontius, Jacob, 142
bootstrap, método, 169, 170, 171
borboleta, 51, 310, 372
boreosfenídeos, 282
Brachiosaurus, 306
Branchiostoma ver anfioxo
"brancos" americanos, 465, 466, 467
braquiação, 120, 153, 154, 156, 183
braquiópodes (*Brachiopoda*; "lampshell"), 441, 447, 509, 510
Brasier, Martin, 25
briozoários (*Bryozoa*), 440, 441, 447
Bromham, Lindell, 382, 383
Brown, James, 588
Brunet, Michel, 126, 127
Buchsbaum, Ralph, 444, 445
bugio (*Alouatta*), 94, 183, 184, 185, 192; *ver também* macaco, Novo Mundo
Bunopithecus ver em Gibão
Bunyan, John, 27
buraco negro, 20
Burgess Shale, 101, 509, 510, 512
Bush, George W., 322, 465; (Ilustração 33)

caçadores-coletores, 46, 47, 48, 54, 55, 194, 461
cadeia alimentar, 582, 601
cadeias de globina, codificação gênica para, 421, 422
Cain, Arthur, 293
Cairns-Smith, Graham, 634, 651, 652, 698
calcário, 98, 99, 100, 101, 118, 406, 543, 649
calota polar, 304, 349, 387
camaleão, 207, 304, 446
camarão, 287, 390; artêmia, 453, 454, 455, 456, 459
Cambriano, Período, 33, 34, 101, 415, 418, 419, 423, 436, 507, 508, 509, 510, 511, 512, 513, 517, 519, 520, 529, 530, 624, 673; (Ilustração 1)
camelo, 231, 232, 238, 244, 245, 246, 260, 261, 267, 271, 275
camundongo, 44, 106, 222, 224, 226, 227, 228, 232, 262, 452, 481, 486, 487, 488, 491, 589, 590, 644, 645, 656
Candida ver fungos
canguru, 160, 223, 271, 273, 278, 279, 365, 610, 672
Canterbury tales Project, 163
cão, 49, 50, 53, 201, 206, 237, 238, 277, 278, 327, 365, 376, 396, 432, 631, 646; pequinês, 377; *ver também em* domesticação
caos, 530
Capelão do Diabo, O, 144
capivara, 222, 223, 225; capivara gigante (*Protohydrochoerus*), 225
caranguejo, 51, 371, 417, 450, 665; aranha-gigante (*Macrocheira kaempferi*), 443; branco, 665; chama-marés (*Uca*), 450; "samurai", 51

"caranguejo-ferradura" *ver* límulo
caravela-portuguesa *ver Physalia*
Carbonífero, Período, 210, 298, 302, 304, 349, 380, 414, 443; (Ilustração 1)
carniça, comedores de, 641
carnívoros, 52, 214, 238, 239, 240, 243, 244, 260, 261, 267, 302, 335, 547, 548, 641, 672, 673
Carroll, Lewis, 328, 382
Carroll, Robert, 355
cartilagem, 412, 417
Cartwright, William, 299
carvão, 93, 304, 649
Carwardine, Mark, 205, 206
castor, 157, 225, 231, 232, 233, 234
casuar, 334, 335
catalisador, 647, 648, 650, 654, 657, 659, 678; *ver também* enzima
Catania, Kenneth, 294, 295
catarrinos (*Catarrhini*), 149, 176, 184
catástrofe do erro *ver em* mutação
cauda: do pavão, 314; perda da, 156; pós-anal, em cordados, 420, 424, 431; preênsil, 183; uso da, 156, 157
Cavalier-Smith, Tom, 621, 623, 636
cavalo, 51, 55, 206, 238, 239, 252, 253, 260, 261, 271, 275, 354, 372, 388, 480, 631
cavalo-marinho, 388
cavidade do corpo *ver* celoma
cegueira para cores, 184, 190, 191, 193, 194
celacanto (*Latimeria*), 220, 300, 354, 379, 381, 382, 384, 385, 520
celoma, 532, 533
célula: cancerosa, 559; como comunidade de bactérias, 549; de linha germinal e somática, 559, 700; origem da célula eucariótica, 616, 673; primeira, 549; totipotente, 559; *ver também* eucariotas; procariotas
celulose, 549, 608, 609
Censky, Ellen J., 182
centopeia (*Chilopoda*), 162, 240, 440, 442, 443, 444, 445, 677
Ceratodus, 380
cercopitecídeos *ver* macacos do Velho Mundo
cercozoários *ver* Rhizaria
cérebro, 40, 57, 88-9, 93-6, 101, 103-17, 122, 125, 133, 141, 154, 187-8, 195, 197, 227, 232-5, 256, 267, 286-8, 294, 296, 314-6, 319, 323-6, 368, 424, 432, 438, 449, 452, 456, 521, 536, 544, 587, 595, 627, 668, 671, 682, 683; construção de represa inata nos castores, 233, 234; criação de modelo mental do mundo, 295, 296; tamanho *ver em* hominídios; *ver também* meme; mapa do cérebro de Penfield; homúnculo; toupeirúnculo
cetáceos, 241; *ver também* baleia; golfinho
cetartiodátilos, 238, 241, 242
chacal, 238
Chain, Ernst, 460, 575
chaminés vulcânicas, 636, 665, 666
"Chang Dois", 64, 65, 69
"Chang Um", 64, 65
Chang, Joseph T., 61, 63
Charles, príncipe: olhos azuis do, 74
Chaucer, Geoffrey, 27, 28, 34, 41, 44, 64, 163, 164, 170, 293, 409, 586, 636, 668
Chengjiang, 101, 509, 510, 511, 512, 517, 529
Cherfas, Jeremy, 129, 130
Chicxulub, cratera de impacto, 211
chimpanzé, 26-7, 42, 85-6, 96-7, 115, 117, 119-20, 122, 125-7, 129-40, 142-4, 147-9, 151, 173, 246, 253, 255-7, 320-2, 360, 365, 366, 428, 470-1, 476, 527, 671
chimpanzé-pigmeu *ver* bonobo
cianobactérias, 576, 583, 624
ciclídeos (*Cichlidae*), 209, 397, 398, 399, 400, 401, 402, 403, 405, 694, 703; mandíbulas faríngeas, 399, 694; origem do bando do lago Vitória, 396, 397, 398, 399, 400, 401, 402, 403
cigarra, 463, 677
ciliados, 567, 581, 604, 607, 611, 612
cílios, 550, 553, 611, 612, 613, 620
cinodonte, 302, 303
cinto-de-vênus (*Cestum veneris*), 552, 702; (Ilustração 1)
cladística, 301, 428
clado, definição de, 299

cladograma, 159, 160, 162, 167, 170, 171
Clarke, Ronald, 117, 118
Cleveland, L. R., 611, 612, 613, 614
clima, 138, 145, 174, 201, 211, 337, 340, 349, 476, 546
clina reversa, 370
cloaca, 282
clone, 58, 538, 539
cloroplasto, 549, 583, 616, 618, 619, 620, 625
Clovis, povo de, 266
cnida *ver* cnidócitos
cnidários, 220, 383, 488, 534-40, 550, 551, 555, 566, 567, 626
cnidócitos, 536, 538, 552
coadaptação, 548
coala, 156, 157, 640
coalescente, 73
coanócito, 559, 561, 562, 563, 565, 567
coanoflagelados, 563, 564, 567, 569, 605; *Proterospongia*, 567
cobra, 163, 186, 292, 306, 351, 391, 528, 536, 626, 677, 679, 696
cobra-cega, 350, 351, 382
cóccix, 156
código genético, 24, 25, 38, 42, 655, 656
códon, 38, 656
Coelenterata, 550
coelhos e lebres (*Leporidae*), 44, 206, 222, 223, 225, 236, 242, 262, 275, 687
coevolução *ver em* evolução
cogumelos comestíveis e venenosos, 573, 574, 575; *ver também* fungos
coincidência, 19
colágeno, 560
cólobos (*Colobina*), 133, 149, 175, 610
Colombo, Cristóvão, 84
colônia: 250, 359, 429, 539, 577, 641, 666, 683, 698; de algas, 566; de coanoflagelados, 567; de formigas, 459, 460; de pólipos, 538, 539; *ver também* comunidade
colonização, 48, 84, 544; da América do Norte através da ponte de terra de Behring, 84; da América do Sul através do istmo do Panamá, 84; da Ásia após K/T através de balsa da Índia, 341; da terra por plantas, 384; de ilhas remotas, resultando em perda da capacidade de voar, 326, 327, 328, 329, 330, 331; de Krakatoa após erupção de 1883, 208
colugo (*Dermoptera*), 216, 217, 219, 220, 221, 222, 277, 677
combustíveis fósseis, 649
complexidade, 24, 38, 419, 522, 631, 632, 633, 643; "complexidade irredutível", 632, 633, 634
Complexo Antenapedia, 484, 488
Complexo Bitorax, 484, 485, 488; *ver também* Hox, genes
comportamento, mudanças de *ver em* evolução; Baldwin, efeito
comunicação animal, 235
comunidade, 543, 544, 545, 546, 548, 549, 665
concestral, definição de, 24; de *ver também* ACMR
condilartros, 275
cones *ver* visão em cores
coney, 268
confiança, 547
constantes fundamentais, 18, 20
Contos de Cantuária, Os, 27
contrassombreado e contrassombreado inverso, 456, 458
Conway Morris, Simon, 507, 682, 683
Cooper, Alan, 330, 339, 341
Coppens, Yves, 135, 136
cor da pele, 467, 475, 477, 478
cor, mudança de, 446
coral, 518, 531, 543, 544, 545, 546; "coral cérebro", 544
cordados (*Chordata*), 420, 430, 434, 510
cordão/ tubo nervoso, 420, 424, 431, 452, 453, 454, 455
cores primárias, 187
correntes oceânicas, 540; Corrente do Golfo, 310, 340
corrida armamentista, 500, 686, 687, 688, 689, 691
Cott, Hugh, 686
couraça, 390, 417, 504, 517, 686

Courtenay-Latimer, Marjorie, 384, 386
couve-flor, 110, 586, 589
craca ganso (*Branta leucopsis*), 504
cracas: "craca-ganso" (*Pollicipes polymerus*), 644; *Sacculina*, 504, 505
Cretáceo, Período, 174, 201, 210, 211, 212, 213, 236, 242, 271, 298, 299, 300, 338, 346, 414, 527, 691
Cretácio, Período, 338, 340, 345
criacionistas: adoram a explosão do Cambriano, 507; deblateram contra "lacunas", 31; perdem esperanças de improbabilidade de moléculas grandes, 664; sobre pretensa impossibilidade de evolução de motor flagelar bacteriano, 630, 631, 632, 633, 634
criações estrambóticas, 506
Crick, Francis, 632, 634, 660, 662
crinoides (lírios-do-mar; *Crinoidea*), 434
cristal, 98, 599
cromossomo, 72-7, 189, 190, 193, 194, 195, 228, 421, 422, 473, 486, 487, 497, 498, 499, 616; cromossomo X, 72, 83, 189, 190, 192, 194, 195; cromossomo Y, 76, 77, 79, 80, 82, 84, 658
Cronin, Helena, 317
crustáceos (*Crustacea*), 243, 285, 440, 442, 443, 444, 451, 454, 504, 510, 520, 540, 570, 571
ctenóforos (*Ctenophora*), 220, 488, 490, 492, 534, 537, 550, 551, 552, 566, 567
cuco, 235, 688
cuíca-musaranho (*Paucituberculata*), 262
cultura: em chimpanzés, 134; evolução cultural *ver* Grande Salto para a Frente; meme; impelindo a separação de populações humanas, 468, 469
culturas geneticamente modificadas (GM), 701
cupim (*Isoptera*), 49, 134, 225, 258, 261, 282, 321, 460, 461, 482, 506, 549, 607-11, 614; cooperação, 608; "cupim de Darwin" (*Mastotermes darwiniensis*), 608, 609, 610; fungos cultivados por, 460; microrganismos no trato digestivo, 549
cutia (*Dasyprocata*), 156, 223, 225
Daphne Maior *ver* Galápagos, Arquipélago
Darrow, Clarence, 17
Darwin, Charles, 21, 65, 134, 141, 144, 148, 230, 243-4, 262, 308, 311, 314-5, 317-8, 324, 326-7, 352, 398, 427, 428, 431, 433, 453, 459, 477, 503, 522, 536, 543-6, 565, 586, 608, 633, 643-5, 650, 681, 690, 695
darwinismo: cooperação é o outro lado do, 231; "cósmico" (teoria de Smolin), 20; dificuldades geradas pelo sexo, 499, 500; efeito sobre a atitude para com os outros grandes primatas, 141; egoísmo do, 627
datação: absoluta *ver* dendrocronologia; datação radiométrica; relativa *ver* paleomagnetismo
datação radiométrica, 346; datação por radiocarbono, 402, 600, 601
Davies, Paul, 667
Dawkins, Juliet, 390
De Waal, Frans, 136
Dear Boy, 116, 129, 133
"decay index" (construção de árvore filogenética), 170
Deccan Traps, 210
Deep Green, 586
dendrocronologia, 346, 591, 593
Dene, Henry, arcebispo de Cantuária, 164
Dennett, Daniel, 324, 689
dentículos dérmicos, 412, 413
deriva continental, 95, 335; *ver também* tectônica de placas
deriva genética, 173, 523
dermópteros *ver* colugo
Descendência do homem, A, 134, 141, 317
desenvolvimento, 374, 375, 376, 377, 481-91, 504, 565
"deslocamento por características", 370
Desvendando o arco-íris, 40, 114, 507, 514
Deus, 479, 565, 578, 633, 642
deuterostômios (*Deuterostomia*), 434, 439, 441, 442, 445, 447, 448, 452, 453, 487, 531, 532, 668
Deutsch, David, 20

Devoniano, Período, 300, 354, 355, 366, 378, 417; (Ilustração 1)
diagrama em estrela (árvore desenraizada), 159, 605, 606, 639
Diamond, Jared, 47, 56, 477
diátomas, 607
diblastia, 534
Dickinsonia, 518
dicotomia, 160
dicromática, visão *ver* visão em cores
difusão aleatória (modelo de cruzamento), 63
digestão, 261, 391, 555, 574, 576, 609; *ver também* trato digestivo
dimetrodonte, 303
dimorfismo sexual, 251, 253, 254, 255, 256, 257, 315, 326
dingo, 275, 278
dinoflagelados *ver em* algas
dinossauros, 24, 39, 99-100, 104, 174, 184, 199, 201, 210-6, 238, 242, 244-5, 271, 275-7, 282, 299, 301, 302-7, 342, 345, 384, 414-6, 511, 527, 671, 672-3, 691; extinção dos, 210, 211, 212, 213, 214, 299; hadrossauro, 306; ode de Shelley aos, 307; ornitisquianos, 306; parentesco com as aves, 305; saurisquianos, 306
Diplodocus, 306
diploide, 496
discicristados, 607
discriminação racial e sexual, 475, 684
Disotell, Todd R., 147, 149, 150, 151
disparidade entre os lados do corpo, 449
dispersão, evento de *ver* evento de flutuação; colonização
dispraxia verbal, 96
Diversidade da vida, 208, 314
diversidade racial, 60
Dixon, Dougal, 226
DNA: como alfabeto autonormalizador, 37; como registro histórico ("Livro Genético dos Mortos"), 37, 40; como replicador, 646, 660, 661, 698; comparação com evolução de texto literário, 163, 164, 165, 166, 167, 168, 169; degeneração do código, 38, 526; elementos transponíveis, 162, 193, 242; "lixo", 162, 421, 526; mitocondrial, 77, 79, 82, 84, 90, 171, 330, 339, 381, 403, 622; mudanças genômicas raras, 166, 172; preservação de DNA antigo, 39, 90; revisão e reparo, 524, 660, 661; taxa de mudança do, 382, 522, 523, 525, 526, 527, 528, 529; taxa de mudança do *ver também* relógio molecular
Dobzhansky, Theodosius, 370
dodô (*Raphus cucullatus*), 28, 89, 180, 326-36, 339, 376, 401; dodô branco (*Raphus solitarius*), 328; Dodô de Oxford, 328, 330
domesticação: de animais, 48; de cães, 49; de fungos e afídeos por formigas, 460, 461; de fungos por cupins, 460; de humanos, 51, 52; de plantas, 49, 53, 54, 55, 84, 588; de raposas prateadas, 49
"domínios", 365, 639
doninha, 237, 238
doninha-fedorenta (Mephitinae), 205
Dorsal Mesoatlântica, 343, 345, 346
Douglas-Hamilton, Oria, 267
Doushantuo, fósseis de, 518
dragão-de-Komodo (*Varanus komodoensis*), 306, 571
dragão-marinho (*Phycodurus equus*), 390; (Ilustração 24)
dragões cuspidores de fogo, 35
dravidiana, família linguística, 41
Drayton, Michael, 332
DRIPS (Mesomycetozoea), 568, 569, 570, 571, 575
drosófila *ver* mosca-das-frutas
Dryopithecus, 147, 148, 149, 150
dugongo (*Dugong dugon*), 61, 240, 243, 248, 265, 269, 271, 351, 679
Durham, William, 51
Dyson, Freeman, 651

East Side Story, 136
ecdisozoários, 443, 445, 508
ecoespaço, 544
ecolocalização, 626, 675, 676

ecossistema, 398, 608, 659; *ver também* comunidade
ectoderma, 534
Ediacarano, Período, 517
Edward, duque de Kent: "augustos testículos de", 72
Edwards, A. W. F., 472, 474
efemérida, 371
egotelídeos (*Aegothelidae*), 199
Eigen, Manfred, 651, 658, 659, 664
Eimer, órgãos de, 294
eixo dorsoventral, 455, 482
eixo oral/aboral, 488; *ver também* boca
elefante (*Proboscidea*), 23, 61, 104, 109, 160, 206, 238, 261-9, 309, 319, 332, 333, 335, 338, 339, 342, 428, 525, 526, 670; africano (*Loxodonta*), 266; indiano (*Elephas*), 266; usos da tromba, 267, 268; *ver também* mamute; mastodonte; proboscídeos
elefantes-marinhos, 250, 251, 254
elementos químicos, 594, 595, 596
eletrolocalização, 626, 677
élitros, 483
"elo perdido", 133
Elton, Charles, 342
ema (*Rehidae*), 338
embriologia, 161, 439, 441, 442, 455, 481, 482, 490, 534, 697; *ver também* desenvolvimento
emergência, 693
encontro, definição de, 24
endoderma, 534
energia, fonte de, 460, 572, 617, 618, 640, 666; de *ver também* respiração
engenharia genética, 55
enguia (*Saccophatyngiformes*): pelicanoide (*Eurypharynx pelecanoides*), 390
enguia elétrica (*Electrophorus electricus*), 681
enguias (*Anguiliformes*): bico de galinhola (*Nemichthyidae*), 390
Enquist, Brian, 588
enraizamento de árvore (cladograma, filograma), 167, 170, 606
Ensatina ver em salamandra; especiação: espécies em anel
enteropneusto, 434
entropia, 408
enzima: celulase, 609, 614; lactase, 51; Qß replicase, 662, 663, 664; Taq polimerase, 636; *ver também* catalisador
Eocena, Época, 193, 336; (Ilustração 1)
equidna (*Tachyglossus* e *Zaglossus*), 280, 281, 284
equilíbrio pontuado, 693
equinodermos, 371, 434, 436, 437, 453, 488, 489, 512, 534
ergastos (*Homo ergaster/Homo erectus*), 646
Ericsson, Leif, 84
Escalada do Monte Improvável, A, 585
escalas de tamanho de animais, 103, 107, 108
escavados, 606, 607
Escherichia coli, 580, 624
escorpião, 443, 536
escorpião-marinho *ver* euriptérido
espalhamento do assoalho oceânico, 343, 344, 347
espátula (*Polyodon spathula*), 288, 289; (Ilustração 15)
especiação: anel imaginário (humanos/chimpanzés), 360, 365; cultura impele separação de populações, 468, 469, 478; *Ensatina*, 350, 357; (Ilustração 21); espécies em anel, 359, 360; gaivota-argêntea/gaivota-de-asa-escura, 359; por isolamento geográfico (alopátrica), 135, 399, 400, 401, 402, 403, 404, 501; raças separadas como estágio intermediário em especiação potencial, 464; reforço, 370; simpátrica, 399, 478, 479
espécies: árvore como "voto majoritário" entre árvores gênicas, 173; definição de, 400, 468, 495; descontínuas somente por extinção de intermediários, 364, 365, 366, 367, 368; rebanho de espécies (monofiléticas), 403
espécies ameaçadas *ver* aiai; dugongo; indri; extinção
espécies em anel *ver em* especiação

especismo, 144
espectro eletromagnético, parte visível do, 186
espiroqueta, 612, 613
esponja: de-vidro (*Euplectella*), 560; (Ilustração 44)
esqueleto, 94, 98, 117, 118, 157, 278, 283, 289, 334, 387, 395, 412, 414, 417, 437, 679
esquilo (*Sciruridae*): *Glaucomys volans*, 277; voador (*Pteromyinae*), 216, 277, 671
esquilo de cauda escamosa (*Anomaluridae*), 223
essencialismo, 365, 366
estágio larval, 371, 375, 433; larva plânula, 555; larva trocófora, 443
estopim (filogenético), 512, 513
estrada, por que não evoluiu, 627
estrela-do-mar (*Asteroidea*), 294, 434, 436, 438, 449, 489, 490, 523, 702
estrepsirrinos, 201, 202, 208
estridulação, 463; *ver também* som, produção de
esturjão (*Acipenseridae*), 290, 389
ética, 144, 360
Eubacteria (bactérias verdadeiras), 620-6, 636, 639, 640; fixação de nitrogênio, 617, 635; motor flagelar bacteriano, 630, 631, 632; papel na criação de célula eucariótica, 616, 617; papel simbiótico em animais e plantas, 549, 609, 635; papel simbiótico em protozoários, 610, 611, 612, 613, 614; primeiro grupo ramificado de, 640; troca de genes (transferência gênica horizontal) em, 640, 700, 701; *ver também* mitocôndrias; cloroplastos
eucariotas, 579, 603, 604, 605, 606, 610, 621, 622, 623, 626, 628, 637, 639, 640, 641
Euglena, 604, 605, 607
eumetazoários, 551, 557, 559, 560
eupantotério, 283, 284
euriptérido (escorpião-marinho), 417, 443, 444
Eusthenopteron, 355
Eva Mitocondrial, 77, 78, 82, 90
eventos de flutuação: estrepsirrinos (África-Madagascar), 208; macacos do Novo Mundo e roedores histricognatos (África-América do Sul), 179; observação de flutuação de iguanas-verdes, 182; probabilidade dos, 180; roedores de Madagascar (Índia-Madagascar-África), 207
Everett, Hugh, 20
evolução: coevolução, 54, 114; *ver também* corrida armamentista; como trajetória por paisagem multidimensional, 501; convergente, 151, 278, 398, 445, 681, 682; cultural *ver* Grande Salto para a Frente; meme; da evolvabilidade, 676, 694, 696, 697, 701; destituída de antevisão, 329, 627; divergente, 135, 226, 242, 329, 369, 501, 694, 695; *ver também* irradiação; especiação; impelida por mudanças de comportamento, 459; *ver também* Baldwin, efeito; macro e microevolução, 691, 692, 693; morfológica *cf.* molecular, 383, 525, 529; "oportunismo" da, 157, 261, 633; padrões na, 17, 18, 19, 20, 673, 691; progresso da, 21, 300, 681, 682, 683, 684, 685, 686, 687, 688, 690, 691; reprises da, 669-83, 696; reversão da *ver* Lei de Dollo; social, 539; taxa da, 308, 398, 521
evolvabilidade *ver em* evolução
exibição sexual (corte), 185, 320, 400
êxito reprodutivo, 78, 330
exoesqueleto, 444, 682; *ver também* esqueleto
éxons, 39, 97
Explosão Cambriana, 213, 507, 508, 512, 514, 517
Extended phenotype, The, 231, 409, 505
extinção: em massa, 33, 212, 298, 673; fim do Cretáceo (K/T), 210, 211, 212, 213, 214; fim do Permiano, 212, 298; fim do Triássico, 298; "Sexta Extinção", 299; taxa de, 299
extragrupo, 144, 160
eyeless, 451
Ezequiel, profeta, 642

fala *ver* linguagem
falácia naturalista, 156
falânger (*Petaurus gracilis*), 277
"falângeres voadores" *ver Petaurus gracilis*; *Petaurus breviceps*

Fanerozoico, Éon, 507; (Ilustração 1)
fauna ediacarana, 512, 517, 518
Felsenstein, Joe, 167, 168
fêmeas, escolha das, 400
fenótipo, 230, 231, 232, 233, 235, 577
fenótipo estendido, 231, 235, 577, 699
feromônios, 319
ferrão venenoso, 292, 417, 536, 677
Feynman, Richard, 492
filogênese bayesiana *ver em* análise de verossimilhança
filograma, 167, 170
Fisher, R. A., 65, 248, 249, 250, 316, 317, 322, 515
flagelados, 565, 567, 581, 607, 611, 612
flagelo: bacteriano, 628, 632; eucariótico, 559, 561, 563, 611, 613, 628
Fleming, Alexander, 575
floresta, 63, 94, 131, 135, 144, 179, 197, 201, 204, 219, 225, 271, 277, 349, 477, 544, 548, 584, 608
floresta clímax, 542
Floresta Petrificada, 100, 593
Florey, Howard, 460, 575
flutuação, 180, 182, 207, 208, 260, 262, 392, 393, 394, 412, 446, 684
foca (*Phocidae*), 139, 238, 240, 248, 251, 253, 254, 313, 314, 315, 383; elefante-marinho (*Mirounga*), 250, 251, 254; (Ilustração 10)
Fogle, Bruce, 293
fogo: e vida, 645, 646, 648; uso do, 93, 319, 681
foladídeos, 446
fontes termais, 622, 623, 636
foraminíferos, 212, 604, 606
formiga-leão (*Myrmeleontidae*), 264, 679
foronídios (*Phoronida*), 440, 441, 447
Fortey, Richard, 519
fossa (*Cryptoprocta ferox*), 207
fósseis: definição de, 31; formação dos (tafonomia), 32; "lacunas" no registro, 31; primeiros, 33, 89, 179, 245; primos não ancestrais (provavelmente), 427
fóssil vivo, 380, 444, 447, 609
fotossíntese, 533, 544, 549, 566, 582, 617, 619, 650, 651, 668
fóvea, 295
FOXP2, 96, 97
fumaça negra *ver* chaminés vulcânicas
fungos: ascomicetos, 575, 576; *Candida*, 575; *Neurospora crassa*, 575; *Penicillium*, 575; trufas, 573, 575; basidiomiceto, 576; *Agaricus campestris*, 575; fungo de cupim (*Termitomyces*), 461; *Phallus impudicus*, 572; basidiomiceto (Ilustração 45); cultivo por formigas e cupins, 460; genes homeobox em, 490; glomeromicetos (fungos micorrízicos arbusculares), 576; hifas, 574, 575; leveduras, 573, 574, 575; relação simbiótica com algas/cianobactérias (liquens), 576; relação simbiótica com plantas (micorriza), 576
Furnes, Harald, 25

gabarito e receita, analogia, 227, 481
gafanhoto, 79, 200, 363, 400, 462, 463, 464, 468, 469, 686; europeu (*Chorthippus brunneus*, *C. biguttulus*), 462, 463, 469
gaivota: argêntea (*Larus argentatus*) *ver em* especiação: espécies em anel; de-asa-escura (*Larus fuscus*) *ver em* especiação: espécies em anel; noturna de cauda bifurcada das Galápagos (*Ceagrus furcatus*), 199
gálago, 157, 201, 202, 203, 204
Galápagos, arquipélago das, 128, 199, 311, 314, 326, 327, 329, 370, 398, 401, 513, 695
galinha-d'água não-voadora (*Aphanapteryx*), 331
gambá (*Didelphidae*), 60, 261, 273, 274, 275
gambá listrado (*Dactylopisa trivirgata*), 205
gânglios, 438, 445, 536
gar (semionotiformes), 393
gargalo (ciclo da vida), 699, 700
gargalo (populacional), 80, 81, 84, 470, 608
garrafa-azul *ver Physalia*
Garstang, Walter, 377, 426, 427, 429, 431, 432, 433
"gastraea" (Haeckel), 565, 566

gastrulação, 439
Gato de Alice, 617
gatos, 156, 183, 206, 238, 271, 277, 365
Gehring, Walter, 452
Geissmann, Thomas, 171
Gelo, Era do *ver* Idade do Gelo
gene: árvore genealógica, 59, 62, 66, 70-4, 77, 78, 84, 86, 148-52, 214, 257, 275, 366, 403, 421, 491, 565-6, 571, 675; como alternativa a alelo, 70; como sub-rotina de computador, 227, 228, 230, 701; comunidade de genes, 548; contribuição de genes de ancestrais, 68, 69; cooperativos, 231, 658; duplicação, 75, 189, 195; frequências, 53; padrões de distribuição de, 80, 496; reservatório gênico, 49, 231, 232, 325, 330, 501, 502, 522, 548, 549, 698; voto majoritário entre genes (parentesco como), 75, 173
Gene egoísta, O, 86, 122, 231, 318, 547, 658
genes limitados ao sexo, 251
genoma, 39, 51, 58, 60, 69, 73, 76, 82, 162, 173, 184, 189, 193, 196, 226, 227, 229, 242, 339, 419, 422, 423, 477, 488, 497, 501, 523, 529, 549, 555, 556, 619, 655, 700, 701; como comunidade de genes cooperativos, 549; humano, 58, 69; Projeto Genoma Humano, 58; tamanho relativamente pequeno do, 226, 227
genótipo, 230, 482
Geospiza ver tentilhões das Galápagos
geração espontânea, 644, 645
gerbo, 207
Gerhart, John, 694
Giardia lamblia, 605, 607
gibão, 43, 123, 154, 156, 158-1, 172, 220-1, 242, 382, 403, 404, 527, 605, 624, 640, 702; de "topete" (*Nomascus*), 154, 155, 159, 160, 170, 171; de-sobrancelha-branca (*Bunopithecus*), 159, 160; *Hylobates*, 153, 154, 155, 159, 160, 170, 171; siamango (*Symphalangus*), 154, 159
Gigantopithecus, 138, 139, 147, 153
gimnotídios (*Gymnotidae*): *Gymnotus*, 291, 292
ginkgo, 283, 284
girafa, 206, 267
girinos, 351, 352, 372, 373, 431
glabrismo, 315, 317, 318, 319
glaciação, 87, 89, 530; *ver também* Idade do Gelo; calota polar
Glaucophyta, 583, 585, 606
gliptodonte, 261
glires, 44, 224
gnatostomados, 414; *ver também* mandíbula
gobiídeos, 547
Gold, Thomas, 665, 666
golfinho, 40, 241, 243, 246, 269, 297, 300, 407, 676, 679
Gondwana, 206, 209, 262, 271, 274, 280, 282, 302, 335-42, 344
gonfotério *ver* proboscídeo
Goodall, Jane, 133, 134, 135
gorila: ocidental (*Gorilla gorilla*), 140, 143; oriental (*Gorilla beringei*), 143
Gould, Stephen J., 18, 33, 311, 374, 418, 447, 509, 566, 681, 682
gradiente de concentração química, 482, 483
grado, 299, 300, 301, 621
Grafen, A., 318, 319
Graham, Christopher, 492, 500, 634, 651
grama, 584, 618; domesticação de espécies silvestres, 55; tolerância à pastagem, 54, 548
Grande Barreira de Coral, 543; (Ilustração 41)
Grande Intercâmbio Americano, 260, 406
Grande Peste, 224
Grande Salto para a Frente, 46, 55, 56, 57, 324
grandes primatas: africanos, 128, 140, 147, 149, 150, 151, 152, 173; asiáticos, 147, 152; atitudes para com os, 139, 141, 142, 143; perda da cauda em, 156, 157
Grant, Peter e Rosemary, 311, 312, 313, 314
Grassé, P. P., 555
graus de liberdade, 19
gravidade, 247, 269, 392, 449, 459, 643, 669
Gribbin, John, 129, 130
grilo, 462, 463, 483, 677
Grimstone, A. V., 611, 612, 613, 614
guácharo (*Steatornis caripensis*), 675

guanaco (*Lama guanicoe*), 261
guelras, 373, 374, 375, 376, 380, 394, 396, 410, 413, 414, 418, 419, 420, 426, 532, 546, 570, 589
guenon (*Cercopithecina*), 149, 175
guepardo, 238, 627, 689
Gurdon, John, 372
Gymnarchus, 291, 292

Habilinos (*Homo habilis*), 102, 103
hadobactérias, 636
hadrossauro *ver em* dinossauro
Hadzi, Jovan, 566, 567, 574
Haeckel, Ernst, 243, 248, 565, 566, 567, 570, 606, 607; (Ilustração 19)
haggis (*Haggis montanus*), 450
Haig, David, 249
Haikouichthys, 511
Haldane, J. B. S., 503, 521, 648, 649, 650, 651
Halkieria, 510; (Ilustração 37)
Hallam, A, 303
Hallucigenia, 507, 508, 509
Hamilton, W. D., 318, 319, 492, 496, 500, 670
haplocrominos, 397, 403, 405
haplorrinos (*Haplorhini*), 197, 201
haplótipo, 76, 82, 83, 403; (Ilustração 26)
Hardy, Alister, 123, 244, 377, 433
harém, 78, 250, 251, 253, 254, 255, 257
Harvey, Paul, 256, 257
Havaí, 314, 329
Hearst, William Randolph, 129
hemofilia, 71, 72, 73, 74, 82
hemoglobina, 83, 420, 421, 423, 491, 619, 665
hereditariedade, 642, 645, 646, 648, 651, 652, 657
Heródoto, 143
Heron, ilha, 543; (Ilustração 41)
herp, 299, 300
Herto, 87
heterocontes, 606, 607
heterocronia, 374, 375
hibridização, 358, 400, 463
hidrozoário, 537, 538, 540
hiena, 31, 99, 237, 238, 271, 541
hifas *ver* fungos
Hilobates ver em gibão
hiperciclo, 658, 659
hipopótamo, 172, 206, 236, 240, 241, 243, 244, 246, 247, 326, 392, 565; (Ilustração 8)
híraces (*Hyracoidea*), 61, 263, 264, 268, 269
histricognatos, roedores (*Hystricognathi*), 180
Hitler, Adolf, 470
HIV, 84
Hodgkin, Alan, 633, 634
Holland, Peter, 419, 433, 487, 492, 533
holocéfalo *ver* quimera (*Holocephali*)
Holoceno, 33; (Ilustração 1)
Home, Everard, 285, 286, 287
Homem de Java *ver* Ergastos
Homem de Pequim *ver* Ergastos
Homem do Gelo, 31
homeobox, genes, 490, 491
Homero, 35, 143
hominídios: fala, 94; *ver também* linguagem, origem da; tamanho do cérebro, 88, 89, 93, 94, 103, 104, 105, 106, 107, 108, 110, 111, 112, 113, 114, 125, 315, 323, 324, 325; uso de ferramentas, 56; *ver também* Ergastos; Habilinos; Neandertal; *Homo* sp.; *Australopithecus* sp.
Homo: *H. antecessor*, 88; *H. erectus* (*ergaster*) *ver* Ergastos; *H. habilis ver* Habilinos; *H. heidelbergensis*, 88; *H. neanderthalensis ver* Neandertal; *H. rhodesiensis*, 88; *H. rudolfensis*, 102; *H. sapiens ver* humanos
Homo sapiens arcaico, 87, 97, 139, 356
homúnculo (Penfield), 286, 287, 295; (Ilustração 13)
Hooker, Joseph, 586, 643
Hoolock *ver em* Gibão
hopanoides, 666
Hoppius, 142
hormônio, 229, 374, 376, 473; tiroxina, 376
Hou Xian-guang, 509
Hox, gene, 156, 455, 484, 485, 486, 487, 488, 489, 490, 491, 492, 504, 514, 555, 641, 696, 697

humanos: ancestral comum, 59; aparentemente assexuados, 496; diversidade dos, 58, 66; *ver também* raça; domesticação de, 51; macho humano mais próximo do gibão macho do que das mulheres, 172; perda dos pelos do corpo, 93, 314, 315, 316, 317, 318, 319
Hume, David, 689
Hurst, Lawrence, 496
Huxley, Aldous, 129, 432
Huxley, Andrew, 633, 634
Huxley, Julian, 129, 130, 375, 634
Huxley, T. H., 141, 142, 319, 489
Hydra, 488, 538
Hyman, Libbie Henrietta, 555

Ichthyosporea (*Mesomycetozoea*) *ver* DRIPS
Ichthyostega, 354
ictiossauro, 241, 297, 300, 306, 351, 676
Idade do Gelo, 471, 530
iguana, 182; verde (*Iguana iguana*), 182
Iguanodonte, 306

ilhas vulcânicas, 207, 311, 328, 545
"ilhas" permitem divergência evolutiva *ver* África; Austrália; Laurásia; Madagascar; Nova Zelândia; América do Sul
imitação, 89, 321, 323, 324, 461, 650; *ver também* meme
impressão, 478
Índia, 52, 206, 207, 208, 210, 262, 271, 337, 338, 340, 341, 342
indo-europeu, 41, 42
índri, 157, 202, 208
informação: conteúdo de classificação racial, 473, 474, 475; em documentos escritos, 34; natureza da, 473; no DNA, 37, 38, 40, 167, 168, 169, 171, 521
infravermelho, visão em, 186, 626
insetívoros, 240, 673
insetos, 123, 202-5, 209, 225, 240, 243, 258, 271, 276-7, 279, 285, 291, 296, 298, 314, 371, 395, 399, 405, 442, 443-4, 455, 461, 463, 478-9, 483, 485-6, 494, 508, 539, 588, 609, 628, 672, 677, 682, 683, 686; estágio larval dos, 371, 484; êxito dos, 442; plausibilidade de evolução dos, 682, 683
intercruzamento, 67, 90, 357, 360, 366, 367, 464, 465, 468, 469, 477; *ver também* hibriação; especiação
intermediário, 93, 102, 112, 302, 360, 366, 367, 427, 464, 516, 629
intestino, 270, 511, 574
intimidação nuclear, 183
íntrons, 39, 97
invertebrados, 240, 292, 371, 418, 419, 420, 434, 447, 672
Investimento Parental, 249
irradiação, 398, 527, 695
irradiação adaptativa, 398
isócrono, 348
isogamia *ver* reprodução
isolamento geográfico *ver em* especiação
isolamento reprodutivo, mecanismo de, 370, 400
isótopo, 596, 597, 599, 600, 601

jacknife (construção de árvore filogenética), 170
jack-rabbit (*Lepus californicus*), 222
Jamoytius, 418
Jerison, Harry, 111, 112
Jesus, 37, 601
Johanson, Donald, 98, 116, 136
Jones, Steve, 72
Judson, Olivia, 293, 495
junção de vizinhos, 165
jupará, 157
Jurássico, Período, 101, 280, 281, 284, 298, 380, (Ilustrações 1; 19)

K/T, fronteira, 210, 213, 214, 215; *ver* também extinção: em massa
Kaas, Jon, 294, 295
kakapo *ver em* papagaio
Kauffman, Stuart, 669, 670, 671, 673, 674, 677, 681, 682, 700
KE, família, 95, 96, 97

Kemp, Tom (Ilustração 16)
Kenyapithecus, 102, 145, 149, 150, 151
Kerguelen, platô, 341
Kimeu, Kimoya, 98
Kimura, Motto, 521, 523, 525, 526
King Kong, 142
Kingdon, Jonathan, 88, 123, 124, 125, 133, 156, 157, 320, 326, 401
Kingsley, Charles, 268
Kipling, Rudyard, 77
Kirschner, Marc, 694
Kivu, lago, 403, 404, 405
Kleiber, Lei de, 587, 588, 590
Klein, Richard G., 151
KNM-ER 1470, 102
Kortlandt, Adriaan, 135
Krakatoa, 208
Krebs, John, 634, 687, 688
Krumbach, Thilo, 555
Kukenthal, W., 555

labro, 547
Lack, David, 311
lactose, 51, 52, 53, 54
Laetoli, pegadas em, 100, 117
lagarta, 51, 204, 372, 458
"Lago das Águas-Vivas", 541
lagomorfos, 224
lagosta, 371
lagostim, 405, 674
Lambourn, W. A., 680
lampreia (*Cephalaspidomorphi*), 220, 414-20, 511
Land, Michael, 674
Langton, Christopher, 694
langures, 149, 175
larváceos (*Larvacea* ou *Appendicularia*), 432, 433
Lascaux, Caverna de, 56; (Ilustração 2)
latino, nome *ver* nome binomial
Laufberger, Vilém, 129, 375
Laurásia, 209, 238, 267, 274, 280, 282, 337
laurasiatérios (*Laurasiatheria*), 209, 220, 236, 239, 240, 267, 282, 293
Leakey, Louis, 103
Leakey, Mark, 117
Leakey, Meave, 117
Leakey, Richard, 98, 103, 299
leão, 251, 252, 254, 391, 463, 541, 640
leão-marinho (*Otariinae*), 238, 240, 251
lebre-saltadora (*Pedetes capensis*), 222
Lehrer, Tom, 686
Lei de Dollo, 407, 408
lek, 249
lemingue, 18, 223, 224, 225
lêmure, 120, 157, 189, 198, 201-10, 216-8, 277, 282, 671; *Archaeoindris*, 208; "coala" (*Megaladapis*), 157; de cauda anelada (*Lemur catta*), 208; pigmeu (*Microcebus myoxinus*), 202; "preguiça" (*Palaeopropithecus*), 157; *ver também* aiai; indri; sifaka
"lêmure" voador *ver* colugo
leopardo, 44, 121, 122, 428
lesmas e caracóis, 123, 240, 310, 441, 446, 508, 516, 518, 538, 679; *Glaucus atlanticus*, 456; nudibrânquios (lesma-do-mar), 538
levedura, 573, 574, 575; *ver também* fungos
Levington, J. S., 512
Lewin, Roger, 299
Lewis-Williams, David, 56
Lewontin, R. C., 472, 473, 474, 475, 476
lhama, 261
licopódios arbóreos (*Lycopodiopsida*), 304
líder da maior potência nuclear do mundo, sabedoria do, 183
Liem, Karel F., 694
lignina, 608, 609
Limulus ("caranguejo-ferradura"), 380, 444, 674, 703
Lineu, Carlos (Carolus Linaeus), 142, 327, 558
linguado, 409; (Ilustração 27)
linguagem: distúrbio linguístico, 95; origens da, 56, 95, 97
Lingula, 380, 447, 703
Linha de Wallace, 274
liquens, 576, 577

lírio-do-mar *ver* Crinoides
listras magnéticas (polaridade normal e inversa), 347
Lithornis, 336
litopternos, 239, 262
Little Foot, 98, 116, 117, 118, 119, 133, 319, 375, 377
lobo (*Canis lupus, C. rufus*), 49, 50, 52, 53, 157, 238, 244, 278, 645, 646
lobo-da-tasmânia (ou tigre) *ver* tilacino
lócus genético, 471, 522, 523
lofoforados, 441, 447
lofotrocozoários, 445, 446, 447, 533
logaritmo: base 2, 64; escalas logarítmicas, 106
lontra-marinha (*Enhydra lutris*), 455
Lorenz, Konrad, 49, 50, 376, 478, 479
lóris (*Loridae*), 157, 201, 202, 204
Lovejoy, Owen, 122
Luce, R., 664
lúcio do norte (*Esox lucius*), 392
Lucy (*Australopithecus afarensis*), 87, 98, 116-9, 125, 129, 133, 136, 345
Lufengpithecus, 148, 149, 150
lula: gigante (*Architeuthis dux*), 199; *Histioteuthidae*, 450, 451
Lyell, Charles, 545

macaco sem cauda, 157
macaco-aranha (*Ateles*), 157, 183
macaco-barrigudo, 181, 183
macaco-da-noite (*Aotus*), 180
macaco-de-cheiro (*Saimiri*), 180
macaco-de-gibraltar *ver em Macacus*
macaco-narigudo (*Nasalis larvatus*), 176
"macaco-preto-das-célebes" *ver em Macacus*
macacos do Novo Mundo (platirrinos), 175, 176, 178, 179, 180, 182, 183, 185, 189, 190, 191, 192, 199; visão em cores nos, 185, 190
macacos do Velho Mundo (cercopitecídeos), 112, 149, 174, 175, 176, 183, 185, 192; visão em cores nos, 184, 192
Macacus: macaco-cauda-de-porco (*Macaca nemestrina*), 157; macaco-de-gibraltar (*Macaca sylvanus*), 141, 149; macaco-preto-das-célebes (*Macaca nigra*), 157; macacos cynomolgus (*Macaca fascicularis*), 157
macroevolução *ver em* evolução
macromutação *ver em* mutação
Madagascar, 61, 157, 174, 202-9, 258, 260, 262, 263, 270, 282, 329, 332-3, 337-41, 386, 671, 673
Maddison, David R. e Wayne P., 301
"MADS box", genes, 490
Malauí, lago, 398, 401, 402
mamíferos: desenvolvimento de características, 302, 303; Idade dos Mamíferos, 262; irradiação pós K/T, 213, 214, 527; primeiros, 284, 527
mamíferos placentários, 236, 259, 260, 263, 264, 272, 274, 277, 279, 281, 527; placenta, 272; visão em cores nos, 184, 187
mamilos: existência no macho, 315
mamute, 39, 266
"maná", 461
mandíbula, 268, 283, 303, 411, 414-9, 422-3, 426; *ver também* peixe: sem mandíbula
Manger, Paul, 286
mangusto (*Herpestidae*), 206
mangusto-de-goudot (*Eupleres goudotii*), 207
Manx, gato, 156, 157
mapa cerebral de Penfield, 286
máquina molecular, 631
marás (*Dolichotis*), 225
Margulis, Lynn, 611, 620
mariposa, 310, 679
Mark Welch, David, 493, 496, 498, 501
marmota, 223, 225
marsupiais, 157, 185, 205, 209, 217, 260-1, 263, 272, 274-8, 281-2, 671, 677; bolsa, 271, 272; visão em cores nos, 185
Martin, Robert, 112
masai, 52
Mash, Robert, 307
massa corporal, 105, 106, 110, 113, 255, 587, 588, 589
mastodonte, 266, 267

Maurício, ilhas, 326, 327, 329, 331, 401
máxima probabilidade *ver em* análise de probabilidade
May, Robert, 442
Maynard Smith, John, 492, 493, 499, 500, 659, 698, 699
Mayr, Ernst, 365
McGavin, George, 678, 679, 680
Mead, Margaret, 137
Medawar, Peter, 650
Mediterrâneo, secagem total do, 86
medusa, 537, 538, 539, 540
meia-vida, 598, 599, 600, 601
meiose, 497; *ver também* recombinação sexual
melada (*honeydew*), 461
meme, 114, 323, 324, 325
Mendel, Gregor, 194, 467, 658, 673
Menino de Turkana, 94, 98, 131
menstruação, 175, 692
mente descontínua, 357, 361, 362, 363, 364, 466
mergulhador cartesiano, 393
Meselson, Matthew, 493, 496, 498, 499, 501
mesoderma, 534
Mesomycetozoea, 568, 569, 575
mesoniquídeos, 244
metabolismo, 617, 648, 665, 668
"metáfora de contaminação", 467
metamorfose, 373
metazoários, 512, 557, 558, 560, 561, 565, 566, 567, 574
meteorito, 211, 212
mexilhão, 437, 446, 665
Meyer, Axel, 381, 382, 403
Mezosoica, Era, 414; (Ilustração 1)
micélio, 574, 575, 576
micos, 181, 190
microrganismo, 25, 55, 549, 576, 582, 588, 609, 610, 611, 650, 670; *ver também* eubactéria; arqueia; protozoário
migração: de águas-vivas, 541; de grandes primatas entre África e Ásia, 148, 149, 150, 151; de plâncton, 540; teoria Saída da África (Out of Africa), 81, 82
Mil e uma noites, As, 332
milho, 54, 309, 310; seleção pelo teor de óleo do, 309; (Ilustração 17)
milípedes (*Diplopoda*), 442, 443, 444, 445, 697
Miller, Geoffrey, 114, 316, 323
Miller, Kenneth, 632
Miller, S. L., 650
mimetismo, 461
minhoca *ver em* verme: anelídeo
Miocena, Época, 145, 276
miriápodes (*Miriapoda*), 444; *ver também* centopeia; milípedes
miscigenação, 370, 400, 462; *ver também* hibridação
mitocôndrias, 76, 77, 79, 80, 90, 403, 549, 603, 616, 619, 620, 622, 625, 639; *ver também* DNA mitocondrial
mitose, 497
Mixotricha paradoxa, 607, 608, 610, 611
moa (*Dinornis*), 333, 334, 335, 338, 339
modelo de estopim longo ("explosão retardada") (irradiação de mamíferos pós K/T), 214; *ver também* estopim
Modelo de Explosão ("Big Bang", irradiação de mamíferos pós-K/T), 213; *ver também* estopim
Modelo do cruzamento aleatório, 63
modularidade, 486, 697, 698
mofo-do-lodo: acrasídeo, 580, 607; celular (dictiostélios), 580
Moi, Daniel Arap, 465, 466
Moisés, 461
Molefe, Nkwane, 118
Mollon, John, 192
moluscos, 244, 371, 431, 436, 441-7, 488, 509-0, 512, 516, 528, 538, 543, 677
moluscos bivalves, 447; gigante (*Tridacna*), 446
monito-del-monte (*Dromiciops*), 273, 275
Monod, Jacques, 632
monofilético, grupo, 618
monogamia, 139, 253, 257
monotremados, 272, 275, 280, 282, 283, 284, 297, 302

monstro de Spiegelman, 664
morcegos (*Chiroptera*), 156, 206, 217, 238, 239, 240, 271, 275, 278, 295, 296, 332, 494, 626, 675, 676, 677; como é ser um, 295, 296; ecolocalização, 675
Morgan, Augustus de, 614
Morgan, Elaine, 123
Morganucodon, 284
mormirídio, 291
Morris, Desmond, 158, 317, 321, 510, 682
morsa, 237
mosassauros, 306
mosca forídea (*Phoridae*), 506; *Megaselia scalaris* (Loew), 506; *Thaumatoxena andreinii*, 505, 506
mosca-das-frutas (*Drosophila melanogaster*), 156, 227, 228, 309, 310, 451, 452, 455, 480, 481, 482, 484, 486, 504, 515, 525, 526, 697; (Ilustração 34)
Motsumi, Stephen, 118
mudança aleatória, 516
multicelularidade, 565, 581, 607, 698
multituberculados, 284
Murdock, G. P., 253
Muridae, 44, 223
musaranho, 60, 206, 208, 210, 214, 215, 216, 221, 238, 240, 245, 263, 264, 266, 270, 277, 284, 292, 302, 676; arborícola (*Tupaiidae*), 216, 218; elefante (*Macroscelididae*), 206, 263; (Ilustração 11); eurasiano (*Soricidae*), 215, 264
mutação: de uma só letra, resultando em atração de ramo longo, 168; de universos "filhos", 20; degradação por (catástrofe do erro), 658; fixação de, 522, 525, 526; geneticamente engendrada, 55; homeótica, 481, 485, 490; macromutação, 516; neutra, 522; para ausência de cauda, 157; sinônima, 526; taxa de, 76, 194, 523, 525, 526; *ver também* relógio molecular; translocação, 192, 193
Mutke, Hans Guido, 685
mutuca (*Tabanus*), 680, 702
Mycorrhyzae, 576; *ver também* fungo
Myllokunmingia, 419, 510, 511
nanotecnologia, 631
náutilo, 446, 675
Neandertal, 45, 88, 89, 90, 95, 172, 702; DNA, 39, 89
Necrolestes, 276
"negros" americanos, 465, 466, 467
neighbor joining ver junção de vizinhos
nematocisto *ver* cnidócito
Nemertodermatida, 446, 531, 532, 533
Neógeno, Período, 174; (Ilustração 1)
Neomura, 621, 623, 625
neotenia, 129, 374, 432
Nesomyinae, 207
Nesse, Randolph, 559
nitrogênio, 600, 601, 617, 635, 649
Nomascus ver em gibão
nome binomial, 44
nome científico *ver* nome binomial
Norman, David, 307
nostrática, 41
notocorda, 418, 419, 420, 424, 430, 431, 511
notonectídeos, 455
notoungulados, 239, 262
Nova Guiné, 46, 79, 205, 217, 272, 274, 275, 278, 279, 280, 330, 331, 335, 337, 474
Nova Zelândia, 274, 331, 334, 335, 337, 340, 341, 416, 450, 671
Novo Testamento, 37
nudez *ver* glabrismo, evolução do; roupa, invenção da
nudibrânquios *ver em* lesmas e caracóis
Nyerere, Julius, 400

Obdurodon, 282
ofiuroide (Ophiuroidea), 371, 434, 437, 489
Ohta, Tomoko, 521, 525, 526
olhos, 449, 450, 491; evolução independente dos, 451, 674, 675; perda da função em habitantes de cavernas, 405, 406; variedade de, 674; (Ilustração 50)
olhos *ver também* visão em cores
Oligocena, Época, 174; (Ilustração 1)
omomídeos, 200

onça-pintada (*Pantera onca*), 261
"ondulipódio", 611, 613, 620
onicóforos ("verme aveludado"): *Peripatopsis moseleyi*, 441; *Peripatus*, 444, 508, 509, 510
Opabinia, 510
Oparin, A. I., 648, 649, 651
opsinas, 188, 189
orangotango (*Pongo*), 27, 120, 135, 137, 144, 145, 147, 148, 149, 150, 160, 220, 320
Ordoviciano, Período, 300, 387, 412, 510; (Ilustração 1)
Oreopithecus, 148, 149, 150
"organismo primitivo", 284, 292, 293, 426, 448, 532, 535, 560, 578
organismo unicelular *ver* microrganismo
organismos de sangue frio (pecilotermos), 587
Orgel, Leslie, 632, 651, 664
Origem das espécies, A, 230, 243, 643
ornitisquiano *ver em* Dinossauro
ornitorrinco (*Ornithorhynchus anatinus*), 280, 282, 284-96, 382, 389, 626, 677, 702
ornitorrúnculo, 17
"ornitorrúnculo", 287, 295
Orrorin tugenensis, 126
Orsten, 509
ossículos weberianos, 393
ossos, 30-1, 94, 99, 101, 102, 109-10, 117-9, 126-7, 200, 232, 238, 239, 241, 262, 283, 285, 303, 328, 330, 334, 339, 356, 387, 393, 412, 415, 437, 486, 509, 512, 559, 642, 643, 692
"osso canhão", 239
osteolepiformes, 355
ostra, 446
ostracodermos, 415, 417, 418
Ouranopithecus, 147, 148, 149, 150, 151
ouriço, 156, 208, 237, 238, 240, 270, 371, 419, 434, 437, 488, 489; -cacheiro, 156, 208, 237; -coração, 437
ouriço-do-mar, 390, 434, 435
ouvido e audição: em monotremados, 282, 283; martelo, bigorna e estribo, 283, 393; uso da bexiga natatória, 393
ovelha, 51, 53, 157, 237, 241, 364, 365
Owen, Richard, 122, 141, 243, 333, 334
oxigênio, 120-1, 361, 380, 394-5, 420, 542, 588-9, 597, 600, 610, 617-9, 645, 648-9, 651, 667-8, 670, 682

padrões de acasalamento, 49, 400, 479; exibição de corte, 251, 252, 253, 254, 256; *ver também* exibição sexual (corte)
Pagel, Mark, 318, 319
Pakicetus, 242, 245
Paleocena, Época, 197, 336; (Ilustração 1)
Paleógeno, Período, 174, 210, 299, 345; (Ilustração 1)
Paleolítico *ver* Grande Salto à Frente
paleomagnetismo, 594
Paleozoica, Era, 447; (Ilustração 1)
palmeira, 207
Pan paniscus ver bonobo
Pan troglodytes ver chimpanzé
Panamá, istmo do, 225, 260, 406
pancinha (*Chiasmodon niger*), 391
panda-gigante, 238
Panderichthys, 355
Pangeia, 280, 298, 349
pangolim (*Pholidota*), 183, 236, 240, 258, 523
Panspermia Direta, 632
"pantera" negra (*Panthera pardus*), 471
papagaio: kakapo (*Strigops habroptilus*), 331; *Lophopsittacus mauritianus*, 331
Parabasalia, 612
parafilético, grupo, 176, 299
ParaHox, 490, 491
Paramecium, 613
Paranthropus, 116
parasita: elementos parasíticos no DNA, 162, 193, 195; evolução de glabrismo para reduzir ectoparasitas, 318, 319; genes, expressão fenotípica em corpos hospedeiros, 235; sexo inventado na batalha contra, 500
"parazoários", 557
parcimônia, 148, 149, 150, 151, 165, 166, 167, 169, 403
parênquima, 532

Parker, Andrew, 514, 516
parlamento genético, 76
Parque dos dinossauros (filme), 39
pássaro roca, 332, 333, 334, 342
pássaro-elefante (*Aepyornis*), 32, 89, 271, 332, 333, 335, 336, 339, 340, 341, 342, 376, 520, 593
Pasteur, Louis, 118, 644
pastoralismo, 52
patágio, 217, 219
Pauling, Linus, 521
pavão, 93, 114, 125, 303, 304, 314, 315, 317, 319, 320, 323, 326, 702
Pax (incluindo *Pax6*), 452, 490, 491
pecaris, 260
pé-de-atleta, 574
pedicelárias, 438
pedomorfose, 374, 376, 377
peixe cego das cavernas *ver* tetra mexicano
peixe de briga siamês (*Betta splandens*), 394
peixe limpador, 546, 547
peixe pulmonado (*Dipnoi*), 128, 378, 379, 380, 382, 383, 447, 520
peixe-arqueiro (*Toxotidae*), 678, 679, 681
peixe-boi (*Trichecus*), 263, 264, 269
peixe-bruxa (*Myxini*), 422, 511
peixe-camarão (*Aeoliscus strigatus*), 390
peixe-gato, 291, 454, 455, 456, 458, 459; elétrico (*Malapterurus*), 291; invertido (*Synodontis nigriventris*), 454, 456
peixe-lua (*Mola mola*), 391
peixe-rato *ver* quimera (*Holocephali*)
peixes: achatado, 409; (Ilustração 27); cartilaginosos (*Chondrichthyes*), 411, 412, 413; *ver também* tubarão; arraia; elétrico, 291, 292, 702; grado baseado na forma, 300; idade dos, 415, 417; ósseos, 291, 300, 411, 412, 413, 422, 677, 696; *ver também* peixes de nadadeiras raiadas, teleósteos; sem mandíbulas (*Agnatha*), 415; *ver também* lampreia; peixe-bruxa
peixes de nadadeiras lobadas, 22, 354, 355, 356, 379, 381, 385, 389, 394; (Ilustração 22); *ver também* peixe pulmonado; celacanto
peixes de nadadeiras raiadas (*Actinopterygii*), 381, 382, 387, 388, 389; *ver também* teleósteos
peixe-sapo *ver* saltador-do-lodo
pelicossauro, 212, 302, 303
pena-do-mar (*Pennatulacea*), 518
Penfield, Wilder, 286
Penicillium ver em fungos
pepino-do-mar (*Holothuroidea*), 371, 434, 437
perca: do-nilo (*Lates niloticus*), 398; trepadora (*Anabas testudineus*), 394
Periophthalmus ver saltador-do-lodo
Perissodactyla, 237
Permiano, Período, 212, 213, 298, 300, 302, 303, 380; (Ilustração 1)
permuta *ver* recombinação sexual
Peste Negra, 224
Petauridae ver Petaurus gracilis; gambá listrado; *Petaurus breviceps*; triok
Petaurus breviceps, 277
Pettigrew, Jack, 286, 287, 288, 295
Phallus ver em Fungos
Phorusrhachidae, 333, 335
Physalia, 539
Pickford, Martin, 126, 127
pigmeus, 45, 131, 143, 204
pika (*Ochotonidae*), 44, 222
Pikaia, 418, 419, 510
pinguim-imperador (*Aptenodytes forsteri*), 500
Pinker, Steven, 23, 57, 95, 122
piolhos, 318, 319
pirotério, 262
Pithecanthropus ver Ergastos
pitu, 665
placodermos, 417
Placozoa, 534, 553, 554
plâncton, 290, 371, 399, 410, 413, 431, 432, 489, 540, 541
plantas: colonização da terra firme, 384; estilo de vida, 582, 584; floríferas (angiospermas), 216, 271; fóssil mais antigo, 529; genes homeobox em plantas, 490, 492; incorporação de bactérias como cloroplastos, 618,

619; *ver também* algas (verdes, vermelhas); *Glaucophyte*
platirrinos (*Platyrrhini*) *ver* macacos do Novo Mundo
Platyzoa, 443, 447
pleotropia, 96
plesiadapiformes, 202
Plesianthropus, 116
plesiossauro, 297, 306
Plínio, o Moço, 36
Plínio, o Velho, 142
Plioceno, Período, 101, 133, 321, 345; (Ilustração 1)
plioptecídeos, 153
polaridade (do campo magnético da Terra), 346, 593
poliandria, 252, 255
poliginia, 250, 252, 253, 254, 257
polimerase, 636
polimorfismo: genes de opsina verde e vermelha em macacos do Novo Mundo, 192; grupos sanguíneos ABO, 85; seleção dependente de frequência, 191; transespecífico, 85; vantagem heterozigótica, 190
polipífero, 399, 536, 542, 543, 546; *ver também* coral
pólipos, 538, 539
poliqueta *ver em* verme
politomia, 160, 220
Polo, Marco, 332
polvo, 417, 428, 436, 446, 505
pombo: de-nicobar (*Caloenus nicobarica*), 330; *Didunculus strigirostris*, 330; pomba-goura-de-vitória, 330; *ver também* Dodô; solitário-de-rodriguez
ponte terrestre, 338, 341
população: fundadora, 179, 208, 275; razão machos/fêmeas, 248; separação de, 399, 400, 469; *ver também* especiação; hibridação; tamanho da população e impacto da taxa de fixação de mutação, 526; variação em populações humanas, 469, 470, 471, 472; *ver também* gargalo (população)
porco, 237, 240, 241, 244, 248, 327, 575
porco-espinho-do-cabo (*Hystrix*), 180, 222
porco-formigueiro *ver* aardvark
Porpitta, 539; (Ilustração 39)
poto (*Periodictus*), 204
Powell, Colin, 465, 466, 467, 468; (Ilustração 33)
pré-adaptação, 123, 124, 694
Pré-Cambriano, Período, 436, 454, 512, 517-9, 528-9, 669; (Ilustração 1)
predação, 326, 547; *ver também* corrida armamentista
preguiça: arborícola (*Bradypodidae*, *Megalonychidae*), 157, 261; terrestre gigante (*Megatherium*), 261
"Princípio da Vida/Jantar", 688
proboscídeo, 268; *Amebelodon*, 268; (Ilustração 12); *Deinotherium*, 268; *ver também* elefante; mamute; mastodonte
procariota, 603, 620, 621, 623
Proconsul, 113, 145, 149, 176
proconsulídeos, 145, 147
progênese, 374
Projeto *Contos de Cantuária ver Canterbury tales* Project
Projeto Genoma Humano *ver em* genoma
Projeto Grande Primata, 144
propulsão a jato, 446, 626, 677
prossímios, 113, 201
proteína, 38, 96, 482, 521, 523, 639, 647, 655, 656, 659, 661-3, 698
Proterozoico, Éon; (Ilustração 1)
"protista", 637
protocordados, 418, 434
proto-indo-europeu, 41
protostômios (*Proterostomia*), 438-9, 441-3, 447-8, 452, 453, 487, 517, 530-2, 533, 668
protozoários, 212, 447, 490, 492, 560, 561, 563, 565, 567, 610, 611, 614, 628, 637
pseudogenes, 162, 421, 422
pterobrânquios (*Pterobranchia*), 435
pterodáctilo, 306, 676
pterossauro, 306, 677
pular de ilha em ilha, 339, 353

Pullman, Philip, 630
pulmão, 378, 380, 393, 394
Pusey, Harold, 204, 301

QI (quociente de inteligência), 112
qualia, 296
quelicerados, 444
quimera (*Holocephali*), 413
quivi, 162, 339
Quociente de Encefalização (QE), 111, 112, 113

raça, 81, 230, 363, 462-79
racismo, 84, 142, 144
Radiata, 534; *ver também* ctenóforos, cnidários
radiolários, 606
Ramapithecus ver Sivapithecus
raposa prateada (*Vulpes vulpes*), 52
rãs e sapos (*Anura*): africanas arborícolas cinzentas (*Chiromantis xerampelina*), 351; marsupial sul-americana (*Gastrotheca sp.*), 352; rã voadora de Wallace (*Racophorus nigropalmatus*), 353; rã-foguete da Austrália (*Litoria nasuta*), 353; rãs de boca estreita (*Microhyla*), 368; rãs fijianas (*Patymantis*), 352; rãs Golias (*Conraua goliath*), 353; *Rhinoderma darwinii*, 352
rãs peludas, 200
ratitas (*Estrutioniformes*), 305, 332, 335, 336, 337, 338, 339, 340, 341
rato, 222, 225
rato arborícola de cauda preênsil (*Pogonomys*), 183
rato marsupial (*Sminthopsis*), 185
rato-toupeira (*Bathyergidae*), 224
rato-toupeira-pelado (*Heterocephalus glaber*), 224; *ver também* animais eussociais
razão entre sexos *ver* população: razão machos/fêmeas
reação autocatalítica, 647
reação em cadeia, 316, 636, 648, 657
Reader, John, 35, 123
Reagan, Ronald, 591
Rebek, Julius, 657
recapitulação, 565, 566
recessivo, 74, 467
recife de coral, 384, 401, 536, 544, 546, 547, 548; teoria de Darwin sobre a formação dos, 543, 544, 545; (Ilustração 41); *ver também* Grande Barreira de Coral
recombinação sexual, 82, 499
redes de abastecimento, 590
Rees, Martin, 19
reforço de isolamento reprodutivo *ver em* especiação
religião, 154, 469, 478, 479, 480
relógio molecular, 43, 78, 80, 138, 339, 383, 512, 517, 520-9
Relojoeiro cego, O, 316, 652, 675
replicador, 646, 647, 651, 652, 660, 661, 698
reprodução: assexuada, 494, 495, 496, 499, 503; divisão macho/fêmea, 700; isogamia, 700; sexuada, 492, 493, 496, 499, 502, 698, 700; vegetativa, 700
reprodução seletiva *ver* seleção artificial
répteis: formam grado, mas não clado, 299; visão em cores nos, 184
répteis mamaliformes, 184, 212, 277, 298, 299, 301, 302, 303, 672, 673; gorgonopsídeos, 302; *Lystrosaurus*, 298
respiração aeróbica e anaeróbica, 610
restrição, 682
retinal, 188
Revolução Agrícola, 46, 47, 48, 49, 51, 54, 224, 459
revolução neolítica *ver* Revolução Agrícola
Rhizaria, 604, 606
Rhizobium, 626, 628, 632, 635, 678
ribossomo, 639, 656, 662
ribozimas, 661
Ridley, Mark, 194, 257, 658, 673
Ridley, Matt, 227, 658
Rift, vale do, 126, 135, 263, 360, 398
Rio que saía do Éden, O, 501
RNA: como replicador precursor do DNA ("Mundo de RNA"), 652, 659, 661, 662, 663, 664, 698; de transferência (tRNA), 655, 656; (Ilustração

48); mensageiro (mRNA), 655, 662; ribossômico (rRNA), 555, 639, 640, 662; vírus, 662
rocha ígnea (vulcânica), 99, 346; *ver também* basalto
rocha sedimentar, 33, 99, 344
roda, 626, 628, 629, 630, 631, 678
rodófitas *ver* algas: algas vermelhas
rodovalho (*Pleuronectidae*), 409
roedores (*Rodentia*), 24, 44, 180, 182, 207, 216, 222-6, 236, 240, 242, 245, 260, 262, 275, 277, 279, 284, 326, 339, 383, 524, 525, 527, 673, 677
Romer, Alfred Sherwood, 355, 356, 375, 395
Roos, Christian, 171
rotífero bdeloídio *ver em* rotífero
rotíferos (*Rotifera*): bdeloídios (*Bdelloidea*), 448, 493-503 (Ilustração 35)
roupa, invenção da, 318
Rowntree, V. J., 120, 121
Ruiter, Leen de, 458
ruminantes, 241, 242, 245, 549, 610
Rumsfeld, Donald, 465; (Ilustração 33)
Russell, Bertrand, 507, 634

Sacks, Oliver, 194
sagui-leãozinho (*Callytrix pigmaea*), 183
saguis, 181, 256
Sahelanthropus tchadensis ver toumai
saí (ave), 314
Saída da África, teoria, 81, 82, 91, 92
salamandra (Urodela): axolotle (*Ambystoma mexicanum*), 129, 371, 373, 374, 375, 376, 377, 426, 431, 432; *Ensatina*, 350, 357, 358; *ver também* espécies em anel; tigre (*Ambystoma tigrinum*), 373, 374; tritão, 375
salmão, 382, 388
saltador-do-lodo (*Periophtalmus*), 356, 394, 395, 396
Salzburger, Walter, 403
sangue, 24, 39, 52, 63, 71, 79, 95, 163, 183, 191, 194, 231-2, 245-6, 284, 311, 318, 339, 393, 412, 417, 420, 437, 453, 470, 525, 58-90, 629, 634, 665, 680; grupos sanguíneos, 85, 172
sangue quente, organismos de (homeotermos), 163, 525, 587, 590
sapo *ver* rãs e sapos
sarcopterígios (*Sarcopterygii*), 378
saurisquianos *ver em* dinossauro
sauropsídeos, 297, 304, 306, 528
saúva (*Atta*), 49, 441, 459, 461, 462; (Ilustração 32)
Savage, Dr. Thomas, 142, 143
Saxe-Coburgo, dinastia, 71, 72
Schierwater, B., 555
Schluter, Dolph, 398
Schopf, J. W., 25
Schuster, Peter, 659
Scincidae, 183
Seehausen, Ole, 400
segmentação, 504, 696, 697, 698, 699
Segunda Guerra Mundial, 460, 540, 678, 686
seleção artificial, 48, 49, 308, 589
seleção de clado, 696
seleção dependente de frequência *ver* polimorfismo
seleção natural: distinção entre produtos da, e artefatos projetados, 632; em nível inferior produz ilusão de um todo harmonioso, 548; esculpe reservatórios gênicos, 502; poder da seleção natural cumulativa, 664; única explicação para função e aparente *design*, 522
seleção sexual: impele crescimento do cérebro em hominídeos, 114, 323, 324, 325; impele diferenças raciais superficiais, 477; impele o bipedalismo, 125, 319, 320, 321, 322; impele perda dos pelos em humanos, 314, 315, 316, 317, 318, 319
Senut, Brigitte, 126, 127
sequoia, 583; (Ilustração 47)
serotonina, 49, 50
Shakespeare, William, 41, 609
Shapiro, L. H., 512
Sheets-Johnstone, Maxine, 121
Short, Roger, 255, 256
siamangue *ver em* gibão

sifaca-de-verreaux (*Propithecus verreauxi*), 120
Siluriano, Período, 378, 379, 387, 418, 448; (Ilustração 1)
simbiose, 617, 630
simetria: bilateral, 437, 448, 452, 488, 534; *ver também Bilateria*; radial, 436, 437, 453, 488, 489, 534, 535, 552; *ver também Radiata*
Simonyi, Charles, 159
Simpson, G. G., 260, 262
Sinanthropus ver Ergastos
Sinbad, o Marujo, 332, 333, 334
sincício, 483, 566, 574
Singer, Peter, 144
sirenídeos, 264; *ver também* dugongo; peixe-boi; vaca-marinha-de-steller
Sirius Passet, 509, 510, 517
sistema nervoso, 195, 431, 535, 559; *ver também* cordão nervoso
Sistema Secretório do Tipo III (TTSS), 632, 633
sistemática, 220; *ver também* taxonomia
Sivapithecus, 147, 148, 149, 150
Slack, Jonathan, 492
small eye ver *Pax*
Smith, David, 617
Smith, J. L. B., 386
Smolin, Lee, 20
Snoeks, Jos, 403
sobreposição, lei da, 32
sociobiologia, 539
solha, 388, 389, 409
solitário-de-rodriguez (*Pezohaps solitaria*), 329
som, produção de / chamados de acasalamento, 184, 370, 463, 677
sonar, 240, 540
Southwood, Richard, 544
Spalding, Douglas, 244
Spiegelman, Sol, 662
Sra. Ples, 116, 117
SRY, 172, 173
St Hilaire, Geoffroy, 453
Stebbins, Robert, 357, 358
Stewart, Caro-Beth, 147, 149, 150, 151
Stringer, Christopher, 87
sub-rotina da caixa de ferramentas do computador, como analogia para o gene, 228, 230
Sudário de Turim, 601
Sumper, M., 664
Sutherland, J. L., 611, 612, 613
Swift, Jonathan, 614
Syed, T., 555
Szathmàry, Eörs, 698, 699

tabela periódica, 18
Tácito, 36
tafonomia *ver* fóssil
tamanduá, 111, 183, 258, 259, 261, 282; tamanduá arborícola (*Tamandua*), 183; tamanduá-bandeira (*Myrmecophaga*), 261
Tamm, S. L., 614
Tanganica, lago, 398, 399, 402, 403
tapetum lucidum, 197, 199
taq ver *Thermus aquaticus*
tardígrados (*Tardigrada*), 444, 644
társio (*Tarsius*), 197, 199, 200, 201, 220
tartaruga, 163, 185, 187, 247, 297, 299, 306, 679
tasmanianos, massacres de, 64
tato, sentido do, 286, 295, 296
tatu (*Dasypodidae*), 258, 259, 260, 261, 271
Tatum, E. L., 575
tatuzinho (*Oniscidea*), 445, 695
Taung, criança de, 21
taxa metabólica, 587, 588, 589, 590
taxonomia, 44, 50, 165, 168, 219, 221, 236, 327, 350, 428, 442, 443, 572, 611, 702; *ver também* taxonomia
Taylor, C. R., 120, 121
tectônica de placas, 27, 206, 343, 344, 348, 546, 693
telefone sem fio, 36
teleósteos, 300, 356, 387, 389-95, 409, 414; (Ilustração 25)
Telicomys, 225
Templeton, Alan, 82, 83, 84, 91, 496
tempo de geração, 309, 526, 527
Tempo geológico, 33, 59, 86, 104, 300, 307, 308, 337, 439, 501, 693; (Ilustração 1)

tenreque, 61, 207, 208, 215, 238, 263, 264, 270; sem cauda (*Tenrec ecaudatus*), 156
tentilhão das Galápagos, 307, 311
tentilhões das Galápagos, 311, 327
teoria das origens separadas *ver* teoria multirregional
teoria do grande primata aquático, 123
teoria multirregional ("origens separadas"), 81, 102
teoria neutra, 521, 522, 523
teoria quântica, 20, 492
"teórico do *design* inteligente" *ver* criacionista
terapsídeos (*Therapsida*), 302, 303
teredem (cupim dos mares), 446
Termodinâmica, Segunda Lei da, 407
termófilas, 623, 636, 665
"Terra Bola de Neve", teoria da, 530
terra firme, transição dos animais para a, 355, 395
território, defesa de, 628
testículos, tamanho dos, 139, 256
Tétis, oceano, 337, 349
tetra mexicano (*Astyanax mexicanus*), 405
tetrápodes (*Tetrapoda*), 349, 354, 355, 356, 379, 381
Teuber, H. L., 476
Thermus aquaticus, 624, 641
Thomson, Keith, 384, 386
Thrinaxodon, 302
tifo, 224, 319, 619
Tiger, Lionel, 467
tigre, 44, 463
tigre-dentes-de-sabre, 238, 261
tigres, 231, 232, 671
tilacino (*Thylacinus*), 278
timbu-do-mel (*Tarsipes rostratus*), 185, 278
tinamu (*Tinamiformes*), 304, 336
Tinbergen, Niko, 458
tinman, 491
tiranossauro, 104, 306, 333
Tobias, Phillip, 95, 117
todo harmonioso, ilusão do, 548
Toumai (*Sahelanthropus tchadensis*), 126, 127, 128, 130, 136, 323
toupeira: de-nariz-estrelado (*Condylura cristata*), 293, 294; dourada (*Chrysochloridae*), 276; eurasiana (*Talpidae*), 276
toupeira marsupial (*Notoryctes*), 272, 276, 671
toupeira-de-nariz-estrelado, 293, 294, 295, 296
"toupeirúnculo", 295
toxodonte, 262
Tradescant, John, 328
transcrição, 39
trato digestivo, 54, 436, 441, 452, 453, 532, 533, 543, 549, 574, 580, 607-11, 614, 662; *ver também* digestão
triangulação (de DNA ou morfologia), 41, 42, 43
Triássico, Período, 298, 300, 302, 303; (Ilustração 1)
triblastia, 534
Triceratops, 306
Trichomonas, 607
Trichoplax, 534, 553-8
tricotomia, 606
tricromática, visão *ver* visão em cores
trigo, 54, 55, 644; intolerância ao, 54
trilobitos, 28, 290, 298, 443, 444, 451, 510; assimetria em marcas de mordida em, 451; o maior conhecido (*Isotelus rex*), 443; olho (Ilustração 50); possível sentido elétrico em *Reedocalymene*, 290
triok (*Dactylopsila*), 205
tritão *ver em* Salamandra
Triticum, 55
Trivers, Robert L., 122, 249
trufas *ver* fungos
Truganinni, 63, 78
Trypanosoma, 607
tuatara (*Sphenodon*), 304
tubarão: anão-com-espinhos (*Squaliolus laticaudus*), 413; baleia (*Rhincodon typus*), 413; dogfish (*Squalidae*), 413; martelo (*Sphyrna*), 410; (Ilustração 28); miocênico (*Carcharoles megalodon*), 413; peixe-serra-de-água-doce

(*Pristis*), 410; (Ilustração 28); raposa (*Alopias*), 412
Tudge, Colin, 47, 220
Tulerpeton, 354
Tupaiidae ver musaranho arborícola
Turkana, lago, 94, 117
Turnip, Townshend, 48
Turvey, Sam, 290, 328, 352
Twain, Mark, 17, 691
Tyson, Edward, 143

Ultrabitorax, 485
ultravioleta, visão em, 139, 186, 187, 195, 650
ungulados, 157, 239, 240, 241, 242, 244, 252, 260, 262; de dedos ímpares (*Perissodactyla*), 237, 239; de dedos pares (*Cetartiodactyla*), 237, 239
ungulados *ver também* notoungulados
urálico-yukaghir, ramo linguistico, 41
Urey, H. C., 650
urso, 156, 237, 238, 243, 444
uso de ferramentas: por chimpanzés e bonobos, 133, 134; por hominídeos, 94; por orangotangos, 134

vaca, 49, 53, 241, 244, 248, 269, 270, 631
vaca-marinha *ver* peixe-boi
vaca-marinha-de-steller (*Hydrodamalis gigas*), 269
vacúolo, 578
Van Alphen, Jacques, 400
vantagem heterozigótica *ver* polimorfismo
variação genética, 309, 310, 469, 640; *ver também* mutação
Velella, 539
Vendiano *ver* Ediacarano, Período
Venter, Craig, 60, 638
Vênus de Willendorf, 56
Verheyen, Erik, 403
verme: anelídeo, 441, 442, 443, 445, 488, 508, 510, 665, 696; arenícola, 448, 449; chato acelomorfo, 530, 531, 567, aveludado *ver* onicóforos; fascíola (*Trematoda*), 447, 533; forma *ver* Simetria bilateral; *Bilateria*; *Lineus longissimus*, 446; minhoca, 443, 445, 697; minhoca gigante (*Megascolides australis*), 445; nematódeos, 383, 444, 445, 446; nemertinos (*Nemertea*), 446; nereis, 449, 452, 453, 455; platelmintos, 405, 447, 520, 530, 532; poliqueta, 443, 449, 665; *priapulídeos*, 445; tênia (*Cestoda*), 447, 533; tubular gigante (*Riftia pachyptila*), 665; turbelários (*Turbellaria*, planárias), 447, 532, 533
"vertebrado gasoso" *ver* Deus
vertebrados, 22, 40, 43, 101, 111-2, 185, 196, 239, 245, 282, 292, 297, 301, 304, 306, 349, 377, 382, 387, 411, 414-27, 431-4, 442-3, 451, 453, 455, 486-9, 505, 509-12, 518, 528, 529, 641, 668, 671, 674, 696-7; artrópodes de cabeça para baixo, 453; embriões (notocorda em), 418, 420; globinas em, 421; plano corporal modular em, 486, 487, 697; primeiros, 418, 510; transição para terra firme, 354, 356
vespa escavadeira, 627
Victoriapithecus, 149, 175
vicunha (*Vicugna vicugna*), 261
vida, origem da, 25-6, 28, 40, 642-3, 645-6, 648, 650-1, 656-9, 664, 666-7, 671, 673
vieira (*Pectinidae*), 446, 677
viperídeos de fosseta loreal (*Crotalidae*), 186
vírus, 84, 193, 323, 324, 362, 575, 585, 647, 661, 662, 663, 664, 695
vírus Qβ, 662, 663, 664
visão em cores, 184, 186, 188, 189, 190, 191, 192, 193, 194, 675
visão mística da natureza, 548
vitamina A, 188
vitamina D, 477
Vitória, lago, 396, 397, 398, 400, 402, 403, 404, 405, 703
Vitória, rainha, 72, 73, 74
viviparidade (nascimento vivo), 352
Voltaire, 178
voo, 494, 677; *ver também* aves que não voam
vulcões, 35, 545, 546

Wake, David, 357

wallaby, 279
Wallace, Alfred Russell, 317, 644
Warren, Nicky, 24
Watson, James, 660, 661, 662
Wegener, Alfred, 342, 343
Weinberg, Steven, 19
Weiner, Jonathan, 311, 313
Weismann, August, 700
Wells, H. G., 470
Wesenberg-Lund, C., 493
West, Geoffrey, 588
West-Eberhard, Mary-Jane, 694
Westoll, T. S., 380
Wheeler, John Archibald, 667
White, Tim, 87, 119
"Whyppo Hypothesis" ("Hipótese Balipótamo"), 242
Wignall, P. B., 303
Williams, George C., 492, 559, 696
Wilson, E. O., 208, 314, 539
Wilson, H. V., 560
Woese, Carl, 623, 639
Wolfe, Tom, 322
Wolpert, Lewis, 439
Wong, Yan, 27, 62, 70, 90, 158, 184, 380, 520, 529, 586, 635
Wray, G. A., 512
Wright, irmãos, 684, 685, 690
wrybill (*Anarhynchus frontalis*), 450
Wyman, Jeffries, 143

xenartros, 111, 209, 258, 259, 260, 282
Xenoturbella, 436

Yeager, Chuck, 685
Yeats, W. B., 410, 448

Zahavi, A., 318, 319
Zardoya, Rafael, 381, 382
zebra, 206, 267
Zinjanthropus, 116
zona Felsenstein, 167
Zooxanthellae *ver em* algas
Zuckerkandl, Emile, 521

1ª EDIÇÃO [2009] 13 reimpressões

ESTA OBRA FOI COMPOSTA EM DANTE PELO ACQUA ESTÚDIO E IMPRESSA
EM OFSETE PELA GEOGRÁFICA SOBRE PAPEL PÓLEN DA SUZANO S.A.
PARA A EDITORA SCHWARCZ EM MAIO DE 2024